Phébus *libretto*

MOBY DICK

HERMAN MELVILLE

MOBY DICK

roman

Texte français et introduction
par
ARMEL GUERNE

Phébus *libretto*

Illustration de couverture :
Louis Garneray, *Pêche au cachalot* (détail)
Kendall Whaling Museum, USA

Pour la présente traduction :
© Libella, Paris, 2005
www.phebus-editions.com

HERMAN MELVILLE
OU L'ART TRANSVERSAL

par

ARMEL GUERNE

> J'ai écrit un livre « malin ».
> *(Lettre à Hawthorne)*

Le 28 septembre 1891, lorsque les portes de la mort s'ouvrirent sans bruit sous le tout dernier pas de ce vieux routier encore tout orageux des grands chemins de l'existence humaine, alors qu'il venait de boucler dans une affreuse tempête de silence la soixante-douzième année d'un incessant combat; lorsque ce combattant loyal put déposer enfin ses armes et reposer ses blessures; lorsque l'aventurier viril de tous les risques acceptés, visiblement et invisiblement, connut enfin le terme de sa terrible empoignade, Herman Melville, l'auteur célèbre et fêté de Typee *et* Omoo *(parus simultanément et avec un succès immédiat à Londres et à New York en 1846 et 1847), était si ignoré de ses contemporains que ceux qui se souvenaient encore de son nom le croyaient mort depuis longtemps. Le manuscrit de* Billy Budd*, une œuvre capitale, signé de sa main au mois d'avril de cette même année, ne devait apparaître qu'en 1924.*

Qu'est-ce à dire? Le monde a beaucoup bougé depuis lors; il s'est jeté et il se précipite dans une succession de violences si fatales qu'elles semblent le mobiliser tout entier, au point que ses contemporains exténués et nourris d'épouvante paraissent incapables d'en mesurer seulement l'ampleur. Et cependant, malgré tout, dans ce torrent de douleur et de mort, dans ce chaos d'angoisse et ses bouillons amers qui n'épargnent personne, la gloire de Melville n'a cessé de grandir. Qu'est-ce à dire? Ce n'est guère qu'aujourd'hui, malgré les guerres et les bouleversements, qu'à force de patientes et minutieuses recherches historiographes

*et biographes, bibliographes et commentateurs, critiques et ana-
lystes, sont parvenus à fixer les dates exactes, les faits précis, tout
l'appareil extérieur du cadre de cette vie. En France, une thèse en
Sorbonne (juste avant guerre) et une biographie plus vulgaire
(parue depuis la guerre) sont encore bien flottantes sur certains
points ; mais les années 1950-51, qui ont vu paraître les traductions de* Mardi, White Jacket, Redburn, Israël Potter, Le Grand
Escroc, Moi et ma cheminée *et autres contes inédits, etc., ont pu
être surnommées par la critique : les années Melville. En Amérique,
en Angleterre, les* Œuvres complètes, *épuisées depuis des lustres,
sont en cours d'impression, et chaque saison nous apporte de nouvelles études et de nouveaux travaux plus pertinents et plus précis ; les grandes universités organisent des expositions Melville.
Une pièce en trois actes, publiée par Princeton University Press, a
été tirée de* Billy Budd *par L. O. Coxe et R. Chapman.*

*Qu'est-ce à dire ? Sinon que ce que Melville était de son temps
(l'homme entier, le poète) a passé par-dessus la tête des gens de
son époque, et qu'il a fallu le recul de presque cent ans dans un
temps de chute et de drames universels pour qu'on se mît à apercevoir sa grandeur.*

*Quel était donc cet homme, cet écrivain célèbre à vingt-huit ans
dès ses premiers ouvrages, l'auteur encore le mieux payé des
deux grandes revues new-yorkaises dix ans plus tard* (Harper's *et*
Putnam's Magazine), *qui réussit à mourir inconnu et à le demeurer trente ans durant pour avoir obéi à sa vocation dans le dédain
de tous, et pour avoir ajouté, au péril de son âme et à la plus
grande misère de sa vie, des chefs-d'œuvre à son œuvre ?*

*Laissons là la littérature. Ramener à sa biographie, c'est-à-dire
à quelques dates précises ici ou là sur la terre (mais dans un temps
dont on ne sait déjà plus rien du tout : ni ce qu'il a été ni ce qu'il
EST), cet immense océan mystérieux et violent qu'est la vie vraie,
la vie intérieure respirée et aspirée par quelqu'un, le véritable
usage qu'il en a fait lui-même ou qu'elle a fait de lui, cette vie dont
aucune ne ressemble jamais à aucune autre sur la terre – quand ce
n'est pas avec la modeste intention, pour le mieux reconnaître,
d'ancrer sur les fonds inconnus du temps et de l'espace ce plus ou
moins d'éternité en nous, dont chacun a reçu le dépôt –, est une de*

ces vanités illusoires, une de ces lâches précautions que l'imbécil-
lité toujours acharnée, par souci du confort, prend laborieusement
contre tous les éclats, éblouissants ou noirs, de la grandeur.

Laissons là la littérature. Expliquer l'homme par l'œuvre ou
l'œuvre par l'homme, dès qu'il ne s'agit plus d'un simple littéra-
teur, n'offre pas le plus petit semblant d'intérêt s'il s'agit de péné-
trer l'un ou l'autre. L'homme et l'œuvre vivent ensemble, *pour les*
mêmes raisons, sous les mêmes astres, et ils sont l'un et l'autre de
sanglants et douloureux miroirs où se reflète différemment la
même chose. *La vie, comme l'œuvre, d'un authentique poète (non*
pas un « créateur » ainsi qu'on se plaît à dire, mais un « obéissant »,
un perpétuel conquérant spirituel à son corps défendant) est
quelque chose sans loisir, un combat de tous les instants, un
inimaginable duel à mort, sans repos de nuit, sans répit de jour,
que ne comprennent absolument pas ceux qui ont du temps à
perdre ici-bas – c'est-à-dire presque tous les hommes – ni et sur-
tout ses plus proches témoins. Car les faits ne sont rien, je le
répète, rien que des occasions apparemment visibles entre toutes
les occasions manifestement invisibles et d'autant plus invitantes,
d'autant plus importantes ; ce qui compte, ce sont les signes et le
dessin que dessinent ces signes dans l'ordre où ils se sont présen-
tés, lesquels restent toujours encore à découvrir, à inventer. Comme
on ne peut matériellement rien établir que ce qui est matérielle-
ment le déchet ; comme on ne peut visiblement rien attraper que ce
qui est visiblement le costume, rien n'est moins sûr que ce qui est
établi. L'histoire, en vérité, ne commence que là où elle devient la
prophétie du passé.

Herman Melville est né à New York le 1ᵉʳ août 1819, le deuxième
garçon d'une famille de huit enfants. Il avait treize ans lorsque
mourut son père dont les affaires d'importation avaient mal tourné
avec la crise et qui laissait sa veuve et ses huit orphelins dans une
situation critique. À vingt ans, lorsqu'il s'embarque pour la pre-
mière fois sur un navire de commerce, le Saint-Laurent, *il y a déjà*
sept ans qu'il s'est colleté avec la vie, tout en se formant ; il a
déjà été successivement employé de banque, employé de commerce
chez un oncle, maître d'école ; et il était allé en vain chercher un
emploi technique sur le canal Érié. Au retour de cette première

croisière, il sera encore un an maître d'école; il se rendra en Illinois, à Galena, travailler chez un autre de ses oncles; reviendra à New York, toujours à la recherche d'un gagne-pain, et, n'ayant rien trouvé, deux mois plus tard, le 3 janvier 1841, il s'embarque à bord du baleinier Acushnet, *de New Bedford, pour le cap Horn et le Pacifique Sud. Certes, il ne pouvait ni ne voulait rester à la charge de sa famille; mais qu'on imagine un peu le désespoir de cet adolescent contraint de renoncer ainsi aux hautes études dont il se sentait capable, à toutes ses légitimes ambitions, pour accepter la compagnie des pires brutes, des plus grossiers voyous, des êtres les plus affreusement dessalés et suspects qui composaient alors les équipages des baleiniers, auxquels venaient se joindre, ici ou là, quelques jeunes rustres particulièrement obtus. Ceux qui ont, de nos jours, vécu dans la promiscuité des condamnés de droit commun et des mouchards, dans les camps ou dans les prisons, peuvent imaginer ce que devait être la vie à bord de ces bagnes flottants qu'étaient les baleiniers...*

Le 9 juillet 1842, en compagnie de Richard Tobias Greene, il déserte à Nuku-Hiva (Marquises), allant chercher refuge, par erreur, dans la tribu sauvage des Taïpi, réputée cannibale. Bien que leur prisonnier (après le départ de Toby), il n'y est pas mal traité, au contraire; néanmoins, lorsque trente et un jours plus tard un baleinier australien, le Lucy Ann, *envoie un canot à terre pour le chercher, il sera fort heureux de monter à bord. La vie sur ce voilier était bien pire que sur l'*Acushnet, *et le capitaine était fou; aussi désertera-t-il de nouveau avec une bonne partie de l'équipage, fin du mois de septembre, à Tahiti. Détenu à la calabossa avec les autres matelots, il ne tardera pas à s'évader dans l'île voisine d'Eïmo, où il restera deux mois chez des fermiers blancs. Il trouvera enfin à se réembarquer à bord d'un nouveau baleinier de Nantucket, le* Charles et Henry, *qui le débarquera le 2 mai 1843 à Lahaïna, dans les îles Hawaï. De là, Melville gagne Honolulu – là où il signe un contrat d'un an comme employé chez un marchand écossais. Mais le 17 août, c'est-à-dire trois mois et demi plus tard, il s'enrôle sur la frégate* United States, *de la flotte américaine, en croisière de retour, et il sera débarqué quatorze mois plus tard, le 14 octobre 1844, à Boston, après de lentes navi-*

gations sur les côtes du Mexique (Mazatlán), et notamment un séjour de plusieurs semaines au port de Callao, près de Lima, au Pérou.

Du 3 janvier 1841 au 14 octobre 1844 : trois années et neuf mois. Quel était l'âge réel, au retour, du garçon qui s'était embarqué, par désespoir, à vingt et un ans ? Latitudes, horizons, mondes et univers, terres et cieux – humanités prodigieuses… Comme à tous ceux qui ne traînent pas lamentablement derrière leur propre vie, mais qui portent en eux ce feu dévorant et sacré, on est frappé ici de la rapidité fabuleuse, du nombre et de la profondeur inimaginables de ces «expériences». L'esprit est prompt, on ne le dira jamais assez. Le génie, de même. Et l'on fera mieux de ne pas trop prendre Herman Melville pour un voyageur. Ce voyage, il l'a habité à peu près comme un météore. Il y a mis autant de temps qu'il en a fallu à Rimbaud pour visiter le paysage de son génie.

Par souci de la vraisemblance, quand il se mit à raconter son aventure marquésane dans Typee, il lui fallut changer les semaines en mois. Et encore était-ce à peine suffisant !

Les dates, ensuite, avec celle de son mariage (1847) et de quelques déménagements, sont celles de la parution de ses livres. Encore une de ces illusions auxquelles nous verse et dont nous berce la littérature : lorsqu'un livre paraît (quand son auteur n'est pas marchand ou bateleur dans les clinquants de la carrière) il a fini sa double montée. C'est un peu comme si l'on voulait dater la naissance d'un fruit à son apparition aux éventaires. Que dirait l'arbre qui l'a donné : celui qui, en le mûrissant, après l'avoir longuement préparé et porté, déjà reçoit sa récompense des grands cieux diurnes et nocturnes de l'été, des vents brutaux ou doux, des violences mortelles ou souveraines de l'orage ?

Typee et Omoo, où le nouvel écrivain, encore un peu intimidé par l'écriture, se faisait la main – quoique gonflés déjà de son tempérament extraordinaire –, sont cependant et ne voulaient être que des récits. Ils furent lus comme tels ; comme des récits d'aventure. Et l'opinion se passionna. Avec la même curiosité stérile et vaine qui la fait se passionner semblablement aujourd'hui pour tous les témoignages rapportés n'importe comment, par n'importe qui, de n'importe où (avec film, si possible, ou en tout cas des photos).

Malheureusement, Melville n'était pas un simple aventurier géographique : c'était un aventurier de l'esprit. Un poète. Et l'on aurait grand tort aujourd'hui de le prendre pour un romancier. Il avait appris sa langue : une langue magnifique et pleine de ressources, à côté de laquelle l'anglais ou l'américain de notre siècle sont bien pâles. Il s'était mis en état d'obéir à sa vocation. En outre, revenu habiter New York afin d'y trouver plus de commodités pour son travail, il se passionna fraternellement pour les œuvres fraternelles, à travers les siècles, d'Edmund Spenser, par exemple, ou de Robert Burton, ou de Sir Thomas Browne, en anglais, de Rabelais et de Montaigne en français.

En automne 1848, chez Richard Bentley, à Londres, et chez Harpers, à New York, paraissait son premier chef-d'œuvre : Mardi, un ouvrage immense, écrit sur plusieurs registres à la fois, comme on composerait à l'orgue, et qui est à ma connaissance le seul poème véritablement solaire, le seul chant de la haute fusion solaire, le seul grand hymne équatorial que jamais homme de notre Occident ait su lever derrière la mystérieuse et ample respiration de la mer.

Ce fut un échec total.

Si total que Melville, qui vivait de sa plume, ne l'oublions pas, et qui avait une famille à nourrir, dut s'arracher en hâte aux nombres secrets du soleil pour écrire de nouveaux « récits » tirés de ses « expériences ». Ce furent Redburn *et* White Jacket, *dont la facture, notamment dans les caractères des personnages, fut malheureusement assez magistrale et l'humour assez prononcé pour ne pas le réconcilier avec son « public ». Après un rapide voyage en Angleterre, dont il revint en février 1850, Melville quitta New York et alla s'installer à Arrowhead, près de Pittsfield, dans le Massachusetts, avec l'espoir d'y vivre en gentleman-farmer et de subvenir ainsi aux besoins de sa famille. C'est là qu'il se lia avec Nathaniel Hawthorne, son voisin : le froid, le glacial, le polaire Hawthorne auquel il porta tous les soleils de sa généreuse et totale amitié, si rapidement encombrante pour cet homme qui n'avait de grandeur que dans le cerveau. C'est là qu'il fraternisa avec Shakespeare, découvrant que la littérature américaine avait atteint un âge shakespearien. C'est là, enfin, qu'il se mit à écrire*

Moby Dick, *son deuxième chef-d'œuvre, le livre noir, le chant téné-breux écrit au battement de l'abîme. On parla peu de ce livre grandiose. On ne le lut pas du tout.*

En 1852, c'est Pierre ou les Ambiguïtés, *qui consomme le divorce définitif entre l'auteur naguère célèbre et le public qui le fêtait. En 1855, on publie en volume son* Israël Potter *qui avait paru en feuilleton, comme l'année suivante paraissent les remarquables* Piazza Tales *(comprenant «Bartleby l'écrivain» et «Benito Cereno») eux aussi parus en revue. Melville donne encore ce curieux ouvrage satirique intitulé* The Confidence-Man, His Masquerade *(traduit en français, je ne sais trop pourquoi, par Le Grand Escroc).*

Malade depuis plusieurs années – et comment ne l'eût-il pas été? – Herman Melville fut envoyé, avec espoir qu'il y rétablirait sa santé, en Méditerranée et en Terre sainte. Il en revint en cette même année 1857, abandonnant désormais toute activité littéraire et choisissant, pour son mode d'expression personnel, la poésie. Le combattant, certes, n'avait pas abandonné le combat; et comment l'eût-il abandonné, ce combat de sa vie, quand sa vie n'était point achevée? Arrowhead vendu en 1863, les milieux officiels lui ayant refusé un poste consulaire, il revint s'installer à New York, 104 East 26ᵗʰ Street. Il trouve en 1866, oh! amertume, un poste aux douanes du port. Mais du moins ne doit-il plus rien à la littérature! C'est à ses propres frais qu'il publie son premier recueil de poésie : Battle-Pieces and Aspects of the War; *et c'est avec l'assistance financière de son oncle que paraissent, en deux volumes, les dix-huit mille vers de* Clarel. *Méditatif et silencieux, infiniment solitaire, le vieil aventurier de l'esprit passe dans son cabinet de travail toutes les heures qu'il ne passe pas à la douane. Il y vivra, à l'abri de tous les regards, l'un après l'autre, tous les jours des dernières saisons de son existence, après qu'il eut pris sa retraite des douanes (en 1885). Toujours à ses frais, il publie encore deux volumes de poé-sie :* John Marr et autres marins, *en 1888, et* Timoléon, *en 1891, l'année même de sa mort. Dans ses papiers, comme il a été dit, on trouva* Billy Budd, *gabier de misaine, l'une de ses œuvres capitales, sur laquelle il avait pris soin de noter :* End of the Book 19 April 1891. *Jamais, à notre connaissance, il n'en avait parlé à personne.*

Que Melville, avec son corps robuste et sain, de bonne heure aguerri aux plus rudes efforts, ait entamé sa vie en déclassé dans le monde des apparences, mais la poitrine nue sous le feu des soleils tropicaux, son immense générosité de cœur et son indépendance d'esprit sauvegardées par une grossière et simple obéissance de fait, au milieu de cette inexprimable et cependant exaltante communion humaine qu'est la brutale camaraderie des hommes seuls entre eux, conduits ensemble vers un même destin sur le même bateau : c'est un signe. Qu'il ait couru réellement, avec ou sans les autres, dans les typhons et les orages, dans les aléas de la chasse, en la présence des sauvages ou au cours de ses nombreuses évasions, toujours en devançant les mots, toutes sortes de risques de mort et des périls sans nombre : c'est un signe. La vie dite réelle, cette vie d'en bas, dans les faits (tout ce théâtre pittoresque des apparences), est bien souvent le symbole de l'autre; et comme le courage qu'il y faut est à la fois bien plus naïf et plus facile – tout héroïque qu'il apparaisse à première vue – que la fermeté d'âme et la difficile constance de l'esprit réclamées par le dur combat spirituel, d'autant plus sérieux, d'autant plus dangereux qu'il est plus immatériel et plus haut : ce tout premier courage, qui est celui du sang, est bien souvent le premier garant, l'école et l'apprentissage de l'autre, qui est celui de l'esprit.

Que Melville ait été presque aussitôt dépouillé de cette vie, qui laisse au moins cette satisfaction d'être immédiatement appréciable aux plus frustes des animaux humains : c'est un signe. Qu'il soit entré dans la terrible lutte avec le langage, où bientôt l'âme vacille, après sa lutte avec les éléments : c'est un signe. Qu'il soit entré sur les chemins de la poésie aux trois quarts dépouillé déjà par son expérience de toutes les vanités qui en embarrassent les entrées : encore un signe.

Que Melville, dans cette nouvelle carrière, ait connu d'abord le succès – auquel sont restés pipés tant de vieillards – pour connaître aussitôt les déboires et s'en trouver débarrassé, quoi qu'il lui en coûtât, en sa pleine maturité et en la pleine possession de ses moyens : un nouveau signe de ce constant progrès. Qu'il ait été enfin dépouillé de ce dernier outil littéraire et des satisfactions qu'il peut donner, néanmoins, à qui se retourne sur soi; et qu'il ait été douloureusement contraint de mener dans le pur silence, sans témoin proche ou lointain, le plus haut de son combat : c'est un grand signe, majeur celui-là, l'un des plus proches de nous dans le temps, et qui déjà commande à tout le dessin antérieur. Les deux derniers signes étant : l'avant-dernier, qu'il eût choisi la poésie comme seul mode d'expression (quelle qu'ait été cette poésie, peu nous importe ici où nous ne recherchons que la signature qui commande aux significations) ; et le dernier étant son agonie, que nous ne connaissons pas. Cet homme-là avait une tâche à remplir, qui n'était pas uniquement de distraction ou d'ornement pour tels frères humains qui allaient survenir, mais, humble et sans mesure, une tâche salutaire ; et comme il n'était pas de ceux qui se soustraient, ou qui biaisent, qui trichent ou qui mentent, tout s'est organisé autour de lui et en lui – le poids de sa douleur étant réservé à ses seules épaules – de manière et en sorte et afin qu'il la remplît. C'est pourquoi nous avons Mardi, *qui ne lui a valu que discrédit et amertume ; c'est pourquoi nous avons* Moby Dick, *dont il était seul alors à connaître en secret l'importance, et qui a failli l'écraser sous son poids. Derrière ce cri, lancé tout à coup au plus profond du cœur de celui qu'il croit être un compagnon humain :* I wrote a wicked book ! *ce cri aussi dangereux que la pointe acérée et le double tranchant d'une lame soudain dégainée, il y a un tel monde d'angoisse, que seuls les plus grands artistes, fils innocents ou coupables de la grandeur qui toujours écartèle et déchire et lacère la pauvre chair humaine, peuvent sans doute le comprendre. Dans sa réserve puritaine, et comme il n'était pas ce compagnon humain tant souhaité, Nathaniel Hawthorne ne pouvait pas le comprendre. Il ne l'a pas compris. Quand il répondit à Melville, ce fut pour lui dire qu'il comprenait le livre ! Et le tout généreux Herman, dans un nouveau débordement de sa générosité, une fois encore, s'en montra ravi... Jusqu'au jour de la déception finale où cette plaie-là, comme tant d'autres, dut le brûler jusqu'à la mort.*

Ce livre, qui l'a compris ? L'art de Melville, comme on l'a vu déjà par le dessin des chemins de sa vie et de son œuvre, est un art transversal. Là où les autres montent, pierre à pierre, un monument – et alors il suffit, plus ou moins, de lever la tête –, l'œuvre melvillienne, au contraire, s'étend de tous côtés comme la mer : on la voit, en effet, jusqu'à son horizon, mais on sait qu'elle roule ses mêmes eaux plus loin, beaucoup plus loin encore, sous d'autres horizons. On peut y accéder, certes, d'une manière ou d'une autre, mais c'est pour se retrouver, chaque fois, en présence du même phénomène, et emporté chaque fois par ce grand balancement cosmique que communique infailliblement, physiquement, sans interprétation ni mélange, l'énorme pulsation de l'océan.

Le merveilleux Mardi *est écrit sur le rythme des grands déversements solaires; le puissant* Moby Dick, *sur le rythme puissant du profond battement de la mer. Mais la langue de Melville, dans l'un comme dans l'autre de ces étonnants et sans doute inépuisables chefs-d'œuvre, est une langue qui parle à toutes les hauteurs. Langue mystique, tout d'abord, c'est elle qui commande à son art; langue poétique, c'est-à-dire pleine, généreuse, et beaucoup plus entière que les réalités – dont elle sait que ce sont des images – auxquelles elle fait allusion, ce n'est pourtant pas la langue des allégories ou celle d'un symbolisme volontaire et délibérément choisi. Melville, parvenu dans sa quête à ce point où la vérité spirituelle enfin conquise apparaît comme se réfléchissant, toujours vraie, à tous les étages de la pensée, parle cette langue triple ou quadruple avec le naturel d'un enfant qui retrouve enfin sa langue maternelle. Non, ce n'est pas à son insu, certes, mais c'est par un penchant naturel que cette langue se déploie et parle par le travers de son histoire. Chaque chapitre est écrit sur un signe secret : paroles d'un dialogue dont on n'entend, ici, que la réponse; mais sur un rythme particulier, dans un ton différent, qui font de chacun d'eux un poème en prose qui vient s'articuler dans l'ensemble comme un motif musical, sur un temps et dans un ton spécial, s'articule dans la symphonie. En outre, par transparence, d'énormes allusions se font jour, qui pastichent ou s'indignent, chantent ou ridiculisent telle ou telle œuvre de l'histoire de l'esprit humain. Ce serait ignorer tout le sel de cette mer authentique et houleuse où baigne* Moby Dick *comme dans son élément, et sur laquelle se précipite le bouillonnant Achab, que de laisser perdre, au passage, tout ce qui se rapporte, par exemple, au* Sartor Resartus *du vieux Carlyle et à ses descendants comme Emerson, que Melville tout au long prend violemment à partie. (Ferme ta bouche, vieux Carlyle, toi et ton Goethe!) Ce serait perdre aussi les plus belles* cadences que d'ignorer les retrouvailles, les marches côte à côte, d'un même pas, avec les grands frères humains rencontrés à travers les âges. Melville, engagé passionnément dans son combat spirituel – et dans une telle lutte on ne peut être seul –, empoigne ses ennemis à la gorge et en appelle à ses amis : ceux d'une même vérité ; ceux d'un même courage. Ils sont tous là. Et ce n'est pas le moindre des prodiges (le rêve, sans doute, de tous les grands poètes qui ont porté sur cette terre, au milieu de ce monde, en plein combat, cette arme la plus dangereuse de toutes : la parole!), ce n'est pas, dis-je, le moindre des prodiges de ce livre prodigieux que chacun, quel qu'il soit – et serait-il génial ou serait-il idiot –, puisse le lire, passionnément, sans l'épuiser jamais, à sa propre hauteur.

ARMEL GUERNE
Paris, 1954

Hommage de mon admiration pour son génie,
ce livre est dédié à Nathaniel Hawthorne.

ÉTYMOLOGIE

Ce pâle petit pion usé jusqu'à la corde, élimé de costume et de cœur, de corps et de cerveau, je le revois encore. Toujours en train d'épousseter ses vieux dictionnaires et ses grammaires à coups de pochette : une grande pochette où éclataient bizarrement, comme par dérision, les joyeuses couleurs de tous les étendards connus des nations de la Terre. Épousseter ses vieux bouquins, il aimait cela : d'une manière ou de l'autre, c'était se rappeler doucement le caractère mortel de l'homme.

Si vous avez la charge d'enseigner autrui et que vous en soyez à lui apprendre comment se nomme, dans notre langue anglaise, le cétacé dit *whale-fish*, omettre, par ignorance, ou oublier le H, qui à lui seul constitue et donne la signification presque entière du mot, c'est enseigner quelque chose de contraire à la vérité.

HACKLUYT.

WHALE, suéd. et dan. *Hval.* Cet animal est ainsi nommé pour la rondeur de sa masse ou son roulement ; *hvalt*, en danois, signifie en effet : en arche ou voûté.

Dictionnaire
de Webster.

WHALE, *s.* et *v. i.*, issu plus directement du holl. et du germ. *wallen* ; a. s. *Walw-ian, to roll, to wallow* (rouler, se rouler, se vautrer dans la fange).

Dictionnaire
de Richardson.

Hébreu	יתר
Grec	κῆτος
Latin	*Cetus*
Anglo-Saxon	*Whœl*
Danois	*Hvalt*
Hollandais	*Wal*
Suédois	*Hval*
Islandais	*Whale*
Anglais	*Whale*
Français	*Baleine*
Espagnol	*Ballena (Vallena)*
Fidgien	*Pekee-Nuee-Nuee* (Transcription phonétique anglaise)
Erromango	*Pehee-Nuee-Nuee* (Transcription phonétique anglaise.)

CITATIONS ET EXTRAITS

PAR UN ASSISTANT BIBLIOTHÉCAIRE ADJOINT

On ne manquera pas de le remarquer : notre pauvre diable d'assistant adjoint, vrai bûcheur besogneux et vermiculaire, a parcouru des Vaticans entiers de livres et des avenues de rayons sur la terre, pour y relever n'importe comment, dans le sacré et le profane, tout ce qu'il pouvait rencontrer, en fait d'allusions aux baleines. Aussi est-il qu'il ne vous faut pas, du moins en tous et en chacun des cas, prendre et considérer comme un véritable évangile de cétologie, le pot-pourri baleinier constitué par ces citations et extraits, quelque authentiques qu'ils soient. Loin de là, au contraire. Surtout et en particulier en ce qui regarde les anciens auteurs, tout comme et aussi bien en ce qui concerne les poètes, l'ensemble de ces citations et extraits n'a d'autre prix et d'autre valeur que de déployer sous nos yeux et de nous permettre d'embrasser d'un seul regard le panorama général de ce que d'innombrables nations et générations – les nôtres y comprises – ont bien pu penser, dire, imaginer et chanter sur le léviathan.

Et toi, malheureux bougre de pauvre diable d'assistant bibliothécaire adjoint, dont me voici le commentateur, porte-toi bien et adieu ! Tu appartiens sans espoir à cette race épuisée et blême qu'aucun vin de ce monde ne réchauffera jamais, et pour laquelle l'exsangue et douceâtre Xérès lui-même est un vin trop rouge et trop fort. Ce qui n'empêche qu'on éprouve un plaisir, parfois, à s'asseoir en cette compagnie et à se sentir un pauvre diable aussi ; on s'attendrit en versant des larmes et, les yeux pleins devant les verres vides, étreint d'une tristesse qui n'est pas absolument déplaisante, on vous le dit carrément :

– Laissez là, mais laissez donc, assistants adjoints ! Quelque peine que vous vous donniez pour plaire au monde, il n'en sera que plus, envers vous, sans merci ! Ah ! vider les Tuileries et Hampton Court pour vous !...

*Mais ravalez vos larmes et haut les cœurs, hissez-les au plus haut du
mât! car les amis partis devant vous sont en train, jusqu'au septième et
dernier ciel, de faire vider les lieux à tous les Gabriel, Michaël et Raphaël
qui s'y prélassaient depuis trop longtemps, afin de vous y aménager vos
appartements. Ici-bas, vous ne faites qu'entrechoquer vos cœurs déjà brisés; mais là-haut, c'est un cristal inviolable et sans brisure que vous allez
faire retentir!*

Et Dieu créa les grands cétacés.

GENÈSE.

Léviathan laisse après lui un lumineux sillage;
De l'abîme, on dirait qu'il est blanchi par l'âge.

LIVRE DE JOB.

Et Yahweh avait préparé un grand poisson
    afin qu'il engloutît Jonas.

LIVRE DE JONAS.

Voici la mer, grande et vaste en tous sens
où fourmillent sans nombre
des animaux petits et grands;
là se promènent les navires
et le léviathan, que tu as fait
pour qu'il joue dans ses flots.

PSAUMES.

En ce jour-là, Yahweh visitera
De son glaive sévère et grand et fort,
Léviathan, le serpent agile,
Léviathan, le serpent tortueux,
et il tuera le monstre qui est en la mer.

LIVRE D'ISAIE.

Et toute chose que soit, venant à se trouver près du
chaos de la gueule de ce monstre, fût-ce bête ou
navire ou rocher, incontinent est engloutie dans cette
immense, horrible gorge qu'il a, et périt dans le
gouffre sans fond de sa panse.

PLUTARQUE.

La mer des Indes est fort bien appoissonnée, et de
grands monstres de poissons. Car on y trouve des
Baleines qui ont quatre arpens de terre de long.

PLINE L'ANCIEN
(mis en françois par
Anthoine du Pinet).

A peine avions-nous avancé de deux jours sur la mer, qu'au lever du soleil un grand nombre de baleines et autres monstres de la mer apparurent. Parmi celles-ci, il y en avait une d'une taille monstrueuse... laquelle se jeta vers nous, gueule ouverte, levant de tous côtés des vagues et faisant écumer la mer devant elle.

LUCIEN, Manière d'écrire l'histoire.

Il visita en outre ce pays dans l'intention d'y capturer des chevaux marins ou baleines, lesquels possèdent des os de grand prix en guise de dents ; et il en rapporta quelques-uns au roi... Les meilleures baleines furent attrapées dans son propre pays, dont quelques-unes mesuraient quarante-huit et cinquante yards de long. Il affirmait qu'il était un des six (hommes) qui en avaient tué soixante en deux jours.

Le périple d'Othaire ou Octhaire, recueilli du Récit de ses navigations par le roi Alfred le Grand, en l'an de grâce 890.

Aussi, au lieu que toute autre chose, soit beste ou vaisseau, qui entre dans l'horrible chaos de la bouche de ce monstre est incontinent perdu et englouti, ce petit poisson (le gayon ou goujon de mer) s'y retire en toute seurté et y dort, et pendant son sommeil la balaine ne bouge.

MONTAIGNE, *Apologie de Raymond Sebond.*

Fuyons. C'est, par la mort bœuf, Leviathan descript par le noble prophète Moses en la vie du saint homme Job. Il nous avallera tous et gens et naufz comme pilules.

RABELAIS, au chap. XXXIII du *Quart Livre.*

Ce foie de baleine était de deux tombereaux.

STOWE, *Annales.*

Léviathan l'immense
Qui fait écumer l'océan
Comme marmite qui bouillonne.

LORD BACON, traduction des Psaumes.

Concernant le monstrueux volume de la baleine ou orque, rien de certain ne nous est parvenu. Elles deviennent excessivement grasses en grandissant, au point que d'une seule baleine, une incroyable quantité d'huile sera tirée.

Idem, Histoire de la Vie et de la Mort.

Que le remède souverain par excellence, pour les contusions internes, est le parmacetti.

SHAKESPEARE, *Le Roi Henri.*

Tout semblable à une baleine.

Idem, *Hamlet.*

Pour y remédier, de rien ne lui servait
Tout l'art nécromantique, il lui fallait toujours
Revenir et encore au maître de son mal
Qui de son dard fatal lui déchirait le cœur,
Ainsi que la baleine après le coup reçu
Traverse l'océan pour venir au rivage.

SPENSER, *La Reine des fées.*

Immense autant que les baleines, qui par le mouvement de leur énorme corps sont capables de jeter dans les pires transports et de faire bouillonner l'océan le plus sereinement calme.

SIR WILLIAM DAVENANT, préface à *Gondibert.*

Quant à savoir exactement ce qu'est le cachalot spermacetti, les hommes peuvent à bon droit demeurer dans le doute, étant que dans son ouvrage datant à peine de trente ans, l'érudit Hosmannus avoue ouvertement : *Nescio quid sit.*

SIR THOMAS BROWNE, *Du Sperma Ceti et du cachalot à sperma ceti.*

Ce moderne fléau, tel que le dit Spenser
De *Talus*, tient la mort dans sa puissante queue.
. . . .
Sur ses flancs il fait voir leurs javelots plantés
Et sur son dos se dresse une forêt de lances.

WALLER, *La Grand'bataille des Iles de Summer en Écosse.*

La société universelle, que je désigne sous le nom de Léviathan – ou l'État (en latin *Civitas*) – est un homme artificiel.

HOBBES, Introduction à son *Léviathan.*

Et Mansoul, ce benêt, l'avala tout d'un trait sans le mâcher, comme si c'était d'un haranguet dans le gosier de la baleine.

BUNYAN, *Le Pèlerinage.*

Cet animal marin,
Léviathan, que Dieu, entre toutes ses œuvres,
Fit le plus grand de tous les nageurs de la mer [...]

MILTON,
Le Paradis perdu.

[...] Là-bas Léviathan,
Ce colosse entre tous les êtres qui ont vie,
Repose dans l'abîme. Il dort ou il s'ébat,
Pareil à quelque promontoire, et l'on dirait
Une terre qui va ; c'est tout un océan
Qu'à chaque aspiration il engloutit en lui
Et qu'il rejette à chaque souffle.

Idem.

Les énormes baleines qui vont nageant dans l'océan
des eaux et qui portent en elles un océan d'huile.

FULLER,
*L'État profane
et l'État sacré.*

Tout contre quelque promontoire sont tapis
Les léviathans énormes, attendant leur proie ;
Et le fretin sans nul espoir est englouti,
Qui dans la gueule ouverte a égaré sa voie.

DRYDEN,
Annus Mirabilis.

Et la baleine ainsi flottante à la poupe du navire,
ils la décapitent pour ensuite remorquer cette tête
avec une barque, aussi près que possible du rivage ;
mais elle s'échoue où il y a encore douze ou treize
pieds de fond.

THOMAS EDGE,
« Dix voyages au
Spitzberg », in
*Relations de divers
voyages curieux qui
n'ont point esté
publiées ou qui ont
esté traduites de
Hackluyt, de
Purchas l'Aîné et
d'autres voyageurs.*

Sur leur route, ils aperçurent nombre de baleines
folâtres s'ébattant dans la mer, qui s'égayaient à
lancer des jets d'eau par les pipes et vents que la
nature leur a placés aux épaules.

SIR T. HERBERT,
*Voyages en Asie
et en Afrique*
(collection Harris).

Ils y virent de si grandes troupes de baleines, qu'ils
croisèrent et gouvernèrent avec les plus attentives
précautions dans la crainte qu'ils avaient de jeter
leur navire contre elles.

SCHOUTEN, sixième
circumnavigation.

Nous fîmes voile de l'Elbe, avec vent N.-E., à bord
du vaisseau nommé *Jonas dans la Baleine*…
D'aucuns prétendent que la baleine ne peut ouvrir
sa bouche, mais c'est une fable…
Ils se hissaient fréquemment aux mâts pour
essayer d'apercevoir une baleine, car au premier
découvreur revenait un ducat…
On me parla d'une baleine capturée non loin des
Shetland, qui avait dans son ventre à peu près une
pleine caque de harengs…
L'un de nos harponneurs me raconta qu'il avait
pris une fois une baleine dans les eaux du Spitzberg, laquelle était blanche tout partout.

Un voyage au
Groenland en l'an
de grâce 1671
(collection Harris).

Plusieurs baleines étaient venues donner contre
cette côte (Fife). En l'an 1652, il y en eut une, de
l'espèce à fanons, qui avait quatre-vingts pieds
de long, et qui (ainsi que j'en fus informé), outre
une ample quantité d'huile, fournit quelque
500 livres de baleines. Sa mâchoire est plantée, en
guise de porte, dans le jardin de Pitferren.

SIR ROB. SIBBALD,
Fife et Kinross.

Je m'étais juré d'essayer moi-même de me rendre
maître et de tuer cette baleine à spermaceti, car je
n'avais jamais entendu dire qu'aucune de cette
sorte eût été tuée par un homme, tant est grande
leur férocité et leur vélocité.

RICHARD
STRAFFORD,
lettre des Bermudes,
phil. trans.
A. D. 1668.

Obéissent les baleines
Dans la mer, à la voix de Dieu.

N. E. PRIMER.

Nous vîmes aussi quantité de grandes baleines,
étant que dans ces mers du Sud, comme je puis
l'assurer, on en rencontre plus de cent pour une
seule dans notre septentrion.

CAPITAINE
COWLEY, *Voyage
autour du globe,*
A. D., 1729.

… et cette haleine de la baleine s'accompagne
souvent d'une si insupportable puanteur que le
cerveau peut en être incommodé jusqu'au délire.

Ulloa, Amérique du
Sud.

A cinquante sylphides d'une élection particulière,
Nous confiâmes le soin, capital entre tous, du
    jupon.
Souvent nous l'avions vue tomber, cette septuple
    enceinte
Renforcée cependant d'arceaux épais, autant
    qu'armée
De côtes de baleines.

POPE, *La Boucle
dérobée.*

S'il nous faut comparer pour la taille, les animaux
terrestres avec ceux qui ont leur domicile dans les
abîmes des profondeurs, les terriens ne pourront
que nous paraître méprisables par comparaison.
La baleine est indubitablement le plus grand animal de la création.

GOLDSMITH,
Hist. Nat.

Si vous deviez écrire une fable pour les petits poissons, vous les feriez parler comme de grandes
baleines.

GOLDSMITH
à Johnson.

Dans l'après-midi, nous aperçûmes ce que nous
prîmes tout d'abord pour un rocher, mais qui se
révéla être le corps d'une baleine que quelques
Asiatiques avaient tuée, et qu'ils étaient en train
de haler au rivage. Ils semblaient chercher à se
cacher eux-mêmes derrière cette baleine, dans
l'espoir d'éviter d'être aperçus par nous.

Voyages de COOK.

Les baleines de la plus grande taille, ils se risquent
rarement à les attaquer. Ils sont en tel effroi de
certaines d'entre elles, que lorsqu'ils vont en mer,
ils redoutent même de prononcer leur nom et
emportent à bord du fumier, de la pierre à chaux,
du bois de genévrier et d'autres choses de ce
genre, à seule fin de leur faire peur et de les empêcher d'approcher tout près.

UNO VON TROIL,
lettre sur le voyage
de Banks et de
Solander en Islande,
en 1772.

La baleine spermacetti qu'ont découverte les Nantuckais, est un animal agressif et féroce qui réclame, de ses pêcheurs, autant d'adresse que de témérité.

Représentations sur la pêche à la baleine, faites au Ministre de France, en 1778, par Thomas Jefferson.

Et je vous le demande, sire, qu'y a-t-il en ce monde qui égale ceci ?

EDMUND BURKE, faisant allusion, au Parlement, aux baleiniers de Nantucket.

L'Espagne : une grande baleine échouée sur le rivage de l'Europe.

EDMUND BURKE, (quelque part).

Un dixième apport venant ajouter au revenu ordinaire du roi, fondé sur la considération qu'il assure, en mer, la garde et la protection de ses sujets contre la piraterie et le vol, est son droit aux *poissons royaux* que sont la baleine et l'esturgeon ; et ceux-ci, qu'ils soient échoués au rivage ou pris à proximité des côtes, sont la propriété du roi.

BLACKSTONE.

L'équipage bientôt reprend son jeu de mort :
Et le sûr Rodomont, au-dessus de sa tête
Brandit l'acier fatal, attendant le moment.

Le Naufrage
de Falconer.

Les toits, les dômes, les clochers resplendissaient
Et les fusées s'élançaient d'elles-mêmes
Pour suspendre un instant leur éclat fugitif
A la voûte du ciel.
Et si le feu peut être comparé à l'eau :
C'est tout un océan qui montait dans le ciel
Lancé en jets dans les hauteurs par la baleine
Pour exprimer son délire de joie.

COWPER, sur la visite à Londres de la Reine.

Ce sont dix ou quinze gallons de sang qui jaillissent du cœur, à chaque pulsation, avec une grande force.

Rapport de John Hunter sur la dissection d'une baleine (de petite dimension).

L'aorte de la baleine est plus grande, de section, que le conduit principal du Service des eaux à London Bridge ; et le tumulte des eaux dans ce tuyau est bien moindre, en impétuosité et en vitesse, que celui du sang qui se rue hors du cœur de la baleine.

WILLIAM PALEY,
Théologie naturelle.

Les cétacés appartiennent à la classe des mammifères. Tous, sans exception, sont privés des membres postérieurs articulés au bassin.

BARON CUVIER,
De l'Hist. nat.
des Cétacés.

Par 40 degrés sud, nous pûmes voir des « spermaceti » mais sans en capturer aucun jusqu'au premier mai, date à laquelle la mer en était entièrement couverte.

Voyage de Colnett en
vue d'étendre les
champs de pêche au
cachalot.

Dans le libre élément qui s'étendait sous moi
Évoluaient par jeu, en chasse ou en bataille,
Toutes les sortes, formes, couleurs de poissons,
Si divers qu'on ne peut les dépeindre et que nul
Marinier ne les vit ; depuis le léviathan
Terrible, aux myriades d'insectes dans la vague
En colonies immenses rassemblés, pareils
A des îles flottantes, qu'un instinct secret
Poussait dans ces régions immenses d'étendue
Et de désolation, bien que de toutes parts
Ils fussent attaqués par l'ennemi vorace :
Le requin, la baleine et tous monstres armés
Au front ou aux mâchoires, de scies, d'épées,
De crocs aigus, de cornes recourbées.

MONTGOMERY,
Le Monde avant le
Déluge.

Ého ! péan ! chante, ého !
Au roi du peuple poissonneux.
Plus puissante baleine
Il n'en est point dans l'Atlantique,
Ni de plus gras poisson
Dans l'océan polaire !

CHARLES LAMB,
Triomphe
de la Baleine.

C'était en 1690 ; plusieurs personnes se trouvaient
sur une haute colline, observant les baleines qui
lançaient leurs jets et se jouaient entre elles, quand
quelqu'un fit observer, le doigt tendu vers la mer :
« Ce sont là, dit-il, de verts pâturages où les enfants
de nos petits-enfants moissonneront leur pain. »

OBED MACY,
*Histoire de
Nantucket.*

Je fis une maisonnette pour Suzanne et pour moi,
avec une entrée en forme d'arche gothique, constituée par l'os érigé d'une mâchoire de baleine.

NATHANIEL
HAWTHORNE,
*Les Contes contés
deux fois.*

Elle venait commander un monument pour son
premier aimé, lequel avait été tué par une baleine
dans le Pacifique, il n'y avait pas moins de quarante ans passés.

Idem.

– Non m'sieu, c'est une baleine franche, répliqua
Tom ; j'ai vu son jet : elle envoyait en l'air une
paire d'arcs-en-ciel aussi jolis à voir qu'un chrétien peut le souhaiter. C'est une vraie tonne à
huile, c'te copine-là !

COOPER, *Le Pilote.*

On nous apporta les journaux, et nous vîmes, dans
La Gazette de Berlin, qu'on y avait amené des
baleines en scène.

Conversations
de Goethe avec
Eckermann.

« Mon Dieu, M. Chace, qu'est-ce qu'il se passe ? »
Je répondis : « Nous avons été éperonnés par un
cachalot. »

Relation du naufrage
du baleinier *Essex*,
de Nantucket, qui fut
attaqué et coulé bas
par un grand cacha-
lot dans le Pacifique ;
donnée par Owen
Chace, second à bord
dudit vaisseau. N. Y.,
1821.

Un matelot dans les haubans se tenait une nuit,
Avec le vent qui soufflait frais ;
La pâle lune étincelait ou se cachait,
Tandis que le phosphore s'embrasait
Dans le sillage de la baleine
Qui jouait sur la mer.

ELISABETH
OAKES SMITH.

Ajoutons que la quantité de ligne filée par les différentes baleinières engagées pour la capture de
cette seule baleine se montait à 10 440 yards, soit
près de six bons milles d'Angleterre [...]
Il arrive parfois que la baleine fouette l'air de sa
formidable et terrible queue, dont les claquements
énormes s'entendent à une distance de trois et
quatre milles.

SCORESBY.

Rendu furieux et fou par la douleur des récentes
blessures, le cachalot se tourne et se retourne en
roulant ; il rejette en arrière son énorme tête et,
gueule béante, il claque de la mâchoire sur tout ce
qu'il trouve à sa portée ; tête en avant, il se lance
contre les baleinières qui volent devant lui à une
telle vitesse qu'elles en sont quelquefois totalement démembrées.
[...] On reste stupéfait d'étonnement en constatant que les mœurs et habitudes d'un animal aussi
intéressant que le cachalot (et commercialement
parlant aussi important) aient pu demeurer négli-
gées à ce point et susciter aussi peu de curiosité
parmi tous ceux, au nombre desquels les bons
observateurs ne manquent pas, qui se sont trouvés
à même d'en témoigner, et dans les meilleures
conditions, au cours de ces dernières années.

THOMAS BEALE,
*Histoire du
cachalot*, 1839.

Le cachalot (Sperm Whale) est non seulement
mieux armé que la baleine vraie (baleine franche
ou du Groenland) avec les formidables instruments qu'il possède à l'une et à l'autre extrémité
de son corps puissant, mais encore il se montre
beaucoup plus fréquemment disposé à en user
pour l'offensive, et d'une manière si rusée, si
audacieuse et si machiavélique, qu'on en vient
tout naturellement à le regarder comme l'animal
le plus dangereux à attaquer d'entre toutes les différentes espèces connues de cétacés.

FREDERICK DEBELL
BENNETT,
Campagne de pêche
à la baleine autour
du monde, 1840.

13 octobre.
– Elle souffle, là! elle sou-ouffle! entendit-on crier
des vigies.
– Où ça? quelle direction? hurla le capitaine.
– Trois points sous le vent, m'sieu!
– Barre dessus, droit dessus!
– Droit dessus, monsieur.
– Ho! des vigies! est-ce que vous la voyez tou-
jours, cette baleine?
– Oui, oui, m'sieu! Une «école» de cachalots, que
c'est! Là, ils soufflent! là, là, ils brèchent!
– Bon. Annoncez-les chaque fois! Donnez de la
voix! N'y manquez pas!
– Entendu, capitaine!... Les voilà, les voilà, sou-
ou-ouffle! sou-ou-ouffle, là! là! ils piquent! ils
plon-ongent! plon-on-ongent!
– Quelle distance?
– Deux milles et demi.
– Bon sang de tonnerre! Aussi près!... Tout le
monde sur le pont!

J. ROSS BROWNE,
Eaux-fortes sur une
campagne de pêche
à la baleine, 1846.

Le navire-baleinier *Le Globe*, à bord duquel se
passèrent les horribles événements que nous
sommes sur le point de relater, était un navire de
l'île de Nantucket.

Relation de la muti-
nerie du *Globe* par
deux survivants :
Lay et Hussey. En
l'an de grâce 1828.

Se trouvant une fois pris en chasse par une baleine qu'il avait blessée, il réussit pour un temps à parer ses attaques à l'aide de sa lance ; mais à la fin, le monstre furieux se précipita sur l'embarcation ; lui-même et tous ses compagnons ne trouvèrent leur salut qu'en se jetant à l'eau quand ils virent que le choc était inévitable.

TYERMAN et BENNETT, Journal des missionnaires.

Ce Nantucket lui-même, prononça M. Webster, est un élément à la fois frappant, extraordinaire et curieux de l'intérêt national. Il y a là une population de quelque huit ou neuf mille individus vivant entièrement sur mer, qui viennent chaque année ajouter largement à la prospérité nationale par leur industrie, la plus persévérante et la plus héroïque de toutes.

Minutes du discours de Daniel Webster au sénat des États-Unis, réclamant la construction d'une digue à Nantucket. 1828.

La baleine tomba droit sur lui, et probablement le tua en un instant !

La Baleine et ses Chasseurs, ou les Aventures du Baleinier et la bio-graphie baleinière, le tout recueilli pendant la croisière de retour du Commodore Preble, par le Rev. Henry T. Cheever.

Si je t'entends faire le moindre bruit, répliqua Samuel, je t'expédie en enfer.

Vie de Samuel Comstock (le Mutin), écrite par son frère William Comstock. Ou une autre version de l'histoire rapportée du baleinier *Globe*.

Les navigations des Hollandais et des Anglais dans les mers arctiques, dans l'espoir, si possible, de découvrir un passage vers les Indes, même si elles ont échoué quant à leur objectif principal, n'en ont pas moins découvert et laissé l'accès libre aux antres de la baleine.

Dictionnaire commercial, de McCulloch.

Mais tout est réciproque, et la balle ne rebondit que pour mieux s'élancer encore. Car si les antres de la baleine ont été ouverts aux baleiniers, les baleiniers à leur tour semblent bien être tombés indirectement sur de nouveaux indices de ce fameux et mystérieux passage du N. W.

D'un « papier » inédit.

Il est impossible de croiser un baleinier sur l'océan sans être frappé par son extérieur. Sous sa toile restreinte, avec ses vigies à la pomme des mâts qui scrutent anxieusement l'horizon alentour, le navire présente un tout autre aspect que le long-courrier en cours de traversée.

La pêche à la baleine et les courants marins, d'après des documents officiels américains.

Ceux qui ont parcouru à pied les environs de Londres et de bien d'autres lieux, se rappellent peut-être avoir vu de grands os incurvés et plantés droit en terre, soit qu'ils formassent des arches, ou des portails, ou l'entrée de tonnelles ; et il leur souviendra peut-être qu'on leur a rapporté que c'étaient là des côtes de baleines.

Récits d'un baleinier en campagne dans l'océan Arctique.

Ce ne fut qu'au moment où les canots regagnèrent leur bord, après la chasse derrière ces baleines, que les Blancs virent leur vaisseau tombé aux mains assassines des sauvages enrôlés parmi l'équipage.

Relation donnée par les journaux de la prise et de la reprise du baleinier *Hobomock*.

C'est une chose assez générale et bien connue, que rares sont ceux parmi les équipages des baleiniers (américains) qui reviennent à bord des navires sur lesquels ils se sont embarqués.

Croisière à bord d'un baleinier.

Tout soudain une énorme masse émergea des eaux, qui s'élança droit à la verticale dans les airs. C'était la baleine.

COL. JOSEPH C. HART, *Miriam Coffin, ou le pêcheur de baleines.*

La baleine est harponnée, soit ! Mais réfléchissez-y un peu : comment dompter un jeune étalon tout ardent et intact, avec le seul secours d'une cordelette attachée à la naissance de sa queue ?

Un chapitre sur la pêche à la baleine dans Filins et Poulies.

En une certaine occasion je pus voir deux de ces monstres (des baleines) probablement le mâle et la femelle, nager très lentement, l'un suivant l'autre, à moins d'un jet de pierre du rivage (Terra del Fuego) sur lequel le hêtre étalait ses vastes branchages.

DARWIN, *Voyage d'un naturaliste.*

«Sciez !» hurla le second, lorsqu'en tournant la tête, il aperçut la mâchoire béante d'un énorme cachalot presque à toucher la pointe du canot, et le menaçant de destruction immédiate : «Sciez ! il en va de vos vies !»

Wharton, le tueur de baleines.

Soyez fermes, les gars, et toujours haut les cœurs
Quand le fier harponneur attaque la baleine !

Chanson de Nantucket.

Oh ! ce vieux cachalot, le solitaire,
Au milieu du gros temps et des typhons,
Chez lui, dans ses pays de l'océan, c'est un
Géant de la puissance, où la force fait loi,
Et c'est le roi des mers sans fin et sans frontière.

Chant baleinier.

MIROITEMENTS

Appelons-moi Ismahel.

Il y a quelque temps – le nombre exact des années n'a aucune importance –, n'ayant que peu ou point d'argent en poche, et rien qui me retînt spécialement à terre, l'idée me vint et l'envie me prit de naviguer quelque peu et de m'en aller visitant les étendues marines de ce monde. C'est un remède à moi ; c'est une manière que j'ai de me sortir du noir et de redonner du tonus à la circulation de mon sang. Oui, chaque fois que je me sens la lèvre amère et dure ; chaque fois qu'il bruine et vente dans mon âme et qu'il y fait un novembre glacial ; chaque fois que, sans préméditation aucune, je me trouve planté devant la vitrine des marchands de cercueils ou emboîtant le pas aux funèbres convois que je rencontre ; et surtout, oui, surtout, chaque fois que je sens en moi les mauvaises humeurs l'emporter à ce point qu'il me faille le puissant secours des principes moraux pour me retenir d'aller courir les rues à seule fin de jeter bas, fort méthodiquement, le chapeau des gens –, alors, oui, je considère qu'il est grand temps pour moi de filer en mer au plus vite. C'est ce qui me tient lieu de pistolet et de plomb. Caton se jette sur son glaive, non sans emphase et sans grandiloquence philosophiques ; je gagne moi, bien plus discrètement, le bord de quelque voilier. Et il n'y a rien là qui soit fait pour surprendre : tous les hommes, ou presque, à un moment ou à un autre de leur existence, nourrissent ou ont nourri, à un degré quelconque, des sentiments fort voisins des miens à l'égard de la mer.

Voici, par exemple, votre île citadine de Manhattan avec le

collier de ses docks tout semblable à celui des récifs de corail cei-
gnant les îles de l'océan Indien – et c'est l'écume du trafic commercial qui bouillonne autour d'elle. De droite et de gauche, les
rues descendent à la mer. L'extrême pointe en est constituée par
La Batterie, noble môle que viennent baigner des vagues et caresser des brises du grand large, qui se trouvaient encore, quelques
heures auparavant, tout à fait hors de vue de la terre. Or, voyez en
quelle affluence y sont les contemplatifs de l'eau !

Faites à pied le tour de la cité dans l'indolent après-midi d'un
saint jour de dimanche : portez vos pas du cap Corlears aux chantiers Coenties, puis de là, par White Hall, remontez vers le nord.
Que voyez-vous ? Postés comme autant de sentinelles immobiles
sur le pourtour entier de la ville, ce ne sont que milliers et milliers
de mortels perdus en songes, les yeux fixés sur l'océan. Certains
sont accotés aux bittes d'amarrage, d'autres se sont assis tout à la
pointe des jetées ; certains encore, inclinés sur les bastingages,
plongent de tous leurs yeux dans les navires en provenance de la
Chine, et les autres ne sont que regard, au plus haut du gréement,
comme cherchant à toujours mieux voir, au loin, sur la pleine mer.
Ce sont tous des terriens, pourtant, qui chaque jour de semaine
sont prisonniers du plâtre des cloisons, rivés à leurs guichets,
cloués à leurs sièges, vissés à leurs pupitres. Qu'est-ce à dire ? Que
font-ils tous ici ? Et les vertes campagnes, n'existent-elles donc
plus ?

Voyez, mais voyez donc la foule y affluer de plus en plus, s'en
venant droit à l'eau, prête, à ce qu'on dirait, à venir y piquer une
tête. L'étrange chose ! Rien ne saurait satisfaire ces gens, rien,
sinon le bord le plus extrême de la terre. Flâner tranquillement là-
bas, bien à l'abri du vent sous le couvert des entrepôts ? mais non !
Non. Ce qu'il leur faut c'est toujours plus, toujours plus approcher
de l'eau, si près que pour un peu ils tomberaient dedans. Et les
voilà, tous ainsi, alignés sur des milles et des milles, que dis-je ? sur
des lieues et des lieues ! Tous gens de l'intérieur, débouchant des
venelles et ruelles, des avenues et des rues, venant du nord et de
l'ouest, et de l'est et du sud. Mais tous unis à présent ; tous ici !
– Alors, dites-le-moi : est-ce par l'aimantation, est-ce par la vertu
magnétique d'un si grand nombre d'aiguilles de compas sur un

aussi grand nombre de vaisseaux qu'ils sont tous attirés ici, et de si loin ?

Autre chose à présent, et mieux encore : supposons que vous vous trouviez à la campagne, dans la haute région des lacs. Prenez n'importe quel sentier à votre guise : neuf fois sur dix, il vous amènera dans le creux d'un vallon, sur le bord de quelque petit lac formé là par le cours d'eau. Cela tient véritablement du miracle ; c'est proprement de la magie ! Laissez le plus distrait des humains, plongé au plus profond de ses rêveries ; dressez-le sur ses deux pieds et mettez-le en marche ; où ira-t-il ? Infailliblement, il vous conduira à l'eau, si eau il y a, où que ce soit dans la contrée. Vous n'aurez qu'à tenter l'expérience, si jamais il vous arrive de connaître la soif dans le désert immense de l'Amérique, et pour peu qu'il se trouve dans votre caravane un quelconque docteur métaphysicien. Tant il est vrai – ainsi que nul ne l'ignore – que la méditation et l'élément de l'eau sont conjoints à jamais.

Mais voici un artiste qui veut vous peindre le coin le plus exquis et le plus enchanteur, la retraite la plus douce et la plus ombreuse, le plus poétique de tous les paysages de la toute romantique vallée du Saco. Quel sera donc son motif principal ? Ici sont érigés ses arbres, tous avec le tronc creux et travaillé, comme si l'ermite au crucifix se tenait à côté ; voilà la pente ensommeillée des prés, avec le troupeau assoupi ; et voilà le toit de la chaumière, d'où monte une lente fumée. Au loin, à l'horizon là-bas, s'en va profondément le mystérieux dédale d'un sentier qui s'élève en serpentant dans le moutonnement désordonné des montagnes aux flancs bleutés. Mais encore que tout soit traité comme en pleine extase, encore que ce pin, ici, frémisse et soupire comme une couronne de verdure sur la tête du berger, tout serait vain pourtant si le regard de ce berger, justement, n'était plongé dans la magie de l'eau qui coule devant lui.

Que vous alliez en juin faire excursion dans la Prairie, alors que vous marchez mille après mille, interminablement, enfoncé à mi-cuisse dans les champs de lis tigrés – quel est l'unique agrément qui vous manque ? L'eau ! Il n'y a là-bas pas une seule goutte d'eau. Le Niagara, s'il était une cascade de sable, iriez-vous parcourir de si énormes distances pour seulement l'aller voir ? Et pourquoi le poète pauvre du Tennessee, quand il se vit soudain disposant de deux pleines poignées d'argent, pourquoi donc se prit-il à se demander s'il allait se payer un habit (dont il avait un sacré besoin!) ou s'offrir le voyage à pied jusqu'à Rockaway Beach? Pourquoi, oui, pourquoi n'existe-t-il pour ainsi dire pas un seul jeune garçon un peu robuste et habité par un cœur solide et vigoureux, qui ne soit pris un jour ou l'autre de l'envie folle de courir les mers? Pourquoi vous-même, une fois à bord comme passager pour votre prime traversée, avez-vous ressenti cette profonde exaltation mystique lorsque vous avez su, pour la première fois, que vous aviez perdu de vue la terre, vous et votre navire? Pourquoi les Perses de l'Antiquité regardaient-ils la mer comme sacrée? Pourquoi les Grecs avaient-ils fait à l'océan l'hommage d'un dieu particulier, le propre frère de Jupiter? Tout cela n'est assurément pas sans signification. Et encore moins la très profonde histoire de Narcisse qui, parce qu'il ne pouvait pas s'emparer de l'image exquise et torturante qu'il apercevait dans la source, se jeta dans ses eaux et fut noyé. Car c'est cette même image que nous voyons nous-mêmes dans toutes les eaux des fleuves et des océans! L'image insaisissable de l'insaisissable fantôme de la vie. Et c'est cela, la clef de tout.

Bien. Mais quand je dis que j'ai accoutumé de prendre la mer chaque fois que je commence à me sentir l'œil trouble et du vague au regard, lorsque je me mets à avoir un peu trop sentiment de l'existence de mes propres poumons, je n'ai pourtant pas dans l'idée et je ne voudrais pas que vous en concluiez que ce soit en condition, état et situation de passager. Non, car pour prendre la mer comme passager, il faut nécessairement que vous soyez possesseur d'une bourse; et une bourse, voyez-vous, ce n'est guère qu'une chiffe s'il n'y a pas quelque chose dedans. En outre, messieurs les passagers souffrent du mal de mer; ils deviennent nerveux, excitables et querelleurs; ils ne dorment pas la nuit et, d'une façon générale, ils n'y prennent guère de plaisir. Je ne m'embarque jamais comme passager, non; et quoique je sois plutôt salé par les embruns et assez loup de mer sans doute, je ne monte non plus jamais à bord en qualité de commodore, ni en qualité de capitaine, ni encore en qualité de coq. A ceux qui les aiment, j'abandonne la gloire et les honneurs de ces emplois. Pour moi, j'abomine le supplice des charges respectables et le poids accablant des dignités : tous les embarras et les tracas de quelle sorte qu'ils soient. J'ai déjà bien assez affaire d'avoir à prendre soin de moi, sans encore vouloir me charger du gouvernement de navires, de barques, de bricks, de schooners ou de que sais-je encore ! Quant à embarquer en qualité de coq – bien que, je l'avoue, il y ait à la chose beaucoup d'honneur, le coq étant à bord une sorte d'officier –, je me vois mal, en vérité, en train de faire rissoler des volailles ; ce qui n'empêche que, de ces mêmes volailles, une fois rôties, bien juteuses et beurrées à point, salées et poivrées judicieusement, je ne connais personne qui puisse parler avec le respect, voire avec la révérencieuse déférence que je puis y mettre. C'est par un analogue penchant gastronomique et un semblable goût allant jusqu'à l'idolâtrie pour les ibis rôtis et les grillades d'hippopotames, que les Égyptiens de l'Antiquité ont été portés à enfourner les momies de ces créatures, telles que vous pouvez encore les voir, dans ces fours colossaux que sont les pyramides.

Eh bien, non ! Lorsque je prends la mer, c'est en qualité de simple matelot, comme homme d'équipage, comme mathurin du gaillard d'avant, droit devant le grand mât, juste entre le trou du poste d'équipage et les hauteurs, là-haut, de la tête royale du mât. Il est vrai qu'on me commande pas mal, qu'ils me font faire des tas de choses et que je vais, bondissant d'espar en espar comme une sauterelle dans les jeunes prairies de mai. Certes, au premier abord, ce genre de choses ne laisse pas d'être plutôt déplaisant ; votre sens personnel de l'honneur s'en trouve offensé, et tout spécialement si vous sortez d'une honorable et fière famille de vieille souche terrienne comme les Van Rensselaer, par exemple, les Randolf ou les Hardicanute ; et beaucoup plus sensiblement encore si, juste avant de plonger vos mains dans la baille à brai, vous venez de jouer les autorités en qualité d'instituteur de campagne, inspirant un respect mêlé de crainte aux plus costauds de vos garnements. La transition est raide, je vous l'affirme, de maître d'école à matelot ; et il vous faut, pour la supporter avec le sourire, une fameuse décoction de Sénèque et des stoïques ! Le temps aidant, toutefois, même cela finit par passer.

Après tout, si quelque vieille peau de capitaine m'ordonne
d'attraper le faubert et de laver les ponts – eh bien ?... que peut-elle
bien peser, au bout du compte, cette indignité ? Quelle gravité a cet
affront, sur les balances, veux-je dire, du *Nouveau Testament* ?
Prétendrez-vous que l'archange Gabriel aura, si peu que ce soit,
moins bonne opinion de moi parce que j'aurai, dans ces circonstances, obéi promptement et respectueusement à cette vieille peau ?
Quel est celui qui n'est pas un esclave ? Voilà ce que je vous
demande. Donc, mes amis, et quoi que puissent me commander les
vieux capitaines, même et encore s'ils me houspillent et me cognent
dessus, n'ai-je pas la parfaite satisfaction de savoir que tout un
chacun reçoit sensiblement sa ration personnelle d'une façon ou
d'une autre, physiquement ou métaphysiquement veux-je dire !
Car c'est ainsi que circule à la ronde l'universel argument frappant,
et que tous les humains sont là, à se frictionner réciproquement les
côtes, et à se contenter avec cela.

Pour y revenir, donc, j'ajouterai que je m'embarque toujours
comme simple matelot pour la simple et notable raison qu'ils se
font un devoir, messieurs les capitaines, de toujours me payer pour
ma peine, alors que je n'ai point entendu dire jusqu'ici qu'ils
eussent payé le moindre centime à ceux qui embarquent comme
passagers. Il paraît même que ce sont, au contraire, les passagers
qui payent. Or, voilà bien : payer ou être payé, cela fait la plus
grande différence qui soit au monde. La civilité empressée avec
laquelle un homme reçoit de l'argent est positivement merveilleuse,
stupéfiante même, si nous tenons compte que nous regardons formellement l'argent comme la source, la racine et le fondement de
tous les maux terrestres, et que nous pratiquons hautement la
ferme foi qu'un riche ne saurait à aucun prix entrer au ciel. Hélas !
quel prodigieux accord et quel cœur merveilleux ne mettons-nous
pas à nous précipiter nous-mêmes dans la perdition !

Dernière raison enfin : je m'embarque toujours comme simple
matelot par hygiène, c'est-à-dire à cause de la salubre gymnas-
tique qu'on pratique, et de l'air pur qu'on respire sur le gaillard
d'avant. Car à considérer qu'en ce bas monde les vents debout
sont nettement les plus nombreux, et plus constants de beaucoup
que le vent arrière (pour autant que vous n'alliez jamais, du

moins, à l'encontre des maximes pythagoriciennes), il se fait donc
que le commodore sur la dunette inhale la plupart du temps un air
de seconde main, si je puis dire, lequel air il reçoit, c'est l'évidence
même, exhalé par les hommes du gaillard d'avant. Il croit, lui,
qu'il le respire en premier; mais non pas! Et c'est de même, exactement, qu'il en va en tant d'autres affaires, où le commun mène
et précède ses chefs, alors que ceux-ci, cependant, n'en ont pas le
moindre soupçon.

Quant à dire comment il fut qu'après avoir humé à maintes
reprises l'air marin comme matelot long-courrier, je me fusse alors
mis en tête d'embarquer pour une campagne de pêche à la baleine,
c'est ce que, mieux que quiconque, doit savoir le délégué invisible
des Parques, qui me tient sans relâche sous sa surveillance, qui
m'espionne et me file en secret, et, par des voies inénarrables,
m'influence et me gouverne. Il apparaît indubitablement que ce
mien départ pour cette croisière de grande pêche était partie intégrante du grandiose programme établi et élaboré par la Providence depuis longtemps déjà. Ce devait être une manière de bref
interlude, un court solo parmi des exécutions de plus grande
envergure, et j'ai idée que cette partie du programme devait se
présenter à peu près comme suit :

GRANDE COMPÉTITION ÉLECTORALE
pour la Présidence des États-Unis

—◦◦◦—

CAMPAGNE
DE PÊCHE A LA BALEINE
D'UN CERTAIN ISMAHEL

—◦◦◦—

COMBATS SANGLANTS
EN AFGHANISTAN

Néanmoins, si je suis incapable de dire comment il se fait que les
régisseuses du Grand Théâtre, mesdames les Parques, m'aient inscrit dans le rôle misérable d'une pêche à la baleine, alors que
d'autres que moi se voyaient octroyer de superbes rôles dans
d'imposantes tragédies, ou distribuer de petits rôles courts et
faciles dans des comédies légères, ou encore de bouffonnes

répliques dans de bonnes farces ; oui, si je suis incapable de dire exactement pourquoi, je crois pourtant pouvoir, à présent que je me rappelle toutes les circonstances, apercevoir quelque peu les ressorts secrets et mobiles cachés adroitement sous toutes sortes de faux-semblants, de déguisements et de masques, qui m'ont amené à jouer malgré moi ma partie dans le rôle qui m'était dévolu, mais non sans me bercer dans l'illusion trompeuse que c'était par le libre choix de mon seul jugement sans aucun parti pris et par la décision sincère et exclusive de mon unique et personnelle volonté.

Et le plus important d'entre tous ces motifs, ce fut d'abord l'irrésistible et formidable image au fond de ma pensée de la grande baleine elle-même. Ce monstre fantastique et mystérieux accaparait toutes mes curiosités. Ce furent ensuite et aussi les mers sauvages et lointaines où le léviathan roule sa masse énorme comme une île, et encore les périls sans nom, les dangers inouïs qu'il vous fait courir, conjointement avec l'attente de tant de merveilles à voir et à entendre, des mille et un spectacles et enchantements de la Patagonie ; oui, tout cela faisait furieusement tenir le cap à mon désir. Ce sont là choses qui pour d'autres n'eussent sans doute été que de fort maigres tentations ; mais pour moi, je demeure perpétuellement tourmenté par une terrible démangeaison de lointains et de choses lointaines. J'adore naviguer sur les mers interdites et accoster les rivages barbares. N'ignorant point ce qui est bon, je suis prompt à saisir l'horreur, certes ; mais je suis néanmoins capable de ne pas lui manquer de politesse et de toujours rester – pourvu qu'elle me laisse faire – en termes cordiaux avec elle, d'autant qu'il ne peut être que bien d'entretenir des rapports d'amitié avec tous les voisins qu'on peut avoir, où qu'on se trouve.

Aussi est-il que pour toutes ces raisons, bienvenue était cette croisière de pêche à la baleine : les immenses vannes du monde des merveilles étaient levées, et sur le flot de mes folles pensées roulant autour de mon projet, d'infinies processions de baleines venaient, couple après couple, nager dans le plus secret de mon âme ; et parmi elles : un blanc fantôme immense, qui ressemblait à une colline de neige dans l'espace.

LE FOURRE-TOUT

Je serre donc une ou deux chemises dans mon vieux fourre-tout, je le prends sous mon bras, et en route pour le cap Horn et le Pacifique.

Je quittai notre bonne vieille cité de Manhattan et arrivai sans encombre à New Bedford. C'était un samedi soir, au mois de décembre. Grande fut ma déception en y apprenant que le petit voilier qui assure le service avec Nantucket était déjà parti, et qu'il n'y avait pas d'autre courrier avant le lundi.

Si le plus grand nombre des jeunes candidats aux peines et aux souffrances de la grande pêche vient s'arrêter à ce même New Bedford pour s'y embarquer et si ces jeunes gens commencent là leur carrière, mon intention, autant le dire tout de suite, n'était pas de faire de même. Je m'étais mis dans l'idée d'embarquer sur un baleinier de Nantucket, pas sur un autre ; et cela parce que tout ce qui touche à la noble vieille île et à son port fameux respire une violence et un charme qui ont sur moi un pouvoir de séduction prodigieux. Que, dans ces dernières années, New Bedford eût gagné peu à peu et finalement conquis le monopole de la pêche à la baleine ; que mon pauvre vieux Nantucket vînt à présent fort loin derrière sa voisine en cette affaire, il n'en restait pas moins que Nantucket en était bel et bien le vrai berceau, l'authentique lieu d'origine, était la Tyr de cette Carthage, l'historique endroit où avait été amenée à terre la première baleine américaine harponnée et tuée. Où donc, sinon à Nantucket, les tout premiers baleiniers aborigènes – les Peaux-Rouges – avaient-ils sauté dans leurs pirogues pour donner la chasse au léviathan ? Et de quel lieu, sinon de Nantucket encore, s'était donc élancé le premier audacieux petit sloop partant en mer à l'aventure, chargé de gros galets – à ce que rapporte l'histoire – avec lesquels on visait les baleines afin de mieux mesurer la portée et savoir quand elles se trouvaient assez près pour qu'on pût, du beaupré, risquer un jet de harpon ?

Mais à présent, avec toute une nuit, une journée entière et encore une nuit à New Bedford avant que de pouvoir passer à mon port d'embarquement, la question se posait de savoir où manger et dormir pendant ce temps. Il faisait une nuit de mine assez peu rassurante, ou plutôt non : c'était une nuit franchement sombre et sinistre et cruellement froide. Je ne connaissais pas une âme dans ces lieux. Et, non sans angoisse, à coups de grappin répétés, j'avais sondé et visité le fond de mes poches pour n'en ramener que quelques rouges liards.

Où que tu diriges tes pas, par conséquent, mon cher Ismahel, me disais-je planté au milieu d'une lugubre rue avec mon fourretout à l'épaule, tout en comparant les ténèbres du nord avec l'obscurité du sud ; quel que soit donc le lieu où ta propre sagesse te conduira pour loger ce soir, il ne te reste, mon très cher Ismahel, qu'à surtout t'inquiéter du prix et ne pas faire le difficile.

D'une démarche hésitante, je parcourus les rues et je finis par arriver devant l'enseigne des Harpons en Croix – mais c'était bien trop chic et apparemment beaucoup trop cher pour ma bourse. Plus loin, la flamboyante clarté que déversaient sur la chaussée les fenêtres de la taverne A l'Espadon semblait nourrie de rayons si incandescents qu'ils avaient comme rongé les paquets de neige et de glace entassés contre la maison ; partout ailleurs, en effet, le froid avait confectionné une épaisse et dure croûte d'au moins dix pouces, au demeurant fort pénible pour moi lorsque mon pied venait à buter contre ses aspérités, parce qu'après un long usage et un sérieux emploi, je dois dire que la pauvre semelle de mes bottes se trouvait dans un déplorable état. Trop cher et trop chic encore, me dis-je, arrêté un moment à contempler l'ample déversement de ces lumières dans la rue, et l'oreille enchantée au cliquetis des verres et au brouhaha de l'intérieur. Allons, en route Ismahel ! finis-je par m'intimer. N'as-tu pas entendu ? En route, te dis-je !

Tire-toi de devant cette porte. Tes bottes bâillantes offusquent cette entrée et t'en interdisent l'accès !

Je m'en fus donc, empruntant désormais par préférence et par instinct les rues et les venelles les plus voisines de la mer : c'était là, assurément, que se trouvaient les moins chères, sinon les plus réjouissantes des auberges.

Sinistres rues ! que bordaient à droite et à gauche des cubes de noirceur et non point des maisons, avec ici ou là le vacillement d'une errante chandelle semblable à quelque lueur au fond d'un tombeau. A cette heure avancée, en ce dernier jour de semaine, ces bas quartiers du port étaient totalement déserts, ou peu s'en faut. Mais voilà que pourtant j'avançais à présent vers une vague et fumeuse lueur émanant d'une bâtisse longue et basse, dont la porte tentante était restée ouverte. Elle avait cet air anonyme et sans soin des lieux réservés à l'usage public, et la première chose que je fis, en voulant y passer, fut de buter dans une poubelle pleine de cendres qu'on avait laissée là sous le porche. Hé là ! pensai-je en suffoquant dans la nuée cendreuse, est-ce que ce ne seraient point les cendres de Gomorrhe, la cité maudite ? Après les Harpons en croix et après l'Espadon, ne serais-je point ici à l'enseigne de la Chausse-Trape ?

Je me relevai cependant, et comme j'entendais à l'intérieur une puissante voix, je m'avançai alors vers une seconde porte, une porte intérieure, que je poussai.

On se fût cru aux sombres assises du Jugement des damnés. Une centaine de faces noires alignées rang par rang s'étaient tournées d'un coup pour inspecter le nouvel arrivant, tandis que derrière elles, l'Ange Noir du Jugement frappait de la main un livre ouvert sur un pupitre. C'était une église nègre, et le prédicateur, dans son sermon, traitait de l'obscurité des ténèbres, de la terreur et des pleurs, des gémissements et des grincements de dents au fond des noirs abîmes. Oh là, Ismahel ! murmurai-je à part moi en revenant sur mes pas, on s'amuse déplorablement à l'enseigne de la Chausse-Trape !

Toujours avançant, je finis par arriver, non loin des docks, jusqu'à la lueur sourde et à peine distincte d'un falot suspendu à l'extérieur devant une porte ; une fois là, j'entendis au-dessus de ma tête un grincement lugubre; levant les yeux, j'y aperçus, se balançant, une enseigne rehaussée d'une vague peinture blanchâtre qui représentait confusément une sorte de jet haut et droit de quelque brumeuse vapeur. Au-dessous, ces mots : « A LA TAVERNE DU SOUFFLE – PIERRE COFFIN [1]. »

Coffin?... Souffle?... Plutôt inquiétant comme rapport! me dis-je. Mais Coffin est un nom assez répandu à Nantucket, et le Pierre que voilà aura, je suppose, émigré ici. En tout cas, avec la sourde lueur de cette misérable lanterne et la solitude du lieu; avec l'air délabré de la baraque de bois, qui paraissait avoir été transplantée de quelque quartier sinistré par le feu; avec ce grincement de l'enseigne qui semblait comme marqué du sceau de la pauvreté, c'était bien là le coin rêvé pour un logement à bon compte et la dégustation du café de glands le plus parfait qui fût. Et ce fut aussi ce que je me dis.

C'était vraiment une bizarre demeure, avec son vieux pignon hors d'âge et son flanc comme paralysé qui penchaient tristement en avant. Elle se dressait tout de guingois sur un coin désert et exposé, où le vent de tempête nommé Euroclydon rugissait plus affreusement encore qu'il ne le fit jamais autour de la nef ballottée de saint Paul. Et pourtant, Euroclydon n'est qu'un exquis zéphyr pour quiconque se trouve douillettement chez soi, en train de se rôtir gentiment les pieds aux chenets avant que de gagner son lit. « L'appréciation du vent tempétueux qui a nom Euroclydon, écrit un vieil auteur dont je possède l'unique exemplaire encore existant, varie merveilleusement selon que tu l'observes du dedans à travers la vitre d'une fenêtre qui maintient tout le froid à l'extérieur, ou au contraire si c'est par une fenêtre sans carreau qui fait le froid égal de part et d'autre, avec la Mort, la misérable Mort pour unique vitrier. »

Voilà qui est bien vrai, observai-je en me rappelant ce passage. Vieux manieur de stylet, tu ne raisonnes pas mal! Ces fenêtres, ce sont mes yeux; et la maison, c'est le corps que voici. Ah! oui, c'est grand dommage qu'on n'en ait point colmaté les fentes et les fis-

---

1. Coffin, qui signifie toujours *cercueil* en anglais, était aussi le nom qu'on donnait autrefois en français à la petite boîte où nous élisons tous notre dernier domicile terrestre. *(Sauf mention contraire, toutes les notes sont du traducteur.)*

sures, et qu'on n'ait point fourré, par-ci par-là, ce qu'il fallait
d'étoupe! Mais voilà, c'est trop tard à présent pour y apporter des
améliorations. L'univers est bel et bien achevé; voilà un bon million
d'années que la clef de voûte a été mise en place, et balayés les
copeaux du premier bâtiment. Oh! malheureux Lazare, à présent,
claquant des dents sur le trottoir qui te sert d'oreiller, tout grelottant
dans tes haillons, tu peux bien te boucher les deux oreilles en y bourrant des chiffons et t'enfoncer dans la bouche un trognon de chou,
cela, hélas! ne te mettra point à l'abri des morsures d'Euroclydon le
tempétueux. – Euroclydon? ricane le vieux Riche engoncé dans sa
douillette de soie rouge (il en portera une bien plus incandescente
encore après coup!), peuh! peuh! une claire et splendide nuit de gel
que voilà! Orion scintille! Quelle magnifique aurore boréale! Ah!
qu'on ne vienne pas me chanter les étés éternels des climats orientaux; qu'on me laisse mon privilège qui est de me faire moi-même
de mon propre charbon mon propre et personnel été.

Oui, mais que pense Lazare? Peut-il, lui, réchauffer ses mains
bleuies de froid en les tendant vers les astres polaires? Ne préférerait-
il pas, lui, se trouver plutôt qu'ici à Sumatra? Plutôt que sur ce
maudit trottoir, n'aimerait-il pas mieux se coucher et s'étendre de
tout son long sur la ligne de l'équateur? Quoi! et n'irait-il pas
volontiers au cœur même des incandescences infernales pour chasser hors de lui, loin de lui, le froid terrible dont il souffre?

Et pourtant il est là, notre Lazare, échoué sur le trottoir juste
devant la porte de notre Riche, et c'est spectacle plus stupéfiant
encore que celui qu'on aurait à voir un iceberg échoué sur la plage
d'une des Moluques! Ce qui n'empêche que le Riche, tel un tzar,
vit dans un véritable palais de glaces autour duquel gèlent les
autres, et comme il est aussi le président de quelque société de
tempérance, il ne boit que les tièdes larmes des orphelins.

Bon. Mais assez de ces pleurnicheries à présent! Nous voici partant pour la grande pêche, et l'occasion ne manquera certes pas de
revenir sur tout ça. Secouons la glace de nos bottes, dans lesquelles
nous avons les pieds gelés, et allons voir un peu comment se présente le «Souffle» que voilà.

LA TAVERNE AU SOUFFLE

Passer la porte de cette bâtisse à pignon débordant et tordu, c'était se trouver dans une vaste et basse entrée à demi déserte, entièrement boisée de panneaux à la mode ancienne qui rappelaient infailliblement les pavois de quelque antique voilier au cimetière des navires. Sur l'un des murs apparaissait un énorme tableau peint à l'huile, mais tellement enfumé, tellement dégradé un peu partout, qu'à le voir comme on le voyait sous le feu croisé des lueurs inégales, il ne vous était guère possible d'arriver à vous faire une opinion sur ce qu'il voulait représenter, sans vous livrer à une profonde étude systématique, en renouvelant innombrablement vos visites et inspections détaillées, et non sans procéder à un interrogatoire serré et méthodique du voisinage. Il présentait un tel et si fantastique amas de ténèbres et d'ombres, que ce qui vous venait à l'esprit au premier abord, c'était qu'il s'agissait des ambitions artistiques de quelque jeune peintre du temps des sorcières de la Nouvelle-Angleterre, lequel se serait essayé à dessiner les charmes de la malédiction et du chaos. Mais à force de concentration, par une contemplation doublée d'une méditation constante, et non sans recourir à l'ouverture de la minuscule fenêtre sise au fond de cette entrée, vous pouviez parvenir enfin à la conclusion que cette première idée, pour étrange qu'elle fût, n'était somme toute pas si sotte ni sans fondement.

Ce qui vous intriguait surtout et vous laissait vraiment perplexe, c'était une longue, sombre et sinistre masse opaque d'un quelque chose au premier plan, qui tenait vaguement le milieu de la toile juste au-dessus de trois imprécises et douteuses lignes bleues, verticales, trois sinistres zébrures qui semblaient surnager dans une fermentation innommable. Inquiétante et louche peinture en vérité, bourbeuse et limoneuse, saturée de désastre et de marécage assez pour détraquer tout à fait quelqu'un d'un peu nerveux. Pourtant il régnait dans ce tableau une sorte de sublimité étrange, sensible et pourtant imprécise, indiscernable, qui vous tenait, glacé d'horreur, collé à lui jusqu'à ce que vous vous juriez malgré vous de découvrir le sens d'une aussi fantastique peinture. Il vous vient bien de temps à autre quelque idée lumineuse, mais qui se révèle, hélas ! décevante : C'est la mer Noire par une nuit d'orage ! – C'est la lutte surnaturelle des quatre éléments primordiaux ! – C'est la lande désolée ! – C'est une scène de la nuit d'hiver hyperboréen ! – C'est la débâcle soudaine du fleuve du Temps, hier encore pris dans les glaces !... Mais à la fin toujours ces imaginaires fantaisies venaient échouer sur le formidable quelque chose qui siégeait au milieu des ombres fumeuses du tableau. Que *cela* fût compris, la découverte de tout le reste irait toute seule. Mais halte ! voyons : est-ce que cela n'aurait pas un semblant de ressemblance avec un gigantesque poisson ? et même avec le grand léviathan soi-même ?

En réalité, telle devait bien être l'intention originale de l'artiste : c'est là ma théorie finale, à laquelle je suis parvenu en la fondant partiellement sur l'opinion de maintes personnes d'âge avec lesquelles je discutai de la question. Le tableau représente un caphornier dans un furieux coup de chien ; le navire engage profondément et roule, aux trois quarts englouti, avec ses trois mâts démantelés qui sont seuls visibles ; et une baleine en furie, dans l'intention de franchir le vaisseau d'un bond, est en train de s'empaler monstrueusement sur la pointe des trois mâts.

La paroi opposée de cette entrée offrait la panoplie de tout un arroi païen d'assommoirs monstrueux et de lances effrayantes dont certaines étaient incrustées de dents luisantes et si serrées qu'elles ressemblaient à des scies d'ivoire, tandis que d'autres étaient ornées de touffes de cheveux humains ; il y en avait une qui affectait la forme aiguë d'une faucille dont le manche avait la courbe et l'ampleur d'un large coup de faux dans l'herbe tendre des prés. Vous trembliez rien qu'à la voir, et vous vous demandiez quel sauvage cannibale avait bien pu aller faire la moisson de la mort avec le tranchant terrible d'un si affreux outil. Au milieu de cet attirail, on voyait de vieilles lances rouillées de chasse à la baleine et des harpons tout tordus et cassés. Beaucoup avaient une histoire : avec cette lance qui fut une fois élancée et belle, mais qui est aujourd'hui désastreusement torve et torse, Nathan Swain tua quinze cachalots entre le lever et le coucher de soleil, il y a de cela cinquante ans ; et ce harpon – qui ressemble à présent à un tire-bouchon – fut planté jadis dans une baleine qui l'emporta en fuyant, quelque part dans les eaux de la Sonde, pour être retrouvée des années plus tard et tuée au large du cap Blanco. Le fer était entré non loin de la queue, et, telle une aiguille voyageuse dans le corps d'un homme, il avait parcouru une bonne quarantaine de pieds pour venir, finalement, s'enfoncer dans la bosse où on l'avait trouvé.

Après avoir franchi l'obscurité de l'entrée, et passé sous une arche fort basse – taillée sans doute dans ce qui avait été autrefois une grande cheminée centrale avec son cercle de foyers tout autour –, vous vous trouviez dans la salle commune. Une salle commune encore plus sombre, et avec un plafond si bas, fait de poutres si énormes, et un plancher si raboteux, si sourcilleux, si rude, que vous vous seriez cru dans le second pont d'un vieux navire, au poste d'infirmerie, surtout par une nuit pareille avec ce vent hurleur et cette vieille baraque ancrée aux quatre coins qui donnait si furieusement de la bande. L'un des côtés de la pièce était occupé par une sorte de longue et basse banquette en forme d'étagère où s'alignait un désordre de compartiments de verre, plus ou moins cassés, remplis de la collection poussiéreuse de raretés ramenées des quatre coins les plus perdus du monde. Dans l'angle, tout au fond de la pièce, une obscure retraite était ménagée derrière une proéminence – le bar – qui essayait bigrement d'imiter une tête de baleine franche. Quoi qu'il en fût, en tout cas, l'os voûté de la puissante mâchoire d'une baleine avait été placé là, vaste assez pour qu'une diligence, ou presque, passât dessous avec armes et bagages, équipages et voyageurs. Juste au-dessous, rangés sur des étagères assez douteuses, s'alignaient des flacons, de vieilles bouteilles et des fioles diverses ; dans la gueule même, cette gueule de prompte destruction, s'affairait un second et maudit Jonas (c'était, en vérité, le nom qu'ils donnaient au petit vieux tout ratatiné qui, en échange de leur bon argent, vendait chèrement aux matelots le délirium et la mort). Car c'était une véritable abomination que les verres où il versait son poison : cylindriques à l'extérieur, mais outrageusement coniques à l'intérieur pour s'arrêter bientôt, dans l'épaisseur du verre glauque et grossier, sur un fond trompeur et singulièrement étroit. Des méridiens gravés à l'emporte-pièce couraient parallèlement autour de cette verrerie de trompe-l'œil : rempli jusqu'à ce niveau-ci, vous en aviez pour un penny ; jusqu'à cet autre, pour un penny de plus, et ainsi de suite jusqu'au dernier méridien, la mesure dite « Cap-Horn » (ou verre plein) pour lequel il vous fallait cracher votre shilling.

A mon entrée en ces lieux j'y trouvai une certaine assemblée de jeunes marins autour d'une table, en train d'examiner sous la chiche lumière divers spécimens de *tirage au flanc*, c'est-à-dire les fruits personnels de loisirs plus ou moins licites à bord, les œuvres de leur patience et de leur adresse. Je m'enquis du patron et, lui ayant demandé une chambre, je reçus pour réponse que sa maison était au complet : pas un lit qui ne fût occupé.

– Mais chassez pas, ajouta-t-il soudain en se frappant le front : Vous verriez pas d'objections à partager la couverture d'un harponneur, pas vrai ?… Embarquez sur un baleinier, j'imagine ; c'en sera que mieux, que vous ayez l'habitude de la chose.

Je lui expliquai que je n'avais jamais aimé dormir à deux dans un lit, et que si je devais jamais le faire, cela dépendait avant tout de ce que pouvait être ce harponneur ; que s'il n'avait réellement (lui, le patron) pas autre chose à m'offrir, et s'il n'y avait rien contre le harponneur en question, plutôt que de me relancer à courir une ville étrangère par une aussi peu fameuse nuit, je me contenterais de la moitié du lit de tout individu convenable.

– C'est ce que je dis. Très bien. N'avez qu'à vous asseoir. Dîner ? Vous voulez dîner ? Le dîner va être prêt à l'instant.

Je pris place sur une vieille banquette de bois à dossier, travaillée au couteau, entaillée et sculptée autant qu'un banc public des fortifs. A l'autre extrémité, un mathurin plongé dans ses pensées

était précisément en train d'en compléter l'ornementation à l'aide
de son couteau de poche, fourrageant et travaillant avec diligence
la surface délimitée par ses deux jambes écartées. Il s'essayait la
main sur un trois-mâts avec toute sa toile, mais qui n'avait pas
l'air de tailler brillamment sa route, à ce que je me dis.

Enfin nous fûmes conviés à quatre ou cinq dans une pièce adja-
cente pour y prendre notre repas. Il y faisait un froid polaire ; pas
le moindre feu ; le patron nous affirma que ses moyens ne lui permettaient pas d'en faire. Rien d'autre pour éclairer que deux misérables chandelles de suif, chacune dans une sorte de suaire. Nous
n'avions plus qu'à boutonner et à remonter le col de nos vareuses,
porter à nos lèvres avec nos doigts à moitié gelés des tasses de thé
bouillant. Le menu était en revanche on ne peut plus substantiel :
non seulement de la viande et des pommes de terre, mais des boulettes de pâte ; grands dieux ! des beignets pour dîner ! L'un de nos
jeunes gars vêtu d'une veste de livrée verte leur disait un sacré mot
à ces beignets.

– Mon garçon, prononça le patron à son adresse, tu vas te coller
des cauchemars à en crever, c'est certain.

– Patron ! lui demandai-je dans un souffle, votre harponneur
c'est celui-là ?

– Oh non ! me rétorqua-t-il en manifestant une sorte de joie diabolique ; le harponneur, c'est un type de couleur. Il mange point de
beignets, celui-là, rien d'autre que des steaks, et plutôt saignants
qu'il les aime.

– Diable oui. Mais où est-il ce harponneur ? questionnai-je. Est-
il ici ?

– Il va pas tarder à y être, fut la réponse.

Je ne pouvais pas m'en empêcher, mais ce « type de couleur »
commençait à me paraître assez inquiétant. En tout cas, je décidai
in petto que si nous devions partager le même lit, il se déshabille-
rait et se coucherait *avant* moi.

Le dîner achevé, la compagnie regagna la salle du bar et, ne
sachant moi-même que faire pour occuper mon temps, je résolus
de me distraire à bien observer ce qui se passait. On entendait justement dehors un bruyant tapage. Le patron sauta sur ses pieds en
s'exclamant :

– C'est l'équipage du *Grampus* ! Étaient signalés au large ce matin. Une croisière de trois ans et les cales pleines. Hurrah ! les gars, v'là qu'on va avoir les dernières nouvelles des Fidji.

Un lourd raclement de bottes de mer résonnait dans l'entrée. La porte fut poussée et une équipe de matelots plutôt salés se rua à l'intérieur. Enveloppés dans leurs cabans de quart à longs poils, la tête emmitouflée dans des écharpes de laine ravaudées et déchirées de partout, la barbe raidie de pointes de glace, on eût dit l'irruption d'une bande d'ours du Labrador. Ils venaient juste de quitter leur bord et c'était leur première visite à terre. Rien d'étonnant, donc, qu'ils missent le cap droit sur la gueule de la baleine – le bar – où le petit vieux Jonas tout ridé était en fonction, versant à la ronde des verres pleins à ras bords. L'un des hommes se plaignant d'un méchant rhume de cerveau, le vieux Jonas se mit sur-le-champ à lui confectionner une potion de mélasse et de gin qui ressemblait à de la poix, jurant que c'était un remède souverain contre les rhumes, les catarrhes et autres coups de froid si mauvais qu'ils fussent, « et peu importe depuis combien de temps on les traîne, ou si c'est sur les côtes du Labrador qu'on les a attrapés, ou sur la côte nord d'une île de glace ! »

L'alcool eut tôt fait de leur monter à la tête, comme il en va à chaque fois et même avec les plus fieffés soiffeurs quand ils viennent de poser pied à terre ; ils se mirent donc à chahuter et à faire un tapage infernal.

Je remarquai, toutefois, qu'il y en avait un qui se tenait plutôt au large ; et bien qu'il ne voulût visiblement pas couper par une grise mine les éclats de ses copains de bord, il était loin de faire autant de bruit qu'eux. Cet homme suscita aussitôt mon intérêt ; et puisque les dieux de la mer avaient décidé qu'il serait bientôt mon compagnon de mer (encore que ce ne soit qu'en qualité de compère en ce qui touche ce récit), je me risquerai à en donner ici une petite description. Il faisait largement ses six pieds de taille, avait l'épaule noble et la poitrine profonde comme un batardeau. Rarement ai-je vu pareille musculature sur un homme. Son visage était profondément hâlé et brûlé, faisant éclater la blancheur des dents par contraste ; mais dans les profondeurs de son regard passaient, comme des ombres, certains souvenirs qui ne semblaient guère le combler de joie. Sa voix vous apprenait sur-le-champ qu'il était homme du Sud, et à en juger d'après son port magnifique et sa belle stature, j'en vins à penser qu'il devait être un de ces puissants montagnards de la chaîne des Alleghany en Virginie. Lorsque le boucan de ses compagnons eut atteint son paroxysme, il s'esquiva en douceur, et je ne sus plus rien de lui jusqu'au jour où il devint mon camarade sur la mer. Les autres, en revanche, qui semblaient le tenir en très haute estime, notèrent qu'il était manquant après quelques instants, et aux cris de « Bulkington! Bulkington! Où est Bulkington? » ne tardèrent pas à quitter les lieux, partant à sa recherche.

Il était environ neuf heures quand, après ce départ, la salle se trouva tout à coup plongée dans un calme qui vous semblait surnaturel; je me pris alors à caresser complaisamment un petit bout de plan qui m'était venu à l'esprit au moment où étaient entrés les fracassants matelots.

Nul homme n'aime à partager avec un autre le même lit pour dormir. Fût-ce votre propre frère, vous aurez toutes sortes de bonnes raisons pour ne pas dormir avec lui. Je ne sais pas comment il se fait, mais on aime à être seul dans son sommeil. Aussi quand on vous propose, dans une auberge inconnue, au milieu d'une ville inconnue, de dormir avec un inconnu – et quand au surplus cet inconnu est un harponneur – les objections que vous avez à faire se multiplient en nombre infini. Je ne vois pas non plus le moins du monde pourquoi, en tant que matelot, j'eusse dû, plutôt que tout autre, partager un lit avec quelqu'un : les marins ne dorment pas plus à deux en mer que ne le fait à terre un roi célibataire. Évidemment, tous dorment ensemble dans une même pièce, au poste d'équipage, mais chacun possède son hamac personnel, s'enroule dans ses couvertures personnelles et dort dans sa propre peau.

Plus j'y pensais, plus l'idée de dormir avec ce harponneur m'apparaissait détestable. Il y avait tout lieu de soupçonner qu'en sa qualité de harponneur son linge, de toile ou de lainage selon le cas, serait assurément loin d'être des plus impeccables comme aussi des plus fins. Ça commençait à me gratter partout. Et puis, il se faisait tard et mon harponneur, s'il eût été un convenable et décent personnage, eût dû être rentré et au lit déjà. Admettons à

présent qu'il s'en vienne, et se fourre au lit sur les minuit – qui
saurait dire de quel antre affreux il sortirait ?

– Patron ! appelai-je, j'ai changé d'avis à propos de ce harponneur : je ne coucherai pas avec lui. Je vais plutôt essayer de ce banc.

– Comme vous voudrez ; mais je regrette : je peux même pas vous
donner une serviette de table en guise de matelas, et c'est plutôt
rugueux comme sommier ! Sentez-moi un peu les nœuds et les trous.
Mais attendez voir, mon canard ; j'ai un rabot de charpentier ici dans
le bar… attendez, je vous dis ! Vous allez être paré comme il faut.

Et tout en parlant, il se saisit du rabot et, après avoir donné un
coup de nettoyage sur le banc avec son vieux foulard de soie, il
s'employa vigoureusement à raboter ma couche, grimaçant
comme un singe en le faisant. Les copeaux volaient de droite et de
gauche jusqu'au moment où le rabot vint buter brutalement
contre un nœud qui ne voulait rien savoir. Le patron faillit presque
se luxer le poignet et je le suppliai, pour l'amour du ciel, de laisser
ça là : ma couche était suffisamment moelleuse à présent, et je ne
connaissais pas un rabot au monde qui pût venir à bout de transformer en un délicat édredon une raide planche de sapin. Aussi
ramassa-t-il avec une nouvelle grimace les copeaux tombés à terre
et, les jetant au passage dans le grand fourneau du milieu de la
salle, il s'en retourna à ses occupations et m'abandonna moi-
même à mes actives et plutôt sombres études. Je pris donc la
mesure de mon banc, pour m'apercevoir qu'il était d'un pied trop
court ; mais on pouvait y remédier avec une chaise en bout. Fort
bien. Mais il était aussi d'un bon pied trop étroit ; or, l'autre banc
de la salle avait bien quatre pouces de plus en hauteur : impossible
de les juxtaposer. Je disposai donc mon banc raboté le long de la
cloison ; sur l'unique partie vacante, laissant soigneusement un
certain espace entre le mur et lui pour y caler mon dos. Mais je
n'eus pas longtemps à attendre pour m'apercevoir, sous l'impact
glacé du courant d'air qui m'arrivait droit dessus de la fenêtre, que
mon plan était décidément impraticable, surtout que ce premier
courant d'air venait à rencontrer celui de la porte et se métamor-
phosait en une série de pénétrants petits tourbillons justement au
seul endroit où je pensais m'installer pour la nuit.

Que le diable l'amène, ce sacré harponneur ! me dis-je. Mais voyons un peu !… Est-ce que je ne pourrais pas l'emporter sur lui ? Verrouiller sa porte de l'intérieur, me pousser dans son lit et ne plus me laisser réveiller, quelle que soit la furie de ses coups à la porte ? Cela n'avait pas l'air d'être une mauvaise idée, somme toute. Mais en y réfléchissant, je l'abandonnais ; car qui me dit que demain matin, à peine mettrai-je le nez à la porte pour sortir, il ne sera pas là à m'attendre, tout prêt à me tomber dessus !

Toujours jetant des regards à la ronde et constatant qu'il n'y avait décidément pas moyen de passer une nuit supportable, sinon dans le lit de quelqu'un d'autre, je me dis qu'après tout je pouvais bien avoir nourri des préventions contre mon harponneur inconnu. D'abord, je vais l'attendre encore un peu ; il ne peut guère tarder à venir maintenant. Je l'examinerai un bon coup – et qui sait si nous ne ferons pas une bonne paire de compagnons de lit ? Pourquoi pas ?

Par deux, par trois, ou seuls, les autres pensionnaires rentraient et filaient au lit ; mais de harponneur pas la moindre trace.

– Patron, dites-moi, quelle sorte de type est-il ? Est-ce qu'il rentre toujours à des heures aussi indues ? (Il n'était pas loin de minuit.)

Le patron fit entendre de nouveau son curieux gloussement grêle et sembla fort s'amuser de quelque chose que je ne pouvais comprendre.

– Non, me fit-il en réponse, c'est plutôt un matineux cet oiseau-là ; couche-tôt et lève-tôt – c'te sorte d'oiseau qu'on dit qui pique le meilleur ver, justement. Mais à ce soir, il est sorti comme qui dirait en brocanteur, vous saisissez ? – et je comprends pas ce qu'a bien pu le tenir si longtemps, à moins, bien sûr, qu'il ait pas réussi à vendre sa tête.

– Vendre sa tête ? Qu'est-ce que vous me contez là en fait d'histoire abracadabrante ? rétorquai-je, la moutarde me montant au nez. Dites voir, patron, serait-ce que vous prétendez que ce harponneur est en train d'essayer, par cette sainte nuit de samedi, de dimanche matin plutôt, de bazarder sa tête à la ronde, en ville ?

– Exactement ça, dit le patron. Et même que je lui ai dit qu'il pourrait pas la vendre ici, le marché est saturé.

– Saturé de quoi ? m'écriai-je.

– Ben, de têtes évidemment. Y a-t-il pas trop de têtes de par le monde ?

– Bon, ça va comme ça, patron, prononçai-je avec calme. A présent vous feriez mieux de cesser de me mettre en boîte avec votre histoire. Je ne suis pas un bleu, vous savez.

– Ça se peut et je dis pas non, laissa-t-il tomber en se mettant à tailler un cure-dent dans un éclat de bois qu'il venait de ramasser. Mais je vous dis que vous seriez *bleu* quand même, et noir et marbré et de toutes les couleurs, si jamais le harponneur entendait que vous déblatérez sa tête.

– Je la lui mettrai en compote ! lançai-je avec une soudaine colère que tout ce méli-mélo du patron avait fait naître en moi.

– L'est déjà cassée, dit-il.

– Cassée ? c'est bien « cassée » que vous avez dit ?

– Sûr et certain. Et c'est justement la raison qu'il pourra pas la vendre, à mon avis.

– Patron, articulai-je aussi glacialement que le mont Hécla sous une tourmente de neige, tout en m'avançant sur lui, patron, laissez là votre affûtage de cure-dent. Vous et moi, on va s'expliquer et se bien comprendre, et pas plus tard que tout de suite. Je viens chez vous et je demande un lit ; vous me dites que vous pouvez seulement m'en offrir la moitié d'un, et que l'autre moitié appartient à un certain harponneur. Et sur ce harponneur, que je n'ai toujours pas vu, vous vous mettez et vous persistez à me raconter des histoires rocambolesques et exaspérantes, tendant à provoquer chez moi un sentiment de malaise à l'égard de l'homme que vous m'avez assigné comme compagnon de lit – ce qui est un compagnonnage d'une sorte particulièrement intime, patron ! Je vous demande donc de parler clair à présent et de me dire qui et quel homme est ce harponneur, et si oui ou non je suis à tous égards en sûreté en passant la nuit en sa compagnie. Et je commencerai par vous prier d'être assez bon pour rétracter cette histoire de mise en vente de sa tête qui, si elle est vraie, suffit à me prouver de toute évidence qu'il est complètement fou. Or, je n'ai absolument pas l'intention de dormir avec un fou. Et vous, Monsieur, vous, le patron, oui *vous-même*, Monsieur, en cherchant en connaissance de cause à m'amener à le faire, vous pourriez vous trouver au bout du compte justiciable des assises.

– Euh beûh !... lâcha le patron avec un long soupir. En voilà-t-y

pas un fameux long sermon pour un type qui rigole un petit coup
quand ça se trouve. Mais rassurez-vous, rassurez-vous, le harponneur que je vous dis, il vient juste d'arriver des mers du Sud où il
a acheté tout un lot de ces têtes embaumées de Nouvelle-Zélande.
C'est des raretés, vous savez. Et il les a toutes vendues sauf une ; et
cette une-là, il voulait essayer de la vendre ce soir samedi, parce
que demain dimanche il ne serait pas bien de bazarder des têtes
humaines par les rues, quand c'est que les gens vont à l'église.
L'avait l'intention de le faire l'autre dimanche, mais je l'ai arrêté
au moment qu'il allait passer la porte avec quatre têtes enfilées sur
un bout de filin, bon Dieu ! tout juste comme un chapelet
d'oignons.

L'explication levait le sceau de l'énigme, autrement fort mystérieuse ; et elle montrait au surplus que le patron n'avait nullement
l'intention, après tout, de se moquer de moi. Mais par ailleurs, que
devais-je penser d'un harponneur qui passait ses samedis soir
dehors, et jusqu'au plein de la nuit du saint dimanche, s'employant
à des affaires aussi cannibales que la vente de têtes d'idolâtres trucidés ?

– Vous pouvez être certain, patron, que ce type est un homme
dangereux.

– Il paye réglo, fit-il en manière de réponse. N'avez qu'à venir,
c'est un lit épatant. C'est dans ce lit-là qu'on a dormi ensemble,
Sal et moi, la nuit qu'on s'est capelés. Il y a plus de place qu'il n'en
faut dans ce lit-là pour prendre ses aises, c'est un fameusement
grand lit, croyez-moi. Tenez ! juste avant qu'on le laisse, Sal ins-
tallait à l'autre bout notre petit Sam et le bébé Johnny. Mais voilà
qu'une fois j'ai eu un rêve et j'ai dû gesticuler et m'agiter pas mal :
toujours est-il que le Sam fut jeté à terre et manqua de se casser le
bras. Alors Sal a dit que ça pouvait plus coller. Mais venez donc,
là, je vous donne un fanal en cinq sec.

Et avec ces mots, il allumait une chandelle qu'il me tendait,
s'offrant à me montrer le chemin. Mais je restais hésitant. Il jeta les
yeux sur la pendule dans le fond, et s'exclama :

– Parole ! c'est dimanche. Ce harponneur, vous le verrez plus
cette nuit. L'a dû jeter l'ancre quelque part ; alors venez, mais
venez donc ! Vous voulez pas venir ?

Je retournai le problème un instant, puis nous voilà grimpant l'escalier – et je fus introduit dans une chambre plutôt petite, froide comme une palourde, et à coup sûr amplement meublée par un lit stupéfiant, presque assez grand en vérité pour que quatre harponneurs pussent y dormir en ligne de front.

– Voilà ! prononça l'hôtelier en posant la chandelle sur un malheureux vieux coffre de marin qui assumait le double emploi de table de toilette et de table de milieu. Là ! vous voilà chez vous à présent. Et faites une bonne nuit !

Quittant le lit des yeux, je me retournai ; mais déjà l'homme s'en était allé. Je rabattis la courtepointe et me plantai devant le lit ouvert : loin d'être en vérité d'une élégance sans égale, il supportait pourtant encore assez gaillardement l'examen scrutateur. Ensuite je portai mes regards à la ronde dans la chambre où, hormis le lit monumental et le coffre-table-lavabo, je ne vis rien en fait de mobilier que les quatre murs eux-mêmes, une étagère rudimentaire et un écran de cheminée en papier qui figurait un homme portant un coup à une baleine. Comme objets ne faisant pas originalement partie du mobilier, il y avait dans un coin, par terre, un hamac roulé et lacé, puis encore un grand sac de marin qui devait sans nul doute serrer la garde-robe du harponneur et lui servir de malle-armoire sur cette terre ; enfin il y avait, sur l'étagère, au-dessus de la cheminée, un paquet de sauvages hameçons en os, et un long harpon posé droit à la tête du lit.

Mais là, sur le coffre, qu'est-ce donc ? Je pris la chose en main, l'apportai tout près de la chandelle, la tâtai, la reniflai, bref, j'essayai de tous les moyens possibles pour arriver à une conclusion satisfaisante. Je ne saurais la comparer à rien si ce n'est à quelque grande portière de natte, agrémentée aux quatre coins de petits pendillons cliquetants ressemblant fort aux piquants de porc-épic de toutes couleurs qu'on voit sur le tour des mocassins indiens. Il y avait un trou ou plutôt une fente au milieu de cette natte, exactement comme aux ponchos de l'Amérique latine. Était-il possible qu'un honorable harponneur se flanquât une portière sur le dos et s'en allât, ainsi déguisé, se pavaner par les rues d'une honnête cité chrétienne ? Je revêtis la chose pour l'essayer, et elle me pesa sur les épaules comme une bourriche pleine : elle était invraisemblablement rude de poil, broussailleuse et épaisse ; j'eus même l'impression qu'elle était quelque peu humide, comme si ce mystérieux harponneur l'avait revêtue et portée par un jour de pluie. M'avançant vers un bout de miroir fiché dans le mur, j'y contemplai un spectacle comme je n'en avais jamais vu – et je me sortis de là avec une telle précipitation que je m'en donnai un commencement de torticolis.

Alors je m'assis sur le bord du lit et me mis à réfléchir gravement à ce harponneur vendeur de têtes et à sa portière de paille. Puis je finis par me lever, ôtai mon caban, et restai là planté au milieu de la chambre ; je retirai mes vêtements, restant encore tout pensif en manches de chemise un bon moment. Mais commençant à ressentir vivement le froid, à demi vêtu que j'étais, et me souvenant de ce que l'hôtelier m'avait dit à propos de ce harponneur : qu'il ne rentrerait pas maintenant qu'il était si tard, je laissai là toute hésitation, tirai bottes et pantalon sans cérémonie, soufflai la chandelle et me fourrai au lit en me recommandant aux bontés du ciel.

Impossible de dire si le matelas était bourré de vaisselle cassée ou d'épis de maïs, mais je me tournai et me retournai dessus à n'en plus finir et je restai un bon bout de temps avant de pouvoir m'endormir. Tout de même, à la fin, je me sentais glisser dans un léger assoupissement et j'étais prêt à lever l'ancre pour le pays des rêves, quand j'entendis le bruit d'un pas pesant dans le corridor et vis filtrer sous la porte un rai de lumière.

Dieu me protège ! pensai-je, ce doit être le harponneur, cet infernal colporteur de têtes. Et je restai parfaitement immobile, fermement résolu à ne pas souffler mot le premier. Sa chandelle d'une main, et dans l'autre la tête de Nouvelle-Zélande elle-même, l'étranger entra, déposant sa lumière à terre dans un coin éloigné de moi, sans jeter un regard vers le lit, et se mettant aussitôt à défaire les nœuds du grand sac de marin qui se trouvait dans la chambre, comme je l'ai dit. J'étais anxieux et avide de voir son visage, mais il le tint détourné tout le temps qu'il s'employa à délacer le sac. Quand il l'eut fait, toutefois, il se retourna et alors, grand Dieu ! quelle apparition ! quel visage !… Il était d'un jaune sombre tirant sur le violet, avec ici et là de grands carrés noirâtres.

Oui, oui, pensai-je, exactement ce que j'avais craint : un effrayant compagnon de lit ; pris dans quelque terrible combat, il a été affreusement entaillé, et le voilà maintenant tout juste sortant des mains du chirurgien !

Mais comme j'en étais là de mes pensées, il tourna la tête vers la lumière de telle sorte que je pus voir clairement qu'il n'était pas question du tout de pansements et de taffetas pour ces sombres carrés sur ses joues. C'étaient des taches, quelles qu'elles fussent, des taches de couleur ; et sur le premier moment je ne sus que penser. Mais bientôt un soupçon de la vérité m'effleura : il me souvenait de l'histoire d'un Blanc – un baleinier lui aussi – tombé aux mains des sauvages et qui avait été tatoué par eux. J'en conclus que le harponneur, au cours de ses lointains voyages, avait connu pareille aventure. Et qu'est-ce que ça peut bien faire, après tout ? me raisonnai-je. Il ne s'agit là que de son extérieur. Un homme peut être honnête sous n'importe quelle peau ! Oui, mais que penser alors de son teint sinistrement diabolique, je veux dire la couleur surnaturelle de sa peau autour des tatouages eux-mêmes, et qui n'a rien à voir avec eux ? Voyons, bien sûr, ça ne peut être que l'effet d'une bonne cuisson sous les soleils tropicaux ; pourtant je n'ai jamais entendu dire que le hâle le plus férocement tropical eût donné à la peau d'un Blanc cette teinte d'un jaune violacé. Toutefois, n'ayant jamais été moi-même dans les mers du Sud, j'ignore si le soleil de là-bas ne produit pas, peut-être, de tels et si extraordinaires effets.

Cependant que toutes ces idées me passaient par la tête en éclairs, le harponneur, lui, ne s'apercevait toujours pas de ma présence. Après les difficultés qu'il avait rencontrées pour ouvrir son sac, il s'était mis ensuite à fouiller dedans pour, finalement, en sortir une sorte de pipe-tomahawk, ainsi qu'une blague à tabac en peau de phoque avec son crin dessus. Déposant ces objets sur le coffre, il saisit alors la tête de Nouvelle-Zélande – horrible chose en vérité – pour la fourrer au fond du sac. Puis il retira sa coiffure – un chapeau de castor tout neuf – et peu s'en fallut qu'un cri de surprise ne me fût arraché. Pas un cheveu sur sa tête – pas un seul cheveu pour ne parler que du reste – sauf un nœud de scalp, une sorte de petit chignon tressé serré sur le haut du crâne. Et l'apparence de ce crâne chauve et violâtre était plus que tout au monde celle d'une tête de mort couverte de moisissures. Si l'étranger n'avait pas justement été debout entre moi et la porte, je me serais retrouvé dehors en moins de temps qu'il n'en faut pour avaler sa salive. Et même, telles que les choses allaient, je caressai un bon moment l'idée de me glisser par la fenêtre; seulement il y avait deux étages au-dessous! Je ne suis pas un pleutre, mais vraiment la conduite à tenir avec ce violet lascar vendeur de têtes passait totalement mes capacités. L'ignorance est mère de la crainte; et j'avoue que, me trouvant complètement interloqué, dépassé et confondu par cet étranger, j'avais bien plus peur de lui que si c'eût été le diable en personne qui fût entré dans ma chambre en plein cœur de la nuit. J'étais, en fait, terrorisé à ce point que je ne trouvais pas en moi le courage de lui adresser la parole et d'exiger de lui une réponse apaisante et satisfaisante à tout ce qui me paraissait si inexplicable et mystérieux dans sa personne.

Lui, pendant ce temps, poursuivait l'opération de son déshabillage, finissant par dénuder sa poitrine et ses bras. Vrai comme je suis vivant : ces parties de son corps étaient estampillées des mêmes carrés que sa face; et son dos également portait ces quadrillages sombres! C'était un rescapé d'une guerre de Trente Ans, revêtu d'un complet entier de pansements et de taffetas collant! Bien plus encore : ses jambes elles-mêmes étaient ornementées de semblables marques, comme si de grosses grenouilles vertes et sombres étaient en train d'escalader le tronc de deux jeunes palmiers. Le doute n'était plus permis à présent : ce ne pouvait être que quelque abominable sauvage embarqué quelque part dans les mers du Sud par un baleinier, et débarqué tel quel sur nos côtes chrétiennes. Je me sentais glacé d'horreur rien que d'y penser. Brocanteur de têtes, qui plus est – et qui sait? peut-être même de la tête de ses propres frères! Qui me dit qu'il ne lui prendra pas fantaisie d'y ajouter la mienne... Ah! juste ciel! voyez un peu ce tomahawk!

Ce n'était guère le moment de perdre son temps à frissonner, car voilà mon sauvage en train de s'affairer à quelque chose qui requit toute mon attention fascinée et me convainquit définitivement qu'il était un authentique païen. S'avançant jusqu'à son gros caban, sorte de pesante capuche, de couvre-tout ou de paletotpilote, qu'il avait suspendu au dos d'une chaise, il en fouilla les poches et finit par en extraire une petite statuette informe, ayant bosse sur le dos et très exactement la couleur d'un bébé congolais de trois jours. A cause des têtes embaumées, je crus un instant qu'il fallait reconnaître dans cet avorton noir un authentique nouveau-né conservé de la même manière. Mais non ! Constatant que c'était infiniment plus rigide et que ça luisait tout à fait comme de l'ébène poli, j'en conclus que ce devait être une idole de bois ; et de fait, je ne me trompais pas. Car voilà que le sauvage fut se poster devant la cheminée ; il en écarta l'écran de papier et installa dans le foyer vide, entre les chenets, sa petite statuette bossue debout comme une quille. La cheminée, avec ses jambages et son fond de brique entièrement tapissés de suie, m'apparut comme l'autel rêvé, comme la chapelle-type le plus parfaitement appropriée à cette noire idole congolaise.

Je vissai littéralement mes regards sur la statuette à demi cachée – sans m'en sentir plus à l'aise pour autant – afin de voir ce qui allait venir. D'abord il retira quelque chose comme une double poignée de copeaux d'une poche de son paletot, et il les disposa avec soin devant son idole ; puis il prit un bout de biscuit de mer qui vint couronner le tas et, se servant de la flamme de sa chandelle, il alluma le tout en un feu de sacrifice. Pendant que brûlait ce feu, et après une série de plongées rapides et de retours en arrière non moins rapides de sa main (et non sans s'être sérieusement brûlé les doigts semblait-il), il réussit néanmoins à retirer le biscuit sur lequel il souffla légèrement pour en chasser les cendres ; puis il en fit une offrande polie au petit négro. Mais le diablotin parut ne pas apprécier le moins du monde un genre de mets aussi coriace, et ses lèvres ne se desserrèrent point. Toutes ces manigances étranges étaient accompagnées d'une psalmodie non moins étrange et gutturale, quelque dévote incantation ou prière païenne à demi chantée, pendant l'exécution de laquelle le visage du sauvage grimaçait et se contorsionnait, révulsé et convulsé d'une façon inquiétante et peu naturelle. A la fin, éteignant le feu, il reprit son idole sans la moindre cérémonie et l'alla remettre dans la poche de son caban avec à peu près autant d'égards qu'un chasseur fourrant une bécasse morte dans son carnier.

Je dois dire que tous ces agissements bizarres n'avaient fait qu'accroître mon inquiétude et mon malaise. Lorsque je le vis sur l'instant de mettre le point final à son cérémonial pour sauter dans le lit à côté de moi, l'urgence me fit penser que c'était le moment, maintenant ou jamais, avant que fût soufflée la lumière, de rompre le charme qui m'avait ensorcelé jusqu'alors. Mais ce fut un instant fatal, celui que je passai à me demander ce que j'allais dire ! Il avait pris sa pipe-tomahawk, l'avait examinée d'un coup d'œil, en avait approché la tête de la flamme de la chandelle et s'était relevé en tirant de grosses bouffées de tabac. L'instant d'après la lumière était éteinte et le sauvage cannibale, tomahawk entre les dents, sautait dans le lit à côté de moi ! Je poussai un hurlement qu'il me fut impossible de retenir. Quant à lui, il fit un brusque grognement dans sa surprise à me savoir là, et il se mit à me palper dans l'obscurité. En hurlant quelque chose, mais je ne sais pas quoi, je me roulai loin de lui tout contre le mur, puis je le suppliai, lui, quel qu'il fût, de se tenir tranquille et de me laisser me lever pour aller rallumer la lumière. A ses réponses gutturales, je saisis immédiatement qu'il ne comprenait guère, sinon pas du tout, ce que je voulais.

– Qui toi être ? cré diabl' ! articula-t-il à la fin. Si pas toi répond', bougre de boug', moi tuer toi – et sur ces mots le tomahawk enflammé commença à danser devant mes yeux.

– Patron ! pour l'amour de Dieu ! Patron ! appelai-je. Eh ! l'hôtelier ! gardien ! Patron ! Oh ! saints Anges ! au secours !

– Parler toi, dire qui toi être, croassa de nouveau le sauvage. Toi parler ou moi tuer toi par le diab' !

Et dans son horrible gesticulation insensée, la pipe-tomahawk répandait tout autour de moi une pluie de tabac incandescent, à tel point que je crus qu'il allait mettre le feu à ma chemise. Grâce au ciel, le patron arriva juste à ce moment-là dans la chambre, une chandelle à la main, et d'un bond je me jetai à côté de lui.

– Bon, fit-il en grimaçant un sourire. Ayez pas peur à présent. Quiequeg que voilà, il toucherait pas à un cheveu de votre tête – et en parlant il souriait de plus belle.

– Cessez donc de sourire, vous ! hurlai-je. Et dites-moi un peu pourquoi vous ne m'avez pas prévenu que cet infernal harponneur était un cannibale !

– Mais vous le saviez, j'ai cru. Vous ai pas dit qu'il courait la ville pour y vendre des têtes empaillées?... Bon. A présent amenez les voiles et allez dormir. Quiequeg, 'coute un peu. Toi comprendre moi ; moi comprendre toi. L'homme ici, dormir avec toi. Toi compris ?

– Moi compris tout plein, racla Quiequeg, tout en tirant des bouffées de sa pipe et s'asseyant sur le lit. Toi venir entré dedans, dit-il encore, pointant vers moi sa pipe-tomahawk et ouvrant les couvertures à côté de lui.

Et il mit dans ce geste, en vérité, non seulement une grande politesse, mais encore une amabilité et une charité nettement marquées. Je restai un instant à l'examiner. Malgré tous ses tatouages, c'était en somme un très propre et fort avenant cannibale. Qu'est-ce que j'avais à faire tout ce foin ? me dis-je, cet homme est tout comme moi un être humain, et il a tout juste autant de raisons de me craindre, que j'en ai moi-même d'avoir peur de lui. Mieux vaut dormir avec un cannibale à jeun qu'avec un chrétien saoul.

– Patron, dites-lui de ranger ce tomahawk, ou cette pipe ou ce que vous voudrez ; bref, dites-lui de cesser de fumer, et je veux bien revenir près de lui. Mais je ne veux pas d'un homme qui fume au lit à côté de moi. C'est dangereux. Et avec ça, on se sent moins que rassuré.

La chose ayant été communiquée à Quiequeg, il obtempéra sur-le-champ et, de nouveau, m'invita fort civilement du geste à venir me mettre au lit, se roulant à l'extrême bord comme pour me dire : voyez, je ne vous toucherai pas même un pied.

– Bonne nuit, patron. Vous pouvez rentrer, lui dis-je.

Je me glissai sous les couvertures ; et jamais de ma vie je n'ai mieux dormi.

LE COUVRE-LIT

A mon réveil au petit jour, le lendemain matin, j'avais le bras de Quiequeg me serrant de la plus tendre et affectueuse manière. Vous auriez quasi pu penser que j'étais son épouse. Le couvre-lit, qui était un assemblage de pièces et de morceaux multicolores, ne formait qu'une bigarrure étrange de triangles et de carrés, quant au bras de Quiequeg avec ses tatouages innombrables qui revêtaient l'aspect d'un vrai labyrinthe crétois, il ne présentait pas une place qui fût d'une nuance identique à une autre (sans doute à cause d'une irrégulière exposition au soleil en mer, la manche plus ou moins relevée selon le moment) ; de sorte que ce bras, je vous assure, apparaissait lui-même absolument comme faisant partie du couvre-lit bigarré. Ils confondaient si bien leurs nuances, en vérité, lorsque je m'éveillai, l'un reposant ainsi sur l'autre, que c'est seulement par l'étreinte et le sentiment du poids que je pus concevoir que Quiequeg me tenait embrassé.

Étrange sentiment que je voudrais essayer d'éclaircir. Je retrouve, dans un souvenir d'enfance, un sentiment à peu près analogue, mais je n'ai jamais pu établir si c'était un rêve ou la réalité. Voici en tout cas quelles furent les circonstances : j'avais dû encore faire des miennes ; je crois bien que j'avais essayé de grimper dans la cheminée comme je l'avais vu faire quelques jours plus tôt au petit ramoneur. Toujours est-il que ma belle-mère, qui avait toujours une raison ou une autre pour me fouetter ou m'envoyer au lit sans dîner, m'attrapa par les jambes et me tira dehors, m'envoyant tout droit au lit bien qu'il ne fût guère que deux heures de l'après-midi. C'était le 21 juin, il m'en souvient très bien, le jour le plus long de l'année dans notre hémisphère. Je me sentais affreusement malheureux. Mais il n'y eut rien à faire : hop ! je dus grimper au troisième dans ma petite chambre, me déshabiller – ce que je fis le plus lentement possible pour tuer un peu le temps – et je me glissai sous le drap avec un gros soupir. Un douloureux calcul m'amena à compter que seize interminables heures me séparaient du moment où je pouvais espérer la résurrection. Seize heures au lit ! Mon malheureux petit dos me cuisait rien que d'y songer. Et aussi il faisait si clair, et il y avait le roulement des voitures dans la rue et tout partout dans la maison le bruit joyeux des voix ! C'était de plus en plus insupportable, si bien que je finis par me lever, m'habiller et descendre sans bruit sur mes chaussettes pour chercher ma belle-mère aux pieds de laquelle je me jetai soudain, la suppliant de me donner, par une faveur toute spéciale, une bonne fessée pour ma mauvaise conduite, tout, plutôt que de m'obliger à rester étendu dans un lit pendant un temps si insupportablement long. Or, c'était à la fois la meilleure et la plus consciencieuse des belles-mères : il fallut remonter à ma chambre. Plusieurs heures durant je restai couché non seulement sans dormir, mais éveillé on ne peut plus. Malheureux comme alors, je ne le fus jamais plus de ma vie, même lorsque j'ai connu de vrais malheurs. Je dus pourtant finir par tomber dans le léger sommeil des mauvais rêves, dont je m'éveillai peu à peu, tout empêtré de mon rêve encore ; j'ouvris les yeux : la chambre était enveloppée de ténèbres au lieu du plein soleil de tout à l'heure. Ce fut, à l'instant même, un choc qui m'ébranla dans tout le corps ; rien qu'on pût voir, rien qu'on pût entendre : mais il y avait comme une main surnaturelle posée sur la mienne. Mon bras reposait sur le couvre-lit et la chose sans nom, l'être inimaginable, forme ou fantôme, à qui appartenait la main me faisait l'effet d'être assis au côté de mon lit, proche à me toucher. Pendant un temps qui me parut un amoncellement de siècles sur des siècles, tel un gisant je restai là, immobile, glacé de la peur la plus atroce, n'osant pas retirer ma main, tout en me répétant cependant avec insistance que si je parvenais à la bouger seulement d'un pouce, le charme horrible serait rompu. J'ignore comment le sentiment conscient de la chose finit par m'abandonner, toujours est-il qu'en me réveillant le lendemain matin je me rappelais tout avec un frisson de terreur, et pendant des jours et des jours, des semaines et des mois, je me perdis en vaines conjectures pour essayer d'expliquer le mystère. Que dis-je ? aujourd'hui encore il m'arrive souvent de m'en inquiéter.

Eh bien, supprimons la peur atroce ! Le sentiment que j'éprouvai en me réveillant avec le bras païen de Quiequeg serré sur moi, dans son étrangeté, était infiniment semblable à celui que m'avait fait connaître cette main fantastique posée sur la mienne. Mais il se fit que le souvenir exact des événements de la nuit me revint peu à peu, chacun dans son ordre et sa réalité concrète, de sorte que je devins surtout et exclusivement sensible au côté comique de ma fâcheuse situation. Fâcheuse en effet, car si j'essayais de bouger ce bras, de desserrer son étreinte nuptiale, tout endormi qu'il fût, il ne m'en serrait que plus fort, comme si la mort seule et rien que la mort devait et pouvait nous séparer, nous deux.

— Quiequeg ! appelai-je.

Mais pour toute réponse j'obtins un ronflement. J'opérai alors une demi-conversion sur moi-même, mais ce fut pour me sentir le cou pris comme dans un harnais en même temps qu'il était légèrement égratigné. En repoussant le couvre-lit de côté, j'aperçus la pipe-tomahawk qui dormait allongée à côté du sauvage, tel un bébé à tête de hache. Vrai, me voilà dans de beaux draps, pensai-je : prisonnier au lit, en plein jour, dans une maison étrangère, avec un cannibale et un tomahawk !

— Quiequeg ! pour l'amour du ciel ! Quiequeg ! Assez dormi !

A la longue, à force de secousses réitérées et de protestations incessantes à haute et intelligible voix sur l'incongruité d'une étreinte aussi matrimoniale pour un compagnon masculin, je finis par réussir à en tirer un premier grognement, à la suite de quoi il retira son bras ; puis il s'ébroua de tout son long comme un caniche au sortir de l'eau ; l'instant d'après, il s'asseyait sur le lit, raide comme la hampe d'une pique, et il me regardait en se frottant les yeux, ne se rappelant apparemment pas du tout comment j'avais bien pu arriver là ; mais un vague besoin d'en connaître un peu plus à mon sujet eut l'air de le gagner lentement. Quant à moi, je le regardais paisiblement, sans nul sujet de crainte sérieuse à pré-

sent, et fort enclin à observer de plus près une aussi curieuse créature. Lorsque, enfin, son esprit sembla rassuré quant au caractère
de son compagnon de lit et qu'il eut, en quelque sorte, fait cadrer
et admis le fait, Quiequeg sauta à bas du lit et, par signes et sons
divers, me donna à entendre que, s'il me plaisait, il s'habillerait le
premier et me laisserait ensuite la chambre. – Je pense, Quiequeg,
que voilà pour le cas une offre très civile et une vraie politesse
de civilisé ; ces sauvages, dites ce que vous voulez, ont le sens inné
de la délicatesse, voilà la vérité ; et c'est merveille que de voir combien ils sont polis de nature. J'en dois le compliment tout particulier à Quiequeg, en l'occurrence, parce qu'il me traita avec des
égards et une politesse parfaite, alors que j'étais coupable moi-
même d'une complète grossièreté en le regardant comme je le faisais de mon lit pendant sa toilette et suivant tous ses gestes ; la
curiosité pour lors l'emportait chez moi sur l'éducation. Mais un
homme comme Quiequeg, il est vrai, ne se rencontre pas tous les
jours, et sa personne comme ses façons offraient un rare intérêt,
méritant une exceptionnelle observation.

   Il commença par le haut son habillage, en coiffant d'abord son
chapeau de castor – de fort grande taille, ma foi – et ensuite, mais
toujours sans son pantalon, il alla quérir ses bottes. Pourquoi
grand Dieu s'y prit-il de la sorte ? je l'ignore ; mais le fait est que
son premier mouvement, bottes en mains et chapeau sur la tête,
fut d'aller ramper sous le lit où, aux bruits divers qu'il fit et aux
violents ahans qu'il poussa, je déduisis qu'il était en train et non
sans peine de se chausser. Je n'ai jamais entendu dire qu'aucune
loi de convenance commandât qu'un homme se retirât et se tînt
caché pour enfiler ses bottes ; mais Quiequeg, voyez-vous, était une
créature en métamorphose : ni chenille ni papillon ; et il était juste
assez civilisé pour laisser apparaître sa barbarie de la façon la plus
inattendue et la plus étrange. Son éducation n'était pas achevée.
C'était un étudiant de première année. S'il n'avait pas été quelque
peu civilisé, il ne se fût probablement pas soucié de bottes le moins
du monde, mais aussi, n'eût-il point été toujours encore un sauvage, l'idée jamais ne lui serait venue d'aller se fourrer sous un lit
pour les mettre. Il finit tout de même par sortir de là, le chapeau
furieusement cabossé et enfoncé profond sur les yeux ; redressé, il

se mit à clopin-clopiner, crac-crac, de-ci de-là par la chambre :
lui-même étant peu accoutumé aux bottes, et celles-ci, en cuir de
vache, et mouillées et plissées comme elles l'étaient, n'étant probablement pas faites sur mesures non plus, elles devaient le gêner
et le torturer pas mal aux premiers pas qu'il faisait par le froid
féroce du matin.

Ce que je vis alors, c'était qu'il n'y avait pas de rideaux aux
fenêtres, que la rue était vraiment étroite et que la maison d'en
face avait pleine vue dans notre chambre, où la silhouette plutôt
inconvenante de Quiequeg se promenait un peu partout, sans
grand-chose de plus que son chapeau et ses bottes ; aussi le priai-je
du mieux que je pus d'activer un peu sa toilette et surtout d'enfiler son pantalon au plus vite. Il me donna satisfaction, puis entre-
prit de se laver. A ce stade de la matinée tout chrétien se fût lavé la
figure ; mais Quiequeg, pour mon étonnement, limita ses ablutions
à sa poitrine, ses bras et ses mains. Après quoi il passa son gilet.
Ensuite, prenant sur le coffre-table-lavabo un bout de savon fort
sec, il le trempa dans l'eau et commença à s'en savonner les joues
et le menton. J'étais aux aguets pour voir où il gardait son rasoir,
quand le voilà, hop ! qui s'empare du harpon à la tête du lit, en
sépare le long manche de bois, ôte le fourreau qui couvrait l'arme,
affûte celle-ci un instant sur sa botte et, se plantant devant le bout
de miroir au mur, commence le vigoureux raclage, ou plutôt le
harponnage de ses joues.

Quiequeg, pensai-je sur le moment, c'est là ce que j'appelle se
servir de la coutellerie de Roger le Pirate ! Mais plus tard, quand je
vins à savoir de quel acier excellent et fin est faite une tête de harpon, et quel fil subtil et tranchant est soigneusement entretenu sur
sa double arête, j'eus beaucoup moins lieu de m'étonner de
pareille opération,

Le reste de sa toilette fut tôt fini, et il sortit fièrement de la
chambre, bien emmitouflé dans son gros caban de pilote et portant
son harpon comme un bâton de maréchal.

LE BREAKFAST

Je ne fus pas long à en faire autant et, descendant au bar, j'abordai le patron avec bonne humeur. Je ne nourrissais à son endroit aucune sorte de rancœur, encore qu'il se fût payé une bonne tranche de rigolade sur mon dos au sujet de mon compagnon de lit. Un bon rire est une fameusement bonne chose, et une bonne chose plutôt rare, ce qui est grand dommage. Aussi, quand vous pouvez fournir à quelqu'un matière à bon amusement, n'allez pas à l'encontre, au contraire, prêtez-vous à la chose et laissez faire. L'homme qui aura généreusement laissé rire de lui pour quelque chose, vous pouvez être sûr qu'il y a plus de richesse en lui que peut-être vous ne pensez.

La salle était maintenant pleine des pensionnaires rentrés au cours de la soirée précédente et que je n'avais pas encore eu loisir d'observer. Tous à peu près étaient des baleiniers : boscos et seconds, coqs et calfats, charpentiers et tonneliers de marine, forgerons et harponneurs, surveillants de bord – toute une compagnie rude et crue, musculeuse et hâlée, arborant des barbes hirsutes ; une assemblée poilue, broussailleuse, vêtue de cabans de quart en guise de robes de chambre.

A peu près à coup sûr vous pouviez dire depuis combien de temps chacun était à terre. La vigoureuse joue de ce jeune gars a la nuance d'une poire séchée au soleil et fleure comme une odeur de musc : il ne peut avoir touché terre depuis plus de trois jours, retour des Indes. L'homme à côté de lui est de même ton, mais de quelques degrés plus clair : on le dirait plutôt de bois satiné de l'Inde. Au teint de ce troisième, on reconnaît le tannage des Tropiques, mais avec une touche légèrement plus blême : celui-là a sans le moindre doute tiré de longues semaines à terre. Quel est celui, pourtant, qui aurait à montrer une joue comme Quiequeg ?... zébrée de teintes si diverses, tel le versant ouest des Andes offrant zone par zone la couleur contrastée de ses différents climats.

– A la bouffe, les gars ! nous cria le patron en ouvrant toute grande une porte – et nous voilà tous pénétrant dans cette pièce pour le breakfast.

On dit que les humains qui ont couru le monde et vu beaucoup de choses tirent de là une grande aisance et une parfaite maîtrise de soi en toute compagnie. Ce n'est pourtant pas toujours vrai : Ledyard, le grand voyageur de la Nouvelle-Angleterre, et Mungo Park l'Écossais, par exemple, étaient de tous les hommes les moins sûrs d'eux dans un salon. Mais peut-être que de courir à travers la Sibérie sur un traîneau tiré par des chiens comme le fit Ledyard, ou de pousser en solitaire un long voyage à pied, l'estomac creux, dans le cœur noir de l'Afrique – ce qui résume les performances de ce pauvre Mungo –, oui, peut-être que ce genre de voyages n'est pas exactement le meilleur des moyens pour acquérir le suprême vernis mondain. Encore est-il que cette sorte de chose, en général, se puisse trouver partout.

Je fus amené à ces réflexions parce que, dès que nous fûmes tous assis à table, je m'attendais à entendre quelques bonnes histoires de chasse à la baleine ; or, à ma plus grande stupéfaction, tout le monde dans l'entourage garda un profond silence. Et non seulement ils se taisaient, mais tous avaient l'air embarrassé ! Quoi ! voilà une pleine bordée de loups de mer, qui presque tous et sans la moindre timidité ont abordé de géantes baleines en haute mer, sur des océans qu'ils ne connaissaient point, et ont sans sourciller engagé un duel à mort avec elles ! Mais à présent que les voilà tous – tous de goûts identiques, tous de même métier – de compagnie autour d'une table à l'heure sociable du petit déjeuner, ils ont un air si penaud et si éberlué pour se regarder l'un l'autre, qu'on croirait qu'ils n'ont jamais eu d'autre horizon qu'un parc à moutons dans les pâturages des Montagnes Vertes. Curieux spectacle en vérité : ces ours emplis de confusion, ces guerriers intimidés, eux, les chasseurs de baleines !

Quiequeg en ce qui le concerne – car il était du nombre et le hasard l'avait même placé au haut bout de la table – Quiequeg était froid comme un glaçon. Ah! certes, je n'aurai pas grand-chose à chanter de ses bonnes manières. Même son admirateur le plus fervent n'eût pu mettre beaucoup de chaleur à le justifier d'avoir apporté son harpon avec lui à table, et d'en user sans plus de cérémonie, au péril imminent de plus d'une tête, pour piquer les beefsteaks à travers la table et les amener à lui! Mais *cela*, il le faisait assurément le plus froidement du monde, et nul n'ignore que pour bien des gens faire froidement quelque chose, c'est le faire avec distinction.

Non, nous ne parlerons point des singularités de Quiequeg ici, et nous ne nous étendrons pas sur le fait qu'il négligea café et crois-sants chauds pour ne s'intéresser exclusivement qu'aux beefsteaks archi bleus. Il nous suffira de dire que le breakfast terminé, il rega-gna la salle commune avec les autres, alluma sa pipe-tomahawk, et qu'il se trouvait là, quiètement assis à digérer et à fumer avec son inséparable chapeau sur la tête, lorsque je sortis moi-même pour aller faire un tour.

LES RUES

Si mes premiers regards n'étaient pas tombés sans étonnement sur un personnage aussi exotique que Quiequeg au beau milieu du monde distingué d'une ville civilisée, cet étonnement eut tôt fait de s'évanouir aux premiers pas que je fis en me promenant de jour par les rues de New Bedford.

Le quartier des docks et les rues avoisinantes, dans toute cité portuaire importante, offrent le spectacle du plus indescriptible et bizarre mélange de races. Jusque dans Broadway et Chesnut Street on verra des matelots méditerranéens coudoyer les ladies effarouchées ; Regent Street n'est pas sans connaître la déambulation de Malais et de Lascars ; et dans l'Apollo Green à Bombay, il n'est pas rare que des Yankees pur sang soient un sujet de surprise et d'effroi pour les indigènes. Mais New Bedford l'emporte de loin sur tous les Wapping et les Water Street du monde. Car dans toutes les agglomérations grouillantes que nous avons nommées, vous ne voyez que des marins ; tandis qu'à New Bedford, ce sont d'authentiques cannibales que vous voyez bavardant au coin des rues : de parfaits véritables sauvages, dont beaucoup portent encore sur leurs os une chair païenne et impie. Et il y a là de quoi vous faire écarquiller les yeux !

Ce n'est pourtant pas tout. Mis à part ces Fidjiens, Tongatabous, Erromangos, Pannanghiens ou Brighans, et mis à part aussi les pires échantillons des hirsutes équipages de baleiniers qui déambulent par les rues et qu'on n'y remarque même plus, il est un autre spectacle encore, pour le moins aussi pittoresque et certainement plus comique. C'est celui des contingents hebdomadaires de pécores qui arrivent tout droit de leur Vermont ou de leur New Hampshire, avides du gain et des gloires de la grande pêche. Ils sont jeunes pour la plupart et de robuste carrure : des gens qui ont jeté bas des forêts, et qui voudraient maintenant lâcher le manche et la cognée pour tâter du harpon. Presque tous sont des bleus quand ils arrivent, plus bleus encore que leurs montagnes ; et vous les prendriez pour des tout nouveau-nés de quelques heures en bien des choses. Voyez ! Regardez-moi un peu ce type qui tourne le coin et qui n'est pas peu fier ! Il arbore le chapeau de castor, la veste à longues basques avec la ceinture de marin et le couteau à gaine. Et en voilà un autre en suroît et surtout de grosse toile.

Le dandysme du citadin ne saurait en rien soutenir la comparaison avec le dandysme du rural – j'entends du gars de la pleine cambrousse qui se pique de dandysme : un type qui vous fauchera ses deux arpents sous la canicule avec des gants de peau par crainte de se bronzer les mains. Aussi je vous laisse à penser quel genre de choses franchement comiques peut arriver à faire un type de ce genre une fois dans un port, quand il s'est mis dans la tête de soigner sa réputation distinguée et de rallier la grande chasse pélagique. En commandant son trousseau de mer, il réclame des boutons-cloches pour ses gilets, des sous-pieds pour ses pantalons de toile. Ah ! malheureux fétu de paille, comme ils vont cruellement te lâcher ces pantalons, au premier coup de chien, quand tu seras mené, toi, pantalons, boutons et tout, jusque dans la gueule même de la tempête hurleuse !

Mais ce n'est pas encore tout. Non, non, n'allez pas vous imaginer que ce célèbre port n'ait que des harponneurs, des cannibales et des culs-terreux à présenter à ses visiteurs : la bizarrerie de New Bedford ne s'arrête pas là. Sans nous autres, les baleiniers, ce bout de terre serait peut-être aussi désolé de nos jours et aurait une aussi fâcheuse réputation que la côte du Labrador. A vrai dire, certaines régions de l'intérieur ont encore de quoi vous donner le frisson, tant elles sont décharnées. La ville elle-même est peut-être, de toute la Nouvelle-Angleterre, l'endroit le plus onéreux à vivre. Une terre ointe, je ne le nie pas – mais qui ne ressemble guère à Chanaan, terre aussi de blé et de vin. Non ! le lait ne ruisselle point dans les rues de New Bedford, et on ne les pave pas non plus, au printemps, avec des œufs frais. Et pourtant, malgré cela, nulle part vous ne trouverez dans l'Amérique entière de plus patriciennes demeures, de plus opulents jardins et des parcs plus somptueux. D'où sont-ils venus ? Comment furent-ils plantés dans ce pays qui n'était autrefois que squelette et scorie ?

Allez et contemplez autour de ces résidences hautaines la haie emblématique des harpons de fer : voilà qui répondra à la question. Mais oui, ces fières demeures et ces jardins épanouis viennent tous de l'océan : de l'Atlantique, du Pacifique et de l'Indien. Celles-là comme ceux-ci, tous ont été harponnés et ramenés du plus profond des mers jusqu'ici. Sieur Alexandre, de ce haut fait eût-il été capable ?

A New Bedford, à ce qu'on dit, les pères donnent en dot des baleines à leurs filles, et pour leurs nièces ce sont tant de marsouins chacune. Si vous voulez voir un brillant mariage, dit-on encore, c'est à New Bedford qu'il vous faut aller ; ils ont des réservoirs d'huile dans chaque maison ; et à longueur de nuit, inépuisablement, brûlent les chandelles de spermaceti.

Le charme de la ville est exquis en été, avec les longues avenues de vert et d'or que lui font ses érables splendides, et, au mois d'août, avec ses marronniers pleins de magnificence qui se dressent comme des candélabres sous le ciel, offrant aux passants la profusion de leurs fleurs serrées en hautes chandelles bien droites. Car telle est l'omnipotence de l'art qui, en maint quartier de New Bedford, produit d'éblouissantes terrasses fleuries sur la stérilité de ces vieux rocs au rebut, rejetés comme inutilisables au dernier jour de la création.

Les femmes de New Bedford, elles, s'épanouissent à l'instar des roses rouges de leurs jardins. Mais les roses ne fleurissent qu'en été ; tandis que la splendeur de leur teint et la carnation fine de leurs joues ne connaissent pas plus de fin que l'éclat du soleil du septième ciel. Leur fleur est sans égale partout ailleurs, sauf peut-être à Salem où le musc qu'exhalent les jeunes filles, à ce que je me suis laissé dire, est si puissant que leurs bien-aimés marins le respiraient à des milles au large, tout comme s'ils venaient à toucher les Moluques parfumées au lieu des sables puritains.

VII

LA CHAPELLE

Toujours à New Bedford, il existe une chapelle des Baleiniers ; et rares sont les hommes près de partir pour une campagne de pêche vers le Pacifique ou l'océan Indien, les matelots quelque peu en cafard, qui manquent d'y faire une visite dominicale. Pour moi, je n'y ai point failli, n'en doutez pas. Je suis ressorti expressément pour m'y rendre, après ma déambulation matinale.

Le temps, de clair et froid qu'il était, avec un ciel ensoleillé, s'était couvert, alourdi de brouillard et d'épaisses averses de neige fondue. Emmitouflé dans mon gros caban de lainage à longs poils dit « peau d'ours », je m'avançai péniblement à travers la bourrasque têtue. Pénétrant dans l'église, j'y trouvai une assistance assez mince et très éparse composée d'hommes de mer, de femmes et de veuves de marins. Il y régnait un silence opaque, seulement rompu de temps à autre par les flûtes stridentes de la tempête ; et chaque silencieux fidèle paraissait s'être volontairement assis loin des autres, comme si chaque peine muette était une île de silence coupée de tout. Le chapelain n'était pas arrivé encore ; et toutes ces îles de silence, les hommes comme les femmes, restaient solidement immobiles, le regard posé fixement sur des plaques de marbre bordées de noir, scellées dans le mur de part et d'autre de la chaire. Sans prétendre à l'exactitude rigoureuse de la citation, voici, pour trois d'entre elles, quel en était le texte :

CONSACRÉE

A LA MÉMOIRE

de

JOHN TALBOT

Agé de dix-huit ans, qui fut perdu par-dessus bord
au large de la Patagonie, près de l'Ile de la Désolation
Le 1er novembre 1836

Cette plaque
a été apposée en souvenir
PAR SA SŒUR

CONSACRÉ

A LA MÉMOIRE

de

ROBERT LONG, WILLIS ELLERY,
NATHAN COLEMAN, WALTER CANNY, SETH MACY
ET SAMUEL GLEIG

Composant l'équipage d'une des baleinières de
« L'ÉLISA »
qui fut entraînée par une baleine et perdue de vue
au grand large, dans le Pacifique
Le 31 décembre 1839

Ce marbre
a été posé ici
PAR LEURS COMPAGNONS DE BORD
SURVIVANTS

CONSACRÉE

A LA MÉMOIRE DE FEU

LE CAPITAINE EZECHIEL HARDY

Tué à la proue de son embarcation

par un cachalot

sur les côtes du Japon

Le 3 août 1833

Cette plaque

a été apposée en souvenir

PAR SA VEUVE

Secouant de ma coiffure et de mon manteau la neige fondue qui les glaçait, je pris place sur un banc près de la porte; puis jetant les yeux sur le côté, quelle ne fut pas ma surprise d'apercevoir Quiequeg là, non loin de moi! Ému par la solennité du lieu, il montrait dans son attitude et dans ses regards étonnés une curiosité incrédule. Ce sauvage fut la seule des personnes présentes qui sembla remarquer mon entrée : comme il était le seul qui ne sût pas lire, il n'était point non plus en train de déchiffrer les froides épitaphes inscrites sur le mur. S'il y avait ou non dans l'assistance des parents directs de ceux dont les noms figuraient là, je l'ignorais; mais les accidents non enregistrés sont si nombreux dans la grande pêche, et il y avait là si visiblement nombre de femmes qui portaient le deuil, sinon dans leurs vêtements, en tout cas dans leur cœur et sur leurs traits, que j'étais bien sûr d'avoir devant moi des gens dont les cœurs gémissants, à la vue de ces tablettes funèbres, saignaient de nouveau – par sympathie – de leurs vieilles, profondes blessures.

Ah! vous tous dont les morts sont là, enterrés, qui reposent sous l'herbe verte; vous tous, debout parmi les fleurs, qui pouvez dire : Ici-gît, oui c'est *ici* que gît l'être que j'aime! – vous ne connaissez point la détresse désolée qui ne cesse de hanter des cœurs comme ceux que voilà; vous ignorez quels blancs affreux gisent pour eux sur ces marbres qui ne recouvrent nulle cendre! Quels désespoirs, dans les termes immuables de ces inscriptions lapidaires! Quel vide dirimant et quel horrible manque, dans ces lignes, qui semblent ronger toute foi et refuser la résurrection aux disparus dans l'inconnu, aux défunts qui n'ont point de lieu, aux morts sans tombeau. Tout aussi bien qu'ici, ces marbres seraient à leur place dans les noirs hypogées d'Elephanta[1].

Pourquoi les morts de l'humanité ne sont-ils pas comptés au nombre des créatures vivantes ? Pourquoi faut-il qu'un proverbe universel dise d'eux qu'ils ne parlent pas, quand ils ont plus de secrets à nous dire que n'en contiennent les sables de Goodwin ? Et comment se fait-il qu'au nom de celui qui est parti hier pour un autre monde, nous attachions cette définition accablante, alors que nous n'en faisons rien quand pourtant il est aussi parti pour un autre monde, quand il s'est embarqué pour les Indes les plus reculées de cette terre des vivants ? Pourquoi les compagnies d'assurances sur la vie payent-elles une prime à la mort contre l'immortalité ? Quel est cet éternel état de paralysie mortelle, de catalepsie sans fin où est figé, gisant encore de nos jours, le vieil Adam qui mourut voilà quelque soixante siècles ? Et comment se fait-il que nous refusions toujours de prendre consolation de ceux-là dont, néanmoins, nous ne cessons d'affirmer qu'ils baignent et demeurent dans la béatitude ineffable ? Oui, pourquoi les vivants sont-ils si empressés à tenir au silence des morts, au point que quelques coups frappés dans une tombe empliront de terreur une cité entière ? Ah ! il y a là-dessous quelque chose, et tout cela n'est pas sans avoir un sens.

Pourtant la foi, tel un chacal, se nourrit au milieu des tombes ; et c'est même de ces doutes mortels qu'elle tire ses espérances les plus vives.

Aussi sera-t-il donc assez peu nécessaire que je relate ici avec quels sentiments moi-même, à la veille de partir pour une longue campagne de Nantucket, je considérais ces tablettes de marbre où, dans la faible lueur de ce jour assombri et lugubre, je lisais le destin fatal des baleiniers qui avaient passé avant moi. Oui, Ismahel,

---

1. L'île aux grottes (Elephanta Gharapuri) au centre du golfe de Bombay, célèbre par ses temples souterrains auxquels on accède depuis la plage par un escalier de quelque quatre cents marches, taillé presque à pic dans le roc. Ces temples, d'origine purement brahmanique, sont abandonnés depuis quatre cents ans.

un même sort sera peut-être le tien ! Et pourtant je ne sais comment, je me sentis reprendre du poil et je sentis revenir l'entrain. C'était m'inciter délicieusement à embarquer ! me provoquer à courir cette chance de promotion par excellence – mais oui ! un bateau enfoncé ferait de moi, selon toute apparence, un immortel avec brevet. La mort est là, bien sûr, dans cette affaire de chasse à la baleine : un plouf ! inattendu et immédiat de l'homme dans l'éternité. Mais quoi ? Il me semble à moi qu'on se soit formidablement trompé dans cette histoire de la Vie et de la Mort. Il me semble que ce que vous nommez mon ombre ici-bas, sur la terre, est en réalité ma vraie substance. Il me semble qu'à l'égard de ces questions spirituelles, nous ne sommes que trop semblables à des huîtres qui contempleraient le soleil à travers l'épaisseur des eaux, croyant que ce ciel aquatique est fait de l'air le plus léger. Il me semble que mon corps n'est guère que la lie et le rebut de mon être supérieur. Eh bien, le prenne qui voudra, ce corps ! Prenez-le, vous dis-je ; il n'est pas moi.

Trois vivats donc pour Nantucket ! Bateau enfoncé et corps crevé quand on voudra : car pour ce qui est de mon âme, Jupiter en personne ne saurait la crever.

VIII

LA CHAIRE

Il n'y avait pas bien longtemps que j'étais assis lorsque entra un homme dont l'âge vénérable conservait cependant une grande robustesse. Au regard vif dont il enveloppa l'assistance à l'instant que la porte, derrière lui, était violemment refermée par le vent, il était suffisamment clair que ce beau vieillard était le chapelain. Oui, c'était là le fameux père Mapple, ainsi nommé par les baleiniers auprès desquels il est tenu en grande estime. Matelot et harponneur autrefois, dans sa jeunesse, il y avait maintenant de nombreuses années qu'il avait consacré sa vie au ministère. A l'heure où je le voyais, il avait atteint le viril hiver d'une vieillesse vigoureuse ; une de ces vieillesses où semble s'épanouir une seconde et verte jeunesse, que l'on voyait transparaître sous les plis de ses rides avec le doux éclat rayonnant d'une floraison renaissante ; ainsi les pousses printanières perçant sous la neige de février. Même sans savoir rien de son histoire, personne en le voyant n'eût manqué d'accorder au père Mapple un extrême intérêt, car il portait en lui certaines singularités cléricales qui lui venaient de l'aventureuse vie de mer qu'il avait menée.

Lorsqu'il entra, je notai qu'il ne portait pas de parapluie et qu'il n'était certes pas venu en voiture, puisque sa coiffure de toile goudronnée dégoulinait de neige fondue, et que son long caban de pilote semblait près de l'écraser sous le poids de toute l'eau qu'il avait absorbée. Suroît, caban et snow-boots furent toutefois posément retirés l'un après l'autre, suspendus et déposés dans une petite encoignure à l'écart ; après quoi le père Mapple, sobre et décent dans son costume, s'avança paisiblement vers la chaire.

A l'instar de la plupart des chaires à l'ancienne, celle-ci était fort élevée ; et comme pour accéder à cette hauteur un escalier fixe, par sa longue pente, eût occupé un espace qui eût sérieusement empiété sur celui de la chapelle, déjà assez minuscule, l'architecte, suivant sans doute en cela les instructions du père Mapple, avait suspendu et achevé sa tribune sans aucun escalier ; il l'avait tout simplement remplacé par une *échelle de côté* qui tombait verticalement (c'est-à-dire une échelle à montants de cordage et à échelons plats) comme celles qu'on laisse tomber contre le flanc du navire, en mer, afin que d'un canot on puisse monter à bord. La veuve d'un capitaine baleinier avait enrichi le temple d'une somptueuse paire de cordons torsadés de laine rouge pour cette échelle, elle-même joliment couronnée, et dont les échelons étaient teints de couleur acajou et cirés. Ce dispositif, surtout en songeant au genre et à la destination de la chapelle, était loin de manquer d'allure et de goût. S'arrêtant un instant au pied de l'échelle, les deux mains posées sur les nœuds décoratifs du cordon, le père Mapple jeta un coup d'œil là-haut, puis, avec toute la prestesse d'un vrai marin et une dignité tout aussi certaine, main sur main, il s'enleva sur les échelons comme s'il escaladait le grand mât de son navire.

Donc, les montants de cette échelle étaient souples comme il en va généralement de ces volantes échelles de côté et les échelons seuls étaient de bois, constituant en quelque sorte autant d'articulations. Au premier regard jeté sur la chaire, je n'avais pas manqué de remarquer et de me dire qu'autant ces articulations présentaient d'avantages sur un navire, autant elles semblaient ici superflues. C'est que je ne m'attendais nullement à voir le père Mapple, une fois parvenu dans les hauteurs, se retourner avec lenteur, se pencher par-dessus sa chaire et remonter posément l'échelle, échelon après échelon, jusqu'à ce que le tout eût disparu à l'intérieur, le laissant inexpugnable dans son petit Québec.

Je restai un bout de temps à réfléchir sans en comprendre parfaitement la raison. Le père Mapple jouissait d'une si ample réputation de sincère droiture et de sainteté, qu'il m'était impossible de le soupçonner de rechercher la notoriété avec des trucs grossiers de mise en scène. Non, me dis-je, il doit y avoir à cela une bonne raison ; et qui plus est, un symbole concret de quelque chose d'invisible. Serait-ce que, s'isolant matériellement par cet acte, il signifie son spirituel retrait pour l'heure de tous liens et rapports avec le monde temporel ? Oui, je le crois et je le comprends : car cette chaire, remplie des nourritures et du vin de la Parole, est pour le fervent homme de Dieu une forteresse autonome : une formidable citadelle d'Ehrenbreitstein avec une source éternelle entre ses murs.

Mais cette échelle de côté n'était pas l'unique étrangeté qui rappelât les errances marines du père. Entre les plaques funéraires qui s'alignaient de part et d'autre de la chaire, le mur, au-dessus d'elle, était orné d'une grande peinture où l'on voyait un fier navire lutter contre une furieuse tempête devant une côte sous le vent, toute hérissée de noirs brisants et de la blanche écume des flots. Mais au-dessus de la fuite effrénée des noires volutes des nuages, on voyait s'ouvrir un petit îlot de lumière et de soleil, où apparaissait le radieux visage d'un ange. Et ce resplendissant visage de lumière laissait tomber d'en haut, sur le pont ballotté du malheureux navire, un éclat radieux et argentin, quelque chose comme la plaque d'argent maintenant fixée sur la planche du *Victory* où tomba Nelson. – « Ah ! noble navire, semblait dire l'ange, tiens bon ! tiens bon, noble navire ; que ta barre soit ferme et toujours courageuse ! car voici le soleil, vois-tu, qui perce les nuages, et le ciel noir est balayé : voici venir l'azur le plus serein ! »

Quant à la chaire elle-même, elle n'était pas non plus sans porter l'empreinte du goût marin déjà marqué par l'échelle et le tableau. Elle était façonnée comme une proue et présentait, de front, l'épaule d'un navire ; et la sainte Bible reposait sur une pièce de bois en saillie, sculptée et tournée en manche de violon à l'imitation d'une guibre.

Quoi de plus significatif ? puisque la chaire, en effet, est toujours à l'extrême avant de cette terre et que tout le reste ne vient qu'à sa suite. La chaire conduit le monde. C'est de là qu'on le voit, quand s'annonce l'orage de la prompte colère de Dieu, et c'est à cette proue qu'il reviendra de supporter le premier choc. C'est de là que le dieu de tous les vents puissants et doux est invoqué pour qu'il nous donne la brise favorable. Oui, car le monde est un navire qui fait route, mais il n'accomplit pas la totale croisière ; et la chaire est sa proue.

LE SERMON

Le père Mapple se redressa et, la voix douce et modeste dans son autorité, il commanda à son assistance éparse de se rassembler :

– Les travées de tribord, là-bas ! poussez-vous sur bâbord. Vous de bâbord, tirez sur tribord ! Tenez-vous sur le maître-couple !

Il y eut un sourd raclement de lourdes bottes de mer entre les bancs, un piétinement plus chuchoté de chaussures féminines ; puis le silence revint avec tous les regards maintenant levés vers le prédicateur.

Il marqua un temps puis s'agenouilla sur la proue de sa chaire, croisant ses fortes mains hâlées sur sa poitrine, fermant les yeux, le visage levé, et il pria, avec une si profonde ferveur qu'on l'eût dit à genoux et en prière au plus profond de la mer.

La prière achevée, avec un timbre et des accents solennels et graves qui résonnaient comme la cloche incessante d'un navire englouti dans la brume en mer – avec un long tintement pareil –, il commença la récitation de l'hymne ci-après, mais non sans changer sa manière pour les dernières strophes, où éclatèrent les carillons retentissants de l'exultation et de la joie :

Les ténébreux arceaux au sein de la baleine
Voûtaient sur moi la nuit des pires épouvantes,
Cependant que de Dieu la vague ensoleillée
Me portait au plus noir du triste châtiment.

Je voyais s'entrouvrir les portes de l'enfer :
Les tourments éternels et les peines sans fin
Dont ne peuvent parler que les âmes damnées.
Oh ! dans quel désespoir ces affres me plongeaient !

J'ai invoqué mon Dieu dans la pire détresse,
Ce Dieu que je n'osais plus appeler le mien !
Et sur ma plainte Il a incliné Son oreille :
La baleine n'est plus maintenant ma prison.

A mon secours Il a volé en toute hâte,
Comme porté sur un dauphin resplendissant.
Terrible elle a brillé, et splendide pourtant
La Face de mon Dieu, Seigneur de Délivrance !

Mon hymne veut à jamais la chanter
L'heure terrible et de liesse infinie.
Gloire à mon Dieu ! Gloire au Seigneur mon Dieu
Tout de puissance et de miséricorde !

Les voix de l'assistance, qui presque toutes étaient venues s'unir dans le chant de cet hymne, portèrent ses accents loin par-dessus les flûtes de la tempête. Il fut suivi d'une pause pendant laquelle le pasteur feuilletait lentement la Bible, tournant les pages une à une ; puis il posa sa main à plat sur la page choisie et dit :

– Mes bien chers frères de mer, rappelez-vous au dernier verset du premier chapitre de Jonas : « Or Dieu avait préparé un grand poisson pour engloutir Jonas… »

» Ce livre, camarades de bord, contient juste quatre chapitres – quatre fils de caret commis ensemble – et c'est un des tout petits filins dans la formidable aussière des Écritures. Pourtant, avec cet horizon de fond de mer, quelles profondeurs de l'âme ne va-t-il pas sonder ! Et quelle lourde leçon, quel riche enseignement nous apporte le prophète ! Le cantique élevé du fond du ventre du poisson, quelle chose magnifique ! Majestueux et grandiose comme une houle déferlante. Et voilà que nous sentons passer sur nous tous les flots ; nous piquons avec lui jusqu'à l'assise des vagues, jusqu'aux varechs du fond de la mer ; toutes les prairies sous-marines et le limon de l'océan sont autour de nous ! Mais encore quelle est-elle, cette leçon que nous enseigne le livre de Jonas ?

» C'est une leçon en bitord, mes chers frères de la mer ; une leçon pour nous tous, hommes de péché que nous sommes ; et une leçon pour le pilote que je suis, sous le commandement du Dieu vivant. Hommes de péché, c'est une leçon pour nous tous parce que c'est de péché, de dureté de cœur, de soudaines terreurs brusquement réveillées dont nous parle l'histoire ; et c'est aussi le prompt châtiment, le repentir, les prières, la délivrance enfin et la joie de Jonas qu'elle nous raconte. Le péché de ce fils d'Amathi, comme pour tous les pécheurs que nous sommes, était sa déso-béissance voulue et obstinée à ce que Dieu lui commandait – peu importe à présent *quels* ordres étaient donnés et *comment* ils étaient donnés –, ce commandement, il le trouvait trop dur. Mais toutes les choses que Dieu attend de nous, nous les trouvons trop dures, notez-le bien ! et c'est pourquoi Dieu ordonne plus souvent qu'Il ne cherche à persuader. C'est que pour obéir à Dieu, il faut que nous désobéissions à nous-mêmes ; et cette désobéissance à nous-mêmes, justement, c'est elle qui fait que nous trouvons dur d'obéir à Dieu.

» Jonas donc, avec ce péché de désobéissance en lui, s'insurgeait toujours plus et faisait fi de Dieu, cherchant à fuir Sa Face. Il pense qu'un navire fait de main d'homme pourra l'emporter jusqu'en des contrées où ne règne pas Dieu, mais où seulement com-mandent des capitaines d'ici-bas. Il traîne sur les quais de Joppé, à la recherche d'un navire en partance pour Tharsis. Il y a peut-être bien là-dessous quelque signification cachée, camarades de la mer, car la Tharsis d'alors n'était autre, à ce qu'on assure, que la Cadix d'aujourd'hui. C'est l'opinion des savants. Or, où est cette Cadix, compagnons ? Cadix est en Espagne, c'est-à-dire au plus loin, dans ces temps anciens où l'Atlantique était une mer quasi inconnue, à l'extrême possible de toute navigation, pour Jonas qui faisait voile de Joppé. Parce que Joppé, voyez-vous, c'est l'actuelle Jaffa de Syrie, qui se trouve sur la côte le plus à l'est de la Médi-terranée ; et Cadix – ou Tharsis – est à plus de deux mille milles à

l'ouest de là, passé le détroit de Gibraltar. Comprenez-vous, camarades marins, que Jonas cherchait non seulement à fuir de devant
la Face de Dieu, mais à lui échapper aux limites du monde ? Ah !
le misérable ! L'indigne individu et le plus méprisable des
hommes, qui cherche à se cacher de Dieu ! Qui cherche à se déro-
ber devant Lui ! Le chapeau rabattu sur ses yeux de fuyard, il rôde
autour des vaisseaux à quai, comme un ignoble voleur ayant hâte
de passer la mer. Il est si louche, son regard, si trouble et si troublé ; il a vraiment l'air si coupable et si suspecte mine que, si dans
ce temps-là il y avait eu des gendarmes, jamais Jonas ne serait
arrivé à monter à bord : on l'aurait arrêté avant, le soupçonnant de
quelque crime. Quel complet fugitif il fait ! aucun bagage ; ni un
sac ni une valise, pas même un carton à chapeau ! Nul ami pour
l'accompagner et lui faire ses adieux sur le quai. Enfin, après
toutes sortes de détours dans ses recherches, il tombe sur le navire
en partance pour Tharsis, alors qu'on met la dernière main à son
chargement ; et comme il passe sur le pont pour aller voir le capitaine dans sa cabine, voilà que l'équipage entier suspend du coup
son activité fébrile pour suivre des yeux cet étranger, frappé par
son mauvais œil. Lui, Jonas, se sentant observé, voudrait se donner des airs d'assurance ; il cherche à paraître à son aise, mais rien
à faire ; et c'est en vain qu'il essaie de sourire misérablement.
Quelque chose, en lui, fait que les matelots se disent que cet
homme-là ne peut pas être innocent. Dans leur langage blagueur
mais au fond très sérieux, ils s'interpellent à mi-voix : « Dis donc,
Jack, il a enlevé une veuve ! » ou : « Hé, Joe, t'as vu ce type-là ?
c'est un bigame ! » ou bien encore : « Harry, mon vieux, je parie
que c'est un adultère évadé des prisons de la vieille Gomorrhe, ou
alors c'est un assassin en fuite de Sodome ! » L'un des gars, pendant ce temps, avait couru lire le placard piqué sur une des bittes
d'amarrage du quai, où l'on offrait cinq cents pièces d'or pour
l'arrestation d'un parricide dont la description était donnée. Tout
en lisant, il examinait Jonas puis revenait à la description, cependant que les autres, à bord, faisaient cercle autour de lui, tout prêts
à lui mettre la main au collet. Jonas est effrayé, tremblant ; il veut
se donner l'air hardi et n'en paraît que plus couard. Il s'agit de
faire comme s'il ne comprenait pas qu'on le soupçonne de quelque

chose et il veut passer outre ; mais cela ne fait que renforcer la surveillance autour de lui. Il lui faut donc en prendre son parti et rester là, entouré, jusqu'à ce que les marins, voyant que ce n'est pas
lui qu'on recherche, le laissent aller ; et il descend à la cabine.

» – Qui est là ? hurle le capitaine sans lever les yeux de son
bureau, affairé avec tous les papiers qu'il faut encore mettre en
ordre en toute hâte pour la douane.

» « Qui est là ?... » Ah ! comme elle lui tombe dessus, cette simple
question, comme elle l'atteint et le torture ! Le voilà presque sur le
point de faire demi-tour et de s'enfuir de nouveau. Mais il se
reprend : « Je voudrais un passage sur ce bateau, pour Tharsis.
Quand mettez-vous à la voile, commandant ? » Le capitaine, tout
à ses affaires, n'a jusqu'à ce moment pas encore levé les yeux sur
Jonas qui s'est pourtant avancé jusque devant lui ; mais rien que
d'entendre cette voix caverneuse lui fait lever la tête et jeter sur
Jonas un regard perçant. « Nous levons l'ancre avec la prochaine
marée », dit-il avec lenteur au bout d'un moment et sans cesser
d'appuyer sur lui un regard scrutateur. « Pas avant ? – Bien assez
tôt pour qui voyage honnêtement comme passager. » Là, Jonas !
Prends ça pour toi. Et Jonas en reçoit comme un coup de poignard.
Mais il éloigne cauteleusement le capitaine de ce sujet scabreux.
« J'embarque avec vous, lui dit-il ; quel est le prix du passage ? Je
paye immédiatement. »

» Car la chose est écrite en toutes lettres, chers frères marins,
comme une chose importante à ne pas omettre dans cette histoire :
et ayant payé son passage, il embarque. Avec le contexte, cela
prend une signification singulièrement grave.

» Ce capitaine auquel avait affaire Jonas, camarades de mer,
était l'un de ces hommes capables de découvrir le crime chez quiconque, mais qui ne le dénoncent, dans leur cupidité, que lorsqu'il
s'agit de sans-le-sou. En ce bas monde, voyez-vous, le péché qui
paye le prix du passage peut voyager librement partout et sans
passeport, alors que la vertu, qui est pauvre, est arrêtée à toutes les
frontières. Avant de porter son jugement donc, le capitaine veut
d'abord soupeser un peu la bourse de Jonas. Il lui demande le
triple du prix habituel ; et Jonas est d'accord. Alors le capitaine
sait que Jonas est un fugitif ; mais il décide par la même occasion

de favoriser une fuite qui doit assurer ses arrières en les pavant
d'or. Néanmoins, quand arrive le moment où Jonas la sort réellement, cette bourse, de nouveaux et prudents soupçons travaillent
encore le capitaine. Il fait sonner chaque pièce attentivement, puis
se murmure : « Pas un faux-monnayeur en tout cas ! » Sur quoi
Jonas est inscrit comme passager.

» – Indiquez-moi ma cabine, commandant, lui dit alors Jonas,
je suis exténué par mon voyage jusqu'ici et je voudrais dormir.

» – Ça oui, vous semblez l'être, observa le capitaine ; tenez, voici
l'endroit.

» A peine entré, Jonas cherche la clef sur sa porte qu'il voudrait
boucler, mais il n'y a point de clef à l'intérieur ; et en l'entendant
fourrager nerveusement autour de la serrure, le capitaine se prend
à rire tout bas, grommelant quelque chose sur les prisonniers et les
cellules dans les prisons, dont les portes n'ont jamais été faites
pour qu'on les ferme du dedans.

» Tout habillé, couvert de poussière comme il l'est, Jonas se jette
sur sa couchette, constatant que le plafond de sa minuscule cabine
est si bas qu'il l'a presque sur la tête. Il n'y a pas d'air là-dedans et
Jonas y suffoque. C'est que cette espèce de trou est enfoncé bien
au-dessous de la ligne de flottaison, donnant par avance à Jonas
un premier sentiment de ce que ce sera, en fait d'étouffement,
quand la baleine l'engloutira dans la prison serrée de ses entrailles.

» Dans la cabine, sur son axe vissé dans la paroi, oscille une
lampe à bascule. Le navire donne de la bande sous le poids du dernier fret accumulé sur le pont du côté du quai, et la lampe avec sa
flamme, en dépit du léger mouvement d'oscillation, se maintient
toujours oblique par rapport au reste de la cabine ; tout infailliblement verticale qu'elle soit en vérité, elle ne fait que jeter le désordre
et le doute dans la cabine en accusant la fausseté de toutes les lignes
horizontales et verticales. Cette lampe est pour Jonas un nouveau
sujet d'alarme et d'inquiétude alors qu'il est là, couché sur son
cadre, avec ses regards errants et anxieux qui cherchent partout
dans la pièce quelque chose sur quoi se reposer afin de le rassurer
lui, l'homme qui a si bien réussi dans sa fuite. Oui, cette lampe
horripilante dans sa contradiction l'épouvante de plus en plus.
Tout est de guingois : plancher, plafond, parois ; la lampe seule est

droite. « C'est ainsi, gémit-il, que ma conscience se tient suspendue en moi, avec sa flamme bien droite ; mais les compartiments de mon âme sont tout de travers ! »

» Semblable à celui qui, toujours titubant après une nuit de beuverie et de débauche, regagne son lit quand déjà sa conscience lui fait sentir ses éperons et les enfonce plus profond à chaque fois qu'il se rebiffe – comme dans les flancs d'un cheval les éperons du cavalier ; semblable à celui qui, dans ce misérable état et dans ces fichus draps, se tourne et se retourne dans le vertige et dans l'angoisse, suppliant Dieu de lui ôter le sentiment jusqu'à ce que le pire soit passé – et qui enfin, toujours dans son tourment douloureux, glisse dans une profonde torpeur pareille à l'évanouissement d'un blessé saigné à blanc –, mais oui, car sa conscience blessée saigne, et ce sang, il n'est rien pour l'étancher ! Jonas ainsi, après de sombres et cruels combats sur sa couchette, Jonas, accablé sous le poids de sa prodigieuse misère, est entraîné et coule bas dans le sommeil.

» Et voilà qu'est venue l'heure de la marée. Le vaisseau largue ses amarres. Quittant le quai désert d'où nul ne le salue, il glisse vers le large, lourdement chargé, le vaisseau de Tharsis. Ce bateau, mes amis, fut le premier en date des contrebandiers ! Sa contrebande, c'était Jonas. Mais la mer se rebelle : elle ne veut pas porter le mauvais fardeau. Une effroyable tempête se lève ; le navire est tout près de se briser. Mais là, tandis que le bosseman met tout le monde à l'œuvre pour alléger le bateau ; tandis que volent pardessus bord caisses, ballots et jarres ; tandis que crient dans les hurlements du vent les hommes au travail ; tandis que juste audessus de la tête de Jonas toutes les planches tonnent et tremblent sous les piétinements ; là, dans tout ce tumulte qui fait rage, Jonas dort de son hideux sommeil. Il ne voit pas le ciel noir ni la mer en furie ; il n'entend ni ne sent les coups violents sur les couples qui vont céder ; son oreille n'entend guère et il se doute peu des bonds énormes et de la course furieuse de ce colosse de baleine qui déjà, gueule ouverte, est lancé à sa poursuite et fait écumer les flots. C'est ainsi, camarades marins ; Jonas était descendu dans les flancs du navire (une couchette dans une cabine comme je l'ai supposé) et il était profondément endormi. Mais le maître pilote effrayé vient à lui et hurle dans son oreille morte :

» – Comment pouvez-vous ainsi dormir ? Levez-vous ! – et tiré de sa léthargie par ce cri d'épouvante, Jonas se met debout en chancelant, titube jusqu'au pont où il se cramponne à un hauban pour regarder la mer. Mais sur l'instant il est coiffé par une lame qui a bondi telle une panthère par-dessus le pavois ; et vague sur vague elles croulent ainsi sur le pont où elles roulent en rugissant, ne trouvant pas d'issue assez rapide par les dalots. Les matelots sur le pont sont à deux doigts de périr noyés, sans avoir fait naufrage. Et toujours et encore, quand la pâle lune montre sa face terrifiée à travers les brusques déchirures des ténèbres du ciel, Jonas glacé d'horreur voit le beaupré pointer droit comme un mât dans le ciel, pour piquer de nouveau l'instant d'après droit dans l'abîme en furie.

» Les terreurs succèdent aux terreurs, qui se ruent en hurlant dans son âme. Tout son comportement panique le déclare et il n'est que trop clair maintenant qu'il est fuyard de Dieu. Les matelots ne sont pas sans le voir et leurs soupçons se font de plus en plus lourds, deviennent presque des certitudes ; si bien que pour finir, pour vérifier la vérité en s'en remettant au ciel, ils en viennent à tirer au sort afin de voir qui est la cause de cette énorme tempête sur eux. Et le sort tombe sur Jonas. Découvert, oh ! comme ils l'assaillent furieusement alors de leurs questions ! « A quoi vous occupez-vous ? D'où venez-vous ? Où allez-vous ? Et quel est votre peuple ? » – Maintenant remarquez bien, mes amis, voyez comment se comporte le malheureux Jonas. L'équipage impatient lui demande qui il est, seulement, et d'où il vient. Mais il répond non point uniquement aux questions qu'on lui pose : il répond encore à une autre question, une question qu'on ne lui a pas posée ; et cette réponse qu'on ne lui a pas demandée lui est arrachée par la dure main de Dieu qui est sur lui.

» – Je suis hébreu dit-il – puis il ajoute : Et je crains le Seigneur, le Dieu du ciel, qui a fait la mer et la terre.

» Tu le crains, ô Jonas ? Ah ! certes, tu avais bien *alors* lieu de craindre le Seigneur Dieu !… Sur-le-champ, donc, Jonas fait une confession générale et les marins sont saisis à mesure d'une épouvante grandissante, qui cependant éveille aussi chez eux la pitié. Car lorsque Jonas – qui ne supplie pas Dieu encore d'avoir miséricorde, sachant trop bien la noirceur de sa désertion et tout ce qu'il mérite – lorsque le malheureux Jonas leur crie qu'ils le prennent et le jettent à la mer, n'ignorant pas que c'est par *sa* faute si cette furieuse tempête est sur eux, les marins se détournent de lui charitablement et cherchent par d'autres moyens à sauver le navire. Mais c'est bien inutile ; la fureur indignée de la tempête hurle de plus belle et avec plus de rage. Alors, levant au ciel une main pour invoquer Dieu, ils portent l'autre, à contrecœur, sur Jonas.

» Voyez-le à présent empoigné comme une ancre et jeté à la mer. A l'instant même, à l'est, s'est fait un calme d'huile et les flots sont en paix au-dessus de Jonas qui emporte avec lui la tourmente aux abîmes de la profondeur. Il coule au cœur de la tempête et s'enfonce, emporté dans un tel tourbillon, qu'il se rend compte à peine du moment où il est avalé par la gueule béante qui l'attendait. Et les dents d'ivoire de la mâchoire refermée sont tout autant de blancs verrous sur sa prison. Alors Jonas, du ventre de la baleine, prie le Seigneur. Mais considérez-la avec attention, sa prière, camarades de mer, et prenez-y une grande leçon ; car pécheur comme il est, Jonas ne pleure ni ne gémit pour sa délivrance. Non : il sent que ce terrible châtiment est juste. Et de sa délivrance entièrement il se remet à Dieu, se contentant pour lui de vouloir toujours voir Son temple saint, en dépit de toutes les affres et souffrances qu'il connaît. Voilà quel est, mes chers frères de la mer, le véritable repentir, le repentir vrai et profond : non pas réclamant à grands cris le pardon, mais plein de gratitude devant le châtiment. Combien il plut à Dieu de voir Jonas ainsi, nous en avons la preuve par sa prompte délivrance des entrailles de la baleine et des profondeurs de la mer. L'exemple de Jonas, camarades marins, je ne vous l'ai point donné pour que vous l'imitiez dans son péché ; je vous le donne et le mets sous vos yeux comme un modèle de repentir. Ne péchez point ; mais si vous péchez, tâchez alors de vous en repentir de même que Jonas.

Aux mots que prononçait le prédicateur, les houles sonores de la tempête au-dehors, ses assauts et ses déversements, semblaient donner plus de force encore ; et tandis qu'il décrivait la grande tempête de Jonas excitée sur la mer, on l'eût dit emporté lui-même sur les ailes du vent. Sa poitrine profonde s'enflait comme la

houle ; son geste ressemblait au déchaînement des éléments ; et les
tonnerres habitaient son front, semblait-il, faisant jaillir des éclairs
de ses yeux. Les simples cœurs qui l'écoutaient ne pouvaient déta-
cher de lui leurs regards, pris soudain d'une crainte qui leur était
étrangère.

A présent, comme il tournait en silence les pages du livre, il donnait l'impression qu'une accalmie s'était faite. Lorsqu'il en eut
fini, immobile et très droit, il ferma les yeux un long moment,
recueilli sur lui-même et communiant avec Dieu, semblait-il. Puis
il se pencha de nouveau vers l'assistance, la tête basse dans une
attitude d'humilité à la fois profonde et digne au suprême degré, et
il reprit :

– Camarades marins, mes frères, Dieu n'a posé sur vous qu'une
seule main ; mais Ses deux mains pèsent sur moi. J'ai tiré comme
je l'ai pu, selon le peu et les pâles lumières que je puis avoir, la
leçon qu'enseigne Jonas à tous les pécheurs ; je l'ai donc tirée pour
vous, mais bien plus encore pour moi, qui suis plus grand pécheur
que vous n'êtes. Mais à présent, oh ! comme je descendrais avec
joie de ce poste de vigie à la pointe du mât, pour venir m'asseoir
avec vous sur les écoutilles, là où vous êtes, écoutant comme vous
écoutez pour y entendre l'*un de vous* tirer la leçon tellement plus
terrible que Jonas m'enseigne à moi, pilote du Dieu vivant !
Comment Jonas, qui était l'oint du Seigneur, Son prophète et
pilote, c'est-à-dire le proclamateur de la vérité, quand il reçut du
Seigneur l'ordre de proclamer cette vérité malvenue aux oreilles
d'une Ninive perverse, apeuré par l'hostilité qu'il allait soulever, se
déroba à sa mission et voulut fuir son devoir et son Dieu en
s'embarquant à Joppé. Seulement Dieu est omniprésent, Dieu est
partout, et Tharsis ne fut jamais atteinte. Jonas, comme nous
l'avons vu, a été repris par Dieu dans la baleine ; et Il l'a précipité
dans les gouffres vivants de l'abîme ; Il l'a lancé à toute vitesse et
lui a fait courir sur des pentes vertigineuses « le milieu de la mer »,
où les profondeurs et leurs tourbillons l'ont aspiré, à dix mille
brasses par le fond ; et «l'herbe qui croît au fond des eaux a
entouré sa tête», et tout le monde marin de la déréliction était
versé sur lui. Cependant même alors, du fond des profondeurs où
ne le peut toucher aucune sonde, «jusque dans la racine des mon-

tagnes », où il est descendu ; oui, même alors que la grande baleine est reposée sur les assises de l'océan, au plus secret de son squelette ; même alors, Dieu entendit Son prophète englouti qui l'appelait dans son repentir. Alors Dieu commanda au poisson : et du profond des eaux glaciales et ténébreuses, la baleine remonta vers le chaud et plaisant soleil, vers toutes les délices de l'air et de la terre ; « et le poisson *rendit* Jonas et le jeta sur le rivage » ; sur l'ordre du Seigneur qui commandait pour la seconde fois. Et Jonas brisé, battu, rompu – les oreilles bourdonnantes comme deux coquillages où ne cesse de s'entendre le bruissement multiple et infini de la mer –, Jonas exécuta l'ordre du Tout-Puissant. Qui était quoi, amis marins ? Qui était de prêcher la Vérité à la face du Mensonge. Voilà ce qu'il était !

» Telle est donc cette seconde leçon, mes amis : la leçon qu'enseigne Jonas. Et malheur à celui, pilote du Dieu vivant, qui passe outre et l'oublie ! Malheur à lui, si les séductions de ce monde l'écartent du devoir et du service de l'Évangile ! Malheur à lui, s'il veut épandre de l'huile sur les eaux quand Dieu les a fait bouillonner en tempête ! Malheur à lui, s'il veut plaire au lieu d'épouvanter ! Malheur à lui, s'il préfère une bonne renommée au Bien de Dieu ! Malheur à lui, s'il ne va pas au-devant du déshonneur en ce monde ! Malheur à lui, s'il ne veut pas rester véritable, quand même le mensonge devrait le sauver. Malheur, oui, malheur à celui, comme l'a dit le grand Pilote Paul, qui prêche autrui pendant qu'il est lui-même rejeté et perdu !

La tête profondément penchée de nouveau, et tout à ses pensées, gravement, il parut absent un moment ; puis il releva un visage illuminé de joie intérieure pour s'exclamer avec un enthousiasme céleste :

– Seulement, les gars, par tribord de chaque souffrance il y a une haute joie très certaine ! Et qui s'élance d'autant plus haut, que profond est le fond de la souffrance… Est-ce que la pomme du grand mât n'est pas d'autant plus élevée que la carène est plus creuse, et profonde l'emplanture du mât ? La haute joie est à celui – une joie intérieure et très sublime –, à celui qui toujours maintient en face des puissants, des petits dieux et des commandants de la terre, l'inexorable intégrité de sa personne. Haute joie à celui

qu'un bras puissant soutient encore quand a sombré sous lui le
vaisseau de ce bas monde vilainement tricheur. Haute joie à celui
qui, pour la vérité, ne fait pas de quartier, qui tue, brûle et détruit
tout péché, même à le débusquer et à l'arracher de sous la toge des
sénateurs et la robe des juges. Haute joie – la plus haute des voiles
hautes de la joie ! – à celui qui ne connaît ni loi ni maître si ce n'est
le Seigneur son Dieu, et qui n'a de patrie que le ciel. Haute joie à
celui que toutes les houles et les vagues, les violences et les remous
de l'océan des foules ne peuvent émouvoir ni arracher du pont
solide et sûr de ce voilier des Temps. Et la haute béatitude et les
délices éternelles à celui-là seront, qui venant à mourir sur son
erre, peut dire avec son dernier souffle : « Ô Père ! Toi dont surtout
les verges me sont connues, périssable ou impérissable me voici à
ma mort. Je me suis efforcé d'être à Toi plus qu'au monde d'ici et
plus aussi qu'à moi-même. Ce qui est moins que rien. A Toi l'éternité : je la remets entre Tes mains. Car l'homme quel est-il, qui
pourrait vivre la vie de son Dieu ? »

Il n'ajouta plus un mot, mais dessina du geste une lente bénédiction, puis ramena les mains sur son visage et ainsi demeura, le
visage couvert, à genoux, pendant que tout le monde s'en allait ; et
il demeura seul dans l'église.

UN INTIME AMI

A mon retour de la chapelle, à la taverne Au souffle, je trouvai Quiequeg absolument seul. Il avait quitté l'église quelques moments avant la bénédiction. Assis sur un tabouret devant le feu, les pieds sur les chenets, il tenait dans une main la petite idole noire tout près de son visage, tandis que de l'autre, en la fixant attentivement, il lui perfectionnait délicatement le nez de la pointe de son couteau, tout en fredonnant à sa mode quelque psalmodie païenne.

Dérangé par mon arrivée, il mit en poche sa statuette et se leva bientôt pour aller prendre sur la table un gros volume qu'il posa sur ses genoux, et dont il se mit à tourner les pages avec une régularité calculée. Toutes les cinquante pages – selon mon estimation – il faisait une pause, laissait errer un regard vague à la ronde tout en exprimant un long souffle sifflant et modulé d'étonnement. Après quoi il se remettait à la prochaine cinquantaine, ayant l'air de compter chaque fois à partir de un comme s'il ne pouvait compter que jusqu'à cinquante ; et sans doute était-ce de voir rassemblées une si grande quantité de cinquantaines qui excitait son étonnement : l'incalculable nombre de pages de ce livre.

De mon siège, je l'observais avec beaucoup d'intérêt. Tout sauvage qu'il fût, et si hideusement chamarré de visage (pour mon goût personnel tout au moins), il ne laissait pas d'avoir dans sa contenance quelque chose de positivement sympathique. On ne saurait cacher son âme. Et à travers la grille de ses diaboliques tatouages, j'avais le sentiment de reconnaître un cœur pur ; ainsi que dans le feu noir de ses grands yeux profonds, un esprit intrépide à défier mille démons. Mais surtout il y avait chez ce païen, en dépit de la rudesse de son extérieur, une certaine noblesse de port et d'allure que même sa sauvagerie ne parvenait à masquer. Il avait l'air de quelqu'un qui n'a jamais fait de courbettes, qui n'a dû et ne doit rien à personne. Était-ce aussi parce qu'avec sa tête rasée, il montrait un front plus libre, plus haut et plus expressif qu'il n'en eût été autrement? Je ne voudrais pas l'affirmer. Toujours est-il que phrénologiquement parlant, il avait une fameuse tête. On pourra le trouver ridicule, mais elle me rappelait la tête du général Washington telle qu'on la voit représentée par les bustes populaires. Elle avait le même long et profond vallon transversal au-dessus de sourcils en forte saillie qui s'avançaient comme deux promontoires broussailleux. Quiequeg était George Washington sous forme cannibale.

Tout le temps que je fus à l'examiner de la sorte en faisant à moitié comme si je regardais l'orage, il n'accorda à ma présence pas la moindre attention ni ne jeta sur moi-même un unique regard, entièrement occupé, à ce qu'il apparaissait, à compter les pages de son merveilleux livre. Au souvenir des relations cordiales que nous avions eues en partageant le même lit la nuit précédente; au souvenir surtout du bras affectueux que j'avais trouvé posé sur moi à mon réveil, le matin, une pareille indifférence me semblait chose étrange. Il est vrai que les sauvages sont des êtres étranges, dont vous ne savez que penser parfois. D'abord et avant tout ils sont intimidants : le paisible sang-froid de leur simplicité a quelque chose d'une sagesse socratique. Et je n'avais pas été non plus sans remarquer que Quiequeg ne frayait pour ainsi dire jamais avec les autres hommes de mer dans l'auberge. Il ne faisait en tout cas point d'avances et ne semblait aucunement désireux d'élargir, si l'on peut dire, le cercle de ses relations. Cela m'avait frappé comme une chose éminemment singulière; mais à y réfléchir, cela touchait presque au sublime par un côté. Quoi ! voilà un homme qui se trouvait à quelque vingt mille milles de chez soi – en doublant le cap Horn, naturellement, qui était la seule route qu'il pût suivre – jeté au sein d'une nation et parmi des gens qui lui étaient aussi étrangers, à coup sûr, que s'il se fût trouvé sur la pla-

nète Jupiter; et cet homme n'en paraissait pas moins parfaitement
à l'aise; conservant une sérénité parfaite; heureux et satisfait de sa
propre compagnie; toujours égal à lui-même! C'était l'indice,
assurément, d'une magnifique philosophie – encore qu'il n'eût
sans doute jamais eu le moindre vent de la chose. Mais il se pourrait bien que pour que nous, mortels, soyons de vrais philosophes,
il conviendrait que nous n'eussions pas conscience de vivre et de
nous débattre en tant que tels; et dès que pour ma part j'entends
dire qu'homme pareil se donne extérieurement pour philosophe,
j'en conclus que, semblable à la vieille bonne femme dyspeptique,
il doit avoir « de cassé quelque chose là-dedans ».

Assis solitairement comme je l'étais dans cette salle alors déserte;
avec le feu bas qui en était au stade où, ayant réchauffé l'air en
jetant tous les feux de sa première intensité, il ne brûle plus que
pour la joie des yeux; la foule inquiétante des ombres et des fantômes du soir s'amassant aux fenêtres et guignant du dehors les
deux êtres silencieux, isolés, que nous étions; avec la tourmente
furieuse enflant ses orgues solennelles; oui, je commençais à me
sentir tout drôle et d'étranges sentiments m'habitaient. Un atten-
drissement soudain m'envahit. Mon cœur ulcéré et ma main
furieuse n'étaient plus insurgés, non! contre le monde et sa férocité. La présence apaisante et sereine de ce sauvage en avait eu raison. Rien qu'à le voir assis avec sa souveraine indifférence, le
sentiment naissait en vous d'une nature où ne sont embusquées ni
les hypocrisies de la civilisation ni toutes ses fourberies feutrées.
Sauvage, inapprivoisé, farouche, oui certes il l'était : d'un pittoresque à ne jamais l'oublier! Et pourtant je me sentais peu à peu
attiré mystérieusement vers lui; c'étaient précisément les choses
qui eussent repoussé presque tous les autres, qui constituaient
pour moi les véritables aimants de cette attirance. Pourquoi ne pas
essayer d'une amitié païenne, me disais-je, puisque j'ai éprouvé
que la bonté chrétienne n'était que vaine politesse, creuse et super-
ficielle courtoisie! Je tirai mon siège jusqu'auprès de lui, faisant de
mon mieux par signes et gestes et paroles d'amitié pour entrer en
conversation avec lui. Il ne se laissa guère impressionner d'abord
par mes avances, auxquelles il n'accorda que fort peu d'attention;
mais bientôt, lorsque j'eus fait allusion à son hospitalité de la nuit

précédente, il sortit de sa réserve pour me demander si nous serions de nouveau compagnons de lit. Je lui dis que oui ; il parut en être content, à ce que je crus comprendre, et peut-être même honoré en quelque sorte. Ensemble, nous nous mîmes à tourner les pages du livre et je m'efforçai de lui exposer l'objet de l'imprimerie et de lui fournir l'explication des quelques images qu'on y voyait, ce qui capta promptement son intérêt ; de là, nous en vînmes à baragouiner au mieux sur les diverses choses pittoresques de la cité fameuse où nous étions. Je ne tardai pas à lui proposer de fumer la pipe de l'amitié ; alors, sortant sa blague et sa pipe-tomahawk, il m'offrit en toute simplicité une bouffée, et nous restâmes là, tranquillement assis en silence, à échanger nos bouffées, nous repassant l'un à l'autre régulièrement la pipe sauvage.

S'il se cachait certain glaçon d'indifférence dans le cœur du païen à mon endroit, l'aimable autant que plaisante fumée de cet authentique calumet de paix eût tôt fait de le fondre et fit de nous des copains. Il semblait m'avoir pris en sympathie aussi naturellement et sans plus de contrainte que je l'avais fait de mon côté pour lui ; et lorsque notre pipe se trouva finie, il appuya son front contre le mien, me prit la taille dans son bras, me dit que nous étions désormais mariés lui et moi – entendant par là dans son langage natal que nous étions amis intimes ; qu'il serait heureux si la chose était nécessaire, et le cas échéant, de mourir pour moi. Chez un compatriote, cette brusque flambée d'amitié eût semblé pour le moins trop prématurée ; mais ces vieilles règles n'ont rien à voir ici et ne sauraient s'appliquer au simple naturel de ce sauvage.

Après le dîner, suivi d'une nouvelle aimable causette et d'un non moins aimable échange de bouffées, nous gagnâmes ensemble notre chambre, où il m'offrit en présent sa tête embaumée ; puis, sortant l'énorme giberne où il serrait son tabac, il y farfouilla profondément d'une main active pour en extirper quelque trente dollars en argent, qu'il empila sur la table, et ensuite divisa méthodiquement en deux tas égaux. Il poussa l'une des deux piles vers moi, disant qu'elle était mienne. Je commençais à protester quand il me fit taire en les fourrant dans ma poche. Je les y laissai. Il se mit alors à entreprendre ses dévotions du soir, exhibant son idole et écartant l'écran de cheminée en papier. A certains signes et symptômes qu'il donnait, il m'apparut évident qu'il désirait fort que je me joignisse à lui ; mais sachant parfaitement quelle sorte de cérémonie allait suivre, je pris un moment de réflexion pour décider si, dans le cas formel, je suivrais ou déclinerais son invitation.

Je suis un bon chrétien, raisonnai-je, né et élevé au sein de l'infaillible Église presbytérienne ; comment donc pourrais-je me joindre à ce sauvage idolâtre dans le culte et l'adoration de son bout de bois ?... Mais qu'est-ce que l'acte d'adoration ?... Irais-tu supposer, Ismahel, que le Dieu magnanime du ciel et de la terre – païens et autres compris – puisse le cas échéant se montrer jaloux d'un simple bout de bois noir ? Impossible !... Mais aimer et honorer Dieu qu'est-ce donc ? Faire la volonté de Dieu, voilà ce que c'est. Et la volonté de Dieu quelle est-elle ? Faire à mon prochain ce que je voudrais que mon prochain me fît, voilà quelle est la volonté de Dieu. Or, mon prochain c'est Quiequeg. Et qu'est-ce que je voudrais que ce dit Quiequeg me fît à moi-même ? Eh bien, qu'il se joignît à moi dans la forme particulière de mon culte d'adoration presbytérienne ! Par conséquent, je dois me joindre à lui dans la forme du sien ; je dois donc me faire idolâtre.

Et c'est ainsi que je fis flamber les copeaux ; apportai mon assistance à l'installation de l'innocente petite idole ; lui offris avec Quiequeg le biscuit brûlé ; lui fis deux ou trois salams et lui baisai le nez ; et la chose faite nous nous déshabillâmes l'un et l'autre et nous mîmes au lit, en paix avec nos consciences et le monde entier. Mais nous n'allions pas nous endormir sans encore une petite causette.

Comment il se fait, je l'ignore : mais il n'y a rien de tel qu'un lit pour les intimes confidences entre amis. C'est là, dit-on, que mari et femme se confient l'un à l'autre jusqu'au plus secret, au plus profond de l'âme ; et de vieux couples restent souvent ainsi jusqu'au petit jour à causer des temps d'autrefois. Et c'est ainsi que nous étions, Quiequeg et moi, étendus côte à côte, bien au chaud, pleins d'affection l'un pour l'autre, dans la lune de miel de nos deux cœurs.

XI

TOILETTE DE NUIT

Nous avions passé un bon bout de temps de la sorte, tantôt faisant causette, tantôt piquant de petits sommes ; et les brunes jambes tatouées de Quiequeg venaient cordialement parfois se poser sur les miennes, puis il les retirait de même, tant il y avait de simplicité, d'aise et de confort dans notre position et dans nos rapports. Le colloque finit par l'emporter alors, et comme il avait chassé le dernier grain de sommeil qui se trouvait en nous – encore que le point du jour appartînt grandement au futur – nous nous sentions prêts à nous lever.

Vraiment, nous étions tout à fait réveillés ; tellement réveillés qu'il devenait pénible de garder la position étendue. Et c'est ainsi qu'au bout du compte nous nous trouvâmes assis, le dos appuyé contre le bois du lit, les couvertures bien enroulées sur nous, et nos quatre genoux haut relevés avec nos deux nez collés dessus, comme si c'étaient des braseros. Nous nous sentions d'autant mieux ainsi, bien à l'abri et bien au chaud, qu'il faisait un vrai froid de loup dehors, dans la nuit ; et dans la chambre aussi à vrai dire, juste au-delà des couvertures, puisqu'il n'y avait pas le moindre feu. Nous nous trouvions d'autant mieux, dis-je, parce que pour réellement bien jouir de la confortable chaleur qui baigne votre corps, il convient qu'une petite partie de votre personne se trouve dans le froid ; nulle qualité au monde ne vaut tant que par le contraste. Rien n'existe en soi. Et quand vous vous flattez d'un sentiment de confort général et parfait, pour peu que ce sentiment ait quelque durée, vous cessez d'en jouir. Mais si au contraire, comme Quiequeg et moi dans notre lit, le bout de votre nez ou le sommet de votre crâne piquent de froid, vraiment oui ! de toute votre conscience, alors, vous jouissez de la chaleur la plus exquise et la plus indiscutable du monde, et vous la dégustez inoubliablement. C'est d'ailleurs pourquoi une chambre à coucher ne doit jamais être pourvue d'un feu, qui est un des malheureux déconforts du luxe et de la richesse. Le summum de la jouissance, en vérité, c'est qu'il n'y ait rien entre le chaud du corps dans son douillet bien-être et l'air glacial du monde extérieur, que l'épaisseur d'une couverture. Vous vous sentez alors une étincelle unique de chaleur et de vie au cœur d'un cristal arctique !

Il y avait un moment déjà que nous nous tenions assis, ramassés sur nous-mêmes, dans cette position recueillie, quand l'envie me prit d'ouvrir les yeux ; car il me faut dire ici que lorsque je suis sous les draps, que ce soit de jour ou de nuit, assoupi ou éveillé, c'est ma façon de faire que de garder les yeux clos afin de concentrer mieux en moi le confortable bien-être du lit. Aucun homme, en effet, ne peut avoir le sentiment exact de son identité si ce n'est les yeux clos, comme si les ténèbres étaient en réalité l'élément propre de notre essence, alors que la lumière apparaît comme en sympathie bien plus avec notre corps d'argile. Mais en ouvrant les yeux à ce moment-là, et sortant de mes propres et si agréables ténèbres volontaires pour tomber sur la brutale obscurité imposée de la minuit sans lumière, j'en reçus comme un choc et connus un sentiment désagréable de répulsion. Aussi n'eus-je rien à objecter, loin de là, à la suggestion de Quiequeg qui pensait, puisque nous étions décidément éveillés tout à fait, qu'il serait peut-être mieux d'allumer la chandelle. Au surplus, une solide envie de tirer quelques bonnes et paisibles bouffées de son tomahawk le travaillait. Or, il faut bien le dire : quelque manifeste répugnance que j'eusse montrée la veille à le voir fumer au lit – ce qui prouve à quel point nos préventions les plus déterminées se font élastiques sitôt qu'un sentiment d'amitié tire dessus ! –, rien ne m'était plus agréable à présent que d'avoir à côté de moi un Quiequeg en train de fumer, même au lit, avec la sérénité familière et la paisible joie qui le caractérisaient alors. La police d'assurance de l'aubergiste ne me donnait vraiment plus d'inquiétudes indues ; je n'étais sensible

qu'à la douce perspective de partager en toute intimité avec un
véritable ami une pipe et une couverture. Et c'est ainsi, couverts
de nos cabans velus jetés sur nos épaules, que nous nous passions
et repassions l'un à l'autre le tomahawk, tant et si bien que peu à
peu s'arrondit sur nos têtes un vaporeux ciel de lit de fumée bleue,
que la lumière rallumée éclairait par-dessous.

Fut-ce l'effet de ce ciel de lit tout en volutes qui emporta sur ses
vagues la pensée du sauvage au loin, vers d'autres scènes ? Je ne
sais ; mais le fait est qu'il me parlait maintenant de son île natale.
Comme j'étais très curieux de connaître son histoire, je l'encoura-
geai vivement à poursuivre et à me la conter. Il y consentit de bon
gré. Et bien qu'à cette époque je ne comprisse guère, et mal, que
quelques mots de ce qu'il disait, l'habitude de son charabia
acquise plus tard et les confidences qu'il me fit me permettent de
présenter ici l'ensemble de cette histoire – si toutefois on peut
nommer histoire le simple squelette que voici.

XII

BIOGRAPHIQUE

Quiequeg était natif de l'île de Rokovoko, très loin à l'ouest dans le Sud. Elle n'est portée sur aucune carte : les vrais lieux n'y figurent jamais.

Alors qu'il n'était encore qu'un jeune sauvage frais éclos, qui gambadait, vêtu de feuillage, sous les ombrages de sa terre natale, suivi des chèvres qui le prenaient pour un vert baliveau, Quiequeg portait déjà dans le sein de son âme ambitieuse l'ardent désir de voir quelque chose de plus de la Chrétienté que quelques rares spécimens de baleiniers. Son père était grand-chef : un roi ; et son oncle grand-prêtre ; quant à la lignée maternelle, il avouait avec orgueil que ses tantes étaient les épouses d'indomptables guerriers. Le sang qui coulait dans ses veines était des meilleurs, de qualité royale – quoique malheureusement gâté, je le crains, par le cannibalisme qu'il professa dans ses jeunes ignorantes années.

Un voilier de Sag Harbour ayant fait relâche dans la baie paternelle, Quiequeg voulut y trouver un passage pour les terres chrétiennes ; mais le navire étant paré, son équipage au grand complet, sa requête fut repoussée. Il n'y avait rien à faire, et la royale insistance paternelle elle-même n'y put rien changer. Or, Quiequeg se l'était juré à lui-même : seul dans sa pirogue, il pagaya pour gagner au loin une certaine passe où il savait que le vaisseau devait s'engager ; l'un des bords était un récif de corail, l'autre une langue de terre plantée de mangliers qui poussaient serrés jusque dans l'eau. Il se glissa avec sa pirogue sous l'abri de ces branchages, la proue pointée vers le large, lui à l'arrière, pagaie en main ; et quand

le voilier glissa devant lui, tel un éclair il jaillit de là, gagna le bord
sous le vent, se suspendit aux cadènes en chavirant du même coup
sa pirogue d'une détente adroite du pied derrière lui, escalada le
bordage et vint tomber de tout son long sur le pont. Il referma ses
deux mains sur une boucle de pont, jurant de ne plus la lâcher dût-
on le tailler en pièces.

En vain le capitaine le menaça-t-il de le jeter par-dessus bord ;
même un coutelas posé sur ses poignets nus resta sans effet :
Quiequeg était fils de roi ; et Quiequeg ne broncha pas. Tant
d'intrépide obstination désespérée, tant de courage et un si
farouche désir de visiter la Chrétienté étonnèrent le capitaine qui
finit par céder : il lui offrit libéralement l'hospitalité de son bord.
Toutefois notre jeune et magnifique sauvage, ce prince de Galles
des mers, ne contempla jamais la cabine du capitaine : on le colla
au poste d'équipage et ils firent de lui un baleinier. Tel le tzar
Pierre le Grand qui se montrait content de besogner dans les chantiers des ports de l'étranger, Quiequeg n'avait non plus ni honte ni
dédain de tâches apparemment ignominieuses, qui pouvaient enrichir le plus heureusement ses aptitudes et son pouvoir d'éclairer
ses ignorants compatriotes. Car ce qui le poussait, au fond – ainsi
qu'il me l'a dit –, c'était le désir ardent d'apprendre chez les chrétiens les moyens et les arts qui pourraient rendre ceux de son
peuple plus heureux – plus heureux, oui, et surtout meilleurs qu'ils
n'étaient. Mais hélas ! la pratique de la vie des chasseurs de baleine
eut tôt fait de convaincre Quiequeg que les chrétiens eux-mêmes
pouvaient être à la fois des malheureux et des misérables, et à un
degré infiniment pire que les sujets de son père. A Sag Harbour, où
il fut débarqué enfin, puis à Nantucket où il se rendit, le pauvre
Quiequeg, à voir comment les matelots se conduisaient à terre et
de quelle façon ils dépensaient leurs soldes de croisière dans l'un
comme dans l'autre de ces vieux ports, oui, le pauvre Quiequeg
abandonna toute espérance. Ce monde, se dit-il, est tout aussi
mauvais, calamiteux et pervers sous toutes les latitudes ; pourquoi
changer ? Je mourrai tel que je suis né : païen.

Et c'est ainsi qu'en idolâtre impénitent, il continuait de vivre au
milieu des chrétiens, s'affublait de leurs vêtements et s'efforçait
d'apprendre et de parler leur baragouin. De là venait l'étrangeté

de ses manières encore aujourd'hui, bien qu'il y eût pas mal de temps qu'il fût parti de chez lui.

Par signes et autres moyens, je parvins à lui demander s'il ne se proposait pas de rentrer et d'y recevoir la couronne, considérant que son père, affaibli et très vieux aux dernières nouvelles qu'il en avait eues, devait être mort et enterré. Il me répondit que non, pas encore ! – ajoutant qu'il redoutait fort que le christianisme, ou plutôt les chrétiens de la Chrétienté ne l'eussent rendu inapte à prendre sur le trône la succession de trente rois païens qui le laissaient pur de toute souillure et païennement intact. Il comptait toutefois y retourner, me dit-il, aussitôt qu'il se sentirait lui-même rebaptisé en quelque sorte, ce qui serait bientôt. Mais pour le moment, il lui fallait rouler sa bosse sur les quatre océans pour y semer son ivraie. Ils avaient fait de lui un harponneur ; c'était la lance à pointe barbelée qui lui servait de sceptre à présent.

Je l'interrogeai sur ses projets immédiats. Sa réponse fut qu'il allait reprendre la mer avec son harpon dans sa spécialité ancienne. Je lui appris alors que la pêche à la baleine constituait aussi mon propre programme, et que j'avais choisi Nantucket comme port d'attache parce qu'il représentait, pour un baleinier aventureux, le port d'embarquement le plus prometteur. Il décida sur-le-champ de m'accompagner sur cette île, d'embarquer sur le même voilier que moi, de faire partie de la même bordée, d'être de l'équipage du même canot, du groupe de la même gamelle ; bref, de partager toutes mes vicissitudes et, la main dans la main, de courir hardiment la même chance dans l'un et l'autre mondes. A tout, je donnai le plus joyeux des assentiments, car sans compter l'affection que j'éprouvais maintenant pour lui, Quiequeg était un harponneur d'expérience, ce qui ne pouvait manquer d'être fort utile à quelqu'un comme moi qui ignorais tout des mystères de la pêche à la baleine, quelque entraînement que j'eusse par ailleurs au métier de marin puisque c'était uniquement comme matelot long-courrier.

Son histoire se trouvant achevée avec les ultimes et mourantes bouffées de sa pipe, Quiequeg me prit dans ses bras, toucha mon front du sien et souffla la lumière ; nous nous roulâmes de part et d'autre en nous tournant le dos, et presque aussitôt nous étions endormis.

XIII

BROUETTAGE

Le lendemain matin, lundi, m'étant débarrassé de la tête embaumée chez un barbier qui la prit comme tête à perruque, je réglai nos deux notes : la mienne et celle de mon compère et compagnon, mais en usant pour ce faire de l'argent du compère. Le jovial aubergiste au perpétuel sourire ainsi que tous les autres pensionnaires eurent l'air de bien s'amuser de la soudaine amitié qui s'était faite entre Quiequeg et moi, surtout après l'alarme où m'avaient plongé les abracadabrantes histoires du patron touchant la personnalité véritable de celui qui était à présent mon compagnon.

Nous empruntons une brouette, y embarquons nos affaires (le sac de toile à voile et le hamac de Quiequeg ainsi que mon pauvre et minuscule sac personnel) – et nous voilà partis en direction du *Mousse*, le petit schooner-paquebot de Nantucket qui était à quai. Les gens se retournaient sur notre passage, non pas tellement à cause de Quiequeg – car ils étaient accoutumés à voir des cannibales de son espèce dans les rues – mais à nous voir tous deux, lui et moi, en si grande confiance et amitié. Nous n'y prenions pas garde, occupés que nous étions à pousser notre brouette à chacun notre tour ; et Quiequeg s'arrêtait de temps à autre pour rajuster le fourreau sur les arêtes tranchantes de son harpon. Je lui demandai pourquoi il s'embarrassait à terre d'un si encombrant objet, et si tous les navires baleiniers ne possédaient pas leur propre arsenal de ces armes à bord. Il me répondit en substance qu'en effet c'était le cas, je ne me trompais pas ; néanmoins il avait, lui, une tendresse et un attachement particuliers pour son harpon personnel qui était d'un sûr métal, en maints combats mortels éprouvé et profondément familier du cœur de la baleine. Bref, à l'instar de nombre de faucheurs et moissonneurs qui emportent leur faux de ferme en ferme et tondent les champs des différents fermiers avec leur arme privée – quoiqu'on n'exige nullement qu'ils la fournissent –, Quiequeg, pour des raisons purement personnelles, préférait garder son harpon.

En se mettant à pousser la brouette, à son tour, il me raconta l'amusante histoire de son premier contact avec cet engin. C'était à Sag Harbour. Pour qu'il transportât son pesant coffre jusqu'à son logement, les armateurs de son vaisseau lui avaient prêté une brouette. Il n'en avait jamais vu et ne savait pas le moins du monde comment s'en servir ; mais ne voulant pas paraître ignorant, il avait arrimé solidement son coffre sur le véhicule et s'en était allé, portant le tout sur son dos. « Mais voyons, Quiequeg, tu aurais tout de même pu savoir !... m'exclamai-je. Les gens n'ont-ils pas rigolé ? »

Alors il me raconta une seconde histoire. Les insulaires de chez lui, à Rokovoko, pour leurs grandes fêtes de mariage, expriment le lait parfumé des jeunes noix de coco dans une vaste calebasse décorée, grande comme un bol à punch, paraît-il, qui trône à la place d'honneur et constitue la principale attraction du festin sur la natte tressée où il est dressé. Or, il y eut une fois un certain magnifique navire de commerce qui toucha Rokovoko ; et le commandant – un personnage qui a la réputation d'être un gentleman fort pointilleux sur l'étiquette, gentleman jusqu'au bout des ongles, à ce qu'on dit, du moins pour un capitaine de mer –, le commandant, donc, fut invité aux fêtes de mariage d'une sœur de Quiequeg, délicieuse jeune princesse qui venait d'avoir ses dix ans. Bien ! Lorsque tous les invités se trouvaient assemblés déjà dans la case de bambou de la jeune épousée, le susdit capitaine fit son entrée et reçut la place d'honneur juste en face de l'énorme bol, entre le grand-prêtre d'une part, et sa majesté royale le père de Quiequeg, d'autre part. Il prit place. Et lorsque furent dites les prières d'action de grâce – car ils rendent grâce chez eux comme chez nous, quoique de façon différente à ce que m'a raconté

Quiequeg, puisque si nous piquons du nez dans notre assiette à ce moment-là, eux font tout le contraire et, comme les canards, regardent en l'air vers le Grand Dispensateur de tous festins –, les grâces, donc, étant faites, le grand-prêtre ouvrit le festin selon l'immémorial cérémonial insulaire : en plongeant dans la calebasse ses doigts sacrés et consacrants, avant que la boisson bénie ne soit passée à la ronde. Se voyant placé à côté du grand-prêtre, le capitaine qui avait vu son geste et qui supposait – en tant que capitaine de navire – avoir grandement la préséance sur un quelconque roi insulaire, et tout particulièrement dans la propre maison de ce roi, notre capitaine, donc, prenant sans doute la calebasse sacrée pour un énorme rince-doigts, s'y lava froidement les mains. « Eh bien maintenant, demanda Quiequeg, qu'est-ce que tu crois, que nos gens n'ont pas rigolé ? »

Bagages enregistrés et passages payés, nous voilà enfin sur le pont du shooner qui, toutes voiles établies, descend calmement le cours de l'Acushnet pour gagner le large. Sur la rive, New Bedford dresse ses terrasses et ses avenues où les arbres givrés étincellent dans l'air pur et glacé. De vraies collines, de vraies montagnes de barils s'entassent sur ses quais ; et voilà côte à côte, se reposant enfin au mouillage de leur errance par le monde, les baleiniers au port silencieux et immobiles sur leurs ancres ; tandis que sur d'autres déjà on entend résonner les coups des charpentiers et des calfats parmi le ronflement des forges et des feux à fondre le goudron, tous bruits avant-coureurs de nouvelles croisières. Car à peine une campagne avec tous ses périls a-t-elle pris fin, que voilà l'autre qui se prépare ; et cette autre achevée, on repart aussitôt pour la suivante, et ainsi de suite et à jamais sans fin. Tel est, hélas ! le caractère interminable, l'insupportable toujours encore de tout effort humain !

En mer, la solide brise fraîchit. Le vaillant petit *Mousse* s'ébrouait, faisant jaillir l'écume ardente de son étrave, tel un jeune poulain en secouant la tête lance la vivante écume de ses naseaux. Ah ! comme je le humais, ce sacré vent ! comme je la respirais, cette force indomptable du large ! – et quel mépris pour les champs clos, les éternelles barrières de cette terre cloisonnée de partout ! pour ces routes toutes gaufrées des empreintes et des marques de semelles et de sabots d'esclaves ! Ah ! comme je me tournais vers la magnitude de l'océan ! Combien je l'admirais, cette magnanimité de la mer qui ne se laisse jamais marquer et ne garde jamais de traces !

Quiequeg, comme moi, buvait et s'enivrait à la même écumeuse fontaine, ses sombres narines largement dilatées, ses lèvres ouvertes laissant voir la rangée de ses dents limées et pointues. Plein largue nous filions, nous volions ! et le *Mousse* maintenant en haute mer rendait hommage à la fière brise, piquant du nez en plongeons successifs comme un esclave devant le sultan. Couchés sur un bord, nous filions à grande allure en bondissant ; tout le gréement tendu sonnait comme un métal ; nos deux mâts hauts et fins ployaient comme bambous sous les terrestres ouragans. Ivres de ce spectacle et pris par son mouvement, tout à l'avant, penchés sur le beaupré plongeur, nous fûmes un moment sans remarquer les regards et les ricanements dont nous gratifiaient les passagers : une bande d'empotés qui n'avaient jamais rien vu et qui s'ébaubissaient que deux créatures humaines s'entendissent si cordialement. Comme si un homme blanc était un être supérieur et n'était pas autre chose, après tout, qu'un nègre blanchi ! Ah ! il y avait là quelques stupides cruches qui, à les voir culs-terreux comme ils étaient, devaient avoir siégé depuis le commencement du monde au plus lourd de la terre. Quiequeg surprit un de ces ineptes en train de faire le singe derrière son dos, et je crus bien que sa dernière heure était arrivée. Lâchant son harpon, l'athlétique sauvage vous empoigna le croquant et, avec une force et une adresse qui tenaient du miracle, vous l'envoya pirouetter en l'air puis, au milieu de la trajectoire, lui appliqua un léger coup sur ses fesses ; et le croquant tout congestionné atterrit sur les pattes. Quiequeg, cependant, lui tournait tranquillement le dos, allumait sa pipe-tomahawk et me la tendait pour une bouffée.

– Capitaing ! Capitaing ! vociféra le rustaud en se ruant vers l'officier : capitaing ! voilà le démon !

– Holà, *monsieur* ! s'exclama le capitaine, un vieux maturin tout recuit, en s'avançant à grands pas sur Quiequeg. Holà, *vous* ! Qu'est-ce qui vous prend, nom de tonnerre ! Vous ne vous rendez pas compte que vous auriez pu tuer ce type ?

– Quoi disait lui ? demanda Quiequeg en se tournant vers moi avec douceur.

– Il dit que tu as failli tuer l'homme là, expliquai-je en désignant le blanc-bec qui en tremblait encore.

– Tuer ? protesta Quiequeg en marquant son visage d'une expression de suprême dédain, oh ! lui trop beaucoup petit poisson ; Quiequeg non tuer petit poisson : Quiequeg tuer grande baleine !

– Écoutez-moi bien, rugit le capitaine. C'est moi qui vous tuerai *vous*, bougre de cannibale, si jamais vous vous mettez encore à me jouer un de vos tours ici à bord. Aussi gare à vous !

Mais le hasard voulut que, juste à ce moment-là, ce fût le moment ou jamais pour le capitaine de se dire lui-même : gare à moi ! Le formidable effort du vent sur la grand-voile avait rompu l'écoute, et la lourde bôme se mit à battre d'une façon terrifiante, balayant tout sur le pont au passage. Le malheureux gars que Quiequeg avait manipulé si rudement fut balancé par-dessus bord ; l'équipage tout entier resta figé de peur : essayer de retenir la bôme pour border la grand-voile, c'était pure folie. Elle volait de bord à bord et revenait, battant comme le tic-tac d'une montre et paraissant à tout moment sur le point de voler en éclats. Il semblait bien qu'on n'y pût vraiment rien faire, et rien ne fut fait en tout cas. Les hommes du pont en arrière du mât s'étaient rués sur l'avant où ils restaient plantés, regardant le terrible gui comme s'il était la mâchoire inférieure d'un cachalot en furie. Atterré, l'équipage tout entier restait figé ; mais Quiequeg, se laissant prestement tomber à genoux et rampant sous la course battante de la bôme, attrapa en vitesse un filin qu'il assura par un bout au bordage, tandis que de l'autre, comme au lasso, il fouetta la bôme au passage au-dessus de sa tête ; l'instant d'après elle était prisonnière et tout était sauvé. Pendant ce temps le schooner était allé au vent, et tandis que des hommes d'équipage s'activaient à parer le canot de poupe, on vit Quiequeg nu jusqu'à la ceinture jaillir par-dessus bord et décrire un véritable arc vivant en plongeant. Pendant trois minutes ou plus, on le vit nageant comme un chien, lançant droit devant lui l'un puis l'autre de ses longs bras musclés, découvrant alternativement chaque épaule au milieu de l'écume glacée. Mais si je voyais bien mon merveilleux et glorieux ami, je ne voyais personne qu'il pût sauver. Le blanc-bec avait coulé bas. Quiequeg à présent avait dressé tout son buste hors de l'eau, jeté à la verticale, et après avoir inspecté tout autour de lui d'un rapide regard, semblant avoir parfaitement compris où en étaient les choses, il plongea et disparut à notre vue. Quelques longs instants passèrent, et il réapparut, nageant d'un bras tandis que de l'autre il remorquait une forme sans vie. Le canot eut tôt fait de les recueillir. Le malheureux blanc-bec fut bientôt ranimé ; et tout l'équipage était unanime à déclarer que Quiequeg était un fameux gars. Le capitaine lui-même lui présenta ses excuses. Quant à moi, depuis ce moment, je restai attaché à Quiequeg comme une patelle au rocher, oui ! jusqu'à son dernier plongeon sans retour, hélas ! pauvre Quiequeg !

Mais a-t-on jamais vu inconscience pareille ? Il ne songeait nullement avoir mérité une haute médaille des magnanimes sociétés humaines. Non : il demanda seulement de l'eau, de l'eau douce, pour se laver de tout ce sel ; après quoi il passa des vêtements secs, alluma sa pipe et, accoté contre le bordage, laissa errer un doux regard sur tous ces gens qui faisaient cercle autour de lui, semblant se dire : « Ce monde est une société mutuelle, un capital social auquel concourent tous les méridiens. Nous, les cannibales, il nous faut bien les aider, ces chrétiens ! »

NANTUCKET

Rien qui mérite mention pour la fin du voyage ; après une excellente traversée nous arrivâmes sans incident à Nantucket.

Nantucket !… Prenez la carte et regardez : voyez quel véritable coin du monde occupe effectivement cette île ; comme elle est là, loin de la terre, au large, plus solitaire encore que le phare d'Eddystone[1]. Voyez-la : un simple bout de colline, rien qu'une épaule de sable. Ce n'est guère qu'une plage ; il n'y a pas d'arrière pays. Plus de sable qu'on n'en saurait user en vingt ans dans le monde entier pour remplacer le papier buvard. Il ne manquera pas de loustics pour vous dire que les naturels sont obligés d'y repiquer la mauvaise herbe qui n'y pousse pas naturellement ; qu'ils importent des chardons du Canada ; qu'il leur faut traverser les eaux pour une cheville de bois, s'ils veulent boucher une fuite dans un baril d'huile ; qu'on processionne à Nantucket le moindre bout de bois comme les morceaux de la vraie Croix à Rome ; que les gens font pousser des champignons devant leur porte pour avoir de l'ombrage en été ; qu'une unique feuille d'herbe y constitue une oasis, et trois brins d'herbe aperçus en une journée de marche, une prairie ; qu'on y porte des raquettes à sable comme les Lapons

---

1. Célèbre phare des côtes de Cornouailles, au s.-s.-o. de la baie de Plymouth. Construit en bois en 1696, il fut emporté en 1703 par une tempête. Reconstruit en 1706, il fut brûlé en 1755. Édifié en pierre en 1757, il fallut l'abandonner, le rocher qui le portait étant miné par la mer. Il fut reconstruit sur un autre rocher en 1802.

chaussent des raquettes à neige; qu'on est si fermé, emprisonné, ceinturé, assiégé de toutes parts par l'océan dans cette île plus qu'île, que jusque sur les chaises et les tables on trouve parfois de petits coquillages qui s'y sont collés comme sur le dos des tortues de mer. Mais toutes ces extravagances ne font rien que montrer que Nantucket n'est pas l'Illinois.

Écoutez maintenant la merveilleuse légende que rapporte la tradition sur l'établissement des Peaux-Rouges dans l'île :

Il y eut une fois dans le temps jadis un aigle, qui fondit sur la côte de la Nouvelle-Angleterre et enleva dans ses serres un petit enfant indien. Les parents, avec un gémissement profond, virent leur bébé emporté au loin au-dessus de la mer et le perdirent de vue sur les eaux immenses. Ils voulurent le suivre dans cette direction. Ils prirent le large dans leurs canoës et, après une périlleuse traversée, découvrirent l'île; et sur cette île ils trouvèrent un panier d'ivoire vide : le squelette du pauvre petit Indien.

Comment aussi s'étonner, si les Nantuckais qui naissent sur une plage choisissent nécessairement la mer pour y gagner leur subsistance ! D'abord ils tirèrent du sable des crabes et des vives; puis croissant en audace ils se risquèrent en mer, pêchant le maquereau avec des filets; croissant en expérience, avec de solides bateaux ils poussèrent au large et prirent des morues; et pour finir, lançant une flotte de grands vaisseaux sur les mers, ils explorèrent le monde des eaux; ils enserrèrent le globe marin de l'incessant filet de leurs circumnavigations, risquèrent un coup d'œil jusque dans le détroit de Béring; et partout, sur tous les océans et en toute saison, ils menèrent une guerre sans repos et sans fin à la masse animée la plus formidablement puissante, la plus monstrueuse, la plus montagneuse qui ait survécu au Déluge ! A cet Himalaya, à ce mastodonte des eaux salées, revêtu d'une puissance fantastique si prodigieuse que la terreur qu'il répand est plus redoutable encore que ses assauts les plus féroces et les plus rancuniers !

Et c'est ainsi que ces Nantuckais, ces ermites de l'océan, sortant nus de leur fourmilière au milieu des eaux, coururent toutes les mers et conquirent le globe marin comme autant d'Alexandre, se partagèrent entre eux l'Atlantique, le Pacifique et les mers de l'Inde, ainsi que les trois puissances pirates le firent de la Pologne.

Que l'Amérique ajoute le Mexique au Texas, empile Cuba sur le
Canada; que les Anglais investissent l'Inde entière et qu'ils fassent
flotter leur bannière de feu partout sous le soleil, qu'importe! ce
globe terraqué pour ses deux tiers est aux Nantuckais. Car l'océan
est leur : ils le possèdent comme les empereurs leurs empires; les
autres navigateurs n'ont que droit de passage. Les navires marchands ne sont guère que des ponts prolongés; les vaisseaux de
guerre, des forts flottants; et même les pirates et les corsaires, qui
courent les routes de la mer comme des bandits de grand chemin,
ne font qu'y piller d'autres navires, d'autres fragments de la terre
comme ils le sont eux-mêmes : ils ne tirent pas leur subsistance de
l'abîme insondable, ne cherchent pas à vivre sur le fonds des infinies profondeurs elles-mêmes. Le Nantuckais, lui seul, réside et se
multiplie sur la mer; lui seul, pour parler comme dans la Bible,
descend à elle dans ses navires, et la laboure dans toutes ses longueurs comme son propre champ. C'est là qu'est sa demeure; c'est
là qu'il a ses affaires, que même un nouveau déluge ne saurait
interrompre, quand il engloutirait tous les millions de la Chine. Le
Nantuckais vit sur la mer comme le coq de prairie dans la prairie;
le creux des vagues le recèle et il les escalade comme le chasseur de
chamois escalade les Alpes. Il reste des années durant sans
connaître la terre, et quand il y pose le pied finalement, elle a pour
lui l'odeur d'un autre monde, bien plus étrange encore que ne
serait la lune pour un humain de cette terre. Semblable à l'albatros
qui plie ses grandes ailes au coucher du soleil et que berce la haute
houle dans son sommeil, le Nantuckais, avec la nuit, loin hors de
vue de toute terre, ferle ses grandes voiles et s'étend pour dormir,
alors que jusque sous son oreiller viennent croiser les cohortes des
morses et des baleines.

SOUPE DE POISSONS

Il se faisait tard déjà lorsque le petit *Mousse*, filant joliment son erre, vint à mouiller son ancre. Et quand nous fûmes à terre, Quiequeg et moi, il ne pouvait plus être question de rien faire, du moins rien d'autre que de trouver un dîner et un lit. Le patron de la taverne Au Souffle nous avait recommandé son cousin Josué Hussey, le tavernier du Tâte-Pots, patron d'une des auberges les mieux tenues de tout Nantucket, à ce qu'il nous avait assuré, et en outre fameux pour ses soupes de poissons. Bref, il avait tant insisté sur les mérites du cousin Josué que tout ce qui nous restait à faire était de tâter nous-mêmes du « Tâte-Pots ». Mais les indications qu'il nous avait données, à savoir de gouverner avec la bâtisse jaune d'un entrepôt sur tribord jusqu'à prendre en vue une église blanche sur bâbord, de gouverner alors avec l'église à bâbord jusqu'à un coin où il fallait virer trois points sur tribord, et là, demander au premier venu de nous montrer la maison – ces indications biscornues n'avaient fait que nous embrouiller pour commencer, d'autant que pour la direction initiale jusqu'au bâtiment jaune qui constituait notre premier repère, Quiequeg voulait à tout prix que nous prissions sur bâbord, alors que j'étais sûr que c'était sur tribord qu'il fallait prendre, d'après ce que j'avais compris. Mais enfin, à force de tourniquer dans la nuit, et non sans avoir frappé aux portes de paisibles habitants que nous dérangions pour leur demander notre chemin, nous arrivâmes tout de même devant quelque chose qui ne laissait place ni au doute ni à l'erreur.

Deux énormes pots de bois peints en noir, accrochés par leurs

anses, étaient suspendus aux vergues sèches d'un vieux mât de
flèche dressé devant la vieille porte d'une vieille entrée. Les bras
opposés des vergues avaient été sciés, de sorte que la ressemblance
de cette vieille flèche de mât avec une potence n'était pas mince.
Peut-être étais-je trop sensible à l'époque à ces sortes d'impressions, mais je ne pus m'empêcher de rester à considérer fixement
cette potence avec une hésitation craintive. Je me sentis une
crampe dans le cou à les voir, ces deux bras de vergue : mais oui,
deux seulement, justement deux : un pour Quiequeg et un pour
moi. Sinistre augure, me disais-je ! Un « Coffin » comme tavernier
au premier port où je pose le pied pour ma première campagne de
grande pêche ; des dalles funéraires qui me regardent fixement
dans la chapelle des Baleiniers, et maintenant une potence ! avec
une couple de prodigieux pots noirs au surplus ! Deux marmites
énormes ! Ne serait-ce pas une allusion oblique aux cuisines de
l'enfer ?

Mais je fus tiré de ces réflexions par la vue d'une femme en
tablier jaune, les cheveux filasse, le visage piqueté de taches de
son, qui se tenait sous le porche de la taverne, sous la lueur opaque
d'un rouge fanal qui s'y trouvait pendu et qui ressemblait tout à
fait à un œil poché. La femme en avait violemment après un
homme en surtout de laine rouge.

– Fichez-moi le camp ! lui criait-elle, sans quoi je vais vous
étriller le dos !

– Allons-y, Quiequeg, nous y voilà : c'est la dame Hussey, lui
dis-je.

Et en effet, c'était bien elle. M. Josué Hussey, absent, avait laissé
la haute main à son épouse pour la conduite des affaires. Dès que
nous lui eûmes fait part de nos désirs touchant le couvert et la
chambre, dame Hussey, délaissant l'invective pour l'instant, nous
précéda dans une petite salle, nous fit asseoir à une table encore
couverte des reliefs d'un précédent repas, puis, se plantant devant
nous, demanda :

– Coque ou morue ?

– Qu'y a-t-il à propos de morue, madame ? m'enquis-je fort
poliment.

– Coque ou morue ? répéta-t-elle.

– Pour dîner, une coque ? Ce coquillage glacé ? Madame ! c'est *ça* que vous nous proposez ? C'est une manière plutôt froide et crue de recevoir les gens en plein hiver, n'êtes-vous pas de cet avis, madame Hussey ?

Mais pressée qu'elle était de servir ses invectives à l'homme en surtout rouge qui l'attendait dans l'entrée, et n'ayant entendu, paraît-il, que le mot « coque » dans mon discours, elle passa en courant devant la porte ouverte de la cuisine et hurla un retentissant : « Coque pour deux ! » avant de disparaître.

– Quiequeg, crois-tu que nous puissions faire notre dîner tous les deux d'une coque ? lui demandai-je.

Mais à cette peu séduisante perspective, la bonne et chaude vapeur venant de la cuisine semblait déjà promettre un total démenti. Et quand on apporta la soupe fumante, oh ! que délicieusement fut éclairci tout le mystère ! Ah ! mes amis, écoutez ça : la soupe était faite de petits coquillages fondants, juteux, goûteux, à peine plus gros que des noisettes, soutenus par une farine de biscuits de mer pilés et par un émincé de porc salé, le tout généreusement enrichi de beurre et fortement relevé de sel et de poivre ! Avec un appétit aiguisé par le froid vif de notre traversée (et celui de Quiequeg plus encore, qui avait une prédilection particulière pour le poisson), la bouillabaisse, par ailleurs, étant suprêmement exquise, nous eûmes tôt fait de l'expédier. En me renversant en arrière, et me remémorant le « coque ou morue » de dame Hussey, je me dis à part moi que je tenterais bien une petite expérience. Je m'avançai jusqu'à la porte de la cuisine pour y lancer un retentissant : « Morue ! » – après quoi je regagnai mon siège. Bientôt la bonne et chaude vapeur flotta de nouveau, mais différente de parfum ; et, le moment venu, une admirable soupe de morue fut posée devant nous.

Nous lui fîmes son affaire ; et tout en plongeant ma cuillère dans le bol, je me demandais si vraiment ce plat pourrait avoir quelque effet sur nos têtes, songeant à ceux qu'on désigne si insolemment sous la définition de « petite tête de morue » !

– Eh là, Quiequeg ! Mais n'est-ce pas une anguille vivante dans ton bol ? Où as-tu ton harpon ?

Poissonneuse elle était, cette taverne du Tâte-Pots ; c'était bien le plus poissonneux de tous les lieux les plus poissonneux ; et qui faisait honneur à son nom par le fait, puisque en ses pots ne cessait jamais de mitonner à toute heure quelque soupe de poissons. Soupe de poissons matin, midi et soir, au petit déjeuner, au déjeuner et au dîner, jusqu'au temps que les arêtes commencent à vous pousser à travers le veston. La cour devant la maison était pavée de coquilles de coques. Dame Hussey portait un collier poli fait de vertèbres de morues ; et le cousin Josué Hussey avait ses livres de comptes reliés en vieille peau de requin, qualité supérieure. Même le lait avait goût de poisson, ce que je m'expliquais mal en vérité, jusqu'à ce beau matin où, en me promenant sur la plage entre les barques de pêcheurs tirées à sec, je tombai sur la maigre vache tavelée de Josué qui paissait des résidus de poissons, déambulant sur le sable avec chaque sabot chaussé d'une tête de morue décapitée – ce qui n'ajoutait rien à son chic, vous pouvez me croire !

Le dîner achevé, nous reçûmes, avec une lampe, les instructions et directives de dame Hussey nous indiquant le plus court chemin pour aller au lit. Mais au moment où Quiequeg, me précédant, allait poser le pied sur l'escalier, la patronne étendit le bras et réclama le harpon : elle ne permettait pas de harpon dans les chambres.

– Mais pourquoi ? protestai-je. Un véritable baleinier ne dort jamais sans son harpon.

– Parce que c'est dangereux. Depuis le jour que le jeune Stiggs, il a retourné de cette malheureuse campagne qu'il était parti quatre années et demie, pour juste trois barils d'huile, et qu'on l'a trouvé mort sur mon plancher, au premier, avec son harpon dans le côté, je ne permets plus que mes pensionnaires emportent des armes aussi dangereuses dans leur chambre, la nuit. Alors, M. Quiequeg (elle avait donc appris son nom), je vais tout juste vous prendre ce couteau-là et vous le garder jusqu'à demain matin. Mais pour la soupe, les amis, coque ou morue demain matin ?

– Les deux, lui dis-je. Et donnez-nous aussi une paire de harengs fumés pour varier un peu.

XVI

LE NAVIRE

Dans le lit, nous concoctions nos projets et nos plans pour le lendemain ; mais voilà que Quiequeg me donna à entendre, non sans surprise pour ma part et non sans inquiétude aussi, qu'il avait fort attentivement consulté Yojo (tel était le nom de son petit dieu noir) et que Yojo lui avait dit et répété deux ou trois fois avec insistance qu'au lieu que nous allions tous deux ensemble courir le port pour y examiner la flottille des baleiniers aux fins de choisir de concert notre bateau, oui, au lieu de cela, Yojo commandait impérativement que je procédasse seul, pleinement et exclusivement, à l'établissement de ce choix ; auquel cas, Yojo nous assurait de sa protection. A cette fin, il avait d'ores et déjà élu un certain voilier que je devais moi, Ismahel, livré à mes seules ressources, infailliblement découvrir comme par hasard, et comme si c'était là l'unique vaisseau qu'il y eût au monde. Sur ce navire, je devais immédiatement m'inscrire au rôle sans m'occuper pour le moment de Quiequeg. (J'ai omis de signaler que, pour bien des choses, Quiequeg accordait la plus grande confiance au jugement de Yojo et à son étonnant pouvoir de divination ; il l'estimait grandement, comme une sorte de dieu assurément plein de bonnes intentions dans l'ensemble, même s'il ne parvenait pas toujours à bonne fin dans les desseins de sa bienveillance.)

Mais pour l'heure ce plan de Quiequeg, ou plus exactement de Yojo, visant le choix à faire de notre bâtiment, je ne l'appréciais pas du tout, mais là, pas du tout. C'est que j'avais compté beaucoup sur la sagacité de Quiequeg pour découvrir le baleinier le mieux fait pour nous emporter, nous et nos fortunes, avec toute assurance. Néanmoins toutes mes protestations et remontrances restant sans effet, il me fallut bien acquiescer à la fin; et en conséquence, je m'apprêtai à me lancer résolument dans cette affaire avec la manière énergique et vigoureuse qui ne manquerait pas d'en venir à bout promptement. Ce n'était après tout qu'une bien petite affaire.

Le lendemain matin de bonne heure, je fermai sur Quiequeg et Yojo la porte de notre petite chambre – car c'était ce jour-là, paraît-il, une sorte de Carême ou de Ramadan, quelque chose comme un jour de jeûne, de macération et de prière pour Quiequeg et Yojo. Comment il en allait exactement, je n'ai jamais été capable de le bien comprendre, n'étant jamais parvenu (bien que je m'y fusse mis plus d'une fois) à connaître à fond ses liturgies et les trente-neuf articles fondamentaux. Je laissai donc en plein Carême, Quiequeg avec sa pipe-tomahawk, et Yojo qui se réchauffait aux flammes rituelles de ses copeaux de bois; et je m'en fus moi-même courir au cœur de la forêt des mâts. Après avoir louvoyé pas mal au petit bonheur et quêté de même des renseignements, je finis par apprendre qu'il y avait trois vaisseaux parés pour des croisières de trois ans : *La Satane*, *Friandise* et le *Péquod*. De *La Satane* j'ignore quelle est l'origine; *Friandise* n'a pas besoin d'explication; quant au *Péquod*, il vous souvient sans doute que c'est le nom d'une fameuse tribu indienne du Massachusetts, à l'heure qu'il est aussi éteinte que les Mèdes de l'Antiquité.

Vous avez peut-être vu, qui sait? plus d'un bâtiment à l'allure bizarre au long de votre vie : des lougres carrés du bout, de chaotiques et montueuses jonques japonaises, des galiotes en caisse à savon, ou que sais-je ? – mais ce que je puis vous jurer, c'est que vous n'avez jamais rien vu de semblable au singulier vieux navire qu'était le *Péquod*. C'était un navire de l'école ancienne, plutôt petit, avec un vieil air tout griffu répandu sur sa personne. Vieux routier des typhons et des calmes sur les quatre océans qui l'avaient cuit, recuit, lavé et délavé, il portait sur sa vieille coque le teint noir et les hâles d'un grenadier français survivant aux campagnes d'Égypte et de Sibérie. Sa vénérable proue semblait porter la barbe. Ses mâts – taillés sur quelque côte japonaise après que les originaux eussent été emportés par une tornade –, ses mâts se tenaient raides comme l'épine dorsale pétrifiée des trois vieux rois de Cologne. Lustrés, usés, lissés étaient ses vieux ponts : telle, sous les pas séculaires des fervents pèlerins, la dalle sur laquelle fut égorgé Becket dans la cathédrale de Cantorbéry. Mais tant d'auguste antiquité n'était pourtant pas tout, car venaient maintenant s'ajouter à la vieille et vénérable physionomie, les traits nouveaux et vraiment singuliers dont l'avait marquée le rude métier de baleinier professé à présent depuis passé un demi-siècle. Le vieux capitaine Péleg (à la retraite aujourd'hui, et copropriétaire du *Péquod*) qui avait pendant de longues années été attaché à son bord comme second avant que de prendre un autre vaisseau sous son propre commandement –, le vieux Péleg, de son temps, avait prodigieusement renchéri sur la bizarrerie originale de son bateau en le fourrant partout de toutes sortes d'incrustations et ornemen- tations étranges, fantastiques autant par la disposition et l'usage que par le matériau employé. A quoi le comparer cet incomparable, si ce n'est, peut-être, à l'écu travaillé en fermail de Thorkill-Hake ? On le voyait paré comme un barbaresque empereur d'Éthiopie, tout chargé de colliers, de bijoux et d'ornements d'ivoire poli. Il n'était que trophées : un navire cannibale revêtu somptueusement des dépouilles conquises et des os prélevés sur l'ennemi tombé. Sur tout le tour, avec sa rambarde à claire-voie, sans panneaux, la lisse et le plat-bord formaient comme une seule immense mâchoire ser- tie des longues dents aiguës de cachalot, plantées là comme autant de crocs sur lesquels se bandaient les tendons et les nerfs de chanvre du navire. Ses manœuvres ne venaient pas courir dans des poulies de bois, mais bien entre des joues profondes, sur des réas sculptés en ivoire de mer. Et pour commander son gouvernail auguste, une roue à poignées étant par trop indigne, c'était une barre franche qu'il possédait : une barre taillée dans une seule masse, une barre extraordinaire, tirée de la longue et étroite mâchoire inférieure de son plus mortel ennemi. Le timonier tenant en main une pareille barre dans la tempête, c'était le Tartare refré- nant sa fougueuse monture en lui tirant le mors ! Noble navire, en vérité, tout empreint de grandeur ! mais avec un je-ne-sais-quoi aussi d'un peu mélancolique. Toutes les choses nobles sont ainsi.

Venu sur le gaillard d'arrière, à présent, pour y chercher quelque gradé auquel je pusse proposer ma candidature au prochain voyage, je n'y vis tout d'abord personne. Mais ce que je ne pouvais pas ne pas voir, c'était une drôle d'espèce de tente, une sorte de wigwam qui se trouvait dressé un peu sur l'arrière du grand mât. Une de ces constructions provisoires, à ce qu'il paraissait, comme on en dresse parfois à quai. C'était en forme de cône, haut de quelque dix pieds; et c'était fait des longues lames cornées tirées de la voûte du palais et des plus hautes parties de la mâchoire d'une baleine franche; tombant circulairement sur le pont, leur extrémité lourde vers le bas, ces fanons serrés ensemble étaient gerbés au sommet, et leurs bouts chevelus et légers se balançaient au-dessus de ce nœud comme le toupillon sur le crâne d'un vieux sachem de Pottowotamie. Une ouverture triangulaire y était ménagée, regardant vers la proue, de sorte que l'habitant, de l'intérieur, commandait du regard tout l'avant.

Ce fut là, presque entièrement caché sous cette tente plus qu'étrange, que je finis par découvrir quelqu'un dont l'aspect extérieur semblait être celui d'une autorité responsable; et ce quelqu'un, comme il était midi et que le travail à bord était interrompu, se délassait avec délices des charges du commandement. Il était assis sur un reposoir à l'ancienne mode, un fauteuil de vieux chêne tout tarabiscoté, sculpté partout de curieuses moulures, mais dont le siège était fait d'un solide entrelacs de cette même corne élastique qui constituait le wigwam.

Rien, peut-être, ne caractérisait particulièrement le vieux monsieur que j'avais devant moi : basané, musculeux comme la plupart des vieux marins, il était engoncé dans un sévère costume en gros drap bleu de pilote, taillé dans le style quaker; seulement autour de ses yeux courait tout un réseau de fines rides quasi microscopiques, dont devaient être cause ses perpétuelles navigations à travers tant et tant de dures tempêtes et de gros temps, avec l'obligation de regarder toujours dans le vent qui vous fronce et vous crispe tous les muscles autour des yeux : ce jeu de rides qui donne tant d'efficacité à l'air rébarbatif.

– Est-ce le capitaine du *Péquod*? demandai-je en m'avançant jusque sous l'ouverture de la tente.

– En admettant que ce soit lui, qu'est-ce que nous lui voulons ?

– Je pensais m'enrôler.

– Nous pensions, c'est bien ça ? Je vois que nous ne sommes pas de Nantucket… Jamais nagé dans un canot mis en pièces ?

– Non, monsieur ! Jamais.

– Me permettrai-je d'insinuer que nous ne connaissons absolument rien à la grande pêche ? Eh ?…

– Rien, monsieur. Mais je suis sûr que j'apprendrai vite. Enrôlé plusieurs fois dans la marine de commerce, je crois que…

– Peut aller au diable la marine de commerce ! Pas de ce bafouillis devant moi, compris ? La jambe que voici – c'est vu ? – ferait connaissance avec les fesses de quelqu'un, si jamais il se risquait à reparler de ça devant moi. Marine de commerce ! ah ! bien ouiche !… Nous nous sentons, j'imagine, une énorme fierté d'avoir servi sur ces « marchands ». Alors, bougre ! qu'est-ce qui nous prend maintenant de venir chez les baleiniers, hein ?… Pas très clair, non, plutôt suspect, ça ! Est-ce qu'on n'aurait pas un peu joué les pirates, hé ? Cambriolé son dernier capitaine peut-être ? Ou bien caressons-nous des idées de meurtre à l'égard des officiers sitôt en haute mer ?

Je protestai de mon innocence sur ces points. Je comprenais que sous le masque de ces insinuations à demi ironiques, le vieux maturin, en vrai quaker de l'île de Nantucket, était bourré des préjugés insulaires, plein de défiance contre ces étrangers de continentaux qui n'avaient pas leur port d'attache naturel au cap Cod ou à Vineyard.

– Alors, qu'est-ce qui nous amène à la baleine, hein ? Je veux savoir ça avant de penser à l'inscription au rôle.

– Eh bien, monsieur, je veux en faire l'expérience, voir un peu ce que c'est ! Je veux voir le monde.

– En faire l'expérience, oui ? Avons-nous jamais jeté un œil sur le capitaine Achab ?

– Qui est le capitaine Achab, monsieur ?

– Bien sûr, bien sûr… je pensais bien ! Le capitaine Achab est le capitaine commandant à bord.

– Alors je me suis trompé, monsieur, je croyais parler au capitaine en personne.

– Nous parlons au capitaine Péleg, jeune homme, voilà à qui nous parlons. C'est moi et le capitaine Bildad qui nous chargeons de tout jusqu'au départ, équipage compris, et qui veillons à ce que le *Péquod* ne manque de rien pour la campagne. Ses armateurs et ses agents nous sommes. Mais ce que je voulais dire, puisque nous prétendons vouloir faire connaissance avec la chasse à la baleine, c'est qu'il y a un moyen bien simple, oui bien simple, de s'en faire une idée, avant que de passer sur le rôle et de ne plus pouvoir virer de bord. Nous n'avons qu'à jeter un coup d'œil sur le capitaine Achab, jeune homme, et nous voyons qu'il n'a plus qu'une jambe.

– Qu'est-ce que vous voulez dire, monsieur? Serait-ce que l'autre manque à cause d'une baleine?

– Manque à cause d'une baleine! Arrive un peu ici, jeune homme, que je te dise : elle a été dévorée, broyée, mise en bouillie, bouffée par la plus monstrueuse tête à spermaceti qui ait jamais mis en pièces un bateau! Ah! là!…

Je me sentais un peu secoué par sa violence, un peu ému aussi par l'accent cordial et douloureux de son exclamation finale, mais je m'efforçai de parler le plus calmement possible :

– Ce que vous dites n'est assurément que trop vrai, monsieur; mais comment pouvais-je savoir qu'il y avait chez ce cachalot-là une férocité particulière, alors que je pouvais bien plus naturellement supposer qu'il s'agissait d'un simple accident?

– Voyons voir, jeune homme : nous avons le poumon quelque peu mou, à mon idée; ça ne sent pas pour un sou le brai là-dedans. Est-ce que nous sommes bien sûr d'avoir déjà pris la mer avant ce coup-ci, sûr et certain?

– Je croyais, monsieur, vous avoir dit que j'avais engagé sur quatre marchands…

– Assez! Tour et choc là-dessus, compris! Je ne veux pas répéter ce que j'ai dit pour la marine marchande. Je ne veux pas de ça dans mes oreilles – ou alors gare! Oui? Je n'en veux pas, c'est tout! Maintenant, entendons-nous bien tous les deux : ce que c'est que la baleine, je viens de t'en donner un petit aperçu; alors, toujours décidé?

– Oui, monsieur.

– Parfait. Serions-nous homme, dis-moi, à planter le harpon

dans la gueule béante d'une baleine et à piquer une tête droit derrière ? – Réponse, vite !

– Je le ferai, oui, monsieur, s'il est absolument indispensable
d'agir ainsi, pour se débarrasser d'elle, je veux dire ; ce que je ne
crois pas être le cas.

– Très bien. Et maintenant nous disions que ce n'est pas seulement pour faire connaissance avec la baleine, pour faire l'expérience de la chose, mais aussi parce que nous voulons voir un peu
le monde, n'est-ce pas ? C'est bien ce que nous avons dit ? Bon.
Alors au lof, là, droit devant ! Qu'on me jette un coup d'œil du
bossoir du vent, et retour ici me dire ce qu'on a vu !

Sur le moment, je restai un peu interloqué par cet ordre inattendu, me demandant si je devais le prendre en boutade ou au
sérieux ; mais le froncement péremptoire de toutes les rides autour
des yeux du capitaine Péleg m'ôta toute hésitation.

M'avançant jusqu'au bossoir du côté au vent, j'y constatai que le
navire, chassant sur son ancre avec la marée, était trois quarts
oblique et présentait sa joue au large. La vue portait sur un horizon
sans borne, mais excessivement morne et monotone, accablant. Pas
la moindre touche, pas la moindre tache de diversité à y voir.

– Eh bien, que dit le rapport ? me demanda Péleg quand je
revins vers lui ; qu'avons-nous vu ?

– Pas grand-chose, dis-je ; rien que de l'eau. Un plein horizon
pourtant ; et il y a un grain qui arrive, on dirait.

– C'est bon ; alors, qu'est-ce que nous en pensons à présent de
cette idée de voir le monde, hein ? Est-ce que nous allons doubler
le cap Horn rien que pour voir ça et pas autre chose que ça ?...
Voir le monde ! Comme s'il ne pouvait pas le voir de là où il se
trouve ! s'exclama alors le capitaine Péleg.

Je me sentis quelque peu démonté. Mais j'avais dit que je voulais pêcher la baleine, et j'irai pêcher la baleine. Voilà ce que je
voulais. Et puis, le *Péquod* était un navire qui valait n'importe
quel autre navire – meilleur même, à ce que je pensais. Ce fut aussi
ce que je dis au capitaine Péleg, lequel, me voyant aussi ferme et
résolument décidé, consentit alors sans plus aucune opposition à
m'enrôler.

– Et pourquoi ne pas signer les papiers tout de suite tant que nous y sommes? me proposa-t-il, aimable, me précédant vers la descente de la cabine.

Là, assis sur le caisson, se trouvait un personnage peu commun d'apparence et pour le moins étonnant. C'était, comme je devais bientôt l'apprendre, le capitaine Bildad en personne, cet autre armateur du *Péquod* qui se trouvait être, avec le capitaine Péleg, le principal propriétaire du bateau ; les autres parts en effet, comme il en va souvent dans les ports de baleiniers, étaient partagées entre une foule de petits pensionnés tels que des veuves, des orphelins, des pupilles sous tutelle judiciaire, etc. – chacun d'eux possédant en valeur quelque chose comme une bitte, un pied carré de bordé, ou quelques chevilles du navire. Les habitants de Nantucket placent leur argent dans les baleiniers comme vous placez le vôtre dans les valeurs garanties de l'État avec gros dividendes.

Bildad, comme Péleg, et en fait comme tant d'autres Nantuckais, était un quaker. L'île avait été colonisée aux origines par cette secte, et les insulaires jusqu'à ce jour gardaient l'empreinte extraordinairement marquée du caractère quaker, sur lequel toutefois venaient se greffer des éléments entièrement étrangers, parfaitement hétérogènes, qui le déformaient en modulations très disparates et anormales. C'est ainsi que certains de ces quakers étaient les plus sanguinaires de tous les marins chasseurs de baleines : des quakers guerriers, des furieux et des outrés.

Il n'est pas rare que – chez ces hommes qui portent des noms tirés de l'Écriture selon la coutume insolite de l'île et qui pratiquent depuis leur enfance l'emphatique tutoiement biblique de l'idiome quaker – le caractère aventureux, courageux et brutal de la vie qu'ils mènent, venant étrangement se couler sur le fond initial dont ils ne se sont pas départis, cela fasse un singulier mélange dont les traits pourraient très bien se rapporter à quelque roi des mers de la Saga scandinave ou à quelque poétique païen de la Rome antique. Aussi lorsque ces éléments se rencontrent chez un homme qui unit à son exceptionnelle force naturelle un cerveau bien formé et un cœur puissant ; un homme qui a poursuivi longuement ses méditations dans le silence et la solitude des quarts de nuits sur les océans et les mers les plus reculés, sous des constellations tout inconnues du septentrion ; et qui fut ainsi porté à penser avec indé-

pendance, d'une façon tout originale, absolument non tradition-
nelle ; un homme qui a reçu tout droit, toutes vives, toutes ses
impressions délicates ou sauvages au creux de son cœur vierge,
volontaire et confiant ; et qui se trouvait déjà façonné sans ces ressources accidentelles par un langage abrupt, fier et altier – cela
donne quelqu'un d'unique dans les annales de toute une nation,
une créature puissante, pathétique et spectaculaire, façonnée pour
les grandes tragédies. Et ce ne sera pas non plus pour enlever le
moins du monde à son relief dramatique, si sa nature semble en
outre profondément empreinte – que ce soit de naissance ou par
l'effet des circonstances – d'une sombre et tenace tristesse, d'une
morbidité à demi volontaire. Tous les hommes marqués de grandeur le sont tragiquement, et toujours ils sont sous le sombre sceau
d'une certaine morbidité. Oh ! jeunes ambitieux, tenez-vous-en
pour assurés : il n'est point de grandeur humaine qui ne soit maladie. Mais l'homme auquel nous avons affaire n'était pas de ceux-
là, non, c'était un tout autre homme ; et pour singulier et tranché
que fût son caractère, ce n'était en réalité qu'un produit nouveau
du quaker modifié par des circonstances particulières.

Comme le capitaine Péleg, le capitaine Bildad était un baleinier
en retraite et fort à l'aise. Mais à l'opposé du capitaine Péleg – qui,
lui, ne se donnait pas la fièvre avec ce qu'il est convenu d'appeler
les affaires sérieuses, et même s'en souciait comme d'une guigne
en estimant que lesdites affaires sérieuses étaient de parfaites bali-
vernes –, le capitaine Bildad, au contraire, avait fait son éducation
dans la secte la plus stricte du quakerisme nantuckais le plus
rigoureux ; et rien dans la vie océane qu'il avait pu mener par la
suite, ni au spectacle de tant d'adorables créatures dévêtues qu'il
avait pu voir dans les îles, passé le cap Horn, rien n'avait changé
un iota chez lui du quaker né, et n'avait même modifié la coupe
carrée de sa veste. Pourtant, quelque immuable que se fût montré
le digne capitaine, il ne laissait pas de faire preuve aussi d'un certain manque de logique. S'il refusait de lever le bras contre l'enva-
hisseur terrien, par scrupule de conscience, il n'en avait pas moins
lui-même envahi sans limite l'Atlantique et le Pacifique ; et s'il
était ennemi juré du sang versé chez les humains, il n'en avait pas
moins, toujours vêtu de sa stricte tenue à veste droite, versé lui-

même infiniment le sang du Léviathan, et empilé baril sur baril de
ce sang versé. Maintenant, comment faisait-il, le pieux Bildad, sur
le soir méditatif de ses jours, pour concilier ces choses dans sa
mémoire ? Je ne le sais. Mais il n'avait pas l'air de s'en tourmenter
trop ; il avait dû très probablement parvenir depuis longtemps à la
conclusion sage et raisonnable que pour un homme la religion est
une chose, et la pratique du monde une autre. Le monde fournit
des revenus. Or, parti comme petit mousse habillé court de rude
toile écrue, Bildad était devenu un harponneur vêtu du gilet
« ventre d'alose », puis il s'était élevé au rang de maître d'équipage, était devenu second, puis capitaine et enfin propriétaire-
armateur, ainsi que nous l'avons vu, concluant son aventureuse
carrière en se retirant définitivement de la vie active au bon âge de
soixante ans, et consacrant les paisibles loisirs de sa vieillesse à la
consommation tranquille des rentes qu'il avait si bien gagnées.

Mais Bildad, j'ai maintenant le regret de le dire, avait la réputation d'être un incorrigible vieux grippe-sou et, aux jours qu'il
naviguait encore, d'avoir été un patron férocement dur. Je me suis
laissé raconter à Nantucket, et certes l'histoire paraîtra bien
étrange, que lorsqu'il commandait le vieux baleinier *Categut*,
presque tous les hommes de son équipage, au retour, avaient dû
être transportés à terre directement à l'hôpital, tant ils étaient
épuisés, usés, à bout de forces. Pour un homme pieux, pour un
quaker plus spécialement, il avait assurément le cœur plutôt dur
– et ce n'est que peu dire ! Il ne jurait pourtant jamais après ses
hommes, à ce qu'on dit ; mais de façon ou d'autre, il en tirait et
leur faisait fournir une somme énorme et cruelle de besogne férocement dure. Lorsqu'il était bosseman, sentir sur soi le regard fixe
de ses yeux pâles, c'était à en devenir fou ; et on finissait par attraper n'importe quoi, une mailloche à fourrer, un épissoir, ce qu'on
pouvait trouver, et on se mettait à travailler comme un furieux, à
faire n'importe quoi mais quelque chose. Indolence et paresse,
devant Bildad, s'évanouissaient. Et sa propre personne était l'incarnation exacte de ce caractère sévèrement utilitaire : pas de chair en
excès sur son long corps triste et sec ; pas de barbe superflue sur
son menton qui ne portait qu'un faible et rare poil ladrement
mesuré, semblable au poil râpé de son chapeau à larges bords.

Tel était donc le personnage que j'aperçus, assis sur le caisson, en entrant à la suite du capitaine Péleg dans la cabine. L'espace entre les deux ponts était réduit; mais là, tout raide, était assis Bildad; il ne s'asseyait jamais autrement, jamais ne se penchait d'une façon quelconque pour ne pas user les basques de son habit. Son chapeau à grands bords était posé à côté de lui. Il avait les jambes angulairement croisées, et sa raide veste de gros drap était serrée et boutonnée jusqu'au ras du menton. Le nez chaussé de lunettes, il était plongé dans la lecture d'un énorme volume.

– Bildad! s'écria le capitaine Péleg en entrant, t'y revoilà encore, eh! Bildad? A ma connaissance sûre et certaine, il y a maintenant trente bonnes années que tu les étudies, ces Écritures. Tu en es où, Bildad?

Habitué, semblait-il, aux profanes discours de son vieux compagnon de mer, Bildad, sans s'arrêter à la présente irrévérence, leva paisiblement les yeux de son livre et, m'ayant vu, porta un regard interrogateur sur Péleg.

– Il dit qu'il est notre homme, Bildad, expliqua Péleg; il veut s'enrôler.

– Le voulons-nous? laissa tomber Bildad d'une voix caverneuse en se tournant vers moi.

– Nous le voulons! affirmai-je, sans y mettre vraiment d'intention, tellement il était quaker.

– Qu'est-ce que tu en penses, Bildad? demanda Péleg.

– Ça ira, prononça Bildad, m'ayant bien regardé; puis il se replongea dans son livre qu'il lisait lentement lettre à lettre, en marmonnant sa lecture d'un bourdon monocorde et à peine distinct.

Je trouvais qu'il était bien le vieux quaker le plus bizarre que j'eusse jamais vu, surtout en présence de ce vieux pétulant de Péleg, son compère. Mais je ne dis rien, me contentant de regarder et d'observer tout autour de moi. Péleg ouvrait à présent un coffre d'où il retira le rôle du bord; il posa plume et encre devant lui, sur une petite table, et s'assit. Je me pris à penser qu'il commençait à être grand temps de décider moi-même à quel taux je désirais être enrôlé. Je savais déjà que pour les campagnes de pêche à la baleine, on ne paye pas de gages francs, mais que tout l'équipage d'un navire, capitaine compris, reçoit des parts proportionnées, appelées « mises », des bénéfices et profits de la campagne. Ces mises sont calculées relativement à l'importance de chacun à bord. Je savais également que j'étais un matelot léger comme baleinier et que ma mise par conséquent ne serait pas lourde ; mais considérant d'autre part que j'étais néanmoins déjà amariné, capable à la manœuvre et sachant manier le minahouet, la paumelle ou l'épissoir, je comptais, selon mes calculs et tout ce que j'avais entendu dire, me voir offrir au moins la 275ᵉ mise − c'est-à-dire 1/275ᵉ du bénéfice net de la campagne, quel que pût être le montant de celui-ci. Et bien que la 275ᵉ mise soit ce qu'on nomme une « mise-loin », c'est-à-dire peu de chose, c'était néanmoins mieux que rien ; si nous faisions une heureuse campagne, j'arriverais presque à y trouver le prix des vêtements que j'aurais usés en cours de route ; cela sans parler de mes trois années de pension et de bœuf salé qui ne m'auraient pas coûté le plus petit centime.

On pourra penser que c'était là un bien pauvre sentier sur le chemin de la fortune, et c'en était bien un en vérité ; une traverse véritablement misérable. Mais je suis de ceux que les fortunes princières n'ont jamais empêché de dormir. Heureux si ce bas monde m'accorde le vivre et le couvert, fût-ce à l'enseigne menaçante du Ciel Noir. A tout prendre, je me disais que la 275ᵉ mise serait chose convenable, mais je n'eusse point été surpris de m'entendre proposer la 200ᵉ, étant donné que j'étais du format large des épaules. Toutefois, il y avait une chose qui me retenait de trop espérer une offre généreuse dans la part des profits : c'est qu'il m'était venu certaines choses aux oreilles, à terre, sur le capitaine Péleg et son indescriptible vieux grigou d'acolyte, le capitaine Bildad ; je savais qu'ils étaient tous deux les principaux propriétaires et pratiquement les seuls armateurs du *Péquod* ; tous les autres ayants droit possédant des parts si menues et se trouvant égaillés, laissaient aux deux capitaines la direction quasi totale de l'affaire. Je n'ignorais donc pas que ce vieux ladre de Bildad pouvait avoir grandement son mot à dire sur les questions d'enrôlement, d'autant que je le trouvais à bord justement, installé comme chez lui dans la cabine du *Péquod*, y lisant la Bible comme au coin du feu. Or, tandis que Péleg s'escrimait vainement à se tailler une plume, le vieux Bildad pour ma plus grande surprise − vu qu'il était si directement intéressé dans ces procédures –, non, pas une fois le vieux Bildad ne releva la tête, toujours en train de se marmonner le texte de son livre : « N'amassez pas pour vous-mêmes des trésors sur la terre, où la teigne… »

– Eh bien, capitaine Bildad, interrompit Péleg, qu'en dis-tu ? Quelle mise allons-nous donner à ce jeune homme ?

– Tu le sais parfaitement, répondit la voix sépulcrale ; la 777ᵉ ne sera-ce pas trop ? « … où la teigne et la rouille rongeront votre amas… »

Fameux amas ! pensai-je : la 777ᵉ part ! Que vous voilà bien déterminé, vieux Bildad, à veiller scrupuleusement et faire en sorte que ma mise, la teigne ni la rouille ne risquent de la ronger. C'est là une mise bien assez « loin » pour qu'elle soit hors de leur portée, capitaine Bildad ! Mais si la magnificence opulente et grandiose du chiffre en lui-même peut d'abord éblouir les yeux d'un terrien, un rien de réflexion l'amènera pourtant à conclure que, bien que 777 soit un nombre considérable, le fait de lui ajouter un *ième* lui ôte tout crédit. Il ne faut pas longtemps pour s'apercevoir que la sept cent et soixante-dix-septième partie d'un rouge liard, cela fait sérieusement moins que sept cent soixante-dix-sept doublons d'or. Et c'est ce que je voyais moi aussi.

– Bon sang de tonnerre, Bildad ! explosa Péleg, tu ne vas pas filouter ce jeune homme, non ? Il doit avoir plus que ça !

– 777ᵉ, prononça lourdement Bildad toujours sans lever les yeux de son livre, pour reprendre aussitôt le bourdonnement de sa lecture : « … car là où gît ton trésor, là aussi sera ton cœur. »

– Je m'en vais l'inscrire pour la 300ᵉ, dit Péleg. Tu entends, Bildad ! J'ai dit la 300ᵉ mise.

Bildad repoussa son livre et dit, se retournant solennellement vers lui :

– Capitaine Péleg, nous avons le cœur généreux ; mais il convient de ne pas oublier son devoir envers les autres propriétaires du bateau, les veuves et les orphelins qui sont nombreux ; et si nous rétribuons par trop abondamment les œuvres de ce jeune homme, il nous faudra retirer le pain de la bouche de ces veuves et orphelins. 777ᵉ mise, capitaine Péleg.

– Toi, Bildad !… rugit Péleg debout et sonnant du talon dans la cabine. Malédiction sur toi, capitaine Bildad! Si j'avais suivi tes avis en ces affaires, j'aurais à haler une conscience si lourdement lestée qu'elle pourrait bien couler bas sous elle le plus grand des vaisseaux qui ait jamais doublé le Horn!

– Capitaine Péleg, répondit posément Bildad, j'ignore quel fret peut porter ta conscience et si elle a dix pouces ou dix brasses de tirant d'eau; mais homme impénitent comme tu l'es, je crains fort qu'elle ne fasse eau dans ses œuvres mortes et ne te naufrage finalement dans les feux de l'enfer.

– Feux de l'enfer! Feux de l'enfer!… Tu m'as insulté, homme! tu m'as insulté insupportablement. C'est un outrage cuisant de dire à un humain quel qu'il soit, qu'il est bon pour l'enfer. Foudres et flammes! répète ça encore une fois, Bildad, oui, fais-moi sauter les chevilles de l'âme et… et… parfaitement, je suis capable d'avaler un bouc tout vivant, poils et cornes compris! Fiche-moi le camp de la cabine, bougre de tartufe, sacré pâlot de fils de… fusil de bois! Tire au large!

Tonnant et tonitruant de la sorte, il se rua sur Bildad qui, avec une prestesse merveilleusement oblique, se glissa hors de sa portée et esquiva le coup.

Alarmé par ce violent éclat entre les deux principaux responsables du navire, et tout près de laisser là toute idée d'embarquement sur un bâtiment provisoirement commandé et définitivement possédé par deux armateurs aussi discutables, je m'effaçai devant la porte pour laisser le passage à Bildad qui ne pouvait avoir assurément que la plus grande hâte à fuir devant la vive fureur de Péleg. Mais à mon grand étonnement, le capitaine Bildad se rassit fort placidement sur son coffre, n'ayant manifestement pas la moindre intention de faire retraite. Il était accoutumé, semblait-il, aux us et façons de l'impénitent Péleg. Quant à Péleg lui-même, après qu'il eut laissé éclater la rafale de sa colère, il paraissait qu'il n'y en avait plus trace en lui : il se rassit doux comme un agneau, avec seulement quelques légers spasmes fusant dans sa respiration nerveuse.

– Pfuîch! laissa-t-il passer à la fin, le grain est étalé, je crois, la rafale a passé les amures. Bildad, toi qui savais si bien affûter un harpon, taille-moi donc cette plume, veux-tu? Mon couteau a besoin d'un coup de meule. Ah! voilà qui est parfait, merci Bildad!

– Bon, alors, jeune homme, nous disions… Ismahel, le nom, c'est bien ça? Bon! Nous voilà inscrit, Ismahel, pour la 300ᵉ mise.

– Capitaine Péleg, dis-je alors, j'ai un ami qui voudrait embarquer aussi avec moi. Peut-il m'accompagner demain?

– Amène-le-nous, bien sûr, que nous l'examinions un peu.

– Quelle mise est-ce qu'il voudra? gémit sombrement Bildad, levant tout à coup les yeux de son livre, où il s'était de nouveau plongé.

– Ah! laisse, Bildad, ne t'occupe plus de ça! coupa Péleg – puis revenant à moi : Est-ce qu'il a quelque peu tâté de la baleine, hein?

– Il en a tué plus que je ne saurais dire, capitaine Péleg.

– Bon, bon. Amène-le donc avec toi.

Papiers signés, je m'en allai, ne doutant plus d'avoir fort bien employé ma longue matinée, et encore moins que le *Péquod* fût précisément le navire choisi par Yojo pour nous emporter par-delà le Horn, Quiequeg et moi.

Mais je n'avais guère fait que quelques pas, lorsque je songeai tout soudain que le capitaine avec lequel je devais naviguer m'était inconnu. Il est vrai que bien souvent le baleinier sera tout armé et l'équipage à bord, prêt à lever l'ancre, avant que le capitaine apparaisse et prenne le commandement; les campagnes sont si longues et le séjour à terre si bref entre deux, que – pour peu que le capitaine ait une famille ou quelque autre occupation de même nature –, il ne s'inquiète guère de son vaisseau tant qu'il est au mouillage, l'abandonnant aux armateurs jusqu'au dernier moment. Toutefois il est toujours bon, avant de tomber définitivement entre ses mains, d'avoir jeté un petit coup d'œil sur la personne de ce capitaine. Aussi fis-je demi-tour pour venir demander au capitaine Péleg où je pourrais trouver le capitaine Achab.

– Et qu'est-ce que nous lui voulons au capitaine Achab? Tout est en règle. Nous voilà embarqué.

– Oui, mais j'aurais aimé le voir, dis-je.

– Malheureusement je ne pense pas qu'il soit possible de le faire pour le moment. Je ne sais pas exactement de quoi il retourne avec lui, mais il reste cloîtré chez lui, à la maison. Une sorte de maladie, quoiqu'il n'y paraisse pas à le voir. Non, il n'est pas malade à vrai dire; mais il n'est pas dans son assiette non plus. En tout cas, jeune

homme, lui qui ne veut jamais me recevoir moi-même, je doute
qu'il le fasse pour toi. C'est un drôle d'homme, le capitaine Achab
– comme il y en a qui disent –, mais c'est quelqu'un de bien. Oh !
nous l'apprécierons, n'ayons crainte, jeune homme, n'ayons
crainte. C'est un grand bon sang de sacré mécréant, le capitaine
Achab, mais en même temps un grand bonhomme ; il ne parle pas
beaucoup, mais quand il parle, il fait tout aussi bon l'écouter !
Comme ça, nous aurons été avertis : n'est pas quelqu'un d'ordinaire, Achab ; un type qui a fait ses humanités et qui aussi a vécu
chez les cannibales ; qui voit plus profond que les vagues, en fait de
merveilles ; et sa lance vise de plus prodigieux, puissants et étranges
ennemis que la baleine. Ah ! sa lance, c'est la plus fine et la plus
sûre de toutes celles de l'île ! Oh ! là, c'est que ce n'est pas le capitaine Bildad, non ! et pas non plus Péleg, vois-tu : c'est Achab,
mon garçon. Et Achab, c'était un roi portant couronne dans les
temps d'autrefois, tu sais !

– Oui, et fameusement impie encore. Et lorsque ce maudit fut
massacré, les chiens ne sont-ils pas venus lécher son sang ?

– Arrive ici, plus près, plus près ! commanda Péleg avec un froncement si sévère que j'en fus à demi effrayé. Approche, mon gars !
Ne va jamais dire ça à bord du *Péquod*, tu m'as bien entendu ?
Jamais. Ni nulle part. Le capitaine Achab n'a pas choisi son nom.
C'est une idiote lubie de sa vieille folle de mère, une veuve qui
mourut douze mois après ça. Ce qui n'empêcha pas la vieille
Tistig, la squaw de Gayhead, de prétendre que le nom se révélerait
comme prophétique de façon ou d'autre. Et il y a peut-être
d'autres cinglés de ce genre pour en dire autant. Mais je t'en avertis : c'est un mensonge. Je connais bien le capitaine Achab, je l'ai
eu longtemps à mon bord comme second maître, il y a de ça des
années. Je sais ce qu'il est, un homme de bien – non pas un homme
de bien dans la piété comme Bildad : un homme de bien jurant et
sacrant comme il m'arrive parfois, mais avec un bon paquet en
plus chez lui. Oui, oui ! je sais bien qu'il n'a jamais été spécialement enjoué ; et je sais bien qu'à la traversée de retour, il est un
peu sorti de ses gonds pendant un petit bout de temps. Mais
c'étaient les furieuses douleurs des élancements dans son moignon
sanglant qui lui ont valu ça, comme cela peut se comprendre. Je

sais encore que depuis qu'il a perdu cette jambe au cours de la dernière campagne, dans la gueule de ce maudit cachalot, il n'a
jamais cessé d'être sombre, sombre comme un désespéré, et furieusement sauvage parfois. Mais tout ça passera. Et puis laisse-moi te
dire et t'assurer, mon gars, qu'il vaut mieux naviguer avec un bon
capitaine sombre d'humeur qu'avec un mauvais capitaine souriant. – Donc au revoir !… Et ne va pas te faire des idées sur le
capitaine Achab parce qu'il se trouve avoir un mauvais nom.
J'ajoute qu'il a une femme, mon gars, une douce femme résignée
qu'il a épousée il n'y a pas trois campagnes. Réfléchis à cela ; de
cette douce jeune femme, le vieil homme a un enfant. Alors, crois-
tu donc que puisse habiter vraiment le mal en Achab, qu'il puisse
y avoir en lui quelque méchanceté impie ? Non, non ! Tout frappé,
tout dévasté qu'il soit, fiston, Achab a fait ses humanités !

En m'éloignant, je portais tout un monde de pensées en moi ;
tout ce que je venais incidemment d'apprendre sur le capitaine
Achab me remplissait d'une vague de douloureuse compassion
incertaine et étrange. Dans le moment que je ressentais pour lui
sympathie et chagrin, sans trop savoir pourquoi sinon la perte si
cruelle de sa jambe, je me sentais aussi pris d'une crainte mystérieuse, repoussé par quelque chose que je ne saurais décrire, qui
n'était pas exactement la crainte, ni le respect apeuré, ni non plus
une angoisse ; mais je ne savais pas quoi. Un sentiment dont je ne
comprenais pas la cause, mais que je ressentais très nettement, et
qui pourtant ne me détournait pas en aversion de lui ; au contraire,
j'avais comme une impatience d'approcher le mystère que je sentais en lui, quoique je ne connusse alors rien de lui.

Pourtant mes pensées finirent, à force, par graviter autour
d'autre chose et le sombre Achab, pour le moment, quitta mes pré-
occupations.

XVII

LE RAMADAN

Le Ramadan, ou si l'on veut le temps de jeûne et de macération de Quiequeg, devait perdurer tout le jour, aussi tenais-je à ne pas le déranger avant la tombée de la nuit. Je professe le plus grand respect pour les obligations religieuses de tout individu, quel qu'en soit le ridicule, et je me sens du fond du cœur incapable de mépriser même une congrégation de fourmis adorant un champignon vénéneux, ou encore telles autres créatures de ce globe où nous sommes, serviles à un point qui n'existe sur aucune autre planète, qu'on voit faire révérence devant le buste d'un défunt propriétaire terrien en considération exclusive de la vastitude excessive des biens possédés de nom par ce cadavre.

Je prétends que les bons chrétiens presbytériens que nous sommes devraient montrer quelque charité en ces matières, et n'aller pas s'imaginer tellement supérieurs aux autres mortels, qu'ils soient païens ou tout ce qu'on voudra, à cause de leurs idées insolites et biscornues sur le sujet. Voilà Quiequeg, par exemple, qui sans doute entretenait les pensées les plus absurdes au sujet de Yojo et de son Ramadan ; bon, et après ? – Quiequeg savait ce qu'il voulait et faisait, j'imagine, et il paraissait satisfait ; alors laissons-le faire. Toutes nos discussions n'y changeront rien. Laissons-le faire, dis-je, et prions le ciel qu'il ait pitié de nous tous – presbytériens et païens compris – car nous sommes tous également fêlés du crâne d'une manière ou de l'autre, et tous nous avons un besoin tristement urgent de réparation.

Dans la soirée, donc, lorsque je me sentis assuré que toutes les cérémonies et observances rituelles avaient pris fin, je montai à la chambre et frappai à la porte. Pas de réponse. J'essayai d'ouvrir, mais la porte était verrouillée de l'intérieur.

– Quiequeg ! appelai-je doucement par le trou de la serrure – mais rien. Eh ! Quiequeg ! pourquoi ne réponds-tu pas ? C'est moi : Ismahel.

Le silence le plus complet régnait comme devant. Cela commençait à devenir inquiétant. Il y avait longtemps que je l'avais laissé. Je me dis qu'il pouvait avoir eu une attaque d'apoplexie. Je regardai par le trou de la serrure ; mais la porte ouvrait tout dans le coin de la pièce ; le champ de vision à travers le trou de la serrure était réduit et lugubre ; je ne voyais qu'un fragment du pied du lit, un bout de mur et rien d'autre. Mais je fus assez étonné d'apercevoir, appuyé contre ce bout de mur, la hampe du harpon de Quiequeg, que l'aubergiste lui avait confisqué la veille au soir au moment de monter à la chambre. Étrange ! me dis-je, mais de toute façon puisque le harpon est dedans, et que Quiequeg ne sort pour ainsi dire jamais sans l'avoir, il doit donc se trouver là aussi. Infailliblement.

– Quiequeg ! Quiequeg ! appelai-je.

Silence total.

Il avait dû arriver quelque chose ! Apoplexie. J'essayai de forcer la porte, mais elle tenait fermement. Alors je redescendis vivement l'escalier pour exprimer mes inquiétudes à la première personne rencontrée. C'était la servante.

– Mon Dieu ! mon Dieu ! s'écria-t-elle, je pensais bien qu'il avait dû arriver quelque chose. Je suis allée pour faire le lit ce matin, après le petit déjeuner, mais la porte elle était fermée et pas un bruit par dedans : on aurait aussi bien entendu trotter une souris. Et puis toute la journée ça a été comme ça, tout silence. Seulement j'avais pensé que vous étiez tous les deux sortis et que vous aviez peut-être fermé la porte pour vos bagages. Mon Dieu ! mon Dieu ! Madame !… oh ! Madame ! au crime, à l'assassin, madame Hussey ! Apoplexie ! mon Dieu !…

Et la servante avec ses cris se précipitait aux cuisines. Je suivis.

Dame Hussey apparut promptement, un pot de moutarde dans une main et un flacon de vinaigre dans l'autre, cessant, du coup, de rabrouer son jeune aide noir au beau milieu de ses occupations.

– Vite ! hurlai-je, où est le bûcher ? Courez-y, pour l'amour de
Dieu, et ramenez quelque chose pour enfoncer la porte ! La hache !
La hache !... Il a eu un coup de sang. Faisons vite !

Sur quoi, sans beaucoup de logique, je faisais déjà demi-tour et
m'apprêtais à grimper l'escalier quatre à quatre, les mains vides,
quand dame Hussey laissa là vinaigrier et moutardier pour
m'interpeller

– Hé là ! qu'est-ce qui vous prend, jeune homme ?

– Apportez la hache, pour l'amour de Dieu ! et courez chercher
le docteur, vite, quelqu'un, pendant que j'enfonce la porte !

– Dites donc ! clama l'aubergiste en posant son moutardier pour
avoir une main libre ; dites donc ! c'est-y que vous parlez d'enfoncer une de mes portes ?... – et tout en me tenant fortement par le
bras : Qu'est-ce qui vous prend ? mais qu'est-ce qui vous prend,
matelot ?

Aussi vite et aussi calmement que possible, je lui expliquai toute
l'histoire. Son flacon de vinaigre inconsciemment porté sous la
narine, dame Hussey rumina un moment avant de s'exclamer :

– Non ! je ne l'ai pas revu depuis que je l'avais fourré là !

Et courant jusqu'au petit placard sous l'escalier, elle y jeta un
coup d'œil pour revenir, me disant que le harpon de Quiequeg n'y
était plus.

– Il s'est tué, ça y est ! gémit-elle. C'est le coup de ce malheureux
Stiggs encore une fois ! – encore un dessus de lit de fichu ! – Que
Dieu prenne en pitié sa pauvre mère ! – ça sera la ruine de ma maison ! – L'avait-il une sœur, le pauvre gars ? Cette fille, elle est
où ?... Ah ! Betty, tu vas me filer chez le peintre Snarles et tu lui
diras de me peindre une enseigne avec : « Défense de se suicider ici
et défense de fumer dans l'arrière-salle. » Autant faire les deux
choses d'un coup. Mort ? Le Seigneur ait pitié de son spectre !...
Halte là ! jeune homme, qu'est-ce que c'est que tout ce fracas ?
Halte là, je vous dis !

Et courant derrière moi, elle m'arriva dessus pour m'éloigner de
la porte, que j'essayais de nouveau d'enfoncer.

– Je ne peux pas permettre ça ; je ne veux pas qu'on me démo-
lisse mon établissement ! Allez chercher un serrurier : il y en a un
à pas un mille d'ici. Mais attendez voir ! reprit-elle en poussant sa

main dans la poche de son tablier, je dois avoir une clef qui devrait aller. Voyons voir.

La clef tourna dans la serrure ; mais hélas ! Quiequeg avait aussi fermé le loquet.

– Il n'y a plus qu'à l'enfoncer, dis-je, me reculant déjà pour prendre mon élan.

Mais l'aubergiste se lança sur moi de nouveau, jurant encore qu'elle ne me laisserait pas lui démolir son établissement. Je m'arrachai de son étreinte et de toutes mes forces me lançai contre le panneau.

Avec un fracas épouvantable la porte s'ouvrit, le loquet arraché du mur faisant sauter du plâtre jusqu'au plafond. Grands dieux ! Là, à l'intérieur, était Quiequeg, assis comme un Turc, absolument immobile sur ses jambes croisées, avec Yojo posé droit sur sa tête. Son œil ne bougeait ni ne cillait, et il était aussi inerte qu'une statue. Pas le moindre signe de vie en lui.

Je m'avançai.

– Quiequeg ! Quiequeg, mon vieux, qu'est-ce qu'il y a donc ?

– L'est pourtant pas resté à cul comme ça toute la sainte journée ! fit la patronne.

Mais de tout ce que nous pouvions dire, rien, pas un mot ne le tirait de sa catalepsie et nous ne pûmes pas lui faire prononcer un mot. J'étais presque prêt à le pousser pour le faire tomber à la renverse, rien que pour le voir changer de position, tant cette immobilité était intolérable, contre nature dans sa fixité, surtout en pensant qu'il se tenait probablement ainsi depuis quelque huit ou dix heures, sans avoir absorbé la moindre nourriture.

– En tout cas il est *vivant*, madame Hussey ! lui dis-je. Vous pouvez nous laisser, je vous prie. Je vais essayer d'éclaircir moi-même cette curieuse affaire.

Ayant refermé la porte derrière l'aubergiste, je me mis en devoir d'obtenir de Quiequeg qu'il acceptât une chaise ; mais en vain. Tel il était, et tel il demeurait. Quelque insistance que j'y misse, quels que fussent les arts de ma politesse, mes supplications, mes objurgations, mes flatteries : il ne consentit ni à bouger un cil, ni à lâcher un mot, ni même à tourner les yeux vers moi ou à s'apercevoir d'une façon quelconque de ma présence.

Je me demande, pensai-je, si véritablement il est possible que cela fasse partie de son Ramadan, et s'ils siègent de cette manière sur leurs fesses dans son île natale ? Il faut sans doute que ce soit ainsi ; oui, cela fait partie de son credo, je suppose. Bon ; il n'y a qu'à le laisser tranquille, alors. Ça ne va pas durer éternellement, Dieu merci ! et son Ramadan ne revient qu'une fois l'an. Je ne pense plus qu'il en ait pour longtemps, à présent.

Je descendis donc pour le dîner. Puis je restai encore longtemps à écouter les nombreuses histoires de quelques matelots qui venaient de rentrer d'une « croisière plum-pudding » comme ils disent (c'est-à-dire une courte campagne de chasse à bord d'une goélette ou d'un brick, limitée au nord de la ligne, dans l'Atlantique seulement). Vers les onze heures, ayant entendu discuter ces chevaliers du fondoir fraîchement débarqués, je montai pour gagner le lit, bien sûr cette fois que Quiequeg avait touché au terme de son Ramadan et qu'il en avait définitivement fini. Mais non : tel je l'avais laissé, tel je le retrouvais. Il n'avait pas bougé d'un pouce. Je commençais à me sentir fâché contre lui : c'était vraiment par trop absurde et imbécile que de rester assis ainsi à croupetons tout le jour et la moitié de la nuit dans une chambre froide, avec un bout de bois en équilibre sur le sommet du crâne !

– Pour l'amour du Ciel, Quiequeg, lève-toi et secoue-toi un peu ! Lève-toi. Viens dîner. Tu vas périr de faim, Quiequeg ! tu vas tout bonnement périr !

Pas un mot ne me fut répondu. Désespérant de lui, je pris alors le parti de m'aller coucher et de dormir ; à n'en pas douter, il ne tarderait pas à me rejoindre. Mais avant de m'enfoncer sous les draps, je revins lui jeter mon « ours » (c'est-à-dire mon lourd caban) sur les épaules : la nuit promettait d'être diablement froide et il n'avait rien d'autre sur le dos que sa courte jaquette ordinaire. Mais je pouvais bien m'y prendre comme je voulais, pendant un bon moment il me fut radicalement impossible d'approcher du plus léger assoupissement. J'avais soufflé la chandelle ; mais la seule pensée de mon ami Quiequeg, là, à moins de quatre pieds de moi, dans cette position inconfortable, obstinément immobile et seul dans le noir et le froid de la nuit, cela me faisait réellement mal. Imaginez un peu : vouloir dormir toute la nuit avec, bien éveillé juste à côté de soi, un païen camarade piqué droit sur ses fesses pour ce suppliciant et morne et incompréhensible Ramadan !

A la fin, tout de même, je finis par céder au sommeil qui oblitéra tout jusqu'au lever du jour. Jetant alors les yeux de son côté, je vis l'immuable Quiequeg toujours accroupi, comme s'il avait été boulonné au plancher. Mais au premier rayon de soleil qui pénétra dans la chambre, il se leva, les membres et les articulations ankylosés, mais le regard cordial et gai. Il claudiqua jusqu'auprès de moi, au bord du lit, toucha mon front du sien et me dit que son Ramadan avait pris fin.

Comme je l'ai soutenu plus haut, je ne fais pas d'objection à la religion de qui que ce soit, pour autant que ce quelqu'un ne tue ni n'injurie personne sous prétexte qu'il ne croit pas de la même façon. Oui ; mais quand la religion de ce quelqu'un en vient à confiner au délire furieux, quand elle est une véritable torture qu'il se donne, quand enfin elle accuse à l'excès l'inconfort de la terrestre auberge où il nous faut loger, alors il m'est avis qu'il est grand temps d'intervenir et de raisonner ce quelqu'un, ou au moins de débattre la chose avec lui. Or, c'est exactement là que j'en étais avec Quiequeg.

– Viens te fourrer au lit, Quiequeg, allonge-toi et écoute-moi bien, lui dis-je.

Et je me mis alors à lui développer l'historique des progrès de la religion, en partant de l'origine des religions primitives pour en arriver aux diverses formes de la religion actuelle, tâchant et m'efforçant en cours de route de lui démontrer que tous ces Ramadans et Carêmes, ces stations prolongées sur les fesses dans le froid glacial de chambres inhospitalières étaient des absurdités, de la pure folie, choses dangereuses pour la santé, inefficaces et inutiles pour l'âme, bref, totalement contraires aux commandements et aux lois de l'hygiène comme du bon sens. J'ajoutai encore que comme, par ailleurs, il se montrait en tant de choses un si excellent, si sympathique, raisonnable et sagace sauvage, cela me peinait, cela me peinait énormément, profondément, douloureusement de le voir se montrer si déplorablement stupide avec son ridicule Ramadan. En outre, insistai-je, le jeûne ne fait qu'épuiser le corps en le creusant, et de là creuse et épuise l'esprit ; de sorte que ce sont nécessairement des pensées semblablement creuses qui en sortent et auxquelles il conduit infailliblement. Il n'y a pas à chercher d'autre raison, si tant de pieux dyspeptiques et de bigotes malades de l'estomac nourrissent de si sombres pensées et des idées si tristement mélancoliques sur l'au-delà.

– En un mot, Quiequeg, dis-je en digressant sans doute quelque peu, l'idée de l'enfer est née de la mauvaise digestion d'un beignet de pomme, et ne s'est perpétuée de génération en génération que grâce à la dyspepsie héréditaire entraînée et entretenue par les Ramadans.

J'en vins alors à lui demander, d'un ton résolument plaintif afin d'être parfaitement clair, si lui-même avait jamais souffert de troubles de l'estomac. Il me répondit que non, sauf une seule fois, en une occasion mémorable : c'était à la suite d'un grand banquet chez le roi son père, une fête de victoire après une grande bataille où cinquante ennemis avaient été trucidés vers deux heures de l'après-midi, et tous cuits et consommés le soir même.

– Il suffit, Quiequeg, lui dis-je en frissonnant ; c'est assez comme ça !

Je comprenais d'emblée et sans qu'il eût besoin d'insister quelles avaient été les conséquences, en effet. J'avais connu un matelot qui avait visité cette île, précisément, et je savais par lui que c'était la coutume, quand on y avait remporté une grande bataille, de fricasser les morts dans la cour ou dans le jardin du vainqueur ; après quoi ils étaient dépêchés un à un – disposés individuellement sur de grands plateaux de bois, garnis de noix de coco et de fruits d'arbre à pain comme un simple pilau, avec un bouquet de persil entre les dents –, ils étaient expédiés, dis-je, avec les meilleurs compliments du vainqueur à chacun de ses amis, en manière de présent comme autant de dindes de Noël.

Tout compte fait, je ne pense pas que mes remarques sur la religion eussent pu faire grande impression sur Quiequeg. D'abord parce qu'il semblait avoir l'oreille un peu lente sur ce sujet, dès qu'il ne s'agissait plus de son propre point de vue ; et ensuite parce qu'il ne comprenait à peu près que le tiers de ce que je disais, quelque simplicité que je misse à exprimer mes idées, et enfin parce qu'il ne faisait pour lui-même aucun doute qu'il en connaissait un sacré bout de plus que moi en matière de vraie religion. Il levait sur moi un regard attendri et tout empli de compassion sincère, comme s'il pensait qu'il était vraiment triste et pitoyable de voir un jeune homme si sympathique perdu sans espoir dans ces païenneries évangéliques.

Nous finîmes donc par nous lever et nous habiller. Et après que Quiequeg eut englouti alertement en soupes de poissons diverses un petit déjeuner si prodigieux que la patronne ne tira, en fait, guère profit de son Ramadan, nous mîmes le cap sur le *Péquod*, tout en déambulant au pas de promenade et en nous curant les dents avec des arêtes de poisson.

XVIII

SA MARQUE

A peine arrivions-nous à l'extrémité du quai où était accosté le navire (Quiequeg avec son harpon) que la grosse voix du capitaine Péleg nous héla à tue-tête depuis le wigwam d'où il venait de sortir. Il ne se doutait pas que mon ami fût un cannibale, disait-il, et il ajouta d'un air bourru qu'il ne laissait pas monter de cannibales à son bord, à moins qu'ils ne fissent voir leurs papiers.

– Que voulez-vous dire par là, capitaine Péleg ? demandai-je en sautant le bordage et en laissant mon compère sur l'appontement.

– Qu'il faut qu'il produise ses papiers, c'est ce que je veux dire.

– Parfaitement, intervint Bildad de sa voix caverneuse, la tête passée hors du wigwam derrière Péleg, il faut qu'il prouve qu'il est converti. – Fils des ténèbres ! interpella-t-il alors directement Quiequeg, est-ce que nous sommes maintenant entré dans la communion de quelque Église chrétienne ?

– Mais voyons, dis-je, il est membre de l'Église de la Première Congrégation !

Il me faut dire ici que maint sauvage tatoué embarqué sur les baleiniers nantuckais finissait plus ou moins converti en l'une ou l'autre des Églises.

– L'Église de la Première Congrégation ! s'étonna Bildad. Quoi ! celle qui tient culte dans la salle du diacre Deutéronome Coleman ?

Et avec cette exclamation, il tirait ses bésicles de son nez, les frottait de son gros mouchoir de coton jaune, puis les rechaussait précautionneusement avant de sortir du wigwam pour venir se pencher par-dessus le bordage, examinant Quiequeg d'un long et attentif regard.

– Depuis combien de temps en est-il membre ? demanda-t-il en se retournant vers moi. Il ne doit pas y avoir bien longtemps, j'ai tout lieu de le croire, jeune homme !

– Sûrement pas, coupa Péleg, et il n'a pas dû l'être proprement non plus ; sinon ça l'aurait un peu lavé, ce bleu du diable qu'il arbore sur sa face !

– Allons, reprit Bildad, il faut le dire à présent : est-ce que ce Philistin est réellement un membre de la congrégation du diacre Deutéronome ? Je ne l'y ai jamais aperçu, et j'y vais pourtant passer chaque jour du Seigneur.

– Je ne sais rien du tout du diacre Deutéronome et de ses réunions, dis-je. Tout ce que je sais, c'est que le Quiequeg que voilà est membre-né de l'Église de la Première Congrégation. Il est diacre lui-même, Quiequeg.

– Jeune homme, articula sévèrement Bildad, vous êtes en train de vous moquer de moi. Holà vous ! le jeune Hittite, qu'on s'explique donc tout seul : de quelle Église est-ce qu'il veut parler ? Allons, qu'on me réponde !

Me voyant acculé de la sorte, je pris la parole pour répliquer :

– Je veux parler, monsieur, de cette même et unique Église catholique ancienne, à laquelle vous et moi, et le capitaine Péleg que voici, et Quiequeg que voilà, tous nous appartenons, de même que chacun des fils de chacune des mères et toutes les âmes de tous les vivants lui appartiennent ; l'éternelle et grandiose Congrégation Première du monde entier qui vénère et adore, à laquelle tous nous nous rattachons. Il y a seulement que certains d'entre nous chérissent et élisent certaines bizarreries maniaques, mais cela ne touche en rien la majestueuse grandeur de la foi. C'est en elle que toutes les mains, c'est en elle que les mains de tous sont jointes.

– Épissées ! Les mains de tous sont *épissées*, vous voulez dire ! s'exclama Péleg qui vint tout près de moi. Mon jeune ami, reprit-il, tu serais mieux à ta place en embarquant comme missionnaire que comme homme du gaillard d'avant ; jamais je n'ai entendu si excellent sermon, oui-da ! Même le diacre Deutéronome, que dis-je ! le père Mapple en personne ne fait pas aussi bien, et pourtant c'est quelqu'un !... Allons, qu'il vienne sans se soucier des papiers. Eh ! arrive à bord !... Dites-lui d'arriver à bord, à ce Quohog – c'est bien

comme ça qu'il s'appelle ? – Dites à Quohog qu'il monte à bord !
– Par la grand-ancre de bossoir ! quel harpon il possède ! Sacré
outil que voilà, et qui m'a l'air de fameuse trempe ! Et c'est qu'il
ne le tient pas mal, on dirait. Dis donc, Quohog ou je ne sais quoi
d'autre ! dis donc, as-tu jamais piqué du gros ?

A sa manière personnelle de sauvage, Quiequeg, sans dire un
mot, sauta sur le bastingage et de là à la proue d'une des baleinières hissées à poste sur les bossoirs ; une fois là, ployant le genou
gauche et le serrant de sa main tendue, il équilibra son harpon
dans sa droite et cria quelque chose comme :

– Captèn, vous voir petite tache goudron sur l'eau là ? Vous lui
voir ? Bon ; suppose lui un œil baleine, oui, alors !…

Alors, visant son but, il expédia violemment son fer juste au-
dessus du large chapeau de Bildad, droit par le travers du pont, en
plein au cœur de la petite tache flottante, là-bas, qui disparut.

– Là, commenta paisiblement Quiequeg, en halant sa ligne à
lui, vous supposé lui un œil baleine, bien ! cette baleine lui mort.

– Vite Bildad, vite, cria Péleg à son compère qui, effaré par le
passage vrombissant du dard si proche, avait fait retraite sur
l'échelle de cabine. Bildad ! tout de suite je te dis, les papiers du
bord ! Il faut que nous ayons Piquehog – Quohog je veux dire –, il
faut que nous l'ayons à bord pour l'une de nos équipes. Écoute,
toi, Quohog, nous te donnons la 19e mise, et c'est plus que ce qu'on
n'a jamais donné à un harponneur ici à Nantucket.

Nous descendîmes donc tous dans la cabine et, pour ma plus
grande joie, Quiequeg fut promptement mis au rôle du même vaisseau, dans la même bordée que moi.

Lorsque tous les enregistrements furent dûment faits et que
Péleg eut préparé les papiers pour la signature, il se tourna vers
moi pour dire :

– Ton Quohog, là, il ne sait pas écrire, j'imagine, hé ? Toi
Quohog, sang de tonnerre ! est-ce que tu signes ton nom ou bien tu
fais ta marque ?

A cette question, Quiequeg qui avait deux ou trois fois déjà pris
part à de semblables cérémonies, ne marqua nul embarras ; prenant la plume qu'on lui tendait, il copia sur le papier, exactement
à l'endroit voulu, une parfaite réplique d'un étrange dessin circu-

laire qu'il portait tatoué sur son bras. Ce qui fit que, par suite de l'erreur de nom à laquelle s'obstinait le capitaine Péleg, le registre porta quelque chose comme :

QUOHOG

SA   MARQUE

Pendant ce temps, le capitaine Bildad était assis, immobile et grave, le regard fixé sur Quiequeg ; il finit par se lever solennellement, tout en fouillant dans une des poches profondes de son rude manteau de drap brunâtre, d'où il sortit une poignée de brochures ; il en choisit une qui avait pour titre : « Voici que vient le Dernier Jour ou Pas de Temps à perdre », la déposa entre les mains de Quiequeg qu'il enveloppa des deux siennes, et, le regardant profondément dans les yeux, il lui dit gravement :

– Fils des Ténèbres ! j'ai mon devoir à remplir auprès de toi ; je suis copropriétaire de ce navire, et comme tel je me sens responsable des âmes de tout l'équipage. Si tu chemines toujours par des voies païennes – ce que je crains, hélas ! – je t'en conjure alors, ah ! ne reste pas l'esclave et serviteur de Bélial ; rejette l'idole de Baal et le hideux dragon ; prends garde à la colère qui arrive ! Prends garde à toi, je te dis ! Oh ! sainte Bonté divine ! Croche le gouvernail ! écarte-toi du feu de l'enfer !

Le langage de Bildad était un curieux langage où une tenace saveur de sel et de goudron se trouvait bizarrement mêlée au ton scripturaire et au langage familier.

– Au large, Bildad ! Au large ! cria Péleg. Ne viens pas nous gâter notre harponneur ! La piété, ça ne leur vaut rien : ça leur retire ce qu'ils ont de « requin ». Et un harponneur est une chiffe, une poignée d'étoupe, quand il n'est pas gentiment requin. Souviens-toi du jeune Nat Swaine, qui fut jadis l'homme de proue le plus courageux de tous les équipages de baleinières connus à Nantucket et à Vineyard ; une fois qu'il s'est mis de la congrégation, il ne valait plus rien. Il s'était mis à avoir tellement peur pour sa sacrée âme, qu'il n'osait plus approcher des baleines, dans la terreur qu'un coup de queue ne l'envoyât en l'air et de là tout droit chez le père Méphisto.

– Péleg ! Péleg ! protesta Bildad, les yeux et les mains levés au ciel, Péleg ! tu as toi-même connu et bien connu, comme moi, le temps périlleux. Tu sais ce que c'est que d'avoir peur de la mort, Péleg. Comment peux-tu alors proférer de vaines paroles aussi impies ? Tu fais mentir ton propre cœur, Péleg. Dis-le-moi, quand le *Péquod* que voici a vu ses trois mâts voler par-dessus bord dans ce typhon au large du Japon – quand tu as pris le capitaine Achab comme second, justement – n'as-tu point alors pensé à la Mort et au Jugement ?

– Écoutez-le ! écoutez-le donc ! s'exclama Péleg marchant de long en large dans la cabine, les poings fortement enfoncés dans ses poches. Mais écoutez-le donc, vous tous ! Imaginez un peu ! Alors qu'à chaque instant on croyait que le navire allait sombrer ! La Mort et le Jugement dernier, tu parles ! Avec les trois mâts qui faisaient un bruit de tonnerre contre la membrure, et chaque lame de l'océan qui nous roulait dessus de proue en poupe ! Pensé à la Mort et au Jugement alors ? Non. On n'avait pas le temps d'y penser, à la mort. C'est à la vie que nous pensions, Achab et moi ; à la vie, et comment sauver l'équipage, comment gréer des mâts de fortune, comment gagner le port le plus proche. Voilà à quoi nous pensions alors !

Bildad ne souffla plus un mot mais boutonna son manteau et gagna le pont. Nous suivîmes. Il était là, surveillant placidement des voiliers au travail sur un hunier au passavant ; et de temps à autre il se baissait, recueillant ici ou là un placard de toile ou un bout de filin goudronné qui eussent peut-être été perdus sans cela.

XIX

LE PROPHÈTE

– Ohé matelots ! vous avez embarqué à ce bord ?

Nous n'étions guère éloignés du *Péquod*, Quiequeg et moi, nous en allant tous deux plongés dans nos pensées, quand ces mots nous furent lancés par un inconnu arrêté devant nous, qui pointait un massif index en direction du navire. Il était fagoté d'une jaquette délavée et d'un pantalon rapiécé. Un torchon, plutôt qu'un mouchoir noir était serré sur son cou. La grêle de la petite vérole avait fait tempête sur son visage raviné en tous sens, semblable au lit travaillé par les eaux violentes d'un torrent, lorsqu'on le voit à sec.

– Vous avez embarqué là ? demanda-t-il de nouveau.

– C'est du *Péquod* que vous voulez parler, je suppose ? demandai-je pour prendre le temps de bien l'examiner encore.

– Dame oui, le *Péquod*, celui-là ! dit-il en ramenant son bras pour le lancer en avant avec violence, le doigt tendu comme une baïonnette à l'assaut.

– Oui, nous venons juste de signer les papiers, répondis-je.

– N'y avez rien vu au sujet de votre âme ?

– De quoi ?

– Oh ! ça se peut que vous n'en ayez point, dit-il avec précipitation. Pas d'importance en tout cas ; j'ai connu des types qui n'en avaient absolument pas – bonne chance à eux ! Ils ne s'en trouvaient que mieux. L'âme, c'est comme qui dirait la cinquième roue du char.

– Qu'est-ce que c'est que tout ce charabia, camarade ? demandai-je.

– *Lui*, il en tient assez, en tout cas, pour rattraper tout ce qui peut manquer chez ces autres types comme j'ai dit ! laissa tomber abruptement l'inconnu en appuyant d'un ton emphatique et nerveux sur le *Lui*.

– Allons Quiequeg, allons-nous-en, lui dis-je, le type que voilà a dû s'échapper de quelque part : il parle de quelqu'un et de quelque chose que nous ne connaissons pas.

– Stop ! s'écria l'inconnu. Tout juste comme vous dites : vous ne le connaissez pas, Vieux-Tonnerre, vous ne l'avez pas encore vu, s' pas ?

– Vieux-Tonnerre, qui est-ce ? lui demandai-je, immobilisé par l'accent de gravité démentielle qu'il y avait mis.

– Le capitaine Achab.

– Comment ! Le capitaine du *Péquod*, notre navire ?

– Bé dame ! c'est un nom qu'il a comme ça chez nous autres, vieux maturins. Vous ne l'avez pas encore vu à l'heure qu'il est, pas vrai ?

– Non, nous ne l'avons pas vu. On dit qu'il est souffrant mais qu'il va mieux, et qu'il sera tout à fait bien sous peu.

– Tout à fait bien sous peu ! ricana l'inconnu avec une sorte de rire plein de mépris et cependant solennel. Quand le capitaine Achab sera tout à fait bien, écoutez voir ! c'est quand ce bras que j'ai là ira tout à fait bien aussi. Pas avant.

– Qu'est-ce que vous savez à son sujet ?

– Qu'est-ce qu'ils vous ont dit, eux, à son sujet ? Dites-moi voir !

– Pas grand-chose ; je ne sais pas grand-chose : seulement j'ai entendu dire qu'il était un fameux chasseur de baleines, et un bon capitaine pour ses hommes.

– Ça c'est vrai, c'est bien vrai, les deux choses, oui. Mais vous faut sauter quand il donne un ordre. Marche et grogne ; grogne et marche, voilà la devise avec le capitaine Achab. Mais vous est-il rien revenu de ce qui lui est arrivé au large du cap Horn, il y a longtemps, quand c'est qu'il est resté étendu comme mort pendant trois jours et trois nuits ? et rien de cette empoignade à mort avec l'Espagnol, sur le devant de l'autel, à Santa ?... Vous n'avez pas entendu parler de ça, hé ? Et de la calebasse d'argent où il a craché, rien du tout, s' pas ? Et de la jambe qu'il a perdue à la dernière croisière, en accomplissement de la prophétie ? Avez-vous seulement entendu un mot de tout ça et de quelque autre chose encore, hé ? Non, bien sûr ! Comment l'auriez-vous pu ? Qui en sait quelque chose ? Pas un dans tout Nantucket, j'ai idée… Mais de la jambe, oui, ça pourrait bien se trouver que vous en ayez entendu parler, des fois, et de la façon qu'il l'a perdue. Bien sûr que vous en avez entendu parler, je dirais. Ça, c'est tout le monde qui le sait, ou presque ; je veux dire : qu'il n'a plus qu'une jambe et que l'autre, c'est un « permaceti » qui lui a arrachée.

– Qu'est-ce que c'est donc que tout ce baragouin, ami ? Je n'y comprends rien, lui dis-je, et d'ailleurs je ne m'en soucie guère, parce qu'on dirait bien que la tête est un petit peu fêlée… Mais si tout ça se rapporte au capitaine Achab, du *Péquod*, le navire que voilà, alors laissez-moi vous apprendre que je sais tout au sujet de sa jambe perdue.

– *Tout*, que vous dites ? Tout ? En êtes-vous bien sûr ?

– Passablement certain.

Le doigt toujours pointé et le regard fixe sur le *Péquod*, cet inconnu à mine de mendiant resta un moment comme perdu dans une lourde songerie douloureuse ; puis avec un léger sursaut, il se retourna et dit :

– Vous êtes de l'équipage ce coup-ci, n'est-ce pas ? Les noms sur le papier et tout ? Bon, bon ! ce qui est signé est signé ; et ce qui doit arriver arrive ! Et puis quoi, peut-être que ça n'arrivera pas, après tout. N'importe comment, tout est d'ores et déjà arrangé et fixé ; et il faut bien que tel marin ou tel autre aille avec lui, je suppose ! Autant ceux-ci que n'importe quels autres. Et Dieu les garde en sa miséricorde ! Bonjour, camarades, bonjour ! Le ciel tout ineffable vous bénisse. M'excuse de vous avoir retenus.

– Eh ! l'ami, l'arrêtai-je : si vous avez quelque chose d'important à nous faire savoir, alors crachez-le une bonne fois ; mais si vous êtes seulement en train d'essayer de nous mener en bateau, alors vous avez perdu votre temps. C'est tout ce que j'avais à vous dire.

– Et fort bien, que c'est dit ; moi, j'aime entendre un gars parler comme ça. C'est juste des types comme ça qu'il lui faut, des gars comme vous… Bonjour, camarades ! Ah ! quand vous y serez, il faudra leur dire que j'ai décidé de ne pas être des leurs.

– Allons, allons, vieux frère !… Impossible de nous faire marcher de cette façon. Impossible ; on ne marche pas. C'est la chose
la plus facile du monde pour un homme de se donner l'air de posséder un grand secret

– Je vous salue, camarades. Bonjour !

– Jour il fait, en effet, répliquai-je. Allons-y ! Quiequeg, plan-
tons là ce vieux radoteur. Ah ! un instant : apprenez-moi votre
nom, voulez-vous ?

– Élie.

Élie ? me dis-je. Soit ! Et nous reprîmes notre marche, commen-
tant chacun à notre propre manière l'intervention de ce vieux loup
de mer dépenaillé, pour tomber bientôt tous les deux d'accord sur le
fait qu'il n'était qu'un égaré qui voulait jouer les épouvantails. Mais
nous n'avions pas même fait cent mètres encore que je profitai d'un
tournant de rue pour jeter un regard en arrière ; et que vis-je, sinon
Élie qui nous suivait à distance ? Si peu que ce fût, la vue de cet
homme sur nos pas me troubla cependant assez pour que je n'en
souffle mot à Quiequeg, continuant d'avancer avec lui, très curieux
de savoir si l'inconnu s'engagerait aussi dans la rue que nous avions
prise. Il le fit. J'eus l'impression alors qu'il nous filait ; mais dans
quelle intention ? c'était ce que je ne pouvais absolument pas comprendre ou imaginer. Mais cette constatation venant s'ajouter à ses
façons ambiguës, à ce langage voilé, mi-révélateur, mi-caché, dont
il usait – oui toutes ces étrangetés agitaient en moi un monde fantastique de pressentiments vagues et de magies indécises qui gravi-
taient autour du *Péquod*, du capitaine Achab, de cette jambe qu'il
avait perdue ; et l'accès qu'il avait eu au cap Horn, et la calebasse
d'argent, et ce que m'avait dit de lui le capitaine Péleg la veille,
avant que je quitte le bord ; et la prédiction de Tistig la squaw ; la
campagne pour laquelle nous allions lever l'ancre… mille choses
flottantes, chimériques et ténébreuses.

J'étais décidé à savoir si, oui ou non, notre Élie dépenaillé
nous filait. J'entraînai Quiequeg de l'autre côté de la rue, et là,
nous revînmes sur nos pas. Élie passa son chemin tout droit, nous
croisant sans paraître même nous avoir remarqués. J'en fus comme
soulagé ; et pour la deuxième et dernière fois à ce qu'il me semblait,
je prononçai dans mon cœur que ce n'était qu'un égaré et un farceur.

XX

GRAND REMUE-MÉNAGE

Un jour ou deux passèrent, pendant lesquels la plus grande activité régna à bord du *Péquod*. Non seulement on y réparait les vieilles voiles, mais de nouvelles toiles étaient amenées à bord, et des laizes, et des glènes de cordage; bref, tout annonçait que les préparatifs étaient poussés en hâte et touchaient à leur terme. Le capitaine Péleg ne mettait pour ainsi dire plus le pied à terre, restant assis dans son wigwam à surveiller les hommes au travail; c'était Bildad qui se chargeait des achats dans les boutiques et de l'approvisionnement. A bord, calfats, arrimeurs et gréeurs travaillaient jusque très avant dans la nuit.

Le lendemain du jour où Quiequeg avait signé sur le rôle, l'ordre fut passé dans toutes les auberges où logeaient des membres de l'équipage que les coffres fussent amenés à bord avant la nuit, car le navire allait mettre à la voile d'un moment à l'autre sans qu'on pût préciser ni prévoir l'instant. Nous y portâmes donc nos affaires; mais nous résolûmes, Quiequeg et moi, de coucher à terre jusqu'au dernier appel. En effet, ils avertissent toujours longtemps à l'avance en pareille occurrence, et le navire n'appareille guère que plusieurs jours plus tard. Rien d'étonnant à cela : il y avait encore tant de choses à faire et un nombre si incalculable d'objets à monter à bord, avant que le *Péquod* fût pleinement armé !

Nul n'ignore quelle quantité de choses : lits, saucières, fourchettes et couteaux, pelles à feu, pincettes, napperons, casse-noix, etc., composent l'indispensable outillage du ménage dans une maison. Pour une campagne de baleinier, il en va tout semblablement,

puisque c'est son ménage pendant trois années qu'il faut entretenir sur les immensités océanes, loin de tous épiciers, marchands
de quatre-saisons, docteurs, boulangers et banquiers. Certes, la
chose est vraie aussi pour les long-courriers, mais il s'en faut de
beaucoup qu'elle atteigne chez eux les proportions qu'elle prend
sur un baleinier. C'est qu'en dehors de la durée déjà beaucoup
plus longue des campagnes, il y a en sus à le fournir de tout l'attirail spécial nécessité par la pêche, un nombre considérable
d'articles divers qu'il est impossible de se procurer dans les ports
perdus où l'on relâche ; qu'on ne pourra par conséquent pas remplacer, quand, il ne faut pas oublier, le baleinier est de tous les
navires, celui qui est le plus exposé aux pertes et accidents de
toutes sortes, tout particulièrement à la perte et à la destruction
des choses mêmes dont dépend le succès de sa campagne. D'où
tous ces ustensiles de rechange qui y sont indispensables : baleinières de rechange, espars de rechange, lignes de rechange, harpons de rechange, bref, tout y est en double ou en triple à
l'exception d'un capitaine de rechange et d'un double du navire
lui-même.

Au moment de notre arrivée sur l'île, le plus lourd et le plus gros
de l'emmagasinement à bord était déjà chose faite sur le *Péquod*,
y compris le bœuf, le pain, l'eau, le combustible de chauffage et
d'éclairage, les ferrures diverses, les cercles et les douves des barils.
Mais, comme je l'ai dit, un incessant va-et-vient amenait encore à
bord la foule hétéroclite de tous les objets de complément, petits et
grands.

Au nombre des fournisseurs les plus actifs dans ces incessantes
allées et venues, il fallait compter en tout premier lieu la propre
sœur du capitaine Bildad, une maigre vieille et sèche personne du
caractère le plus infatigable et le plus décidé, douée au surplus
d'un cœur immense qui avait résolu que, *si elle le pouvait*, rien ne
manquerait à bord du *Péquod* quand il chevaucherait finalement la
mer. Vous la voyiez monter à bord, tantôt avec une jarre de pickles
pour la réserve du steward, tantôt avec une brassée de plumes d'oie
pour le bureau du capitaine en second, tantôt encore avec un plein
rouleau de bonne flanelle pour le soulagement des rhumatismes
futurs. Jamais il n'y eut femme au monde qui méritât si bien son

nom : car elle s'appelait Charité ; tante Charité comme on disait. Et telle une vraie sœur de charité, cette charitable tante Charité s'affairait de tous côtés, portant la main ici et là et se donnant de tout son cœur à chaque objet qui promettait d'apporter quelque confort, quelque sécurité, quelque consolation à chacun et à tous, sur ce navire qui portait les intérêts de son cher frère Bildad, et sur lequel elle avait elle-même placé une vingtaine de dollars ou deux, bien et dûment économisés. Mais la voir arriver, cette digne et bonne quakeresse, comme ce fut le cas le dernier jour, brandissant d'une main une interminable poche à huile de fondoir, et de l'autre une lance à baleine plus longue encore, c'était tout de même un spectacle surprenant !

Mais Bildad lui-même, et le capitaine Péleg aussi bien, ne restaient nullement à la traîne. Bildad ne lâchait plus la longue liste des articles indispensables qu'il avait en main et à chaque nouvelle arrivée, il les pointait un à un. Quant à Péleg, il surgissait par intervalles de son antre en fanons de baleine, rugissant par les écoutilles sur les hommes en bas, rugissant vers le haut à l'adresse des gréeurs suspendus à la pointe du mât, rugissant toujours quand il revenait enfin sous l'abri du wigwam.

Nous vînmes souvent à bord, Quiequeg et moi, pendant ces journées de préparatifs ; et à chaque occasion je demandais des nouvelles du capitaine Achab, tâchant d'apprendre quand il rallierait le bord de son navire. L'invariable réponse que j'obtenais était qu'il allait de mieux en mieux et qu'on l'attendait d'un moment à l'autre ; les deux capitaines Péleg et Bildad, pendant ce temps, pouvaient s'employer eux-mêmes à l'armement complet du navire et suffire à tous les besoins. Si j'avais été tout à fait franc et honnête vis-à-vis de moi-même, j'eusse reconnu que du fond du cœur j'étais moins qu'à moitié satisfait, et qu'il était fort peu de mon goût de me voir embarqué de cette façon pour une longue campagne sans avoir pu jeter même un coup d'œil sur le personnage qui allait régner en dictateur absolu sur le navire dès que nous aurions pris la mer. Mais lorsque quelqu'un a soupçon qu'il y a quelque chose qui ne va pas, il arrive, souvent, parce qu'il se sait déjà embarqué dans la chose, qu'il cherche inconsciemment à se dissimuler à soi-même ses propres inquiétudes et ses soupçons. Il y avait beaucoup de cela dans mon cas. Je ne dis rien, ne fis rien, et surtout m'efforçai de ne penser rien.

La nouvelle enfin fut donnée que le navire, à un moment quelconque de la journée, lèverait sûrement l'ancre le lendemain. Aussi prîmes-nous un vraiment prompt départ, Quiequeg et moi, le lendemain au petit jour.

XXI

ON RALLIE LE BORD

Il n'était pas loin de six heures quand nous arrivâmes à l'appontement ; mais le jour brumeux n'était qu'à demi levé.

– Si je ne me trompe, voilà quelques marins qui courent devant nous, dis-je à Quiequeg ; ce ne sont sûrement pas des ombres. On va lever l'ancre avec le soleil, je suppose ; pressons-nous.

– Holà ! ho ! nous héla une voix dont le possesseur s'avança en même temps, nous posa la main sur l'épaule et se glissa entre nous deux, s'arrêtant un moment à nous dévisager bizarrement l'un et l'autre dans l'incertaine lumière.

C'était Élie.

– On rallie le bord ? demanda-t-il.

– Bas les pattes, voulez-vous ! lui dis-je.

– Écouter toi ! clama Quiequeg en s'ébrouant. Toi partir !

– Vous ne ralliez pas le bord, alors ?

– Si fait ! mais en quoi est-ce que cela vous regarde ? Savez-vous, monsieur Élie, que je vous trouve plutôt impertinent ?

– Non, non, non, je n'avais pas soupçon de ça, dit Élie en nous considérant lentement, Quiequeg et moi, avec un long regard étrange et comme empli de stupéfaction.

– Élie, dis-je, vous nous obligeriez fort, mon ami et moi, en vous retirant. Nous partons pour la mer des Indes et le Pacifique, et nous n'aimerions pas être en retard.

– Vous oui… oui vous ? Et retour après le breakfast ? prononça le bonhomme.

– Viens, Quiequeg, allons-y. Ce bonhomme est tapé.

Il resta sur place; mais nous n'avions pas fait trois pas qu'il nous hélait de nouveau :

– Ohé ho !

– Laisse, Quiequeg. Allons !

Il revint pourtant jusqu'à notre hauteur et, m'agrippant à l'épaule, me dit :

– Est-ce que vous n'avez pas vu quelque chose comme des hommes qui allaient vers le navire, il y a un instant ?

Cette question sensée et la vérité du fait me frappèrent; je répondis :

– Oui, il me semble avoir vu quatre ou cinq hommes; mais il ne faisait pas assez clair pour être sûr.

– Très sombre, oui, très sombre, dit Élie. Bonjour à vous !

Une fois de plus nous le quittâmes, mais une fois de plus il se glissa sans bruit sur nos pas et me toucha l'épaule, disant :

– Essayez voir de les trouver à présent, voulez-vous ?

– Trouver qui ?

– Salut, bonjour ! Salut, bonjour ! répondit-il en s'écartant. Oh ! j'allais vous mettre en garde contre... mais ça ne fait, ça ne fait rien... c'est tout un; tout de la même famille, quoi. Le froid pique, ce matin, trouvez pas ? Adieu à vous ! On ne se reverra pas de sitôt, j'ai idée, à moins que ce ne soit pour le Jugement dernier.

Et sur ces mots déments, il nous quitta pour tout de bon, me laissant sur le moment interloqué par son impudence de fou maniaque, et pas mal troublé.

Quand enfin nous mîmes le pied sur le pont du *Péquod*, nous trouvâmes tout à bord dans le plus profond silence, la plus complète immobilité; pas une âme en vue. La descente de cabine était fermée du dedans, les panneaux des écoutilles en place, tout chargés de glènes de cordages. Nous nous rendîmes sur le gaillard d'avant où nous trouvâmes ouverte la glissière du panneau de descente. Il y avait de la lumière en bas. Nous y fûmes, pour n'y trouver qu'un vieux gréeur endormi, enveloppé dans un vieux caban vert et en loques. Il était étendu, installé sur deux coffres, de tout son long couché sur le ventre, le visage enfoui dans ses bras repliés. Et il dormait sous les épaisseurs d'un sommeil très profond.

– Ces matelots que nous avions vus, Quiequeg, où ont-ils donc bien pu passer ? demandai-je en posant un regard interrogateur et incertain sur le dormeur.

Mais il se fit évident que Quiequeg, lorsque nous étions sur le quai, n'avait absolument rien vu de ce que je disais ; et j'eusse moi-même conclu à une illusion s'il n'y avait pas eu la question, autrement inexplicable, du vieil Élie. Je cessai néanmoins de me préoccuper de la chose et, considérant la gisante position du dormeur, je dis à Quiequeg, par manière de plaisanterie, que nous n'avions plus qu'à prendre nos dispositions pour veiller le corps de ce type. Il plaqua la main sur le postérieur de l'endormi, comme pour tâter si le siège était moelleux à souhait, puis, sans autres façons, il s'assit tranquillement dessus.

– Miséricorde, Quiequeg ! ne t'assieds pas là-dessus !

– Oh ! joli bon asseoir, dit Quiequeg, à la mode mon pays ; moi pas lui faire mal à figure.

– Tu appelles ça une figure ! m'exclamai-je en riant ; eh ! elle a une expression qui ne manque pas de bienveillance, alors ! Mais écoute un peu comme il suffoque ; regarde, il essaye de se dégager. Ôte-toi de là, Quiequeg, tu es lourd : tu le piles, le pauvre ! Tire-toi de là, Quiequeg ! Là, tu vois, il va te flanquer par terre sans tarder. C'est merveille qu'il ne soit pas réveillé encore.

Quiequeg se leva ; et debout juste contre la tête du dormeur, il alluma sa pipe-tomahawk. Je m'étais, moi, assis à ses pieds. Et nous voilà, nous passant tour à tour la pipe par-dessus le corps. Tout en fumant, je le questionnai ; et dans son langage particulier, il me fit comprendre que dans son pays, vu l'absence de fauteuils et de sofas de tous genres, le roi et les grands chefs, comme aussi les autres éminences, ont coutume d'engraisser quelques-uns de leurs inférieurs en guise d'ottomanes. Il m'expliqua que pour meubler confortablement une maison de cette manière, il suffisait d'acheter huit ou dix paresseux gaillards, et de les étaler dans les coins et alcôves. En outre, c'est très commode en promenade ou en excursion – bien plus pratique que nos sièges de jardin qui se transforment en cannes – car à l'appel du maître et sur-le-champ, le serviteur se transforme en canapé, pour peu que celui-là désire se reposer à l'ombre d'un grand arbre, même si, d'aventure, le sol y est marécageux ou humide.

Tandis qu'il me racontait ces choses, et à chaque fois qu'il recevait la pipe de mes mains, Quiequeg en faisait des moulinets, côté
hache, sur la tête du dormeur.

– Pourquoi cela, Quiequeg ?

– Joli facile tuer lui, me dit-il, oh ! joli facile !

Sur quoi il enchaîna avec quelques sauvages souvenirs se rapportant à sa pipe-tomahawk, laquelle possédait, semblait-il, la
double vertu d'occire ses ennemis et de pacifier son âme. Mais
voilà que le vieux gréeur dans son sommeil mobilisa alors notre
attention. L'épaisse fumée qui emplissait l'espace bas et réduit
commençait à l'incommoder. Il soufflait avec une rauque pesanteur, puis il eut quelques reniflements sonores ; il se tourna et se
retourna deux ou trois fois, et pour finir s'assit en se frottant les
yeux vigoureusement.

– Hé ho ! grogna-t-il en se réveillant tout à fait. Qui êtes-vous,
les fumeurs ?

– Marins du bord, répondis-je. Quand doit-on lever l'ancre ?

– C'est ça, c'est ça ! Vous prenez la mer à bord, hein ? On largue
les amarres aujourd'hui. Le capitaine a rallié le bord hier soir.

– Quel capitaine ? Achab ?

– Et qui ce serait-y d'autre ?

J'allais lui poser tout un tas de questions sur Achab, lorsque
nous entendîmes du bruit sur le pont.

– Holà ! Starbuck qui bouge, dit le vieux gréeur. C'est un ardent
second, ça : un chic type et bien pieux. Mais faut se remuer à présent : il y a de l'ouvrage pour moi.

Et avec ces mots, le vieux se levait et montait sur le pont où nous
le suivîmes. Le jour était maintenant levé, avec un clair soleil
d'hiver. Par petits groupes de deux ou de trois, les hommes d'équipage arrivaient ; les gréeurs s'activaient ; les maîtres et les officiers
s'agitaient fébrilement, et des gens de terre s'empressaient d'apporter à bord les toutes dernières choses nécessaires. Mais le capitaine
Achab restait invisible, cadenassé dans sa cabine.

XXII

JOYEUX NOËL !

A la fin, quand tous les gréeurs eurent été renvoyés à terre, quand le *Péquod* eut été halé à distance de l'appontement, quand une dernière fois, la toujours attentive tante Charité eut rejoint le bord en baleinière, porteuse d'une Bible de rechange à remettre au steward et d'un bonnet de nuit pour Stubb, le maître de quart en second, son beau-frère, quand tout cela fut fait, les deux capitaines Péleg et Bildad sortirent de la cabine et Péleg, s'adressant au second, lui dit :

– A présent, monsieur Starbuck, êtes-vous sûr que tout est paré ? Le capitaine Achab, que je viens de voir, est prêt. Il n'y a besoin de plus rien de terre, non ? Alors appelez-moi les hommes sur l'arrière. Qu'ils se rassemblent sur l'arrière, et vite, par le diable maudit !

– Pas besoin de blasphémer, Péleg, si grande soit l'urgence, prononça Bildad. Mais allons-y, l'ami Starbuck, que nos ordres soient exécutés.

Quoi ! au moment même de lever l'ancre pour la croisière elle-même, c'étaient encore le capitaine Bildad et le capitaine Péleg qui avaient la haute main au commandement, tout comme s'ils allaient être en mer commandants adjoints, de même qu'ils l'avaient été au mouillage ! Et du capitaine Achab, pas le moindre signe d'existence, sinon qu'ils venaient de dire qu'il était dans sa cabine ! Mais alors, c'était à croire qu'on n'avait pas le moins du monde besoin de sa présence pour que le navire fît sa route, non plus ici qu'en pleine mer !… Il est vrai, pourtant, que ce n'était pas autant son affaire que celle du pilote, pour le moment; et s'il n'était pas complètement rétabli, comme ils disaient, alors Achab pouvait rester en bas dans sa cabine. C'était assez naturel, en somme, d'autant plus que c'est l'usage chez nombre de capitaines au long cours de ne pas apparaître avant un bon moment sur le pont, tout occupés qu'ils sont, en bas, dans la cabine, à faire leurs adieux aux amis autour de la table, avant de les rembarquer avec le pilote dans la chaloupe qui les ramènera à terre.

Quoi qu'il en fût, le loisir nous manqua pour y réfléchir car le capitaine Péleg en mettait un coup. C'était lui, plutôt que Bildad, qui semblait assumer les responsabilités orales du commandement.

– Sur l'arrière ! bande de bâtards ! hurlait-il aux hommes qui s'attardaient autour du grand mât. Monsieur Starbuck, envoyez-les-moi sur l'arrière !

– Enlevez-moi cette tente ! fut l'ordre qui suivit.

Comme je l'avais pensé, la cahute en fanons de baleine était bien un échafaudage de mouillage ; et depuis trente ans, à bord du *Péquod*, l'ordre d'enlever la tente était bien connu comme étant le dernier avant de lever l'ancre.

– Pare à virer au cabestan ! Sang de tonnerre et que ça saute ! fut l'ordre qui vint en effet – et les hommes bondirent aux barres de cabestan.

La place où se tient le pilote, en général, au moment de la sortie du port, est tout à l'avant, à la proue. Et c'était là que se tenait Bildad qui (il faut le savoir) était aussi un des pilotes licenciés du port. On le soupçonnait d'avoir pris ce brevet uniquement pour économiser les frais de pilotage de Nantucket sur les vaisseaux où il avait des intérêts, car il n'en pilotait jamais d'autre. Donc, Bildad, comme j'ai dit, était penché sur le bossoir, guettant attentivement l'apparition de l'ancre et psalmodiant de temps à autre quelque bout d'un lugubre verset pour encourager les hommes qui, eux, faisaient effort sur le guindeau en hurlant de grand cœur une ritournelle où il était question des belles donzelles de « Booble Alley ». Il est vrai que nous avions été sévèrement avertis par le même Bildad, moins de trois jours auparavant, que les chansons impies ne seraient pas tolérées à bord du *Péquod*, surtout en quittant le port; et il est vrai aussi que Charité, la sœur du capitaine, avait approvisionné l'équipage en pieuses rimes, ayant déposé sur le cadre de chaque matelot un opuscule des *Œuvres choisies* de Watt.

A l'autre bout du vaisseau, pendant ce temps, le capitaine Péleg assurait le commandement en jurant et sacrant sur le gaillard d'arrière de la plus horrible façon. Il blasphémait si terriblement que je me suis mis à penser qu'il allait nous faire sombrer avant même que l'ancre fût levée; et, me mettant à songer tout à coup aux périls que nous allions courir en commençant la croisière avec un semblable pilote du diable, je m'arrêtai sur ma barre de cabestan en conseillant à Quiequeg d'en faire autant. Pourtant, songeant que peut-être le pieux Bildad (malgré sa 777ᵉ mise) nous vaudrait peut-être le salut, je me sentais revenir une certaine confiance quand je ressentis un violent choc sur le derrière et, me retournant, aperçus avec effroi le capitaine Péleg en train d'exécuter le retrait du pied qu'il avait au bout de sa jambe hors de mon plus immédiat voisinage. Ce fut mon premier coup de botte.

– C'est comme ça qu'ils s'y prennent dans la marine marchande? hurlait-il. Crève-toi un peu, tête de veau! Casse-toi les reins! Et vous tous, là, qu'est-ce que vous avez dans les os? Allons! Crevez-vous, bande de crevés! Eh! Quohog! hardi, diable! Et toi, l'homme aux bacchantes rouges! et toi, le gars au béret écossais, du nerf! Et toi, le pantalon vert, du nerf et que ça saute, je vous dis! Crevez-vous tous, entendez-vous! Crevez! faites-vous sauter les yeux hors de la tête!

Et tout en hurlant de la sorte, il tournait autour du cabestan, non sans recourir fréquemment et avec générosité à l'éloquence naturelle de son pied droit. Pendant ce temps, imperturbablement, Bildad continuait de chanter ses mornes litanies. Capitaine Péleg, pensai-je, vous avez dû boire un coup aujourd'hui.

L'ancre fut amenée enfin, les voiles établies; et nous voilà gagnant le large.

C'était un jour court et froid de Noël, et lorsqu'il s'effaça devant la prompte nuit, nous nous trouvâmes comme jetés en plein océan boréal, entourés de partout par l'écume gelée qui nous serrait comme dans une brillante et lisse armure. Les longs alignements de dents sur le bordage luisaient sous le clair de lune et, semblables aux défenses de quelque monstrueux éléphant, deux énormes glaçons s'avançaient en s'incurvant de part et d'autre de la guibre.

Le sec et maigre Bildad, en tant que pilote, était le maître du premier quart, et on pouvait l'entendre de temps à autre – tandis que le vieux vaisseau plongeait sa proue profondément dans les eaux vertes en faisant rejaillir partout de l'écume gelée, tandis que le vent donnait de la voix, faisant gémir les manœuvres –, on pouvait l'entendre qui chantait d'une voix soutenue :

> *Tout parés et drapés de vivante verdure,*
> *Par-delà le flot sombre et la houle levée,*
> *Nous attendent les champs et les douces pâtures.*
> *Ainsi de Chanaan la splendide vallée*
> *Était devant les Juifs, déjà les attendait*
> *Quand l'onde du Jourdain encor les séparait.*

Jamais douces paroles ne sont venues plus doucement résonner jusque dans mon oreille. Si pleines d'espérance et de chaudes moissons ! En dépit de cette glaciale nuit d'hiver au sein du tumultueux Atlantique ; en dépit de l'humidité froide où trempaient mes pieds ; en dépit du caban que j'avais plus mouillé encore : il m'apparaissait alors qu'il y avait pour moi plus d'un port délicieux en vue, et maintes clairières, maintes prairies si éternellement vernales, que le jeune gazon venu avec le printemps y verdoyait et resplendissait dans sa fraîcheur jusqu'au plein cœur de l'été.

Nous nous trouvâmes pour finir si bien au large, que les deux pilotes, dont on n'avait plus besoin, ne pouvaient guère rester à bord plus longtemps. Le solide sloop qui nous avait accompagnés prit un tour pour nous accoster.

Étonnante et sincèrement sympathique était l'émotion que montrèrent les deux capitaines en cette conjoncture, le capitaine Bildad en particulier. Car c'était à contrecœur, oui, vraiment bien à contre cœur qu'il se voyait sur le point maintenant de quitter, de laisser pour de bon le voilier en partance pour un long et si périlleux voyage en doublant les deux caps des Tempêtes ; ce vais-

seau sur lequel étaient investis quelques milliers de ses dollars si
chèrement acquis, si durement économisés ; un navire qui emportait comme capitaine un de ses vieux camarades de mer, un
homme presque aussi âgé que lui, qui repartait une fois de plus
affronter les périls et toutes les terreurs de la mâchoire du monstre
sans pitié. Oui, bien à contrecœur, il lui fallait faire à présent ses
adieux à quelque chose qui lui était si cher et de tant de manières,
pauvre Bildad ! Et le pauvre vieux Bildad traînait en longueur. Il
allait et venait sur le pont, anxieux et désolé jusque dans sa
manière de marcher ; puis il redescendit encore une fois à la cabine
pour un nouveau mot d'adieu ; il revint sur le pont, regardant dans
le vent, plongea immensément son regard dans l'immensité de la
mer infinie que ne devaient arrêter au loin, tout là-bas, que les
invisibles terres de l'orient ; il regarda vers la côte aussi, puis il
regarda en haut dans la mâture et dans le ciel ; il regarda de
gauche et de droite, partout et nulle part ; et finalement, après
avoir machinalement tourné une manœuvre sur son cabillot, il prit
et serra convulsivement la main de Péleg et, levant à hauteur de
visage un fanal, il resta un moment à le regarder héroïquement
bien en face, comme pour lui dire : « Tu vois, mon vieux Péleg,
malgré tout, je peux le supporter, oui je peux ! »

Quant à Péleg, il acceptait les choses avec plus de philosophie,
semblait-il, mais lorsque la lumière du fanal vint l'éclairer de tout
près, malgré toute sa philosophie, il n'en avait pas moins une
larme qui tremblait sur le bord de l'œil. Et lui aussi eut encore ceci
et cela à faire, vite un mot à dire en bas à la cabine, encore un mot
à Starbuck, le second. Mais à la fin il se tourna vers son vieux
camarade, après un dernier regard jeté autour de lui.

– Capitaine Bildad, dit-il, voilà, allons-y, vieux frère ! Il faut s'en
aller. Amenez la vergue pour masquer, là-haut ! En panne ! En
panne !… Ohé ! du sloop ! Paré pour accoster ? Attention ! Accostez !
Accostez !… Viens Bildad : ton dernier mot et on y va, mon garçon.
Bonne chance, Starbuck… Bonne chance, monsieur Stubb… Bonne
chance, monsieur Flask… Bonne chance à tous et au revoir… et
dans trois ans à cette heure, il y aura un bon dîner tout fumant pour
vous dans le vieux Nantucket. Adieu tous et hurrah !

– Dieu vous bénisse et vous ait en sa sainte garde, mes gaillards,

dit le vieux Bildad incohérent et presque incompréhensible.
J'espère que vous aurez beau temps à présent, afin que le capitaine
Achab soit bientôt parmi vous… un bel et bon soleil, c'est tout ce
dont il a besoin, et vous n'en manquerez pas sous les tropiques.
Soyez prudents dans vos attaques, vous les seconds. Et vous, les
harponneurs, ne détériorez pas les baleinières inutilement ! La
bonne planche de cèdre a augmenté de trois pour cent dans
l'année. N'oubliez pas vos prières non plus. Monsieur Starbuck,
veillez à ce que le tonnelier ne gaspille pas les douves de réserve.
Ah ! oui, les aiguilles des voiliers sont dans le coffre vert ! Hommes,
tâchez de ne pas trop chasser la baleine le jour du Seigneur, mais
ne gâchez tout de même pas non plus une belle occasion, car
souvenez-vous que ce serait mépriser les dons du ciel. Ayez un œil
sur les tierçons de mélasse, monsieur Stubb, elle m'avait l'air un
peu liquide. Si vous faites escale aux îles, prenez garde à la forni-
cation, monsieur Flask. Au revoir ! Au revoir ! Ce fromage, monsieur Starbuck, ne le conservez pas trop en bas, il se gâterait.
Soyez économe avec le beurre… à vingt *cents* la livre il était… et
souvenez-vous bien, si…

– Arrive, arrive, capitaine Bildad ; coupe là tes palabres… On s'en
va ! interrompit Péleg qui, ce disant, le pressa jusqu'à la coupée.

Tous deux sautèrent dans le sloop.

Navire et chaloupe se séparèrent. Le vent nocturne, glacial et
mouillé, se jeta entre deux. Une mouette criarde passa là-haut. Les
deux coques roulaient dans la houle violente ; et par trois fois nous
lançâmes de chaleureux hurrahs ; puis nous plongeâmes aveuglément, tel le destin, droit dans les solitudes atlantiques.

XXIII

LA TERRE AU VENT

Voilà quelques chapitres déjà, il a été question d'un certain Bulkington : un matelot de belle taille, un nouveau débarqué entrevu à l'auberge à New Bedford.

Et maintenant que le *Péquod*, dans le gel vif de cette nuit d'hiver, lançait son étrave vindicative dans la vague méchante et froide, quel n'était pas celui que je reconnaissais à la barre sinon Bulkington !

Respect et sympathie, mais une certaine timidité aussi étaient en moi tandis que je voyais cet homme à peine débarqué au plein cœur de l'hiver, retour d'une dangereuse et longue campagne de quatre années, qui pouvait aussitôt, sans repos, repartir pour une nouvelle quête tempétueuse. La terre lui brûlait les pieds, semblait-il. Ah ! ce sont les choses les plus prodigieuses, dont jamais on ne peut parler ; ce sont les mémoires profondes qui n'ont point d'épitaphe ! Les trente lignes de ce bout de chapitre sont le tombeau de Bulkington privé de pierre tumulaire. Qu'on me permette aussi de dire, du sort qu'il connaissait, qu'il était en tout point semblable à celui du vaisseau drossé par l'ouragan, qui longe pitoyablement la côte sous le vent. Le port est là, qui voudrait lui porter secours ; le port lui serait miséricordieux ; le port lui offre la sécurité, le confort, la flamme du foyer, le dîner, les chaudes couvertures, les amis, tout ce qui sied et que réclame notre pauvre et mortelle chair. Mais pendant la tempête, le port, la terre, sont le plus imminent péril pour le navire ; il lui faut fuir toute hospitalité ; qu'il touche seulement la terre, qu'il la frôle seulement du talon, qu'il la caresse à peine de la quille, c'est un ébranlement qui le traverserait de part en part. Non, il lui faut faire force de voiles pour s'écarter du rivage, et par là entamer une lutte contre les vents d'amont, contre les vents de mer qui voudraient le pousser dans la direction du foyer. Il lui faut à tout prix regagner le grand large, se retrouver sous les fouets du haut océan, dans les infinitudes au loin de toute terre : il n'y a de salut, pour lui, qu'à se jeter dans le péril, et son pire ennemi, c'est son unique ami !

Ores le sais-tu, Bulkington ? As-tu gagné présentement le sentiment et la vision peut-être de cette vérité mortellement insupportable, que tout l'effort et le sérieux profond de la pensée ne sont que cet intrépide élan de l'âme pour conserver la liberté ouverte de la pleine mer, alors que tous les vents les plus violents du ciel et de la terre conspirent pour la rejeter sur la rive perfide d'une terre traîtresse et serve ?

Mais puisque c'est dans les immensités sans terre et sans nom des solitudes sans rivage que réside la vérité suprême, infinie comme Dieu, alors mieux vaut périr au sein des mugissantes tempêtes de cet infini, plutôt que d'être obscurément plaqué sans gloire au rivage sous le vent, serait-il même un abri assuré ! Car qui voudrait, oh ! lâchement, ramper jusqu'à la terre, oui, comme un ver ? Oh ! le terrible des terreurs ! Ce long martyre et ces angoisses seraient-ils donc en vain ? Prends courage, Bulkington ! redonne-toi du cœur. Raidis-toi durement, oh ! demi-dieu. Car voici que l'écume à la crête des vagues fait, de ta mort au sein de l'océan, jaillir et s'élever la haute apothéose !

XXIV

LA PAROLE EST A LA DÉFENSE

Puisque donc nous voici, Quiequeg et moi, bel et bien embarqués dans cette affaire de pêche à la baleine, et puisque cette occupation en est venue, je ne sais trop pourquoi, à être regardée par les terriens comme une quête dénuée de toute poésie, une chasse plutôt répugnante, je me sens le plus vif et le plus impatient désir de vous convaincre, vous les terriens, de la grande injustice qui nous est ainsi faite, à nous les chasseurs de baleines.

En premier lieu il y a – et il paraîtra même superflu d'avoir à établir le fait –, il y a que la pêche à la baleine, pour la plupart des gens, ne saurait être admise au rang de ce qu'ils nomment les professions libérales. Un inconnu introduit dans les salons de quelque snob société métropolitaine n'inclinerait certes pas beaucoup l'opinion générale en sa faveur et ne lui ferait guère apprécier ses mérites s'il se présentait à la compagnie, disons comme harponneur ; et si, à l'instar des officiers de marine, il faisait graver sur ses cartes à la suite de son nom, les initiales P.A.B. (pêche à la baleine), le procédé paraîtrait suréminemment présomptueux et ridicule.

Il n'est pas douteux qu'une des raisons maîtresses pour lesquelles le monde se refuse à nous rendre les honneurs, à nous baleiniers, c'est qu'il pense que notre profession est un travail de boucherie, et qu'au plein de notre besogne toutes sortes de déchets et toute espèce de souillures nous entourent. Bouchers nous sommes, c'est vrai. Mais bouchers sont aussi – et bouchers brevetés du grade le plus sanglant – tous les chefs militaires que le monde se délecte invariablement à combler d'honneurs. Quant à l'autre raison alléguée, et à la prétendue malpropreté de notre affaire, vous ne tarderez pas à être initiés et mis en présence de certains faits – en général et jusqu'ici fort méconnus – qui vous feront triomphalement reconnaître et définitivement admettre que le pont d'un vaisseau baleinier est pour le moins au nombre des choses les plus propres sur cette terre infecte. Or, même en supposant provisoirement vraie l'accusation en question, quel est le pont visqueux et en désordre d'un vaisseau baleinier qui se pourrait comparer à l'inexprimable charnier, à la charogne infâme qu'est un champ de bataille ? Et pourtant c'est le lieu d'où tant de militaires reviennent pour lever haut le verre à l'applaudissement pâmé de ces dames. Et si c'est l'idée du danger qui rehausse et donne tant de lustre à la profession du soldat dans l'opinion publique, alors laissez-moi vous assurer que plus d'un vieux vétéran, qui a marché sans trembler sous la mitraille à l'assaut d'une batterie, reculerait sans délai à l'apparition de la puissante et vaste queue du cachalot tourbillonnant et battant l'air au-dessus de sa tête. – Qu'est la terreur de l'homme, que l'homme peut comprendre, à côté de l'enlacement terrible des terreurs et merveilles de Dieu ?

Mais encore, oui, encore que le monde nous repousse avec dédain, nous chasseurs de baleines, pourtant il nous rend malgré lui son hommage le plus profond ; parfaitement ! un vrai culte d'adoration foisonnant et sans borne ! Car presque tous les cierges, toutes les lampes, les bougies, les chandelles qui brûlent de par le monde tout autour de ce globe sont comme autant de flammes devant l'autel, qui brûlent pour notre gloire !

Or, prenez à présent d'autres lumières sur la question : pesez et mesurez sur toutes les balances, à toutes les échelles ; voyez ce que nous sommes, nous baleiniers, et ce que nous avons été.

Pourquoi les Hollandais eurent-ils des amiraux pour leur flottille de baleiniers, à l'époque des de Witt ? Pourquoi Louis XVIe de France arma-t-il de ses propres deniers des baleiniers à Dunkerque, et fort civilement invita-t-il dans cette cité quelque trente ou quarante familles de notre île de Nantucket ? Pourquoi la Grande-Bretagne, entre 1750 et 1788, a-t-elle versé plus d'un million de livres en primes d'engagement et gratifications diverses à ses seuls baleiniers? Et pourquoi donc, enfin, et comment se fait-il que nous dépassions en nombre, désormais, nous baleiniers américains, tous les autres baleiniers ensemble du monde entier? Comment se fait-il que nous ayons armé une flotte de plus de sept cents bâtiments, comptant quelque dix-huit mille hommes à bord, et consommant annuellement près de quatre millions de dollars? Une flotte qui représente, à l'appareillage, un capital de vingt millions de dollars, et qui rentre une bonne moisson annuelle de sept millions de dollars dans nos ports. Comment cela, comment tout cela eût-il été possible si dans la pêche à la baleine un élément très puissant n'était pas contenu?

Pourtant ce n'est pas tout, ce n'est pas même la moitié. Voyez plutôt:

J'avance sans hésitation et j'affirme positivement que le philosophe international ne saurait, fût-ce au prix de sa vie, faire valoir une seule, une unique puissance pacificatrice aussi agissante au cours des dernières soixante années, et aussi efficace sur le monde entier dans toute son immense étendue, que la vaste et grandiose entreprise de la pêche à la baleine. Les événements divers et nombreux qu'elle a engendrés de façon ou d'autre sont en eux-mêmes si remarquables, et si riches de conséquences d'une importance capitale dans leur développement continuel, qu'on ne peut que la comparer à cette mère égyptienne dont le sein généreux mit au monde une descendance elle-même si féconde! Ce serait une tâche désespérante et sans fin de vouloir seulement les cataloguer; qu'une poignée ici suffise. Depuis combien et combien d'années dans le passé, la voile du baleinier a-t-elle été l'aile de l'explorateur, l'étendard du pionnier s'avançant à la découverte, fouillant et furetant partout dans les coins les plus reculés et les plus inconnus de la terre? Elle a découvert et visité des mers et des archipels ignorés de la carte, où ni un Cook ni un Vancouver n'avait jamais navigué. Si les vaisseaux de guerre de l'Amérique et de l'Europe mouillent pacifiquement aujourd'hui dans des ports autrefois sauvages, qu'ils tirent des salves d'honneur à la gloire des baleiniers, eux qui leur ont ouvert la route à l'origine et qui leur ont servi d'interprètes, les premiers, avec les natifs sauvages. Vous pouvez célébrer tant que vous voulez vos explorateurs, héros des grandes

expéditions de découverte : vos Cook et vos Krusenstern ; mais moi
je dis, j'affirme et je soutiens que des quantités d'anonymes capitaines qui ont fait voile de Nantucket ont été aussi grands et plus
grands que les Cook, les Krusenstern et autres navigateurs. Parce
qu'ils ont, sans autre appui, ni moyen ni secours que leurs seules
mains nues, dans de païennes eaux infestées de requins, sur
d'incertaines plages où pleuvaient les javelines insulaires, combattu des terreurs et des émerveillements vierges que Cook, avec
toutes ses forces navales et ses mousquets, n'eût pas affrontés de
plein gré. Tout ce dont on fait tant de guirlandes et de fioritures
dans ces fameuses relations de voyages dans les mers du Sud, ce
sont des choses qui ont été le pain quotidien de nos Nantuckais
héroïques ; et bien souvent telles aventures auxquelles un Vancouver
consacre trois chapitres, n'eussent, pour ces hommes qui ne s'en
contaient pas, seulement pas mérité une simple mention dans le
livre de bord. Oh ! le monde ! le monde !

   Jusqu'à ce que les baleiniers se fussent mis à doubler le cap
Horn, aucun commerce – autre que celui, rare et intermittent, de
colonie à colonie –, aucun commerce ne s'était établi entre l'Europe
et la longue lignée des établissements espagnols sur la côte du
Pacifique. Ce furent les baleiniers qui, les premiers, rompirent la
politique jalouse de la couronne d'Espagne touchant ces posses-
sions ; et si la place ne faisait pas défaut, rien ne serait plus facile
que de faire ressortir en parfaite évidence comment ces baleiniers
finirent par aboutir à la libération du Pérou, du Chili et de la
Bolivie qui secouèrent le joug de la vieille Espagne, et à l'instaura-
tion dans ces pays de la démocratie éternelle.

   Cette vaste Amérique des antipodes, l'Australie, fut, elle aussi,
donnée par les chasseurs de baleines à ce monde éclairé. Après sa
première découverte, faite par hasard et à la suite d'une bévue par
un Hollandais, tous les autres navires fuyaient comme la peste ses
rivages barbares ; mais le baleinier, lui, y accostait. Et c'est le baleinier qui véritablement a enfanté cette puissante colonie actuelle.
Mieux encore, dans l'enfance des premiers établissements austra-
liens, les émigrants à maintes reprises y furent sauvés de la famine
par le biscuit charitable du baleinier qui, par bonheur, était venu
jeter l'ancre dans leurs eaux. Les innombrables îles de la Polynésie

entière confessent la même vérité et rendent au baleinier l'hommage de leur commerce, car c'est lui qui ouvrit la voie au missionnaire et au marchand ; et c'est lui bien souvent qui amena lui-même les premiers missionnaires à leur primitive destination. Quant au Japon, ce pays verrouillé à double tours, si jamais il devient tant soit peu hospitalier, c'est au seul baleinier que tout l'honneur en reviendra ; d'ores et déjà le voilà sur le seuil.

Si néanmoins devant et malgré tout ceci, vous persistez à maintenir que rien de noble ni de beau ne se trouve attaché à ce métier de baleinier, je suis prêt sur-le-champ à rompre cinquante lances avec vous, à vous désarçonner avec chacune et à vous briser le heaume.

La baleine, direz-vous, n'a suscité aucun auteur fameux, ni aucun chroniqueur fameux, la pêche à la baleine.

Aucun auteur fameux pour la baleine ? Et aucun chroniqueur célèbre de sa chasse ? Et qui donc a le premier écrit sur notre léviathan ? Qui, sinon le grand prophète Job ! Qui donc a composé la première relation d'une expédition de chasse à la baleine ? Qui, sinon nul moins qu'un prince comme Alfred le Grand, lequel consigna de sa plume royale les paroles d'Othaire, le Norvégien chasseur de baleines de ce temps ! Et qui a prononcé notre brillant éloge au Parlement ? Qui, si ce n'est Edmund Burke !

– Soit donc, puisque c'est vrai ; mais les baleiniers eux-mêmes ne sont jamais que de pauvres diables. Ils n'ont pas de sang bleu dans les veines.

Pas de sang bleu dans les veines ? Mieux que du sang royal, ils ont. La grand-mère de Benjamin Franklin était Mary Morrel, qui devint par son mariage Mary Folger. Et cette Mary Folger est une des premières venues à Nantucket, l'ancêtre d'une longue lignée de Folger qui furent harponneurs, tous parents et amis du noble Benjamin, lequel lance aujourd'hui la pointe barbelée d'un bout à l'autre du monde.

– Soit encore ; mais tout le monde admet que de façon ou d'autre la pêche à la baleine n'est pas quelque chose de comme il faut.

Pas honorable la pêche à la baleine ? Chose impériale en vérité ! Puisque par acte de notoriété d'une vieille loi anglaise, la baleine est déclarée « poisson royal ».

– Oh ! ce n'est que nominal. Jamais la baleine elle-même n'a figuré comme personnage d'importance dans le décorum et les pompes grandioses.

Jamais dans nulle pompe la baleine n'a figuré comme person-nage d'importance ? Dans l'un des plus fastueux triomphes offerts à un général romain à son entrée dans la capitale du monde, les fanons d'une baleine transportés tout exprès depuis les côtes de Syrie furent l'attraction la plus en vue de toute la procession aux éclats des cymbales[1].

– J'admets, puisque vous me citez la chose ; mais dites tout ce que vous voudrez, il n'y a dans la pêche à la baleine pas de vraie dignité.

Pas de vraie dignité à chasser la baleine ? La dignité de notre profession, c'est le ciel même qui l'atteste : Cétus ou la Baleine est une constellation du sud qui porte au cou *Mira Ceti*, la Merveil-leuse. Mais il suffit ! Enfoncez-vous le chapeau en présence du tzar, mais tirez-le devant Quiequeg ! C'est assez dit. Je connais un homme qui, dans le temps de sa vie, a pris trois cent cinquante baleines : je tiens cet homme pour bien plus honorable que ce grand capitaine de l'Antiquité qui se vantait d'avoir pris autant de villes fortifiées.

Et pour moi, si par impossible il se trouvait en ma personne quelque vertu première non découverte jusqu'ici ; si jamais je devais mériter, dans ce bas monde si hautement silenciaire, quelque authentique réputation dont il ne soit pas fou de se sentir ambi-tieux ; si par la suite il m'était donné de faire quelque chose, après tout, qu'un homme préférera avoir faite que laissée à faire ; si, à ma mort, mes légataires, ou pour mieux dire mes créanciers, trou-vent dans mes tiroirs quelque précieux manuscrit, alors ici je le déclare par avance : tout le mérite en revient, et tout l'honneur, toute la gloire, aux grandes quêtes pélagiques, oui, à la pêche à la baleine. Car c'est à bord d'un baleinier que j'ai fait mes Sorbonne, mon Yale College et mon Harvard.

---

1. Voir aux chapitres suivants quelques détails complémentaires sur ce point. *(NdA.)*

XXV

POST-SCRIPTUM

Par respect, certes, et en faveur de la dignité de la grande pêche, je ne veux et ne puis avancer que des faits dûment établis. Mais après avoir mis tous ses faits en batterie, si l'avocat négligeait d'apporter aussi les suppositions raisonnables capables d'éclairer éloquemment la cause qu'il défend, cet avocat, je vous le demande, ne serait-il pas à blâmer ?

Or, c'est chose bien connue que le couronnement des rois et des reines – modernes aussi bien – s'accompagne d'une curieuse céré-monie où l'on procède à leur assaisonnement avant leur entrée en fonctions. Il existe une salière d'État, puisque ainsi on l'appelle, et il se pourrait bien qu'il existât aussi un huilier d'État. Mais quel usage ils font exactement du sel, qui le sait ? Ce dont je suis certain en tout cas, c'est qu'une tête de roi est solennellement huilée à son couronnement, exactement comme une tête de salade. Faut-il pen-ser qu'ils la graissent de la sorte dans l'intention de donner à ses rouages intérieurs une souplesse de fonctionnement parfaite, de même qu'on huile une machine ? Cette onction, pour royale qu'elle soit, ne laisse pas de donner à ruminer pas mal, car enfin dans la vie ordinaire nous penchons à estimer fort peu et même à mépriser le compagnon qui oint sa chevelure et garde des relents palpables de cette onction ! A la vérité, l'homme mûr qui fait usage d'huile capillaire (l'emploi médicinal excepté) est un homme qui porte en lui probablement quelque petite tache suspecte quelque part. En règle générale, il ne vaut, dans sa totalité, pas grand-chose.

Mais ce que nous avons à considérer ici, la seule chose est

celle-ci : quelle sorte d'huile emploie-t-on pour les couronne-
ments ? Assurément ce ne peut être l'huile d'olive, ni l'huile de
Macassar, ni l'huile de ricin, ni l'huile d'arachide, ni le thran, ni
l'huile de foie de morue. Quelle huile alors cela peut-il bien être,
sinon le blanc de baleine, le pur spermaceti dans son état original,
vierge, non manufacturé, cette huile de toutes la plus douce ?

Réfléchissez à cela, fiers et loyaux sujets de la couronne
anglaise, c'est nous qui fournissons vos reines et vos rois de la
matière indispensable à leur couronnement, nous les chasseurs de
baleines !

XXVI

LES CHEVALIERS ET LEURS ÉCUYERS

A bord du *Péquod* le premier officier en second était Starbuck, un long corps sérieux et grave, natif de Nantucket et quaker d'origine ; bien qu'ayant vu le jour sur un rivage glacé, il semblait parfaitement apte à supporter les chaleurs tropicales avec sa peau sèche et recuite comme un biscuit. Transporté sous le ciel des Indes, son sang ardent ne s'y gâtait pas comme la bière en bouteilles. Il avait dû naître dans un temps de famine générale ou bien pendant ces périodes de jeûne rigoureux pour lesquelles fameuse est sa patrie. Il n'avait guère vu qu'une trentaine d'étés arides, mais qui avaient desséché chez lui tout ce que la nature eût pu lui laisser en excès. Pourtant cette stricte maigreur, ce resserrement marqué de sa personne ne laissait transparaître aucun des signes de l'angoisse dévastatrice et du souci profond par quoi se manifeste une quelconque flétrissure du corps ; c'était plutôt comme une condensation, un extrait concentré de l'homme, qui n'était nullement désagréable à voir. Sa peau étroite, imperméable et saine lui convenait parfaitement : tout serré qu'il y fût, et comme embaumé vif avec son muscle et sa santé telle une momie égyptienne ressuscitée, ce Starbuck semblait préparé pour durer des siècles et des siècles et supporter comme à présent n'importe quoi ; que ce fût dans les neiges polaires ou sous le plus torride des soleils (de même un bon chronomètre estampillé et breveté) le fonctionnement parfait de sa vitalité intérieure était garanti sous tous les climats. En plongeant le regard au profond de ses yeux, vous aviez l'impression d'y voir la persistante image des mille périls qu'il avait calmement affrontés tout au long de sa vie. C'était un homme posé, inébranlablement ferme, dont la vie s'exprimait presque tout entière par l'action et son geste, et non par les fluides et fastidieux alignements de paroles en chapitres. Néanmoins et malgré toute sa sobriété rigoureuse, malgré la trempe courageuse de son caractère, certaines dispositions se faisaient jour parfois en lui, qui semblaient par moments près de contrebalancer tout le reste. Homme d'une conscience rare pour un marin, et profondément religieux de nature, son existence solitaire et sauvage sur les eaux l'avait fortement enclin à la superstition ; mais c'était de cette sorte de superstition qui chez certains paraît plutôt prendre source au sein de l'intelligence que dans les fonds de l'ignorance. Présages externes et pressentiments internes, c'était là son affaire. Et si parfois pareilles choses parvenaient à ployer le fier acier de son âme, combien plus encore la douce souvenance de son foyer lointain – sa jeune femme et son enfant restés là-bas au cap Cod – n'avait-elle pas pouvoir de refréner la brutale rudesse originale de sa nature, d'ouvrir plus largement son cœur aux influences sous-jacentes qui viennent tempérer parfois, chez tels honnêtes hommes, le brusque jaillissement et les excès d'une audace à tenter le diable, dont si souvent les autres se montrent si prodigues dans les vicissitudes périlleuses de la chasse.

– Je ne veux personne dans ma baleinière, disait Starbuck, qui n'ait pas peur de la baleine !

Et ce disant, il entendait non seulement affirmer que le courage le plus sûr et le plus efficace est celui qui ressort d'une juste estimation du danger, mais encore qu'un homme absolument sans peur est un camarade beaucoup plus dangereux qu'un couard.

– Oui, oui et vingt fois oui, disait Stubb, l'autre officier en second. Starbuck, c'est un homme d'une prudence comme vous n'en trouverez pas deux dans toute la flotte des baleiniers du monde.

Mais encore faut-il savoir (et vous ne tarderez pas à l'apprendre) ce qu'un mot comme celui de « prudence » signifie très exactement quand il sort de la bouche d'un Stubb ou de quelque autre chasseur de baleine que ce soit.

Starbuck n'était pas un croisé en quête de périls ; le courage, chez lui, était non pas un sentiment mais un outil simplement nécessaire et utile, toujours à portée de la main en cas de besoin, c'est-à-dire dans toutes les urgences pratiquement mortelles. Autrement (c'était sans doute là ce qu'il pensait) il convenait de ne pas plus gaspiller stupidement le courage que le bœuf ou le pain du bord, car il était de même une denrée mise au rang des réserves indispensables pour ces expéditions de chasse à la baleine. Aussi ne lui prenait-il pas idée de mettre à la mer les baleinières après le coucher du soleil, et non plus de s'entêter trop longtemps à poursuivre le combat contre un poisson qui s'entêtait lui-même à trop longtemps combattre. C'est que, pensait Starbuck, je suis ici sur l'incertain océan pour tuer des baleines et ce faisant gagner ma vie, je n'y suis pas pour y perdre la vie et être tué, moi, par elles. Que des centaines d'hommes eussent péri de la sorte, Starbuck le savait fort bien. Et quel avait été le destin de son père ? Et les membres déchiquetés de son propre frère, dans quel abîme des abîmes sans fond eût-il pu les trouver ?

Avec des souvenirs tels que ceux-là en lui, et avec le penchant, surtout, si nettement superstitieux de sa nature, il fallait que le courage de ce Starbuck – qui cependant pouvait éclater encore – eût été véritablement extrême. Mais la raisonnable nature ne pouvait pas manquer, chez un homme ainsi fait, portant en lui de tels souvenirs, une expérience si terrible – non, la nature ne pouvait pas manquer de faire que ces choses pesantes engendrassent chez lui un certain élément latent qui, le moment venu et les circonstances aidant, brusquement échappait au secret où il était tenu et l'emportait alors sur son courage, le lui brûlait, le lui volatilisait, le lui réduisait à néant. D'autant plus que, si courageux qu'il fût, Starbuck l'était surtout avec cette sorte de bravoure qu'on rencontre chez maints humains intrépides, capables par-dessus tout de tenir ferme devant la mer, les vents, les baleines, toutes les terreurs qu'on voudra, issues d'un monde que ne commande pas la raison – mais incapables de soutenir les épouvantes plus terribles, parce que plus spirituelles, qui émanent d'un front plein de fureur et de menace, un front qui appartient à un homme puissant et pétri de colère.

Oh ! s'il advient que le cours du présent récit révèle en quelque

circonstance le complet avilissement de la bravoure de ce pauvre
Starbuck, c'est à peine si j'aurai le courage de l'écrire ! car c'est
une chose infiniment désolante – non ! c'est chose abominable que
de dévoiler la chute de la vaillance dans une âme. Les hommes
peuvent être détestables en tant que sociétés anonymes ou en tant
que nations ; oui, ils peuvent être des canailles, des idiots et des
assassins ; ils peuvent avoir des faces viles et serviles, maigres ou
misérables ; mais l'homme, dans son idéal : l'homme est si noble et
si brillant ; c'est une si magnifique et grande et si éblouissante
créature, que sur toute macule ignominieuse en lui, il faut que tous
ses compagnons, ses frères accourent et jettent leurs plus riches
manteaux. Ce pur humain viril, immaculé, que nous portons en
nous, que nous sentons si profondément en nous, il faut qu'il reste
intact quand même il paraîtrait que se soit effacé, évanoui, tout
caractère extérieur ; et c'est blessé par la plus aiguë des angoisses
qu'il saigne au spectacle cruel d'un humain avili, ruiné dans sa
vaillance. Pas même la piété, à la vue d'une pareille honte, ne peut
tout à fait retenir le cri de ses reproches aux étoiles, qui l'ont per-
mise. Mais cette auguste dignité dont ici je vous parle, ce n'est pas
dignité royale ou de pompes vestimentaires : c'est la dignité nue,
indifférente à la vêture, qui abonde dans l'homme. Celle que tu
vois illuminer le bras qui manie une pioche ou tourne un cabillot :
la dignité démocratique qui rayonne sans fin entre les mains de
tous et sur les mains de tous, et qui nous vient de Dieu. Le Dieu
Immense, l'Absolu Dieu. Lui qui est à la fois le centre et la circonférence de toute démocratie ; l'Omniprésent dans son omniprés-
sence, qui est notre divine égalité !
   Aussi donc si j'en viens, par la suite, à imputer à des matelots
infiniment misérables, des renégats, des déchus, si je leur attribue
de hautes, quoique sombres vertus ; si je les fais porter par les
grâces de la tragédie ; si même le plus sombre et le plus ravalé
peut-être d'entre eux tous doit, le moment venu, atteindre de
lui-même aux sublimes sommets ; si des lumières éthérées viennent
le caresser, ce bras du besogneux ; si c'est un arc-en-ciel qu'il me
faut déployer sur sa fin désastreuse, sur le coucher funèbre de son
soleil ; alors justifie-m'en devant toute critique humaine, ô Toi le
juste Esprit d'Égalité qui déployas le royal manteau de l'humain

sur toute mon espèce ! Justifie-m'en, grand Dieu démocratique !
Toi qui n'as point refusé au teint tanné du prisonnier Bunyan la
blanche perle de la poésie ! Ô Toi qui revêtis des feuilles d'un or fin
deux fois battu le moignon de la pauvreté du vieux Cervantès ! Toi
qui tiras de notre plèbe André Jackson pour le jeter sur un cheval
de guerre et le poser, avec le fracas du tonnerre, plus haut que sur
un trône ! Toi qui, dans toutes les puissances de Tes voies sur la
terre, toujours T'en viens cueillir dans la royauté populaire les plus
choisis de Tes champions, justifie-m'en, ô Dieu !

XXVII

CHEVALIERS ET ÉCUYERS

Stubb était le lieutenant, né au cap Cod et surnommé le « Cap-Codais » comme il est de tradition. Un je-ne-m'en-fais-pas, ni couard ni brave, prenant dangers et périls comme ils venaient, dans une égale indifférence : même aux moments cruciaux de la chasse, au plus critique du danger, il accomplissait sa tâche avec le calme et le sang-froid d'un compagnon menuisier travaillant à l'année. Facile de caractère et d'humeur, tout à fait à son aise, parfaitement insouciant, il présidait en sa baleinière comme si les plus mortelles rencontres eussent été un banquet, et les hommes d'équipage ses invités. Il tenait au confort et se montrait aussi vétilleux sur l'installation de son poste dans l'embarcation qu'un vieux cocher peut l'être pour la disposition confortable de son siège. Bord à bord avec la baleine, au point culminant et mortel du combat, il maniait son impitoyable lance avec la froide placidité et la même désinvolture que le chaudronnier au sifflet[1] son marteau. Flanc contre flanc avec le monstre le plus furieusement exaspéré, on l'entendait fredonner ses vieux refrains favoris. Une longue habitude avait fait des mâchoires de la mort, pour Stubb, le plus moelleux fauteuil. Quant à ce qu'il pensait de la mort elle-même, allez le savoir ! C'était à se demander si la pensée l'en avait jamais effleuré. Mais si jamais sa pensée, après quelque bon repas, en avait d'aventure pris le chemin, il ne fait aucun doute qu'en marin et bon marin qu'il était, il la tenait pour une sorte d'appel au quart

1. Chaudronnier ambulant qui achetait, réparait et vendait de vieux cuivres.

qui vous oblige à filer là-haut pour y faire quelque chose – mais quoi ? ah bah ! c'est ce qu'on saura bien quand on obéira aux ordres ; et pas plus tôt.

La chose, peut-être, entre toutes les autres, qui faisait Stubb si bon compère et sans souci, portant allégrement le fardeau de la vie dans un monde tout empli d'accablés, de malheureux porteurs écrasés sous leur faix et ployés jusqu'au sol ; la chose qui concourait à entretenir en lui presque jusqu'à l'impiété la bonne humeur qui était sienne ; cette chose-là, il se pourrait bien que ce fût sa pipe, son petit et noir brûle-gueule qui faisait partie, au même titre que son nez, des traits de son visage. Car vous vous fussiez plutôt attendu à le voir sauter de son hamac sans son nez, mais non sans sa pipe. Il gardait là, bien alignées dans un râtelier, toute une collection de pipes toujours bourrées, juste à portée de la main, qu'il vous fumait consciencieusement l'une après l'autre quand il était couché, rallumant l'une sur la fin du chapitre de l'autre, puis les rebourrant toutes soigneusement pour les tenir prêtes. Parce que Stubb, pour s'habiller, enfilait d'abord le tuyau d'une pipe entre ses lèvres, et seulement ensuite la première jambe de son pantalon.

Je dis, moi, que cette perpétuelle tabagie doit avoir été, sinon la cause, du moins l'une des causes de l'heureuse disposition de sa nature ; car nul n'ignore que l'air de ce pauvre monde est effroyablement infecté, aussi bien sur terre que sur mer, par les exhalaisons de la misère sans nom des innombrables humains qui sont morts d'y avoir respiré ; et de même qu'en temps de choléra, il est des gens qui ne sortent pas sans un mouchoir imbibé de camphre sous la narine ; de même aussi le tabac de Stubb, contre toutes les tribulations de cette existence, devait opérer comme une sorte d'agent de désinfection.

Le second lieutenant était Flask, natif de Tisbury dans Martha's Vineyard. C'était un rude garçon trapu, râblé, et d'une telle pugnacité à l'égard du grand léviathan, qu'il paraissait régler une affaire personnelle avec lui, estimant qu'il en avait été héréditairement offensé : c'était pour lui un point d'honneur que de l'anéantir partout où il pouvait le rencontrer. Si hermétiquement fermé était-il à la déférence ou à l'admiration, si insensible à la majestueuse dimension du léviathan et au caractère mystique de ses

voies ; à ce point dénué était-il du moindre sentiment d'appréhension ou de l'idée d'un danger quelconque à sa rencontre, qu'à ses
tristes yeux la tout admirable et merveilleuse baleine n'était pas
autre chose qu'une souris de format supérieur, un rat d'eau tout au
plus, lequel exigeait seulement quelques précautions supplémentaires et un petit peu d'application en sus, un peu plus de temps et
de dérangement pour être tué et bouilli. Cette ignorance, cette
inconscience, cette totale impavidité n'allaient pas sans entraîner
chez lui une légèreté manifeste, qui lui faisait prendre à la blague
toute cette affaire : il pourchassait la baleine pour le plaisir de la
chose ; et une campagne de trois ans par-delà le cap Horn était
pour lui une joyeuse partie qui n'avait point de cesse trois années
durant. De même que les clous du charpentier sont divisés en deux
catégories, les forgés et les autres, de même aussi peut-on diviser
l'humanité. Flask, le courtaud, comptait parmi les forgés : il était
fait pour tenir dur et pour durer longtemps. On l'avait surnommé
« Gros-Bois » à bord du *Péquod*, à cause de sa ressemblance physique avec ce tangon de défense que connaissent bien les baleiniers
de l'Arctique : ce « gros bois » court et fort qu'on dispose en rayons
tout autour de la coque pour protéger le navire contre les chocs et
les cahots des glaces flottantes dans ces eaux violentes.

Ces trois officiers, donc : Starbuck, Stubb et Flask étaient
hommes d'importance. C'étaient eux qui, selon l'ordre immuable
d'une hiérarchie universelle, avaient le commandement de trois
des baleinières du *Péquod*. Et dans le déploiement des forces rangées en grand ordre de bataille, comme allait probablement le faire
le commandant en chef Achab pour tomber sur la baleine, ces trois
chefs seraient des capitaines de compagnie. Ou bien encore, armés
de leurs longues et fines lances meurtrières, ils feraient un trio
choisi de lanciers, tandis que les harponneurs seraient les lanceurs
de javelots.

Et comme au cours de cette chasse fameuse à la baleine, chaque
officier ou chef de bord, tel le chevalier du Moyen Age, est toujours
accompagné de son écuyer, l'homme de barre et harponneur, qui
lui passera le cas échéant une nouvelle lance quand la première
aura été rompue ou ployée dans le premier assaut ; comme, au surplus, la plus étroite amitié lie généralement l'un à l'autre ces deux

hommes, il n'est que séant de dire ici qui étaient les harponneurs du *Péquod*, et à quel chef de bord ils étaient attachés.

D'abord il y avait Quiequeg que Starbuck, le second, s'était choisi comme écuyer. Mais Quiequeg, nous le connaissons déjà.

Ensuite, c'était Tashtégo, un Indien pur sang de Gay Head, ce promontoire à l'extrême ouest de Martha's Vineyard, où subsistent encore les derniers restes d'un village de Peaux-Rouges qui a long-temps fourni à l'île voisine de Nantucket nombre de ses meilleurs et plus audacieux harponneurs. A bord des baleiniers, on les connaissait généralement sous leur nom générique de « Hurons de Gay Head » ou « Têtes-Folles ». Les longs cheveux fins et très noirs de Tashtégo, ses pommettes hautes et saillantes, ses grands yeux sombres, tout orientaux et hindous par leur dimension, mais esquimaux et polaires par leur éclat, le désignaient assez comme le descendant direct et le pur héritier du sang de ces vaillants guerriers-chasseurs qui, à la poursuite du grand élan de Nouvelle-Angleterre, avaient couru et parcouru, l'arc à la main, les primitives forêts du grand territoire. Mais aujourd'hui Tashtégo ne courait plus les bois sur la piste des animaux sauvages : il chassait et cou-rait l'océan sur le sillage des colossales baleines. Le harpon sûr du fils remplaçait dignement la flèche infaillible des ancêtres. Et à voir la souplesse extraordinairement féline de ce long corps cuivré et serpentin, vous eussiez presque accepté et tenu pour vraies les superstitions des premiers puritains, en croyant comme eux que ce sauvage Indien était le fils du Prince des Puissances de l'Air. Tashtégo était l'écuyer du lieutenant Stubb.

Le troisième harponneur était Daggoo, un géant de nègre, un sauvage du plus beau noir d'ébène qui avait le port et la démarche d'un lion : un véritable Assuérus vivant. Suspendus à ses oreilles, il portait deux énormes anneaux d'or, si grands que les hommes à bord les disaient des cosses d'amarrage et proposaient d'y embra-quer les drisses de hune. Dans sa jeunesse, Daggoo avait embarqué spontanément à bord d'un baleinier au mouillage dans une crique solitaire de sa côte natale. Or, comme il n'avait jamais vu autre chose du monde que son Afrique, Nantucket et quelques païens mouillages où ne hantaient guère que des baleiniers ; comme il avait vécu des années durant de la seule et intrépide existence des

chasseurs de baleines, et cela sur des navires dont les armateurs se
montraient particulièrement attentifs au choix de leurs équipages;
ainsi Daggoo avait-il intégralement conservé toutes ses barbares
vertus natives, et on le voyait arpenter les ponts, haut comme une
girafe, dans toute la gloire de ses six pieds cinq pouces en chaussettes. Sa vue seule était pour vous une leçon d'humilité physique,
et le citoyen à peau blanche qui l'approchait avait tout l'air d'un
drapeau blanc quémandant une trêve devant une forteresse.
Étrange à dire, mais l'impériale et noire majesté de cet Assuérus
Daggoo se trouvait être l'écuyer du bref Flask, lequel, à côté de lui,
ressemblait à une pièce de jeu d'échecs.

Pour le reste de l'équipage sur le *Péquod*, il en allait comme sur
les autres baleiniers américains où, disons-le, sur les nombreux
milliers de matelots engagés on ne compte pas un Américain sur
deux, tandis que les officiers, eux, le sont à peu près tous. C'est
d'ailleurs la même chose dans l'armée et la marine américaines,
dans sa flotte marchande et sur les chantiers des grandes entreprises pour la construction des canaux ou des chemins de fer américains. La même chose, dis-je, parce que là comme ici l'Américain
de naissance fournit libéralement le cerveau tandis que le reste du
monde fournit, non moins libéralement, le muscle. Le nombre
n'est pas mince de nos baleiniers à la mer qui viennent des Açores
où les navires nantuckais en campagne touchent fort fréquemment
pour y compléter leurs équipages avec les solides et durs paysans
natifs de ces volcaniques îlots. De même font les « Groenlandais »
partis de Londres ou de Hull, qui mouillent aux Shetland pour y
prendre le complément de leurs équipages. Et les uns comme les
autres, au retour, les débarquent où ils les ont pris. Comment il se
fait que les « insulaires » soient meilleurs chasseurs de baleine que
les continentaux, je ne saurais le dire; mais le fait est qu'à bord du
Péquod, tous ou presque tous étaient originaires des îles, îliens
solitaires eux-mêmes, je puis bien le dire, îliens non pas tant à
cause du retranchement de leur lieu d'origine d'avec le continent
de l'humanité en général, mais parce qu'en réalité chacun vivait
séparément et constituait son propre continent à soi seul. Quel
curieux archipel d'îliens et d'îlots cela faisait, maintenant qu'ils se
trouvaient tous rassemblés sur une même et unique quille! Et

quelle anacharsienne ambassade du genre humain[1], détachée de toutes les îles de tous les bouts du monde, accompagnait le vieil Achab sur son *Péquod* pour aller déposer les doléances de ce monde devant une barre, d'où bien rares sont ceux qui sont revenus!... Pip, en tout cas, Pip le petit négro n'est jamais revenu – oh! non, il est parti devant, le pauvre petit gars d'Alabama! Sur le fatal gaillard d'avant du *Péquod*, frappant sur son tambourin, vous ne tarderez pas à le voir : il préludait à l'éternité quand il fut appelé au grand gaillard d'arrière de là-haut, et envoyé parmi les anges battre du tambourin dans l'éternelle gloire; déclaré couard ici-bas : reçu et salué là-haut comme un héros !

1. Allusion au prussien Jean-Baptiste du Val de Grâce, baron de Cloots, qui conduisit devant l'Assemblée nationale constituante en 1790 une « ambassade du genre humain » composée de trente-six étrangers qui venaient affirmer leur adhésion à la Déclaration des droits de l'homme. Surnommé « l'orateur du Genre Humain », il changea ses prénoms en celui d'Anacharsis. Il mourut en 1795, condamné à mort comme hébertiste par le Tribunal révolutionnaire, sous les accusations de Robespierre.

XXVIII

ACHAB

Plusieurs jours après avoir laissé Nantucket, on n'avait toujours rien vu ni aperçu du capitaine Achab au-dessus des écoutilles. Second et lieutenants se relevaient régulièrement au quart et apparaissaient, jusqu'à preuve évidente du contraire, comme les seuls commandants à bord ; néanmoins il leur arrivait de temps à autre de sortir de la cabine avec des ordres si soudains et péremptoires qu'on s'apercevait bien que leur commandement, après tout, n'était qu'un vicariat. Si invisible qu'il fût aux yeux de tous les hommes (auxquels était interdit l'accès quasi sacré de la retraite du carré), leur dictateur, leur maître absolu, leur suprême seigneur n'en était pas moins là.

Chaque fois que je remontais sur le pont avec ma bordée, mon premier coup d'œil était pour voir si je n'y apercevais pas un visage inconnu, car la vague inquiétude qu'avait provoquée en moi cet invisible capitaine tournait à l'idée fixe et au tourment dans la solitude du grand large. Il y avait des moments où, au souvenir soudain et bien involontaire des incohérences diaboliques de ce fou d'Élie, qui me tombaient dessus avec une vivacité à laquelle je ne pouvais mais, oui, il y avait des moments où cette inquiétude s'exaspérait en moi de la manière la plus étrange. Mais qu'y pouvais-je, et comment m'en défendre ?… alors même qu'à d'autres moments et sous une autre humeur, je me sentais porté à sourire des vaticinations solennelles de ce baroque et minable prophète des docks. D'ailleurs ce que je ressentais – malaise indéfini ou appréhension ténébreuse pour lui donner un nom – il me paraissait absurde de le ressentir, chaque fois que je me prenais à y réfléchir et que j'examinais ma situation à bord. Bien sûr, les harponneurs et la majorité de l'équipage formaient une société autrement plus barbare et plus païenne et plus haute en couleur que celle des falots équipages de long-courriers que j'avais pu connaître dans mes précédentes expériences à la mer ; mais c'était uniquement, exclusivement et fort raisonnablement à cette part violemment rêveuse de ma nature, celle qui avait tout fait pour me pousser à cette vocation de Viking, que j'attribuais et voulais attribuer ces angoisses et ces ombres. Au surplus, l'aspect des trois officiers du vaisseau était on ne peut mieux fait pour chasser de mon cœur les indécises brumes qui le troublaient, pour me rasséréner complètement quant à l'avenir et aux suites du voyage. Comme officiers aussi bien que comme hommes, il eût été difficile d'en trouver de meilleurs, chacun à sa manière ; et tous trois étaient des Américains : un Nantuckais, un Cap-Codais, un fils de Martha's Vineyard.

Ajouterai-je que c'était Noël quand nous avions pris le large et que, si nous avions essuyé un vrai temps de froid polaire au départ, nous n'en faisions pas moins route vers le sud ? Chaque degré, chaque minute gagnée en latitude nous éloignait d'autant de cet impitoyable hiver, et nous laissions à mesure derrière nous ses maudits gros temps.

Or, par une de ces matinées déjà moins mauvaises de la période de transition, quoique brumeuse et grise encore bien assez, alors que sous bonne brise le navire courait sa route en une suite de bonds rageurs et avec une rapidité en quelque sorte mélancolique, je vins sur le pont à l'appel du premier quart de jour, et au premier regard que je jetai à la lisse de couronnement, je reçus un choc et de sinistres frissons me parcoururent l'échine. Le capitaine Achab était là, debout à son poste de commandement ; et la réalité dépassait mes pires appréhensions !

Pas la moindre apparence sur lui de quelque maladie ordinaire ; pas le moindre signe, non plus, qu'il en fût guéri ; pas trace d'une convalescence quelle qu'elle fût. Il ressemblait à un homme calciné, qu'on eût arraché au poteau du bûcher après que les flammes dévorantes eussent couru sur tout son corps, sans le lui consumer tout à fait, cependant, et sans rien lui ôter non plus de sa robustesse tassée et condensée par l'âge. Sa haute et puissante stature semblait du bronze le plus résistant, et coulé d'une pièce dans un moule impérissable, tel le *Persée* de Cellini. Sortant sur la tempe au ras de ses cheveux gris, et traçant droit son sillon sur tout le côté du cuir tanné de son visage puis sur le cou, pour disparaître ensuite sous ses vêtements, on lui voyait comme la trace d'une brûlante verge, mais d'un blanc livide. Cela s'apparentait à cette cicatrice verticale qu'on voit parfois sur le haut tronc élancé d'un gros arbre, déchiré de la tête au pied par la foudre qui est allée se perdre dans le sol sans lui avoir brisé le plus petit rameau, mais qui lui a entaillé et pelé l'écorce, le laissant debout vert et vif, brûlé pourtant et marqué du sceau du feu. Si cette marque était née avec lui, ou si elle était l'effroyable cicatrice d'une blessure affreuse, c'était là une question que nul à bord ne pouvait trancher avec certitude. Tout au long du voyage on n'y fit, par un certain consentement tacite, pour ainsi dire pas allusion, surtout chez les officiers. Mais il y eut une fois où, superstitieusement, un vieil Indien de Gay Head, parent de Tashtégo, qui faisait partie de l'équipage, assura que jusqu'à la pleine quarantaine Achab n'avait jamais eu ce sillon de feu sur lui : il le tenait, prétendait-il, non des fureurs d'une bataille entre mortels, mais d'un combat cosmique en plein océan. Cette sauvage affirmation se trouva toutefois combattue, semblait-il, par ce que laissa entendre un vieux grison de l'île de Man, un vieillard sépulcral qui, n'ayant jamais mis les pieds à Nantucket avant cet embarquement-ci, n'avait jamais non plus vu le tempétueux Achab avant cette heure. Il est vrai que de vieilles traditions océanes et l'immémoriale superstition revêtaient le vieil homme de Man du discernement prophétique et des pouvoirs surnaturels de la divination. Aussi ne se trouva-t-il pas un autre matelot parmi les Blancs pour le contredire, quand il prononça que si jamais le capitaine Achab devait être paisiblement enseveli – ce qui risquait fort de n'être pas, grommela-t-il – alors celui qui serait chargé de la dernière toilette du mort découvrirait cette marque de naissance courant sur son corps depuis le sommet de la tête jusqu'à la plante du pied.

Toujours est-il que, sur le premier moment, l'aspect orageux du sombre Achab et ce sillon livide qui le zébrait me firent un tel et si bouleversant effet, que je ne m'aperçus pour ainsi dire pas qu'une partie, du moins, de l'impressionnante et redoutable apparence du capitaine tenait au caractère barbare de la blanche jambe qui le supportait pour moitié. Cette jambe d'ivoire, je l'avais appris, avait été façonnée en mer de l'os poli d'une mâchoire de cachalot.

– Oui, oui, commentait une fois le vieil Indien de Gay Head, c'est au large du Japon qu'il a démâté, le vieux. Mais tout comme pour son navire après son démâtage, il n'est pas rentré chez lui pour s'en planter un autre. Un plein carquois qu'il en a !

J'étais impressionné aussi par l'étrange position qu'il avait. Sur chaque bord du gaillard d'arrière, pratiquement sous les haubans d'artimon, dans le bordé du pont, avaient été forés à la tarière des trous profonds d'un demi-pouce à peu près. C'était là que s'ajustait sa jambe ; et le bras levé, accroché aux enfléchures, le capitaine Achab se tenait droit et immobile, le regard fixé au-dessus de la proue perpétuellement plongeante du navire.

Dans la fermeté de ce regard porté résolument en avant, avec une farouche énergie, s'exprimait une volonté de fer, une détermination invincible, un courage et une force d'âme infinis. Il ne dit pas un mot ; ses officiers ne lui adressèrent non plus pas la parole, mais à leurs moindres gestes, à toute leur expression, on voyait clairement qu'ils avaient le sentiment pénible, si pas douloureux, d'être tenus sous le regard d'un maître dans le tourment. Plus même : le sombre Achab, le foudroyé, dressait devant eux une image de crucifixion torturante, et sa royale dignité hautaine le drapait dans l'autorité arrogante de l'ennemi puissant.

Il ne fut pas long, après cette première visite au plein air, à regagner sa cabine. Mais depuis ce matin-là, chaque jour l'équipage put le voir, tantôt planté dans son trou à pivot, tantôt assis sur un tabouret d'ivoire dont il avait fait son siège favori, tantôt encore déambulant lourdement sur le pont. A mesure que le ciel se faisait moins morose et sombre, à mesure Achab semblait lui-même connaître quelque clémence, et sa furieuse réclusion petit à petit prit fin. On eût dit que depuis que le navire faisait route, l'hivernale et mortelle noirceur de la mer avait seule fait de lui un prisonnier volontaire ; et il en vint peu à peu à passer dehors la plupart de son temps. Mais en tout ce qu'il pouvait dire ou faire sur le pont, maintenant enfin ensoleillé, il paraissait à peu près aussi nécessaire qu'un quatrième mât. Il est vrai que le *Péquod* ne faisait pour l'heure que tailler sa route; il n'était à proprement parler pas en campagne; et pour tout ce qu'il y avait à vérifier ou à préparer en vue de chasser la baleine, les officiers du bord étaient suffisamment compétents et pouvaient s'en charger; de sorte qu'il n'y avait alors peu ou prou que lui-même pour occuper ou distraire Achab de lui-même. Rien ne venait chasser pour l'heure les sombres nuées qui s'accumulaient sur son front, comme toujours elles choisissent pour le faire les pics les plus altiers.

Néanmoins, l'éloquente et persuasive chaleur du beau temps où nous vînmes à entrer finit par avoir raison, semblait-il, de ses sombres humeurs, agissant comme un charme. Car de même que, lorsque ces roses filles de l'année qui se nomment Avril et Mai s'en viennent en dansant regagner le bois misanthropique, on peut voir alors le plus vieux chêne tout foudroyé, tout dépouillé, tout rugueux qu'il soit, pousser quand même quelques menus et verts bourgeons pour saluer d'aussi charmantes visiteuses; de même le vieil Achab, finalement, donnait quelque mince réponse aux séductions exquises de ces brises adolescentes. Plus d'une fois, même, on vit s'épanouir en lui la timide fleur d'un regard qui eût, chez tout autre homme, éclaté en sourire.

XXIX

EN SCÈNE : ACHAB,
ENTRE STUBB

Quelques jours s'évanouirent ; et le *Péquod*, laissant dans son sillage les frimas et les glaces, roulait à présent sur la houle brillante du doux printemps de Quito, qui règne en mer presque éternellement au seuil de l'août sempiternel des tropiques. Débordants, surabondants de fraîcheur chaleureuse, les jours exquis et clairs, sonores, parfumés, étaient comme le cristal de coupes mousseuses et comblées de sorbets de Perse, tout floconneux de neigeuse eau de rose. Les hautes nuits prodigieuses d'étoiles semblaient des châtelaines, ruisselantes de pierreries sur le velours de leurs robes à traîne, qui, dans la fière solitude de leurs seigneuries, chérissaient orgueilleusement la mémoire bien-aimée des nobles conquérants absents : les soleils casqués d'or ! L'homme pour son sommeil avait peine à choisir entre ces jours charmeurs et ces nuits séduisantes. Mais ce n'était pas seulement sur le monde extérieur que la douceur du temps répandait les prestiges de tant de charmes neufs et de vertus nouvelles et puissantes : le monde intérieur aussi en était visité et l'âme caressée, surtout à la suave approche des calmes heures du soir ; de même que la glace dessine de préférence ses floraisons et ses arborescences dans le silence des crépuscules, de même la mémoire découvre alors ses cristaux. Et toutes ces forces subtiles influaient de plus en plus sur la nature d'Achab.

L'âge de la vieillesse est toujours sans sommeil, comme si l'homme, à mesure que se prolonge son lien avec la vie, voulait de moins en moins avoir affaire avec tout ce qui peut ressembler à la mort. D'entre tous les commandants à la mer, ce sont les capitaines

à la barbe d'argent qui quitteront le plus souvent leur couchette
pour visiter le pont sous la coupole de la nuit. Et tel était Achab, à
ceci près toutefois que dans ces derniers temps il était si souvent
dehors que, pour le vraiment dire, il faudrait dire qu'il s'absentait
du pont pour faire visite à la cabine, et non point de la cabine pour
venir sur le pont.

– Ça vous donne l'impression qu'on descend dans sa tombe,
grommelait-il pour soi-même ; prendre cette étroite descente, pour
le vieux capitaine que je suis, c'est comme descendre dans la fosse
pour le dernier repos.

Ainsi, de vingt-quatre en vingt-quatre heures, presque régulièrement, quand on courait les quarts de nuit, quand la bordée de
veille sur le pont montait la garde sur la bordée en sommeil
au-dessous ; quand les hommes, au lieu de laisser retomber rudement les manœuvres comme ils le faisaient de jour, les reposaient
avec précaution pour ne point déranger leurs camarades qui dor-
maient ; oui, lorsque ce calme particulier étendait son silence sur
le navire, l'immobile homme de barre se mettait habituellement à
guetter la descente de cabine, d'où il ne tardait guère à voir émerger le vieil homme qui s'agrippait à la rampe de fer pour s'aider
dans sa marche pénible. Le vieil homme ne se montrait pas tout
à fait dénué de respect humain ; à ces moments-là, en effet, il
s'abstenait en général de déambuler sur le château d'arrière,
parce que pour ses officiers fatigués qui cherchaient le repos à
moins de six pouces au-dessous de son talon d'ivoire, le martèlement sonore de son pas osseux eût retenti d'un tel écho que leurs
rêves eussent été infailliblement hantés de féroces mâchoires de
requins. Une fois pourtant, l'angoisse qui le travaillait se fit par
trop profonde et l'emporta sur ces communs égards ; il se mit
donc à arpenter pesamment le navire de long en large, martelant
le pont de la poupe au grand mât. Stubb, le lieutenant, arriva du
carré et, avec un ton mal assuré de désapprobation et d'humour,
avança que si tel était le bon plaisir du capitaine Achab, nul en
effet ne pouvait l'empêcher de déambuler sur le pont, mais que
peut-être on pourrait trouver un moyen pour étouffer le bruit ;
avec une hésitation plus marquée encore, il bredouilla quelque
chose à propos d'un tampon d'étoupe en demi-lune, et du talon

d'ivoire qui pourrait venir s'y insérer. Ah ! Stubb, c'était bien mal connaître Achab !

– Suis-je un boulet de canon, Stubb ! que tu prétendes me fourrer pareillement de la bourre ? s'exclama Achab. Allez ! va ton chemin ; j'ai oublié la chose ! En bas, va ! Dans ta tombe nocturne, où les gens comme toi vont dormir entre deux linceuls pour mieux apprendre à se coucher dans le dernier ! En bas, les chiens ! à la niche !

Fouetté par cette exclamation inattendue du vieil homme, soudain si méprisant, Stubb en eut le souffle coupé un instant, puis la colère l'emporta :

– Je n'ai pas l'habitude qu'on me parle sur ce ton, monsieur ; je peux dire que la chose ne me convient qu'à moitié !

– Assez ! gronda Achab, les dents serrées, tout en s'éloignant brutalement comme pour se soustraire à quelque furieuse tentation.

– Non, monsieur ! reprit Stubb s'enhardissant. Non ! pas encore… Je ne vais pas me laisser comme ça traiter de chien, monsieur.

– Bourrique ! donc, et dix fois bourrique, âne, baudet et mulet ! Et maintenant file, sinon je débarrasse le monde de toi !

Ce disant, Achab avança sur Stubb d'un air si effroyablement menaçant, chargé d'un si puissant orage que ce dernier se retira malgré lui.

– Jamais on n'a pu me traiter de la sorte sans que je le fasse bougrement payer ! se murmurait Stubb en se retrouvant dans la descente du carré. Bizarre, vraiment ; très bizarre ! Halte-là, Stubb… ! De toute façon, je ne sais trop si je remonte lui cogner dessus, à présent, ou bien si je – mais qu'est-ce à dire ? – si je m'agenouille ici même et me mets à prier pour lui… Oui, c'est cela, l'idée qui me prend, oui, bien sûr ; mais ce serait bien la première fois que je me mettrais à prier ! Bizarre ! Extrêmement bizarre… Et bizarre il est, lui aussi ! Oh ! sûr, de proue en poupe tu peux le prendre : c'est bien le plus bizarre vieux type avec qui tu aies jamais navigué, Stubb ! Quelle explosion !… Et ses yeux comme des bouches à feu ! Fou ? Est-ce qu'il est fou ? Ça, il a quelque chose qui lui pèse sur la cervelle, aussi vrai qu'il faut qu'il y ait quelque chose sur le pont quand il craque. Il ne tient pas au lit plus de trois heures sur vingt-quatre, à présent, et quand il y est il ne ferme pas l'œil ;

« Mie-de-Pain », le garçon de cabine, m'a encore dit que le matin,
il trouve en bouchon tout le saint-frusquin du vieux, les draps roulés au pied, la couverture si chiffonnée qu'elle en fait presque des
nœuds, et l'oreiller si bouillant qu'on dirait qu'on vient d'y poser
une brique chaude. Brûlant vieillard, en vérité ! Je parierais qu'il a
attrapé un coup de conscience, comme il y en a qui disent à terre :
des sortes d'élancements qui vous battent, pire qu'une rage de
dents, il paraît. Bon, bon, que ce soit tout ce qu'on voudra, mais
que Dieu me protège d'attraper ça !... Il est tout plein d'énigmes :
ça ne m'étonnerait pas qu'il se rende chaque nuit dans la cale
arrière, comme Mie-de-Pain l'en soupçonne ; mais pour quoi faire,
je voudrais bien le savoir ? Qui est-ce qui lui donne rendez-vous
dans la cale ? C'est tout de même bizarre, non ? Mais c'est toujours
la même histoire : on ne sait pas. Bon ! allons nous coucher ! Bon
sang ! qu'est-ce qui vous paye de la peine d'être venu au monde, si
ce n'est pas de piquer droit dans le sommeil ? Et maintenant que
j'y pense, c'est à peu près la seule chose que font les nouveau-nés
pour commencer ; et il y a là quelque chose de bizarre aussi... Mais
bon sang de bon sang ! tout devient bizarre sitôt qu'on y pense.
Aussi, c'est contre mes principes. Ne pense pas, voilà mon onzième
commandement, et dors quand tu peux, c'est mon douzième.
Allons-y donc encore un coup !... Eh là ! mais quoi ? est-ce qu'il ne
m'a pas traité de chien ? Tonnerre ! Il m'a appelé dix fois un âne,
et avec tout un paquet de bourriques par-dessus ! Il aurait pu aussi
bien me flanquer un coup de pied, avec ça. Peut-être même qu'il
l'a fait et que moi je ne m'en suis pas rendu compte, tellement son
air m'avait retourné. Ce visage, ce front ! Comme un os blanchi et
tout éclatant ! Mais qu'est-ce que diable il m'arrive ? Voilà que mes
jambes flageolent. Cet abordage avec le vieil homme, ça m'a mis
complètement sens dessus dessous. Bonté divine ! il faut que je l'aie
rêvé ! Ou alors quoi ? comment ? quoi ?... Mais il n'y a plus qu'à le
prendre comme c'est, pour le moment. Aussi allons-nous-en retrouver ce hamac ; demain matin, je verrai bien demain matin comment
cette sacrée affaire se présente à la lumière du jour.

XXX

LA PIPE

Stubb parti, Achab resta un moment penché par-dessus la lisse, puis, selon sa récente habitude, il appela un homme de la bordée pour l'envoyer chercher son tabouret d'ivoire et sa pipe. Plantant son siège du bord au vent, après avoir allumé sa pipe à la lampe d'habitacle, il s'y installa pour fumer.

Du temps des vieux Vikings, la tradition rapporte que les trônes de ces rois de la mer, les Danois, étaient constitués de défenses de narval. Or, comment eût-on pu, maintenant, voir le vieil Achab siéger sur son trépied d'ivoire sans songer à cette haute royauté qu'il symbolisait? Car il était khan des carènes, roi des océans, grand seigneur des léviathans, le vieil Achab.

Il se passa quelques moments; les épaisses bouffées, régulières et fréquentes, sortaient nerveusement d'entre ses lèvres, et le vent les lui rabattait au visage.

– Quoi donc? se prit-il à soliloquer en écartant le tuyau de sa bouche. Fumer ne m'apporte plus le calme? Oh! il faut que ça aille durement pour moi, ma pipe, si maintenant ton charme n'opère plus. Mais voilà que je suis resté là, plus mécaniquement occupé que prenant mon plaisir à fumer, mais oui! ignorant même que je fumais contre le vent, ah! pendant tout ce temps; contre le vent, soufflant ma fumée en jets si nerveux, comme ceux de la baleine agonisante, comme s'ils étaient aussi les derniers, ceux qui sont les plus forts et les plus chargés, les plus troublés d'angoisse… Qu'ai-je affaire avec cette pipe? Pareil objet veut et est fait pour la sérénité, pour laisser paisiblement monter de douces blanches

vapeurs vers de doux blancs cheveux, non pas vers de raides
torons gris de fer comme ceux que je porte. Soit ! je ne fumerai
plus !…

Il lança sa pipe encore allumée à la mer ; le feu siffla dans la
vague. Et l'instant d'après, le navire avait effacé la bulle laissée
par la pipe engloutie. Sous son grand chapeau aux bords rabattus,
Achab, de son pas cahotant, reprit sa déambulation sur le pont.

XXXI

LA REINE MAB

Stubb accostait Flask le lendemain matin :

– Un si étrange rêve, Gros-Bois, je n'en ai jamais eu. Tu connais la jambe d'ivoire du vieux ? Eh bien, j'ai rêvé qu'il me bottait avec ! Et quand j'ai voulu le botter à mon tour, parole ! mon vieux, ma jambe est partie avec le coup. Et voilà que presto Achab était devenu une pyramide, et moi comme un maudit fou, je continuais à cogner dessus. Mais ce qu'il y a de plus curieux, Flask – tu sais comme c'est curieux dans les rêves –, c'est qu'à travers toute cette furie de rage où j'étais, je pensais quand même je ne sais trop comment au-dedans de moi que de ce coup d'Achab, l'offense n'était somme toute pas bien grande. Parce que, me disais-je, il n'y a pas de quoi s'en faire : ce n'est pas une vraie jambe, mais une fausse. Et c'est qu'il y a une fichue différence entre un coup de pied vivant et un coup de pied mort. Tu comprends, Flask, c'est la même chose qui fait que c'est cinquante fois plus fichtrement difficile d'encaisser une gifle qu'un coup de canne. Le membre vivant, c'est ça qui fait l'insulte vivante, mon petit vieux. Et pendant tout ce temps-là je me disais, imagine-toi, pendant que précisément je m'esquintais ces idiots d'orteils contre cette sacrée fichue pyramide – en pleine contradiction comme tu vois –, je me disais pendant tout ce temps : sa jambe qu'est-ce que c'est donc, si c'est pas justement une canne... une canne en os de baleine ! Oui, je me disais, c'était seulement une bastonnade, une bastonnade pas sérieuse, une baleinade en réalité, rien d'autre, mais pas un vil coup de pied. Et puis, je me disais, regarde un peu ce que c'est, oui, l'extrémité inférieure de la chose, ce qui lui sert de pied : c'est un tout petit bout de rien du tout. Mais oui, si c'était un gros paysan avec de grands pieds qui me botte quelque part, alors là ça serait une diable de considérable offense ! Quant à celle-ci, elle se réduit tout juste à un ridicule point.

» Mais c'est là que vient le plus beau, Flask : pendant que je tapais à grands coups de pied dans la pyramide, voilà qu'une espèce de vieux triton avec une tignasse en blaireau et le dos bossu m'attrape par l'épaule et me fait faire demi-tour. « Qu'est-ce que vous fabriquez ? » me demande-t-il. Fichtre ! mon vieux, mais c'est que j'avais peur… quelle bobine ! « Ce que je fais ? finis-je par répondre. Et à vous, monsieur de la Bosse, qu'est-ce que ça peut vous faire ? Serait-ce que *vous* tenez à ce que je vous botte ? »

» Mais bon sang ! Flask, j'avais pas plutôt dit ça que le voilà qui me tourne le dos, se penche en avant et, relevant une brassée d'algues qui lui servait de frusque, me présente son… mais qu'est-ce que tu crois que je vois ? mille tonnerres ! il avait la poupe hérissée d'épissoirs avec la pointe en dehors. Revenant sur ma première idée, moi je lui dis : « M'est avis, mon gars, que je ne vais pas te botter les fesses ! – Sage Stubb, il me répond, sage Stubb, sage Stubb… » et il se met à répéter ça sans arrêt en mâchonnant ses gencives comme une vieille sorcière à la marmite. Voyant qu'il n'était pas près de cesser ses interminables « sage Stubb, sage Stubb », je pensai que je pouvais tout aussi bien me remettre à taper dans la pyramide. Mais je n'avais pas levé le pied qu'il rugit un furieux :

» – Halte-là !

» – Eh là ! qu'est-ce qu'il y a encore qui ne va pas, ma vieille branche ? lui demandai-je.

» – Écoutez voir un peu, me dit-il, qu'on discute de l'offense. Le capitaine Achab vous a botté le derrière, c'est bien ça ?

» – Oui, c'est ce qu'il a fait ; à l'endroit précis que voici, lui dis-je.

» – Bon ! reprend-il. Il s'est servi de sa jambe d'ivoire, non ?

» – Oui, de sa jambe d'ivoire ! affirmai-je.

» – Eh bien, alors, sage Stubb, qu'est-ce que vous avez à vous plaindre ? se mit-il à dire. Est-ce que le coup qu'il vous a donné ne l'a pas été de vraie bonne grâce ? Parce que ce n'est pas d'une ordinaire jambe de bois qu'il a frappé, n'est-ce pas ? Non. Et vous avez reçu ce coup d'un grand homme, Stubb, avec une superbe jambe d'ivoire. C'est un honneur. Je considère et j'estime que c'est un honneur, sage Stubb. Écoutez. Dans la vieille Angleterre, les plus grands et hauts seigneurs tenaient pour la suprême gloire d'être giflés par une reine, et par là faits chevaliers de l'ordre de la Jarretière. Aussi tirez-en *votre* fierté, Stubb, si vous avez été botté par le vieil Achab, et par là fait un sage. Rappelez-vous ce que je dis : vous *êtes* frappé par lui ; mais tenez que son coup vous honore, et ne tenez pas à le lui rendre, parce que c'est *vous* que vous desserviriez, sage Stubb. Ne la voyez-vous pas, cette pyramide ?

» Là-dessus, je ne sais trop comment il disparut tout à coup en nageant bizarrement dans les airs. Je me mis à ronfler ; me retournai sur moi-même ; et voilà que j'étais dans mon hamac !

» Eh bien, Flask, qu'est-ce que tu en dis, de ce rêve ?

– Je ne sais pas. Mais, à mon avis, ça m'a tout l'air d'être une espèce de loufoquerie, je dirais…

– Possible… possible… Mais il a fait de moi un homme sage, Flask. Tu vois le vieil Achab là-bas, au pavois, qui regarde la houache ? Bon, eh bien, tout ce qu'on peut faire de mieux, Flask, c'est de le laisser seul, le vieux, et de ne jamais rien lui dire, quelles qu'aient été ses paroles ! Holà ! qu'est-ce qu'il crie ? Écoutons !

– Ohé de la grand-hune ! Là-haut ! Regardez bien, vous tous ! Il y a des baleines dans les parages ! Si vous en voyez une blanche, crevez-vous les poumons pour l'annoncer !

– Qu'est-ce que tu penses de ça, hein, Flask ? N'y a-t-il pas une petite goutte de quelque chose de bizarre dans tout ça ? Une baleine blanche, t'as noté, mon vieux ? une baleine blanche ! Tu peux me croire, il y a quelque chose au vent. Tiens-toi paré, Flask. Achab, c'est quelque chose de sanglant qui lui pèse sur l'esprit. Mais chut !… le voilà qui vient par ici.

XXXII

CÉTOLOGIE

Nous voici hardiment déjà lancés sur les abîmes; et bientôt nous serons perdus au milieu des infinitudes qui ne connaissent ni havre ni rivage. Mais avant que ne vienne ce temps; avant que la carène chevelue d'algues du *Péquod* ne roule bord à bord avec la carène tapissée de bernacles du léviathan; pour s'y préparer même, il ne sera que bon maintenant d'aborder une question qui se fait presque indispensable pour le plein entendement et l'appréciation des diverses allusions et révélations plus proprement léviathanesques qui vont suivre.

C'est une exposition systématique de la baleine dans son espèce, dans son ensemble le plus vaste, que je voudrais mettre sous vos yeux. Encore que ce ne soit pas une tâche facile. C'est la classification d'un véritable chaos qu'il nous faut essayer de faire ici; rien de moins que cela. Voyez ce qu'en disent les meilleures et les plus récentes autorités :

«Aucune branche de la zoologie n'est aussi complexe et embrouillée que celle qu'on nomme la *cétologie*», écrit en 1820 le capitaine Scoresby.

«Je n'ai pas l'intention, si même la chose était en mon pouvoir, d'entrer dans la question des méthodes propres à une classification vraie des cétacés par groupes et par familles… Parmi les historiens de cet animal (le cachalot) règne la plus extrême confusion», écrit le Dr Beale en 1839.

«Nous n'avons pas les moyens de poursuivre nos recherches dans les profondeurs insondables.» « Le voile impénétrable qui

couvre notre connaissance du cétacé. » « Un champ d'épines. »
« Toutes ces indications incomplètes ne servent à rien qu'à nous
torturer, nous, naturalistes. »

Ainsi parlent de la baleine le grand Cuvier, et John Hunter, et
Lesson, ces lumières de la zoologie et de l'anatomie. Mais il
n'empêche que si la connaissance véritable de la science universelle
est plutôt mince, les livres en revanche sont nombreux sur la terre ;
ainsi en va-t-il également de la cétologie ou science ès baleines.
Innombrables sont les hommes, petits ou grands, anciens ou
modernes, terriens ou marins qui ont écrit en bref ou en long sur la
baleine. Citons-en quelques-uns : Les auteurs de la Bible, Aristote,
Pline, Aldrovandi, Sir Thomas Browne, Gesner, Ray, Linné,
Rondelet, Willoughby, Green, Artedi, Sibbald, Brisson, Marten,
Lacepède, Bonneterre, Desmarest, le baron Cuvier, Frédéric Cuvier,
John Hunter, Owen, Scoresby, le Dr Beale, Dr Bennett, J. Ross
Browne ; l'auteur de *Miriam Coffin* ; Olmstead et le Rév. T. Cheever.
Quant à la valeur des généralisations que se proposaient tous ces
auteurs, on en aura une idée suffisante par les citations données
ci-dessus.

Sur tous les noms de cette liste d'auteurs plus ou moins baleiniers, seuls ceux qui prennent rang après Owen ont vu de leurs
propres yeux une baleine vivante ; et il n'y en a qu'un qui ait été un
authentique baleinier harponneur : j'ai nommé le capitaine
Scoresby qui est la meilleure autorité existante sur la question particulière de la baleine du Groenland ou baleine franche ; mais il ne
connaît pas et ne dit absolument rien sur le grand cachalot, à côté
duquel la susdite baleine est presque indigne d'être seulement
mentionnée. Disons-le en passant, la baleine du Groenland n'est
qu'une usurpatrice sur le grand trône des océans et n'est en
aucune façon le plus grand des cétacés. Mais c'est une usurpation
en tous points réussie et parfaite, tant par l'ancienneté hautement
clamée de ses prétentions, que par la profonde ignorance universelle où l'on était resté au sujet du grand cachalot, parfaitement
fabuleux ou à peu près inconnu jusqu'à ces quelque soixante-dix
dernières années – ignorance qui se perpétue jusqu'au jour où
nous sommes, si l'on excepte quelques rares ermitages scientifiques et quelques ports d'attache de baleiniers. Il suffit de lire ce

qu'ont écrit à peu près tous les grands poètes du passé, en fait
d'allusions au grand léviathan, pour se convaincre que la baleine
du Groenland était absolument sans rivale à leurs yeux et détient
sans contredit la monarchie des mers. Mais enfin les temps sont
venus, d'une nouvelle proclamation à Charing Cross. – Oyez !
oyez ! bonnes gens : la baleine du Groenland a été déposée ; c'est le
grand cachalot qui est le monarque !

Il n'existe que deux livres qui réellement prétendent mettre un
peu sous vos yeux le cachalot vivant, et qui, d'ailleurs, réussissent
au plus haut degré dans leur propos : ce sont les livres de Beale et
de Bennett, qui furent tous deux chirurgiens à bord de baleiniers
anglais dans les mers du Sud, et qui sont l'un et l'autre des
hommes dignes de foi, et d'une exactitude à laquelle on peut se
fier. Évidemment, la matière proprement originale sur le seul
cachalot dans leurs volumes est assez réduite ; mais telle quelle, et
dans ses limites, elle est de qualité excellente, bien que bornée
exclusivement à des descriptions scientifiques. Mais n'importe !
scientifique ou poétique, le grand cachalot jusqu'à ce jour ne se
trouve vivant ni entier dans aucune des littératures ; et bien plus
que celle de toutes les autres baleines qu'on a chassées, sa biographie est inédite ; et non seulement inédite mais encore à écrire.

En tout cas, oui, toutes ces différentes espèces et sortes de
baleines doivent être maintenant classées d'une manière accessible
à tous, même si l'on ne fait qu'esquisser un premier classement
général, laissant à tous les collaborateurs à venir le soin d'en compléter et documenter chacune des sections particulières. Or,
comme je ne vois personne de meilleur que moi qui se propose
pour le faire, force m'est donc d'avancer et d'offrir les essais de
mon pauvre travail. Je ne promets rien d'achevé ni de complet,
pour la raison que tout fruit du travail humain qui se prétend
complet et achevé se trouve infailliblement, par le fait même,
erroné, fautif et pécheur. Je n'aurai non plus pas un seul instant
l'ambition de donner la description anatomique des différentes
espèces, ni même – ici du moins – une description quelle qu'elle
soit. Mon objet n'est que de dessiner le plan du grand bâtiment
méthodique de la cétologie : je ne m'en fais que l'architecte, non
pas le maître d'œuvre.

C'est néanmoins une tâche accablante, à laquelle ne suffirait pas l'employé du grand tri à la poste centrale. Les baleines! Il faut entrer à leur suite dans les profondeurs de la mer et marcher à tâtons dans les lieux les plus cachés de l'abîme; étendre sa propre main sur le squelette et les os, sur les fondements de la terre, sur les côtes mêmes et le bassin du monde; ce qui est à trembler! Qui suis-je, moi qui voudrais prendre le léviathan à l'hameçon ou le saisir par la narine? Les avertissements donnés à Job devraient pourtant m'épouvanter : «Fera-t-il (Léviathan) un pacte avec vous, et se donnera-t-il à vous pour être à jamais votre esclave?... On se trompe quand on espère de le prendre!» Oui certes; seulement j'ai nagé dans nombre de librairies et j'ai croisé sur tous les océans; j'ai eu directement affaire avec les baleines et ces mains que voici les ont touchées, ces deux visibles mains que voici. Je suis sérieux. Et je vais essayer. Quelques préliminaires nécessaires sont à poser.

D'ABORD : Que cette science de la cétologie soit mal fondée et incertaine, cela se trouve d'emblée attesté par le fait que, dans son propre vestibule scientifique, on trouve encore longuement discutée la question de savoir si la baleine est un poisson. Dans son *Système de la Nature*, en 1776, Linné déclarait : «Je sépare désormais les baleines des poissons.» Mais je sais fort bien, d'après ce que j'ai pu apprendre moi-même, que jusque vers 1850, en contradiction formelle avec l'édit absolu de Linné, les requins et l'alose, la limande et le hareng partageaient toujours la possession des mêmes eaux que le léviathan.

Les raisons que pose Linné en expliquant pourquoi il lui a convenu de bannir les baleines du monde des eaux sont les suivantes : «Considérant leur cœur chaud et bivalve, leurs poumons, leurs paupières mobiles, leurs oreilles profondes, *penem intrantem feminam mammis lactantem*», et finalement : *ex lege naturæ jure meritoque*. J'ai soumis le tout à mes amis Siméon Macey et Charles Coffin, de Nantucket, tous deux mes camarades de gamelle au cours d'une certaine croisière; lesquels se sont accordés pour déclarer que les raisons ci-dessus avancées sont notoirement insuffisantes. Charley alla même jusqu'à insinuer, iconoclaste, que tout ça c'était de la blague.

Soit dit maintenant : tous arguments à part, je tiens moi-même et me repose personnellement sur la bonne et antique notion qui fait de la baleine un poisson; et j'en appelle au saint prophète Jonas pour m'appuyer.

Ce premier point fondamental établi, le second est la différence interne qui sépare la baleine des autres poissons. Linné nous en a donné le détail ci-dessus; mais en résumé, il nous faut retenir les poumons et le sang chaud, tous les autres poissons ayant le sang froid et étant dépourvus de poumons.

ENSUITE : Comment allons-nous définir la baleine par ses caractères externes évidents, de manière à lui fournir une indiscutable étiquette valable pour tous les temps à venir? Pour être bref, nous dirons que la baleine est *un poisson qui souffle et qui a la queue horizontale*. Voilà, vous tenez la chose. Pour si succincte qu'elle soit, cette définition n'en est pas moins le fruit d'une méditation prolongée et étendue. Le morse, par exemple, *souffle* à peu près comme une baleine, mais il n'est pas un *poisson*, étant amphibie. Toutefois, c'est surtout le dernier terme de la définition, accouplé au premier, qui se montre d'une efficacité soutenue. Il n'est, en effet, presque personne pour n'avoir pas remarqué que tous les *poissons* connus des terriens n'ont pas la queue à plat, mais *verticale* ou, si l'on préfère, allant de haut en bas. Tandis que chez tous les *souffleurs* la queue, même si par le dessin elle peut être conformée comme les autres, affecte toujours et invariablement une position *horizontale*.

Par la définition que voilà, *primo* je n'exclus et n'entends exclure de la confrérie léviathanesque aucune des océaniques et marines créatures identifiées et reconnues comme baleines jusqu'à ce jour par les Nantuckais les mieux informés; et *secundo* n'accepter dans la confrérie aucun poisson considéré avec autorité comme étranger[1]. C'est pourquoi tous les plus petits souffleurs à queue

---

1. Je n'ignore pas que jusqu'au présent jour, les poissons qualifiés Lamantins et Dugongs (poisson-cochon et poisson-truie des Coffin de Nantucket) sont inclus au nombre des baleines par beaucoup de naturalistes. Mais comme ces poissons-cochons sont une infecte et méprisable bande qui hante l'embouchure des rivières et se nourrit de foin mouillé, comme au surplus et surtout ils ne « soufflent » pas, je leur refuse leurs lettres de crédit en tant que baleines, et leur ai remis leur passeport pour qu'ils quittent le royaume cétologique. *(NdA.)*

horizontale doivent trouver place sur le plan de fondation de la cétologie. Et maintenant, venons-en aux grandes divisions de l'armée entière des baleines.

Je divise pour commencer l'ensemble des baleines, en fonction de leur taille, en trois grands LIVRES généraux (subdivisibles en CHAPITRES) qui les comprendront toutes, des plus grandes aux plus petites :

I - LA BALEINE IN-FOLIO
II - LA BALEINE IN-OCTAVO
III - LA BALEINE IN-DOUZE

Comme type de l'in-folio, je présente le Cachalot; de l'in-octavo : le Grampus; de l'in-douze : le Marsouin.

LIVRE PREMIER
IN-FOLIO

Au nombre des in-folio je comprends ici les chapitres suivants : I. Le Cachalot *(Sperm Whale)*. – II. La Baleine Franche *(Right Whale)*. – III. Le Grand Rorqual *(Fin Back Whale)*. – IV. La Baleine à Bosse *(Hump-backed Whale)*. – V. Le Dos de Rasoir *(Razor Back Whale)*. – VI. La Baleine Soufre *(Sulphur Bottom Whale)*.

CHAPITRE I
LE CACHALOT

Cette baleine, autrefois vaguement connue des Anglais comme Baleine-Trompette, Physeter Whale et Baleine à Tête d'Enclume, est l'actuel Cachalot des Français, le Pottfisch des Allemands et le Macrocephalus des beaux parleurs savants. C'est sans conteste le plus gigantesque habitant du globe; et de toutes les baleines qu'on puisse combattre, c'est la plus formidable, la plus majestueuse d'aspect; finalement aussi c'est la plus rentable et la plus hautement précieuse pour le commerce, car elle est la seule créature dont on tire cette précieuse substance : le spermaceti (ou Sperma

Ceti). Ses différentes caractéristiques se trouveront développées en maint autre endroit de ce livre ; ici, c'est à son nom surtout que je m'en prends. Philologiquement parlant, ce nom de *Sperm Whale* est absurde. Lorsque le cachalot, il y a quelques siècles, était inconnu presque totalement en tant qu'individu singulier, son huile étant obtenue accidentellement seulement sur des unités échouées à la côte, le spermaceti, croyait-on, venait des animaux connus en Angleterre sous le nom de baleine du Groenland ou baleine franche. On croyait aussi qu'il était la semence fécondante de cette baleine du Groenland, comme l'indique expressément la première syllabe du mot. A cette époque, le spermaceti était d'une rareté extrême et on en usait, non pas pour la lumière, mais uniquement comme onguent et médicament. Il n'était possible de se le procurer que chez l'apothicaire, comme de nos jours on y achète une once de poudre de rhubarbe. Je pense personnellement que lorsque, avec le temps, la vraie nature du spermaceti vint à être connue, son nom premier lui fut cependant conservé par les boutiquiers qui en faisaient commerce, évidemment pour en augmenter la valeur par la notion d'étrangeté et de rareté extrême qu'il suggérait si fortement. Et c'est ainsi que, le nom original étant maintenu, il fut par la suite appliqué au cétacé lui-même : celui qui, vraiment, le produit.

CHAPITRE II
LA BALEINE FRANCHE

D'une certaine manière, c'est le plus vénérable des léviathans puisque c'est le premier que l'homme chassa régulièrement. Il fournit l'article bien connu qui porte son nom de « baleine », de même que l'huile dite « huile de baleine », qui est de qualité inférieure. Pour les pêcheurs, il est généralement connu sous divers noms tels que : baleine, baleine du Groenland, baleine noire, grande baleine, vraie baleine, baleine franche ; mais l'obscurité reste grande quant à la détermination des espèces différentes que ces multiples noms distinguent. Quelle est donc la baleine qui constitue le chapitre deuxième de mon format in-folio ? C'est le grand Mysticetus des naturalistes anglais, la baleine du Groenland des pêcheurs de baleines anglais, la baleine ordinaire des baleiniers français, le Walfisch groenlandais des Suédois. C'est la baleine que Hollandais et Anglais pendant plus de deux siècles ont chassée dans les mers arctiques ; c'est la baleine que les baleiniers américains ont longuement poursuivie dans la mer des Indes, sur les bancs du Brésil, au large de la côte nord-ouest dans le Grand Océan, et dans maintes autres parties du globe désignées par eux du nom général de « Parages de chasse de la baleine franche ».

Certains prétendent faire une différence entre la baleine du Groenland des Anglais et le Right Whale des Américains ; mais ils sont fort exactement semblables dans leurs grandes lignes, et l'on n'a pas encore avancé un seul trait décisif qui puisse permettre de faire entre eux une distinction radicale. C'est par ces subdivisions sans fin, basées sur des différences sans le moindre intérêt, que certains chapitres de l'histoire naturelle deviennent si inextricablement embrouillés. La baleine franche fera ici ou là l'objet de descriptions plus étendues avec les éléments permettant de mieux distinguer le cachalot.

CHAPITRE III
LE GRAND RORQUAL

Sous cette rubrique je classe un monstre qui, sous les divers noms de Fin-back, Grand Souffle, Long John, a été aperçu dans presque toutes les mers. C'est celui dont le haut souffle puissant, aperçu au loin, a été si souvent décrit par les passagers traversant l'Atlantique sur les long-courriers de New York. Par la longueur de sa taille comme aussi par ses fanons, le grand rorqual ressemble à la baleine franche ; mais il est moins massif, plus élancé, et d'une couleur tirant sur l'olive. Sa grande bouche présente l'apparence d'un gros câble, du fait de l'enroulement torsadé des grandes rides que forment ses lèvres. Son trait distinctif, d'où il tire son nom de fin-back en anglais, est une haute nageoire dorsale souvent fort apparente, qui peut atteindre trois à quatre pieds de long et qui s'érige verticalement sur l'arrière du dos, dessinant un angle aigu dont la pointe est très tranchante. Il arrive souvent, alors que le reste de l'animal est absolument invisible, que cette nageoire apparaisse seule à la surface. Quand la mer est mate, ondée seulement de longues courbes douces qui semblent circulaires, et que vient à y apparaître cette nageoire érigée comme un style de cadran solaire projetant son ombre sur les rides de l'eau, on croirait vraiment que l'océan est un cadran horizontal avec ce style dressé et les lignes horaires que dessinent les eaux. Mais sur ce gnomon d'Ahasvérus, l'ombre souvent chemine à l'envers.

Le rorqual est un solitaire ; c'est un misanthrope qui fuit la compagnie des baleines comme il y a des hommes qui fuient la compagnie de leurs semblables.

Très farouche, il apparaît soudain imprévisiblement à la surface des mers les plus lointaines et les plus désolées, le jet droit et nu de son souffle semblant dressé comme une longue et unique lance sur une morne plaine. La nage de ce léviathan est d'une puissance si merveilleuse, et il est doué d'une telle vitesse qu'il peut à ce jour défier toutes les poursuites de l'homme. C'est le Caïn de sa race, semble-t-il, le banni invincible qui porte comme marque sur son dos ce style en forme de poignard.

Parce qu'il porte des fanons à la mâchoire, le rorqual est parfois compris, en compagnie de la baleine franche, dans la catégorie théorique des Baleines à Fanons, c'est-à-dire des baleines à baleines. De ces « baleines à fanons », les espèces et les variétés semblent assez nombreuses et peu connues pour la plupart ; le Rorqual à Bec et la Baleine Camuse, la Baleine à Tête de Pique, la Baleine Huppée, la Rostrée et la Prognathe, ce sont là quelques noms que les baleiniers leur donnent.

Quant à cette dénomination de baleines à fanons, il est très important de noter que si pareille classification nominale peut faciliter à l'occasion l'identification des espèces ou individus mentionnés, on ne saurait qu'en vain prétendre classer définitivement et clairement les léviathans en se fondant sur leurs fanons ou sur leur bosse, sur leur nageoire ou sur leurs mâchoires ; bien que, malgré tout, ces caractéristiques extérieures et nettes offrent sans doute une bien meilleure base que toute autre pour une classification systématique et stable de la cétologie. Alors quoi donc ? Les fanons ou la bosse, la nageoire dorsale ou les dents, ce sont là des caractères qui se retrouvent identiques à travers des espèces très différentes de cétacés ; sans nul rapport avec les autres dispositions naturelles par quoi ils se distinguent indiscutablement. C'est ainsi que le cachalot et la baleine à bosse ont tous deux une bosse – et là s'arrête leur ressemblance; que cette baleine à bosse et la baleine du Groenland ont toutes deux des fanons – mais là s'arrête aussi leur ressemblance; et il en va de même avec toutes les autres. Les combinaisons ainsi formées sont si diverses entre les différentes espèces, ou, à l'inverse, il y a tant d'exceptions chez les individus, que ces complications défient finalement toute méthodisation fondée sur ces bases. C'est l'écueil sur lequel se sont heurtés et ont sombré tous les naturalistes qui se sont occupés de la baleine.

Sera-ce donc dans son anatomie interne que la baleine offrira enfin les éléments qui nous permettront une classification méthodique et valable? Erreur encore. Pour la baleine du Groenland, par exemple, quoi de plus significatif anatomiquement que ses fanons? Or, nous venons de voir que les fanons ne permettent point de la classer correctement. Descendons alors aux plus profonds viscères des différents léviathans; ouais! les éléments de distinction fournis sont cinquante fois moins propres encore à une quelconque classification. Que reste-t-il alors? Rien, si ce n'est de tenir compte tout simplement du volume, de la dimension propre des corps de chaque espèce, et de les classer hardiment et franchement de cette manière. C'est le système bibliographique adopté ici même; c'est aussi le seul possible, parce que c'est le seul qui ne soit pas inutilisable. Nous continuons donc.

CHAPITRE IV

LA BALEINE A BOSSE

Cette baleine est fréquente sur les côtes nord de l'Amérique où elle a été souvent capturée et halée jusqu'aux ports. Elle porte sur le dos, comme un colporteur, un énorme colis; vous l'appelleriez aussi bien la baleine-éléphant ou la baleine-tour, d'autant que son nom ordinaire ne la distingue pas du cachalot dont la bosse, toutefois, est un peu moins grande. Son huile ne vaut pas grand-chose. C'est une baleine à fanons qui, donc, fournit des baleines. C'est une baleine plus joueuse et plus folâtre que les autres, qui se dépense plus et laisse autour d'elle plus de joyeuse écume blanche.

CHAPITRE V
LE DOS DE RASOIR

De cette baleine, on ne connaît guère plus que le nom. Je l'ai vue de loin dans les parages du cap Horn en haute mer. D'une nature réservée et discrète, elle évite à la fois les chasseurs et les philosophes. Bien qu'elle ne soit pas lâche, elle n'a jamais laissé apercevoir que son dos qui érige une longue lame bien droite et affilée. Laissons-la filer. Je n'en sais pas beaucoup plus sur son compte; personne d'autre non plus.

CHAPITRE VI
LA BALEINE SOUFRE

Encore un personnage de nature fort réservée, qui possède un ventre coloré de soufre qu'elle se fait tel, à n'en pas douter, en allant le frotter sur les toits de l'enfer dans ses plongées les plus profondes. On la voit rarement; je ne l'ai, quant à moi, jamais aperçue, si ce n'est dans les mers les plus lointaines du Sud, et toujours alors à trop grande distance pour pouvoir étudier son allure. Jamais on ne la chasse; elle filerait avec des corderies entières de lignes. On raconte sur elle des choses prodigieuses. Adieu, ventre de soufre! Je ne puis plus rien dire de vrai sur toi, et les plus vieux Nantuckais non plus.

Ici prend fin le LIVRE PREMIER (in-folio) et commence le :

LIVRE DEUXIÈME

IN-OCTAVO [1]

Qui comprend les baleines de moyenne dimension, au nombre desquelles se peuvent actuellement compter : I. Le Grampus. – II. Le Black Fish. – III. Le Narval. – IV. Le Dauphin Tueur de Baleines. – V. L'Orque Batteur.

CHAPITRE I
LE GRAMPUS

Quoique ce dauphin – dont la respiration bruyante (ou plus exactement le souffle sonore) a passé en proverbe chez les terriens – soit un hôte bien connu des profondeurs, il n'est pourtant pas compté d'ordinaire au nombre des baleines. Mais les naturalistes pour la plupart, considérant qu'il a toutes les distinctives du léviathan, le regardent en général comme tel. C'est un in-octavo moyen, variant de quinze à vingt-cinq pieds en longueur [2], d'un volume en rapport avec cette taille. Il nage en bandes. On ne le chasse jamais systématiquement, bien que son huile soit d'une qualité convenable comme matière d'éclairage et qu'il en fournisse d'appréciables quantités. Certains pêcheurs estiment que sa rencontre annonce celle du grand cachalot.

CHAPITRE II
LE BLACK FISH

Je donne à tous ces poissons le nom en usage chez les pêcheurs ; c'est en général le meilleur. Mais s'il se trouve que certaines de ces dénominations soient vagues ou inexpressives, je le dirai en en

1. La raison pour laquelle ce livre n'est pas dénommé in-quarto est bien évidente : les baleines de cet ordre, quoique plus petites que les précédentes, n'en restent pas moins fort proches et, proportionnellement, fort semblables par la force et la taille. Or l'in-quarto des reliures, dans son format exigu, ne conserve pas ces rapports relatifs que l'in-octavo, lui, retient parfaitement. *(NdA.)*
2. De cinq à huit mètres environ.

suggérant quelque autre. Aussi est-ce ce que je fais maintenant pour ce black fish, le noir étant de règle comme robe chez la plupart des baleines. Appelons donc cet épaulard la baleine-hyène, s'il vous plaît. Sa voracité est chose bien connue, et comme elle a les commissures des lèvres retroussées, c'est une sorte de perpétuel sourire méphistophélique que porte son visage. Elle atteint seize à dix-huit pieds de long[1]. On la trouve sous toutes les latitudes. Elle nage d'une façon caractéristique en laissant apparaître sa nageoire dorsale aquiline, qui ressemble à un nez romain. Il arrive qu'à défaut de cachalot, les baleiniers chassent quelquefois la baleine-hyène pour se fournir complémentairement en huile bon marché pour leur usage domestique, tout ainsi que certaines maîtresses de maison fort économes, en l'absence de tout invité, brûlent pour elles-mêmes de la fade chandelle au lieu de l'odoriférante cire. Encore que leur lard soit fort maigre, certaines de ces baleines donnent pourtant plus de trente gallons d'huile[2].

CHAPITRE III
LE NARVAL[3]

Nouvel exemple d'une baleine bizarrement désignée, sans doute parce que sa corne si particulière aura été prise, j'imagine, pour un nez pointu. L'animal atteint ses seize pieds de long, auxquels il faut ajouter les quelque cinq pieds, quand ce n'est pas dix et parfois même quinze, que fait sa corne. Pour être exact, cette corne n'est que l'allongement d'un croc qui saillit de la mâchoire en ligne droite légèrement au-dessous de l'horizontale. Mais cette défense est unique, sur le seul côté gauche du museau, ce qui laisse une étrange impression de malaise, donnant à son propriétaire l'apparence d'un tireur gaucher et maladroit. A quelles fins peut bien répondre cette corne, ou plutôt cette lance d'ivoire, ce serait difficile à dire. Elle ne semble pas avoir l'emploi de la lame de l'espadon ou de celle du poisson-scie, quoique certains marins m'aient

---

1. Entre cinq et six mètres.
2. Quelque cent trente-cinq litres.
3. Étymologiquement *nostril whale* : baleine à naseau.

assuré que le narval s'en servait pour labourer le fond de la mer et y chercher sa nourriture. Charles Coffin dit qu'elle lui sert à percer la glace lorsque, venant en surface dans les mers polaires, il les trouve gelées ; il se jette alors, lance en avant, et s'ouvre le passage. Mais aucune de ces hypothèses ne peut être sûrement démontrée. A mon opinion personnelle, quel que puisse bien être l'usage qu'en fait le narval – si toutefois il en fait usage – elle serait certainement aussi un excellent et fort commode coupe-papier pour la lecture des ouvrages brochés. J'ai entendu donner au narval les noms de : baleine à croc, baleine à corne, licorne de mer et unicorne. Il est assurément un très curieux exemple de cet unicornisme qu'on trouve dans presque chaque règne de la nature animée. Des œuvres monacales de certains vieux auteurs, j'ai tiré que cette corne de la licorne de mer passait autrefois pour le grand antidote contre tous poisons, ce qui faisait atteindre à des prix fantastiques les différentes préparations qu'on en faisait. On la distillait aussi pour en tirer des sels volatils contre les vapeurs des dames, tout de même que les bois du grand cerf sont aujourd'hui manufacturés en manches de couteaux. A l'origine, elle était en elle-même un objet de grande curiosité. Les vieux caractères gothiques m'ont raconté que Sir Martin Frobisher, lorsqu'il rentra de sa fameuse expédition – cette fois où la bonne reine Elizabeth du haut d'une fenêtre de Greenwich Palace lui avait si gracieusement fait signe de sa royale main alors que son vaillant vaisseau remontait la Tamise –, les vieux caractères gothiques m'ont dit : « Lorsque Sir Martin revint de cette fameuse expédition, le genou ployé, il présenta à Son Altesse une prodigieuse et longue corne de narval, qui demeura longtemps après suspendue au château de Windsor. » Un auteur irlandais certifie que sa seigneurie le comte de Leicester, le genou ployé, présenta semblablement à Son Altesse une autre corne, appartenant celle-là à un animal terrestre de l'espèce unicorne.

Le narval possède un extérieur fort pittoresque qui s'apparente au léopard : il est d'un blanc laiteux tout parsemé de rondes et ovales mouchetures noires. Son huile claire et fine est de très haute qualité, mais il en fournit peu et on le chasse rarement. Il se rencontre surtout dans les mers circonvoisines du pôle.

CHAPITRE IV
LE DAUPHIN TUEUR DE BALEINES

Sur cette baleine, les Nantuckais savent fort peu de choses et les naturalistes rien du tout. De ce que j'ai pu voir à distance de ce tueur, je dirai que sa taille est à peu près celle du Grampus. Il est extrêmement sauvage : une sorte de cannibale fidjien chez les poissons. Il attrape parfois la grande baleine in-folio par la lèvre et y reste accroché comme une sangsue jusqu'à ce que la puissante bête harcelée soit épuisée à mort. Le tueur n'est jamais chassé. Je n'ai jamais rien appris sur la qualité de l'huile qu'il peut avoir. On pourrait récuser le nom qui lui est attribué du fait de son indétermination : car nous sommes tous des tueurs, en effet, sur la terre comme dans la mer, Bonaparte et requins compris.

CHAPITRE V
L'ORQUE BATTEUSE

Cette baleine est fameuse par sa queue, dont elle use ainsi que d'une férule pour battre ses ennemis. Elle s'attache au dos de la baleine in-folio et ne cesse de la battre tandis qu'elle nage, faisant ainsi son chemin comme certains maîtres d'école font le leur dans ce monde. L'orque batteuse est encore moins connue que le tueur. Tous deux sont des hors-la-loi, oui, jusqu'au sein des océans sans loi.

Ici prend fin le LIVRE DEUXIÈME (in-octavo) et commence le :

LIVRE TROISIÈME
IN-DOUZE

Qui comprend les baleines de petit format : – I. Le Marsouin Hop-là. – II. Le Marsouin Algérine. – III. Le Marsouin à Museau Enfariné.

A ceux qui n'ont pas eu l'occasion d'étudier spécialement la question, il pourra paraître étrange que des poissons dont la taille commune n'excède pas quatre à cinq pieds soient enrégimentés au nombre des « baleines » – un mot qui, pour le public, porte avec lui l'idée d'énormité gigantesque. Néanmoins les animaux ci-dessus classés comme in-douze sont incontestablement des baleines d'après les termes mêmes de ma définition, à savoir : des poissons souffleurs à queue horizontale.

CHAPITRE I

LE MARSOUIN HOP-LA

C'est le marsouin commun qu'on trouve à peu près dans toutes les mers du globe. Le nom est de mon cru, car il y a bien des sortes de marsouins et il faut bien tenter quelque chose pour les distinguer. Je l'appelle ainsi parce qu'il voyage toujours en grandes bandes gambadeuses et joviales qui ne cessent de bondir en l'air au-dessus des immensités marines, lancés tels les chapeaux d'une foule de 14-Juillet. Leur apparition est en général saluée avec transports par le matelot. Emplis d'allégresse, ils arrivent invariablement au vent dans les vagues moutonneuses. Ce sont des gaillards qui vivent toujours face au vent. On estime qu'ils sont d'un heureux augure. Si vous-même, vous êtes capable de ne pas pousser trois hurrahs à la vue de ces joyeux compères pleins de vitalité, que le ciel alors vous protège ! l'esprit divin de la joie n'est pas en vous.

Un marsouin hop-là bien nourri et bien gras fournit un bon gallon de bonne huile ; mais on extrait de son museau un onctueux fluide délicat et fin, d'une très grande valeur, très réclamé par les horlogers et bijoutiers ; les matelots ont coutume de l'étendre sur leurs pierres à affûter. La chair du marsouin, le savez-vous ? est un mets excellent. Jamais peut-être ne vous êtes-vous avisé que le marsouin soufflât ? En réalité, c'est que son souffle est si menu qu'il n'est pas aisément discernable ; pourtant, à la prochaine occasion, guettez-le bien : vous verrez le grand spermaceti soi-même, en miniature.

CHAPITRE II
LE MARSOUIN ALGÉRINE

Un pirate. Très sauvage. Il ne se rencontre, je crois bien, que dans le Pacifique. Il est peut-être un peu plus grand que le marsouin hop-là, mais à peu près fait de la même manière. Provoquez-le, et il vous vaudra un requin. Combien de fois n'ai-je pas mis à la mer pour lui ! Jamais je n'en ai vu un seul de pris.

CHAPITRE III
LE MARSOUIN A MUSEAU ENFARINÉ

Le plus grand des marsouins, et qu'on n'a jamais rencontré que dans le Pacifique depuis le temps qu'on le connaît. Le seul nom – anglais – sous lequel il ait été désigné jusqu'ici est celui en usage chez les baleiniers : le « marsouin-baleine », qui lui vient de ce qu'on le rencontre surtout dans le voisinage de cet in-folio (la baleine franche). De forme, il diffère sensiblement du marsouin hop-là, étant quelque peu moins rondouillard et dodu ; en fait, il a tout du monsieur distingué et de sobre tenue. Il n'a pas de nageoire dorsale (la plupart des marsouins en ont une) ; il possède une adorable queue et de doux yeux hindous de teinte noisette. Mais son museau enfariné le dépare. Quoique son dos et ses flancs jusqu'au niveau de ses nageoires latérales soient d'un noir profond, il est tranché par une ligne de démarcation aussi nette que ce qu'on nomme le liston sur un navire ; et cette ligne le sépare en deux couleurs de l'étrave à l'étambot : noir dessus, blanc dessous, le blanc enveloppe donc partiellement sa tête, dont le museau en entier, ce qui fait qu'il a l'air de revenir à l'instant d'une coupable visite à quelque sac de farine. Un air vraiment minable et poudré ! Son huile est à peu près identique à celle du marsouin commun.

Au-dessous de l'in-douze, le présent système ne se continue plus, étant que le marsouin est la plus minuscule des baleines. Au sommet, vous avez tous les léviathans de marque. Mais il existe tout un fatras de baleines à demi fabuleuses, fugaces, incertaines, que je connais de réputation, en ma qualité de baleinier américain, mais non pas personnellement. Je vais les énumérer sous leurs titres et noms du gaillard d'avant, car il n'est pas impossible qu'une pareille liste facilite la tâche des chercheurs futurs qui viendraient compléter ce que je n'ai fait ici que commencer. Si quelqu'une de ces baleines devait être attrapée et étiquetée par la suite, il ne resterait qu'à l'introduire sur-le-champ dans le système, en fonction de son format : in-folio, in-octavo ou in-douze. Les voici :

La Baleine Goulot de Bouteille ; la Baleine Jonque ; la Baleine Tête de Pudding[1] ; la Baleine Cap ; la Baleine Leader [2] ; la Baleine Canon ; la Baleine Rugueuse ; la Baleine Cuivrée ; la Baleine Éléphant ; la Baleine Iceberg ; la Baleine Quog ; la Baleine Bleue, etc. En s'appuyant sur les auteurs et les autorités anciennes des Islandais, des Hollandais et des Anglais, on pourrait citer d'autres listes encore de baleines incertaines, baptisées de toutes les façons de noms extravagants et mal taillés. Je les laisse de côté comme absolument surannés ; je ne puis m'empêcher de les soupçonner de n'être que des sons, remplis certes de léviathanisme, mais ne signifiant rien.

CONCLUSION : Il a été posé au début, que ce système ne serait point, du moins ici et sur-le-champ, perfectionné. Nul ne peut contester que j'aie tenu parole. Donc je laisse la construction de mon système cétologique inachevée, comme inachevée a été laissée la cathédrale de Cologne, avec les palans encore dressés sur le haut de la tour incomplète. Car seuls les monuments minuscules peuvent être achevés par leurs premiers architectes, mais les grands, les vrais, toujours ils laissent à la postérité la tâche de leur couronnement. Dieu me garde de jamais compléter quelque chose ! Mon livre tout entier n'est lui-même qu'une esquisse – oh ! même pas ! l'esquisse d'une esquisse. Oh ! Temps, ô Force, ô Argent, oh ! Patience !

---

1. Ne serait-ce pas le *bustkopf* des Islandais, dit en français l'*hyperoodon* ? (in-octavo).

2. Peut-être le vieux chef qui toujours mène les bandes de *grindes*, ou épaulards à tête ronde, dans les eaux de Norvège et des îles Féroé ? (in-octavo).

XXXIII

LE SPECKSYNDER

A propos de l'état-major de la flotte baleinière, le moment que voici me paraît aussi bien choisi que tout autre pour exposer une petite particularité de la vie du bord, qui se rapporte au grade d'officier des harponneurs et qui, évidemment, est inconnue à bord de tous les autres vaisseaux de la marine hormis ceux de cette flotte.

Toute l'importance qui s'attache à la profession de harponneur se trouve attestée par le fait que dans la flotte de grande pêche des Hollandais, il y a quelque deux cents ans et plus, le commandement du navire baleinier n'était pas remis entre les seules mains du personnage aujourd'hui dénommé le capitaine; ce commandement était partagé entre son autorité et celle d'un autre officier nommé le *specksynder* – mot qui signifie littéralement « Trancheur de lard », mais dont l'usage a fait l'équivalent de « capitaine harponneur ». A cette époque, l'autorité du capitaine s'arrêtait à la navigation proprement dite et au gouvernement général du navire, tandis que sur tout ce qui touchait directement ou indirectement à la pêche à la baleine, le specksynder (ou capitaine harponneur) régnait en maître suprême. Dans la pêche groenlandaise des Anglais, sous le titre corrompu de « Specksioneer », ce vieux grade hollandais d'officier ès qualités s'est maintenu, quoique sa haute dignité ancienne s'y soit tristement amenuisée : il n'a plus de nos jours que le rang de premier harponneur, ce qui revient à dire qu'il est l'un des subalternes les plus éloignés du capitaine. Dans la flotte de grande pêche américaine, en revanche, étant donné que le succès de la campagne repose en grande partie sur le harponneur ; étant donné qu'il n'est pas seulement un important officier du bord, mais qu'en certaines circonstances (quarts de nuit dans les parages de pêche) il détient même l'autorité suprême sur le pont – il s'ensuit que la loi fondamentale de la politique à la mer exige qu'il vive et demeure nominalement séparé des hommes du gaillard d'avant, qu'il soit désigné en quelque sorte comme leur supérieur hiérarchique sur le plan professionnel ; sans pour cela, d'ailleurs, que les hommes le considèrent autrement que comme leur égal, socialement parlant.

Or, ce qui fait à la mer toute la grande différence entre l'officier et le matelot, c'est que le premier vit à l'arrière, et le dernier à l'avant. Donc sur les baleiniers comme sur les long-courriers, les officiers en second ont leurs quartiers avec le capitaine, à l'arrière ; et c'est encore pourquoi sur la plupart des baleiniers américains les harponneurs ont aussi leur logement en poupe. C'est-à-dire qu'ils prennent leurs repas au carré et qu'ils dorment dans une cabine qui donne plus ou moins directement sur ce carré, quartier général du capitaine et de l'état-major du navire.

Malgré la longue durée d'une campagne de pêche dans les mers du Sud (qui est de très loin la plus longue des croisières que fassent ou aient jamais faites les hommes), malgré les périls qui s'y attachent et la communion des intérêts de tout l'équipage à bord – intérêts qui sont matériellement fonction directe du bénéfice général, pour le premier comme pour le dernier à bord (puisque l'équipage n'est pas rétribué par des soldes fixes), et dépendent en fait de la vigilance, de l'intrépidité et du dur travail de chacun, des chances communes et du bonheur de tous ; malgré toutes ces choses qui sembleraient devoir tant soit peu faire se relâcher la discipline du bord plus que sur un navire marchand par exemple ; malgré l'intimité de cette vie menée quotidiennement en commun par les baleiniers, et autant même qu'ils puissent ressembler à quelque primitive et patriarcale famille de la vieille Mésopotamie – néanmoins jamais, ou pour ainsi dire jamais, l'étiquette ni le protocole, du moins sur le gaillard d'arrière, ne viennent à être négligés ; et jamais, en tout cas, on ne les abandonne tout à fait. En fait, nombreux sont les voiliers nantuckais à bord desquels vous verrez le

patron parader sur le château d'arrière avec une morgue et une
superbe jamais dépassées sur la poupe d'aucune unité de la flotte
de guerre – que dis-je ? extirpant les marques extérieures de respect autant que si la pourpre impériale, et non le plus grossier drap
de pilote, le revêtait.

Le sombre capitaine du *Péquod* était certes le dernier des
hommes à donner dans ces vanités arrogantes et ces prétentions ; le
seul respect qu'il exigeât était l'immédiate obéissance allant de soi.
Ce n'était sûrement pas lui qui eût commandé qu'on se déchaussât
avant de poser le pied dans le sanctuaire du gaillard d'arrière ; et
même s'il y eut des moments où il s'adressa aux hommes en des
termes insolites, voire avec condescendance ou en usant de terreur,
ce fut dans des circonstances exceptionnelles, en rapport avec les
événements que nous aurons à rapporter. Néanmoins, le capitaine
Achab ne dérogeait jamais aux formes souveraines et aux usages
pompeux de la mer.

Peut-être même lui arriva-t-il, comme on ne manquera sans
doute pas de le voir, oui, peut-être même lui arriva-t-il de se
retrancher parfois derrière ces formes et ces usages, de s'emparer
de leur masque et, à l'occasion, de s'en servir à des fins différentes
et bien plus personnelles que celles pour lesquelles elles ont été
conçues. Un certain satrapisme de son caractère, qui autrement fût
resté pour une bonne part insoupçonné, grâce à ces pompes, non
seulement se manifesta, mais finit par s'incarner en une absolue et
irrésistible dictature. C'est que, quelle que puisse être et si grande
soit la supériorité intellectuelle d'un homme, jamais elle ne lui
assure pratiquement et durablement une réelle suprématie sur
les autres soit humains, sans le secours d'une sorte de comédie
toujours assez basse et vile. Aussi est-il que les vrais princes de
l'Empire, les princes de par Dieu sont gardés des fureurs d'ambition de ce monde ; et que les plus hauts honneurs que l'apparat
puisse donner sont laissés à des hommes qui deviennent fameux
bien plus par leur infériorité infinie vis-à-vis des secrètes permis-
sions de la divine Inertie, que par une évidente supériorité sur la
masse morte et basse des foules. Le pouvoir est si grand, caché
dans ces petites choses, quand les habitent les superstitions
extrêmes de la politique, qu'on a vu la couronne sur la tête de

l'imbécillité et le sceptre dans la main de l'idiotie. Mais lorsqu'il arrive, en revanche, comme avec le tzar Nicolas, que l'immense couronne fermée des empires géographiques vienne ceindre le front d'une intelligence impériale, alors le troupeau de la populace se terre et se tait, humilié par cette conjoncture terrible. Et le poète qui voudra peindre dans la plénitude de sa force irrésistible et dans l'efficacité directe de son action le caractère indomptable de l'être humain, qu'il n'oublie pas, qu'il n'oublie jamais de penser, au passage, à un cas aussi important que celui ci-dessus.

Mais Achab, mon capitaine, n'en est pas moins vivant, là, sous mes yeux, avec son air farouche et rude de vieux Nantuckais ; malgré cette digression auprès des empereurs et des rois, il me faut reconnaître que je n'ai guère affaire qu'à un pauvre vieil homme de baleinier, et que les pourpres et les pompes majestueuses sont refusées à mon art. Oh ! Achab ! ce qu'il y a de grand chez toi n'est pas de ces choses : il me faut aller le cueillir dans le ciel, le quérir au fond des abîmes et le dépeindre avec le vent immatériel !

XXXIV

LE CARRÉ ET SA TABLE

Il est midi. Mie-de-Pain, le steward, hissant sa face blême hors de la descente de cabine, annonce que le déjeuner est servi à son seigneur et maître qui, installé sous le vent dans la baleinière d'arrière, vient de prendre l'observation au soleil et calcule à présent, sans un mot, son point de latitude sur le médaillon lisse et plat réservé à ce quotidien usage sur le haut de sa jambe d'ivoire. A son absence totale de réaction à cette annonce, on pourrait croire que le sombre Achab n'a point entendu son valet. Mais bientôt, s'agrippant aux manœuvres d'artimon, il se vire sur le pont et d'une voix neutre, sans expression, il prononce : « Déjeuner, monsieur Starbuck », puis disparaît dans la descente.

Lorsque le dernier écho du pas de son sultan s'est éteint, et que Starbuck, le premier émir, a toutes les raisons de croire qu'il s'est assis au carré, alors il s'arrache à son immobilité, fait quelques pas sur le pont, et après un solennel coup d'œil dans l'habitacle : « Déjeuner, monsieur Stubb », annonce-t-il d'une voix joviale, puis disparaît dans la descente. Le deuxième émir fait quelques pas pour vérifier les amures, tire au passage sur le grand bras de vergue pour voir si tout va bien de ce côté-là, puis reprend à son tour le refrain et, avec un rapide : « Déjeuner, monsieur Flask », disparaît à son tour à la suite de ses devanciers.

Mais le troisième émir, qui se voit seul à présent sur le gaillard d'arrière, semble se sentir brusquement délivré de quelque pesante contrainte, car le voilà lançant comme des clins d'œil de connivence dans toutes les directions, se défaisant d'un coup de ses chaussures et exécutant un vif, mais silencieux pas de gigue, droit sur la tête du Grand Turc ; puis, d'un geste adroit, il lance sa casquette dans la hune de misaine en guise de portemanteau, et toujours gesticulant et dansant – aussi longtemps du moins qu'on le peut voir du pont – il descend à son tour, bousculant le bon ordre du cortège en jetant désordre et musique sur ses arrières. Mais à peine arrivé en bas devant la porte du carré, il s'arrête, se compose un tout autre visage ; et ce n'est plus alors le pétulant et indépendant petit Flask qui pénètre en la présence du roi Achab, mais le personnage d'Abjectus, ou l'esclave.

Ce n'est pas une des moindres bizarreries prodiguées par les artifices des usages à la mer et le formalisme intense de l'étiquette, que si un officier n'hésite pas, sur le pont, à l'air libre, à se dresser violemment et véhémentement contre son capitaine sur une provocation, neuf fois sur dix ce même officier, descendu au carré pour prendre son repas en face de ce même capitaine, se montrera soudain tout inoffensif, quand il ne sera pas soumis et humble avec un air de s'excuser, dès qu'il prendra place à table. Cela tient du miracle et ne manque pas d'être du plus haut comique parfois. Pourquoi cette différence ? Est-ce un problème ? Non, peut-être : avoir été Balthazar, roi de Babylone, et être encore Balthazar non plus dans la toute-puissance mais dans la courtoisie et la politesse, c'est montrer incontestablement une certaine noblesse mondaine à laquelle ne fait pas défaut la grandeur. Mais quelqu'un, dans un esprit d'intelligence et de stricte justice, qui se fait à table l'égal vrai de ses hôtes ; qui laisse de côté toute idée d'autorité et de puissance dans le respect des valeurs individuelles ; qui abandonne en privé, pour un moment, l'usage de l'influence qui s'attache à sa personne : sa royauté alors surpassera celle de Balthazar, car celle de Balthazar n'était pas la plus haute. Qui a su recevoir à table ses amis, fût-ce une seule fois, sait ce que c'est que d'être César. Il y a là une magie, un véritable sortilège irrésistible du tzarisme mondain. Or, si vous surajoutez à ces considérations la dignité et la suprématie détenues par le maître d'un navire, alors vous aurez deviné sans doute la cause de la singularité des mœurs maritimes que nous venons de signaler.

Siégeant à sa table incrustée d'ivoire, Achab la présidait, silencieux, tel sur un banc de corail blanc un vieux lion de mer chevelu,

entouré de ses lionceaux jeunes et prêts à se battre, mais encore
déférents. Chacun à son tour et à son rang, les officiers attendaient
d'être servis. Ils étaient comme de petits enfants devant Achab qui
lui, pourtant, n'affectait pas la moindre arrogance mondaine.
Attentifs, unanimes, les yeux de tous étaient fixés sur le couteau du
vieil homme, tandis qu'il découpait la viande. Je suppose que pour
tout l'or du monde ils n'eussent point profané cet instant par une
remarque quelconque, fût-ce une banalité sur le temps. Oh! non!
Et lorsque s'avançaient le couteau et la fourchette d'Achab entre
lesquels était tenue la tranche de viande destinée à Starbuck,
celui-ci recevait la chose comme on reçoit un don, presque une
aumône; et il mettait de la tendresse à couper cette tranche dans
son assiette; et il sursautait, s'arrêtait un moment, si d'aventure son
couteau grinçait sur la porcelaine; et il mâchait dans le plus grand
silence et avalait précautionneusement, respectueusement, avec circonspection. Car tout autant qu'au banquet du couronnement à
Francfort, lorsque l'empereur romain germanique tenait table
entouré des sept électeurs de l'Empire, les repas du carré revêtaient
une haute solennité et se passaient dans un silence impressionnant.
Ce n'était pas qu'à sa table le vieil Achab bannît toute conversation; seulement lui-même restait muet. Quel soulagement c'était
pour le malheureux Stubb quand un rat se mettait à faire du raffut
dans la cale! Quant au pauvre petit Flask, c'était le benjamin et le
petit bébé de cet auguste et lugubre repas de famille! Pour lui, les
os du bœuf salé; pour lui, la carcasse du poulet (si poulet il y avait
jamais!). Car c'eût été pour Flask un crime de lèse-majesté, il eût
pensé commettre un vol qualifié, de vouloir seulement se servir
soi-même. Jamais il n'eût plus osé, c'est certain, cheminer tête
haute parmi le monde honnête s'il se fût servi soi-même. Et cependant jamais, si étrange que cela paraisse, jamais Achab ne s'y était
opposé; Flask l'eût-il fait, il y a grande chance au reste qu'Achab ne
s'en fût pas même aperçu. Et ce que Flask, au bout du compte,
n'eût surtout pas osé, c'eût été de prendre du beurre. Soit qu'il pen-
sât que les armateurs du navire le lui refusassent à cause de son
teint clair qu'ils ne voulaient pas brouiller; soit qu'il opinât que
dans une si longue croisière sur des eaux à ce point dépourvues de
fournisseurs, le beurre fût une denrée infiniment précieuse, et donc

interdite au subalterne qu'il était; toujours est-il que Flask, hélas! était un homme en carence de beurre!

Autre chose. Flask était le dernier à descendre pour le repas. Et Flask était le premier à remonter sur le pont. Imaginez un peu le rare temps qu'il avait pour engloutir son déjeuner car l'un et l'autre, Starbuck et Stubb, passaient avant lui, et tous deux cependant avaient le privilège de prendre ses derrières au cortège de retour. Si Stubb, par exemple, qui n'était que d'un souffle au-dessus de lui dans la hiérarchie, si Stubb n'avait pas d'appétit et laissait apparaître les symptômes d'un repas vite conclu, hop! en trois bouchées Flask devait avoir fini ce jour-là. Car il va contre tous les usages sacrés que Stubb précède Flask sur le pont. De sorte que Flask reconnut une fois, confidentiellement, que depuis qu'il avait accédé à la dignité d'officier, oui, depuis ce moment-là il n'avait plus jamais connu d'autre état que celui d'affamé, à des degrés différents de fringale : ce qu'il mangeait, en effet, ne faisait guère qu'exaspérer sa faim, la nourrissant elle, mais pas lui; et sa faim était immortelle. «La paix et la satisfaction, pensait Flask, ont à jamais déserté mon estomac. Je suis officier, mais ah! si je pouvais seulement piquer un bon morceau de bœuf dans la gamelle au gaillard d'avant, comme du temps où j'étais simple gabier! Tels sont les fruits de ma promotion! Ah! vanité de la gloire! Oh! absurdité de la vie!... » Et s'il se trouvait d'aventure que quelque matelot eût un grief contre Flask dans ses fonctions d'officier, tout ce qu'il avait à faire pour tirer de lui une bonne vengeance, c'était d'aller sur l'arrière à l'heure du repas et de jeter un coup d'œil, par la claire-voie du carré, sur ledit Flask assis, figé et idiotifié, en face du redoutable Achab.

Mais Achab et son état-major, disons-le à présent, étaient ce qu'on pourrait appeler le premier service du carré du *Péquod*. Aussitôt après leur départ, qui s'effectuait dans l'ordre inverse de l'arrivée, la table était desservie, ou plutôt redressée en vitesse par le blême steward. Et les trois harponneurs étaient alors conviés à venir prendre place au banquet, dont le menu, en réalité, était constitué par les reliefs du premier service. Et leur présence, pour un moment, transformait le saint lieu du carré en une sorte d'office réservé à la domesticité. Étrange était le contraste entre la contrainte à peine tolérable et l'austère tyrannie qui régnaient à la table du capitaine, et le sans-gêne effréné de nos démocratiques compères les harponneurs. Tandis que leurs supérieurs, messieurs les officiers, semblaient effrayés du bruit même de leurs lèvres, les harponneurs s'enfournaient et broyaient leurs bouchées avec un entrain dont le spectacle valait la peine. Ils déjeunaient comme des princes, s'emplissant la panse comme les vaisseaux des Indes au chargement remplissent leurs cales d'épices à longueur de journée. Le formidable appétit que montraient Quiequeg et Tashtégo obligeait souvent le pâle Mie-de-Pain, pour pallier les vides imputables au digne repas qui avait précédé, d'accourir avec un double aloyau de bœuf salé, un vrai quartier de bœuf au sens littéral du mot. Et s'il ne le faisait pas promptement, s'il ne l'amenait pas en deux temps trois mouvements, Tashtégo vous avait une peu chevaleresque façon de l'activer en lui harponnant les fesses de sa fourchette, qui était sans réplique. Quant à Daggoo, un jour, pris d'une soudaine colère, il rafraîchit la mémoire du malheureux steward en l'empoignant à bras-le-corps et en lui maintenant la tête dans un des plats vidés, cependant que, couteau en main, Tashtégo gesticulait autour de sa tête comme pour commencer un scalp. Ce malheureux Mie-de-Pain était déjà de nature un pauvre petit bonhomme tremblant et pâle : le fruit d'un boulanger failli et d'une infirmière d'hôpital ; aussi, entre la terrifiante vision du noir Achab et la périodique apparition tumultueuse des trois sauvages, sa vie entière n'était-elle que tremblement, dont ses lèvres avaient hérité et qui ne les lâchait plus. D'ordinaire, sitôt les harponneurs pourvus de tout ce qu'ils avaient réclamé, il se soustrayait à leurs persécutions en se retirant dans le petit office adjacent qui était son domaine, d'où, terrifié, il les guettait à travers la fente du rideau jusqu'à ce qu'ils fussent partis.

Oui, cela valait le spectacle de voir Quiequeg installé en face de Tashtégo, ses dents limées en pointe concourant avec celles de l'Indien ! A l'autre sommet du triangle, Daggoo était assis à même le plancher, car sur un siège, il eût touché les baux, du haut de son chef emplumé comme un corbillard. A chacun des mouvements de ses énormes membres, la cabine tremblait comme si le navire avait eu un éléphant d'Afrique dans ses cales. Mais ceci mis à part, le géant nègre était remarquablement sobre, d'un appétit délicat pourrait-on dire. Il semblait pratiquement impossible que les infimes bouchées (pour parler relativement) qui entraient par ses soins dans sa monumentale, immense et superbe personne, pussent en s'y diffusant y entretenir la vitalité. Mais il faut croire que ce noble sauvage se nourrissait solidement et buvait profondément dans l'élément généreux et puissant de l'air, et que par ses larges naseaux il pompait la vie sublime de l'univers. Ce n'est ni de bœuf ni de pain que sont faits les géants. Mais Quiequeg, en revanche, vous avait une façon si assassine et barbare de claquer des lèvres en mangeant – un fort vilain bruit en vérité ! – que le tremblant Mie-de-Pain à chaque fois s'attendait presque à voir sur ses propres membres maigriots la marque de ces dents sauvages ; et quand il entendait du fond de son trou les clameurs de Tashtégo qui lui commandait d'arriver, qu'on lui suce les os ! notre simplet steward se mettait à trembler si fort qu'il manquait de casser toute la vaisselle suspendue autour de lui dans la cagna. Quant à la pierre à aiguiser que les harponneurs avaient toujours en poche pour leurs harpons et autres armes, et dont ils se servaient ostensiblement à table pour affûter leurs couteaux, son bruit, hélas ! n'était pas fait le moins du monde pour apporter la paix dans le cœur tremblant du pauvre Mie-de-Pain. Comment eût-il pu oublier que Quiequeg, naguère, sur son île, s'était assurément rendu coupable de quelques excès anthropophagiques ? Oh ! malheureux, malheureux Mie-de-Pain ! c'est une dure place que celle du steward quand il doit servir des cannibales ! Et ce n'est pas une serviette que tu eusses dû porter sur le bras, mais un bouclier à ton poing. Mais le moment va venir, pour tes grandes délices, où ces trois guerriers salés de la mer vont enfin se lever et partir, laissant dans ton oreille crédule, ouverte aux pires fables, le bruit martial des os de leur squelette sonner à chaque pas, tels des cimeterres de Maures dans leur fourreau.

Toutefois, bien que ces barbares déjeunassent et dînassent au carré, et bien que censément ils y vécussent, comme ils n'avaient en rien l'humeur sédentaire, il était rare qu'ils y fussent en dehors des repas et de l'instant où ils le traversaient pour se rendre à leurs quartiers réservés, quand ils allaient dormir.

Sur ce point, Achab ne faisait pas exception et se montrait sem-blable à la plupart des capitaines de baleiniers américains qui, dans l'ensemble, ont un penchant marqué à croire que le carré leur appartient *de jure*, et que ce n'est que par une politesse de leur part que qui que ce soit d'autre s'y trouve admis à quelque moment que ce soit. Ce qui fait qu'à la vérité, des officiers et des harponneurs à bord du *Péquod*, il eût convenu de dire qu'ils vivaient plutôt hors du carré, que dedans. S'ils y entraient, c'était à peu près comme entre dans une maison la porte sur la rue : tournée vers l'intérieur un instant seulement, et juste pour être retournée vers l'extérieur l'instant d'après. Leur véritable résidence et leur état permanent étaient au plein air. D'ailleurs, ils n'y perdaient guère. La camara-derie n'avait pas cours dans le carré ; sur le plan des relations, Achab était inaccessible. Quoique nominalement il fût compté dans la fraternité chrétienne, chrétiennement parlant il était et demeurait toujours un étranger. Il vivait dans le monde comme le dernier des grizzlis dans le Missouri colonisé ; et semblable à ce vieux solitaire des forêts qui, le printemps et l'été passés, se loge dans le creux d'un arbre où il passe l'hiver à se sucer les griffes, ainsi l'âme d'Achab, dans son vieil âge inclément et tempétueux, s'enfermait dans le creux de son corps pour y ronger sombrement les griffes de sa colère !

XXXV

LA VIGIE

Il faisait un temps merveilleux le jour où vint pour la première fois mon tour de poste à la haute vigie.

Sur la plupart des baleiniers américains, les vigies sont gréées à la flèche des mâts à l'instant presque où le navire quitte le port, même si quinze mille milles de route ou plus encore restent à parcourir avant qu'on ait atteint les parages proprement dits de la campagne. Et si, après une campagne de trois, quatre et quelquefois cinq ans, sur la route de retour, le baleinier porte à bord la moindre place vide, le moindre baril vide – serait-ce un seul –, ses hauts mâts resteront gréés jusqu'à l'ultime instant ; tant que les fusées de ses vergues hautes ne sont pas dans le port à toucher la forêt des mâts, il conserve toujours le plein espoir de capturer une baleine encore.

La station en vigie à la pointe d'un mât – que ce soit à terre ou en mer – est une affaire fort ancienne et des plus intéressantes, aussi, tiens-je à en parler quelque peu ici. A mon avis, les premiers qui se tinrent jamais au poste de vigie sont les anciens Égyptiens ; au long de toutes mes recherches, je ne leur ai nulle part découvert de prédécesseurs. Certes, leurs aïeux, les bâtisseurs de la tour de Babel, ont eu sans nul doute l'intention de dresser le plus haut mât de toute l'Asie et même de l'Afrique en construisant leur tour ; mais comme ce mât, avant que le dernier palan eût été amené au sommet, comme ce grand mât de pierre qu'ils avaient fait a été, si l'on peut dire, jeté par-dessus bord dans l'ouragan terrible de la colère de Dieu, nous ne pouvons donc pas accorder aux bâtisseurs

de Babel la priorité sur les Égyptiens. Mais les Égyptiens, eux,
étaient une nation de hautes vigies ; et cette affirmation est fondée
sur l'opinion, assez généralement répandue chez les archéologues,
que les premières pyramides ont été bâties à des fins astrono-
miques : une théorie singulièrement appuyée par la disposition en
façon d'escalier que l'on voit aux quatre arêtes de ces édifices, et
par lesquels, en de prodigieusement longues enjambées, les vieux
astronomes devaient monter jusqu'au faîte d'où ils clamaient
l'apparition des étoiles nouvelles, tout comme les guetteurs aux
mâts des modernes navires en pleine route signalent à grands cris
l'apparition d'une voile ou d'une baleine à l'horizon. Avec le saint
Stylite, ce fameux ermite chrétien de l'ancien temps qui se
construisit un haut fût de pierre au milieu du désert, sur le sommet
de quoi il passa la dernière partie de son existence en hissant sa
nourriture depuis le sol à l'aide d'un palan, nous avons un remarquable exemple de vigie, le cas d'une intrépide, d'une indomptable
sentinelle-de-grand-mât : brouillard ou gelée, pluie, vents ou
grêle, rien ne pouvait le faire bouger de sa place ; vaillamment il
faisait face à tout, tenant jusqu'à la fin où, littéralement, il mourut
à son poste. Pour nos modernes sentinelles, debout sur le sommet
des mâts, nous n'avons plus que des êtres sans vie, des hommes de
pierre, d'airain ou de bronze, qui certes sont capables de résister à
un furieux ouragan, mais absolument inaptes en ce qui touche
l'usage de la voix pour nous avertir de la venue de quelque étrangeté nouvelle qu'ils auraient découverte. Voilà Napoléon, bras
croisés, qui se tient au sommet de la colonne Vendôme, à quelque
cent cinquante pieds au-dessus du sol, parfaitement indifférent
maintenant à qui commande sur les ponts, là-bas en bas : que ce soit
Louis-Philippe, Louis Blanc ou Louis le Diable. Voilà de même le
grand Washington, debout sur le grand mât qui s'érige au-dessus de
Baltimore ; et semblable à l'une des colonnes d'Hercule, la colonne
où il perche établit un étage de la grandeur humaine que peu
d'humains sauront jamais dépasser. Également l'amiral Nelson,
debout sur un cabestan fait du métal fondu des canons, se dresse
au sommet de son mât de Trafalgar Square, et même au plus épais
de ces denses fumées de Londres – puisqu'il n'y a pas de fumée
sans feu – on a la preuve que c'est un grand héros qui se tient là.

Pourtant ni le grand Washington, ni Nelson, ni Napoléon ne répondront jamais aux appels, quels qu'ils soient, qui leur seraient lancés du ras des ponts sur lesquels plongent leurs regards, et jamais ils ne viendront rassurer du conseil de leur voix l'inquiétude d'en bas, encore qu'on puisse supposer que leurs esprits pénètrent l'opaque brume du futur et que de là où ils sont, ils voient les hauts-fonds et les écueils à éviter.

Mais comparer les vigies de ces mâts terrestres avec les vigies de la mer pourra sembler injustifiable, quoique ce ne le soit en vérité aucunement. On en a, en effet, la preuve indiscutable par ce que rapporte Obed Macy, le seul et unique historien de Nantucket. Ce digne Obed nous raconte qu'aux premiers âges de la pêche à la baleine, les gens de l'île dressaient de hauts mâts en bordure des rivages, sur lesquels les guetteurs grimpaient grâce aux taquets qui y étaient cloués, un peu comme les poules grimpent au poulailler. Quelques années plus tard, cette même technique était adoptée par les baleiniers de la baie de Nouvelle-Zélande qui, du haut de leurs mâts, dès qu'ils apercevaient les baleines, avertissaient ceux des canots tout parés qui attendaient, tirés au sec sur la plage. Ces us étant aujourd'hui périmés, tournons-nous à présent vers la seule vraie vigie de grand mât : celle du baleinier à la mer.

Les trois hauts mâts sont occupés constamment du lever au coucher du soleil, les gabiers de l'équipage y prenant poste à tour de rôle (comme à la barre), et s'y relevant de deux heures en deux heures. Sous les cieux sereins des tropiques, c'est chose extrêmement agréable que d'être de vigie ; non, non ! pour un esprit méditatif et rêveur, ce sont de pures et suprêmes délices. Vous êtes planté là-haut, à quelque cent pieds au-dessus des ponts où l'on n'entend plus rien, déambulant à travers l'océan comme si les mâts étaient pour vous d'immenses échasses ; cependant qu'à vos pieds, entre vos jambes mêmes dirait-on, naviguent dans les eaux les plus fabuleux monstres de la mer, exactement comme autrefois passaient les voiles des bateaux entre les bottes du célèbre Colosse de Rhodes. Vous êtes là, perdu dans l'infini de la houle incessante et le déferlement immense des vagues de la mer ; pas d'autre bruit que ce souffle des eaux. Le navire en extase se berce avec indolence et lenteur ; des alizés, les somnolentes brises vous caressent ; tout en vous se fond et s'évanouit en langueur. C'est que vous êtes la plupart du temps, dans cette vie de baleinier du Sud, dans une sublime ignorance de tous événements : pas de nouvelles à apprendre ; nulle gazette à lire ; nul article sensationnel avec des titres à tout casser pour des banalités, qui vous entraîne en des excitations indues ; pas d'ennuis domestiques, nulle banqueroute, aucune dégringolade des valeurs ne viennent jusqu'à vos oreilles ; et vous ne vous tracassez jamais à la pensée de ce que vous allez pouvoir manger pour le dîner : tous vos repas pour trois années et plus sont là, dûment et confortablement stockés et emmagasinés dans des caisses et des barils ; votre menu fixé est immuable.

A bord de l'un de ces baleiniers du Sud, dont la campagne la plupart du temps se prolonge entre trois et quatre ans, le nombre d'heures que vous passez ainsi à la pomme du mât équivaut, au total, à plusieurs mois entiers. Et l'on ne peut que déplorer qu'un endroit où vous aurez usé une si considérable part du terme de votre existence personnelle soit à ce point et si désespérément dépourvu de toute espèce de confort, exempt de tout ce qui pourrait faire naître en vous un sentiment d'aise et d'agrément à vous y trouver, à vous y retrouver, comme sont capables de vous les donner un hamac, par exemple, ou un lit, un corbillard, une guérite de factionnaire, une chaise de professeur, un carrosse de voyageur ou quelque autre de ces petites inventions commodes – peu importe laquelle – où les hommes peuvent, pour un moment, s'isoler. Le siège ordinaire de votre perchoir est situé à la pomme du mât de grand cacatois, où vous vous tenez debout sur deux malheureux petits bouts de bois (la chose est particulière aux baleiniers) appelés bras de hune de grand cacatois. En équilibre là-dessus, ballotté par la mer, le débutant se sent à peu près aussi à l'aise que s'il était debout sur les cornes d'un taureau. Rien ne vous empêche, bien sûr, de hisser là-haut par temps froid votre maison sur votre dos, sous la forme de votre caban de quart ; mais pour être véridique, le plus épais des cabans est tout autant une maison que l'est votre peau nue ; car de même que l'âme est tout emprisonnée, comme engluée dans son tabernacle de chair et ne peut s'y mouvoir à l'aise, ni surtout en sortir sans courir un risque mortel (comme l'ignorant pèlerin qui voudrait traverser en hiver les Alpes enneigées), de même, en fait de maison, le caban n'est rien de plus qu'une enveloppe, quelque chose comme une peau supplémentaire où vous êtes emprisonné. Pas plus qu'il ne vous est possible de placer une armoire ou une étagère à l'intérieur de votre peau, pas plus vous ne pouvez faire un convenable cabinet meublé de votre caban.

Tout cela revient à dire qu'il est infiniment regrettable que les flèches de mâts des baleiniers du Sud ne soient pas nanties des confortables petits logements, de ces chaires aériennes appelées « nids de corbeaux » dans lesquelles les guetteurs, sur les baleiniers du Groenland, sont protégés des inclémences du temps sur ces mers glaciales. Dans ses récits du coin du feu intitulés : *Croisière parmi les icebergs à la chasse de la baleine franche, et à la redécouverte éventuelle des vieilles colonies perdues de l'ancien Groenland*, le capitaine Sleet décrit de la façon la plus circonstanciée et avec les détails les plus charmants (dans cet admirable volume) comment toutes ses vigies bénéficiaient des nids de corbeaux récemment inventés sur le *Glacier*. Le *Glacier*, c'est le nom du navire que commandait le capitaine Sleet. Et il nomme ces vigies : « nids de corbeaux de Sleet », en l'honneur de soi-même, étant qu'il était l'inventeur original et patenté de ces vigies et que, sans fausse modestie, considérant que nous appelons nos enfants de notre nom (nous les pères, qui en sommes les inventeurs originaux et patentés), nous devons de même, dit-il, laisser notre nom à tous appareils et systèmes auxquels nous avons donné le jour. Par sa forme, le nid de corbeau de Sleet ressemble à un fourreau de pipe, mais ouvert sur le dessus, avec un écran mobile s'adaptant par côté, pour vous protéger la tête des morsures du vent dans un mauvais coup de chien. Comme il est arrimé à la pointe du mât, vous y entrez par une petite trappe ménagée dans le fond. Sur la partie arrière, c'est-à-dire côté poupe du navire, un confortable siège est placé, qui comporte par-dessous un logement réservé pour les imperméables, cache-nez, survêtements et autres commodités. Devant, une poche de cuir est fixée, aux fins de recevoir vos porte-voix, pipe, lunette et autres instruments nautiques. Lorsque c'était le capitaine Sleet en personne qui se trouvait à la pointe du mât dans le nid de corbeau de son invention, il nous rapporte qu'il

avait toujours avec soi son fusil – installé lui aussi dans la
poche-râtelier – de même qu'une poire à poudre et une réserve de
balles, aux fins de tirer au passage les narvals errants, ou licornes
de mer vagabondes, qui infestent littéralement ces eaux; car vous
ne pouvez pas les tirer du pont à cause de la résistance de l'eau;
mais les tirer de là-haut, c'est une tout autre affaire! Donc, ce fut
une œuvre d'amour pour le capitaine Sleet de nous décrire comme
il le fait et jusqu'au plus menu détail le conditionnement et les
avantages de son nid de corbeau. Mais bien qu'il s'y emploie sans
restriction aucune, et bien qu'il y ajoute toute une dissertation fort
scientifique sur les nombreuses expériences qu'il fit dans ce nid de
corbeau, et comment il y avait monté un petit compas dans le but
d'y calculer les corrections à ce qu'on nomme « l'attraction locale »
de tous les aimants d'habitacle : une erreur imputable à la proximité du fer qui court horizontalement sous les planches du pont
– et peut-être aussi, dans le cas particulier du *Glacier* au grand
nombre d'ex-forgerons et de maréchaux-ferrants que comptait
l'équipage; bien que sur tous ces points, dis-je, l'éloquent capitaine se montre fort savant, oui, malgré toutes ses « déviations
d'habitacle », ses relèvements d'azimut magnétique « et autres
approximations de l'erreur et mesures de la déclinaison », il sait
très bien, le capitaine Sleet, qu'il n'était pas à ce point perdu dans
les profondeurs de la méditation mathématique et des réflexions
magnétiques, qu'il manquât, de temps à autre, de se montrer sensible à l'attraction alcoolique de la petite gourde bien remplie,
confortablement nichée dans un coin de son nid de corbeau, juste
à portée de sa main. J'ai, dans l'ensemble, une grande admiration,
voire de l'affection pour le savant, l'honnête, le courageux capitaine Sleet, mais je lui en veux vraiment beaucoup d'avoir si absolument passé sous silence la petite gourde, songeant à la fidèle et
réconfortante amie qu'elle n'aura pas manqué d'être, alors que, les
mains enfouies dans des mitaines et la tête emmitouflée, il se
livrait à l'étude des mathématiques, tout là-haut, dans son nid de
corbeau, à trois ou quatre encablures du pôle.

Si pourtant nous ne sommes pas, nous les baleiniers des mers du
Sud, aussi choyeusement logés là-haut que le capitaine Sleet et ses
« Groenlandais », il faut dire que ce désavantage est largement

compensé par la merveilleuse sérénité du climat dans les mers séduisantes où nous voguons en général. Pour mon compte, j'avais l'habitude d'escalader le gréement tout à loisir, m'arrêtant sur la hune à bavarder avec Quiequeg ou tout autre gars au repos que je trouvais là, puis je me propulsais d'un étage et, laissant une jambe molle retomber sur la vergue de grand hunier, je me retournais pour prendre une première vue des immenses plaines aquatiques; enfin je grimpais jusqu'à ma destination ultime.

Mais laissez-moi ouvrir mon cœur ici, et avouer franchement que je ne tenais guère que piètrement mon poste de vigie, et que ma vigilance était plutôt mauvaise. Avec le problème de l'univers qui me turlupinait, comment aurais-je pu – me trouvant entièrement livré à moi-même à ces hauteurs spécifiquement géniales –, comment aurais-je pu prendre autrement qu'avec légèreté les devoirs et obligations strictement exigés de la vigie à bord du baleinier : « Ouvre l'œil à tout l'horizon, et gueule tout ce que tu vois » ?

Et vous, permettez-moi aussi, armateurs de Nantucket, de vous faire ici la leçon ! Gardez-vous d'embarquer pour votre industrie vigilante le type qui a le front dégarni et les yeux profonds, qui s'adonne à des méditations intempestives et qui veut s'enrôler avec le « Phédon » au lieu du « Bowditch » dans la tête. Méfiez-vous de ce gars, je vous dis ! vos baleines, il faut qu'on les ait vues avant de les tuer; et ce jeune platonicien dont le regard chavire vers le dedans, vous fera faire dix fois le tour du monde sans vous en rapporter une pinte de blanc de baleine. Ne croyez pas que soit vain cet avertissement, car de nos jours c'est un véritable asile qu'offre la pêche à la baleine à une foule de jeunes gens d'humeur distraite, mélancolique et romantique, dégoûtés de tous les accablants soucis de la terre, qui cherchent à retrouver du cœur dans le brai du bord et le lard de baleine. Or, ce n'est pas une rareté qu'à la pointe du mât du baleinier déçu et malchanceux, Childe Harold soit perché, qui chante avec tristesse un chant de désespoir :

> *Roulez, houles d'azur de l'océan profond,*
> *Mille chasseurs de lard sur vous tournent en rond!*

C'est très souvent que les capitaines de ces vaisseaux bredouilles rappellent au devoir ces jeunes philosophes impénitents, leur reprochant non sans véhémence de ne prendre qu'un «intérêt» insuffisant à la campagne, sous-entendant plus qu'à moitié qu'ils sont à tel point dépourvus d'honneur et de digne ambition, qu'ils espèrent plus qu'autre chose, dans le fond de leur cœur, *ne pas voir* de baleines! Mais tout cela est vain. Les jeunes platoniciens se disent qu'ils ont la vue mauvaise, que leurs yeux souffrent de myopie; alors à quoi bon se fatiguer le nerf optique? Ils ont laissé chez eux leurs lorgnettes de théâtre.

– Dis donc, espèce de singe! disait un jour un harponneur à l'un de ces jeunes compères, voilà pas loin de trois ans qu'on est en campagne, et tu n'as pas encore levé une seule baleine à cette heure! Les baleines, quand c'est toi qui es là-haut, elles sont aussi rares que les dents dans le bec d'une poule!

Peut-être l'étaient-elles, en effet; ou peut-être y en avait-il eu des armées entières à l'horizon, au loin. Mais il était si infiniment éperdu de rêverie, comme ivre d'inconscience, ce pensif jeune homme, bercé du double mouvement de la mer et de sa pensée dans une extase, comme d'opium, qu'il en perdait pour finir le sentiment de son identité; le mystique océan qui roulait à ses pieds, il le prenait pour la vivante image de cette âme insondable, profonde et bleue, où baignent la nature et l'humanité qui l'habite; et chaque chose étrange, à demi vue, qui se glissait, splendide sous les eaux, pour lui échapper aussitôt; chaque nageoire incertaine qu'il ne faisait que deviner, surgissant vaguement sur une masse indiscernée, tout lui apparaissait comme une incarnation fugace de ces pensées furtives qui, tout en la peuplant, ne font que vous traverser l'âme. Dans ces dispositions extasiées d'un constant émerveillement, l'esprit de l'homme, en s'éloignant de lui, semble se dilater, revenir à ses sources divines; il s'épand à travers et l'espace et le temps; il est comme les cendres panthéistiquement éparpillées de Cranmer[1],

---

1. Thomas Cranmer, premier archevêque protestant de Cantorbéry (1489-1556), fondateur de la religion anglicane et auteur du *Livre des prières publiques*. Brûlé vif comme hérétique.

dont une particule finit par être sur chacun de tous les rivages alentour de ce globe.

Vous n'avez plus en vous maintenant sentiment d'une vie, autre
que ce bercement vivant et doux dont vous balance le vaisseau
dans son roulis plein de lenteur, que lui-même reçoit du berceau de
la mer, et que la mer reçoit de l'inscrutable flux de Dieu. Mais avec
ce sommeil, avec ce rêve en vous, bougez seulement d'un petit
pouce main ou pied, lâchez-vous seulement un tout petit instant
– et votre identité vous reviendra bien vite, horriblement ! Vous
étiez au-dessus du vortex cartésien. Mais vous voilà peut-être, en
plein midi, par le plus merveilleux des temps, plongeant avec un cri
à moitié étranglé à travers l'air si transparent, piquant dans la vague
solaire de cette mer estivale – pour ne réapparaître plus jamais.

Pensez-y bien, oh ! panthéistes !

XXXVI

LE GAILLARD D'ARRIÈRE

(Entre Achab ; puis tous.)

Ce ne fut pas longtemps après l'incident de la pipe qu'un matin, peu après le breakfast, Achab selon son habitude grimpa l'échelle du carré pour venir sur le pont. C'est l'heure où la plupart des capitaines ont l'habitude de faire leur petit tour, tout comme les gentilshommes campagnards, après le repas, vont faire le tour du jardin.

Et en effet, on ne tarda guère à entendre sonner le battement de son pas d'ivoire tandis qu'il virait aller et retour sur les planches du pont si familières et accoutumées à cette déambulation qu'elles en étaient toutes rayées, incrustées comme des pierres géologiques des marques particulières de ce pas singulier. Et vos yeux ne pouvaient pas non plus quitter le front ridé et creusé d'Achab, qui portait mêmement l'empreinte de la démarche singulière et bien plus incessante encore de sa pensée, de sa pensée sans repos.

Mais cette fois-là, les empreintes y paraissaient plus creuses que jamais encore ; et de même son pas nerveux devait-il, ce matin-là, laisser un plus profond sillon. Achab était en vérité si fortement absorbé en lui-même que presque vous auriez dit, à chaque régulier demi-tour qu'il prenait, tantôt à l'habitacle et tantôt au grand mât, voir tourner avec lui, en lui, marchant du même pas qu'il marchait, sa pensée ; il en était à ce point possédé que c'était elle, sa pensée, qui semblait être comme le moule intérieur de chaque mouvement extérieur qu'il faisait.

– T'as remarqué, Flask ? chuchota Stubb : le poussin que couve le vieux lui tape la coquille. Va pas tarder à sortir.

Des heures passèrent. Achab, qui était allé s'enfermer dans sa cabine, par la suite était revenu sur le pont, toujours aussi sombre, toujours aussi profondément enfoncé en lui, toujours avec cet étrange fanatisme qui transparaissait dans son extérieur.

On approchait de la fin du jour. Il s'arrêta soudain près du bordage, la jambe d'ivoire fichée dans son trou de tarière, le bras agrippé aux haubans, et il ordonna à Starbuck :

– Tout le monde sur l'arrière !

– Monsieur ? sursauta le second – car c'est un ordre qu'on ne donne pour ainsi dire jamais à bord, et seulement dans un cas extraordinaire.

– Tout le monde derrière ! répéta le capitaine. Ohé de la hune ! Ohé des vigies ! Arrivez ici !

Quand l'équipage au grand complet fut rassemblé, tous ces visages étonnés le fixant, et non sans une certaine crainte car il ressemblait fort à l'horizon au vent quand arrive le grain, Achab, après un vif regard par-dessus bord, puis un regard non moins vif à la ronde, comme pour passer tout le monde en revue, Achab quitta son point d'appui et reprit sa marche pesante sur le pont, sans un mot, comme s'il n'y avait pas une âme en sa présence, à le voir tourner et retourner. Tête baissée, le chapeau enfoncé sur les yeux, il allait, poursuivant sa marche, absolument inattentif aux murmures de surprise qui couraient dans les rangs des hommes, et jusqu'à Stubb qui chuchota à l'adresse de Flask qu'Achab les avait rassemblés pour les faire témoins d'un record de marche.

Mais cela ne dura pas. S'arrêtant violemment, il demanda :

– Qu'est-ce que vous faites, les gars, quand vous voyez une baleine ?

– On donne de la voix aussitôt ! fut la réponse impulsive et prompte de quelque vingt gosiers.

– Bon ! s'exclama Achab, sa voix marquant une approbation véhémente.

Il était enchanté de la chaleur et de l'animation où sa question soudaine les avait comme magnétiquement plongés.

– Bon ! et après, qu'est-ce que vous faites, les gars ?

– On met à la mer, et droit dessus ! clamèrent les hommes.

– Et sur quel air est-ce que vous nagez ?

– Crève la baleine ou crève le bateau !

De plus en plus approbateur et sauvagement, férocement heureux, à chaque nouveau cri le vieil homme exprimait une étrange joie ; les hommes en même temps échangeaient des regards de l'un à l'autre, comme s'ils étaient surpris eux-mêmes de ces questions qui ne menaient nulle part, et de l'inexplicable chaleur qu'ils avaient mise à y répondre.

Mais ils n'en étaient pas moins pleins d'avidité à attendre la suite, quand Achab, pivotant brusquement dans son trou de tarière et lançant haut sa main pour s'accrocher presque convulsivement à un hauban, reprit la parole et leur dit :

– Vous tous, aux vigies, vous avez entendu les ordres que j'ai donnés au sujet d'une baleine blanche. Regardez ! ce doublon espagnol vous le voyez ? (il brandissait un gros écu d'or qui brillait dans le soleil) c'est une pièce de seize dollars. Vous la voyez ? Monsieur Starbuck, passez-moi ce maillet !

Pendant que le second allait prendre le marteau, Achab, sans un mot, frottait avec lenteur la pièce d'or sur le revers de sa veste, comme pour la faire briller davantage ; lèvres serrées, sans un mot, il se fredonnait un air tout bas, et le son ainsi produit était si étrangement étouffé, indistinct, qu'on eût dit le ronflement des rouages de la vie au fond de son être.

Quand il eut reçu le maillet de Starbuck, il s'avança vers le grand mât, brandissant d'une main le marteau, et de l'autre tenant haut le doublon d'or. D'une voix éclatante, il s'exclama :

– Celui de vous qui me lève un cachalot à tête blanche, le front ridé et la mâchoire de travers ; celui qui me lève ce cachalot à tête blanche qui a trois trous marqués dans l'aile tribord de sa queue, vous entendez ! celui qui me lève ce cachalot-là, la pièce d'or est à lui, les garçons !

– Hurrah ! hurrah ! scandèrent les hommes en agitant leurs coiffures tandis que la pièce était clouée au mât.

– Une baleine blanche, j'ai dit ! conclut Achab en rejetant le maillet. Une baleine blanche. Un cachalot, les enfants. Écorchez-

vous les yeux pour le voir ! Guettez toute ombre blanche de l'eau !
Et même si vous ne voyez qu'une bulle, signalez !

Tashtégo, Daggoo et Quiequeg, pendant ce temps, avaient
regardé fixement et avec un intérêt encore plus intense que les
autres, plus de surprise aussi. A la mention du front ridé et de la
mâchoire torse, ils avaient sursauté tous trois, chacun comme à
quelque souvenir personnel.

– Capitaine Achab, dit alors Tashtégo, ce cachalot blanc, ça doit
être celui que certains appellent Moby Dick.

– Moby Dick ? éclata Achab. Tu connais donc le Cachalot Blanc,
Tash ?

– Bat-il pas la queue drôlement de travers, monsieur, comme
une espèce d'éventail au moment où il plonge ? demanda l'Indien
d'un air entendu.

– Et un drôle de souffle aussi, reprit Daggoo, est-ce qu'il n'a pas
un drôle de souffle, très épais, même pour un « sperm » et furieusement rapide, capitaine Achab ?

– Et lui avoir, un, deux, trois, oh ! très beaucoup des fers dans la
peau, lui avoir, cap'tain ! s'exclama Quiequeg pour son compte,
tout tordis, tournis comme lui... lui... – et il cherchait éperdument
son mot, mimant de sa main en tournant le geste de déboucher une
bouteille : Comme lui... comme lui...

– Un tire-bouchon ! lança Achab. Oui, Quiequeg, les harpons
sont tout tordus et tournés sur lui ! Oui, Daggoo, son souffle est
dense et puissant comme une pleine cascade de farine, et blanc
comme une montagne de notre laine, à Nantucket, après la grande
tonte annuelle ! Oui, Tashtégo, il bat de la queue en éventail
comme un foc, l'écoute rompue dans un furieux grain. Mort et
damnation, les gars, c'est Moby Dick que vous avez vu ! Moby
Dick ! Moby Dick !

– Capitaine Achab ? intervint Starbuck, qui jusqu'alors était
resté, avec Stubb et Flask, à regarder le commandant dans une
surprise croissante, mais qui semblait à présent avoir eu une idée
qui expliquait toute l'étrangeté de la chose. Capitaine Achab, j'ai
déjà entendu parler de Moby Dick... mais est-ce que ce n'est pas
Moby Dick qui vous a emporté la jambe ?

– Qui est-ce qui t'a raconté ça ? explosa Achab – puis, après un

silence : Oui, Starbuck, oui, oui, vous tous, mes jolis gars, c'est
Moby Dick qui m'a démâté. C'est Moby Dick qui m'a fait cadeau
de ce bout d'espar mort qui me tient debout à présent !... Oui, oui !
lança-t-il avec un sanglot affreux, un cri sourd, animal, comme
celui d'un élan frappé au cœur. Oui, oui ! c'est ce Cachalot Blanc
de malédiction qui m'a jeté à bas, qui a fait de moi un malheureux
empoté de bancal pour toujours et à jamais !... – puis jetant en
l'air ses deux bras dans une imprécation infinie, il hurla : Ah, oui !
je le pourchasserai par-delà Bonne-Espérance, et par-delà le Horn,
et par-delà le grand maelström de Norvège, et jusque dans les
flammes de l'enfer avant de le lâcher ! Et vous, les hommes, c'est
pour cela que vous avez embarqué : pour chasser ce Cachalot
Blanc des deux côtés de la terre et jusque dans les derniers coins du
monde, tant qu'il n'aura pas soufflé du sang noir et roulé sur le
flanc ! Qu'est-ce que vous dites de ça, les hommes ? A présent,
êtes-vous d'accord, la main dans la main ? Vous n'avez pas l'air
d'avoir froid aux yeux.

   – Oui, oui ! clamèrent harponneurs et gabiers, se serrant autour
du vieil homme passionné. L'œil aigu pour le Cachalot Blanc ! la
lance aiguë pour Moby Dick !

   – Dieu vous bénisse ! clama le capitaine d'une voix où l'on ne
savait plus reconnaître si c'était un cri ou si c'était un sanglot. Dieu
vous bénisse, les gars. Steward ! va me tirer la grande mesure de
raide ! Mais pourquoi cette grise mine, monsieur Starbuck ? On ne
veut pas chasser le Cachalot Blanc ? On ne se sent pas en forme
pour Moby Dick ?

   – Je suis d'attaque pour sa gueule tordue et pour la gueule de la
mort s'il le faut, capitaine, si je les rencontre au cours du boulot
qui est le nôtre. Mais je suis là pour chasser le cachalot, et non
pour assumer la vengeance de mon commandant. Combien de
barriques allez-vous tirer de votre vengeance, capitaine Achab, à
supposer que vous la teniez ? Cela ne va pas peser lourd comme
bénéfice au marché de Nantucket.

   – Marché de Nantucket ! Houmph ! Approche plus près,
Starbuck : la chanson qu'il te faut doit se chanter un peu plus bas.
Si c'est l'argent qui doit être la mesure, alors laisse-moi te dire que
les comptables ont calculé la valeur de leurs banques, et en entou-

rant le monde de guinées, ça en fait trois par chaque pouce. Alors ! ma vengeance, tu vois, ça représente une belle fortune, *ici* !

– Qu'est-ce qu'il a à se marteler comme ça la poitrine ? souffla Stubb. M'est avis que ça sonne fort, mais plutôt creux.

– Se venger sur une bête brute qui n'a frappé que par le plus aveuglé instinct ! protesta Starbuck. Folie ! folie furieuse, capitaine Achab ; se mettre en rage contre un simple animal, c'est pour moi un blasphème.

– Un ton plus bas encore, et maintenant écoute-moi bien, Starbuck. Tous les objets visibles, comprends-le, ne sont que le carton bouilli d'un masque. Mais dans chaque événement… l'acte vivant, le fait indubitable… là-dessous, il y a quelque chose d'inconnu mais de profond, de vrai, dont les traits se devinent derrière le masque absurde et dénué de raison. Si tu veux frapper, tu frappes à travers le masque ! Comment le prisonnier pourrait-il s'évader sans passer les murailles ? Pour moi, le Cachalot Blanc, c'est cette muraille qui me tient prisonnier, de tout près. Parfois, je me figure qu'il n'y a rien par-delà. Mais suffit ! Elle m'insulte, elle m'oppresse, elle me torture ! Je la vois comme une force mauvaise et tendue, bandée d'une méchanceté inviolable. C'est ça, c'est cette chose impénétrable que je hais… Que le Cachalot Blanc soit seulement l'instrument ou qu'il soit le principal de la chose, c'est sur lui que je veux assouvir cette haine. Ne viens pas me parler de blasphème, fiston ! Je frapperais le soleil s'il m'insultait. Car si le soleil l'a pu faire, alors je peux lui rendre la pareille, parce qu'il y a une sorte de *fair play* dans tout ça, et la jalousie est par-dessus toutes les créatures. Mais ce n'est pas ce jeu que je joue, ce n'est pas même ce fair play dont je suis l'esclave, cette jalousie qui est mon maître. Qui est donc au-dessus de moi ? La vérité est sans frontière. Mais tourne les yeux, détourne-les ! plus intolérables encore que les regards flamboyants de l'ennemi sont les regards stupides de l'idiot !… Bon, bon. Le rouge te monte, et la pâleur. Ma chaleur t'a fait fondre en lave de colère. Mais écoute, Starbuck, ce qu'on a dit dans le feu, cela ne veut rien dire et se renonce ; tu vois, il y a des hommes dont les paroles brûlantes sont tout, sauf une grave insulte. Je n'ai pas voulu te blesser. Non. Laisse passer, va ! Regarde-les, là-bas, avec leurs joues de Turcs, toutes roussies

et zébrées par le hâle, ces peintures humaines, vivantes et en chair,
que le soleil a peintes ! Des léopards païens, des êtres qui ne croient
à rien, ne se soucient de rien, et qui vivent ! Eux, ils ne cherchent pas
à trouver de raisons pour la torride existence qu'ils mènent ! L'équipage, mon fils, l'équipage ! Est-ce qu'ils ne sont pas tous avec Achab
comme un seul homme dans cette histoire de baleine ? Regarde
Stubb : il rit. Regarde le Chilien là-bas : il ronronne rien que d'y
penser. Ton petit arbre à toi ne peut pas seul rester debout dans la
tornade générale, il ne peut pas, Starbuck ! Or de quoi s'agit-il ?
Réfléchis. Rien que de coucher une nageoire. Qu'est-ce que c'est
pour Starbuck ? Hein ? La meilleure lance de tout Nantucket ne va
pas reculer, renoncer pour une simple chasse, quand chaque homme
du bord a déjà pris en main la pierre à aiguiser ! Ah ! tu te sens pris,
tu es forcé, je le vois ! La lame te soulève !… Parle, mais parle donc !
– Oui, oui, ton silence, voilà qui parle pour toi, j'ai ton accord. *(A
part.)* Quelque chose du feu qui sort de ma narine, il l'a aspiré
jusque dans ses poumons. Starbuck est à moi, désormais, je le tiens.
Il ne peut s'opposer maintenant, sans une révolte.

   – Dieu me protège !… nous protège tous ! murmura tout bas
Starbuck.

   Mais tout à la joie du consentement tacite arraché comme par
un sortilège à son second, Achab n'entendit pas son invocation
lourde de pressentiments obscurs et de sinistre augure. Il n'entendit pas le rire étouffé qui secoua la carène. Il n'entendit pas non
plus le présage du brusque coup d'archet du vent dans les cordages, avec le flap des voiles masquées contre les mâts, comme si
le cœur soudain leur avait manqué. Mais de nouveau les yeux baiss-
sés de Starbuck se relevaient, avec en eux la flamme de la vie obstinée ; le rire sinistre d'en dessous se dissipa ; le navire revint au vent,
les voiles se gonflèrent, et la proue piqua et roula comme devant.
Ah ! vous, présages et avertissements, que ne demeurez-vous
lorsque vous êtes venus ? Mais vous n'êtes guère plus que des pressentiments, pas des avertissements, oh ! ombres que vous êtes !
Moins des prédictions de faits extérieurs, que des confirmations qui
vérifient les faits intérieurs et déjà révolus. Car c'est sans grand
besoin d'extérieures contraintes que les fatalités intérieures de
notre être continuent et toujours nous poussent de l'avant.

– La mesure ! La mesure ! réclama Achab.

Quand il reçut le pot d'étain rempli à ras bords, il se tourna vers les harponneurs et leur commanda de prendre leurs armes. Puis il les fit ranger, harpon en main, devant le cabestan, cependant que les trois officiers étaient placés à ses côtés avec leurs lances, et que tout l'équipage en demi-cercle faisait face à leur groupe. Achab, pendant un instant, fixa intensément des yeux chaque homme de son équipage. Et les regards farouches de ces hommes croisaient le sien, comme celui des loups de la prairie aux yeux injectés de sang rencontre le regard du vieux loup qui les mène, à l'instant où il va s'élancer à leur tête sur la piste du bison… pour choir, hélas ! dans le piège caché de l'Indien.

– Tiens, dit Achab, bois et fais passer ! – et il tendait la pesante mesure au matelot le plus proche. C'est l'équipage qui boit, seulement l'équipage, dit-il, faites circuler, les gars, faites circuler ! À petits coups, mais de longues gorgées, garçons ! ça vous brûle comme le pied fourchu de Satan. Bon, bon, les gars, ça circule comme il faut. Oui, ça entre comme un tourbillon en vous ; ça vous fait le regard perçant comme langue de serpent. Voilà qui va bien ; il est presque séché. Il va, vient, bon, passez-le-moi. Quel gouffre vous faites, les amis ! Vous êtes comme les années, garçons : la vie en est pleine à ras bords et ouf ! il n'en reste plus. Tout est avalé. Steward ! va me remplir ça !

» Attention à présent, fistons. Je vous ai tous rassemblés là autour de ce cabestan. Vous, les seconds, à mes côtés avec vos lances, et vous les harponneurs mettez-vous là avec vos harpons, et vous, solides marins, en cercle autour de moi, serrez-vous ! que je redonne vie en quelque sorte à une fière coutume de mes ancêtres baleiniers. Oui, mes gaillards, vous allez voir que… Holà, gamin, revenu déjà ? Les pièces fausses ne reviennent pas plus vite ! Passe-moi ce pot. Maintenant que le voilà plein, on n'a plus besoin de ta danse de Saint-Guy. Fiche-moi le camp, trembleur !

» Vous, les officiers, avancez ! Croisez vos lances bien devant moi. Là, parfait ! Que j'en saisisse le faisceau.

Avec ces mots, le bras tendu, il empoigna les trois hautes lances qui divergeaient en X hors de son poing et, soudain, nerveuse et nette, il leur imprima une violente secousse pendant que son regard ardent passait de Starbuck à Stubb, et de Stubb à Flask. Il semblait qu'il voulût, par une irrépressible et silencieuse concentration de sa volonté, jeter en eux son émotion féroce, les ébranler du choc de son magnétisme vital accumulé en lui comme dans une bouteille de Leyde. Les trois officiers cédèrent sous son dynamisme puissant, sous la force mystique qui se dégageait de son expression. Stubb et Flask glissèrent de côté leurs regards tandis que l'honnête Starbuck baissait franchement le sien.

– Inutile ! lança alors Achab. Mais peut-être est-ce mieux ! Car si vous trois vous aviez pris le choc en plein, oui peut-être que mon électricité à moi s'y serait toute dépensée ! Ou peut-être aussi que vous seriez tombés foudroyés. Peut-être que vous n'y auriez pas tenu. A bas, les lances ! Et maintenant, messieurs, je vous fais tous trois les échansons de mes affidés païens que voilà, ces nobles seigneurs, mes trois vaillants harponneurs. Un honneur déplaisant ? Quoi ! quand Sa Sainteté le pape en personne lave les pieds des mendiants en usant de sa tiare comme pot à eau ? Ah ! mes doux cardinaux ! C'est votre propre consentement qui vous le commande. Ce n'est pas moi qui vous l'ordonne, mais vous qui le voulez ! Coupez les brides et démanchez vos fers, harponneurs !

Obéissant en silence à cet ordre, les trois harponneurs se tenaient maintenant devant lui, dressant la longue pointe barbelée de leur harpon, avec ses trois bons pieds de longueur.

– Non, ne me transpercez pas de ce vif acier ! clama Achab. Retournez-le. Retournez-le la pointe en bas. Vous ne savez donc pas de quel côté est la coupe ? Allons, tendez-moi vos gobelets ! Là, voilà ! A présent, messieurs les échansons, avancez. Les fers ! prenez les fers en main ; tenez-les-moi pendant que je verse !

Et passant lentement d'un officier à l'autre, il remplit à ras bords le creux des trois harpons de l'eau de feu que contenait la mesure d'étain.

– Là, vous voilà à présent trois pour trois. Saluez les calices meurtriers ! Remettez-les. Voilà ! Vous êtes à présent indissolublement attachés les uns aux autres en une même et indestructible ligue. Ah ! Starbuck, voilà, tu vois, la chose est faite ! Et le soleil attendait d'avoir vu ça pour se coucher. Buvez, harponneurs ! Buvez et jurez – vous la proue meurtrière des canots porteurs de la mort —, jurez la mort de Moby Dick ! Que Dieu nous pourchasse tous, si nous ne pourchassons pas Moby Dick à mort !

Les hauts gobelets barbelés et pointus furent levés ; et avec des cris et des malédictions à l'adresse du Cachalot Blanc, la longue rasade fut d'un trait engloutie par les uns et les autres. Starbuck pâlit et se détourna, frissonnant. Une fois encore, et pour la dernière fois, la mesure d'étain fut remplie et circula à la ronde parmi l'équipage électrisé. Puis d'un signe de sa main libre, Achab les renvoya tous, et lui-même se retira dans sa cabine.

SOLEIL COUCHANT

(Le carré, près des fenêtres ; Achab, seul, assis, regarde au loin.)

C'est un sillage écumeux et troublé que je laisse ; blêmes eaux, blêmes joues, partout où je fais voile. Les hautes lames se gonflent jalousement de part et d'autre pour effacer ma houache ; qu'importe ! d'abord je suis passé.

Là-bas, sur le fin bord de cette coupe toujours pleine, les vagues empourprées ont le rubis du vin. Le disque d'or descend sonder l'azur ; lent soleil… qui lentement descends depuis midi… tu disparais ; mon âme toujours monte ! elle est lasse de cette ascension infinie. Serait-elle trop pesante, la couronne que je porte ? – Le fer de cette couronne de Lombardie… Pourtant elle étincelle des feux de maintes gemmes ; moi qui la porte, je n'en vois pas l'éclat, mais je le sens sombrement, que celle que je porte éblouit et renverse. Elle est de fer, ça je le sais, et non point d'or ; déchiquetée, ça je le sens ; ses dentelures me blessent tellement ! c'est comme si mon cerveau se battait contre le métal, le solide métal, oui ! c'est un crâne d'acier que le mien, de cette sorte qui n'a besoin ni de heaume ni de casque dans les pires et les plus furieux des combats cérébraux !

Un peu de fièvre sur mon front ? Ah ! il fut un temps naguère où de même que le noble soleil levant m'éperonnait, de même aussi le couchant me donnait la paix. Plus maintenant. Cette lumière exquise ne brille plus pour moi. Il n'est plus rien de séduisant pour moi, tout m'est angoisse, puisque je ne puis plus goûter aucun

charme… Doué du plus sublime sentiment… et la plus simple
faculté de m'en réjouir me fait défaut : damné ! le plus subtile-
ment, le plus perfidement, je suis damné au plein milieu du paradis ! Ah ! Bonne nuit ! Bonne nuit ! *(Il agite la main et s'écarte des
fenêtres.)*

Cela n'a pas été une si dure tâche. Je pensais en trouver un
d'obstiné, au moins ; mais mon propre engrenage croche dans
toutes leurs roues, et elles tournent. Ou si vous préférez, c'est
comme autant de petits tas de poudre qu'ils sont, et je suis l'allumette. Oh ! le dur, c'est que pour faire flamber autrui, l'allumette,
elle, doit s'user ! Ce que j'ai risqué, osé, je l'avais voulu ; et ce que
j'ai voulu, je le fais ! Ils croient que je suis fou… Starbuck le croit ;
je suis un démon possédé, je suis la folie folle ! Cette folie sauvage,
cette folle qui ne se calme que pour mieux se saisir ! La prophétie
était que je serais démembré ; et – ah ! oui – j'ai perdu cette jambe.
Mais moi, je prophétise à mon tour que je démembrerai qui m'a ôté
mon membre. Oui, maintenant le prophète et celui qui accomplit
la chose ne seront qu'un. C'est plus que vous n'avez été, vous les
grands dieux, plus que jamais vous ne fûtes. Je ris et me moque de
vous, eh ! joueurs de cricket, eh ! boxeurs, tas de Burke sourds et
de Bendigo aveugles que vous êtes ! Je ne vais pas vous dire comme
on dit au collège à ceux qui usent de brimade : « Prends-t'en à
quelqu'un de ta taille, ne me tape pas dessus, *à moi* ! » Oh ! non,
vous m'avez jeté à terre et me voilà debout, de nouveau, mais *vous*
avez filé et vous êtes cachés. Allez ! sortez de derrière vos sacs de
coton ! Je n'ai pas de fusil à longue portée pour vous atteindre.
Arrivez ici, Achab vous présente ses compliments ; venez-y donc,
et voyez si vous êtes capables de me faire plier. Me faire plier ?
Mais vous ne le pouvez pas sans vous plier vous-mêmes ! C'est là
que l'homme vous tient. Me faire plier ? Le chemin de ma volonté
est tracé par des rails de fer sur lesquels est lancée mon âme.
Par-dessus les ravins sans fond, par le travers du cœur transpercé
des montagnes, par-dessous le lit des torrents, je me rue et ne peux
dérailler. Pas un obstacle, pas un coude sur ma voie rectiligne, ma
voie d'acier !

XXXVIII

CRÉPUSCULE

(Le grand bas mât ; Starbuck y est appuyé.)

Mon âme a connu plus que la défaite, elle est subjuguée, et par un fou ! Combien insupportable cet aiguillon, que la santé lucide doive mettre bas les armes sur ce terrain ! Mais il m'a taraudé profond, et ma raison, il me l'a fait sauter comme un bouchon ! Je crois apercevoir l'impiété de son but, mais le sentiment me dicte de l'aider. Avec ma volonté, contre ma volonté, de toute façon me voilà indissolublement lié, lié à lui par l'indicible, et halé par un câble pour lequel je n'ai pas de couteau si je veux le trancher. Vieil homme horrible ! Qui est au-dessus de moi, hurle-t-il… mais oui, démocrate il se veut pour tout ce qui est au-dessus ; seulement voyez un peu comme il commande et gouverne tout ce qui se trouve au-dessous ! oh ! je n'ai pas à me dissimuler mon lamentable emploi : obéir, révolté. Pire encore : haïr avec un sentiment de pitié. Car dans ses yeux je lis clairement une affre rougeoyante, une souffrance atroce qui, si je la portais, m'anéantirait. Mais il reste un espoir, pourtant. Le temps est vaste et les eaux infinies. Le cachalot haï a l'univers entier pour y nager, tel le minuscule poisson rouge dans son bocal. Son projet insensé, dressé contre le ciel, Dieu peut le détourner, le laisser sans emploi. Mon cœur y volerait, s'il n'était de plomb. Mais le poids de mon cœur, tel le poids d'une horloge où il commande tout, est au fond de sa course, et je n'ai pas de clef pour le remonter.

(Un éclat de chahut joyeux monte du gaillard d'avant.)

Oh ! Dieu, naviguer avec un équipage si furieusement païen, où pas un homme ne se souvient d'avoir eu une mère de la race humaine ! Tous mis bas quelque part par l'océan qui grouille de requins ! C'est leur Gorgone à eux, cette Baleine Blanche. Écoute ! Des orgies de l'enfer ! ce chahut, c'est au gaillard d'avant ! Mais en poupe, remarques-tu le parfait silence ? J'y vois l'image même de la vie : sur l'avant, à travers les eaux étincelantes, fonce l'étrave batailleuse et vaillante et joyeuse, mais c'est uniquement pour tirer derrière elle le sombre Achab, en poupe, avec son rêve noir, silencieux dans sa cabine qui repose sur les eaux mortes de la houache ; mais poursuivie de loin par les hurlements de loup de la vague. Cet aboi perpétuel me fait frémir au plus profond de moi... La paix ! vous autres les chahuteurs, et tenez votre quart ! – Ô Vie, c'est dans une heure comme celle-ci, l'âme tout abattue – oui, la voilà amenée à connaître combien il lui faut avaler avec toi de choses brutes et sauvages ! Oh ! existence maintenant, ce n'est que maintenant qu'il vient en moi, le sentiment de l'horreur latente en toi ! Mais il n'est pas de moi ! Cette horreur-là m'est étrangère ; avec le doux sentiment de l'humain que je porte en moi, encore veux-je essayer de te combattre, oh ! affreux, oh ! spectral avenir ! Assistez-moi, soutenez-moi, faites de moi votre prisonnier, vous saintes, oh ! bonnes influences bénies

PREMIER QUART DE NUIT

(Stubb, seul, répare un bras de vergue.)

Heu! heu! heu! heum! que je m'éclaircisse la gorge!... Je n'ai pas arrêté d'y penser depuis lors, et ce heu, heum! est la dernière conclusion. Pourquoi? Parce que le rire est la plus sage et la plus facile réponse à tout ce qu'il y a de bizarre. D'ailleurs, quoi qu'il advienne, il y a toujours une consolation : c'est que tout est écrit d'avance. Je n'ai pas entendu sa conversation avec Starbuck, mais à ce que j'ai pu voir, Starbuck avait tout l'air d'être dans l'état où j'étais l'autre soir. Sûr que le vieux Moghol lui en a assené un bon coup, à lui aussi. Je m'en doutais, je le savais, j'en étais sûr. J'ai le don; j'aurais pu réellement l'annoncer d'avance, j'aurais pu le prophétiser : rien qu'à voir son crâne, je le savais. Bien Stubb, *sage* Stubb (puisque c'est mon titre), eh bien, Stubb, et alors, Stubb? Voilà ta carcasse. Je ne sais rien de tout ce qui peut arriver, mais arrive ce qui voudra, j'irai en riant à la rencontre. Il y a une telle bouffonnerie cachée dans toute cette horreur. Ça me donne envie de rigoler. Tra-la, dalla, léra, dira tra! Que fait-elle, ma petite poire juteuse, à la maison? Verse-t-elle toutes les larmes de ses yeux?... Plutôt en train de festoyer les derniers harponneurs débarqués, je dirais, et gaie comme une flamme de frégate, tel que je me sens moi-même et le suis, tra-la, lala, déra, lira tra! Ah...

Buvons ce soir le cœur léger
Gais, éphémères pour aimer
Comme la bulle au bord du verre
Éclate au contact de la lèvre!

Fameuse strophe que celle-là! – Qui appelle? monsieur Starbuck? Oui, Monsieur, oui! *(A part.)* C'est mon supérieur, mais il a
aussi le sien si je ne m'abuse. – Oui, oui, Monsieur; je finis juste ce
travail, et j'arrive!

GAILLARD D'AVANT, MINUIT

HARPONNEURS ET MATELOTS. – *(La misaine se soulève et découvre la bordée de quart : les hommes sont dans toutes les positions, debout, marchant, appuyés, assis, étendus ; et ils chantent en chœur.)*

> *Farewell et adieu, vous femmes espagnoles !*
> *Farewell et adieu, oh ! femmes de l'Espagne !*
> *Le capitaine a commandé…*

PREMIER GABIER NANTUCKAIS. – Oh ! les gars, ne soyons pas sentimentaux, c'est mauvais pour la digestion ! Chantons du tonique, suivez-moi ! *(Il entonne et tous reprennent.)*

> *Notre capitain' debout sur le pont*
> *Pointe sa longue-vue*
> *Au loin à l'horizon, sur tout un bataillon*
> *De baleines en vue.*
> *Baille en barque, les gars,*
> *Hardi ! bordez l'écoute !*
> *Et souquons à pleins bras*
> *On va les prendre en joute !*
> *Gai, on y va ! et haut les cœurs !*
> *Pas un ne tremblera*
> *Lorsque le harponneur*
> *Notre baleine servira !*

VOIX DU SECOND SUR LE GAILLARD D'ARRIÈRE. – Les huit coups à piquer à la cloche !

DEUXIÈME NANTUCKAIS. – Allez ouste, le chœur! Les huit coups! t'as entendu, clocheman? Pique tes huit coups, mon petit Pip, mon petit sonneur noir! Et laisse, que j'appelle la bordée, j'ai le gosier qu'il faut pour ça et j'ouvre la gueule comme une vraie barrique. Attends, tu vas voir! *(Il passe la tête par la descente.)* Ohôôhéé! Les tribôôôrdaiis! sur le pôônt! Les huit coups piqués! Ho! grouillez, et que ça saute!

MATELOT HOLLANDAIS. – Fameuse ronflée, les amis, la nuit est grasse! Le vin de notre vieux Moghol, je remarque, il est autant un coup de massue pour les uns qu'il est un coup de fouet pour les autres. Ici on chante; là-dessous ils roupillent, sourds comme des souches, alignés comme des bornes. Vas-y encore un coup! Tiens, prends la pompe de cuivre; hèle-les avec ça! Fini de rêver aux belles, dis-leur! C'est la résurrection! Qu'ils donnent le dernier baiser et arrivent au jugement. Très bien, mon gars, c'est comme ça qu'il faut faire! Ta gueule à toi, on peut dire qu'elle n'a pas été abîmée par des massages au beurre d'Amsterdam!

MATELOT FRANÇAIS. – Hé, fistons! Si on se payait une ou deux gambades avant de jeter l'ancre dans la baie des Couvertures? Qu'est-ce que vous en dites, hein? Voilà la bordée qui monte. Allez, jarrets tendus, tous! Et toi Pip! mon petit Pip, ollé, ollé, du tambourin!

PIP *(boudeur et ensommeillé).* – Sais pas où il est.

LE FRANÇAIS. – Sur la peau de ton ventre, alors, et scande en battant des oreilles! Qu'on danse, quoi! vive la joie est le mot de passe! Hop-là! Bon sang, ça ne vous dit rien de danser? Allez, allez, en file indienne, et au galop de farandole! Secouez-vous! du jarret, du mollet, que diable!

MATELOT ISLANDAIS. – Ton parquet ne me dit rien, vieux frère, c'est trop élastique pour moi; j'ai l'habitude de la glace. Fâché de doucher d'eau froide le programme, mais je n'en suis pas.

MATELOT MALTAIS. – Moi non plus. Où sont les filles? Qui c'est le cinglé qui va prendre par la main droite sa main gauche, pour demander « Comment allez-vous? » Des cavalières! Il me faut des cavalières pour danser.

MATELOT SICILIEN. – Bien sûr! des femmes et du gazon qu'il faut, alors je suis ton homme, je me transforme en sauterelle!

LE GARS DE LONG ISLAND. – Ça va, ça va, les rabat-joie ! On n'a pas besoin de vous. Moissonne ton grain quand tu le peux, voilà ce que je dis. Toutes les jambes seront bientôt moissonnées, pas vrai ? Ah ! voilà la musique. Allons-y !

MATELOT DES AÇORES *(arrivant en haut, lance le tambourin depuis l'écoutille).* – Le voilà, Pip ! Et voilà tes barres de cabestan ! Hisse et ho ! Pip ! Hisse-nous ! Et en avant, les gars !

(La moitié de la bordée danse au son du tambourin ; parmi les autres hommes, certains descendent, d'autres s'étendent ; d'autres dorment sur des glènes de filins. Jurons à profusion.)

L'AÇORIEN *(en dansant).* – Vas-y, Pip ! A pleine volée, cloche-man ! Tinte, cogne, tambourine, résonne à tout casser, vieux frère. Fais-en sortir des étincelles ! Fais-en sauter les grelots !

PIP. – Les grelots, que tu dis ? Tiens, en voilà encore un autre de perdu, tant je tape !

MATELOT CHINOIS. – Fais-nous sonner tes dents, alors, et continue de marteler ! Transforme-toi en pagode !

LE FRANÇAIS. – Vive la folle joie ! Lève ton tonneau, Pip, que je saute à travers ! Vibrez, focs ! fendez-vous en pétard !

TASHTÉGO *(fumant paisiblement).* – Voilà bien un Blanc ; il appelle ça s'amuser : peuf ! J'économise ma sueur.

LE VIEUX LOUP DE L'ÎLE DE MAN. – M'étonnerait bien si ces joyeux compères avaient idée sur quoi ils dansent ! J'irai danser sur votre tombe… c'est la pire des menaces de ces nocturnes femmes, chez nous, qui se tiennent vent debout aux carrefours. Ô Christ ! penser aux vertes carcasses des vaisseaux et aux squelettes verts des équipages ! Bah ! quoi ! si le monde entier est un ballon, comme ils disent les savants, aussi bien s'en servir pour la récréation. Vas-y, jeunesse ! danse. J'ai été jeune moi aussi.

TROISIÈME NANTUCKAIS. – Un moment pour souffler, pfouih !… 'core pire que de forcer de rames sus un cachalot, en calme plat ! Laisse-moi tirer une bouffée, Tash !

(Ils arrêtent la danse, se réunissant par petits groupes. Le ciel s'est chargé ; un grain approche ; le vent fraîchit.)

UN LASCAR. – Par Brahma, fils d'hommes ! sera pas long qu'il va falloir amener rondement. Tout le Gange du ciel va nous tomber dessus, que le vent a tourné ! Tu nous fais mine noire, Çiva !

MATELOT MALTAIS *(penché au bordage et agitant son bonnet)*. – C'est les lames, à présent, leurs blancs bonnets se mettent à danser aussi. Vont bientôt secouer leurs franges... Si toutes les vagues étaient des femmes, j'aimerais bien m'y noyer et danser avec elles à tout jamais ! Y a rien de plus doux sur la terre... même le ciel peut pas concurrencer ça ! Rien de meilleur que ces œillées brûlantes sur les poitrines enflammées, ivres, sensuelles, quand le fuseau des bras levés laisse entrevoir les grappes mûres, gonflées à éclater, qu'ils cachaient.

MATELOT SICILIEN *(couché)*. – Comme tu dis, mon garçon ! Écoute voir : les onduleux enlacements des membres... les chaloupées et les voltes en souplesse... les hésitations... les palpitations !... Du bord des lèvres, du bord du cœur, rien que des effleurements : une caresse incessante, et puis va ! n'y goûte pas, remarque bien, autrement vient la satiété. *(Avec un coup de coude.)* Hein, païen ?

MATELOT TAHITIEN *(étendu sur une natte)*. – Salut, nudité sainte de nos danseuses !... Héva-héva !... Oh ! Tahiti, voiles bas, palmiers hauts ! Me voici toujours étendu sur ta natte, mais la douceur de ton sol a disparu. Toi, ma natte, je t'ai vue tissée là-bas, sous nos bois, verte encore quand je t'ai emportée, mais aujourd'hui vieille et usée. Hélas ! pauvre de moi ! ni l'un ni l'autre, ni toi ni moi ne pouvons nous faire au changement ! Que ferions-nous, si nous étions transportés sous ton ciel ? Est-ce que je n'entends pas le grondement mugissant des ruisseaux gonflés de Pirohitée qui roulent depuis les pics dressés comme des lances, se lancent par-dessus les rochers pour venir noyer les villages ? La rafale ! la rafale ! Debout, toi ! fais-lui face ! *(Il saute sur ses pieds.)*

MATELOT PORTUGAIS. – La lame est dure, et comme elle fonce sur la hanche ! Vous pouvez vous attendre à riser les huniers, mes jolis cœurs ! Les vents sont juste en train de croiser l'épée ; ils vont nous tomber dessus pêle-mêle tout à l'heure !

MATELOT DANOIS. – Grince, craque, vieille coque ! aussi longtemps que tu craques, c'est que tu tiens ! Bien joué, ma vieille !

c'est qu'il te mène sec notre second, là-bas ! Il n'a pas plus de
crainte que l'île forte du Cattégat, juste placée pour tenir les
assauts des ouragans canonnés de la Baltique, et sur laquelle le sel
vient se plaquer en croûte !

QUATRIÈME NANTUCKAIS. – Il a ses ordres, souviens-toi de ça !
J'ai entendu le vieil Achab lui dire qu'il devait toujours tuer la
rafale, tirer droit dedans avec le vaisseau, un peu comme on tire au
pistolet dans un jet d'eau.

MATELOT ANGLAIS. – Tonnerre ! c'est un sacré type, le vieux !
Nous, les gaillards, on va lui chasser sa baleine !

TOUS. – Oui ! ouais ! d'accord !

LE VIEUX MANXIEN. – Ces trois pins, ce qu'ils tremblent ! Les pins,
ce sont les arbres les plus difficiles à transplanter : ils ne reprennent
pas dans un autre sol ; et ceux-là n'en ont point d'autre que le maudit
plancher des marins. Doucement, timonier, doucement ! C'est avec
des coups de temps comme celui-là que les cœurs braves claquent à
terre, et que les coques à quille éclatent en mer. Notre capitaine porte
sa marque de naissance : voyez là-bas, fistons, le ciel a la sienne aussi,
toute pareille, livide ; et tout est terriblement noir autour !

DAGGOO. – Et puis après ? Lui qui a peur du noir il a peur aussi
de moi ! Suis sculpté dedans !

MATELOT ESPAGNOL *(à part)*. – Il veut crâner ; ah !… la vieille
rancune me rend susceptible ! *(S'avançant.)* Vrai, harponneur, ta
race est l'indéniable côté noir de l'humanité, diaboliquement noire
qu'elle est, soit dit sans offense aucune.

DAGGOO *(sombrement)*. – Aucune.

MATELOT DE SANTIAGO. – Il est fou ou a bu, l'Espagnol. Mais
alors s'il est saoul, faut qu'avec lui l'eau de feu du vieux Moghol ait
mis du temps à faire effet.

CINQUIÈME NANTUCKAIS. – Qu'est-ce qu'on vient de voir, un
éclair ? Oui.

L'ESPAGNOL. – Non. C'est Daggoo qui a montré les dents.

DAGGOO *(bondissant)*. – Je vais te faire avaler les tiennes, pou-
pée de son ! Peau blanche, foie blanc !

L'ESPAGNOL *(allant à sa rencontre)*. – De bon cœur, que je vais
te saigner ! Grande carcasse, petite cervelle !

TOUS. – La rixe ! la rixe !

TASHTÉGO *(lâchant une bouffée)*. – Trouble en bas, trouble en haut – dieux et hommes – tous des chahuteurs ! Peuff !

MATELOT DE BELFAST. – Une bagarre, saint Dieu ! une bagarre. Bénie soit la Vierge !... Allez-y, rentrez-vous dedans !

L'ANGLAIS. – Fair play ! Enlevez son couteau à l'Espagnol ! Et en cercle, formons le cercle !

LE VIEUX MANXIEN. – Il est déjà formé le cercle, là ! le cercle d'horizon. C'est dans ce cercle que Caïn a frappé Abel. Joli travail, hein, belle besogne, non ? Alors pourquoi donc l'as-Tu fait, Dieu, ce cercle ?

LA VOIX DU SECOND *(sur le gaillard d'arrière)*. – Amène en bande les cacatois !... Les palanquins !... A prendre un ris dans les huniers !

TOUS. – L'ouragan ! l'ouragan ! En haut la bordée de quart ! Et sautons, mes beautés !

PIP *(rampant sous le cabestan)*. – Des beautés ? Le Seigneur les assiste, ces beautés-là ! Flic ! flac ! voilà l'écoute de foc partie ! Bang ! dang ! Mon Dieu !... Aplatis-toi, Pip, c'est la vergue de cacatois ! Pire que d'être dans les bois en pleine tourmente le dernier jour de l'année ! Qui c'est qui va grimper chercher des châtaignes à présent ? Eux tous y vont, jurant et sacrant, mais pas moi ! Grand bien leur fasse !... sont en chemin pour le ciel. Cramponne-toi, tiens-toi dur ! Jimmini, quel ouragan ! Et encore pires ils sont, tous ces types-là, ces Blancs ; des rafales blanches, voilà ce qu'ils sont devant vous ! Des rafales blanches ? Aïe ! la baleine blanche aussi ! Aïe ! Brrr !... Tout ce qu'ils disaient, j'y ai entendu, brr !... et ce cachalot blanc, c'est rien qu'une fois qu'ils en ont parlé, rien que ce soir... j'en frémis et j'en tremble tout partout comme mon tambourin... ce vieil homme, le vieux serpent, il leur a fait jurer, eux, d'en faire la chasse ! Oh ! toi, grand Dieu Blanc tout là-haut quelque part dans le noir, donne Ta pitié au petit garçon noir ici en bas, préserve-le de tous ces hommes sans boyaux qui ne ressentent pas la peur !

XLI

MOBY DICK

Moi, Ismahel, j'étais l'un d'eux; j'étais l'un des hommes de cet équipage. A leurs cris s'étaient mêlés mes cris; à leur serment, mon serment était joint. Et d'autant plus fort avais-je crié, d'autant plus puissamment avais-je martelé et rivé mon serment que l'épouvante était dans mon âme. Mais un sentiment de mystique sympathie furieuse m'emportait : la haine inassouvie d'Achab était la mienne, et c'est d'une oreille avide et passionnée que j'appris l'histoire du monstre meurtrier contre lequel nous avions prononcé, tous les autres et moi, nos serments de violence et de vengeance.

Depuis un certain temps, quoique par intervalles seulement, le solitaire Cachalot Blanc, toujours secret, avait hanté les eaux sauvages de ces mers éloignées qui ne sont guère visitées que par les pêcheurs de cachalot – tous pourtant ne connaissaient pas son existence; et même, relativement rares étaient ceux qui l'avaient vu, de leurs yeux vu; plus rares encore ceux qui l'avaient eux-mêmes combattu. Car malgré le grand nombre des baleiniers en croisière, à cause des routes solitaires et dispersées qu'ils suivent sur toute l'étendue aquatique du globe – la plupart d'entre eux poussant aventureusement leurs quêtes sous des latitudes désertes où, pendant des douze mois et plus, ils ne rencontrent pour ainsi dire jamais un seul voilier porteur de nouvelles; à cause de l'exceptionnelle lenteur de leurs navigations; à cause encore de l'incertitude de date des retours et pour bien d'autres raisons circonstancielles directes et indirectes, il fallut longtemps pour que pussent se répandre dans la flotte baleinière, éparses dans le monde entier, les nouvelles spéciales et particulières touchant la personne de Moby Dick. A n'en point douter, bien des baleiniers avaient rapporté avoir rencontré à tel et tel moment, sur tel et tel méridien, un cachalot d'une taille et d'une malignité extraordinaires qui, après avoir causé grand dommage à ses assaillants, leur avait complètement échappé ; et à la réflexion, je le répète, il y avait de fortes présomptions pour que ce cachalot ne fût autre que Moby Dick. Mais comme depuis un certain temps la pêche au cachalot avait enregistré un certain nombre de cas de férocité, de ruse et de malice assez fréquents chez le monstre attaqué, il se trouva aussi que certains pêcheurs, qui avaient eu affaire sans le savoir à Moby Dick, rapportèrent l'épouvante qu'il leur avait produite plus simplement aux accidents et aux périls du métier lui-même, plutôt qu'à un individu particulier. C'était d'ailleurs sous cet angle que, la plupart du temps et par la majorité des hommes, la rencontre d'Achab avec le monstre était considérée.

Quant à ceux qui avaient déjà entendu parler de Moby Dick et qui étaient venus à le rencontrer par hasard, dans les commencements, ils avaient bravement mis à la mer pour hardiment l'attaquer comme toute autre baleine de cette espèce. Mais les calamités qui s'étaient ensuivies – qui ne se limitaient pas aux poignets et aux chevilles luxés, aux membres brisés ou même dévorés – avaient été fatales au suprême degré de la fatalité ; et surtout la répétition désastreuse de ces échecs dans tous les assauts avait fini par accumuler autour de Moby Dick une telle terreur, que par la suite plus d'un hardi chasseur, à en entendre le récit, avait senti son courage ébranlé.

Cette effroyable renommée devait naturellement s'exagérer d'elle-même et rendre plus horrifiantes encore les histoires vraies de ces mortelles rencontres. Car non seulement le fabuleux prend tout naturellement naissance sur le corps vrai d'un événement bouleversant et terrible (de même que de la souche pourrissante de l'arbre abattu naissent les champignons), mais chez les marins, beaucoup plus que sur la terre ferme encore, les fables prennent corps au moindre prétexte de réalité sur lequel elles puissent fixer leurs racines. Et autant la vie maritime dépasse-t-elle la vie terrestre en ces domaines du fantastique, autant la vie des baleiniers le fait-elle sur la vie de tous les autres marins : les fables et les rumeurs qui circulent chez eux surpassent par l'horreur et par le merveilleux toutes celles qui circulent ailleurs. C'est que les baleiniers, qui ne sont pas exempts de la superstition et de l'ignorance inhérentes et communes à l'état de marin, sont en outre, de tous les marins, les hommes le plus directement en contact avec les terribles merveilles de la mer, que non seulement ils contemplent face à face, mais avec lesquelles ils combattent corps à corps. Le baleinier qui croise, solitaire, sur des mers si écartées de tout qu'une navigation de milliers de milles, descendant des milliers de côtes, ne vous amène encore jamais devant le tablier sculpté d'une cheminée ou tout ce que vous voudrez de semblablement hospitalier sous ce côté-ci du soleil ; le baleinier, qui fait le métier qu'il fait à de si insolites latitudes et longitudes, est tout plongé dans un monde d'influences qui tendent à féconder son imagination et à y engendrer le merveilleux le plus puissant.

Comment s'étonner alors si le volume des rumeurs attachées au Cachalot Blanc, à force de rouler toujours dans les espaces immenses des océans sauvages, s'était accru peu à peu de toutes sortes d'éléments fantastiques, de vagues suggestions informes et de teintes surnaturelles, enveloppant Moby Dick d'une aura de terreurs formidables qui débordaient de toutes parts le monde visible et explicable ? Le seul nom de Moby Dick, à la fin, s'était chargé d'une telle panique que bien rares étaient ceux, parmi les chasseurs de baleines, aux oreilles de qui ces rumeurs étaient parvenues, qui voulaient et osaient encore affronter les périls de son effroyable mâchoire.

Il convient d'ajouter ici l'influence d'un autre travail tout différent, plus concret, mais très puissant aussi dans ce même sens. Encore jusqu'à ce jour, le prestige du cachalot monstrueux, ce léviathan terrible qu'on met à part de tous les autres, est loin d'être effacé dans l'esprit du baleinier. Beaucoup de ces hommes, aujourd'hui encore, qui se montrent pourtant habiles et courageux à combattre la baleine franche ou du Groenland, refuseraient peut-être le combat – soit en raison de leur inexpérience professionnelle, soit par incompétence ou par timidité – et ne voudraient pour rien au monde accepter de rencontrer le cachalot. Le nombre est grand, en tout cas, surtout chez les baleiniers qui font campagne sous pavillon américain, des hommes qui n'ont *jamais* affronté le cachalot belliqueusement, et dont la seule connaissance en matière de léviathans s'arrête au monstre sans noblesse qui fut chassé originellement dans le Nord. Or, ces hommes, assis sur leurs écoutilles, écoutent effarés et avec la passion avide de vrais enfants, les contes fabuleux et terribles de la Grande Pêche du Sud. Nulle part, en effet, mieux que sur ces proues qui l'évitent, on n'est plus profondément sensible à la terrifique puissance et à la prééminence monstrueuse du grand cachalot.

Même si la réalité contrôlée vient maintenant apporter son témoignage, l'énormité puissante du cachalot avait en quelque sorte projeté sa grande ombre sur les temps légendaires qui nous ont précédés, et l'on peut voir des naturalistes comme Olassen et Povelson avancer dans leurs livres que non seulement le cachalot est la terreur de toutes les autres créatures de la mer, mais que telle est son incroyable férocité qu'il est perpétuellement assoiffé de sang humain. Sans remonter plus loin qu'à l'époque du baron Cuvier, on retrouve vivaces des impressions analogues : dans son *Histoire naturelle*, le baron lui-même n'affirme-t-il pas qu'à la vue du cachalot tous les poissons (requins compris) sont « saisis de la plus grande épouvante » et que « souvent, dans leur hâte à fuir, ils se jettent contre les rochers avec une telle violence que leur mort est instantanée ». Or, quels que puissent être les démentis apportés par l'expérience générale acquise dans la chasse au cachalot, il n'en reste pas moins que la croyance superstitieuse à ces affirmations terrorisantes – telles que la « soif de sang humain » invoquée par Povelson, par exemple – ne cesse de hanter l'esprit de plus d'un chasseur de baleines, au cœur même des vicissitudes de son dur métier.

Réveillées en eux par les fables et les prodiges attribués à Moby Dick, les vieilles légendes retrouvaient vie chez maint pêcheur, et le nombre était grand de ceux qui affirmaient – comme aux temps héroïques du début où il était si difficile d'embarquer des baleiniers pour les périls nouveaux et inconnus de la chasse au cachalot – que si l'on pouvait poursuivre d'autres léviathans avec quelque chance de succès, vouloir s'en prendre à un pareil monstre et lever la lance contre lui n'était point l'affaire des mortels. L'essayer seulement, c'était se promettre à une inévitable et prompte éternité. Il existe sur ce point quelques documents remarquables à consulter.

Cela dit, il y avait néanmoins, malgré tout, des hommes qui même en face de toutes ces choses étaient prêts à chasser Moby Dick; et il y en avait un plus grand nombre encore qui, n'ayant entendu parler de lui que peu et vaguement, sans aucun détail circonstanciel touchant les calamités essuyées et sans les habituelles superstitions qui les accompagnaient presque fatalement, étaient eux-mêmes suffisamment braves pour ne pas fuir la bataille si l'occasion s'en présentait. Mais parmi les superstitions les plus incroyables qui hantaient les esprits crédules était ancrée l'idée extraterrestre que Moby Dick jouissait du don surnaturel d'ubiquité; et l'on répétait à l'envi qu'on l'avait réellement, dans un seul et même moment, rencontré sous les latitudes les plus opposées.

Cette idée, il faut bien le dire (quelle que fût la crédulité avec laquelle certains s'y prêtaient), n'était pas aussi invraisemblable qu'il peut paraître, et ne manquait pas d'un certain fondement dans les apparences de la réalité. C'est qu'en effet les secrets des courants marins n'ont jamais été découverts, même par les plus érudites investigations et recherches; et les routes profondes suivies par le cachalot sont tout à la fois inconnues et inimaginables pour ses chasseurs. Les plus étranges et les plus contradictoires hypothèses ont été formulées de temps à autre par ceux-ci, et, notamment, pour expliquer comment et par quelles voies mystérieuses, après avoir plongé à une grande profondeur, il peut se transporter si incroyablement vite à des distances si considérables.

C'est chose bien connue de la majorité des baleiniers américains et anglais – un fait, aussi bien, placé sous la haute autorité de Scoresby – que certaines baleines ont été capturées dans le Pacifique extrême nord, dans le corps desquelles on a retrouvé des harpons qui leur avaient été jetés dans les eaux glaciales du Groenland. Et il est indéniable qu'en certains de ces cas, le laps de temps écoulé entre l'une et l'autre attaque n'avait pas excédé quelques jours. Certains baleiniers en vinrent donc à la conclusion que le fameux passage du Nord-Ouest qui était depuis si longtemps un problème

pour l'homme, n'en était pas un pour la baleine. Et l'on voit ici,
dans la réalité vécue positivement par des hommes vivants, égalés
les prodiges de la légende comme ceux de cette montagne de la
serra da Estrela, au plein cœur du Portugal (dont le sommet portait un lac où l'on voyait apparaître, dit-on, des épaves de navires
naufragés) ou ceux de cette encore plus merveilleuse fontaine
Aréthuse, près de Syracuse (dont l'eau, croyait-on, venait de la
Terre sainte par des canaux souterrains) ; des histoires fabuleuses
à la hauteur desquelles viennent atteindre les réalités connues par
les baleiniers.

Familiarisés, donc, avec de tels prodiges, et n'ignorant pas
qu'après maint et maint intrépide assaut Moby Dick était toujours
sorti vivant, on ne saurait beaucoup s'étonner que certains baleiniers fussent allés plus loin dans leurs superstitions et eussent
affirmé que Moby Dick avait non seulement la vertu de l'ubiquité,
mais aussi celle de l'immortalité – laquelle n'est après tout que
l'ubiquité dans le temps. On pouvait bien, disaient-ils, lui planter
des forêts entières d'espars ferrés dans le corps, toujours le
Cachalot Blanc s'échappait vivant et intact ; il pouvait bien être
blessé et son sang pouvait bien jaillir tout épais dans son souffle,
ce n'était là qu'un mirage de plus, puisque sa masse non ensan-
glantée avec un souffle immuablement pur et blanc réapparaissait
infailliblement à des centaines de lieues de là.

Mais débarrassé même de ces surnaturels attributs, le caractère
physique du monstre et son aspect naturel étaient bien suffisants
pour frapper l'imagination avec une force difficilement contes-
table. Car ce n'était pas tant sa taille exceptionnellement gigantesque qui le distinguait entre tous les cachalots, que la blancheur
de neige (dont il a déjà été question) de son énorme front ridé et sa
haute bosse pyramidale, elle aussi d'un blanc immaculé. C'était là
son caractère unique, le trait parfaitement singulier par lequel, du
plus lointain horizon et dans les eaux les plus reculées, au milieu
des espaces infinis, il signalait indubitablement son identité. Le
reste de son corps était sur toute sa longueur tellement strié, taché,
marbré partout de cette même couleur de suaire, que son nom de
Cachalot Blanc lui en était venu tout naturellement, le distinguant
personnellement de tous autres ; et c'était un nom simplement

mérité, on peut le dire, lorsqu'on voyait sa géante masse vivante
s'avancer dans les eaux de cobalt, en plein midi, laissant derrière
elle comme une voie lactée, son sillage d'écume toute crémeuse et
pailletée d'or.

Et encore n'était-ce pas sa taille géante et son extraordinaire
couleur qui avaient revêtu ce cachalot d'un pouvoir naturel si terrifique, ni même sa mâchoire inférieure difforme, mais bien cette
intelligente malignité absolument sans exemple chez les autres
léviathans, si l'on en croit les récits circonstanciés et dignes de
foi, dont il faisait preuve invariablement dans tous ses combats.
C'étaient ses feintes, surtout, ses retraites traîtresses qui frappaient
d'épouvante et déroutaient le plus. Ce n'était pas une fois mais à
plusieurs reprises que, fuyant avec tous les signes de la plus évidente alarme devant ses chasseurs exultants et déjà victorieux, il
avait brusquement fait demi-tour pour leur foncer droit dessus,
faisant voler en éclats leur baleinière ou les mettant en fuite, atter-
rés, jusqu'auprès du vaisseau. Plusieurs pertes totales avaient déjà
marqué ces chasses. Mais alors que ces sortes d'accidents (dont on
parle fort peu à terre) sont loin d'être rares dans les vicissitudes
de la pêche, dans le cas particulier de Moby Dick la préméditation
de son infernale férocité était à ce point patente que chaque démem-
brement et chaque mort qui lui était imputable cessait d'être
regardé comme le fait d'un être inintelligent.

Qu'on juge alors à quel suprême degré de rouge colère, à quels
excès de rage furieuse pouvait monter l'esprit de ces désespérés
chasseurs, quand ils se retrouvaient au milieu des éclats de leurs
canots broyés, parmi les membres disloqués de leurs camarades
perdus, nageant hors des bouillons écumeux de l'effroyable furie
du cachalot, sous le soleil implacablement serein qui continuait de
sourire comme pour une naissance ou une noce !

Ses trois baleinières défoncées autour de lui, les avirons et les
hommes tourbillonnant pêle-mêle dans les remous, un capitaine,
arrachant de la proue de son canot brisé le couteau à trancher la
ligne, s'était jeté sur le cachalot comme un duelliste de l'Arkansas
sur son ennemi, cherchant follement à atteindre, avec une lame de
six pouces, la vie qui se cachait à plus d'une brasse au-dessous. Ce
capitaine, c'était Achab. Et c'était alors que Moby Dick, ramenant

brusquement sa mâchoire tordue en forme de faucille sous son corps, lui avait fauché sa jambe comme le moissonneur une javelle de blé. Aucun spadassin turc enturbanné, nul assassin à gage vénitien ou malais n'eût su frapper avec plus de cruelle astuce. Comment ne pas comprendre que depuis cette presque mortelle rencontre, Achab nourrît un si féroce besoin de vengeance contre le cachalot ? Surtout qu'il en était venu dans sa démence frénétique à l'identifier non seulement avec toutes ses souffrances corporelles, mais encore avec ses exaspérations morales et spirituelles. Le Cachalot Blanc voguait perpétuellement devant lui comme l'incarnation, comme la monomaniaque incarnation de toutes les forces mauvaises dont certains esprits profonds se sentent incessamment dévorés, jusqu'à ce qu'elles ne leur laissent plus, eux vivants, que la moitié d'un cœur ou d'un poumon pour vivre. Tout le « mauvais » intangible qui fut dès le premier commencement ; à la domination duquel, même les chrétiens modernes abandonnent la moitié du monde ; ce serpent que vénéraient et adoraient les Ophites d'Asie Mineure aux premiers siècles de notre ère. Achab, certes, ne tombait pas jusqu'à l'adorer comme ils le faisaient, mais par un transfert démentiel de cette idée sur l'individu abhorré du Cachalot Blanc, il se mesurait, tout mutilé qu'il fût, il se mesurait contre lui. Tout ce qui tourmente et torture, tout ce qui trouble la raison, tout ce qui remue et fait remonter la lie des choses, toute vérité frappée de malice, tout ce qui tord les nerfs et tout ce qui caille dans le cerveau, tout le subtil démoniaque de la vie et de la pensée, oui, tout le mal et tout le mauvais, pour ce fou d'Achab, se trouvait personnifié visiblement et devenait affrontable en Moby Dick. Sur la blanche bosse du cachalot, il empilait et concentrait toute la somme de fureur universelle et toute la haine jamais ressentie par toute sa race depuis Adam ; et sur elle, comme si sa poitrine eût été un mortier, il lançait et faisait éclater l'obus incandescent de son cœur.

Il est peu probable que ce délire monomaniaque se fût jeté sur lui à l'instant même et au moment précis de la mutilation de son corps. En se précipitant sur le monstre, couteau au poing, Achab n'avait guère fait qu'obéir à une soudaine et furieuse animosité toute physique ; et lorsqu'il avait reçu le coup qui l'avait déchiré, il n'avait vraisemblablement ressenti que le martyre de la lacération charnelle et rien d'autre. Mais lorsque, après ce choc, il avait été forcé de virer de bord et de mettre le cap sur la maison; lorsque pendant d'interminables jours et de longues semaines et des mois infinis, Achab et son angoisse avaient partagé le même hamac, allant en plein hiver doubler le sinistre et hurlant cap de Patagonie, ah! c'est alors que son corps déchiré et son âme poignardée avaient saigné l'un dans l'autre, et, se confondant, l'avaient rendu fou. Ce fut alors seulement, sur le voyage de retour, après la rencontre, que la monomanie s'était emparée de lui; la chose est d'autant plus probable que des crises de folie furieuse l'avaient possédé à plusieurs reprises et que, si puissante était la charge de vie dont sa poitrine de vieil Égyptien était bourrée, malgré sa mutilation, si détonante dans son délire, que ses seconds avaient été forcés de le ligoter fermement, là, dans son hamac, en pleine crise, pendant la navigation. Serré dans sa camisole de force, il s'était balancé dans la folle furie des tempêtes. Ce n'est que lorsque le navire, toute toile dessus, aborda des latitudes plus clémentes et fit voile de nouveau dans la paix des tropiques, que le vieil homme, selon toute apparence, laissa derrière lui son délire avec les ouragans féroces du cap Horn, et qu'alors il sortit de son antre de ténèbres pour revenir à la lumière bénie et au grand air.

Pourtant et alors même qu'il portait haut, de nouveau, son front pâle mais rasséréné; alors qu'il donnait ses ordres de nouveau; alors même que ses officiers rendaient grâces à Dieu que son horrible folie fût passée, le vieil homme, secrètement, au fond de soi, délirait de plus belle. Souvent la folie humaine est chose féline et rusée. Vous la croyez enfuie, mais elle n'a fait que de se métamorphoser peut-être en une forme plus subtile. La folie tout extravagante d'Achab n'était plus, parce qu'elle s'était concentrée toute en profondeur; et tel l'Hudson noblement identique à lui-même quand il se trouve resserré entre les hautes gorges des montagnes du nord s'écoule sans cependant rien perdre de sa force; telle aussi l'idée fixe d'Achab qui, maintenant resserrée aux profondeurs de sa poitrine, conservait néanmoins toute sa force vive et n'avait rien perdu d'elle-même, de même encore que rien n'avait sombré de sa grande intelligence naturelle. Seulement, ce qui avait été auparavant force vitale était devenu maintenant l'instrument vivant; où, s'il est permis de risquer un trope aussi excessif, la furie spéciale de sa folie soufflait à présent sur son intelligence lucide, l'entraînait, lui faisait concentrer toutes ses armes lucides vers son seul et démentiel objectif. Et Achab, loin d'avoir perdu de sa force en la concentrant toute sur cet unique but, possédait à présent une puissance cent fois supérieure dans son obstination à celle qu'il avait jamais montrée, étant sain, à poursuivre tel où tel objectif raisonnable.

C'est là déjà beaucoup, et pourtant rien n'a été effleuré encore du plus important, du plus sombre, du plus profond d'Achab. Mais il est vain de vouloir rendre accessibles les profondeurs, et il n'y a de vérité que profonde! Quelque grandiose splendeur, quelque magnificence que puisse avoir votre hôtel de Cluny – ô vous, âmes nobles bien plus encore, âmes mélancoliques! –, détournez-vous, quittez-le à présent, tournez-vous vers les thermes romains, vers les ruines antiques qui sont dessous; loin au-dessous, profondément, de cette pellicule des surfaces où l'homme érige ses tours fantastiques, la racine de sa grandeur, son essence terrible tout entière gît là, dans le défi de sa majesté enterrée : l'antiquité ensevelie sous les antiquités, et qui trône sur des torses! Les grands dieux se moquent de ce roi captif et de son trône écroulé en ruine; mais lui, telle une cariatide accroupie et patiente, il porte sur ses épaules froides le lent entassement des siècles et des âges. Descendez jusqu'à lui, vous, fières âmes, âmes mélancoliques! questionnez-le, ce vieux roi fier et mélancolique; il vous ressemble! oui, jeunes rois en exil, c'est lui qui vous a engendrés, et c'est uniquement de votre vieil ancêtre, du vieux seigneur farouche et sombre que vous tiendrez le vieux secret d'État.

Achab, lui, dans le fond de son cœur en avait eu l'intuition, se disant : tous mes moyens sont sains, normaux; mes mobiles et mon but sont fous. Ne pouvant cependant ni tuer, ni changer, ni escamoter le fait, il savait également qu'il lui faudrait longuement dissimuler devant les hommes, qu'il lui faudrait simuler et, d'une certaine manière, se taire. Mais cette dissimulation était seulement l'affaire de sa sensibilité, non de sa volonté délibérée. Ce qui n'empêche qu'il y réussit si parfaitement que, lorsque enfin il atterrit et marcha sur son sol natal avec sa jambe d'ivoire, pas un seul Nantuckais ne découvrit en lui autre chose, nul ne vit rien que le chagrin et la blessure naturels de ce terrible accident qui l'avait atteint jusqu'au vif.

Son indéniable délire en mer, quand il fut rapporté, fut également attribué bénignement à cette même cause. De même aussi toutes les sombres pensées et les noires colères qu'il ne cessa pas un instant d'agiter sous son front, jusqu'au tout dernier jour, quand le *Péquod* leva l'ancre. Et il n'est pas invraisemblable de penser qu'au lieu d'y voir, peut-être, une inaptitude à reprendre la mer, les calculateurs habitants de cette île prudente cultivèrent plutôt la pensée que d'aussi sombres symptômes le qualifiaient bien au contraire très exceptionnellement pour une entreprise aussi pleine de fureur et de sauvagerie que la sanglante chasse à la baleine. Rongé en dedans et brûlé au-dehors par la morsure incessante et implacablement identique d'une idée fixe, il apparaissait comme le personnage accompli, l'homme entre tous fait pour lancer le fer et lever sa lance sur le plus effrayant de tous les monstres. Ou, si pour quelque raison on l'eût estimé physiquement incapable de remplir cet office, il était alors superlativement apte à mener des inférieurs à l'attaque et à les encourager de ses hurlements.

Quoi qu'il en fût, d'ailleurs, ce qui est certain c'est qu'avec le secret de sa folie toujours furieuse, mais close et cadenassée au fond de lui, Achab s'était délibérément embarqué pour la présente campagne dans le but unique, précis et exclusif de chasser le Cachalot Blanc. Si quelqu'une de ses connaissances à terre avait seulement rêvé la moitié de ce qui se cachait alors en lui, quel empressement n'eût-on pas mis, dans tout l'effroi de ces âmes rigoureuses, à arracher le navire des mains d'un homme aussi satanique ! Les Nantuckais n'avaient de pensée que pour des campagnes profitables, dont les bénéfices devaient rapporter des dollars à la pelle. Lui, n'avait en l'esprit qu'une audacieuse, implacable et surnaturelle vengeance.

Tel était donc ce vieil homme impie, ce vieillard à cheveux gris qui pourchassait, le blasphème à la bouche, une baleine de Job tout autour du monde, à la tête d'un équipage en majorité composé de métisses renégats, de réprouvés et de cannibales – dont la

valeur morale était encore affaiblie par l'incapacité à y rien changer que montraient la seule vertu du strict et bien intentionné
Starbuck, l'inentamable jovialité tout indifférente et la témérité
insouciante de Stubb, la médiocrité générale de Flask. Pareil équipage, avec un tel état-major, semblait spécialement choisi et réuni
par une infernale fatalité pour assister Achab dans sa folie vengeresse. Par quel effet et comment il se fit qu'ils répondirent si una-
niment, si spontanément, si pleinement à l'ire terrible du vieil
homme ? De quelle diabolique magie leurs âmes étaient-elles pos-
sédées, que sa haine semblât par moments être la leur ? Comment
le Cachalot Blanc était-il devenu leur ennemi mortel autant que
le sien ? Comment tout cela s'était-il fait – et qu'était donc pour
eux la Baleine Blanche ? Comment, dans leurs cerveaux pleins
d'inconscience et de ténèbre, par quelles voies insoupçonnables
avait-il pu se faire qu'elle devînt à leurs yeux le Grand Démon
fuyant des océans de la vie ? L'expliquer, ce serait plonger à de
plus abyssales profondeurs que ne peut le faire Ismahel. Le mineur
qui travaille souterrainement en nous, comment savoir où mène la
galerie qu'il creuse, au seul bruit étouffé et toujours mouvant de
son pic ? Qui ne sent la puissance irrésistible de ce bras ? Quel
esquif entraîné à la remorque d'un « soixante-quatorze » peut
demeurer tranquille ? Pour moi, je m'abandonnais à l'heure et au
lieu, je suivais de moi-même le mouvement ; mais malgré toute ma
fureur d'impatience à rencontrer le cachalot, je ne voyais en cet
animal et ne pouvais voir en lui rien d'autre qu'un mal mortel.

XLII

LA BLANCHEUR DU CACHALOT

Ce qu'était le Cachalot Blanc pour Achab, on en a donné quelque indication ; quant à ce qu'il représentait pour moi, il me reste encore à le dire.

Aux plus évidents caractères et aux différentes considérations ayant trait à Moby Dick – certes bien faits pour susciter une crainte alarmée dans l'âme de tout homme – venait s'ajouter une idée, ou plutôt une horreur indécise et sans nom qui prenait une telle intensité, parfois, qu'elle l'emportait sur tout le reste ; et pourtant si peu saisissable était ce quelque chose, si mystique, si approché de l'ineffable, que je désespère presque à le dire : ce qui m'épouvantait par-dessus toutes choses, oui, c'était la blancheur du cachalot. Mais comment espérer me faire entendre ici ? Si maladroitement, si obscurément que ce soit, il faut pourtant que je m'explique de façon ou d'autre, n'importe comment, sinon tous les chapitres de ce livre pourraient bien être en vain.

Quoique le blanc, comme s'il les revêtait d'une vertu toute spéciale qui lui est propre, rehausse infiniment de sa délicatesse la beauté de bien des choses dans la nature, telles que les perles, le marbre, les laques ; et quoique les nations les plus différentes aient reconnu de certaine manière à cette couleur une sorte de royale précellence – tels les vieux rois magnificents et barbares de Pégou, mettant leur titre de « Seigneur des Éléphants Blancs » au-dessus de toutes les grandeurs et autres somptuosités de leur règne surabondant ; tels les modernes rois de Siam déployant sur leurs étendards ce même quadrupède blanc de neige ; tel le dra-

peau de Hanovre arborant un unique étalon blanc de neige; tel le
grand et césarien empire d'Autriche, héritier de la Rome impériale, élisant ce blanc impérial comme son impériale couleur;
quoique cette prééminence en soi s'étende à la race humaine
elle-même, donnant à l'homme blanc une idéale supériorité ou
autorité sur toutes les espèces plus foncées... Quoique le blanc ait
au surplus toujours été symbole de joie et d'allégresse, puisque les
Romains marquaient d'une pierre blanche les journées fastes; et
bien que chez les autres humains, analogiquement, cette même
teinte demeure l'immortel emblème des choses les plus nobles et
les plus touchantes : l'innocence de la fiancée et la bénignité du
vieillard; quoique chez les Peaux-Rouges de l'Amérique, le don
d'une blanche ceinture de wampoum soit une marque et un honneur du plus profond hommage; quoique sous maint climat le
blanc personnifie, dans l'hermine du juge, la majesté de la
Justice; et quoiqu'il contribue aux quotidiennes pompes des rois
et des reines que véhiculent des équipages d'un blanc de lait...
Quoique même dans les plus hauts mystères des plus augustes
religions il ait été fait le symbole de la puissance divine immaculée – ainsi chez les Persans adorateurs du feu, la flamme blanche
étant regardée à l'autel comme la plus sacrée; et dans la mythologie romaine, le grand Jupiter lui-même s'étant incarné sous la
forme d'un taureau blanc; ou encore chez les nobles Iroquois, le
sacrifice au solstice d'hiver du Grand Chien Blanc sacré étant de
loin la plus sainte des fêtes de toute leur théologie, cet animal
fidèle et immaculé étant regardé comme le don le plus pur de leur
fidélité au Grand Esprit, entre toutes les offrandes rapportées de
toute l'année. Et quoique ce soit directement du mot blanc en
latin, que tous les prêtres de la Chrétienté tirent le nom de cette
aube qu'ils portent sous la chape quand ils sont revêtus du vêtement sacré; quoique dans les pompes de l'Église romaine, le blanc
soit particulièrement réservé aux célébrations de la Passion de
Notre-Seigneur; quoique dans l'Apocalypse de saint Jean, ce
soient des robes blanches que revêtent les élus, et que, drapés de
blanc, les vingt-quatre vieillards se tiennent devant le grand trône
blanc sur lequel est assis le Très-Saint, blanc comme une nuée de
blanche laine; néanmoins, et malgré toute l'accumulation des

circonstances et des événements, des conditions et des éléments
où le blanc se trouve indéfectiblement associé à l'idée de douceur,
de gloire et de sublimité, il reste cependant dans l'idée de blancheur
un élément secret de terreur, caché au plus intime de la chose, qui
précipite l'âme à de plus grandes épouvantes que la pourpre
effrayante du sang.

Cette trompeuse idée de candeur virginale à laquelle le blanc
reste pour nous indissolublement lié, quand elle se trouve détachée
des objets tout aimables et revêt quelque terrible objet de sa robe
innocente, redouble en nous l'effroi et jette l'épouvante presque
au-delà de l'inimaginable. L'ours blanc du pôle et le requin blanc
des tropiques en sont l'illustration. Quoi donc, si ce n'est leur
exquise et neigeuse blancheur, les fait aussi affreusement, trans-
cendantalement horribles ? C'est cette effroyable blancheur et son
éclat abominable qui nous rend leur aspect muet et dévorant plus
repoussant encore qu'il n'est terrible, au point que même un tigre
aussi férocement armé dans sa robe héraldique ne saurait abattre
en nous le courage autant que le fait le requin tout de blanc vêtu
ou le terrible ours polaire [1].

Songez à l'albatros ; les nuages de pur émerveillement spirituel
et de pâle effroi parmi lesquels croise ce blanc fantôme dans l'imagination de tous, d'où viennent-ils ? Ce n'est pas Coleridge, le pre-

---

1. À l'égard de l'ours polaire, pour qui veut pénétrer plus avant dans la chose,
on pourrait peut-être prétendre que ce n'est pas sa blancheur, considérée en
elle-même, qui revêt cette brute d'une hideur aussi intolérable, car cette hideur
extrême, si on l'analyse, repose sur le fait que la férocité inconsciente de cette
créature se trouve enveloppée sous la toison de la pure innocence et du céleste
amour. Donc c'est de l'extrême opposition contradictoire en nos esprits de ces
deux caractères, que l'ours polaire tient ce pouvoir de nous épouvanter presque
surnaturellement.

Quant au requin blanc, la tranquille souplesse de son glissement de fantôme,
quand il nage ordinairement et qu'il est dans ses humeurs habituelles, l'apparente étrangement au plantigrade polaire, revêtu lui aussi de cette même épouvantable grâce. Son caractère particulier est évoqué avec une vigueur plus
pertinente par le nom que les Français ont donné à ce poisson. La messe des
morts dans l'Église romaine commence avec les mots *Requiem aeternam* (repos
éternel), ce qui a fait nommer *Requiem* cette messe elle-même et aussi toute
musique funèbre composée pour l'accompagner. Donc, par allusion à la blanche,
silencieuse paix de mort où se complaît le squale, comme aussi à la mortelle douceur de ses mœurs, les Français l'ont appelé *Requin*. (*NdA.*)

mier, qui l'a vêtu de ce magique éclat, mais la nature, ce génial poème de l'immense Dieu, poète incomparable[1].

Très fameux dans les annales de l'Ouest et dans les traditions indiennes est le Blanc Étalon des Prairies : une magnifique bête

1. Il me souvient du premier albatros que j'eusse jamais vu. C'était au cours d'une tempête sans fin sur les méchantes eaux de l'Antarctique ; de repos pendant le dernier quart du matin, j'étais monté sur le pont assombri sous les nuages bas ; et là, couché sur la grande écoutille, j'aperçus un être ailé, royal, d'une blancheur immaculée, avec un bec aquilin, romain, sublime. Par moments, d'un mouvement ogival de ses vastes ailes d'archange, il semblait embrasser une arche sainte. De merveilleux frémissements et des ondulations sublimes le parcouraient. Quoiqu'il ne fût point blessé, il poussait un cri qui était comme celui d'un roi fantomatique dans la plus surnaturelle des détresses. Par transparence dans ses yeux étrangement inexpressifs, il me semblait apercevoir des secrets qui touchaient directement Dieu. Tel Abraham devant les Anges, je m'inclinai : cet être blanc était si blanc, ses ailes si immensément amples et dans ces eaux à jamais en exil, que j'en oubliais les fausses façons et la déformation des usages, des traditions et des villes. Longtemps, interminablement, je demeurai en contemplation devant ce prodige emplumé. Je ne saurais dire, à peine saurais-je faire allusion aux choses infinies qui me traversèrent alors l'esprit ; mais pour finir je m'éveillai de cette extase et me tournai pour demander à un matelot quel oiseau c'était là. « Un *goney* », me répondit-il. Un goney ! Jamais encore je n'avais entendu ce mot-là. Était-il concevable que cet être de gloire fût absolument inconnu à terre ? Jamais, au grand jamais je n'en avais entendu parler ! Mais quelque temps après j'appris que goney (qui évoque une idée d'outre-tombe dans sa sonorité) était un des noms de l'albatros chez certains marins. En tout cas, il est doublement impossible que Coleridge fût pour quelque chose dans les impressions toutes mystiques que je ressentis alors, puisque je n'avais encore jamais lu « La Ballade », et que j'ignorais que ce fût un albatros quand je vis cet oiseau-là sur notre pont. Cet aveu, d'ailleurs, ne fait qu'apporter plus de lustre encore aux nobles mérites du poème et de son poète.

J'affirme donc que c'est dans sa toute merveilleuse blancheur que ce charme extraordinaire de l'oiseau cache son secret. Vérité qui se trouve démontrée par l'existence de ce solécisme nominal qui donne le nom d'*albatros gris* à certains oiseaux, que j'ai souvent vus, mais jamais avec la bouleversante émotion que m'avait donnée le voilier antarctique.

Comment cet être mystique avait-il été capturé ? Pas un mot, et je vous le dirai : avec un traître hameçon au bout d'une ligne, lorsque le grand oiseau était posé sur la mer. En conclusion, le capitaine le transforma en facteur, lui attachant un billet de cuir autour du cou, portant la date et le point du bateau, puis le fit échapper. Mais pour moi il ne fait pas de doute que ce parchemin expédié à l'intention des hommes fut enlevé au ciel, après que ce voilier blanc eut pris son envol vers les chérubins aux ailes frémissantes, qui invoquent et adorent dans l'éternité ! *(NdA.)*

d'un blanc de lait, l'œil grand, l'encolure fière, le poitrail inépuisable, et dont le port noble et altier, superbement dédaigneux,
avait la dignité de cent monarques ensemble. Il était le Xerxès élu
d'immenses troupeaux de chevaux sauvages dont les pâturages,
alors, n'avaient d'autres limites que les montagnes Rocheuses et
les monts Alleghany. Crinière au vent dans son galop de feu, il courait à leur tête, menant ses troupes vers le couchant comme l'étoile
élue qui, chaque soir, devance et commande aux armées lumi-
neuses du ciel. L'éblouissante cascade de sa crinière, la courbe en
comète de sa queue le revêtaient d'un harnachement plus splendide que les ors et l'argent des harnais les plus merveilleux du
monde. Impériale, archangélique apparition de ces vierges étendues de l'Ouest, qui surgissait aux yeux des vieux trappeurs et des
chasseurs d'autrefois, faisant revivre les gloires du printemps initial, quand Adam s'avançait comme un dieu dans sa majesté, intrépide et vibrant comme un arc ainsi qu'était ce coursier puissant.
Qu'il galopât entouré de ses maréchaux et de ses aides de camp,
entraînant derrière soi dans les plaines immenses le fleuve innom-
brable de cohortes sans fin qui s'écoulaient comme un Ohio ; ou
qu'il fût au pâturage au milieu de ses sujets dont la foule atteignait
l'horizon, l'Étalon Blanc les passait en revue de son galop de feu,
avec ses narines roses dans sa robe de lait ; de quelque façon qu'il
se présentât, toujours il était pour les Indiens les plus braves un
objet de crainte respectueuse et de tremblement. Or, il ne fait aucun
doute que ce qui fit de ce noble animal un être de légende, ce fut au
premier chef la spirituelle blancheur qui le revêtait d'un caractère
divin ; et que de cette divinité tout de blanc vêtue qui commandait
l'adoration émanait par là même une terreur sans nom.

Mais il est d'autres cas où la blancheur perd ces hauts attributs
et cette étrange gloire dont se trouvaient revêtus l'Étalon Blanc et
l'albatros.

Comment se fait-il que l'albinos humain produise un tel sentiment de répulsion et heurte si fort le regard qu'il est pris en horreur, parfois, jusque par ses proches les plus intimes ? C'est sa
blancheur assurément, cette blancheur qui s'exprime dans le nom
même qu'il porte. L'albinos est physiquement aussi bien constitué
que quiconque : il n'est marqué d'aucune difformité ; et cependant

la seule vue de cette uniforme blancheur répandue sur toute sa personne le rend plus étrangement hideux que le plus laid des avortons. Pourquoi faut-il qu'il en soit ainsi ?

Sous quantité d'autres aspects, la nature ne se fait pas faute, dans ses dispositions les moins palpables, mais non les moins perverses, d'enrôler au nombre de ses forces cet attribut couronné du terrible. L'esprit feutré des mers du Sud, à cause de son aspect neigeux, a été dénommé la Tourmente Blanche. Dans telles circonstances historiques, la malice humaine ne s'est non plus privée d'un allié aussi puissant. Avec quelle violence ne renforce-t-il pas l'effet de ce passage dans Froissart, lorsque les féroces Cagoules Blanches de Gand, masquées sous le neigeux symbole de leur faction, assassinèrent leur bailli sur la place du Marché !

L'héréditaire et commune expérience humaine, elle non plus, n'est pas sans porter témoignage du caractère surnaturel de la blancheur. Il paraît difficile de mettre en doute que dans l'aspect extérieur d'un mort, ce qui effraye le plus le spectateur, c'est la pâleur de marbre qui s'est sur lui répandue, comme si cette pâleur était tout autant le symbole marqué de la consternation de l'autre monde que de la mortelle trépidation ici. A cette lividité de la mort, nous accordons la teinte du linceul dont nous drapons les cadavres. Et dans nos superstitions encore, nous ne manquons pas de jeter un ample manteau couleur de neige sur nos fantômes ; tous les esprits s'élèvent dans un brouillard de lait ; oui, et puisque nous voici sur les pentes de l'épouvante, ajoutons que le roi de toutes les terreurs, lorsque nous le décrit en personne l'Évangéliste, chevauche sur le cheval pâle de la Mort.

Aussi l'homme peut-il autant qu'il lui plaira symboliser par la blancheur toutes les majestés, toutes les grâces qu'il voudra, personne ne peut pourtant nier que la blancheur, dans sa signification la plus profonde et la plus spirituelle, évoque dans l'âme une particulière émotion.

Cela dit, et ce point dûment établi, comment expliquer la chose ? Il paraît bien qu'il soit impossible de l'analyser. Pouvons-nous espérer alors – en citant certains exemples où la blancheur, sans être le moins du monde associée à des idées ou des effets de terreur, n'en exerce pas moins sur nous un même sortilège –, pouvons-nous espérer, peut-être, tomber sur la lumière de quelque indication menant vers la cause profonde que nous cherchons ? – Essayons.

Mais dans une recherche de cette nature, le subtil en appelle au subtil ; sans imagination propre, aucun homme ne saurait en suivre un autre sur ces chemins. Et s'il paraît peu douteux que pour certaines au moins des impressions sur lesquelles nous allons nous appuyer, la plupart des hommes les ont personnellement ressenties, il est très possible néanmoins que soit restreint le nombre de ceux qui en furent réellement conscients sur le moment, et que rares soient ceux qui puissent se les rappeler maintenant.

Comment se fait-il que chez un homme de spiritualité fruste et qui n'a lui-même qu'une très vague idée du caractère spécial de cette solennité, la seule mention du dimanche blanc de la Pentecôte fasse défiler dans son imagination de longues, muettes, silencieuses processions de pèlerins qui vont à pas lents, penchés à terre, tout encapuchonnés et couverts de neige fraîche tombée ? Ou que le protestant grossier et inculte de l'Amérique centrale, s'il entend par hasard parler d'un frère blanc ou d'une blanche nonne, ait en l'esprit tout aussitôt une statue sans yeux ?

Qu'y a-t-il, en dehors des traditions se rapportant aux rois et aux guerriers qu'on y emprisonna, qu'y a-t-il pour faire que la tour Blanche de Londres parle à l'imagination de l'Américain qui n'a pas voyagé, beaucoup plus que tels autres donjons historiques, ses voisins : la tour Byward, par exemple, ou la tour Sanglante elle-même ? Quant aux Montagnes Blanches du New Hampshire, ces tours plus altières, comment se fait-il que le simple rappel de leur nom puisse vous répandre dans l'âme cette émotion géante et fantomatique, quand la pensée des Montagnes Bleues de Virginie, par exemple, ne fait que vous bercer d'une douce et lointaine et vague rêverie ? Pourquoi encore, sans s'occuper des latitudes et longitudes, le nom de la mer Blanche exerce-t-il sur l'imagination ce charme sublime et spectral, quand celui de la mer Jaune ne couve que des pensées tout humaines de longs après-midi paresseux d'une douceur laquée épandus sur les vagues, que suivent de resplendissants et pourtant somnolents couchers de soleil ? Ou encore, pour prendre un exemple plus purement immatériel et qui s'adresse exclusivement à l'imagination, pourquoi – pour qui lit les vieux contes de fées de l'Europe centrale – le Grand Homme Pâle se glissant sans un bruit à travers les verts foncés de la forêt du Harz, toujours aussi immuablement livide, pourquoi est-il bien plus effrayant, ce fantôme, que tous les lutins hurleurs du Blocksburg ?

Ce n'est, non plus, point le souvenir de ses tremblements de terre verseurs de cathédrales, ni des raz de marée de ses eaux frénétiques, ni l'effroyable aridité de son ciel désertique qui ne donne jamais de pluie ; ce n'est pas le spectacle désordonné de cet immense champ de flèches et de tours penchées, d'arches brisées, de croix toutes désaxées (telles les vergues chaotiques d'une flotte au mouillage), ni la vue de ces rues des faubourgs, où les maisons chavirées s'accotent l'une à l'autre comme un château de cartes jeté bas – non, ce n'est pas tout cela seulement qui fait de l'aride Lima la plus étrange et la plus triste ville que vous puissiez voir : c'est que la cité capitale de Lima a pris le voile, et que la terrible blancheur dont elle revêt ainsi sa détresse donne à l'horrible plus d'horreur encore. Datant de Pizarro, cette blancheur garde à ses ruines une jeunesse toujours nouvelle ; elle refuse la consolation attendrissante des mousses et des vertes végétations ; elle verse par-dessus ses remparts brisés cette lividité rigide d'une agonie hagarde qui fixe ses propres convulsions.

Oh ! je sais bien que dans l'opinion commune, ce phénomène de la blancheur n'est nullement reconnu comme l'élément majeur capable de multiplier la terreur provoquée par un objet en lui-même terrible ; et que, pour les esprits dénués d'imagination, ils ne voient rien d'effrayant dans cette seule apparence, qui pour les autres au contraire n'est si horrible justement, qu'à cause de ce blanc phénomène, surtout lorsqu'il s'exprime sous quelque forme parfaitement silencieuse et quasi universelle. Mais ce que je veux dire ici, peut-être deux exemples le feront-ils entendre :

I- Le marin qui s'approche, de nuit, de côtes inconnues, s'il entend le ressac sur les brisants, se trouvera mis en alerte et ressentira juste assez d'appréhension pour que ses facultés en soient tout aiguisées ; mais que vous le tiriez soudain de son hamac, à peu près identiquement, pour lui faire voir son navire croisant sur la mer de minuit d'une blancheur de lait – comme si, venus de promontoires alentour, des troupeaux d'ours blancs aux fourrures lissées nageaient autour de lui –, alors vous le verrez frappé d'une terreur muette et superstitieuse : le suaire spectral des blanches eaux lui est aussi horrible que l'apparition d'un vrai fantôme; en vain la sonde lui prouve-t-elle qu'il est au large des écueils; le cœur lui manque, et la barre semblablement : il n'a de cesse qu'il ne soit de nouveau entouré d'eaux bleues. Or, quel est-il le marin qui viendrait avouer : « Capitaine, ce n'est pas tant la crainte de heurter un écueil caché, mais c'est la crainte de cette hideuse blancheur qui m'a si fort bouleversé » ?

II- Pour l'Indien du Pérou, la vue perpétuelle des cimes enneigées des Andes ne suscite de terreur aucune (sauf peut-être à l'imagination des éternelles solitudes glacées qui règnent à ces hauteurs, et à l'horreur de se trouver seul, perdu, dans cette désolation inhumaine). Semblablement en ira-t-il pour le colon des forêts de l'Ouest, qui contemplera avec une certaine indifférence l'étendue infinie de la plaine couverte de neige, où pas un arbre, pas un buisson, pas une ombre ne vient rompre l'immobile extase de la blancheur. Mais il n'en va pas du tout de même pour le matelot au spectacle des mers antarctiques, où parfois, par quelque maléfice des infernales puissances du grand froid et de l'air, tout tremblant et à demi naufragé déjà, il voit, au lieu des arcs-en-ciel qui parlent d'espérance, quelque chose qui ressemble à un lugubre et infini cimetière de glace, qui grimace sous ses yeux avec ses mille monuments décharnés et ses croix qui s'effritent.

– Mais, allez-vous me dire, tout ce chapitre blanc qui traite de blancheur n'est après tout qu'un bout de drapeau blanc agité par une âme poltronne; c'est une reddition hypocrite, Ismahel !

– Alors à vous de me dire pourquoi ce jeune et vigoureux poulain venu au monde dans quelque paisible vallon du Vermont, loin, très loin de tout fauve quel qu'il soit – oui, pourquoi, si vous ne faites seulement, par la plus ensoleillée des journées, qu'agiter derrière son dos une peau de buffle encore fraîche, de manière qu'il ne puisse la voir mais qu'il sente l'odeur musquée du sauvage animal –, pourquoi se met-il à trembler, à hennir et, les yeux fous, à piaffer, à gratter du sabot le sol dans une frénésie d'épouvante ? Il n'y a trace dans sa mémoire du moindre sang versé du fait de cornes sauvages dans les paisibles pâturages de sa patrie du nord, de sorte que le musc étrange qu'il a flairé ne saurait s'associer au souvenir et à l'expérience d'un quelconque danger. Que sait-il, lui, ce jeune poulain de la Nouvelle-Angleterre, des bisons noirs du lointain Oregon ? – Rien ; mais vous voyez que même chez un muet animal se retrouve d'instinct la connaissance du démonisme de ce monde. Des milliers de milles peuvent bien le séparer de l'Oregon ; quand il renifle l'odeur sauvage, les troupeaux massacrants des bisons éventreurs lui sont aussi présents qu'au jeune cheval sauvage du désert, qui peut-être à ce même instant est piétiné dans la poussière.

Et c'est ainsi, de même, que les voix lourdes des houles d'une mer laiteuse, les sinistres fracas des festonnantes glaces des montagnes, les lugubres blizzards balayant les neiges de la plaine, pour Ismahel, sont comme la peau de ce buffle pour le poulain en épouvante. Bien que nous ne sachions ni l'un ni l'autre où se trouvent les choses innommées qui mystérieusement suscitent par un signe mystique ces avertissements et ces rappels voilés, néanmoins pour lui comme pour moi, il faut que ces choses existent quelque part. Si le monde visible, sous bien des apparences, semble avoir été façonné et formé dans l'amour, les invisibles sphères ont été faites dans l'effroi.

Pourtant nous n'avons point encore levé le voile incantatoire de la blancheur ; nous n'avons point appris pourquoi elle a ce si puissant pouvoir de séduction sur l'âme, ni surtout ce qui est beaucoup plus étrange et inquiétant comme un prodige – pourquoi elle est tout ensemble le symbole le plus significatif des choses spirituelles, ou mieux encore le voile même de la Divinité chez les chrétiens, et néanmoins aussi cet agent du terrible qui en intensifie l'horreur dans toutes les choses d'épouvante pour l'humanité.

Est-il que par son indéfinitude, elle est comme le vertigineux miroir du grand vide sans cœur et des immensités de l'univers ? Est-ce ainsi que nous poignarde l'idée du néant et de l'annihilation, lorsque nous contemplons les blancs abîmes de la Voie lactée ? Ou est-ce que, comme le blanc est dans son essence moins une couleur que l'absence de couleur, et en même temps il en est le profond mélange, est-ce par ces raisons que la muette blancheur est si pleine de sens, dans les vastes étendues d'un paysage de neige ?

Est-ce cette incolore, multicolore absence de Dieu devant laquelle nous frémissons, qui nous fait reculer d'effroi ?

Ou si nous considérons l'autre théorie des philosophes naturalistes, c'est alors que toutes les teintes terrestres ne sont rien – oui, oui, tout ce brillant blason majestueux ou adorable, les exquises nuances du couchant sur le ciel et les bois, le velours et les ors du papillon et le velours de papillon des joues de jeunes filles –, toutes les couleurs variées et différentes sur la terre ne sont rien que de subtiles illusions qui n'existent pas en substance, qui ne sont pas inhérentes aux choses, mais appliquées seulement de l'extérieur comme un enduit ; de telle sorte que toute la divine nature est peinte absolument comme une putain, dont les attraits ne font rien de plus que couvrir, et ne recouvrent rien que le charnier qui est dessous. Et si nous poussons plus loin, nous devons alors reconnaître que ce cosmétique mystique auquel sont dues toutes les teintes, c'est-à-dire le grand principe de la lumière, est lui-même à jamais blanc et sans couleur ; s'il opérait directement et sans intermédiaire sur la matière, il frapperait tous les objets – oui, les tulipes et les housses – de sa même uniforme et vacante blancheur. A le bien méditer, le livide univers gît devant nous comme un lépreux ; et tel l'entêté voyageur qui veut, en Laponie, s'obstiner à ne pas protéger ses yeux de verres colorés et colorants, de même le malheureux infidèle s'aveugle-t-il soi-même à voir le blanc, le colossal suaire qui enveloppe tout le paysage autour de lui.

Or, de toutes ces choses, l'albinos cachalot en était le symbole. Qu'on s'étonne à présent de l'ardeur de la chasse !

XLIII

ÉCOUTEZ !

– Pst ! T'as entendu ce bruit, Cabaco ?

C'était pendant le grand quart de nuit, avec un clair de lune fée-rique ; les hommes formaient la chaîne, transbordant l'eau douce de l'un des réservoirs de l'embelle au réservoir proche de l'écoutille du couronnement de poupe. De main en main, ils se passaient les bailles qu'ils vidaient dans le réservoir de l'arrière. Debout ainsi, pour la plupart, dans l'enceinte sacrée du gaillard d'arrière, ils veillaient à ne pas parler et à ne pas traîner les pieds. Les bailles allaient de l'un à l'autre dans le plus profond silence, que seuls venaient troubler un occasionnel claquement de voile et le chuin-tement incessant de la carène taillant sa route.

C'est dans ce grand silence qu'Archy, posté à toucher l'écoutille de poupe, chuchota ces mots à son voisin immédiat, un Chole[1].

– Pst ! T'as entendu ce bruit, Cabaco ?

– Attrape la baille, tu veux ? De quel bruit parles-tu, Archy ? chuchota l'autre.

– Là, t'entends ? Le voilà encore... sous le panneau... T'as pas entendu ? Une toux, qu'on dirait... Quelqu'un qui tousse.

– Mon œil avec ta toux ! Passe-moi la baille vide !

– Là, le revoilà encore... t'entends pas ?... On dirait comme deux ou trois types qui se retournent dans leur sommeil.

– Caramba ! Ça va comme ça, camarade ; y en a assez, oui ?

1. Indien du Guatemala.

C'est les trois biscuits que t'as mangés pour dîner qui se retournent dans ton ventre, voilà tout ! Attention à la baille !

– Tu peux dire ce que tu veux, j'ai l'oreille fine, moi.

– Ouais ! c'est toi le type, pas vrai ? qui a entendu à cinquante milles au large de Nantucket le bruit des aiguilles de la vielle quakeresse en train de tricoter ; c'est pas toi ?

– Blague à part, Cabaco, on verra bien ce qui en sortira. Mais écoute-moi bien : moi je te dis qu'il y a quelqu'un là-dessous, dans la cale, qu'on n'a pas encore vu sur le pont. Et je soupçonne notre vieux Moghol d'en savoir quelque chose. Un matin, pendant le premier quart, j'ai entendu Stubb dire à Flask qu'il y avait au vent quelque chose de ce genre.

– Ouiche ! Attrape la baille !

XLIV

LES CARTES

Eût-on suivi le capitaine Achab dans sa cabine, aussitôt étalé le violent coup de temps survenu dans la nuit, après la farouche adhésion de l'équipage à son projet, qu'on l'eût vu s'avancer vers un coffre de la lisse de hourdis et en extraire un gros rouleau froissé de cartes marines toutes jaunies, qu'il étala devant lui sur sa table boulonnée. Alors, installé là, vous l'eussiez vu étudier avec passion les lignes et les hachures qu'il y voyait, puis d'un crayon lent et sûr, porter lui-même des tracés sur des zones encore vierges. De temps à autre, il se reportait et s'absorbait à la lecture de vieux livres de bord, qu'il avait empilés à côté de lui, où se trouvaient consignés les différents lieux et saisons, au cours de diverses campagnes, où divers vaisseaux avaient autrefois aperçu ou capturé des cachalots.

La lourde lampe d'étain suspendue par des chaînes au-dessus de lui allait et venait continuellement, pendant ce temps, balancée par le mouvement du navire, et jetait une succession ininterrompue de rayons et d'ombres sur les rides serrées de son front, au point qu'on eût dit que, tandis que le capitaine traçait lui-même ses lignes et ses routes sur les cartes froissées, un invisible crayon traçait de même des lignes et des routes sur la carte profondément gravée de son front.

Ce n'était pas la seule nuit que, dans la solitude de sa cabine, Achab se penchait ainsi sur ses cartes. Presque chaque soir elles étaient déployées, et presque chaque soir certains traits de crayon étaient effacés, que d'autres remplaçaient. Car sur les cartes des quatre océans qu'il avait devant lui, Achab développait tout un labyrinthe de courants et de remous dans le but d'assurer le plus possible l'accomplissement de la folle idée fixe de son âme.

Pour qui n'est pas pleinement au fait des mœurs du léviathan, l'entreprise pourra paraître sans espoir, de rechercher ainsi une créature solitaire sur tous les océans inentravés de la planète. Mais elle n'apparaissait pas telle à Achab qui connaissait le jeu complet des courants et des marées, et de là calculait les déplacements de la nourriture du cachalot ; comme aussi il connaissait les saisons fixes et régulières où la chasse se fait sous telle ou telle latitude, il pouvait donc arriver à des conjectures vraisemblables et raisonnables, non éloignées de la certitude, touchant la date et le lieu où il convenait qu'il se trouvât lui-même en quête de sa proie.

En vérité, la périodicité du retour des spermacetis dans telles ou telles eaux connues est un fait si bien établi, que nombreux sont les chasseurs de cachalot qui pensent qu'à les observer et à les étudier sur toute la surface du globe, à relever et collationner avec soin les livres de bord de la flotte baleinière tout entière, les migrations du cachalot se révéleraient aussi régulières et indubitables que celles des bancs de harengs ou celles des hirondelles. Sur cette base, on a tenté déjà d'élaborer la carte détaillée des migrations du cachalot[1].

Au surplus, dans ses passages de l'un à l'autre de ses champs alimentaires, le cachalot, guidé par quelque infaillible instinct – ou plutôt par une intelligence secrète de la Divinité – nage en suivant rigoureusement ce qu'on nomme des *veines*, traçant sa route directe à travers l'océan avec une précision et une exactitude proprement merveilleuses, auxquelles pas un seul vaisseau, en usant de ses cartes, ne saurait parvenir. Et encore que la ligne de nage de chaque cachalot soit aussi droite que si elle était tracée arbitraire-

---

1. Depuis que ces lignes ont été écrites, la chose est devenue officielle par une circulaire du lieutenant Maurey, de l'Observatoire national de Washington, en date du 16 avril 1851. Par cette circulaire, il apparaît précisément qu'une carte de cette sorte est en cours d'établissement, et certains détails sont donnés : « Cette carte divise l'océan en sections de 5° latitude et 5° longitude ; douze colonnes perpendiculaires coupent chaque section pour les douze mois de l'année, et trois lignes horizontales occupent chaque secteur, à savoir : l'une pour le nombre de jours de chacun des mois qui auront été passés dans le district, les deux autres réservées au nombre de cachalots et de baleines franches qui y auront été repérés. » *(NdA.)*

ment par un arpenteur, encore qu'elle se poursuive régulièrement, infailliblement, pour chacun d'eux aussi absolument rectiligne de bout en bout, néanmoins la veine qu'ils suivent tous aux époques de passage n'excède jamais elle-même quelques milles en largeur (plus ou moins, selon qu'elle s'élargit ou se resserre comme on le suppose), et jamais elle ne dépasse, en fait, le champ de vision embrassé de la pomme des mâts du baleinier qui navigue avec circonspection en longeant cette zone magique. Par conséquent, et en résumé, pour peu qu'on soit dans ces régions et qu'on longe ces routes aux saisons voulues, c'est avec la plus grande confiance qu'on peut s'attendre à y voir des cétacés en migration.

Il s'ensuit donc que non seulement Achab pouvait espérer rencontrer sa proie à des époques bien déterminées sur des champs alimentaires bien distincts, mais encore, en croisant à travers les immenses étendues marines les séparant, il pouvait aussi régler avec art les lieux et les temps de son passage ici ou là, pour rendre plus que possible, tout au long de sa route, l'éventualité d'une rencontre.

Toutefois il y avait quelque chose qui semblait, au premier abord, compliquer inextricablement son plan qui, pour être délirant, n'en était pas moins scrupuleusement méthodique. C'est que si des bandes de cachalots hantent tels champs alimentaires à des saisons déterminées, on ne saurait en conclure que telle bande particulière, qui se trouvait en un point donné de latitude et longitude à tel moment, s'y retrouvera nécessairement à la saison suivante; on a des cas précis et indiscutables, au contraire, où il fut prouvé qu'il n'en était pas ainsi. Et ce qui vaut en général pour les cétacés qui vont par bandes, vaut aussi, quoique à un degré moindre, pour les ermites et les solitaires parmi les vieux cachalots. En sorte que, même si Moby Dick avait été vu l'année précédente, par exemple, sur ce qu'on nomme les lieux de chasse des Seychelles dans l'océan Indien, ou encore dans la baie du Volcan au large du Japon, il ne s'ensuivait pas que le *Péquod*, en croisant sur ces lieux à la saison correspondante l'année d'après, fût assuré de l'y rencontrer infailliblement. On avait, en effet, constaté sa présence en d'autres lieux d'une année sur l'autre, et tous ces différents points semblaient être en quelque sorte des relais, des auberges océaniques si j'ose dire, et non pas des lieux de séjour prolongé. Seulement la réalité, ici, dément peut-être une fois encore les premières apparences. Car chaque fois que j'ai parlé jusqu'ici des chances de réussite pour Achab dans son projet, c'était selon les données générales et d'après ce qui se passe d'ordinaire quant aux lieux et aux temps favorables; mais le cas, pour Achab, n'était pas ordinaire : c'était un cas singulier et il s'agissait pour lui de déterminer avec précision le moment particulier et le lieu particulier où toutes ces possibilités générales deviendraient une probabilité singulière, puis cette probabilité, comme le voulait Achab, une certitude. Ce lieu singulier de convergence de temps et d'espace se trouvait défini par ce qu'on nomme techniquement «la ligne de saison». Car Moby Dick avait été vu et repéré plusieurs années consécutives dans certaines eaux où il s'attardait, comme le soleil, dans tel ou tel signe du zodiaque, pendant un temps déterminé et prévisible. C'était là, dans ces lieux connus, que s'étaient produites la plupart des rencontres mortelles avec le Cachalot Blanc, et les vagues de l'océan y étaient lourdes de ses hauts faits. C'était sur l'un de ces points aussi qu'avait eu lieu la bataille tragique d'où était né le délire vengeur du vieil Achab.

Mais la prudence précautionneuse et la hâte vigilante avec lesquelles Achab engageait son âme dans cette chasse ne lui laissaient pas le loisir de se reposer et de se flatter du seul espoir ci-dessus mentionné, quelque espérance qu'il y pût trouver; l'incessant aiguillon de son vœu et le feu de sa rage ne lui permettaient pas de tranquilliser son cœur dévoré en remettant à ce seul moment et à ce seul «plus tard» toutes les chances complexes de sa quête; non, il ne pouvait pas attendre.

Or, le *Péquod* était sorti de Nantucket au tout commencement de la ligne de saison : aucune hâte possible au monde n'eût pu faire son commandant capable d'aller doubler le cap Horn, puis, dévorant quelque soixante degrés de latitude, de se trouver en temps voulu sur les lieux de campagne dans le Pacifique équatorial. Il ne pouvait, pour cela, qu'attendre la saison suivante. Pourtant il se peut fort bien que ce départ anticipé du *Péquod* pour la croisière eût été prémédité et choisi avec précision par Achab, afin de servir ses vues. Car il se ménageait ainsi un laps de temps de trois cent soixante-cinq jours et nuits, que son impatience lui eût rendus insupportables à terre, mais qu'il pouvait ainsi délibérément utiliser pour une quête étendue et diverse, multipliant ses chances au cas où le Cachalot Blanc, passant ses vacances dans des eaux éloignées de ses champs alimentaires habituels et périodiques, montrerait son front ridé dans le golfe Persique, ou dans la baie du Bengale, ou dans les mers de Chine, ou dans toute autre des eaux fréquentées par sa race. Et c'est ainsi que les moussons et le vent des pampas, les noroîts, les suroîts et les alizés, tous les vents à l'exception du simoun et du sirocco pouvaient pousser Moby Dick dans la houache zigzagante de la circumnavigation du *Péquod*.

Bien ; mais tout ceci admis, malgré tout, à regarder les choses avec sagesse et de sang-froid, penser pouvoir reconnaître un solitaire cétacé, à supposer même qu'on le rencontre au milieu des étendues infinies de l'océan, n'était-ce pas une idée aussi folle que de vouloir retrouver un mufti à barbe blanche dans les venelles grouillantes de Constantinople ? Oui. Seulement la neigeuse blancheur particulière du front de Moby Dick, et la neigeuse blancheur de sa bosse pyramidale ne pouvaient pas ne pas être reconnues.

« Et maintenant que je l'ai marqué, venait à se murmurer Achab qui était resté penché sur ses cartes bien après minuit et qui glissait dans ses rêveries, maintenant que je l'ai marqué, le cachalot va-t-il m'échapper ? Les vastes palmes de sa queue sont trouées et déchiquetées comme les oreilles d'une brebis perdue !... » et sur cette pente, son esprit se précipitait dans son délire, si violent et si rapide dans ses images que le souffle venait à manquer à Achab qui se sentait pris de faiblesse, accablé de fatigue, et qui devait monter sur le pont au grand air pour recouvrer ses forces. Ah ! Dieu, quels tourments, quelles transes ne doit-il pas connaître, l'homme qui est dévoré par la passion d'une vengeance encore à accomplir ! Il dort avec les poings serrés et quand il se réveille, c'est parce que ses ongles ensanglantés lui sont entrés dans les paumes.

Souvent, lorsqu'il était jeté hors de son hamac par la violence intolérable de ses rêves par trop vivaces, où venait éclater l'incessante pensée qu'il n'avait pas quittée de tout le jour, l'incessante

pensée qui avait retenti dans son cerveau à coups de cymbales
furieuses, l'unique et incessante pensée tournant et tournant et
tournant dans le brasier de sa vie, qui lui faisait de chaque battement de son cœur une souffrance aiguë d'angoisse, insupportable !
et lorsque ces affres spirituelles le perçaient de la tête au talon,
semblant creuser dans son être, ouvrir en lui un cratère qui vomis-
sait feu et flammes, un abîme au fond duquel des ennemis maudits
l'appelaient parmi eux, lui faisaient signe, l'attiraient... lorsqu'en
lui-même béaient parfois ces portes de l'enfer, c'était un cri sauvage qui s'arrachait de lui, qu'on entendait d'un bout à l'autre du
navire. Achab, le regard embrasé, jaillissait hors de sa cabine
comme s'il cherchait à échapper à un lit de flammes. Mais ces
rêves, plutôt qu'un signe de sa faiblesse ou de son épouvante
devant l'âpre férocité de sa résolution, étaient peut-être la marque
la plus intense de son intensité.

Car en de tels moments ce n'était pas Achab le fou, Achab le
traqueur infatigable et rusé, Achab le chasseur et pourchasseur
obstiné du Cachalot Blanc, non, ce n'était pas cet Achab qui se
trouvait jeté hors de son hamac par la conscience soudaine et une
terrible horreur de soi-même. C'était son âme, l'éternel et vivant
principe de son âme, que le sommeil avait fait échapper à l'habituelle emprise de son esprit, à l'asservissement où la tenait la
fureur de son esprit, et qui cherchait à fuir ce compagnonnage
effroyable auquel, pour un instant, elle n'était plus soumise. Mais
comme l'esprit ne saurait exister s'il n'est conjoint à l'âme, il avait
fallu, dans le cas d'Achab, mobilisant toutes ses pensées et ses
imaginations pour son seul, unique et suprême but, il avait fallu
que ce but, par un effort invétéré de son implacable volonté, se
forgeât contre dieux et démons une existence propre, acquît un
être en quelque sorte autonome et indépendant. Oui ! il pouvait
vivre et flamboyer férocement, cependant que la vie ordinaire, à
laquelle il se trouvait associé, reculait d'horreur devant cette
monstrueuse et illégitime naissance. Et quand ce qui semblait être
Achab se ruait ainsi hors de la cabine, l'esprit qui flamboyait dans
ses yeux corporels n'était guère qu'un fantôme, une chose vide, un
être somnambulique et sans forme ; c'était pourtant un éclair de
lumière vivante, certes, mais qui n'avait pas d'objet à éclairer, et

donc une vacante blancheur en elle-même. Que Dieu t'assiste, vieil homme ! tes pensées ont créé une créature en toi ; et celui qui se fait ainsi par sa pensée intense un Prométhée de soi-même, un vautour à jamais lui dévore le cœur : ce vautour qui est la créature même qu'il a créée.

XLV

AFFIDAVIT

Aussi écarté qu'il puisse être du récit anecdotique de ce livre, et parce qu'il touche indirectement à une ou deux très intéressantes particularités des mœurs du cachalot, le présent chapitre, pour commencer, est tout aussi important que le plus important des autres. C'est que la matière dont il traite a besoin d'être toujours plus avant pénétrée et rendue plus familière non seulement afin qu'on la comprenne parfaitement, mais surtout afin d'abolir l'incrédulité et le scepticisme que certains lecteurs mal avertis pourraient être tentés de montrer sur les points principaux et la naturelle vérité de toute l'affaire.

Cette tâche, toutefois, je ne me fais aucunement souci de l'accomplir avec méthode ; qu'il me suffise d'obtenir le sentiment désiré par l'énumération de certains faits dont l'authenticité est connue du baleinier que je suis, soit que j'en eusse été personnellement témoin, soit que leurs sources soient dignes de foi ; et de cette énumération surgira, je le tiens pour assuré, la conclusion souhaitable et souhaitée.

1- J'ai connu personnellement trois cas où un cétacé, harponné une première fois et ayant réussi à s'échapper complètement, avait été frappé de nouveau, après un intervalle (dans l'un des cas de trois années) par la même main, et tué cette fois-là ; les deux fers marqués du même chiffre furent retirés chaque fois du corps. Dans le cas où j'ai dit que trois années s'étaient écoulées entre les jets du premier et du second harpon – je pense même qu'il est possible que ce fût plus de trois ans – le harponneur s'était entre-temps embarqué sur un navire marchand à destination de l'Afrique et, une fois à terre, avait participé à une expédition, pénétrant loin à l'intérieur où il voyagea pendant près de deux ans, souvent mis en péril par les serpents, les sauvages, les panthères, les miasmes empoisonnés et tous les autres dangers qui attendent l'explorateur au cœur de régions inconnues. Pendant ce temps, le cachalot qu'il avait harponné avait dû, lui aussi, se livrer aux voyages ; nul doute qu'il n'ait au moins trois fois accompli le tour du globe, raclant de ses flancs toutes les côtes d'Afrique, mais sans effet. L'homme et l'animal se devaient rencontrer de nouveau, et l'un vainquit l'autre. J'affirme avoir moi-même connu ces trois cas similaires, c'est-à-dire que, pour préciser, dans deux des cas je vis tuer les baleines et j'ai vu, après la seconde attaque, retirer du corps de la baleine morte les deux fers marqués du même signe. Dans le troisième cas (celui avec l'intervalle de trois années) il se trouva que je fus dans la baleinière pour les deux attaques, la première et la dernière, reconnaissant parfaitement cette seconde fois-là un certain grain de beauté énorme au-dessus de l'œil du cachalot, que j'avais remarqué trois ans auparavant. (Je dis trois ans, mais je suis presque sûr que c'était plus que cela.) Ce sont là trois cas dont je puis, et pour cause, certifier l'authenticité ; mais j'ai entendu parler de nombreux autres cas semblables par des personnes dont la véracité n'est pas à mettre en doute.

II- C'est chose bien connue dans la grande pêche, quelle que soit l'ignorance répandue à terre sur ce point, qu'en plusieurs circonstances mémorables et pour ainsi dire historiques, certains cachalots particuliers de l'océan ont été, en des temps et des lieux différents, identifiés et reconnus. Pourquoi ces cétacés avaient-ils été ainsi remarqués ? Ce n'était absolument pas à cause de telle ou telle particularité physique qui les eût distingués des autres, car quelque particularité distinctive que puisse physiquement présenter une baleine, on a tôt fait de réduire toutes ses particularités physiques en la tuant et en la passant au fondoir pour en tirer physiquement une huile particulièrement précieuse. Non. La raison était qu'à la suite de quelque expérience fatale, un prestige de terrible danger était venu auréoler le cachalot, comme celui dont était entouré Rinaldo Rinaldini ; la majorité des baleiniers, quand ils le découvraient

flânant autour d'eux, se contentaient de le saluer d'un doigt au chapeau, sans chercher du tout à entrer en relations plus intimes avec
lui. Ainsi font certains pauvres diables à terre, auxquels il est arrivé
de faire connaissance avec quelque irascible grand personnage : ils le
saluent à distance respectueuse dans la rue, car s'ils voulaient poursuivre plus avant les relations, ils pourraient fort bien recevoir une
sommaire et sévère bourrade en récompense de leur présomption.

Or, non seulement ces fameux cachalots jouissaient de leur
vivant d'une célébrité flatteuse – une renommée océanique faudrait-
il dire –, mais morts et immortels, ils la conservent dans les histoires qui se racontent sur le gaillard d'avant ; et non seulement
cela, mais encore ils jouissent des privilèges, droits et distinctions
d'un nom propre, tout comme Cambyse ou César. N'en est-il pas
ainsi, ô Timor Tom ! toi fameux léviathan, ravagé comme un iceberg, qui hantas si longtemps le détroit dont tu portes le nom, et
dont le souffle fut si souvent vu au large de la plage aux palmiers
d'Ombaaï ? Ne fût-ce pas ainsi, ô Jack de Nouvelle-Zélande ! toi la
terreur de tous les baleiniers qui croisaient leurs sillages dans les
parages de la terre des Tatouages ? N'était-ce pas ainsi, ô Morquam !
roi du Japon dont le souffle puissant, dit-on, affectait la forme d'une
croix blanche contre le ciel ? Et n'est-ce pas ainsi, ô don Miguel !
toi le vieux solitaire du Chili, le dos tout engravé de hiéroglyphes
mystérieux comme celui d'une vieille tortue ? Pour le dire sans
ambages, voilà quatre léviathans aussi parfaitement connus des
étudiants en histoire cétologique que Marius et Sylla des étudiants
de l'histoire classique.

Ce n'est pourtant pas tout. Car Jack de Nouvelle-Zélande, Tom
et don Miguel, après avoir porté le ravage à maintes reprises parmi
les baleinières de différents vaisseaux, ont été finalement pris en
chasse, systématiquement recherchés, découverts, attaqués et tués
par de vaillants capitaines qui avaient levé l'ancre dans cette
expresse intention, tout comme aux temps héroïques, le capitaine
Butler s'était mis dans la tête de capturer parmi les forêts des
Narragansetts, ce célèbre sauvage assassin d'Annawon, le chef
guerrier du roi indien Philippe[1].

---

1. Allusion à F. Cooper.

Et puisque nous y voici, je ne vois pas où je pourrais trouver meilleure place que celle-ci pour rapporter une ou deux choses qui ont leur importance, me semble-t-il, parce que sous la forme imprimée elles établissent le caractère raisonnable de l'histoire du Cachalot Blanc dans son ensemble, et plus spécialement encore celui de la perdition finale. Car c'est là un de ces cas désolants où la vérité requiert autant d'appui et d'argumentation que l'erreur. Les terriens sont en majorité tellement ignorants des plus évidentes et tangibles merveilles de ce monde, que sans quelques allusions précises à certains faits concrets, historiques ou autres de la Grande Pêche, beaucoup repousseraient Moby Dick comme une fable monstrueuse ou, bien pis et bien plus haïssablement encore, comme une hideuse et inadmissible allégorie[1].

I- Si les gens ont dans l'ensemble une vague et flottante idée des dangers et des périls de la Grande Pêche, ils n'ont en revanche aucune notion précise et vivante de ces périls eux-mêmes et de leur fréquence. L'une des raisons en est peut-être que le public n'a pas connaissance officiellement d'un cinquantième des désastres et accidents fatals de la Grande Pêche, et que ce qu'il en apprend passe si anodinement inaperçu que c'est aussitôt oublié. Vous figurez-vous que le pauvre bougre qui se trouve peut-être en ce moment même au large des côtes de Nouvelle-Guinée, enlevé par la ligne et entraîné jusqu'au fond de l'océan par le léviathan dans sa plongée – imaginez-vous que le pauvre bougre aura son nom imprimé demain dans les avis mortuaires du journal que vous lirez au petit déjeuner ? Non point. C'est que le courrier est plutôt irrégulier entre ici et la Nouvelle-Guinée. Au fait, avez-vous jamais eu directement ou indirectement des nouvelles, ce qu'on pourrait appeler des nouvelles régulières de Nouvelle-Guinée ? Or, il me

---

1. Ce qui n'a pas empêché la critique tant littéraire que savante de soutenir et de maintenir, preuves en mains, que Melville (qui pourtant y met tant d'insistance et avec un accent de sincérité si remarquable) était l'inventeur de ce «Cachalot Blanc» qui n'existait selon tous que dans l'esprit du poète. Mais l'heure de la justification est arrivée : le 21 août 1952, l'*Anglo-Norse*, navire-usine-baleinier, remontait à son bord un cachalot de cinquante-cinq tonnes, absolument blanc de neige, dont la mâchoire était recourbée en faucille, que son patrouilleur n° 6 avait tué.

faut vous dire qu'au cours d'une campagne que je fis dans le Pacifique, parmi tous les baleiniers qui y croisent, nous prîmes contact avec trente bâtiments : pas un n'était sans avoir eu une mort à déplorer à bord, causée par la baleine ; certains en comptaient plus d'une ; et trois vaisseaux avaient perdu l'équipage entier d'une baleinière. Pour l'amour de Dieu, soyez économes de vos chandelles et de vos lampes à huile ! il n'est pas un bidon qui n'ait coûté au moins une goutte de sang humain.

II- Les gens à terre ont bien aussi la vague idée que la baleine soit une énorme créature dotée d'une énorme puissance ; mais il n'empêche que chaque fois qu'il m'est arrivé de rapporter à terre quelque exemple circonstancié de cette double énormité, j'ai immanquablement toujours été complimenté, félicité pour le piquant de ma plaisanterie, alors que, sur mon âme, je n'avais pas plus l'intention d'être drôle que Moïse lorsqu'il écrivit l'histoire des plaies de l'Égypte. Par bonheur cette fois-ci, le point particulier que je souhaite établir peut l'être par un témoignage entièrement indépendant du mien. Le point en question est celui-ci : le cachalot est en certains cas suffisamment puissant, intelligent et astucieusement méchant pour entreprendre et réussir, avec une préméditation évidente, l'éperonnage, la destruction et l'anéantissement complet d'un gros navire qu'il voulait envoyer par le fond. Et il l'a fait.

a- En l'an 1820, le baleinier *Essex*[1], capitaine Pollard, de Nantucket, était en campagne dans le Pacifique. Des souffles ayant été signalés, les baleinières furent mises à la mer, et la chasse donnée à une bande de cachalots. Plusieurs cétacés ne tardèrent pas à être piqués, quand l'un d'eux, un cachalot de très grande taille, échappa soudain aux embarcations, quitta la bande et

1. Un trois-mâts de trois cents tonneaux. Après le naufrage, n'ayant pu embarquer que peu de vivres, l'équipage se trouva réparti en deux embarcations. L'une d'elle, sous les ordres du second, fut recueillie par un baleinier au bout de quatre-vingt-dix jours, les hommes étant à moitié morts de faim ; l'autre embarcation, sous les ordres du capitaine, ne rencontra un vaisseau que quarante-cinq jours après que les vivres eussent été épuisés. Il ne restait que le capitaine et un mousse vivants. Ajoutons qu'en 1929, le *Shink-Maru*, chalutier japonais en fer et d'assez gros tonnage, fut coulé par des baleines au large d'Etorofu (bulletin n° X du *Véritas*, 1ᵉʳ décembre 1929).

s'élança directement contre le vaisseau. Il l'aborda, front en avant, presque perpendiculairement aux formes de l'avant; sous le choc terrible les bordés cédèrent et *en moins de dix minutes* le navire engagea, chavira, puis sombra. Il n'en est pas resté une planche. Une partie de l'équipage, après les plus dures épreuves, réussit à gagner la terre dans les embarcations. Rentré chez lui, le capitaine Pollard reprit un commandement à bord d'un autre vaisseau, mais les dieux le firent naufrager de nouveau sur des récifs inconnus; ayant pour la seconde fois perdu son navire, il jura de renoncer à la mer et il tint parole. Le capitaine Pollard, aujourd'hui même, réside à Nantucket. J'ai rencontré Owen Chace, qui était second à bord de l'*Essex* au moment du drame; j'ai pu lire son fidèle et complet récit de la chose. J'ai conversé avec son propre fils, et tout cela à quelques milles à peine du lieu de la tragédie[1].

   b- Le trois-mâts *Union*, également de Nantucket, fut perdu corps et biens en 1807, au large des Açores, à la suite d'un assaut similaire; mais bien qu'il m'en fût parvenu quelques échos de la bouche

1. Les extraits suivants sont tirés du récit de Chace : « Chacun des faits semble m'autoriser à conclure que tout, sauf le hasard, avait dirigé ses agissements : il mena deux attaques successives contre le navire, à un bref intervalle, toutes deux calculées, quant à leur direction, pour nous produire le plus grand dommage, étant orientées de front trois quarts avant de manière que se combine la vitesse de l'un et de l'autre pour le choc. Ses manœuvres étaient exactement celles que l'effet à produire rendait nécessaires. L'aspect du cachalot était des plus horribles, exprimant un furieux ressentiment et la rage. Il vint à nous directement du groupe dont il faisait partie et où nous avions blessé trois ou quatre de ses compagnons, exactement comme s'il s'était précipité dans le désir de prendre vengeance de leurs souffrances. » Et ailleurs : « En tout cas, tout se passa en un même instant, exactement sous mes yeux, me laissant à l'époque tout un faisceau d'impressions marquées dans mon esprit, qui toutes aboutissaient au sentiment d'un acte délibéré, calculé et voulu avec méchanceté par le cachalot. J'ai maintenant oublié beaucoup de ces impressions de détail, mais mon sentiment reste le même et me paraît parfaitement fondé. » Et voici les réflexions que se fait le second peu après avoir quitté le navire en perdition, au milieu de la nuit noire, dans un canot sans pont, et alors qu'il désespérait d'atteindre jamais une côte hospitalière : « L'océan ténébreux et ses eaux houleuses n'étaient rien; la peur d'être englouti par quelque terrible tempête ou jeté sur des récifs cachés ne fut pas un instant dans mon esprit, pas plus que toutes les autres appréhensions et différents sujets d'alarme : le désolant spectacle du navire naufragé et *l'horrible air de vengeance du cachalot* restaient seuls à m'occuper l'esprit jusqu'à ce que vînt le jour. » Enfin en un autre passage, à la page 45, il parle de la « mystérieuse et mortelle attaque de l'animal ». *(NdA.)*

de chasseurs de baleine, je n'ai pas eu la possibilité d'avoir d'authentiques détails et des informations directes sur cette perdition.

    c- Il y a quelque dix-huit ou vingt ans, il arriva au commo-
dore J..., alors capitaine d'une corvette de guerre américaine de
première classe, de dîner en compagnie de capitaines baleiniers
réunis à bord d'un navire nantuckais dans un port de Oahu, l'une
des îles Sandwich. La conversation étant venue à tomber sur les
baleines, le commodore se complut dans le scepticisme touchant la
force extraordinaire du cétacé, que lui reconnaissaient les gentilshommes de la profession alors présents. Il nia péremptoirement,
par exemple, qu'une baleine, quelle qu'elle fût, pût jamais frapper
sa solide corvette et lui produire une avarie qui lui fît faire plus
d'un dé à coudre d'eau. Fort bien ; mais voici la suite.

    Quelques semaines plus tard, le commodore mettait le cap de
son invulnérable bâtiment sur Valparaíso. Mais il fut accosté sur sa
route par un cachalot de noble prestance, qui sollicita quelques
instants de conversation tout intime avec lui : entretien qui
consista en un tel choc appliqué au vaisseau du commodore que,
toutes ses pompes en action, le navire gagna en droite ligne le
havre le plus proche pour se mettre en radoub et réparer. Je ne suis
pas superstitieux de nature, mais je considère le petit entretien
personnel du commodore avec le cachalot comme providentiel.
N'est-ce pas après une peur semblable que Paul de Tarse fut
converti de son incroyance ? Je vous le dis en vérité : le cachalot
n'admet pas qu'on avance des bêtises.

    Je vais maintenant vous reporter aux *Voyages* du savant
Langsdorff pour une petite circonstance qui s'y trouve incluse et
que l'auteur du livre que voici juge particulièrement intéressante.
Langsdorff, afin que vous n'en ignoriez rien au passage, était
membre de la fameuse expédition de l'amiral russe Krusenstern,
au début de ce siècle. Il commence ainsi le XVIIe chapitre de son
ouvrage :

    « Le 13 mai, notre navire était paré à lever l'ancre, et le lende-
main nous étions au large pour notre destination d'Okhotsk [1]. Le

---

1. Grand port baleinier (à l'époque) sur la côte orientale de Sibérie. La mer
d'Okhotsk est, pour le climat, une mer polaire.

temps était beau et clair, mais si insupportablement froid qu'il nous avait fallu garder nos fourrures. Quelques jours durant, nous n'eûmes qu'un tout petit vent; ce n'est que le 19 qu'une fraîche brise en rafales du nord-ouest nous enleva. Une baleine d'une dimension extraordinaire, dont le corps était plus large que le vaisseau lui-même, reposait presque en surface, mais nul à bord ne l'avait aperçue jusqu'au moment où nous fûmes si près d'elle, portant plein, qu'il était impossible de rien faire pour éviter le choc. Nous fûmes, par là, mis dans le plus grand danger, quand l'animal géant, en arrondissant le dos, leva le navire au moins trois pieds au-dessus de l'eau. Les mâts fouettèrent, les voiles s'abattirent ensemble, cependant que tous ceux qui étaient en bas accouraient sur le pont, croyant que nous venions de porter sur un récif; au lieu de cela, nous vîmes le monstre s'éloigner avec une solennité majestueuse. Le capitaine D'Wolf commanda aussitôt les pompes pour se rendre compte si le vaisseau avait reçu quelque avarie de ce choc, mais fort heureusement nous découvrîmes qu'il en était sorti indemne. »

Maintenant je dois dire que le capitaine D'Wolf, dont il est question ici comme commandant du vaisseau, est un fils de la Nouvelle-Angleterre; après une longue et fort aventureuse existence de capitaine à la mer, il réside actuellement dans le bourg de Dorchester près Boston. Et j'ai l'honneur d'être l'un de ses neveux. Je l'ai expressément interrogé sur ce passage de Langsdorff, dont il m'a confirmé chaque mot. Le navire, toutefois, n'était pas du tout un vaisseau de grandes dimensions : c'était un bâtiment russe construit sur la côte sibérienne, que mon oncle avait acheté après s'être défait de celui qui l'avait amené.

Dans l'un de ces vieux livres des aventuriers d'autrefois, magnifiquement viril de bout en bout, et tout rempli aussi d'honnêtes merveilles – le voyage de Lionel Wafer, un fidèle compagnon du vieux Dampier –, j'ai trouvé un bout de récit tellement semblable à l'aventure rapportée par Langsdorff, que je ne puis m'empêcher de l'insérer ici à titre de corroboration, si toutefois il en était besoin.

Lionel, à ce qu'il semble, faisait voile à destination de « John Ferdinando », comme il nomme les Juan Fernández de nos jours.

« Nous faisions route pour notre destination, écrit-il. Vers quatre heures du matin, alors que nous étions à quelque cent cinquante lieues[1] marines de la terre américaine, notre navire fut ébranlé par un terrible choc qui jeta nos hommes dans une telle consternation qu'ils ne savaient plus où ils en étaient ni quoi penser, chacun se préparant à mourir. Et en vérité, le choc avait été si soudain et si violent que nous tenions tous pour certain que le navire était entré en collision avec un rocher ; mais lorsque le premier moment de stupeur fut passé, on sonda, et ce fut sans atteindre le fond... La soudaineté du choc avait déchaussé les canons de leur affût et plusieurs des hommes avaient été jetés à bas de leurs hamacs. Le capitaine Davis qui était allongé, la tête appuyée sur un canon, avait été projeté hors de la cabine. » Lionel en vient alors à attribuer le choc à un tremblement de terre et paraît vouloir asseoir cette imputation en établissant qu'un grave tremblement de terre, à peu près au même moment, avait désolé la côte espagnole. Mais je ne serais, quant à moi, pas autrement étonné si, après tout, le choc avait été causé, dans les ténèbres encore denses de cette heure matinale, par une baleine inaperçue, venue donner à la verticale un coup dans la carène.

Je pourrais offrir plusieurs autres exemples, que je connais, de la force extraordinaire et de la méchanceté parfois perverse du cachalot. On l'a vu à de nombreuses reprises non seulement chasser les baleinières jusqu'au navire, mais poursuivre le vaisseau lui-même et résister longtemps aux lances dont on l'accablait du haut des ponts. Le navire anglais *Pusie Hall* aurait quelque chose à dire à ce sujet. Quant à sa force, permettez que je vous dise qu'on a connu le cas où les lignes attachées au cachalot en course ayant été passées et amarrées au vaisseau lui-même, par temps calme, le léviathan avait entraîné à sa suite la pesante carène sur les eaux, de même qu'un cheval attelé tire une carriole. Ceci encore : on a pu souvent observer que si le cachalot, quand il a été piqué, trouve le moyen et le temps de se ressaisir, ce n'est pas tellement avec une simple rage aveugle qu'on le voit la plupart du temps agir, mais avec une ferme volonté et l'intention délibérée d'anéantir ses pour-

---

1. La lieue marine est une lieue de 20 au degré, soit 5,555 km.

suivants ; et nous ne manquerons pas non plus de trouver une indication assez éloquente de son caractère dans le fait que, lorsqu'il
vient d'être attaqué, il lui arrive très fréquemment d'ouvrir ses
mâchoires et de les tenir plusieurs minutes consécutives dans cette
effroyable position. Je pourrais poursuivre, disais-je, mais je veux
me contenter d'une seule et dernière illustration, en elle-même
assez remarquable et fort significative, afin que vous soyez bien
persuadés que non seulement le plus étonnant événement de ce
livre est corroboré par les faits patents relevés de nos jours, mais
encore que ces merveilles, comme toutes les merveilles, ne sont
elles-mêmes que la simple répétition de ce qu'ont connu d'autres
âges ; et nous voilà pour la millionième fois contraints de donner
notre amen à Salomon : en vérité, il n'y a rien de nouveau sous le
soleil.

Au VIe siècle de notre ère chrétienne vivait Procope, un magistrat chrétien de Constantinople, à l'époque où Justinien était
empereur, et Bélisaire son général. Comme on le sait, Procope écrivit l'histoire de son temps, œuvre d'une rare valeur à tous égards.
Les esprits les plus autorisés l'ont toujours considéré comme un
historien véridique et digne de confiance, dénué de toute exagération, sauf sur un ou deux points particuliers qui ne concernent en
rien notre affaire.

Dans son histoire, donc, Procope nous raconte que, pendant
qu'il était préfet à Constantinople, un grand monstre marin fut
capturé dans la toute voisine Propontide – c'est-à-dire dans la mer
de Marmara – après qu'il eut, dans ces eaux, détruit nombre de
vaisseaux pendant plus de cinquante années. Un fait ainsi consi-
gné dans un ouvrage essentiellement historique peut difficilement
être révoqué en doute, et d'ailleurs il n'y a aucune raison qu'il
le soit. De quelle espèce exactement était ce monstre ? on ne nous
le dit pas. Mais puisqu'il détruisit des navires, et aussi bien pour
d'autres raisons encore, ce devait être une baleine, et j'incline fortement à croire, personnellement, que c'était un cachalot. Je vous
dirai pourquoi : j'ai longtemps pensé que le cachalot avait toujours
été inconnu dans la Méditerranée et dans les mers profondes qui
s'y relient (et aujourd'hui encore je demeure convaincu que ces
eaux ne sont pas, dans l'état actuel des choses, et peut-être ne

seront jamais un lieu de résidence et de séjour dans ses déplacements grégaires) ; mais des études récentes ont apporté la preuve
qu'il y avait certains cas, à l'époque moderne, où la présence de
cachalots isolés avait été constatée dans la Méditerranée. J'ai
appris, de source autorisée, qu'un commodore Davis, de la flotte
britannique, avait découvert le squelette d'un cachalot sur la côte
de Barbarie. Et comme un vaisseau de guerre peut facilement
franchir les Dardanelles, à plus forte raison un cachalot peut-il,
par ce même détroit, passer de la Méditerranée dans la Propontide.

Or, dans la Propontide, autant que je sache, il n'y a pas la
moindre trace de cette substance particulière qu'on nomme le *brit*[1]
et qui est l'aliment de la baleine à fanons. En revanche, j'ai toutes
les raisons de croire que la nourriture du cachalot – le calmar ou la
seiche – s'y trouve cachée dans les grandes profondeurs, parce que
certaines de ces grandes créatures, mais non, assurément, les plus
grandes, y ont été trouvées en surface. Si, donc, vous assemblez
convenablement ces différents points et si vous raisonnez quelque
peu à partir de là, vous viendrez à percevoir très clairement et dans
les limites de toute raison humaine, que le monstre marin de
Procope, qui détruisit pendant un demi-siècle les vaisseaux d'un
empereur romain, devait être, selon toute probabilité, un cachalot.

---

1. C'est le nom qu'on donnait du temps de Melville à ce que nous appelons
aujourd'hui le *plancton*, ce mot ayant été introduit dans la science en 1887 par le
naturaliste allemand V. Hensen.

CONJECTURES

Tout consumé qu'il fût par le brasier de son propos, et bien que toutes ses idées et toutes ses actions fussent mobilisées en vue de la capture finale de Moby Dick ; quoiqu'il semblât prêt à sacrifier tous les intérêts mortels à son unique passion, il se peut néanmoins qu'Achab, tant par nature que par la longue habitude qu'il en avait, fût très éloigné d'abandonner complètement la poursuite parallèle et l'accomplissement de la campagne normale du *Péquod*. Ou du moins, si tels n'étaient pas ses mobiles, les motifs ne lui manquaient pas pour pencher dans ce sens. Peut-être serait-ce aller trop loin, en s'appuyant exclusivement sur sa folle idée fixe, que de suggérer que sa rage vengeresse à l'égard de Moby Dick l'avait entraîné à l'étendre à tous les autres cachalots, et de prétendre que plus il tuait de monstres, plus il multipliait dans son idée la chance que le prochain fût l'ennemi tant haï... Mais si cette hypothèse pouvait être en réalité écartée, bien d'autres considérations devaient aussi – quoique moins directement incluses dans sa folie – influer cependant sur lui dans ce sens.

Pour atteindre son but, Achab devait se servir d'outils ; or, de tous les outils en usage sur notre globe terraqué qui se balance sous les rayons de lune, les plus délicats, ceux qui se dérèglent et se détériorent le plus facilement, ce sont les hommes. Achab savait, par exemple, que quel que fût son ascendant magnétique à bien des égards sur Starbuck, cet ascendant ne s'étendait pourtant pas plus à la totalité spirituelle de l'homme, que la force et la domination par la force n'impliquent la conquête et la maîtrise de l'intelligence (et encore est-il que l'intellect, par rapport à ce qui est purement spirituel, conserve une sorte de matérialité physique). La maîtrise du Starbuck physique, la domination de la volonté de Starbuck par Achab ne pouvaient se maintenir qu'autant que la puissance magnétique d'Achab s'exerçait pleinement sur le cerveau, sur l'intelligence de Starbuck. Mais Achab n'en savait pas moins que son second, du fond de son âme, abhorrait et réprouvait la chasse de son capitaine, qu'il s'en désolidariserait volontiers à l'occasion ou même y ferait obstacle. Il pouvait se passer un grand laps de temps avant que Moby Dick fût repéré. Durant ce long espace de temps, Starbuck demeurerait toujours susceptible de quelque rébellion ouverte contre les ordres et l'autorité de son capitaine, si le jeu d'une influence constante, mesurée, circonspecte, ne maintenait sans défaillance ses barres sur lui.

Puis il y avait encore que la folie d'Achab, dans sa subtilité, dans son extrême sagacité pour tout ce qui touchait Moby Dick, n'avait pas manqué de lui faire prévoir que, pour le moment, la chasse en elle-même devait se défaire aux yeux des hommes de cet essentiel caractère de furieuse impiété qu'elle revêtait tout naturellement ; et que l'élément de terreur qui faisait le fond même de la campagne devait, pour le moment, passer quelque peu à l'arrière-plan. Il est peu d'hommes, en effet, dont le courage soit à l'épreuve de la réflexion et résiste à une méditation prolongée que ne vient pas couper et distraire l'action. Il fallait que pendant les longs quarts de la nuit, ses officiers comme ses hommes eussent, pour occuper leurs pensées, autre chose que le seul sujet de Moby Dick, qu'ils fussent occupés d'un sujet à la fois plus familier et moins distant. Son sauvage équipage avait beau avoir acquiescé à son projet avec une si unanime impétuosité, avec une férocité d'impatience si manifeste ; on ne peut cependant trop se fier aux marins qui sont toujours plus ou moins capricieux et peu sûrs – sans doute parce qu'ils vivent dans les caprices et les aléas du temps, dont ils respirent la naturelle inconstance ; même s'ils sont attachés avec passion et par un serment vital à la poursuite d'un projet, quand le but en est par trop éloigné et peu distinct, il est indispensable de les retenir par des intérêts plus immédiats et de les employer provisoirement pour les tenir en haleine jusqu'à l'instant de l'assaut final.

Et il y avait encore autre chose, de quoi Achab se gardait bien d'être inaverti. Au plus intense et au plus haut de l'émotion, l'être humain, certes, dédaigne toute basse considération ; mais ces sommets sont évanescents. La constitution fonctionnelle, l'état permanent, la condition de base de l'homme tel qu'il est fait, c'est la sordidité ; ainsi pensait Achab. « Tout assuré que je sois que le Cachalot Blanc emplisse totalement les cœurs sauvages de mon sauvage équipage, et que flattant même leur sauvagerie, il fasse naître en eux une sorte de chevalerie assez généreuse, s'ils chassent Moby Dick pour l'honneur de la chose, il me faut néanmoins satisfaire à leurs appétits plus communs, plus quotidiens. » Ainsi pensait Achab. « Si sublimes et si chevaleresques qu'ils fussent, même les croisés de jadis ne se contentaient pas de franchir leurs deux mille milles de terres pour aller combattre au Saint-Sépulcre : ils commettaient en cours de route plus d'un acte de brigandage, plus d'une ponction dans les poches d'autrui et autres pieuses et profitables perquisitions de cette espèce. Eussent-ils été contraints de s'en tenir exclusivement et strictement à leur romanesque et final objet, beaucoup d'entre eux s'en fussent détournés et fussent revenus pleins de dégoût. Je ne veux pas sevrer mes hommes, pensait Achab, je ne veux pas priver mes hommes de toute espérance et d'argent, oui, d'argent ! Ils peuvent peut-être s'en moquer à présent ; mais que passent seulement quelques mois, et sans argent pour eux en perspective, sans la paix que donne l'argent à venir, ils vont me gratifier d'une mutinerie ; l'absence de ces espèces sonnantes et trébuchantes ne mettrait pas longtemps à sonner le glas et à faire trébucher Achab ! »

Enfin, il existait en outre une autre raison qui devait inciter Achab plus personnellement encore à se montrer précautionneux et prudent en la matière. Comme il avait révélé tout impulsivement, sans aucun doute, et peut-être un peu prématurément le but capital – mais personnel et privé – de la campagne du *Péquod*, Achab avait parfaitement conscience à présent de s'être lui-même indirectement placé, en ce faisant, sous l'accusation possible et irréfutable d'usurpation. En toute impunité, morale aussi bien que légale, son équipage parfaitement compétent en ces matières pouvait, s'il lui en prenait fantaisie, lui refuser toute obéissance et même lui enlever par violence le commandement du navire. De cette éventuelle accusation, même à peine suggérée, et de l'impression qu'elle ne manquerait pas de produire en s'étendant à la ronde, Achab devait se garder à tout prix : il devait soigneusement vouloir s'en protéger. Et cette protection, il ne pouvait la tenir que de lui-même, c'est-à-dire en maintenant l'autorité indiscutable et indiscutée de son cerveau, de son cœur et de sa main, veillant soigneusement, étroitement, pertinemment sur le climat atmosphérique de son équipage, surveillant de minute en minute les influences auxquelles ses hommes pouvaient être soumis.

C'est donc pour toutes ces raisons, avec d'autres encore dont l'analyse serait sans doute trop subtile pour être développée ici, qu'Achab se voyait obligé de se montrer dans une large mesure fidèle à l'initial, au formel, au naturel objet de la campagne du *Péquod*, à savoir la chasse à la baleine. Il lui fallait respecter scrupuleusement tous les usages, et non seulement « faire comme si », mais encore se contraindre à manifester sous toutes ses formes l'intérêt passionné qu'on lui connaissait pour ce qui faisait l'essentiel et le principal de son métier de capitaine baleinier.

Quoi qu'il en fût en tout cas, on entendait à présent sa voix héler fréquemment les vigies des trois mâts, leur commandant de porter au plus loin leur observation vigilante et de ne point manquer de signaler même un marsouin. Cette vigilance ne fut pas longue à recevoir sa récompense.

XLVII

LES NATTIERS

C'était par un après-midi couvert et étouffant; les hommes allaient et venaient indolemment sur les ponts ou se penchaient, le regard perdu, sur les eaux couleur de plomb. Quiequeg et moi nous employions sans hâte à tisser ce qu'on appelle une « natte à épée » pour notre embarcation. Ce calme silence, cette paix amortie où tout baignait étaient comme un envoûtement où se suspendait pourtant comme un présage; il y avait dans l'air une telle ivresse incantatoire que chacun des matelots silencieux semblait comme absorbé par son moi intime.

J'étais en quelque sorte le serviteur, ou plutôt le page de Quiequeg dans notre ouvrage de nattiers. Tandis que je passais et repassais le lusin de trame entre les longs filins de la chaîne, ma propre main me servant de navette, Quiequeg, lui, glissait de moment en moment sa lourde épée de chêne entre les fils tout en regardant paresseusement sur la mer, et d'un geste distrait, automatique, logeait chaque lé à sa place. Un si étrange engourdissement, une si étrange somnolence s'étaient alors répandus sur le navire et sur la mer, ponctués seulement par le battement étouffé de la pesante épée, que j'avais l'impression que c'était là le battement même du métier du Temps, et que j'étais moi-même la navette que se passaient et se repassaient mécaniquement les Parques. Là étaient les fils tendus de la chaîne, émus seulement d'une unique, incessante et toujours identiquement recommençante vibration, qui suffisait pour permettre l'entrecroisement de la trame qui se confondait alors avec eux. Ces fils tendus m'apparaissaient comme la

fatalité du Destin; et me voici, pensais-je, glissant de ma propre
main la navette de ma vie entre ces fils inaliénables, tissant ainsi
mon propre destin dans l'immuable. Et en même temps l'épée
indifférente de Quiequeg, avec ses coups bien droits ou de travers,
tantôt puissants et tantôt faibles, tombait ainsi selon son humeur,
modifiant et conditionnant par ces différences l'aspect final de
tout l'ouvrage; cette épée du sauvage, pensais-je, qui décide finalement de l'aspect définitif et de la qualité tout ensemble de la
chaîne et de la trame, cette épée indifférente et aisée, ce ne peut
être que le Hasard. Oui : hasard, libre arbitre et fatalité – qui ne
sont nullement incompatibles –, les voilà tous qui s'entremêlent et
travaillent ensemble, confectionnant l'ouvrage. Les raides chaînes
de la Fatalité que rien ne peut détourner de leur cours, encore que
chaque vibration s'y essaie; le Libre Arbitre, libre toujours de jeter
ou non sa navette entre les fils donnés; et le Hasard, qui est pourtant limité dans son jeu aux strictes et rigoureuses lignes déjà tendues de la Fatalité, dirigé latéralement dans ses mouvements par le
Libre Arbitre, ce Hasard qui est modulé, commandé par l'un et
l'autre, mais qui n'en finit pas moins par les conditionner tous deux
et décider, par son « coup », de l'ultime façon des événements…

Ainsi donc étions-nous, tissant et tissant toujours, lorsque je
sursautai si fort à un son soudain si fantastique, long, flûté, à la
fois et si surnaturellement musical et sauvage, que le peloton du
libre arbitre me sauta hors des mains et que je restai là, à regarder
dans les nuages d'où cette voix nous arrivait en planant comme une
aile. Tout là-haut en vigie, perché sur les barres de hune à la pointe
du mât, c'était cette Tête-Folle de Gay Head, Tashtégo. Le corps
penché de tout son élan en avant, le bras tendu comme un bâton de
commandement, il lançait son cri coup après coup, par brusques et
brefs intervalles. A n'en pas douter, ce même cri retentissait
peut-être à l'instant même d'un bout à l'autre des mers, émanant
des guetteurs perchés tout aussi haut sur des centaines de baleiniers; mais assurément parmi eux tous, il y avait peu de poumons

capables de lancer le vieux et traditionnel cri d'alerte d'une façon aussi merveilleusement cadencée que celle de Tashtégo l'Indien.

À le voir comme il était là, planant au-dessus de vous, à demi suspendu dans les airs, dévorant l'horizon d'un regard avide et sauvage, vous l'eussiez pris pour quelque Voyant ou Prophète apercevant les ombres du Destin et proclamant leur venue par ses cris fantastiques :

– Aâh ! souffle ! Soû-oû-oûffle ! Aâh ! voilà ! là ! là ! aâh ! souffle ! soûoûffle !

– Par où ?

– Par le travers sous le vent, à deux milles environ ! Toute une bande ! (Instantanément tout fut en émoi.)

Le cachalot souffle avec une régularité chronométrique ; c'est à ce signe sûr que les baleiniers le distinguent des autres espèces de la tribu.

– Voilà les queues ! annonça le nouveau cri de Tashtégo – et les cachalots avaient disparu.

– Vite, steward ! hurla Achab. L'heure ! L'heure !…

Mie-de-Pain se précipita en bas, consulta la montre et donna l'heure exacte à Achab.

Le navire mit en panne et, roulant doucement, fila son erre. Tashtégo nous ayant signalé qu'ils avaient plongé exactement sous le vent, nous n'avions plus qu'à attendre avec confiance de les voir reparaître sur nos devants. Nous n'avions pas à craindre, cette fois-ci, la ruse singulière du cachalot qui plonge parfois pour changer de direction sous la surface et reparaître à des milles de là, après avoir nagé rapidement, à l'opposite de sa direction initiale ; nous n'avions pas à le craindre, car il n'y avait pas de raison de supposer que les poissons repérés par Tashtégo eussent été le moins du monde alarmés, ni même qu'ils se doutassent de notre voisinage. L'un des hommes du bord de garde, c'est-à-dire l'un de ceux qui ne faisaient pas partie des équipages de baleinières, était monté relever l'Indien à la pomme du mât. Les guetteurs de misaine et d'artimon étaient descendus. Les bailles à ligne furent mises à poste ; les bossoirs d'embarcation parés ; les basses vergues amenées ; et les trois baleinières se balançaient au-dessus de la mer comme trois corbeilles de criste-marine par-dessus de hautes falaises. Les hommes, impatients, avaient enjambé les pavois, se retenant d'une main à la lisse, le pied déjà engagé sur le plat-bord. Ainsi se tiennent alignés les hommes d'un vaisseau de guerre, prêts à se lancer à l'abordage d'un navire ennemi.

Mais juste à cet instant crucial, une soudaine exclamation détourna tous les yeux qui scrutaient avidement la mer, et tous les hommes eurent un sursaut en regardant le sombre Achab : il était entouré de cinq fantômes ténébreux qui venaient, semblait-il, de se concrétiser dans l'air.

XLVIII

LA PREMIÈRE MISE A LA MER

Les fantômes, car c'était bien ce qu'ils semblaient être, volèrent sur l'autre bord du pont et, avec une promptitude silencieuse, aux portemanteaux de l'arrière, larguèrent les saisines et les bosses des palans de l'embarcation qui s'y balançait. Cette baleinière avait toujours été considérée comme une embarcation de rechange – bien qu'elle soit techniquement dénommée « canot du capitaine » à cause de sa position sur le gaillard d'arrière à tribord. La silhouette qui se découpait à présent devant la proue de la baleinière était courtaude de taille et bistrée de peau, avec une unique, longue dent blanche qui s'avançait diaboliquement sur des lèvres d'acier. Une jaquette chinoise de coton noir, toute fripée, vêtait funèbrement le personnage, ainsi qu'un vaste pantalon de même étoffe également noire. Mais c'était un turban étincelant de blancheur qui venait, étrangement, couronner cette figure d'ébène : un ruban fait de ses blancs cheveux nattés et enroulés tout autour de la tête. Moins sombrement bistrés de teint, les compagnons du personnage étaient de ce jaune ardent qu'a le pelage du tigre, et qui caractérise si nettement les natifs de Manille : race aux individus réputés pour leur subtilité diabolique, que pas mal d'honnêtes matelots blancs supposent être, à la mer, les espions appointés et les agents secrets du diable, leur seigneur et maître, lequel doit bien avoir ses bureaux quelque part.

Alors que les hommes du bord, dans leur surprise, fixaient toujours les étrangers, Achab cria à l'homme tout de blanc enturbanné, qui semblait être leur chef :

– Paré, Fédallah ? Allez-y, mettez à la mer ! commanda-t-il
alors. Vous m'avez entendu là-bas ? J'ai dit : mettez à la mer !

Il y avait un tel tonnerre dans sa voix que malgré leur stupéfaction, tous les hommes bondirent. Les palans grincèrent et dans un
plouf les trois baleinières furent à flot. Avec une dextérité insouciante et une audace spontanée qu'ignore toute autre profession,
les matelots sautèrent, comme des chèvres du flanc du navire qui
se balançait, dans les frêles barques que ballottait la houle en dessous.

Ils venaient à peine de déborder sous le vent qu'une quatrième
nacelle, qui venait du bord du vent, apparut sous la poupe, avec
les cinq inconnus aux postes de nage, et Achab, droit et raide sur
l'arrière, qui hélait à pleine voix Starbuck, Stubb et Flask, pour
leur commander de se déployer largement afin de couvrir un vaste
champ d'opération. Mais les équipages, qui de nouveau fixaient de
tous leurs yeux le sombre Fédallah et ses hommes, n'obéirent pas
immédiatement.

– Capitaine Achab ? héla Starbuck.

– Déployez ! cria Achab. Avant partout, vous autres ! Toi, Flask,
avant bâbord et nage au vent !

– Bien, bien, monsieur ! cria Gros-Bois d'une voix enthousiaste,
tout en manœuvrant son long aviron de queue. Laissez porter, les
gars ! commanda-t-il à son équipage. Là ! Là ! les revoilà ! Souffles
devant, les gars, droit devant ! Laissez porter ! Ne t'occupe pas de
ces types jaunes, Archy.

– Oh ! je me fiche pas mal d'eux, monsieur, j'étais déjà au courant ! Est-ce que je ne les avais pas entendus dans la cale ? Je l'avais
même dit à Cabaco. Hein, Cabaco, qu'est-ce que je te disais ? Ce
sont des passagers clandestins, monsieur Flask.

– Souquez, souquez ! mes jolis cœurs ; souquez, les enfants ! souquez, mes petits poussins ! soufflait Stubb d'une voix douce et non-
chalante à ses hommes, dont certains montraient des signes
d'inquiétude. Et pourquoi est-ce que vous ne vous rompez pas
l'échine, mes fils ? Qu'est-ce qui vous tire les yeux comme ça ? Les
camarades de ce canot ? Allez donc ! Ça ne fait jamais que cinq
hommes de plus qui nous viennent en renfort – peu nous importe
d'où ! Plus on est, mieux ça rigole. Alors souquez, messieurs,

veuillez souquer ! et laissez tomber vos soucis quant au soufre… les démons, ça fait de bons copains aussi. Voilà, voilà, vous y êtes à présent, les gars ; ça c'est un coup de pelle qui vaut ses mille livres ; ça, c'est un coup de râteau qui vous ramasse les mises ! Hurrah, mes héros, pour la coupe d'or en huile de cachalot ! Trois vivats, mes bons bougres, et haut les cœurs !… Mais tout doux, tout doux, ne vous pressez pas tant, hé ? ne vous pressez pas tant. Tas de canailles ! pourquoi est-ce que vous ne cassez pas vos manches ? Mordez un peu, mordez donc, chiens ! Voilà, voilà, comme ça. En souplesse, alors, en souplesse maintenant. Là, ça y est, c'est ça ! Fort et long. Avant partout, hein là-bas, avant partout ! Le diable vous emporte, canailles, va-nu-pieds, propres-à-rien, jean-foutre ! Vous dormez tous, là-dedans ! Cessez un peu de ronfler, bande d'endormis, et souquez ! Souquez ! Vous ne voulez pas ? Souquez ! Vous ne pouvez pas ? Souquez ! Vous ne savez pas ?… Mais pourquoi, bon sang de goujon et de tarte à la crème ! pourquoi est-ce que vous ne ramez pas ?… Souquez et cassez-vous quelque chose ! Souquez à vous faire gicler les yeux hors de la tête ! Attendez ! – et arrachant son couteau ouvert de sa ceinture : Que le fils de la mère de chacun tire son couteau ; et souquez la lame entre les dents ! Oui, c'est ça, comme ça, oui. Et maintenant sortez-moi quelque chose de propre. Ah ! on dirait que ça y est. Là, vous faites quelque chose qui ressemble à quelque chose, mes jolis bras de fer, mes beaux muscles d'acier ! Allez-y, mettez-vous-y, mes cuillères d'argent ! Mettez-vous-y, allez ! mes épissoirs…

L'exhortation et l'exorde de Stubb à son équipage sont ici rapportés en entier à cause de la façon particulière qu'il avait de s'adresser à eux, et notamment quand il leur inculquait la religion de l'aviron. Mais il ne faudrait pas que vous alliez supposer, sur cet échantillon, qu'il se répandît jamais en invectives de vraie colère sur son auditoire. Non. Pas le moins du monde. C'était même là son originalité première. Il vous avait une façon de dire les choses les plus terribles d'un ton si étrangement mêlé de fureur et de bonne humeur, que pas un rameur n'était capable d'entendre ces bouffonnes et bizarres invocations sans tirer sur son aviron de toutes ses forces, comme au prix de sa vie, mais comme une bonne plaisanterie en même temps, pour la rigolade. Au surplus, il vous

avait un air de si complète aisance, de si parfait abandon, un air si
confortable et une manière si indolente de manier son aviron de
queue, bâillant à tout bout de champ et parfois à pleines
mâchoires, que la seule vue de ce bâilleur qui les commandait
agissait comme un charme sur les hommes, qu'il fouettait d'un
effet contraire et tout-puissant. Et puis, il y avait encore que Stubb
appartenait à cette bizarre catégorie d'humoristes dont la gaieté
est si curieusement ambiguë parfois, que leurs subalternes, quand
il s'agit d'obéir, sont toujours sur leurs gardes.

Manœuvrant en réponse à un signe d'Achab, Starbuck venait
maintenant à croiser sur l'avant de Stubb; et tandis que pour un
instant les deux baleinières se trouvaient assez proches, Stubb héla
le second.

– Ohé du canot à bâbord! Monsieur Starbuck, un mot s'il vous
plaît!

– Hello! retourna Starbuck, sans changer d'un pouce sa position pendant qu'il parlait, et sans cesser d'activer sérieusement et
à mi-voix son équipage.

Il restait détourné de Stubb et avait un visage de pierre.

– Qu'est-ce que vous dites de ces gaillards jaunes, monsieur?
cria Stubb.

– Cachés à bord, de façon ou d'autre, avant le départ. Du nerf,
les gars, du nerf! disait-il dans un souffle à son équipage – puis la
voix forte de nouveau : Une drôle d'affaire, monsieur Stubb!
(mettez-en un coup, vous autres, tirez ferme!) mais après tout
qu'importe! tout pour le mieux. On n'a qu'à faire souquer ferme
nos hommes; et advienne que pourra. (Sautez, les gars, sautez!)
Il y a des barils de bonne huile en perspective, monsieur Stubb, et
c'est pour ça que nous sommes ici. (Souquez, les enfants!) Les
cachalots, les cachalots, voilà ce qui compte. C'est là notre devoir
tout compte fait; devoir et bénéfice vont de pair.

– D'accord, d'accord, c'est bien ce que je pensais, monologua
Stubb quand les canots s'éloignèrent l'un de l'autre. C'est ce que
j'ai pensé tout de suite quand je les ai vus, bien sûr, et c'est pour
cela qu'il allait si souvent dans cette cale, comme l'en soupçonnait
Mie-de-Pain. C'est là-dessous qu'ils étaient cachés. Le Cachalot
Blanc est au fond de toute l'histoire. Bon. Très bien. Ainsi soit-il!

Je ne peux rien y faire, de toute façon ! Alors, très bien ! Avant partout, les gars ! Le jour du Cachalot Blanc, ce n'est pas aujourd'hui. Avant partout !

Tout de même, la survenue de ces exotiques étrangers à un instant aussi crucial que celui de la mise à la mer avait frappé d'un étonnement superstitieux, mais somme toute assez explicable, certains des hommes de l'équipage ; cependant la découverte hypothétique et récente d'Archy avait répandu son bruit parmi eux, et quoiqu'ils n'y eussent pas cru, ce bruit avait pourtant en quelque sorte désarmé le plus extrême de leur stupéfaction, les ayant comme malgré eux préparés à l'événement. C'est pourquoi la manière confiante et naturelle dont Stubb avait expliqué leur brusque apparition avait coupé court pour le moment à leurs conjectures superstitieuses quant au plus affolant de l'affaire : mais bien des choses restaient énigmatiques, et notamment le rôle personnel qu'avait pu jouer le sombre Achab dans l'agencement de toute l'histoire. Pour moi, il me souvenait silencieusement des ombres mystérieuses que j'avais vues montant à bord du *Péquod* dans l'aube confuse, à Nantucket, le matin du départ, ainsi que des dires énigmatiques du mystérieux Élie.

Pendant ce temps, Achab, dont la baleinière se trouvait hors de portée de la voix de ses officiers sur le flanc extrême du côté du vent, tenait la tête des quatre canots, ce qui est dire quelle était la puissance de l'équipage qu'il avait. Ces bonshommes à la peau jaune tigre semblaient n'être qu'acier et fanons de baleine ; tels des marteaux à bascule, ils se levaient et retombaient avec des coups réguliers et puissants qui jetaient littéralement le canot hors de l'eau à chaque fois, comme le piston d'un vapeur du Mississippi. Quant à Fédallah, qu'on voyait au poste d'homme de pointe à l'aviron du harponneur, il avait retiré sa jaquette noire, et sa poitrine nue apparaissait bien haut au-dessus du plat-bord, se détachant nettement sur le mouvant horizon liquide. A l'autre bout de la barque, un bras jeté en arrière comme un escrimeur, pour prévenir toute perte d'équilibre, Achab manœuvrait fermement son aviron de queue ainsi qu'il l'avait fait des centaines de fois avant sa mutilation par le Cachalot Blanc. Tout à coup, son bras se tendit avec un geste brusque et ample, puis resta dans cette position ;

et l'on vit les cinq avirons de son embarcation rester en l'air tous ensemble. Équipage et bateau s'immobilisèrent sur les flots. Instantanément les trois autres canots, largement écartés transversalement, et en arrière sur lui, s'immobilisèrent également. Les cachalots avaient disparu sous la surface, mais sans plonger comme à l'accoutumée et sans permettre qu'on perçût à distance leur mouvement ; Achab, qui se trouvait plus près, avait surpris la manœuvre.

— Chacun le nez sur son aviron, et attention ! souffla Starbuck. Toi, Quiequeg, debout !

Sautant prestement sur la petite plate-forme triangulaire de la proue, le sauvage se dressa là, tout droit, fixant d'un regard intense le point où les cachalots avaient été en quelque sorte cernés. Semblablement dressé sur l'extrême plate-forme triangulaire de poupe, Starbuck se balançait avec le plus parfait sang-froid, et non sans adresse, à chacune des ruades de sa coquille de noix dans la houle, regardant lui-même le vaste œil bleu de la mer.

Pas très distante, la baleinière de Flask était elle aussi suspendue dans sa course, sans un bruit ; son pilote se tenait témérairement perché sur la « bisbille », une forte pièce de bois fixée sur la quille et qui s'élève verticalement de quelque deux pieds au-dessus du niveau de la plate-forme de poupe. C'est une bitte qui sert à prendre des tours avec la ligne à baleine. Son sommet n'est guère plus large que la paume de la main ; et planté là-dessus, Flask avait l'air de se tenir perché sur la pomme du mât d'un navire qui aurait entièrement sombré à l'exception de cette ultime flèche. Mais notre Gros-Bois, pour petite que fût sa taille et courte sa hauteur et basse sa mesure, n'en était pas moins tout gonflé d'une grande et haute et longue ambition : le socle que lui fournissait la bisbille ne le satisfaisait et ne lui suffisait en aucune façon.

— Je n'aperçois pas même trois crêtes d'ici, s'exclama-t-il. Mâtez-moi un aviron, vous autres, que je grimpe dessus !

Sur quoi Daggoo, une main sur chaque plat-bord pour maintenir la stabilité, se glissa promptement de proue en poupe, et là, redressant toute sa taille, lui offrit ses épaules comme piédestal.

— Un poste de vigie aussi bon qu'un autre, dit-il. Voulez-vous monter, Monsieur ?

– Sûr, que je veux ! Et avec mille remerciements encore, mon bel ami ! La seule chose que je regrette, c'est que tu n'aies pas cinquante pieds de plus !

Après quoi, calant solidement ses deux pieds sur chaque flanc de la coque, le gigantesque nègre se pencha un peu en avant, présenta sa vaste paume comme marche-pied à Flask, puis assura la main de Flask sur sa tête emplumée, et, l'ayant invité à sauter, il multiplia adroitement cet élan et envoya le petit homme atterrir sain et sauf sur ses épaules. Et voilà donc Flask qui se dresse là-haut maintenant, le bras levé de Daggoo lui fournissant une sorte de rampe sur laquelle il s'appuie et se tient ferme.

A tout moment c'est déjà merveille pour le novice que de voir avec quelle miraculeuse habitude et un sens instinctif de l'équilibre le baleinier se tient debout dans sa barquette, même quand elle est ballottée sur une houle perverse ou chahutée sur une mer cassée ; mais cela devient de la stupéfaction que d'en voir un, dans de telles conditions, se piquer et tenir sur la bisbille. Voir Flask, alors, planté sur les épaules du géant Daggoo, c'était un spectacle à n'en pas croire ses yeux ; car avec une tranquillité, une aisance, une indifférence et une sûreté parfaites, stupéfiant de majesté barbare, on voyait la splendide musculature du noble nègre rouler en complète harmonie avec le roulis même de la mer. Sur le dos puissant du noir, le blond petit Flask devenait blanc et semblait un flocon de neige. En vérité, la monture avait plus grand air que le cavalier. Pétulant, agité, ostentatoire, le petit Flask frappait même du pied de temps à autre, mais la seigneuriale poitrine du nègre n'en avait cure et ne marquait pas le moindre halètement ni le moindre changement de rythme dans son ample respiration. De même ai-je vu déjà la Fureur et la Vanité trépigner sur la terre magnanime et vivante, et de même la terre ne modifiait en rien ses temps et ses saisons pour autant.

Quant à Stubb, le troisième officier, il ne manifestait pas de telles et si furieuses impatiences à guetter l'horizon. Il se pouvait que les cétacés eussent sondé véritablement, et non point plongé irrégulièrement pour une courte immersion effarouchée ; auquel cas, comme il en avait l'habitude, Stubb se consolerait des longueurs de l'attente en fumant sa pipe. Il la retira donc du ruban de son chapeau, où il la portait toujours piquée de biais comme une plume. Il la bourra paisiblement d'un bon coup de pouce ; mais il avait à peine frotté son allumette contre le rude émeri de sa paume, que Tashtégo, son harponneur, dont les yeux étaient restés droit contre le vent comme deux étoiles fixes, soudain se précipita en un éclair à son banc de nage, criant dans une brusque frénésie :

– Assis, assis tous, et en avant partout !... Les voilà !

Un terrien, certes, n'eût alors pas vu plus de baleine que trace du moindre hareng ; il n'y avait rien qu'une vague ligne verdâtre d'eau écumeuse sur laquelle flottaient de menues bouffées de vapeur éparses, couchées et se diffusant sous le vent, confondues avec la crête blanche et mousseuse des vagues. L'air, partout alentour, était soudain vibrant, onduleux et sonore, semblait-il, comme celui qu'on voit au-dessus de plaques de fer intensément chauffées. Et sous ces ondulations mouvantes de l'atmosphère, sous une mince épaisseur d'eau, aussi, pour leur plus grande partie, les cachalots s'avançaient, poursuivant leur nage. Aperçues avant tout autre signe d'eux, les fines bouffées de vapeur qu'ils soufflaient étaient comme leurs estafettes ou des piqueurs volants détachés en avant de leurs carrosses.

Les quatre canots étaient tous lancés maintenant en pleine poursuite sur ce point mouvant d'air et d'eau troubles, qui les emportait à la course et se tenait loin devant eux, fuyant toujours, comme la cascade insaisissable des bulles d'un torrent qui se précipite au flanc d'une montagne.

– Souquez, souquez les amis ! chuchota Starbuck à ses hommes le plus bas possible, avec la plus intense concentration de volonté.

Et la dague aiguë de son regard tendu pointait droit en avant, fixe et déterminée comme l'infaillible aiguille du compas dans l'habitacle. Il ne disait presque rien à son équipage qui, lui, ne parlait pas. Le total silence sur l'embarcation n'était coupé que par moments, ici ou là, par ses brefs chuchotements particuliers, tantôt de commandement intense, tantôt de supplication presque tendre.

Quelle différence chez le fracassant petit Flask !

– Gueulez, chantez quelque chose, mes petits gars ! Gueulez et souquez, mes jolis tonnerres ! disait-il. Accostez-moi, accostez-moi sur leurs dos noirs. Ah ! si seulement vous faites ça pour moi, les gars, je vous lègue ma terre de Martha's Vineyard, avec ma femme et les enfants par-dessus le marché ! Posez-moi dessus, droit dessus, posez-moi dessus ! Ah ! Seigneur ! Seigneur ! c'est à devenir fou ! à devenir fou furieux ! Voyez ! mais voyez-moi cette mousse blanche !...

Toujours hurlant, il s'était arraché le chapeau de la tête, le bourrant de coups, le broyant sous ses pieds, après quoi il l'avait ramassé et lancé à toute volée au loin, sur la mer. Il s'agitait, ruait, se cabrait, bondissait sur la poupe de son embarcation comme un poulain fou de la prairie.

– Non mais, voyez-moi cet ami-là à présent ! laissa tomber philosophiquement Stubb de sa voix alentie, son brûle-gueule non allumé serré par habitude entre ses dents – puis au bout d'un instant : Ce sont des crises de convulsions qu'il a, ce Flask. Des crises ? collez-lui-en des crises, voilà ce qu'il faut, fichez-lui-en une crise de crises ! Allez-y, gars, allez-y, gaillardement, mes cœurs ardents ! Il y a du pudding au dîner, vous savez... gaillardement, voilà le mot. Souquez, mes bébés ! souquez, mes nourrissons ! allez tous, souquez ! En douceur, en douceur, et sans lâcher, mes braves ! Seulement la nage et rien que la nage, pas plus. Désossez-vous le dos ! cassez-moi vos couteaux d'un coup de dents ! c'est tout. Ne vous faites pas de bile, les gars ! pourquoi est-ce que vous vous en feriez, hein ? Allez, je vous dis, faites-vous-en crever le foie et éclater les poumons !

Quant à ce que disait l'inscrutable Achab à son équipage jaune tigre, ce sont des paroles qu'il vaut mieux ne pas répéter ici ; car vous vivez sous la sainte lumière de la terre chrétienne ; or, ce sont des paroles que seuls peuvent entendre les requins impies des océans en révolte, ces mots que jetait le sombre Achab à la poursuite de sa proie, le front en orage, les yeux rouges de meurtre, les lèvres écumantes et serrées.

Les baleinières bondissaient furieusement. Et les incessantes, formelles allusions de Flask à « ce cachalot » dont la queue se promenait juste devant la proue, « ce chachalot » – comme il appelait poétiquement le monstre supposé qui d'instant en instant allait être atteint par la baleinière, là ! là ! sa maudite queue ! – ses allusions répétées étaient si drues, si fortes, si suggestives de la vie même, que ses hommes étaient prêts à tout instant à jeter un regard sur l'avant par-dessus leur épaule. Mais c'était contre toutes les règles, car les hommes aux avirons ne doivent pas avoir d'yeux, et c'est le cou rivé qu'ils doivent tirer sur la rame ; l'usage veut, en effet, que les hommes, dans ces moments critiques, n'aient d'autre sens que l'oreille, et d'autres membres que les bras.

Le spectacle avait de quoi, vraiment, émouvoir et troubler. Les immenses houles de l'océan tout-puissant ; le grondement sourd et profond qu'elles avaient en roulant comme de géantes boules au long des flancs légers des quatre embarcations, pour s'en aller, roulant toujours, sur les immenses plaines de ce jeu de boules sans fin ; le bref éclair de mortelle angoisse, comme un sursaut d'agonie, de la nacelle un instant suspendue sur la crête aiguë de la lame, si tranchante qu'on eût cru qu'elle allait la couper en deux ; puis le brusque plongeon dans le creux à pic de ces montagnes d'eau ; les bonds hardis et violents, piquant haut, tendus pour gagner le sommet de la masse suivante ; la glissade neigeuse et prolongée sur l'autre versant, jusqu'au fond – tout cela, avec les cris des harponneurs et des hommes de barre, le rauque halètement des rameurs, avec la merveilleuse silhouette de l'ivoirin *Péquod* veillant là-bas, toute toile dessus, sur ses embarcations, tel un oiseau sauvage sur sa couvée criarde, c'était bouleversant. Non ! Les émotions que peuvent ressentir le jeune soldat, qui vient de s'arracher à l'étreinte de sa bien-aimée pour recevoir le baptême du feu au sein fiévreux de la bataille, ou le mort dont l'esprit, qui vient de quitter sa dépouille, rencontre son premier esprit de l'autre monde, ne sont ni si violentes ni si étranges que celles du novice qui se trouve, pour la première fois, poussant dans le cercle enchanté et bouillonnant de la chasse du cachalot.

L'écume blanche et dansante que produisait cette poursuite apparaissait plus nettement à mesure, malgré et même à cause de la croissante obscurité répandue sur la mer par les nuages bas et lourds qui la couvraient. Les jets de vapeur n'étaient plus confondus à présent, mais distincts et épars de tous côtés, de droite et de gauche. Les sillages des cachalots divergeaient. Les baleinières elles aussi s'écartèrent. Starbuck donnait la chasse à trois cachalots qui fuyaient à toute allure sous le vent. Notre voile hissée maintenant, nous filions avec une telle vitesse de folie sous le grain qui se levait, que les avirons pouvaient à peine être manœuvrés assez vite pour éviter leur rupture au portage.

Bientôt, nous étions engagés dans un voile de brume qui s'étendait de tous côtés ; nous n'apercevions plus ni vaisseau ni non plus les autres baleinières.

— Avant, avant ! les gars ! dit Starbuck de sa voix chuchotée, tout en serrant encore l'écoute de sa voile. On a le temps d'en tuer un avant le gros du grain. Là, revoilà l'eau blanche ! près à toucher ! Hardi !

Deux cris presque simultanés, entendus par tribord et bâbord, nous apprirent peu après que les autres avaient fait vite eux aussi ; mais à peine les avions-nous perçus qu'avec un sifflement d'éclair, toujours à mi-voix, Starbuck commanda :

— Debout !

Quiequeg, harpon levé, se dressa à la proue.

Quoique chacun des membres de l'équipage tournât le dos au péril de mort qui était là tout près, devant leur course, à voir l'expression intense et tendre du second, ils savaient que l'instant crucial était imminent, d'autant qu'ils avaient les oreilles emplies du bruit d'un énorme brassage, comme si cinquante éléphants froissaient les feuilles de leur litière. Les vagues déferlaient en sifflant autour de nous avec leurs crêtes en furie qui se dressaient comme des serpents en colère ; mais notre canot n'en continuait pas moins de bondir à travers la brume.

— Voilà sa bosse. *Là, là !* Mets-lui-en ! souffla Starbuck.

Un chuintement aigu et bref jaillit du canot : c'était le fer barbelé de Quiequeg. Alors et tout ensemble nous reçûmes une violente poussée venue de l'arrière et un choc brutal sur l'avant, comme si nous avions heurté un écueil ; la voile fut enlevée d'un coup qui éclata comme une explosion ; un jet de vapeur fumante fusa presque dans nos visages ; et nous sentîmes sous nos pieds que tout croulait et s'effondrait comme par l'effet d'un tremblement de terre. Nous étions tous à demi suffoqués, jetés tout à coup, lancés, précipités pêle-mêle dans l'écume fumante de la rafale. Grain, cachalot et harpon s'étaient au même instant confondus ; et le cachalot, à peine éraflé par le dard, avait échappé.

Complètement noyée, notre embarcation n'était pourtant presque pas endommagée. A la nage, nous battîmes alentour pour repêcher les avirons qui flottaient, et les ayant passés par-dessus bord, nous regagnâmes nos places. Assis là, dans l'eau jusqu'aux genoux car la barque était pleine jusqu'aux bancs, il nous semblait que notre baleinière au ras des flots, immobilement suspendue ainsi sur l'abîme, était comme une nef de corail montée jusqu'à nous du fond même de l'océan.

Le vent s'accrut jusqu'au hurlement rauque de l'ouragan; les vagues entrechoquaient furieusement leurs boucliers; une vraie tempête rugissait, cinglait, éclatait et se fendait sur nous comme un feu blanc sur une plaine, où nous brûlions sans être consumés : immortels entre les mâchoires mêmes de la gueule grande ouverte de la mort! En vain hélâmes-nous les autres baleinières; autant hurler dans la cheminée d'une fournaise incandescente pour en appeler aux charbons ardents, que de héler des barques dans une pareille tourmente. Et pendant ce temps, dans leur course emportée, la brume et l'écume s'enténébraient des ombres de la nuit. Plus trace où que ce fût de notre vaisseau. Et le déferlement tonitruant des lames anéantissait tous les efforts que nous tentions pour écoper. Les avirons, inutiles comme engins de propulsion, ne pouvaient plus nous servir que comme engins de sauvetage. C'est ainsi que Starbuck, coupant l'enveloppe imperméable des allumettes de sûreté, et après bien des essais infructueux réussissant à allumer la lampe du fanal, l'amarrant sur une de ces perches naufragées, la tendit à Quiequeg comme le porte-drapeau de notre espoir désespéré. Ainsi donc il s'assit, brandissant haut cette malheureuse chandelle du sein de la désespérance; ainsi donc il était signe et symbole de l'homme sans la foi, qui élève désespérément son espérance du fond même du désespoir.

Trempés jusqu'aux os, grelottant de froid, désespérant de retrouver jamais ou une barque ou le vaisseau, nous levions nos regards en même temps que l'aube. La brume était toujours étalée sur la mer; le fanal, maintenant vide, gisait par le fond du canot. Brusquement Quiequeg bondit sur ses pieds, portant la main en cornet à son oreille. Nous perçûmes tous alors comme un vague grincement de cordages et de vergues que nous couvrait presque entièrement le fracas de la tempête. Le bruit venait sur nous, plus proche, plus proche encore... et soudain la brume fut comme coupée en deux par une énorme forme fantastiquement imprécise. Et lorsque le navire enfin entra en vue, à une longueur à peine de distance, effrayés, nous sautâmes tous à l'eau : il venait droit sur nous.

Tout en nous maintenant parmi les lames, nous vîmes le canot abandonné s'engloutir en tournoyant sous l'étrave du vaisseau, comme un copeau au pied d'une cataracte ; puis la grosse carène passa sur lui, et l'on ne vit plus rien de lui jusqu'au moment qu'il réapparut à la poupe. Nous nageâmes de nouveau vers lui, précipités sur lui par les remous ; et là nous fûmes enfin recueillis et ramenés sans dommage sur le pont. Avant le premier assaut de la rafale, les autres baleinières avaient coupé leur poursuite et regagné le bord à temps. Ils avaient perdu tout espoir de nous retrouver, mais le navire croisait encore sur les parages, pensant tomber peut-être sur quelque témoignage de notre perdition : un aviron flottant ou quelque manche de harpon.

XLIX

LA HYÈNE

Il est de certains moments et des circonstances bizarres, dans cette étrange et confuse affaire que nous nommons la vie, où l'homme prend l'univers entier pour une énorme plaisanterie. Même s'il n'en goûte que très peu l'esprit, faute de l'apercevoir très bien, et même s'il se doute que toute cette plaisanterie ne se fait aux frais de personne si ce n'est aux siens propres, rien pourtant ne l'en décourage et rien ne lui paraît mériter seulement la discussion. Tout lui est bon, il gobe tout : les événements, les croyances, les superstitions, les convictions, les choses les plus coriaces, visibles et invisibles, toutes, autant qu'elles sont, et les plus biscornues ; il est comme l'autruche dont l'estomac digère même des balles et des pierres à fusil. Quant aux petits ennuis et tracas personnels, aux éventualités de désastre complet, aux périls encourus par son corps et ses membres, aux dangers qui menacent son existence même, tout cela et la mort, oui, tout lui apparaît comme autant de bonnes blagues, des farces malicieuses, des espiègleries débordantes de bonne humeur ; tout cela n'est que bourrades dans les côtes distribuées joyeusement par l'invisible, l'insaisissable vieux plaisantin…

Cette sorte de disposition fantasque et cette humeur baroque que je veux dire ne vous prend qu'aux moments de la pire tribulation ; elle vous tombe dessus au beau milieu du plus grave, et ce qui vous paraissait l'instant d'avant de la plus extrême importance n'est plus, soudain, qu'une futilité cocasse, membre et partie de la grande rigolade. Or, rien ne vaut la pêche à la baleine pour engendrer en vous cette sorte facile et dégagée de philosophie spontanée du désespoir. La campagne tout entière du *Péquod* et le grand Cachalot Blanc, son but, m'apparaissaient maintenant sous cette incidence.

– Quiequeg, demandai-je, quand ils m'eurent repêché, le dernier, et hissé sur le pont, alors que je me secouais encore dans mon caban ruisselant ; Quiequeg, mon bon ami, lui demandai-je, est-ce que ce genre de choses est fréquent ?

Sans grand émoi, bien que trempé tout autant, mon ami Quiequeg me laissa comprendre que ce genre de choses était très fréquent.

– Monsieur Stubb, dis-je alors en me tournant vers cette autorité qui, le ciré haut boutonné, fumait pour l'heure fort calmement sa pipe sous l'averse ; monsieur Stubb, s'il me souvient bien, je crois vous avoir entendu dire que de tous les baleiniers à votre connaissance, notre second, monsieur Starbuck, était de loin le plus précautionneux et le plus prudent. Je me prends donc à supposer que de se jeter en aveugle derrière un cachalot en fuite, la voile hissée haut en pleine tourmente dans la brume, ça, c'est le comble de la prudence et de la sagesse pour un baleinier.

– Sûr et certain. J'ai mis à la mer sur des cachalots à bord d'un navire qui faisait eau dans un ouragan, par le travers du cap Horn.

– Monsieur Flask, demandai-je alors en m'adressant à Gros-Bois qui nous écoutait, vous avez l'expérience et moi pas. Pourriez-vous me dire si c'est une loi absolue de la profession, pour un homme aux avirons, de se rompre l'échine à tirer dessus pour aller se jeter tout droit, le dos le premier, dans les mâchoires de la mort ?

– Pouviez pas le dire plus court ? me dit Flask. Oui, c'est la loi. Je voudrais bien voir l'équipe d'un canot nager à culer pour aborder un cachalot de face ! Ha ! ha ! Il vous rendrait œil pour œil, pensez-y !

A bon entendeur donc ; je tenais à présent de la bouche de trois témoins impartiaux un état complet et circonstancié du cas et de la chose. Considérant, par conséquent, que les grains, les capotages dans l'eau et les bivouacs sur l'abîme qui y font suite sont le pain quotidien de ce genre d'existence ; considérant qu'il me fallait, au suprêmement crucial instant où l'on fonce droit sur le cachalot,

remettre absolument ma vie entre les mains de celui qui tient la
barre de la baleinière – lequel souvent est un compère qui vous
ferait chavirer, à cet instant précis, par son impétuosité naturelle,
ses mouvements désordonnés et ses piétinements frénétiques ;
considérant que dans le cas particulier de notre désastre particulier,
sur notre baleinière particulière, la responsabilité incombait en
majeure et première part à Starbuck, qui avait continué de mener
sus au cachalot jusqu'au cœur même de la tourmente ; considérant
que Starbuck, ce néanmoins, était fameux dans toute la grande
pêche pour son immense circonspection ; considérant que j'étais
affecté à la baleinière de cet extraordinairement prudent Starbuck ;
et considérant pour finir dans quelle diabolique affaire de chasse je
me trouvais impliqué avec le Cachalot Blanc ; considérant donc,
pour me résumer, tous ces différents points pris ensemble, je me dis
que je pouvais tout aussi bien descendre et me mettre sans plus tarder à rédiger le brouillon de mes dernières volontés.

– Viens Quiequeg, lui dis-je, tu vas me servir de notaire, de
témoin, d'exécuteur et d'héritier tout ensemble.

Il peut sembler curieux que, de tous les humains, les marins soient
les hommes le plus portés à reprendre la rédaction de leurs testa-
ments et volontés dernières ; mais il n'y a personne, en effet, pour se
montrer aussi féru de cette distraction. C'était, pour moi, la quatrième fois que je m'y livrais au cours de ma vie nautique. La cérémonie une fois accomplie, cette fois-ci, je me sentis tout soulagé ; une
pierre de moins sur mon cœur. En outre, toutes les journées qu'il
me serait donné de vivre désormais me seraient aussi bienvenues
que chacun des jours vécus par Lazare après sa résurrection : un
supplément tout en bénéfice de tant de mois ou de semaines selon
le cas. Je me survivais positivement. Je portais ma mort et mon
enterrement cadenassés dans ma poitrine. Aussi regardais-je tout
autour de moi tranquille, content et satisfait, tel un paisible revenant, de conscience pure, douillettement installé derrière les murs
et les barreaux d'un confortable tombeau de famille.

Et maintenant, me disais-je, tout en roulant inconsciemment
mes manches de chemise jusqu'au coude, allons-y et de sang-froid
pour le plongeon à la mort et à la destruction ; et sauve qui peut !

LE CANOT D'ACHAB ET SON ÉQUIPE ;

FÉDALLAH

– Qui l'eût cru, Flask ! s'exclamait Stubb. Si je n'avais qu'une jambe, ce n'est pas moi qu'on verrait dans un canot, à moins que ce ne soit pour cheviller son nable du bout de mon pilon. Ah ! c'est un stupéfiant vieil homme, le vieux !

– Je ne vois pas ce qu'il y a là de si étonnant, répondit Flask. S'il avait la jambe amputée au ras de la hanche, ça serait une toute autre histoire. Là, ce serait une avarie ! mais il a encore un genou, vous savez, et un bon bout de l'autre qui lui reste.

– Savais pas ça, mon petit vieux. L'ai encore jamais vu jusqu'à présent s'agenouiller !

☆

Parmi les spécialistes et docteurs en pêche à la baleine, la question a été souvent débattue de savoir si, compte tenu de l'importance capitale de sa vie pour le succès de la croisière, le capitaine d'un baleinier avait le droit de risquer cette vie dans les aléas de la chasse proprement dite. De même la troupe de Tamerlan discutait-elle souvent, les larmes aux yeux, pour savoir si cette existence sans prix pouvait être portée au plus chaud du combat.

Mais avec Achab, la question se posait différemment. Attendu que sur ses deux jambes l'homme n'est déjà qu'un pauvre hère claudiquant au milieu de toutes sortes de dangers ; attendu que la poursuite du cachalot ne se fait pas sans de grandes difficultés peu ordinaires, et que chaque instant comporte en réalité un péril particulier, était-il sage pour un homme amputé de prendre part à la poursuite, et place dans une baleinière ? D'une façon générale, les copropriétaires du *Péquod* devaient avoir opiné que non, tout simplement.

Achab savait très bien que ses amis nantuckais ne se seraient pas formalisés de le voir monter à bord d'une baleinière dans certaines circonstances relativement faciles de la chasse, ne fût-ce que pour se trouver lui-même plus proche de l'action et la diriger en personne ; mais de là à avoir sa propre baleinière personnelle qui fît de lui un participant régulier – et par-dessus tout, que ce canot fût armé d'un équipage spécial avec cinq hommes supplémentaires – c'était, Achab le savait très bien, c'était une manière généreuse de voir les choses dont les armateurs du *Péquod* restaient très éloignés. Aussi n'avait-il pas sollicité d'eux cet équipage et ne leur en avait-il soufflé mot. Il avait pris ses mesures personnelles et ses dispositions privées pour toute l'affaire. Jusqu'à ce que Cabaco en répandît la nouvelle après la découverte d'Archy, les matelots n'avaient eu vent de rien. Certes, lorsque selon l'usage tous les hommes s'étaient affairés, peu après qu'on eut quitté le port, à l'armement et au fignolage des baleinières de service, ils avaient pu voir peu après Achab s'occuper lui-même de tailler des tolets pour ce qu'on croyait être le canot de rechange, et même façonner de ses propres mains et avec grand soin les petites brochettes de bois qui se fichent dans le plat-bord sur l'avant du canot, de chaque côté de la rainure où file la ligne ; on avait pu voir cela et aussi l'attention toute particulière qu'il porta à faire poser dans son canot un bordage de fond supplémentaire, comme pour mieux s'assurer qu'il résisterait au poids porté par son pilon d'ivoire ; on avait remarqué aussi le soin qu'il avait pris lui-même, et combien il s'était montré anxieux de vérifier la forme et la disposition de la planche à cuisse, ou taquet gourd, comme on nomme parfois cette horizontale pièce de bois à la proue, contre laquelle on cale son genou pour lancer le harpon ou jouer de la lance contre la baleine ; et quand on eut enfin remarqué combien souvent il revenait dans ce même canot, s'y tenant droit, le genou calé dans la demi-lune du taquet, creusant un petit peu ici, planant un petit peu là avec un ciseau de charpentier ; tout cela ne fut pas sans éveiller la curiosité et susciter l'intérêt. Mais presque tout le monde s'était dit que ces soins tout particuliers et cette prévoyance chez Achab étaient en vue de l'ultime poursuite de Moby Dick, puisqu'il avait déjà révélé son intention de chasser personnellement ce monstre ; et dans cette supposition, nul n'avait jamais eu le moindre soupçon qu'un équipage spécial pût être affecté à ce canot.

Quant aux fantômes susdits, ce qui restait d'étonnement à leur sujet eut tôt fait de disparaître, parce que sur un baleinier tous les étonnements ne tardent guère à s'évanouir. Et puis, on voit venir de tous les coins, des bouges et des recoins les plus perdus du monde tant de types bizarres, d'échantillons extraordinaires, rejetés de toutes et des plus étrangères nations, lesquels constituent le personnel ordinaire de ces hors-la-loi flottants que sont les vaisseaux baleiniers ; les navires eux-mêmes, bien souvent, récoltent au passage de si stupéfiantes créatures, vrais déchets de l'humanité ballottés en plein océan sur des planches, des épaves, des bouts de vergue ou d'aviron, des canots perdus, des baleinières à demi naufragées, des jonques désemparées ou Dieu sait quoi encore, que Belzébuth en personne pourrait grimper à bord et descendre au carré faire un bout de causette avec le capitaine, sans pour autant provoquer au gaillard d'avant, au poste d'équipage, un excès d'émotion.

Le certain, en tout cas, c'est que les fantômes susdits trouvèrent sans tarder leur place parmi l'équipage ; sauf Fédallah toutefois, l'homme aux cheveux en turban, qui paraissait en quelque sorte distinct des autres, et qui demeura toujours assez mystérieux jusqu'à la fin. D'où venait-il, de quel coin de ce monde habité par les hommes, pour être lié comme il l'était, attaché si étroitement et si inexplicablement aux personnelles aventures d'Achab, au point même qu'il possédait sur lui une sorte d'ascendant à demi avoué ? Dieu le sait ; mais il paraissait même qu'il eût par certains côtés une certaine autorité sur notre capitaine ! Nul n'y comprenait rien. Mais Fédallah, on peut le dire, ne laissait personne indifférent à bord. C'était l'un de ces êtres que les humains domestiqués, les gens civilisés des zones tempérées ne peuvent guère qu'entrevoir dans leurs rêves, et encore très lointainement : une de ces créatures comme on en voit parfois apparaître réellement dans telles sempiternelles collectivités asiatiques, notamment dans les îles orientales qui s'égrènent à l'est de ce continent; terres immémoriales, isolément immuables, où même jusqu'au sein de nos modernes jours se reflète et se perpétue fantomatiquement l'archétype original des premières générations humaines de la terre, lorsque dans toutes les mémoires vivait encore le souvenir du premier homme, et que ses descendants presque immédiats, ignorant d'où ils venaient, se regardaient tous encore les uns les autres comme des apparitions, demandant toujours et encore au soleil et à la lune pourquoi ils avaient été créés, et à quelle fin – même si la Genèse nous rapporte que les Anges, en vérité, épousèrent les filles des hommes, et si les rabbis peu canoniques ajoutent que semblablement les démons s'adonnèrent à de mondaines amours.

LE SOUFFLE SPECTRAL

Des jours passèrent ; des semaines passèrent. Par beau temps et navigation facile, notre ivoirin *Péquod* avait croisé avec lenteur sur quatre différents parages de pêche : celui des Açores, celui du cap Vert, sur la Plate (comme on appelle celui qui s'étend au large de l'embouchure du Río de la Plata), et sur celui de Carrol, une étendue marine indéterminée qui se situe au sud de Sainte-Hélène.

Nous glissions paresseusement dans ces dernières eaux par une sereine et claire nuit de lune, avec les vagues qui semblaient des rouleaux d'argent et, par leur doux et lent déroulement immense, répandaient comme un argent de silence dans ce qui n'était plus la solitude, lorsque bien en avant de l'étrave où dansaient des bulles blanches, un souffle lointain et argenté fut aperçu. Baigné de lune, il paraissait céleste ; c'était un dieu empanaché et scintillant qui semblait se lever des flots.

Fédallah avait été le premier à l'annoncer ; car par ces belles nuits de lune, c'était son habitude que de monter à la vigie de grand mât où il restait à guetter avec autant de précision que si c'eût été le plein jour. Et pourtant, même si de nuit on repère des bandes de cachalots ou de baleines, pas un baleinier sur cent ne mettrait à la mer pour se hasarder à leur suite. Aussi pouvez-vous imaginer quels sentiments agitaient l'équipage, à voir ce vieil Oriental perché là-haut à de pareilles et aussi insolites heures, son turban et la lune se tenant compagnie au même ciel. Mais après qu'il eut passé plusieurs nuits de suite un égal séjour là-haut sans jamais proférer le moindre son, lorsque soudain, après tout ce

silence, cette voix surnaturelle se fit entendre pour signaler le jet
lunaire de ce souffle d'argent, il n'y eut pas un homme étendu qui
ne sauta sur pieds, comme si là-haut dans la mâture c'était un
esprit ailé qui se fût posé, hélant l'équipage mortel : « Souffle !
là-bas ! souffle ! » Les hommes n'eussent pas pu sursauter davantage à l'appel de la trompette du Jugement dernier ; seulement ce
fut sans terreur, au contraire, c'était avec plaisir qu'ils répondaient
à l'appel. Car malgré l'heure parfaitement indue, tous souhai-
taient instinctivement qu'on mît à la mer, tant ce cri était excitant
dans la force de son émotion délirante.

Courant le pont à pas rapides et en tanguant, Achab fit établir
les perroquets et les cacatois, ainsi que toutes les bonnettes. Le
meilleur timonier du bord dut prendre la barre. Les trois vigies
furent occupées à la pomme des mâts. Et ainsi, toute toile dessus,
le navire fila plein vent arrière. L'étrange impulsion comme ascen-
dante, élévatrice, de cette brise de poupe portant plein au ventre
de tant de voiles, vous donnait sur le pont une impression d'envol,
un sentiment de légèreté comme si vous marchiez en planant sur
l'air ; et le navire se ruait en avant comme si deux influences
contraires luttaient en lui : l'une qui voulait s'enlever directement
vers le ciel, et l'autre qui tendait à le détourner vers quelque but
horizontal. Si vous aviez vu le visage d'Achab cette nuit-là, vous
eussiez pensé qu'en lui aussi deux choses antagonistes guer-
royaient ; et tandis qu'il marchait, sa jambe vivante tout au long
du pont éveillait des échos alertes, cependant que sa jambe morte
frappait des coups comme ceux d'un marteau sur un cercueil
qu'on ferme. Il cheminait à la fois sur la vie et sur la mort, le vieil
homme ! Mais si rapide que fût la vitesse du navire, et bien qu'à
bord tous les regards fussent tendus, aigus comme autant de
flèches tirées sur l'horizon droit devant, le souffle argenté ne fut
plus aperçu cette nuit-là. Chacun des matelots jura l'avoir vu une
fois, mais pas deux.

Ce souffle de minuit était presque passé dans l'oubli lorsque,
quelques jours plus tard, voilà qu'à la même heure silencieuse il
fut de nouveau annoncé, et le cri répété par tous. Mais quand on
eut mis le cap droit dessus, une fois de plus il disparut comme s'il
n'avait jamais été. Et ainsi fit-il nuit après nuit, tant et si bien que

nul n'y prit plus garde à bord, autrement que pour s'étonner du
curieux phénomène. Mystérieusement lancé dans le clair de lune
ou sous le lustre des étoiles, selon le cas, il disparaissait ensuite
complètement pour un jour entier, ou deux jours ou même trois ; et
quand il réapparaissait sur notre avant, ce jet solitaire, chacune de
ses répétitions distinctes semblait nous devancer toujours un peu
plus, un peu plus, comme pour nous entraîner dans notre course.

Poussés par l'atavique superstition du marin, mais non sans se
trouver en accord avec le caractère préternaturel de bien des
choses sur le *Péquod*, plusieurs des hommes à bord étaient prêts à
jurer que ce souffle insaisissable, quel que fût le moment et quel
que fût le lieu de son apparition, dans les temps les plus reculés
comme dans les mers les plus lointaines, appartenait toujours au
même cachalot ; et que ce cachalot, c'était Moby Dick. Car cette
apparition fugitive ne manqua pas de faire régner pendant un certain temps un sentiment d'effroi à bord, comme si, traîtresse, elle
eût voulu nous séduire et, nous tirant à elle, nous entraîner toujours et toujours plus loin, jusqu'au jour où le monstre pourrait se
retourner contre nous et finalement nous déchiqueter dans les plus
reculées, dans les plus solitaires et les plus sauvages des mers.

Ces appréhensions pendant un temps, si vagues mais si
effrayantes, tiraient encore un surcroît de puissance de leur
contraste avec la sérénité merveilleuse du temps ; en dépit de toute
sa douceur, se cachait sous l'azur le soupçon de quelque maléfice,
un charme diabolique qui nous suivait jour après jour sur ces mers
de miel si seulement, si monotonement douces qu'il semblait que
tout l'espace devant nous se vidât de vie, par horreur de notre
quête vengeresse, devant l'urne de notre proue.

Ce n'est que lorsque nous eûmes mis à l'est ; lorsque les vents du
Cap commencèrent à hurler sur nous et que nous fûmes secoués
sur les longues houles de ces mers troublées ; lorsque notre *Péquod*
aux défenses d'ivoire ploya profondément sous l'ouragan et
laboura les noires lames en furie ; ce n'est que lorsque les flammes
d'écume scintillante volèrent par-dessus nos pavois, que cette
viduité de vie s'éloigna, mais pour faire place à des réalités et des
spectacles plus lugubres encore.

Juste devant l'étrave, on voyait se lever çà et là d'étranges

formes hors de l'eau, tandis que des vols épais de cormorans énigmatiques accompagnaient notre poupe. Chaque matin, par rangées entières, ces corbeaux de mer étaient perchés sur nos étais, et
malgré nos cris, longtemps encore, obstinément, ils restaient
accrochés à notre chanvre, ayant l'air de considérer notre navire
comme une épave abandonnée qui dérivait, comme une chose de
désolation destinée à la désolation, et donc un perchoir idéal pour
eux, êtres sans gîte. Souffle sur souffle, les noires eaux angoissées
se soulevaient comme si l'énorme halètement de la mer était celui
d'une conscience, et comme si l'immense âme du monde était dans
l'angoisse, tourmentée de remords pour le péché et la souffrance
interminables qu'elle avait enfantés.

Cap de Bonne-Espérance, le nomme-t-on ? Cap des Tempêtes,
plutôt, ainsi qu'on l'appelait jadis ; car longtemps enchantés sous
les perfides silences qui nous avaient accompagnés, nous nous
trouvions maintenant jetés dans ces mers tourmentées où des êtres
coupables, transformés en ces oiseaux gémissants et en ces poissons obscurs, semblaient condamnés à nager perpétuellement dans
ces eaux sans l'espoir d'aucun havre sur le rivage, à battre interminablement des ailes dans cet air noir sans aucun horizon. Mais
immuable et calme, blanc de neige, faisant jaillir toujours son jet
duveteux vers le ciel, toujours nous faisant signe par-devant, le
souffle solitaire ne cessait d'apparaître de temps à autre.

Durant cet assombrissement tout ténébreux des éléments,
Achab, qui assuma presque sans discontinuer le commandement
sur le pont détrempé et dangereux, se montra de l'humeur la plus
taciturnement noire, n'adressant pour ainsi dire jamais la parole à
ses officiers. Dans ces passages de tempête, une fois que tout a été
fait et assuré sur les ponts comme dans la mâture, il n'y a pratiquement plus rien qu'on puisse faire, si ce n'est d'attendre passi-
vement la fin du gros temps. Le capitaine comme son équipage
deviennent des fatalistes de fait. Et c'est ainsi qu'Achab, sa jambe
d'ivoire fichée dans son trou habituel, se tenant fermement d'une
main à quelque manœuvre du gréement, restait planté des heures
à regarder fixement dans le vent, les cils presque gelés sous de successives rafales de neige ou de grêle. Et pendant ce temps, chassé
du gaillard d'avant par les dangereux paquets de mer qui venaient

s'y écraser, l'équipage restait aligné contre la muraille du passavant où chaque homme, pour mieux se garantir contre les coups de
mer, se tenait amarré par une sorte de bouline dans laquelle il était
ballotté comme dans une ceinture un peu lâche. On ne parlait pas,
ou peu, et le silencieux navire, comme s'il était manœuvré par un
équipage de matelots de cire, courait jour après jour à travers la
furieuse folie et la joie déchaînée des vagues démoniaques. De
nuit, le même mutisme des hommes régnait devant les hurlements
de l'océan ; toujours taciturnes, les matelots étaient balancés dans
leurs boulines ; toujours taciturne, le sombre Achab affrontait la
rafale. Et même lorsque la nature harassée en lui semblait vouloir
exiger le repos, Achab refusait de le lui donner dans son hamac.
Jamais Starbuck ne pourra l'oublier, l'air qu'avait le vieil homme
quand une nuit, alors qu'il descendait pour relever le baromètre, il
l'aperçut assis tout raide, les yeux clos, sur sa chaise boulonnée ; la
pluie et la neige fondue de l'ouragan d'où il venait à peine de sortir lui dégouttaient encore du chapeau et du caban qu'il n'avait
point ôtés. Sur la table à côté de lui, encore étalée, il y avait l'une
de ces cartes marines dont nous avons déjà parlé. Dans son poing
fortement serré, à bout de bras, se balançait sa lampe. Son buste
était droit, mais sa tête rejetée en arrière, de sorte que ses yeux clos
semblaient fixer quand même l'aiguille de la « rapporteuse » suspendue à l'un des barrots, au plafond [1].

   « Terrible vieil homme, pensa Starbuck avec un frisson, tu dors
en pleine tempête, et pourtant tu fixes toujours fermement ton
objectif ! »

---

   1. L'axiomètre est appelé la rapporteuse parce que le capitaine, sans aller
consulter le compas à la barre, peut savoir d'en bas quel est le cap du navire. (NdA.)
   C'est un petit indicateur qui donne la direction de la barre et, partant, la
marche du navire. (NdT.)

L'ALBATROS

Au sud-est du Cap, à distance des îles de l'Archipel Crozet, sur d'excellents lieux de pêche pour la baleine franche, nous vîmes apparaître un voilier devant nous : le *Goney*. Tandis qu'il glissait lentement vers nous, moi, sur mon perchoir de vigie à la pomme d'artimon, je m'emplissais les yeux de ce spectacle remarquable pour un novice de la grande pêche : un baleinier en croisière, et depuis longtemps parti de son port d'attache.

Il avait été blanchi par les houles comme par des foulons, autant que le squelette desséché d'un morse sur le sable. Tout au long de ses flancs de spectrale apparence, de haut en bas, avaient coulé de longues traînées roussâtres de rouille, tandis que toute sa mâture et ses manœuvres apparaissaient comme de fortes branches enrobées de givre. Il ne portait que sa basse toile. Et c'était une étrange vision que celle des trois hommes de vigie, tout là-haut, avec leurs longues barbes. On les eût dit vêtus de peaux de bêtes, tant fauves, rapiécés et informes étaient leurs vêtements qui survivaient à quelque quatre années de campagne. Suspendus verticalement dans des cerceaux de fer fixés aux mâts, ils étaient bercés par-dessus les abîmes sans fond ; et quand leur bâtiment proche vint à glisser sous notre poupe, nous, les six hommes de la pomme des mâts, nous défilâmes si près que presque nous aurions pu sauter d'une mâture dans l'autre. Néanmoins ces guetteurs à la triste mine, avec un lent regard au passage, ne nous dirent pas un mot. Montant jusqu'à nous du gaillard d'arrière, nous entendîmes la voix qui hélait :

– Ohé du navire ! Avez-vous vu le Cachalot Blanc ?

Le capitaine étranger, penché par-dessus son pavois livide, allait répondre dans le porte-voix qu'il mettait à ses lèvres quand celui-ci lui échappa des mains et tomba à l'eau ; avec la brise qui s'était levée, ce fut en vain qu'il essaya de se faire entendre sans l'instrument, tandis que la distance entre les deux vaisseaux croissait à mesure. Les matelots du *Péquod*, par des gestes divers et des mimiques silencieuses, exprimaient combien cet accident, à la seule mention du Cachalot Blanc faite à un autre navire, leur paraissait de mauvais présage ; Achab, pendant ce temps, se tut. Il avait l'air presque décidé à mettre un canot à la mer pour accoster l'étranger, n'était la brise fraîche et menaçante qui s'y opposait. Mais profitant du fait qu'il parlait sous le vent, il s'empara de son porte-voix une seconde fois, et, ayant reconnu à son aspect que le voilier était un nantuckais qui n'allait pas tarder à faire retour, il le héla de toute sa voix :

– Ohé là-bas ! Ici le *Péquod* en route pour le tour du monde ! Dites-leur d'adresser toutes leurs lettres à venir dans l'océan Pacifique ! Et si d'ici trois ans je ne suis pas là, qu'ils les adressent à...

Les deux sillages étaient nettement croisés et à ce moment précis, selon leurs mœurs constantes mais étranges, les bancs de gracieux petits poissons qui nageaient depuis plusieurs jours autour de nous filèrent soudain d'un seul trait comme avec épouvante, pour aller se masser autour de l'autre vaisseau. Bien que dans ses continuelles navigations, Achab eût dû souvent remarquer ce même phénomène, comme tout et les plus petites choses se chargent de sens pour un homme obsédé par une idée fixe, il s'en affecta.

– Vous filez loin de moi, n'est-ce pas ? murmura-t-il, le regard fixé sur la mer.

Ce n'étaient que quelques mots, mais il y avait dans l'accent qu'il y avait mis une profondeur de tristesse irrémédiable que le vieil homme délirant n'avait encore jamais avouée. Puis se tournant soudain vers le timonier, qui avait serré le vent pour ralentir la course du navire pendant ce temps-là, de sa voix de vieux lion, il ordonna :

– La barre dessus ! Le cap sur le tour du monde !

Le tour du monde ! Certes, il y a dans ces mots de quoi vous ins-
pirer de la fierté ; mais où donc nous conduisait-elle, toute cette
circumnavigation ? Seulement à travers d'innombrables périls au
juste point d'où nous étions partis, où ceux que nous avions laissés
en sûreté derrière nous étaient, et seraient pendant tout ce temps,
devant nous.

Si ce monde était une plaine infinie et si, en faisant voile sur
l'orient, nous pouvions à jamais gagner de nouvelles distances et
découvrir toujours de nouvelles vues plus exquises que toutes les
Cyclades ou toutes les îles du roi Salomon, alors oui, le voyage
serait plein de promesses. Mais à la poursuite des lointains mystères dont nous rêvons, comme à la chasse de ce fantomatique
démon qui toujours, un jour ou l'autre, nage devant le cœur de
tout humain, oui, à pourchasser ce genre de choses tout autour du
monde, nous nous laissons entraîner dans de désertiques laby-
rinthes, quand nous ne faisons pas naufrage à mi-chemin.

LE « G A M »

L'ostensible raison pour laquelle Achab n'avait pas mis à la mer pour monter à bord du baleinier était que le vent et la mer annonçaient un grain. Mais si ce n'avait pas été le cas, il ne l'aurait tout de même peut-être pas accosté, après tout, à en juger par la conduite qu'il tint dans d'analogues circonstances par la suite, quand après avoir hélé un navire il avait obtenu une réponse négative à la question qu'il posait. Il ne se souciait guère, comme cela devait nous être démontré en l'occurrence, d'établir le contact et de tenir conversation avec un autre capitaine, fût-ce même pour cinq minutes, si cela ne devait pas contribuer par quelque information à son absorbante quête. Mais pour qu'on comprenne bien ce qu'il y avait d'insolite en tout cela, il nous faut dire quelques mots ici des usages particuliers chez les baleiniers lorsqu'ils font rencontre sur des mers étrangères, et tout spécialement sur de communs parages de pêche.

Que deux inconnus se croisent dans les landes et les désertiques pinèdes de l'État de New York ou dans la plaine également désolée de Salisbury en Angleterre ; que par hasard ils viennent à se rencontrer dans d'aussi sauvages étendues, ils ne manqueront pas, leur en dût-il coûter la vie, d'échanger un premier salut, puis s'arrêtant, d'échanger des nouvelles, et peut-être même de s'asseoir de concert et de passer ensemble un moment à se reposer. Quoi de plus naturel, donc, que sur les landes illimitées et les plaines sans fin de la mer, deux baleiniers venant à s'apercevoir l'un l'autre en quelque bout perdu du globe, dans les eaux lointaines des îles

Fanning, par exemple, ou très au-delà de King's Island, si l'on veut
– quoi de plus naturel, dis-je, si en pareille occasion les voiliers ne se
contentent pas d'échanger un salut de la voix mais se rapprochent
pour un plus amical et plus civil échange ? Et combien plus naturels encore paraîtront ces usages, si d'aventure les deux vaisseaux
sont attachés au même port et si leurs capitaines, leurs officiers et
nombre d'hommes encore se connaissent personnellement, et donc
ont des tas de choses à se dire, familières et familiales.

Pour le vaisseau depuis longtemps en croisière, celui qui est
parti plus récemment a peut-être des lettres à bord ; il aura en tout
cas des journaux d'une date postérieure d'un an ou de deux aux
torchons jaunis que le premier avait emportés. Et en échange de
cette politesse, le nouveau venu recevra les derniers tuyaux techniques sur les parages de croisière qu'il doit aller sans doute visiter, chose de la plus grande importance pour lui. Et à un certain
degré, à vrai dire, tout cela reste valable pour deux navires qui se
rencontrent sur les parages proprement dits, même s'ils sont partis de chez eux à peu près à la même époque et absents depuis une
égale durée. L'un des deux peut avoir reçu, en effet, un transfert de
courrier d'un troisième bord maintenant fort éloigné ; et parmi ces
lettres, il se peut qu'il y en ait qui soient adressées à des hommes
du bateau rencontré à présent. En outre, ils échangeront des nouvelles de la « baleinerie » et auront un moment agréable de conversation, nourri non seulement de la sympathie naturelle entre
marins, mais encore et en sus de toutes les affinités plus particulières qui leur viennent de leurs occupations communes et de
l'identité des privations et des périls encourus par les uns et les
autres.

Et même une différence de pays d'origine ne mettra pas entre
eux d'essentielle différence, quand chacun des deux bords, veux-je
dire, parle une même langue, comme c'est le cas entre Américains
et Anglais – encore que de pareilles rencontres évidemment se produisent plutôt rarement, étant donné le petit nombre des baleiniers
anglais ; et non sans qu'une certaine gêne ne survienne sensiblement, infailliblement entre les uns et les autres, lorsque de telles
rencontres se produisent. C'est que l'Anglais est assez froid et distant, ce que l'Américain ne supporte et n'admet en général que de

lui-même. Les baleiniers anglais, parfois aussi, affectent une sorte
de supériorité citadine à l'égard des Américains, considérant le
Nantuckais grand et maigre, avec ses provincialismes indéfinis-
sables, comme une sorte de paysan de la mer. Mais en quoi cette
prétendue supériorité du baleinier anglais peut bien consister, ce
serait réellement difficile de le dire, étant que le Yankee en collecti-
vité tue en un jour plus de baleines que le Britannique collective-
ment n'en tue en une année. C'est d'ailleurs là une innocente petite
faiblesse chez les baleiniers anglais, que les Nantuckais ne prennent
pas trop à cœur – probablement parce qu'ils savent qu'ils ne sont
pas exempts eux-mêmes de ce genre de petites faiblesses.

Ainsi donc voyons-nous que, de tous les navires qui, à différents
titres, croisent sur les océans, les baleiniers ont toutes les raisons
du monde d'être sociables ; et ils le sont. Alors que maints vaisseaux marchands qui croisent leurs sillages en plein Atlantique
passeront outre bien des fois sans même un simple mot signalant
qu'ils se sont vus, se toisant l'un l'autre en plein océan comme
peuvent le faire deux dandy en plein Broadway ; et non, peut-être,
sans s'assaisonner réciproquement de fines critiques sur leur gréement. Quant aux bâtiments de guerre, lorsqu'il arrive qu'ils se
croisent en mer, ils se lancent aussitôt dans une telle gamme
d'absurdes salamalecs, de saluts, de courbettes et de révérences du
pavillon, qu'il y a fort à douter de la franche cordialité et du fraternel amour de ces démonstrations. Si nous parlons maintenant
de la rencontre en mer de deux négriers, il nous faut dire qu'ils
sont si pressés l'un et l'autre qu'ils n'ont qu'une hâte : c'est de
s'écarter au plus vite. Quant aux pirates, enfin, s'ils viennent à
croiser leurs tibias croisés, la première chose qu'ils se hèlent, c'est :
« Combien de crânes ? » exactement comme les baleiniers se
demandent : « Combien de barils ? » Et sitôt la réponse obtenue, ils
s'empressent de tirer à part l'un de l'autre, étant de si infernaux
scélérats sur chaque bord, qu'ils n'ont nulle envie de retrouver
chez un autre le portrait et les témoignages de leur propre scélératesse.

Voyez maintenant le bon, l'honnête, le non-ostentatoire, l'hospitalier, le sympathique, le franc et simple baleinier ! Que fait-il, le
baleinier, quand il rencontre un autre baleinier par un temps à peu

près maniable ? Un *Gam*, voilà ce qu'il fait ; et c'est une chose tellement inconnue de toutes les espèces d'autres vaisseaux qu'on en ignore jusqu'au nom ; ou bien, si d'aventure ils l'entendent prononcer, ce n'est que pour en rire et s'en moquer avec toutes sortes de plaisanteries visant les « souffleurs », les « bouilleurs de graisse » et autres charmantes dénominations. Comment donc se fait-il que tous les matelots à bord de tous les navires marchands, comme à bord de tous les vaisseaux pirates et de tous les vaisseaux de guerre, et aussi de tous les vaisseaux négriers, nourrissent un si hautain mépris à l'égard des vaisseaux baleiniers ? C'est une question à laquelle il paraît bien difficile de répondre. Car dans le cas des pirates, par exemple, je voudrais bien apprendre quelle sorte de gloire si particulière s'attache à leur profession. C'est vrai qu'elle prend fin parfois avec une haute situation, mais uniquement à la potence ; et quand un homme se trouve élevé de cette façon-là, il est apparemment mal fondé à se vanter de son élévation personnelle ou à en tirer un air de supériorité quelconque. C'est aussi ce qui me permet de conclure qu'en se flattant lui-même d'être bien au-dessus du baleinier, le pirate ne se fonde sur rien de très solide.

Mais un Gam, qu'est-ce donc ? Vous pourriez user jusqu'à l'os de votre malheureux index à suivre de haut en bas les colonnes des dictionnaires, vous ne trouverez pas ce mot. Le docteur Johnson ne parvint jamais à étendre jusque-là son érudition, et l'arche de Noé philologique de Webster ne l'a non plus point embarqué. Et pourtant ce mot significatif est depuis des années d'un usage constant parmi quelque quinze mille purs et vrais Yankees de naissance. Assurément il lui faut une définition, qu'il puisse être incorporé au dictionnaire. Laissez-moi donc, dans cette intention, le définir avec science.

GAM : *substantif masculin ; rencontre sympathique de deux (ou plusieurs) vaisseaux baleiniers, généralement sur les parages de pêche, lesquels, après s'être hélés réciproquement, échangent des visites d'équipage à équipage : les deux capitaines restant ensemble à bord d'un des navires pendant ce temps, tandis que les seconds se rejoignent sur l'autre.*

Il y a un petit article supplémentaire touchant le gammage, qui ne doit pas être omis ici. Toutes les professions ont leurs petites singularités spécifiques, et la pêche à la baleine n'y fait pas exception. Ainsi lorsque sur un vaisseau pirate, de guerre, ou négrier, le capitaine se rend quelque part dans sa chaloupe, il est toujours assis confortablement en poupe sur quelque siège parfois même capitonné, et souvent il barre lui-même son embarcation avec un délicieux petit gouvernail de modiste décoré de cordons et de rubans du plus heureux effet. En revanche la baleinière ne comporte pas de siège en poupe, pas le moindre divan ou sofa d'aucune sorte, et pas l'ombre d'un gouvernail. Il ferait beau voir, en vérité, que les capitaines baleiniers se fissent véhiculer sur des fauteuils à roulettes, tels de vieux magistrats goutteux dans leurs poussettes d'infirmes! Et pour ce qui est du gouvernail, la baleinière ne saurait rien recevoir d'aussi efféminé; de sorte que dans le gammage, la baleinière quittant le bord avec son équipage au complet, harponneur compris, lequel harponneur détient l'aviron de queue pour la circonstance, le capitaine, par conséquent, n'ayant nulle place où s'asseoir, est contraint d'aller faire sa visite tout droit debout comme un pin. Et vous pourrez souvent remarquer que ce capitaine, conscient d'être l'attraction capitale de tout le monde visible, sentant posés sur lui les yeux de tout l'équipage à bord de chacun des deux vaisseaux, oui, vous pourrez souvent le voir érigé dans toute son importance et essentiellement préoccupé de maintenir sa dignité par le soutien de ses jambes. Ce qui est loin, croyez-moi, d'être une petite affaire, et rien moins que facile. Car il a dans son dos l'énorme bras de l'aviron de queue qui vient de temps à autre lui percuter le bas des reins, et devant lui l'aviron du chef de nage qui lui rabote les genoux. Entièrement donc emprisonné par-devant et par-derrière, il ne peut jouer que latéralement sur ses jambes pour rétablir un équilibre souvent compromis, et parfois même gravement par quelque violent mouvement du canot qui risque de le jeter bas; car la largeur des fondations n'est rien sans la longueur correspondante. Autant vouloir écarter deux bâtons maintenus en pointe au sommet, et vouloir les faire tenir debout! Mais il n'empêche pourtant, sous les regards rivés sur lui de l'univers entier, il n'empêche, dis-je, qu'il ne conviendrait pas que sur ses jambes écartées notre capitaine fût surpris à

se vouloir étayer si peu que ce fût en tenant quelque appui avec
l'une ou l'autre de ses mains, ah ! non ; et comme signe et témoignage d'une maîtrise de soi aussi entière qu'élastique, il va généralement les mains profondément enfouies dans ses poches. Il est
vrai d'ajouter sans doute, que comme ce sont en général de lourdes
et grosses mains, elles lui servent peut-être de lest. Mais il est non
moins vrai qu'en de certaines occurrences, parfaitement authentiques et authentifiées également, on aura pu voir le capitaine,
dans un ou deux moments particulièrement et exceptionnellement
critiques, dans un mauvais grain très subit, disons, empoigner fortement aux cheveux le plus proche rameur et s'y cramponner dur
et ferme comme la mort, oui, comme la sinistre mort.

L'HISTOIRE DU « TOWN-HO »

(Contée comme à la Taverne Dorée.)

Le cap de Bonne-Espérance et toute la région marine avoisinante, c'est un peu comme un important carrefour de grands chemins, où se rencontrent plus de voyageurs qu'en tout autre lieu.

Il n'y avait pas très longtemps qu'avait été hélé le *Goney* de notre bord, quand nous croisâmes un second baleinier sur la route du retour : le *Town-Ho*[1]. Il était armé presque exclusivement par des Polynésiens. Au cours du bref gammage qui suivit cette rencontre, il nous donna d'importantes nouvelles de Moby Dick. Et pour certains d'entre nous, l'intérêt purement général porté jusqu'alors au Cachalot Blanc se trouva désormais considérablement accru par un épisode de l'aventure du *Town-Ho*, où Moby Dick semblait être investi du merveilleux pouvoir et du rôle fatal d'exécuteur de ce qu'on nomme la justice de Dieu quelquefois, dont on dit qu'elle vient tomber sur certains hommes. Mais cette dernière circonstance, avec tout ce qui l'accompagne intimement et qu'on pourrait appeler la partie occulte de la tragédie, ne revint jamais aux oreilles d'Achab ni de ses officiers. Le capitaine du *Town-Ho* lui-même l'ignorait. C'était le secret et la propriété privée de trois matelots blancs, camarades unis de ce navire ; et l'un d'eux, à ce qu'il paraît, l'avait donné en confidence à Tashtégo, lui faisant jurer un stoïque secret ; seulement il arriva que la nuit

---

1. C'est l'ancien cri-signal des baleiniers repérant une baleine de la pomme du mât, toujours en usage chez les baleiniers qui chassent la célèbre tortue de mer des Galápagos. *(NdA.)*

suivante, Tashtégo en rêva tout haut et dévoila tant de la chose, qu'il ne pouvait plus, quand il se réveilla, que révéler le reste. L'impression en fut si profonde sur ceux du *Péquod* qui en eurent pleine connaissance, que par un effet de curieuse délicatesse – s'il faut l'appeler par son nom – ils gardèrent la chose pour eux et la tinrent secrète, de sorte que l'histoire ne transpira jamais au-delà du grand mât du *Péquod*. En replaçant dans le contexte générale-ment connu à bord, ce trait plus sombre de toute cette étrange affaire, je vais à présent en donner le récit. Mais par goût de l'humour, je garderai à cette histoire le style avec lequel je la pré-sentai, à la veillée d'une fête, à Lima, à un cercle paresseux de miens amis espagnols, tout en fumant sur la mosaïque d'or de la Taverne Dorée. Parmi ces nobles gentilshommes, les jeunes don Pedro et don Sebastian étaient en termes amicaux et fort intimes avec moi, d'où les questions dont ils m'interrompaient parfois, et auxquelles je répondais dûment à mesure.

– Quelque deux années avant que j'entendisse moi-même parler pour la première fois des événements que je vais vous rapporter, messieurs, le *Town-Ho*, un navire baleinier de Nantucket, croisait dans votre Pacifique, à quelques jours de mer à peine à l'est de cette bonne Taverne Dorée. Il se trouvait quelque part au nord de la Ligne. Un matin, en manœuvrant les pompes selon le quotidien usage, on remarqua que le vaisseau faisait plus d'eau que d'habi-tude dans ses cales. On supposa, messieurs, qu'un poisson-épée l'avait embroché. Mais comme le capitaine, pour quelque raison extraordinaire, croyait faire bonne chasse dans ces parages où la bonne chance devait l'attendre à ce qu'il pensait, et comme donc il était peu pressé de quitter ces latitudes ; comme au surplus cette voie d'eau n'était pas le moins du monde jugée dangereuse, bien qu'ils ne fussent point parvenus à la localiser après avoir poursuivi les recherches aussi bas qu'il avait été possible par ce temps assez dur, le navire continua de croiser cependant que les matelots tra-vaillaient de temps à autre aux pompes pendant leurs loisirs. La chance attendue ne vint pas. Plusieurs jours passèrent, et non seu-lement la voie d'eau n'avait toujours pas été découverte, mais elle avait sensiblement augmenté. Tant et si bien que le capitaine, plu-tôt inquiet maintenant, mit toute sa toile dessus, et le cap sur le port le plus proche parmi les îles, pour tirer au sec sa carène et la réparer.

» Certes, la route à faire était loin d'être courte ; mais pour peu que sa navigation fût normalement heureuse, le capitaine n'avait pas lieu de craindre la perte et le naufrage de son vaisseau : ses pompes étaient bonnes, excellentes même, et ses trente-six hommes s'y relayant régulièrement pouvaient très bien le tenir, même s'il faisait deux fois plus d'eau. En vérité, le *Town-Ho* navigua presque tout au long avec des brises très propices et il serait assurément arrivé à bon port, sans la brutale arrogance de Radney, le second, un homme de Vineyard, et, par dernière fatalité, la vengeance féroce qu'elle provoqua chez Steelkilt, un homme des lacs, une tête brûlée de Buffalo.

» – Un homme des lacs ? Buffalo ? Je vous prie, dites-nous ce qu'est un homme des lacs et où se trouve Buffalo, demanda don Sebastian en se soulevant à demi dans le hamac de paille tressée où il se balançait.

» – Sur la rive est de notre lac Érié, don Sebastian. Mais que votre courtoisie me le permette, nous aurons bientôt à y revenir. Maintenant, messieurs, il me faut vous dire que mieux encore que sur tous bricks ou trois-mâts carrés les plus fiers et les plus forts qui aient jamais fait voile de votre Callao à destination de la lointaine Manille, ce lacustre, au cœur terrien de notre Amérique, avait été nourri terrestrement de toutes les impressions de libre audace et de flibusterie qu'on rattache d'ordinaire à l'idée des vastes étendues du plein océan. C'est que l'ensemble de ces mers d'eau douce qui communiquent entre elles – nos lacs Érié, Ontario, Huron, Supérieur et Michigan – possède une étendue quasi océanique, avec de nombreux traits de noblesse propres à l'océan, et, comme lui, avec le mélange et la variété des races et des climats sur ses rivages. Ils embrassent des archipels circulaires d'îles aussi romantiques que ceux des eaux de la Polynésie ; ils sont bordés de part et d'autre par deux grandes nations très différentes, comme l'est l'Atlantique ; ils offrent de longues voies d'accès maritime à nos nombreuses colonies territoriales de l'est réparties tout autour de leurs rives, lesquelles sont hérissées ici et là de batteries et, sur le Mackinac, de canons hissés comme des chèvres sur les

escarpements rocailleux; ils ont entendu les tonnerres des victoires
navales retentir sur leurs flots; de temps à autre ils ont prêté leurs
plages à de barbares sauvages dont les visages, peints de rouge,
sortaient comme des flammes des wigwams en peaux de bêtes; sur
des lieues et des lieues, ils sont bordés par d'antiques et vierges
forêts où les hauts pins farouches se dressent en rangs serrés
comme les files des rois gothiques dans les vieilles généalogies; et
ces forêts sauvages abritent des animaux de proie et des fauves
dignes de l'Afrique, ainsi que des bêtes soyeuses dont le pelage va
fournir de fourrures les empereurs de Tartarie; le miroir de leurs
eaux reflète tout ensemble et aussi bien des cités pavées comme
Cleveland et Buffalo que les villages des Winnebagos; ils portent
également le vaisseau de commerce haut gréé et le croiseur armé
de l'État, le vapeur et le canoë; ils sont battus par des tourmentes
aussi boréales et aussi dévastatrices que les plus violentes rafales
qui jamais fouettent les eaux salées; ils s'y entendent en naufrages,
car hors de vue de tout rivage – bien qu'ils s'étendent à l'intérieur
du continent – ils ont englouti des quantités de nocturnes vaisseaux, au milieu des hurlements de leurs équipages. Et c'est pourquoi, messieurs, quoiqu'il fût né à l'intérieur des terres, Steelkilt
était un Océanien-né, héritier nourri de toutes les sauvageries de
l'océan sauvage, un marin aussi audacieux que le plus audacieux
des hommes de la mer. Quant à Radney, s'il avait passé son
enfance sur les sables désolés de Nantucket à téter le lait salé de
son immense mère océanique, et s'il avait ensuite tout au long de sa
vie connu notre austère Atlantique et votre méditatif Pacifique, il
n'en était pas moins aussi rancunier, vindicatif et querelleur que
l'homme des océans sylvestres tout frais sorti de ces contrées où
l'on joue du couteau à manche de cerf. Néanmoins, il y avait chez
le Nantuckais certaine bonté de cœur; et notre marin des lacs, un
vrai démon en vérité, pouvait pourtant être tenu en main par une
inflexible fermeté, pourvu qu'elle fût adoucie seulement par ce
commun respect humain dont l'esclave lui-même peut se réclamer
comme d'un droit; traité de la sorte, ce Steelkilt était longtemps
demeuré inoffensif et docile. Du moins l'avait-il été jusque-là;
mais Radney pris d'une rage furieuse était comme possédé, et
Steelkilt... mais vous allez l'apprendre, messieurs.

» Il n'y avait guère plus d'un jour ou deux que le *Town-Ho* avait pointé son beaupré sur le port de l'île qu'il voulait joindre, quand on s'aperçut que la voie d'eau avait encore augmenté, mais au point seulement de réclamer une heure ou deux de plus par jour aux pompes. Il faut que vous sachiez, messieurs, que sur un océan fréquenté et civilisé comme notre Atlantique, par exemple, certains patrons de long-courriers ne songent guère à pomper tout au long de leur traversée ; pourtant, si l'officier de quart venait à oublier son devoir sur ce point par quelque paisible et somnolente nuit, il est probable que lui ni ses compagnons n'auraient plus l'occasion de se le rappeler, parce que tout le monde serait descendu gentiment par le fond. Et il n'est pas non plus d'usage, sur les sauvages solitudes marines qui s'étendent immensément à l'ouest de chez vous, messieurs, de se mettre sur un navire à faire fonctionner les pompes en chœur, même au cours d'une croisière d'une considérable longueur, pour autant, je veux dire, que le vaisseau se trouve à une portée relativement raisonnable de quelque côte accessible, ou s'il a quelque sage retraite possible. C'est seulement lorsqu'un voilier qui fait eau se trouve vraiment très loin sur des mers infréquentées, sous quelque latitude ignorant toute terre, que le capitaine commence à se sentir quelque peu inquiet.

» C'était un peu ce qui s'était passé à bord du *Town-Ho* ; et lorsqu'on découvrit que la voie d'eau avait gagné encore, il y eut un peu de tracas manifeste chez un certain nombre des gens du bord, et spécialement chez Radney, le second. Il donna l'ordre de bien étarquer les hautes voiles, de vérifier de nouveau les amures, bref, de veiller de toutes les façons que la toile soit au mieux offerte à la brise. Or, ce Radney était à peu près aussi couard, j'ai lieu de croire, et aussi tremblant pour sa propre personne que la créature terrestre ou marine la plus dénuée de crainte et de raison qu'il vous plaira d'imaginer, messieurs. Aussi, lorsqu'il manifesta une telle sollicitude pour la sûreté du navire, ne manqua-t-il pas de matelots pour prétendre que c'était uniquement parce qu'il en était en partie le propriétaire. Et ce soir-là, tandis qu'ils étaient à manœuvrer les pompes, les plaisanteries qu'ils faisaient entre eux sur ce chapitre allaient grand train, cependant qu'ils étaient les pieds dans l'eau clapotante et claire ; claire comme une eau de source, messieurs, l'eau que crachaient leurs pompes et qui ruisselait en bouillonnant par le travers du pont pour aller s'écouler à gros jets par les dalots sous le vent.

» Comme vous ne l'ignorez point, il n'est pas rare dans ce monde qui est le nôtre – l'aquatique aussi bien que l'autre – que lorsqu'un individu imparti de l'autorité sur ses semblables découvre parmi ceux-ci quelqu'un qui se trouve être manifestement son supérieur en fierté ou en orgueil proprement humains, le premier conçoit pour le second une immédiate et incoercible détestation doublée de rancœur; s'il en a l'occasion, il voudra abattre et pulvériser cette tour qui lui est subordonnée, il voudra n'en laisser qu'un petit tas de poudre et de cendre. D'ailleurs, messieurs, vaille ce que voudra cette mienne idée, il n'empêche que Steelkilt était un bel et grand animal, physiquement plein de noblesse, et qui portait une tête de Romain avec une longue et flottante barbe d'or toute semblable au caparaçon de la fougueuse monture de votre vice-roi; et le cerveau, le cœur, l'âme qui étaient en lui, messieurs, eussent fait de lui un Charlemagne s'il avait eu pour père, le père de Charlemagne. Mais Radney, le second, était mauvais comme une mule, et aussi têtu, et aussi coriace, aussi laid et méchant. Il n'aimait pas Steelkilt et Steelkilt le savait.

» Ayant vu le second s'approcher, alors qu'il manœuvrait les pompes avec les autres, notre homme des lacs feignit de ne l'avoir point remarqué et, sans respect comme sans crainte, n'en continua que de plus belle son joyeux badinage.

» – Oui, oui, mes bons amis, une fameuse voie d'eau que nous avons là! une vraie source vive, je vous dis. Amenez voir un gobelet, vous autres, qu'on y goûte. Seigneur! mais ça vaut d'être mis en bouteilles! Les parts du vieux Rad, moi je vous le dis, les gars, c'est une affaire pour elles! il ferait mieux de couper ce qui lui revient de la carène et de se la remorquer chez lui. La vérité, mes petits vieux, c'est que ce poisson-épée n'a fait que commencer le travail, puis il est revenu avec toute une bande de charpentiers, de poissons-scies, de poissons-limeurs, que sais-je! et toute la compagnie est à présent au travail, et dur, à couper et taillader dans le fond; pour des réparations, je suppose. Si le vieux Rad se trouvait par ici, je lui dirais de sauter par-dessus bord et de les disperser. Ils sont en train de lui mettre son bien au diable, ça, je peux le lui dire ! Mais c'est une vieille âme candide, Rad, et une beauté également. Les gars, il paraît que le reste de son avoir, il l'a investi en miroirs de poche. Je me demande s'il donnerait à un pauvre bougre comme moi le modèle de son naze !

» – Le diable vous emporte ! qu'est-ce que ces pompes ont à s'arrêter ? rugit Radney, faisant comme s'il n'avait pas entendu bavarder les matelots. Faites-les cracher comme le tonnerre !

» – Bien, bien, Monsieur, répondit ce joyeux grillon de Steelkilt. De l'entrain, les gars ! De l'entrain à présent !

» Et les pompes, là dessus, se mirent à fonctionner et à sonner comme cinquante pompes à incendie ; les hommes avaient repoussé leurs chapeaux en arrière et l'on entendit bientôt le halètement symptomatique des poumons, qui dénote la furieuse tension et la pleine dépense de l'énergie vitale.

» Quittant les pompes à la fin, avec le reste de son équipe, l'homme des lacs s'avança tout pantelant et se laissa tomber sur le cabestan ; il avait le visage d'un rouge ardent, les yeux injectés de sang, et il essuyait la sueur abondante qui ruisselait de son front. De quel démon pervers, messieurs, Radney fut-il alors possédé pour venir chercher noise à un homme dans un tel état d'exaspération physique ? je l'ignore, mais c'est ce qui arriva. Insupportablement agressif dans sa façon de marcher sur lui, Radney ordonna à Steelkilt d'empoigner un faubert et de laver le pont, et aussi de prendre une pelle pour enlever les ordures d'un cochon qu'on avait laissé en liberté.

» Or, messieurs, laver le pont est à la mer une besogne de ménage qui se fait régulièrement chaque soir et quel que soit le temps, exception faite des grandes tempêtes ; on connaît des cas où ce lavage fut fait sur des vaisseaux en train de sombrer. Car telle est la rigueur des usages marins, messieurs, et tel est aussi le goût instinctif de la propreté chez les hommes de mer ; il en est parmi eux qui n'aimeraient pas se noyer sans s'être au préalable lavé la figure. Mais sur tous les navires, ce faubertage est immuablement l'affaire des novices, quand il y a des novices à bord. Au surplus, c'étaient les hommes les plus solides du *Town-Ho* qui avaient été partagés en équipes pour se relever aux pompes, et Steelkilt, comme le plus athlétique de tous, avait tout naturellement reçu le commandement de l'une des équipes ; ce qui fait qu'il eût dû en conséquence être exempt de toute triviale besogne qui n'avait rien à voir directement avec les vrais devoirs nautiques du gabier, ce qui était effectivement le cas pour ses autres camarades. Je vous donne tous ces détails afin que vous saisissiez bien comment allaient les choses entre les deux hommes.

» Mais il y avait plus encore : cet ordre de ramasser les immondices était en réalité une insulte et une provocation aussi ouvertes que si Radney avait craché à la figure de Steelkilt. Quiconque a jamais mis le pied sur un baleinier le comprendra aisément. C'était aussi ce que Steelkilt comprenait, cela et bien d'autres choses encore à n'en point douter. Mais il resta assis calmement, son regard ferme plongé dans les yeux méchants du second, où il voyait l'amas des tonneaux de poudre tout au fond et la mèche allumée qui brûlait lentement en s'en approchant. Et comme il apercevait instinctivement tout cela, une étrange longanimité, un refus d'exciter jusqu'aux dernières profondeurs de la colère un être déjà rempli de colère, une sorte de répugnance qui n'est guère éprouvée – quand elle est éprouvée – que par les hommes d'un vrai courage, messieurs, ce sentiment indéfinissable et vague comme une ombre s'empara de Steelkilt.

» Aussi fut-ce de son ton ordinaire, un peu coupé par l'essoufflement dont sa poitrine souffrait encore, qu'il répondit, disant que le faubertage des ponts n'était pas son affaire et qu'il n'en voulait rien faire. Et sur ce, sans rappel aucun de la pelle à ordures, il désigna du doigt trois gars qui étaient les habituels laveurs de pont et qui, n'ayant pas été affectés aux pompes, n'avaient rien fait ou presque de tout le jour. Radney répliqua par un juron, réitérant son ordre sans condition et de la manière la plus cassante et la plus outrageante, tout en s'avançant vers l'homme des lacs toujours assis, en brandissant une mailloche de tonnelier qu'il avait prise au passage sur un baril où elle traînait.

» Le sang échauffé et irrité par les furieux efforts de son travail aux pompes, encore en nage comme il l'était, et malgré son premier élan d'indulgence longanime ou à cause de lui, Steelkilt ne pouvait prendre que fort mal cette conduite chez le second ; mais retenant encore en lui l'explosion qui était près d'éclater, sans un mot, résolument, il se tint assis jusqu'au moment où Radney au comble de l'exaspération vint lui brandir la mailloche à deux doigts du visage, lui hurlant furieusement d'obéir à son ordre.

» Alors Steelkilt se leva et se recula lentement derrière le cabestan, suivi pas à pas par le second avec son marteau menaçant ; et il réaffirma posément son refus d'obéir ; mais constatant cependant que toute sa patience n'avait pas eu le moindre effet, d'un geste significatif du revers de la main, il intima à l'énergumène de se retirer. Ce fut encore en vain. Les deux hommes avaient ainsi fait pas à pas le tour complet du cabestan. Résolu à ne plus reculer maintenant, et estimant qu'il avait dépassé les bornes de toute sa patience, l'homme des lacs s'immobilisa sur le panneau et s'adressa ainsi à l'officier :

» – Monsieur Radney, je refuse de vous obéir. Laissez ce marteau, ou gare à vous !

» Mais le second qui cherchait son destin s'avança encore plus près de l'homme des lacs, immobile à présent, et lui brandit la lourde mailloche à moins d'un pouce de la mâchoire, tout en déversant un flot ininterrompu de menaces et de malédictions insupportables. Sans reculer d'un millième de millimètre, la lame froide de son regard s'enfonçant comme un poignard dans le regard de son persécuteur, Steelkilt, en serrant derrière son dos son poing droit, lui dit que si seulement le marteau lui effleurait la joue, il le tuerait. Mais le furieux, messieurs, était marqué par les dieux pour la boucherie : son marteau, immédiatement, toucha la joue de Steelkilt, et la seconde d'après, la mâchoire fracassée, il gisait sur le panneau, soufflant du sang comme une baleine.

» Avant que l'alarme ne fût venue à l'arrière, Steelkilt avait secoué un des étais qui courait haut dans la mâture où deux copains à lui étaient de vigie. C'étaient tous deux des Canalais.

» – Canalais ? s'exclama don Pedro. Nous avons vu bien des baleiniers dans nos ports, mais jamais nous n'avons entendu parler de «Canalais». Je vous demande pardon, mais que sont-ils et qui sont-ils ?

» – Les Canalais, don Pedro, ce sont les bateliers de notre grand canal Érié. Vous avez dû certainement en entendre parler.

» – Non point, señor. Par ici sur nos lentes, chaudes et paresseuses terres héréditaires, nous ne savons que fort peu de choses de votre septentrion vigoureux.

» – Vraiment ? Eh bien ! don Pedro, voici mon verre, votre *chicha* est exquise, et avant de passer plus loin je vous dirai ce que sont nos Canalais, d'autant que ces renseignements pourront éclairer de flanc mon récit.

» Sur trois cent soixante milles, messieurs, traversant dans son entière largeur tout l'État de New York ; traversant de nombreuses et populeuses cités ainsi que maints villages et bourgs des plus prospères ; traversant d'interminables marécages désolés et déserts et aussi des champs cultivés d'une fertilité sans égale ; frôlant des salles de billard et des salles de café ; traversant le saint des saints de grandes forêts ; sous des arches romaines, sur des ruisseaux indiens ; traversant le soleil et l'ombre ; frôlant des cœurs heureux ou brisés ; à travers le paysage vaste et pittoresquement contrasté des nobles tribus Mohawks ; et frôlant tout particulièrement de longues rangées de blanches chapelles dont les clochers se dressent quasi comme des pierres milliaires, s'écoulent un flot et un flux de corruption vénitienne, un fleuve de vie sans loi. Les féroces Achantis de vos latitudes, messieurs, c'est là qu'ils sont véritablement ; c'est là que hurlent vos païens ; là où vous les retrouvez toujours : juste derrière votre porte, à l'ombre protectrice et sous le patronage proche des églises. Car par une curieuse fatalité, comme on l'a souvent remarqué, de même que les libres voyous de nos villes qui se tiennent et campent alentour des palais de justice, de même les pêcheurs abondent et surabondent dans la proximité des lieux saints.

» – Hé là ! n'y a-t-il pas un moine en train de passer là, qui pourrait nous entendre ? s'exclama don Pedro en jetant avec humour des regards inquiets sur la plaza, en bas, où il y avait foule.

» – Par bonheur pour notre ami du nord, l'Inquisition de dame Isabelle perd de sa virulence à Lima, s'amusa don Sebastian. Continuez, señor.

» – Un instant, je vous prie ! Pardon ! coupa quelque autre membre de la société. En notre nom à tous, habitants de Lima, je voulais seulement vous exprimer, señor marin, combien peu nous a échappé la délicatesse que vous avez eue en ne substituant pas la présente Lima à l'antique et lointaine Venise, dans votre exemple de complète corruption. Oh non ! je vous en prie, ne protestez pas et n'ayez pas cet air de surprise ! vous connaissez le proverbe sur toute cette côte : « Corrompu comme Lima. » Il ne fait qu'appuyer ce que vous dites, d'ailleurs : églises encore plus abondantes que les salles de billard, et ouvertes toujours... et « corrompu comme Lima ». De même, aussi, Venise. Je suis allé là-bas : la très sainte cité du bienheureux évangéliste saint Marc !... Que saint Dominique la purge et la nettoie ! Votre coupe, monsieur ! Merci ! la voici pleine ; à vous de la vider maintenant.

» – La libre description du Canalais dans sa profession, messieurs, vous en ferait un excellent héros de drame, tant il est abondamment et pittoresquement, férocement voyou. Tel Marc Antoine, pendant des jours et des jours il va flottant avec nonchalance sur le cours de son Nil verdoyant et fleuri, s'amusant au plein jour avec sa Cléopâtre aux joues rouges, faisant mûrir l'abricot de ses cuisses au soleil, sur le pont. Mais au rivage, plus trace aucune de douceurs efféminées. L'air et le costume de brigand que le Canalais arbore si fièrement, son chapeau rabattu avec ses gais rubans, accusent sa découpe magnifique : il est la terreur de la souriante innocence des villages qu'il traverse ; et son visage hâlé, comme sa langue facile, sont loin d'être peu craints dans les grandes cités. Une fois que j'étais moi-même un vagabond sur son canal, j'ai reçu de l'un de ces Canalais de bons offices ; à lui tout mon cordial merci. Je voudrais ne pas être ingrat. Mais c'est bien souvent l'une des qualités premières de l'homme de violence, qu'il a le bras aussi prompt à soutenir un inconnu dans la pauvreté qu'à vous plumer le riche. En résumé, messieurs, la parfaite sauvagerie de cette vie sur le canal se trouve amplement démontrée par ceci : que notre sauvage profession de baleiniers compte un bien grand nombre de ces types accomplis ; et par ceci encore : que les capitaines baleiniers n'ont autant l'œil sur aucun autre échantillon d'humanité, exception faite des hommes de Sidney. Et ce ne sera pas fait pour enlever du pittoresque à la chose, de vous révéler que pour des milliers de jeunes campagnards nés sur ses bords, la vie probatoire sur le grand canal constitue l'unique transition entre le bucolique état du faucheur dans un champ de la terre chrétienne et la course intrépide de qui va labourant les eaux des mers les plus barbares.

» – Je comprends! je comprends! explosa tout soudain don Pedro en renversant par impétuosité sa chicha sur le revers d'argent de sa manchette. Inutile de voyager! Le monde tout entier n'est qu'une Lima. Moi qui croyais que dans votre Nord tempéré les générations humaines étaient froides et saintement sages autant que les collines!... Mais votre histoire?

» – Je vous avais laissés, messieurs, quand l'homme des lacs secouait le grand étai. A peine l'avait-il fait, qu'il se trouva entouré par les trois officiers en second et les quatre harponneurs qui commencèrent à l'entraîner vers l'arrière; mais glissant au bas du grée-ment comme deux comètes, les Canalais vinrent se jeter au milieu du tumulte, essayant d'en tirer leur copain et de le ramener vers le gaillard d'avant. D'autres hommes vinrent leur prêter main-forte dans cette tentative, et ce fut une bagarre générale dans une mêlée confuse. Pendant ce temps, le vaillant capitaine qui se tenait hors de portée des coups tournait autour en dansant, armé d'une lance à baleine, hurlant à ses officiers de mettre durement à la raison ce chenapan atroce et de le traîner sur le gaillard d'arrière. Par moments, il courait tout contre la frange tournoyante de la mêlée et, piquant au cœur avec sa lance, il essayait de tirer dehors l'objet de son ressentiment. Mais Steelkilt et ses têtes brûlées étaient trop nombreux pour tous les autres : ils réussirent à regagner le gaillard d'avant, où ils s'empressèrent de mettre côte à côte trois ou quatre gros barils en ligne avec le cabestan; et voilà nos nouveaux «Parisiens» de l'océan retranchés derrière cette barricade[1].

» – Sortez de là, pirates! rugit le capitaine qui maintenant les menaçait d'un pistolet dans chaque main, que venait de lui appor-ter le steward. Sortez de là, bande de coupeurs de gorges!

» Steelkilt bondit sur la barricade et s'y porta de droite et de gauche, par un terrible défi, sous le canon même des pistolets, mais en faisant comprendre très distinctement au capitaine que sa mort à lui, Steelkilt, serait le signal d'une mutinerie sanglante de

---

1. Allusion aux barricades du Paris révolutionnaire.

l'équipage entier. Le capitaine, craignant au fond de soi-même que ce ne soit que trop vrai, céda un peu, mais toujours commandant aux insurgés de rejoindre immédiatement leurs postes.

» – Promettez-vous de ne toucher à aucun de nous, si nous le faisons ? demanda le meneur.

» – A vos postes ! à vos postes ! Je ne fais aucune promesse ! Reprenez vos postes ! Est-ce que vous voulez faire sombrer le navire en l'abandonnant dans un moment comme celui-ci ?... A vos postes ! hurlait le capitaine, levant de nouveau un pistolet.

» – Couler le navire ? Mais oui, qu'il sombre ! Pas un de nous n'y mettra la main, si vous ne jurez qu'aucun bout de filin ne sera levé sur nous. Qu'est-ce que vous en dites, les gars ?

» Un hurlement d'approbation fut la réponse.

» Allant et venant sur la barricade, l'homme des lacs ne perdait pas un instant de l'œil le capitaine, lâchant de temps à autre des phrases de ce genre :

» – Ce n'est pas notre faute ; ce n'est pas nous qui l'avons cherché. Je lui ai dit de lâcher sa mailloche. C'était le travail des novices. Il aurait dû mieux me connaître avant ça. Je l'ai prévenu de ne pas venir me chatouiller le museau. Je crois bien que je me suis cassé un doigt contre sa maudite mâchoire. Est-ce que ces couteaux à hacher ne sont pas au poste d'équipage, les gars ? Ayez l'œil à ces anspects, mes jolis cœurs. Capitaine, par Dieu, prenez garde à vous. Donnez-nous votre parole. Ne faites pas le fou. Oubliez tout ça. Nous sommes prêts à reprendre nos postes. Traitez-nous convenablement, et nous sommes vos hommes. Mais nous ne voulons pas du fouet.

» – A vos postes ! Je ne fais point de promesse. Je vous commande de reprendre vos postes.

» – Bon. Alors écoutez-moi bien à présent, jeta l'homme des lacs en portant le bras en avant. Écoutez-moi bien ! Nous sommes quelques-uns ici (et je suis l'un d'eux) qui avons embarqué pour la croisière, vous comprenez ? alors, comme vous le savez fort bien, monsieur, nous pouvons réclamer notre débarquement dès que l'ancre sera mouillée. Aussi ne voulons-nous pas une bagarre ; ce n'est pas notre intérêt. Nous tenons à être en paix, et nous sommes prêts à travailler. Mais nous ne voulons pas de fouet.

» – A vos postes ! rugit encore une fois le capitaine.

» Steelkilt resta un instant à considérer les choses, jetant un regard à la ronde, puis il déclara :

» – Je vais vous dire où nous en sommes, capitaine, et ce qu'il en est à présent : au lieu de vous tuer, vous, et d'être ensuite pendus pour une si pauvre coquinerie, nous ne lèverons pas la main contre vous, à moins que vous ne nous attaquiez. Mais tant que vous n'aurez pas donné votre parole que vous ne nous fouetterez point, pas un de nous ne mettra une main au travail.

» – Descendez au poste d'équipage, alors, allons ! en bas. Je vous tiendrai là jusqu'à ce que vous en ayez assez. En bas, tous !

» – On y va ? demanda le meneur à ses hommes.

» La majorité était contre ; mais pour finir, et pour obéir à Steelkilt, ils le précédèrent dans leur sombre caverne, disparaissant un à un en grognant comme des ours dans leur antre.

» A peine la tête de l'homme des lacs était-elle au niveau du pont, que le capitaine et sa bande sautèrent la barricade et tirèrent promptement la glissière du panneau de descente, la tenant ferme de toutes leurs mains, tandis que l'ordre était hurlé au steward d'apporter le gros cadenas de cuivre de l'échelle de descente des cabines. Quand il l'eut, le capitaine entrouvrit légèrement le panneau, souffla quelques mots en bas par l'ouverture, referma et cadenassa les hommes qui s'y trouvaient au nombre de dix ; une vingtaine d'autres, ou un peu plus, qui jusque-là étaient restés neutres, demeuraient sur le pont.

» Durant toute la nuit, un quart de haute surveillance fut monté pour tous les officiers ensemble du beaupré au couronnement, et tout spécialement devant le panneau de descente du gaillard d'avant et à la grande écoutille ; on craignait, en effet, que les insurgés ne vinssent à surgir par cette dernière voie après s'être ouvert le passage à travers les cloisons de l'entre pont. Mais les heures d'obscurité s'écoulèrent en paix ; les hommes restés fidèles à leurs postes s'activèrent durement aux pompes, dont le clic-clac retentissait lugubrement sur le vaisseau pendant la morne nuit.

» Au lever du soleil, le capitaine s'en vint devant et, frappant sur le pont, ordonna aux prisonniers de se mettre au travail. Un hurlement de refus unanime lui répondit. De l'eau douce leur fut

alors descendue, et quelques poignées de biscuits suivirent. Les
ayant de nouveau cadenassés, le capitaine mit la clef en poche et
s'en retourna au gaillard d'arrière. Deux fois par jour pendant
trois jours la même cérémonie se répéta, mais au matin du quatrième jour, il y eut un bruit confus de querelle, puis de lutte, au
moment des habituelles sommations, et quatre hommes apparurent soudain dans une même ruée, disant qu'ils étaient prêts à
reprendre leurs postes. La fétidité de l'air confiné, la diète de
famine, et peut-être aussi la peur du châtiment à venir avaient
amené ceux-là à se rendre à discrétion. Enhardi par ce succès, le
capitaine réitéra son commandement aux autres, mais ce fut
Steelkilt qui lui répondit d'une façon menaçante d'arrêter là son
bavardage et de retourner d'où il venait. Au matin du cinquième
jour, trois autres mutins se jetèrent dehors en s'arrachant des
mains des autres, en bas, qui cherchaient désespérément à les retenir. Il n'en restait que trois.

» – Ne vaudrait-il pas mieux se rendre, à présent ? ricana le
capitaine sans cœur.

» – Fermez, voulez-vous ? cria Steelkilt.

» – Mais certainement ! dit le capitaine – et la clef cliqueta.

» C'est alors, messieurs, qu'enragé par la défection de sept de
ses anciens acolytes, cinglé jusqu'à l'âme par la voix railleuse qu'il
venait d'entendre, et exaspéré jusqu'à la folie par son long enseve-
lissement dans cet endroit aussi noir que les entrailles du désespoir ; oui, c'est alors que Steelkilt proposa aux deux Canalais,
entièrement de son bord selon toute évidence jusqu'alors, d'exécuter une sortie de leur trou à la prochaine sommation de la garni-
son ; armés de leurs couteaux à hacher (une longue et lourde lame
en forme de croissant avec un manche court à chaque extrémité)
ils se rueraient comme des possédés du beaupré au couronnement
et, s'il était possible par la plus diabolique des fureurs désespérées,
ils se rendraient maîtres du navire. Car c'était ce qu'il ferait de
toute façon lui-même, leur dit-il, qu'ils se joignissent ou non à lui.
C'était en tout cas la dernière nuit qu'il passerait dans cette cave !
Ce projet ne rencontra pas la moindre opposition de la part des
deux autres : ils jurèrent qu'ils étaient prêts à faire cela ou
n'importe quoi, tout, plutôt que de se rendre. Et qui plus est, ils

insistaient l'un et l'autre pour être le premier sur le pont au moment de l'attaque. A cela, leur chef s'opposa férocement, se réservant cet honneur et cette priorité à soi-même ; d'autant plus qu'aucun des deux camarades ne voulait, en l'occurrence, céder le pas à l'autre, et qu'ils ne pouvaient pas arriver tous deux les premiers, la largeur de l'échelle ne permettant le passage que d'un seul homme. Et c'est ici, messieurs, que la déloyauté de ces deux mécréants va apparaître.

» A entendre le projet furieux de leur chef, chacun d'eux avait conçu à part soi et instantanément, semble-t-il, la même idée traîtresse : être le premier à sortir afin de se trouver le premier des trois, quoique le huitième des dix, à se rendre ; et comme tel de s'assurer pour soi-même le peu de chance, quel qu'il fût, de pardon que cette conduite pouvait amener. Mais après que Steelkilt leur eut fait connaître sa ferme détermination de demeurer à leur tête jusqu'au bout, ils en vinrent d'une manière ou de l'autre, par quelque subtile chimie de la scélératesse, à composer ensemble et à fusionner leurs traîtrises jusqu'alors secrètes et individuelles. Lorsque leur chef s'assoupit, ils s'ouvrirent l'un à l'autre leurs vilaines âmes en deux mots, ligotèrent le dormeur avec des cordages, le bâillonnèrent semblablement, et se mirent à pousser des hurlements pour appeler le capitaine au beau milieu de la nuit.

» Pensant immédiatement au meurtre et respirant une odeur de sang dans l'obscurité, le capitaine, ses officiers et ses harponneurs, tous en armes, se précipitèrent vers le gaillard d'avant. En quelques instants, le panneau de descente fut ouvert ; et le meneur, pieds et poings liés mais se débattant toujours, fut jeté sur le pont par ses perfides alliés qui réclamèrent tout aussitôt pour eux l'honneur d'avoir maîtrisé un homme tout à fait mûr pour le meurtre. Mais tous furent empoignés semblablement et traînés le long du pont comme du bétail mort, puis, côte à côte, suspendus et ficelés, comme trois quartiers de viande, aux enfléchures d'artimon. Et là, ils restèrent jusqu'au matin.

» – Maudits damnés ! s'écriait le capitaine qui allait et venait devant eux, maudite engeance ! Les vautours ne voudront pas de vous, scélérats !

» Au lever du soleil, tout l'équipage fut rassemblé par le capitaine qui, séparant des autres ceux qui s'étaient rebellés, leur dit qu'il était bien convaincu de les faire fouetter tous, tant qu'ils étaient ; qu'il pensait bien qu'il allait le faire sur-le-champ ; que c'était son devoir ; ce que réclamait la justice ; mais que, compte tenu exceptionnellement de leur opportune reddition, il les tiendrait quitte pour cette fois avec une réprimande – qu'il leur administra en conséquence dans le plus vert de leur idiome maternel.

» – … Quant à vous, charognes de voyous ! explosa-t-il en se tournant vers les trois hommes pendus dans le gréement, vous ! j'ai l'intention de vous hacher comme chair à ragoût !

» Et empoignant un bout de filin, il l'abattit de toutes ses forces sur le dos des deux traîtres, jusqu'à tant qu'ils finissent de hurler et que tombassent de côté leurs têtes inanimées, ainsi qu'on représente les deux larrons en croix.

» – Je m'en suis collé une entorse au poignet sur vous ! s'exclama-t-il enfin ; mais va ! il reste toujours assez de filin pour toi, mon joli petit coq de Bantam qui ne voulais pas céder. Ôtez-lui ce bâillon de la bouche, qu'on entende ce qu'il peut dire pour son compte !

» Pendant un moment, le mutin épuisé eut un tremblement de sa mâchoire endolorie, puis il tourna la tête péniblement et dit avec une sorte de sifflement :

» – Ce que je dis, c'est ceci – et faites-y bien attention : si vous me fouettez, je vous tue !

» – C'est ce que tu dis ? alors, regarde un peu comme ça m'épouvante… explosa le capitaine en jetant en arrière son filin pour frapper.

» – Vaut mieux pas ! siffla l'homme des lacs.

» – Mais je le fais !… – et le filin reprit une fois encore son élan.

» Steelkilt alors siffla quelque chose que n'entendit personne d'autre, mais que le capitaine entendit ; et à la stupéfaction de l'équipage entier, il recula, se mit à marcher à grands pas sur le pont, faisant deux ou trois allers et retours, puis soudain, rejetant le filin, il lança :

» – Je ne le ferai pas… libérez-le !… Coupez ses liens ! vous m'entendez ?

» Les officiers en second se hâtaient pour aller exécuter cet ordre, quand un homme pâle, la tête enveloppée d'un pansement, les arrêta : Radney, le second. Il était resté couché depuis sa blessure, mais ce matin, en entendant le remue-ménage sur le pont, il s'était sorti de son hamac et tout chancelant, de loin, avait assisté à la scène. Sa mâchoire était dans un tel état qu'il ne pouvait pour ainsi dire pas parler ; il gargouilla quelque chose qui voulait dire que ce que le capitaine n'osait pas risquer, *lui* voulait et se sentait capable de le faire. Il ramassa le filin et s'avança vers son ennemi entravé.

» – Vous n'êtes qu'un couard ! siffla l'homme des lacs.

» – Si tu veux, mais tiens toujours !

» Le second allait abattre son bras quand un nouveau sifflement l'arrêta dans sa course. Il hésita ainsi une seconde, mais coupa court à son hésitation et se mit à l'œuvre de tout son cœur, en dépit de la menace de Steelkilt quelle qu'elle fût. Les trois punis furent alors détachés et les hommes renvoyés à leurs postes. Manœuvrées de mauvaise grâce par les matelots assombris, les pompes retentirent de nouveau.

» Aussitôt après la tombée de la nuit, ce même jour, au changement de bordée, on entendit des hurlements au poste d'équipage, et les deux traîtres s'en enfuirent en tremblant pour venir assiéger la porte du capitaine. Menaces, bourrades, coups de pied quelque part, rien ne put les déloger de là, si bien que sur leurs propres instances, ils furent envoyés à fond de cale pour leur sauvegarde. Néanmoins, aucun signe de mutinerie ne réapparut chez les autres ; au contraire, et à l'instigation même de Steelkilt, ils semblaient résolus à se tenir et à maintenir rigoureusement la paix jusqu'au bout, prêts à obéir à tous les ordres, pour déserter en corps aussitôt que le navire aurait atteint le port. Seulement, afin d'assurer la plus grande rapidité possible à la fin de la navigation, ils étaient tous tombés d'accord sur un point : ils ne signaleraient pas la baleine, au cas où ils viendraient à en repérer. Car il faut dire qu'en dépit de sa voie d'eau et en dépit de tous les autres dangers qu'il courait, le *Town-Ho* portait toujours ses vigies à la pointe des mâts, et son capitaine n'eût pas plus hésité à mettre à la mer sur une baleine à ce moment-là, qu'il l'eût fait au premier jour où le vaisseau venait d'entrer sur les parages de pêche ; même Radney, le second, tout blessé qu'il fût, se sentait tout prêt lui aussi à troquer son hamac contre une baleinière, et, avec sa mâchoire bandée, à chercher à bâillonner dans la mort la vivante mâchoire du cachalot.

» Mais bien que notre homme des lacs eût incité les matelots à adopter cette conduite passive, il gardait par-devers lui ses propres intentions de vengeance (du moins jusqu'à ce que tout fût consommé) sur l'homme qui l'avait fouaillé jusqu'au cœur du cœur. Il était dans la bordée dont Radney était l'officier ; et comme si cet homme infatué d'orgueil eût cherché à faire plus de la moitié du chemin pour rencontrer son destin, il avait insisté, après la scène du fouet, et contre le conseil exprès du capitaine, pour reprendre son quart de nuit. Ce fut sur cela, et sur une ou deux autres circonstances accessoires, que Steelkilt élabora lucidement et méthodiquement son plan de vengeance.

» Pendant la nuit, Radney avait l'habitude toute personnelle de s'asseoir sur la lisse du gaillard d'arrière en faisant reposer son bras sur le plat-bord du canot hissé aux portemanteaux, lequel se balançait légèrement à l'extérieur de la muraille. Il était bien connu que, dans cette position, il lui arrivait parfois de s'assoupir. L'espace entre la baleinière et le navire était suffisamment large, et droit dessous c'était l'océan. Steelkilt examina ses horaires et nota que son tour de barre devait venir vers deux heures du matin, le troisième jour suivant celui où il avait été trahi et livré. A loisir, il se mit à confectionner avec le plus grand soin une sorte de tresse pendant ses quarts en bas.

» – Qu'est-ce que tu fabriques là ? lui demanda un copain.

» – Qu'est-ce que tu crois que ça peut-être ? De quoi ça a l'air ?

» – Une drôle d'aiguillette pour le sac, on dirait…

» – Plutôt drôle, comme tu dis ! répondit l'homme des lacs en tenant la tresse à longueur de bras devant lui. Mais je pense que ça va aller. Seulement je n'ai pas assez de bitord, camarade, t'en aurais pas un peu ?

» – Il n'y a pas un seul fil de caret dans tout le poste.

» – Alors je m'en vais aller en demander un peu à ce vieux Rad, dit Steelkilt en se levant pour se rendre au gaillard d'arrière.

» – Tu ne veux pas dire que tu vas aller lui demander quelque chose, à *lui* ! s'exclama un autre copain.

» – Et pourquoi pas ? Est-ce que tu penses qu'il va me refuser un petit service, quand c'est à lui que ça va profiter au bout du compte, camarade ?

» Il alla donc trouver le second, le regarda tranquillement et lui demanda un peu de bitord pour réparer son hamac. Il le reçut. Bitord ni tresse ne réapparurent aux regards ; mais le lendemain soir, quand l'homme des lacs roula son caban en guise d'oreiller dans son hamac, une boule de fer serrée d'une étroite résille s'échappa à demi de sa poche. Vingt-quatre heures plus tard, c'était son tour de barre sur le pont silencieux – à portée de l'homme susceptible de s'assoupir au-dessus du tombeau toujours ouvert et prêt à engloutir le marin –, ainsi le moment fatal approchait. Dans l'esprit de Steelkilt, le second était déjà un raide et gisant cadavre, le front défoncé.

» Mais c'est alors qu'un simple sot, messieurs, sauva ce meurtrier d'intention de l'accomplissement sanglant de l'acte qu'il avait prémédité. Il eut pourtant sa vengeance complète, mais sans être, lui, le vengeur. Car par un mystérieux décret, le ciel lui-même parut intervenir et prendre pour soi la chose damnable que Steeltkilt allait accomplir.

» C'était entre la première pointe du jour et le lever du soleil, alors que la bordée était au grand lavage des ponts ; un gars stupide de Ténériffe qui tirait de l'eau depuis les grands portehaubans poussa soudain un cri :

» – La voilà qui roule ! La voilà qui roule ! Jésus, quelle baleine !

» C'était Moby Dick.

» – Moby Dick ! s'exclama don Sebastian ; par saint Dominique, señor marin, est-ce que les baleines portent des noms de baptême ? Qui donc appelez-vous Moby Dick ?

» – Un très blanc, très célèbre, très mortellement immortel monstre, don Sebastian. Mais ce serait une autre et très longue histoire.

» – Dites ! dites ! quelle histoire ? s'écrièrent en chœur tous les jeunes Espagnols qui se levèrent, fort pressants.

» – Non, non, señores, non ! Je ne puis me lancer dans ce récit à présent. Ne m'étouffez pas, messieurs !

» – La chicha ! donnez la chicha ! s'écria don Pedro, notre vigoureux ami a l'air de défaillir. Remplissons-lui son verre.

» – Pas besoin, señores ; un instant seulement, et je reprends…
Donc, messieurs, apercevant si soudain l'énorme masse blanche du
cachalot à cinquante mètres à peine du navire, l'homme de
Ténériffe en avait oublié la convention de l'équipage et, dans son
excitation, malgré lui, avait donné de la voix, signalant le monstre
qui avait été déjà depuis un moment aperçu par les vigies silencieuses des trois mâts. L'exclamation involontaire déclencha instantanément une véritable frénésie : capitaine, officiers, harponneurs
criaient à l'envi : «Le Cachalot Blanc ! Le Cachalot Blanc ! »
anxieux qu'ils étaient de lui donner la chasse et de prendre un si
fameux et si précieux cétacé, peu impressionnés par la terrifiante
réputation qu'on lui avait faite. L'équipage, en revanche, regardait
de travers et non sans copieux jurons la terrifiante beauté de cette
énorme masse laiteuse, sur laquelle venaient jouer les jeunes
rayons du soleil qui la faisaient resplendir et scintiller comme une
blanche et vivante opale dans l'azur matinal de la mer. Une
étrange fatalité, messieurs, présida à tous ces événements, comme
si tout avait été écrit en vérité sur une certaine géographie avant
même que, du monde, la carte eût été dressée. Notre mutin était
l'homme de pointe de la baleinière du second, et c'était son travail,
pendant que Radney armé de la lance se dressait à la proue, que de
s'asseoir à côté de lui, pour haler sur la ligne ou lui donner du mou
au commandement. Qui plus est, lorsque les quatre canots furent
mis à la mer, celui de Radney se porta en tête, et nul plus que
Steelkilt ne tirait sur l'aviron avec une féroce ardeur en poussant
de véritables hurlements de triomphe ! Après une nage furieuse,
voilà leur harponneur piquant ferme le monstre, et Radney bondissant à la proue, lance en main. Il paraît qu'il était toujours en
furie dans une baleinière ; et à présent son commandement hurlé à
travers ses bandages était qu'on l'amenât droit sur le dos du
cachalot. De tout son cœur, son chef de nage halait la ligne main
sur main, amenant le canot dans la blanche écume qui se confondait avec l'autre blancheur, si bien que brusquement la baleinière
de toute sa vitesse vint donner sur le monstre comme contre un
récif sous les eaux ; et sa quille venant le chevaucher projeta du
coup en avant le second qui se tenait droit à la proue. A l'instant
même, comme il retombait sur le dos glissant du cachalot,

l'embarcation cula et fut rejetée en arrière par les remous, cependant que Radney tombait à l'eau de l'autre côté, sur l'autre flanc du monstre. Il nagea promptement hors du bouillonnement blanc des remous et pendant un instant on le vit, à travers ce voile écumeux, qui cherchait désespérément à se mettre hors de vue de Moby Dick. Mais le cachalot, tel un maelström, fit un brusque demi-tour, saisit le nageur entre ses mâchoires et, élevant haut la tête au-dessus de l'eau, plongea presque à la verticale, disparaissant avec lui dans les profondeurs.

» Au premier choc du canot sur le dos du poisson, l'homme des lacs avait choqué la ligne afin de rester à distance du tourbillonnant et vertigineux remous ; le regard calme et froid, il suivait le spectacle en mâchant ses propres pensées. Mais au soudain et terrible piqué que fit le canot, d'un coup rapide de son couteau il trancha la ligne, et le cachalot fut libre. A quelque distance, bientôt, on vit réapparaître Moby Dick ; quelques lambeaux du lainage rouge de la chemise de Radney restaient pris dans les dents de cette gueule qui l'avait détruit. Les quatre baleinières lui donnèrent la chasse de nouveau, mais le cachalot leur échappa et, pour finir, disparut tout à fait.

» En temps voulu, le *Town-Ho* atteignit son port : un endroit solitaire et sauvage où ne résidait nulle créature civilisée. L'homme des lacs à leur tête, les hommes de l'équipage entier – à l'exception de cinq ou six – désertèrent parmi les palmiers. Les circonstances aidant, ils s'emparèrent d'une grande pirogue de guerre à balancier de ces sauvages, et firent voile vers quelque autre port.

» L'équipage de son vaisseau réduit maintenant à une poignée d'hommes, le capitaine fit appel aux insulaires pour qu'ils aidassent aux difficiles et pénibles opérations d'échouage du trois-mâts, afin d'entreprendre les réparations de l'avarie. Le travail était dur, et la surveillance épuisante, que devait exercer jour et nuit cette petite bande de Blancs contre les entreprises éventuelles de ses dangereux alliés ! Lorsque le navire se trouva en état de reprendre la mer, ses hommes étaient tellement exténués que le capitaine ne voulut pas tenter de mettre à la voile, n'espérant pas pouvoir manœuvrer un bâtiment aussi lourd avec ce pauvre personnel. Ayant discuté de la chose avec ses officiers, il prit la décision de mouiller aussi loin que possible du rivage, d'armer et de pointer ses deux canons aux bossoirs, de rassembler tous ses mousquets sur le gaillard d'arrière, avertissant les insulaires qu'ils ne pourraient approcher qu'à leurs risques et périls; puis, ayant choisi un homme pour l'accompagner, il hissa la voile de sa meilleure baleinière et mit le cap, vent arrière, sur Tahiti qui se trouvait à cinq cents milles de là, afin de s'y procurer un nouvel équipage.

» Au quatrième jour de sa navigation, il aperçut une grande pirogue qui paraissait avoir abordé un atoll de corail, une petite île basse. Gouvernant pour s'en éloigner, il vit bientôt l'embarcation sauvage venir en plein sur lui, et peu après il entendit la voix de Steelkilt le hélant : «Stoppez, sinon je vous coule bas.» Le capitaine sortit un pistolet. Mais Steelkilt, un pied posé sur chaque proue de la double pirogue, se gaussa de lui, lui assurant que pour peu que son arme foirât, il l'ensevelirait, lui, dans les bulles et l'écume.

» – Que voulez-vous de moi ? cria le capitaine.

» – Votre destination; et pourquoi vous y rendez-vous ? Et attention ! pas de mensonge !

» – Je vais à Tahiti pour y chercher un complément d'équipage.

» – Très bien. Alors je viens un instant à votre bord. Pacifiquement.

» Et sur ces mots, il plongea et gagna la baleinière à la nage; empoignant le plat-bord, il y grimpa et se tint face à face avec le capitaine.

» – Croisez les bras, monsieur, et regardez bien en face. Maintenant répétez après moi : «Dès que Steelkilt me quittera, je fais serment d'atterrir là-bas, sur cette île, et d'y rester six jours pleins. Si je ne le fais pas, que les foudres me frappent ! »

» – Excellent élève ! gouailla encore l'homme des lacs. Adios, señor !…

» Il plongea et rejoignit ses camarades. Surveillant la baleinière jusqu'à ce qu'elle fût dûment accostée et tirée à sec parmi les racines des cocotiers, Steelkilt remit à la voile et gagna sans incident Tahiti, sa propre destination aussi. Ses hommes et lui y trouvèrent la chance : un voilier en partance pour la France avait justement besoin du nombre de matelots qu'ils étaient. Ils embarquèrent donc providentiellement, mettant ainsi une belle distance, et non sans une bonne avance aussi, entre leur précédent capitaine et eux, pour le cas où celui-ci eût nourri l'intention de requérir leur châtiment légal.

» Quelque dix jours après le départ du voilier français, la baleinière arriva à son tour, et le capitaine se vit contraint d'enrôler quelques-uns des plus civilisés parmi les Tahitiens un tant soit peu amarinés. Louant une petite goélette indigène, il regagna ainsi son vaisseau avec ses hommes, et tout allant bien à bord, reprit la mer pour achever sa campagne.

» – Quant à savoir où se trouve Steelkilt à présent, messieurs, qui le dira ? Mais là-bas, à Nantucket, sur notre île désolée, la veuve de Radney se tourne encore et toujours vers la mer qui refuse de rendre ses morts ; et toujours, dans ses rêves, elle voit le terrifique Cachalot Blanc qui l'a anéanti…

» – Est-ce la fin ? demanda don Sebastian posément.

» – C'est la fin, señor.

» – Alors, je vous en supplie, dites-moi du plus profond de l'âme ce que vous pensez : est-ce que votre histoire, en substance, est authentiquement vraie ? Elle est si extraordinaire, si pleine de merveilleux ! L'avez-vous sue de source sûre ? Pardonnez-moi d'insister ainsi.

» – Pardonnez-nous-en tous, señor marin, s'exclamèrent les autres, mais nous faisons chœur à la question de don Sebastian – et tous marquaient, en effet, un extrême intérêt.

» – Y aurait-il ici, à la Taverne Dorée, un exemplaire des Saints Évangiles, messieurs ?

» – Oh non ! répondit don Sebastian. Mais je connais un excellent prêtre non loin d'ici, qui m'en prêtera un sans tarder… Mais êtes-vous bien décidé ? parce que la chose devient plus que sérieuse.

» – Auriez-vous l'amabilité de prier le prêtre de venir aussi, don Sebastian ?

» – Bien que les autodafés n'aient plus cours à Lima, dit quelqu'un des autres à ce moment, je crains que notre ami marin ne s'attire des ennuis avec l'archevêché. Sortons-nous un peu de ce clair de lune ! Je ne vois pas, personnellement, la nécessité de cela.

» – Pardonnez-moi si je cours après vous, don Sebastian, mais puis-je encore vous prier d'apporter les Évangiles du plus imposant format que vous pourrez trouver ?

☆

» – Voici le prêtre. Il vous apporte les Évangiles, prononça gravement don Sebastian en revenant accompagné d'un solennel et grand personnage.

» – Je retire mon chapeau. Maintenant, mon vénérable père, avançons-nous bien sous la lumière, et veuillez me tenir le saint Livre en sorte que je puisse poser la main dessus.

» Que m'assiste le ciel ! Je jure sur mon honneur, messieurs, que l'histoire que je vous ai contée est vraie en substance et dans ses faits. Je la connais comme vraie. Elle est arrivée sur cette terre ; j'ai foulé du pied les ponts de ce navire ; j'en ai connu l'équipage. Et j'ai vu en personne et parlé avec Steelkilt depuis la mort de Radney.

DES PEINTURES MONSTRUEUSES
DE CÉTACÉS

Je peindrai sous peu pour vous, autant qu'il est possible de le faire sans toile, quelque chose comme la forme véritable du cétacé, tel qu'il apparaît aux yeux du baleinier, dans la réelle vérité de son corps lorsqu'il se trouve amarré au flanc du navire et qu'on peut convenablement le parcourir à pied. Mais il sera sans doute préférable de s'en référer d'abord aux étranges portraits imaginaires qui ont jusqu'à ce jour sollicité la crédulité des terriens. Il est grand temps de remettre le monde dans le droit chemin pour cette affaire, en lui démontrant que ces prétendus portraits de baleines sont contrefaits et assurément faux.

L'origine de cette lignée de faussetés picturales se tient sans doute dans la sculpture antique des Hindous, des Égyptiens et des Grecs. Car depuis ces hautes époques généralement inventives mais fort peu scrupuleuses, chaque fois que le dauphin fut représenté dans le marbre des temples, sur le piédestal des statues, sur les boucliers, les médaillons, les coupes ciselées, les monnaies, il le fut avec une cotte de mailles en fait d'écailles comme l'armure de Saladin, et la tête casquée comme celle de saint Georges ; or, depuis lors, une certaine et semblable licence s'est perpétuée non seulement dans les représentations les plus populaires du cétacé, mais aussi en nombre de ses représentations scientifiques.

Entre les plus étranges, et de beaucoup le plus ancien de tous les portraits qui prétendent représenter la baleine, est celui qu'on trouve dans la grotte-pagode d'Elephanta, aux Indes. Les brahmanes assurent que dans la collection quasi infinie des sculptures qui ornent cet immémorial sanctuaire, tous les métiers, occupations et professions concevables de l'homme ont été préfigurés des siècles avant leur existence pratique. Il n'y a donc rien d'étonnant que notre profession fort honorable de baleiniers se trouve au nombre de ces ombres anticipées. La baleine hindoue dont nous parlons occupe une partie séparée de la paroi et dépeint l'incarnation de Vishnou sous la forme du léviathan, connue doctoralement sous le nom de Matsé-Avatar. Mais bien que cette sculpture soit mi-homme mi-baleine, cette dernière moitié étant celle de la queue, ce tout petit élément de baleine est néanmoins figuré tout de travers. On dirait quelque chose comme l'extrémité caudale d'un anaconda, bien plutôt que les larges ailes de la queue de la baleine si majestueusement lobée.

Mais si nous passons maintenant dans les vieux musées pour contempler la représentation qu'en a faite un grand peintre chrétien, nous constatons qu'elle n'est guère plus réussie que celle de l'Hindou antédiluvien. Il s'agit du tableau du Guide représentant Andromède sauvée par Persée du monstre marin, c'est-à-dire de la baleine. Où donc le Guide a-t-il bien pu prendre le modèle d'une créature aussi étrange ? Et Hogarth n'a pas fait mieux en peignant le même sujet avec sa *Descente de Persée*. L'énorme corpulence du monstre hogarthien ondule à la surface, et c'est à peine s'il tire un pouce d'eau. Il porte sur le dos une sorte d'écubier, et sa gueule distendue par des défenses, où viennent s'engouffrer les lames, ressemble à la porte des Traîtres sur la Tamise, qui conduit par eau dans la Tour. Il y a encore les baleines spécifiques du vieux Sibbald, l'Écossais, et les baleines de Jonas telles qu'on les voit représentées dans les vieilles bibles, ou celles qui figurent sur les vieux abécédaires. Qu'en peut-on dire ? Quant à la baleine contorsionnée qui s'enroule comme un cep de vigne autour de la verge d'une ancre verticale, cette baleine des relieurs qu'on voit gravée en or sur le dos et sur les plats de maints volumes tant anciens que modernes, c'est une charmante fantaisie, mais une créature purement fabuleuse, imitée, à mon avis, des figures semblables qui ornent certains vases antiques. Bien qu'elle soit universellement qualifiée de dauphin, je tiens néanmoins cette figure des relieurs pour un essai de représentation de baleine, car telle était bien son intention avec les premières originales figurations, lorsque fut adopté cet emblème. C'est un vieil imprimeur italien de la Renaissance qui l'introduisit, au XVe siècle, et à cette époque comme jusqu'à des temps relativement récents, on a toujours tenu les dauphins pour une espèce particulière du léviathan.

Dans les vignettes et autres ornementations de certains livres anciens, il vous arrivera de rencontrer de temps à autre de vraiment curieuses conceptions graphiques de la baleine où toutes sortes de souffles, jets d'eau, sources chaudes et froides, Saratoga et Baden-Baden, viennent bouillonner à la surface de son crâne inépuisable. Sur la page de titre de l'édition originale de l'*Advancement of Learning*[1], vous pourrez voir de curieux cétacés.

Délaissant toutes ces tentatives artistiques et fantaisistes de non-professionnels, venons-en aux gravures qui prétendent nous donner une description sobre et scientifique du léviathan, exécutées par ceux qui savent. Dans la collection de *Voyages* du vieux Harris, on trouve quelques planches de baleines extraites d'un livre hollandais de 1671 qui a pour titre : *Une campagne de pêche à la baleine au Spitzberg, sur le navire « Jonas dans la Baleine », capitaine Peter Peterson de la Frise.* Sur l'une de ces planches, les baleines, comme des radeaux de gros billots, sont représentées flottant parmi les îles de glace, avec des ours blancs qui leur courent sur le dos. Sur une autre gravure, on relève l'erreur phénoménale d'une baleine montrée avec une queue verticale.

Il y a encore le gros in-quarto du capitaine Colnett, capitaine long-courrier de la marine britannique, intitulé : *Une croisière dans les mers du Sud, par-delà le cap Horn, ayant pour objet l'extension de la Pêche de la Baleine à Spermaceti.* On y trouve un hors-texte qui se donne comme : « Dessin d'un Physeter, ou Baleine à Spermaceti, exécuté à l'échelle par quelqu'un qui fut tué sur la côte du Mexique, en août 1793, et ramené à bord. » Je ne doute pas que ce soit à l'intention et au profit de ses propres marins que notre capitaine ait fait exécuter ce véridique dessin ! Pour ne parler ici que d'une chose, laissez-moi vous dire que, mesuré à l'échelle qui l'accompagne, l'œil d'un cachalot adulte

---

1. *Le Progrès du savoir.*

serait une baie de quelque cinq pieds de long. Oh ! mon bon capitaine, que ne nous avez-vous montré Jonas accoudé à cette fenêtre !

Eh bien, les plus consciencieuses compilations d'histoire naturelle à l'usage de la tendre jeunesse ne sont pas plus exemptes de
pareilles énormités ! Voyez la classique *Nature Vivante* de Goldsmith : dans l'édition abrégée faite à Londres en 1807 figurent les
planches d'une prétendue baleine et d'un prétendu narval. Je ne
voudrais pas paraître grossier, mais cette horrible « baleine » a tout
l'air d'une truie à laquelle on aurait retranché les pattes ; quant au
narval, un seul regard suffit pour qu'on demeure stupéfait qu'un
semblable hippogriffe ait pu passer pour authentique, en plein
XIXᵉ siècle, même aux yeux de l'adolescence peu éclairée.

Et puis, voici encore, en 1825, que Bernard Germain, comte de
Lacepède – et grand naturaliste – publie une étude systématique
en un volume consacré entièrement à la baleine, où figurent
nombre de dessins représentant les différentes espèces de léviathans. Non seulement ils sont tous incorrects, mais, du grand
Mysticetus ou Baleine du Groenland (c'est-à-dire la baleine
franche), Scoresby lui-même, qui avait une longue expérience de
cette baleine en particulier, déclare qu'il n'en est point dans la
nature qui ressemble à celle de Lacepède.

La couronne de l'absurdité dans tout ce méli-mélo était réservée
au scientifique Frédéric Cuvier, frère du fameux baron. En 1836, il
a publié une *Histoire Naturelle des Cétacés* où figure ce qu'il
dénomme une représentation du cachalot. Avant de montrer cette
planche à un Nantuckais quel qu'il soit, vous ferez bien, je vous
assure, de prendre vos dispositions pour vous assurer une prompte
retraite de Nantucket. Pour tout dire en un mot, le cachalot de
Frédéric Cuvier n'est pas un cachalot, c'est une capilotade. Évidemment il n'a jamais joui soi-même du privilège d'une campagne
de pêche (de tels hommes l'ont rarement), mais qui dira d'où il a
pu tirer pareil dessin ? Peut-être de la même mine d'où son prédé-
cesseur scientifique en la matière, Desmarest, a extrait ses absurdités graphiques, à savoir de quelque dessin chinois... Or, maintes
tasses plus que bizarres et maintes porcelaines étranges nous
apprennent assez quel pinceau vif en fantaisie savent manier ces
étonnants Chinois.

Restent les baleines peintes sur les enseignes des échoppes où se
vend l'huile de baleine, et qu'on voit se balançant ici et là dans les
rues. Que faut-il donc en dire ? Ce sont en général des baleines de
style Richard III, fort sauvages et bossues comme des droma-
daires, qui sont en train de déjeuner fort gentiment de trois ou
quatre matelots, quand ce n'est pas de baleinières entières dont
elles se régalent comme de tartes aux matelots ; le tout est invariablement baigné dans des flots de sang et de bleu outremer. Ces
monstres de l'erreur n'ont pas de quoi nous étonner trop, cependant. Imaginez un peu ! La plupart des dessins scientifiques ont
été faits à partir du cétacé échoué, et représentent à peu près aussi
heureusement l'animal dans sa noblesse vivante que le dessin d'un
vaisseau naufragé, l'échine rompue, le représente dans la fière
gloire de son orgueilleuse allure, indomptable carène et haute
mâture. Car si les éléphants, eux, ont posé généreusement dans
toute leur masse pour que soit exécuté leur portrait en pied, jamais
encore le léviathan n'a accordé, vivant, de séances de pose pour
son portrait alors qu'il flotte parmi les eaux. Le cétacé vivant, dans
toute sa pleine majesté et dans l'entier de sa signification, c'est en
mer, et à des profondeurs insondables, qu'il faudrait le voir ;
lorsqu'il vient en surface, la presque totalité de sa carène est noyée
aux regards comme l'est à jamais celle d'un vaisseau de ligne après
qu'il a été lancé. Hors de son élément, il est à jamais impossible
pour notre humanité mortelle de la tirer à soi et de la voir en plein
air telle qu'elle est, sans rien perdre de ses énormes courbures et de
ses fantastiques ondoiements. Et sans parler de la très probable
différence des formes et de la ligne entre un baleineau encore à la
mamelle et un vieux platonicien de léviathan au plein de l'âge et
de la sagesse ; même pour ce baleineau, sitôt que le voilà hissé à plat
sur le pont, si multiforme et fuyant, si ondoyant, si anguillesque, si
insaisissablement changeant et souple est son aspect, que le diable
en personne ne saurait attraper la ressemblance exacte de ses
traits.

Maintenant on pourrait se figurer peut-être qu'à partir du squelette dépouillé d'une baleine échouée, il soit possible de se faire
une juste idée de sa forme vraie. Point du tout. Car c'est une des
étrangetés particulières du léviathan, que son squelette ne repré-

sente en rien et ne permet absolument pas d'imaginer sa forme générale. Si le squelette de Jeremy Bentham[1], suspendu en guise de candélabre dans la bibliothèque de l'un de ses exécuteurs testamentaires, donne une idée convenable de ce vieux gentleman de front et de carrure solidement utilitaires, ainsi que de toutes les autres principales particularités personnelles de Jérémie, il n'en va pas du tout de même avec les ossements du léviathan qui ne permettent de déduire rien de valable de sa personne. En fait, et comme le dit le grand Hunter (le maître de Jenner), il y a autant de rapport entre le simple squelette du cétacé et l'animal revêtu de ses formes qu'entre l'insecte et sa ronde chrysalide quand il en est enveloppé. C'est une caractéristique que fait tout spécialement valoir sa tête, ainsi qu'il le sera montré en maint endroit dans ce volume. Sa nageoire pectorale en est aussi une illustration curieuse, car les os qui la constituent sont presque identiquement ceux de la main de l'homme, pouce en moins. Cette nageoire possède (intérieurement) quatre doigts : l'index, le médius, l'annulaire et l'auriculaire; mais ils restent à demeure enfouis dans leur enveloppe de chair naturelle comme une main dans l'enveloppe artificielle d'une moufle.

« Si cavalièrement que le cachalot en prenne avec nous, disait un jour l'humoristique Stubb, on ne peut vraiment pas dire qu'il n'y mette pas de gants ! »

Toutes ces raisons font donc, quelle que soit la manière dont vous vous y preniez, que la conclusion est inévitable : le léviathan est l'unique créature dans ce monde dont nul portrait authentique ne sera fait jusqu'à la fin. Certes, tel portrait pourra se rapprocher plus qu'un autre de la vérité, mais aucun ne comportera jamais un parfait degré d'exactitude véritable. De sorte qu'il n'existe pas de moyen terrestre qui vous permette de découvrir réellement de quoi a l'air une baleine; le seul procédé auquel il vous soit loisible de recourir pour vous faire une idée à peu près convenable de son apparence vivante, c'est d'embarquer vous-même pour une

1. Moraliste (1748-1832), utilitariste anglais qui systématisa Helvétius et Priestley; un des fondateurs du radicalisme libéral en Angleterre. Sa formule était : « Le plus grand bonheur pour le plus grand nombre. » L'édition française de ses œuvres a paru en 1840.

croisière de pêche; mais c'est aussi courir grand risque d'être à
jamais défoncé et expédié par ses soins dans l'éternel abîme. D'où
il s'ensuit naturellement, me semble-t-il, qu'il vaut mieux pour
vous-même ne pas vous montrer trop exclusif, obstiné et persévé-
rant dans votre curiosité au sujet du léviathan.

LVI

DES PORTRAITS DE CÉTACÉS LES MOINS ERRONÉS ET DES REPRÉSENTATIONS VÉRIDIQUES DE SCÈNES DE PÊCHE

A côté de ces monstruosités picturales et graphiques, je suis fort tenté de m'en prendre ici aux monstruosités littéraires encore plus choquantes qu'on peut trouver dans les récits de certains auteurs, tout aussi bien anciens que modernes, tels que Pline, par exemple, et Purchas, Hackluyt, Harris, Cuvier, etc. Mais laissons.

Je ne connais que quatre hors-texte publiés en volumes sur le grand cachalot : ce sont ceux des ouvrages de Colnett, de Hugghins, de Frédéric Cuvier et de Beale. Il a été question de Colnett et de Cuvier dans le précédent chapitre. L'illustration de Hugghins est déjà bien supérieure aux leurs, mais de loin, c'est celle de Beale qui est la meilleure. Tous les dessins de cétacés de Beale sont bons, à l'exception du motif central des trois baleines en des attitudes diverses qui ouvre son deuxième chapitre. Son frontispice notamment, qui représente des baleinières à l'assaut du cachalot, bien fait pour éveiller un scepticisme distingué chez les hommes de la belle société, est admirablement exact et fort proche de la vie même dans son effet général. Certains dessins de cachalots dans J. Ross Browne sont fort corrects, mais ils sont malheureusement pitoyablement gravés, ce qui n'est pas sa faute.

Pour la baleine franche, les meilleures représentations se trouvent dans le livre de Scoresby ; mais elles sont trop petites de dimensions pour produire l'effet désirable. Il n'a qu'une gravure représentant une scène de pêche, ce qui est d'une insuffisance désolante, car ce n'est guère que par ces illustrations, quand elles ne sont pas exécrablement erronées, qu'on peut arriver à se faire une idée un peu vivante et véritable de la baleine, telle que la voient vivante ses vivants adversaires.

Mais entre toutes, et de très loin les meilleures et les plus réussies des gravures donnant des baleines et des scènes de pêche, même si quelques petits détails ne sont pas d'une précision très absolue, ce sont deux estampes françaises, faites d'après les peintures d'un certain Garneray. Elles représentent toutes deux des attaques, l'une du cachalot, l'autre de la baleine franche. Dans la première, le cachalot est peint dans sa puissance et sa pleine noblesse, surgissant des profondeurs de l'océan juste au-dessous de la baleinière dont il porte sur son dos l'épave et les restes terriblement brisés. La proue du canot, partiellement intacte, se balance encore sur l'échine du monstre avec, debout sur ce fragment pour un fragment de temps, l'un des rameurs qui s'apprête à sauter comme dans un précipice, à demi caché par le bouillon furieux du souffle de l'animal. Le mouvement de toute la scène est merveilleusement rendu, remarquable de vérité et de vie. La baille à ligne, vide à moitié, nage sur la mer écumeuse et blanche, où se trouve plongé, oblique, le manche de bois d'un harpon ; autour du cachalot nagent, disséminés, les autres membres de l'équipage dont les visages sont marqués de différentes expressions d'épouvante, tandis que sur le lointain orageux et noir se détache le navire qui court sur les lieux du naufrage. Certes, de sérieuses fautes pourraient être relevées quant à certains détails anatomiques du cachalot, mais nous pouvons glisser là-dessus, d'autant que de ma vie entière je ne saurais en dessiner un aussi réussi.

Dans la seconde planche, la baleinière au flanc tapissé de bernicles est en pleine course d'une baleine franche en fuite, qui roule dans les flots son énorme dos noir tout chevelu d'algues marines comme le flanc rocheux d'un récif de la côte patagonne. Ses jets sont droits, denses, et noirs comme la suie, au point qu'à voir cette abondante fumée dans la cheminée, on se demande quel fameux souper est en train de mitonner au-dessous dans les énormes entrailles. Des oiseaux de mer viennent picorer les petits crabes, les coquillages, macarons et autres friandises que la baleine transporte parfois sur sa masse pestilentielle. Et pendant tout ce temps, le léviathan au museau lippu s'est rué dans sa course au-dessus des abîmes, laissant des tonnes de lait caillé dans son sillage et ballottant la légère embarcation dans ses remous énormes comme un youyou sous le proche battement des roues à aubes d'un navire à vapeur de l'océan. Ainsi le premier plan n'est que tumulte et violence emportés d'un furieux élan ; tandis que derrière, par un admirable contraste artistique, s'étend le vitreux miroir du calme plat océanien où reste pris le vaisseau impuissant, ses voiles affaissées, et où flotte l'inerte masse d'une baleine tuée qui porte, comme une forteresse conquise, le drapeau de capture dont la hampe est fichée dans l'un de ses évents, avec la paresseuse retombée de l'étamine qu'aucun souffle n'agite.

Qui est ce Garneray, le peintre, ou qui il fut, je l'ignore. Mais je suis prêt à jurer sur ma vie ou bien qu'il a réellement pratiqué son sujet, ou bien qu'il a été merveilleusement conseillé et enseigné par un baleinier de longue expérience. Les Français sont de vrais gaillards pour peindre les sujets d'action. Vous pouvez courir tous les musées d'Europe, où trouverez-vous une galerie de tableaux aussi vifs et pantelants d'action, de toiles d'un souffle et d'une émotion aussi ardents, qui puisse se comparer à cette salle triomphale du palais de Versailles, où le visiteur se fraye son chemin au cœur même et dans la confusion de toutes les grandes batailles de la France, où chaque épée a l'éclat d'une aurore boréale et où la grande lignée des rois et des empereurs en armes se rue comme une véritable charge de centaures couronnés ? Or, ils ne seraient aucunement indignes d'y figurer, les tableaux des batailles de la mer de Garneray [1].

La naturelle aptitude des Français à saisir l'élément pittoresque des choses se trouve éminemment démontrée par la qualité de leurs peintures et de leurs gravures de scènes de pêche à la baleine ; car sans avoir, en fait de grande pêche, un dixième de l'expérience des Anglais et un millième de celle des Américains, ils ont néanmoins donné à ces deux nations les seules œuvres accomplies susceptibles vraiment par leur intensité dramatique de donner l'esprit

---

1. Ambroise Louis Garneray, 1783-1857, qui s'embarqua pour les Indes, assista à de nombreux combats, fit plusieurs fois naufrage, et était aide-timonier de la *Belle Poule*, en 1806, lorsque cette frégate tomba aux mains des Anglais.

vrai de la chasse à la baleine. Pour la plupart, les dessinateurs
anglais et américains de la baleine semblent se contenter de repro-
duire l'extérieur mort, l'apparence mécanique des choses, comme
par exemple la silhouette morte, le profil vide d'une baleine, ce
qui, pour la qualité picturale et l'effet du pittoresque, est à peu
près aussi efficace et éloquent que de dessiner le contour d'une
pyramide. Ainsi même Scoresby, justement renommé comme
baleinier-franc, après nous avoir donné un grand portrait empesé
de la baleine franche et trois ou quatre délicates miniatures de narvals et de marsouins, nous procure toute une série de gravures
classiques de gaffes, de couperets et de grappins, après quoi, avec
le microscopique scrupule d'un Leuwenhoeck, il soumet à notre
frissonnante attention un monde de quatre-vingt-seize fac-similés
de superbes et arctiques cristaux de neige. Je ne veux nullement
faire œuvre de dénigrement à l'égard de ce très excellent voyageur
– que je vénère comme vétéran – mais il n'empêche que sur ce dernier sujet, et d'une aussi capitale importance, c'est de sa part une
coupable négligence que de n'avoir pas nanti chacun de ses cristaux d'une attestation assermentée d'origine obtenue devant la
justice de paix du Groenland.

A ajouter aux excellentes gravures de Garneray, il existe deux
autres gravures françaises dignes de mention, par quelqu'un qui
signe « H. Durand ». Une d'elles, qui pourtant ne se rapporte pas
directement à notre sujet, vaut cependant d'être notée pour d'autres
raisons. Elle représente une calme scène méridienne quelque part
dans les îles du Pacifique ; un navire français au mouillage à serrer
la terre est paresseusement en train de renouveler sa réserve d'eau à
bord ; les voiles molles du vaisseau et les longues palmes indolentes
de l'arrière-plan sont ensemble immobiles et comme retombées
dans l'absence de souffle de la moindre brise. C'est d'un effet vraiment très éloquent, à le considérer comme une représentation de nos
vaillants pêcheurs sous un de leurs rares aspects et dans une de
leurs rares circonstances de repos oriental. L'autre gravure est celle
d'une tout autre affaire : le voilier a mis en panne au beau milieu
de l'océan et en plein cœur de la vie léviathanesque, avec une
baleine franche à son flanc ; il se hale dessus comme à quai, tout à
l'occupation de découpage du monstre, cependant que de cette

scène toute laborieuse et affairée, s'éloigne en grande hâte une baleinière qui s'élance pour donner au loin la chasse à des baleines. Harpons et lances reposent horizontalement, prêts à servir ; trois des rameurs s'activent à gréer le mât de l'embarcation tandis que sur une lame soudaine le léger canot, comme un cheval cabré, dresse tout son avant hors de l'eau. Du pont de ce gros baleinier s'échappent les lourdes volutes des enfers de la baleine en train de bouillir, semblables à la fumée qui s'élèverait de tout un village de forgerons. A l'horizon au vent, on voit venir un noir nuage tout chargé de rafales de vent et de pluie, qui semble activer encore le travail des marins en pleine action.

LVII

CÉTACÉS EN COULEURS, EN IVOIRE, EN BOIS, EN FER-BLANC, EN PIERRE, EN MONTAGNES, EN ASTRES

A Tower-Hill, en descendant aux docks de Londres, on peut voir un stropiat mendiant (un « grappin » comme disent les matelots) qui dresse devant lui un panneau peint : la scène dramatique au cours de laquelle il perdit sa jambe. On y voit trois cachalots et trois baleinières dont l'une (dont on suppose qu'elle contenait la jambe manquante dans son originale et primitive intégralité) est en cours de destruction entre les mâchoires du cachalot au premier plan. Depuis dix ans, m'a-t-on dit, cet homme exhibe ainsi ce tableau et montre son moignon aux foules incrédules. Mais voici venue l'heure de sa justification. Ses cachalots sont d'aussi bons cachalots que ceux publiés dans Wapping, et son moignon aussi peu discutable que tous ceux qu'on peut voir sur les terres cultivées de l'occident ; bien que privé de la sienne, le pauvre baleinier ne vous tient pas la jambe avec de vains discours : les yeux baissés dans la désolation, il reste à contempler le moignon de sa misère.

Sur toutes les rives du Pacifique, et de même à Nantucket, à New Bedford et à Sag Harbour, vous pourrez découvrir quantité d'évocations de baleines et de scènes vécues de la grande pêche, ciselées par les baleiniers eux-mêmes sur des dents de cachalot ou des baleines de corset tirées des fanons de la baleine franche ; vous y trouverez également toutes sortes de « vole-temps », ainsi que les matelots appellent les innombrables petites œuvres et babioles ingénieuses qu'ils tirent de telle ou telle matière première durant leurs moments de loisir océanique. Si certains des hommes possèdent de petites trousses d'un véritable outillage de dentisterie pour la confection spéciale de ces objets, la plupart des marins se servent de leur seul couteau, cet instrument universel à la mer, avec lequel ils sont capables de vous accomplir tout ce qui peut entrer dans la fantaisie marine.

Le long exil hors de la Chrétienté et de la civilisation ramène inévitablement et infailliblement l'être humain dans les dispositions, l'état et la condition initiale où Dieu l'avait laissé, c'est-à-dire dans l'état qu'on dit de sauvagerie. Le vrai baleinier, de ce fait, est un sauvage autant et au même titre qu'un Iroquois. Oui, je suis moi-même un sauvage, ne devant l'allégeance qu'à Sa Majesté le Roi des Cannibales, contre lequel je suis toujours prêt à me rebeller.

Or, voyez-vous, l'une des caractéristiques particulières du sauvage, dans sa vie domestique, est sa merveilleuse industrie toute en miracles de patience. Une zagaie hawaïenne ou une massue de guerre de jadis, avec la multiplicité, la complication et le fini de leurs sculptures, sont d'aussi grands trophées de la persévérance humaine qu'un lexique latin; car c'est avec un fragment de coquille brisée ou avec une dent de requin que ces merveilleux entrelacs, cette broderie de bois ont été menés à bien; et ce travail a coûté de longues et constantes années d'une longue et constante application.

Ainsi le Hawaïen « sauvage » ; ainsi le « sauvage » matelot blanc. Avec la même et miraculeuse patience, avec la même et seule dent de requin (son propre malheureux couteau en l'occurrence), il vous sculptera un bout d'os, non pas comme un ivoirier peut-être, mais aussi chargé, fouillé, compliqué de dessin que le bouclier d'Achille, ce « sauvage » Grec, et aussi riche d'invention et d'esprit barbare que les estampes de ce magnifique Germain « sauvage », Albrecht Dürer.

Au poste d'équipage, sous le gaillard d'avant des baleiniers américains, les baleines de plein bois ou les baleines exécutées en ronde bosse dans les petites plaques du noir et noble bois de guerre des mers du Sud sont fréquentes. Il en est d'excellentes pour l'exactitude et la fidélité.

On peut voir aussi, sur la porte d'entrée de vieilles demeures à pignon de la campagne, des baleines de bronze et de cuivre suspendues par la queue en guise de heurtoir. Évidemment, pour réveiller un portier endormi, la baleine à tête d'enclume est d'une convenance parfaite. Mais laissons ces cétacés domestiques, qui sont rarement fidèles quant à la ressemblance. Sur la flèche des clochers de certaines vieilles églises, vous pourrez voir encore des baleines de fer-blanc y remplacer le coq-girouette ; malheureusement elles se tiennent si haut, et au surplus une telle armée d'écriteaux et d'avis, de « Défense de… » « Ne pas toucher », vous en interdisent l'approche, qu'il est impossible de les examiner d'assez près pour décider de leur mérite.

Dans les régions squelettiques, désertiques, osseuses de la terre où gisent, au pied de parois rocheuses abruptement boisées, des masses de granit éparpillées sur la plaine en groupements fantastiques, vous apercevrez souvent des figures, comme des léviathans pétrifiés émergeant dans les herbes qui, par un jour venteux, viennent s'y briser tel le ressac de hautes houles vertes.

Ou bien encore, dans les parties montagneuses où le voyageur se voit perpétuellement enfermé dans l'amphithéâtre des hauteurs, ici ou là, de tel ou tel heureux point de vue, il vous arrivera parfois de poser vos regards sur des silhouettes de cétacés qui se profilent au long des crêtes onduleuses. Seulement, pour les voir, il faut être un baleinier averti ; et même alors, s'il arrive que vous désiriez les revoir, il vous faudra avoir fait le point exact, latitude et longitude, du lieu où vous vous trouviez, sinon votre premier point de vue et son spectacle sur les sommités environnantes vous demandera un énorme labeur de redécouverte, tout comme les îles Salomon qui restèrent inconnues après que les eut parcourues Mendana portant la haute fraise, et décrites le vieux Figuera.

De même enfin, lorsque vous êtes enlevé par votre sujet avec assez d'ampleur, vous est-il impossible de ne pas relever des figures de baleines immenses au sein des cieux étoilés, avec les baleinières qui leur donnent la chasse ; exactement de la même façon que les nations de l'Est, l'esprit tout occupé de la guerre, voyaient dans les nuages des formations armées qui se rencontraient en bataille. J'ai de la sorte chassé moi-même le grand léviathan dans le ciel du grand Nord, parmi les constellations étincelantes qui gravitent autour du pôle et qui me l'avaient désigné tout d'abord. Puis sous les cieux éblouissants de l'Antarctique, je suis monté à bord du grand navire *Argo* pour prendre part à la chasse du Cétus étoilé, loin par-delà l'ultime élan de l'Hydre et du Poisson volant.

Avec des ancres de frégate en guise de mors et des faisceaux de harpons en guise d'éperons, ah ! je voudrais pouvoir la chevaucher, cette baleine, et franchir le sommet des cieux afin de voir si les célestes, fabuleuses plaines couvertes de tentes incomptables s'étendent réellement au-delà de ce qu'atteignent mes yeux mortels !

LVIII

PLANCTON

Faisant route au nord-ouest des Crozet, nous vînmes tomber dans les immenses pâturages marins de plancton, cette microscopique et jaune substance dont la baleine franche se nourrit amplement. Sur des dizaines et des dizaines de milles, elle ondulait tout autour de nous ; et il semblait que nous fissions route en traversant des champs illimités de blé mûr et doré.

Dès le deuxième jour, nous aperçûmes de grandes quantités de baleines qui s'avançaient paresseusement, gueules ouvertes, à travers les champs de plancton, à l'abri des attaques d'un chasseur de cachalots comme le *Péquod*. Le plancton demeure pris entre les fines lamelles de la stupéfiante jalousie vénitienne dont s'orne leur énorme museau, se séparant ainsi de l'eau que recrachent les lèvres. Tels des faucheurs matinaux qui poussent pas à pas leurs frissonnants andains dans l'herbe haute et lourde des prés marécageux, ces monstres cheminaient, étrangement accompagnés d'un froissement d'herbe coupée, en laissant derrière eux de longues fauchées d'azur coupant le jaune de la mer [1].

Mais ce bruit seul de leur chuintant passage dans le plancton rappelait celui de la faux et évoquait les faucheurs ; vues de la pointe des mâts, et tout particulièrement quand elles s'interrom-

---

1. Cette étendue marine connue parmi les baleiniers sous le nom de « bancs du Brésil » n'est pas ainsi dénommée, comme les « bancs de Terre-Neuve », à cause de ses bas-fonds, mais justement à cause de son étonnante apparence de prairie qui est due aux énormes et flottantes masses de plancton qui dérivent continuellement sous ces latitudes où l'on chasse souvent la baleine franche. *(NdA.)*

paient un moment et restaient immobiles, elles ressemblaient plus qu'à tout autre chose à d'inertes et sombres rochers. Et de même que dans les vastes territoires de chasse des Indes, il arrivera souvent à l'étranger de voir sans les reconnaître des éléphants couchés sur la plaine, les prenant pour des monticules dénudés et assombris du sol; de même aussi apparaîtront en mer, à qui les voit pour la première fois, ces léviathans immobiles. Et quand il les aura enfin identifiés, il n'arrivera que difficilement à croire, malgré tout, que l'énormité majestueuse de ces masses de chair vivante puisse être émue et animée réellement en toutes ses parties de la même sorte de vie que celle d'un chien, par exemple, ou d'un cheval.

En fait, à tous autres égards, il semble extrêmement difficile de considérer les habitants marins des profondeurs avec les mêmes sentiments que ceux du rivage terrestre. Et si certains des vieux naturalistes ont soutenu que toutes les créatures terrestres étaient originaires de la mer; si, d'un point de vue très général, la chose en elle-même n'est pas absolument impossible; néanmoins, quand on en vient aux applications, on ne manque pas d'être fort embarrassé, par exemple, pour trouver dans l'océan un quelconque poisson qui répondrait par sa gentillesse aimable et sage au caractère du chien. Il n'y a guère que le requin maudit qui pourrait, sous certains rapports génériques, soutenir la comparaison et présenter quelque analogie avec lui.

Mais encore que, d'une façon générale, tout habitant des océans inspire invariablement aux terriens une antipathie et une répulsion presque inexprimables; encore que nous sachions combien la mer est demeurée *terra incognita* à travers tous les temps, si bien qu'il fallut à Colomb croiser interminablement au-dessus d'innombrables mondes inconnus pour découvrir au bout du compte ce seul et superficiel monde de l'ouest; encore que, d'âge en âge, les plus terrifiants des désastres mortels aient immémorialement et indistinctement accueilli ceux qui, par dizaines et centaines de milliers, se sont aventurés sur les eaux; encore que la plus brève minute de simple réflexion nous apprenne quel bébé est l'homme, si fanfaron de sa science et de ses talents, et se vantant encore de l'avenir que lui promettent cette science et cette habileté sans cesse accrues, quand à jamais, jusqu'au fracas du Jugement, l'océan l'insulte et le massacre, pulvérisant comme rien la plus majestueuse et la plus robuste frégate qu'il puisse faire ; encore que soit tout cela, il n'empêche pourtant que la répétition de ces sentiments éternels les a émoussés et que l'homme a perdu, peu à peu, l'horreur et la terreur de la mer qui étaient en lui depuis les origines du monde.

Le premier vaisseau dont nous lisons l'histoire a flotté sur un océan vengeur qui avait englouti, sans laisser l'ombre d'une veuve, notre univers entier. C'est ce même océan qui roule aujourd'hui ses eaux ; c'est ce même océan qui a ballotté les épaves des vaisseaux naufragés l'an dernier. Eh oui ! inconséquents et stupides mortels, le grand déluge de Noé n'a pas retiré ses eaux encore, et les deux tiers du précieux monde que voilà en sont encore noyés.

Où est-elle et quelle est-elle, la différence entre la mer et la terre, qu'un miracle sur celle-ci ne soit pas un miracle sur celle-là ? Ce sont des terreurs surnaturelles qui pesèrent sur les Hébreux, lorsque sous les pieds de Korah et de sa bande s'ouvrit le sol, et que la terre vivante les engloutit à jamais ; or, le soleil de nos jours ne se couche pas une seule fois sans que la mer vivante, de la même façon, ait englouti navires et équipages ! Et la mer, non seulement est l'ennemie de l'homme qui lui est un étranger, mais elle est pareillement l'ennemie de sa propre descendance, pire encore que le Persan qui massacrait ses hôtes, n'épargnant même pas les créatures auxquelles elle a donné la vie. Semblable à quelque tigresse féroce de la jungle qui écrase ses propres petits, la mer fracasse jusqu'aux plus puissantes baleines contre les récifs, les rejetant côte à côte avec les débris des vaisseaux naufragés. Nulle pitié, aucun pouvoir ne la commande, autre que le sien propre. Et tel le cheval fou dans la bataille, qui a perdu son cavalier, tel l'océan sans maître poursuit son galop ravageur tout autour du globe.

Pensez un peu à l'affreuse subtilité de la mer et voyez comment ses créatures les plus redoutables se glissent insidieusement sous les eaux, invisibles presque toujours, et traîtreusement dissimulées sous les plus adorables nuances d'azur. Pensez aussi, voyez encore combien sont diaboliques tout le brillant et la beauté du plus grand nombre de ses plus implacables engeances, la finesse de lignes si exquise, par exemple, de tant d'espèces de requins. Pensez une fois encore à cet universel cannibalisme de la mer, dont toutes les créatures sempiternellement s'entre-dévorent, poursuivant une guerre incessante depuis le commencement du monde.

Pensez-y, et tournez alors vos regards vers cette verte, aimable et très patiente terre ; considérez bien l'une et l'autre : cette mer et la terre ; ne trouvez-vous pas là quelque curieuse analogie avec quelque chose de vous ? Car ainsi que l'océan des terreurs baigne et cerne la terre de toutes parts, ainsi l'âme de l'homme contient une île de Tahiti, merveilleuse de paix et de sérénité heureuse, mais battue de tous les côtés par toutes les horreurs et les affres de la vie qu'on ne connaît qu'à demi. – Dieu te garde, mon frère ! Ne pousse pas au large de cette île : jamais tu ne pourrais y revenir !

LIX

CALMAR

Se berçant mollement sur les lents pâturages de plancton, le *Péquod* maintenait son cap nord-ouest, en direction de l'île de Java ; une gentille brise le poussait, qui faisait balancer doucement ses trois grands mâts pointus dans les airs paresseux et sereins, tels trois palmiers paisibles dans la plaine. Et toujours, à intervalles espacés dans les nuits argentées, le souffle solitaire projetait devant nous son jet, comme un appel et comme un charme.

Mais voilà que par une pure matinée de transparence et d'azur, alors qu'une immobilité presque surnaturelle s'épandait sur la mer – sans toutefois menacer de nous encalminer ; alors que la flamboyante clairière immense du soleil, allongée devant nous, ressemblait à quelque doigt d'or posé sur l'océan comme pour lui commander de garder le secret ; alors que les longues laisses de la houle alentie chuchotaient doucement de l'une à l'autre en passant leur chemin ; dans le profond silence alors de la visible sphère, un spectre étrange fut aperçu là-haut, de la vigie du grand mât, par Daggoo.

Au loin, il vit se lever paresseusement une grande masse blanche, montant, montant et se détachant finalement sur l'azur, brillante devant notre proue comme une blanche avalanche qui viendrait de glisser des montagnes neigeuses. Elle resta là, étincelante, éblouissante un moment, puis lentement s'effaça, et disparut dans les profondeurs. De nouveau elle remonta, luisante et silencieuse. Cela ne ressemblait point à une baleine ; – mais serait-ce pourtant Moby Dick ? se demandait Daggoo. Derechef le fantôme plongea, et quand il réapparut, ce fut d'un cri pointu et raide comme un stylet que le nègre tira chacun de sa somnolence :

– Le voilà ! le voilà encore ! le voilà qui émerge, droit devant ! Le Cachalot Blanc ! Le Cachalot Blanc !

Instantanément tous nos hommes se précipitèrent aux enfléchures, allant s'agglutiner aux bouts de vergues comme abeilles sur les rameaux au temps de l'essaimage. Tête nue sous le soleil brutal, Achab s'était planté sur le beaupré, une main jetée en arrière, prête à donner des ordres à la barre, son regard avidement fixé dans l'axe qu'indiquait, là-haut, le bras tendu et immobile de Daggoo.

Soit que la fugace constance du souffle solitaire qui nous précédait depuis tant de nuits eût agi sur Achab, au point qu'il fût maintenant prêt à associer une idée de calme et d'immobilité avec la première apparition du monstre qu'il poursuivait ; soit autre chose, ou soit encore que l'impatience l'eût emporté : toujours est-il qu'il n'avait pas plutôt perçu distinctement la masse blanche, qu'il donna l'ordre de mettre à la mer, avec une hâte passionnée.

Les quatre baleinières ne tardèrent pas à toucher l'eau, avec Achab en tête ; et toutes quatre poussaient furieusement vers leur proie. Celle-ci plongea bientôt et nous restions tous, avirons suspendus, à attendre sa réapparition quand voilà qu'à l'endroit même où elle s'était enfoncée, une fois encore elle réapparaissait ! Oubliant presque totalement Moby Dick sur l'instant, nous contemplions à présent le plus stupéfiant et merveilleux phénomène que le secret des océans ait jamais, jusqu'à cette heure, révélé aux humains. Une énorme masse gélatineuse de plusieurs acres, translucide, d'un blanc crème éclatant, flottait à la surface, avec de longs bras innombrables, qui rayonnaient de ce centre, ondulants et tortueux comme un nid d'anacondas, avec l'air de chercher aveuglément à happer tout ce qui pourrait se trouver à portée. Elle n'avait ni face ni front apparents, semblant dépourvue de tout ce qu'on eût pu qualifier de sentiment ou d'instinct : c'était, ondulant dans la houle, comme une apparition surnaturelle, informe et toute fortuite. Et tandis qu'avec un bruit profond et lourd de succion elle disparaissait de nouveau, Starbuck s'exclama violemment, le regard toujours fixé sur l'énorme remous des eaux à l'endroit où elle s'était enfoncée :

– Ah ! j'aurais presque mieux aimé voir Moby Dick et le combattre, que de t'avoir vu toi, blanc fantôme !

– Qu'est-ce que c'était, Monsieur ? demanda Flask.

– Le Grand Calmar vivant ; bien rares sont les baleiniers qui l'ont vu, dit-on, et qui jamais soient rentrés au port pour le raconter.

Achab, lui, ne dit rien. Virant de bord, il regagna le navire ; les autres derrière lui, silencieux, en firent autant.

Quelles que soient les différentes croyances et superstitions que les baleiniers, chasseurs de cachalot, associent à la vision de cet être, ce qui est bien certain, c'est qu'il est rarissime de le voir et que ce fait a été, depuis longtemps, chargé d'un sens de mauvais augure. Sa vue est si extraordinaire que, bien que tout un chacun assure fermement que ce soit l'être animé le plus colossal de dimensions qui existe dans tout l'océan, nul n'a guère que les notions les plus vagues sur sa véritable nature et sa forme réelle. On croit cependant chez les baleiniers que c'est lui qui fournit l'aliment unique du cachalot. Et en effet, si d'autres baleines trouvent leur nourriture en surface et peuvent être vues en train de se nourrir, le spermaceti, lui, s'alimente exclusivement dans les profondeurs inconnues, bien loin de la surface ; et personne ne peut dire, autrement que par déduction, en quoi consiste exactement cette nourriture. Parfois, lorsqu'il est serré de près au cours de la chasse, il lui arrive de dégorger ce qu'on suppose être des tronçons détachés des bras du calmar. On en a mesuré qui atteignaient vingt et trente pieds de longueur. Les chasseurs de cachalot ont idée que le monstre auquel ces bras ont appartenu s'en sert ordinairement pour s'attacher fermement aux assises mêmes de l'océan, et que le cachalot, à la différence des autres espèces de sa race, est pourvu de dents afin justement de s'y attaquer et de le déchirer.

Il y a de solides raisons de croire que le *Grand Kraken* dont parle l'évêque Pontoppidan peut être, en fin de compte, le calmar [1]. A la façon dont le décrit l'évêque, et comment il s'élève et se

---

1. Le *kraken*, monstre marin des anciens auteurs, est un poulpe géant qui s'attaquait aux vaisseaux et, les saisissant dans ses bras, les entraînait dans les profondeurs. Ces monstres, qui atteignent des dimensions gigantesques, sont doués d'une force prodigieuse.

renfonce alternativement, ainsi que les autres détails qu'il rapporte, tout coïncide et correspond. La seule chose est qu'il faut pas
mal en rabattre de l'incroyable énormité qu'il lui assigne.

Selon certains naturalistes qui ont vaguement entendu parler
par ouï-dire de la créature mystérieuse dont il est ici question, elle
s'inscrit dans la classe des seiches, auxquelles elle semble se rattacher en effet par certains détails extérieurs; mais alors seulement
comme le géant carnassier, l'Anak de toute la tribu.

LA LIGNE

Se rapportant à la scène de chasse que je vais avoir à décrire promptement, et aussi bien pour rendre plus intelligibles les scènes de ce genre qui se trouveront rapportées ici ou là, il me faut ici parler de la magique et parfois horrifique ligne à baleines.

La ligne originalement employée dans la grande pêche était du chanvre le meilleur, légèrement vaporisé, mais non pas imprégné de goudron comme le sont les filins ordinaires. Le goudron, tel qu'il est employé d'habitude, donne au chanvre une meilleure qualité de torsion, convenable au cordier ; et le filin ainsi fabriqué convient aussi parfaitement au marin pour toutes les utilisations à bord ; néanmoins, pour la ligne non seulement le goudronnage habituel lui donnerait trop de raideur, mais il y a encore, comme on commence à le savoir en général dans la marine, que le goudron n'ajoute rien à la valeur de résistance ou à la durée du cordage, tout compact et luisant qu'il le rende.

Dans ces dernières années, le filin en manille a presque totalement détrôné le chanvre à bord des baleiniers américains, comme matière propre à la ligne à baleines ; parce que s'il n'a pas la durée du chanvre, il a en revanche une résistance bien plus grande, et il est en outre beaucoup plus élastique et plus souple. Ajouterai-je aussi que, d'un point de vue esthétique, il est infiniment plus séant sur le canot ? Le chanvre est un compère de peau sombre et bistrée, une sorte d'Indien ; la manille apparaît, elle, comme une blonde et belle Circassienne.

La ligne à baleines n'a guère que deux tiers de pouce de section.

A première vue, on ne la croirait jamais aussi solide, mais l'expérience a prouvé que chacun de ses cinquante et un fils porte un poids suspendu de cent vingt livres, ce qui fait que le filin entier résiste à une traction de plus de trois tonnes. La longueur ordinaire de la ligne à cachalots est de l'ordre de deux cents brasses [1]. Placée à l'arrière de la baleinière, elle est soigneusement lovée dans sa baille, non pas en spirale à la façon d'un serpentin d'alambic comme on le croit toujours, mais « en galette », de manière à constituer une masse ronde et homogène comme un fromage, chacune des couches de spires concentriques, ou galette, étant serrée et dense, sans aucun vide autre que le « cœur », c'est-à-dire le mince cylindre vertical qui forme l'axe central de ce fromage. Comme le moindre faux pli ou la moindre coque de la ligne lovée emporterait infailliblement, en se déroulant, un bras, une jambe ou le corps entier de quelqu'un, le plus grand soin est mis à cet enroulement dans la baille. Certains harponneurs passeront presque une matinée entière occupés à ce seul ouvrage, dévidant toute la ligne et la faisant passer haut dans une poulie avant de la réintroduire dans la baille, afin d'éviter toute torsion et distorsion du filin.

Sur les baleinières anglaises on use de deux bailles au lieu d'une, la même ligne étant lovée dans l'une et l'autre. Il y a certain avantage à la chose, du fait que chacune des deux bailles étant de dimensions réduites, on trouve plus de commodité à les loger dans l'embarcation, aussi bien pour la promptitude de la manœuvre que pour la moindre gêne et la meilleure répartition du poids. La baille à ligne américaine, au contraire, d'un diamètre de près de trois pieds et d'une égale hauteur, constitue une charge relativement pesante pour un canot dont les bordages n'ont pas plus d'un pouce et demi d'épaisseur ; aussi le fond de la baleinière est-il semblable à une glace suspecte et dangereuse à la surface d'un étang, laquelle peut supporter un poids considérable s'il est bien réparti, mais se rompra vite sous une faible pression exercée en un seul point. Bâchée de grosse toile peinte, ainsi qu'il est d'usage, la baille à ligne américaine une fois embarquée a l'air d'une énorme tourte de mariage que la baleinière porterait en présent aux baleines.

1. 365 mètres environ.

Les deux extrémités de la ligne sont libres et à nu. L'extrémité inférieure à forme de boucle, étant épissée avec un œil, remonte du fond contre la paroi de la baille pour pendre sur son arête, complètement dégagée de tout. Cette disposition est nécessaire pour deux raisons : primo, afin de faciliter l'amarrage d'une seconde ligne – celle d'un canot venu à la rescousse – dans le cas où le cachalot harponné sonde à une telle profondeur qu'il entraîne avec lui la ligne tout entière du canot qui l'a attaqué (et dans ce cas, évidemment, on se transmet d'une baleinière à l'autre le cachalot, comme si l'on se passait d'une main à l'autre une chope de bière, mais le premier canot reste néanmoins toujours à portée pour prêter assistance à son successeur) ; secundo, la disposition en question assure aussi la sécurité commune indispensable, car si d'une façon quelconque cette extrémité de la ligne était amarrée au canot lui-même, dans le cas où le cachalot la dévide tout entière, fumante, en moins d'une minute, comme il arrive parfois, et poursuit sa terrifiante plongée, il entraînerait alors infailliblement l'embarcation derrière lui dans les noires profondeurs de l'océan ; aucun crieur public n'aurait pouvoir alors de le jamais retrouver.

L'autre extrémité de la ligne, la première, au moment de la mise à la mer de la baleinière est tirée de la baille, passée en poupe derrière la bisbille, puis ramenée en proue sur toute la longueur du bateau, mais par un circuit croisé qui prend appui sur le tolet de l'aviron de chaque rameur, de sorte qu'elle bat les poignets de chacun pendant la nage, et qu'elle tourne, positivement, autour du buste de chacun des hommes assis alternativement contre l'un puis l'autre plat-bord, filant ainsi jusqu'à l'extrême pointe de la proue où elle passe dans une rainure-guide avec ses cales, d'où une cheville de bois, ou brochette, l'empêche de se dégager. Donc depuis là, elle pend sur l'étrave en dessinant un léger feston à l'extérieur, pour revenir dans l'embarcation où quelque dix ou quinze brasses de ligne sont lovées, et de là, revenant contre le plat-bord un peu plus en arrière, ce bout est enfin amarré au « bout-court », c'est-à-dire au filin proprement dit du harpon. Ce bout-court lui-même, entre le nœud d'amarrage et le harpon, parcourt tout un circuit complexe de méandres qu'il serait fastidieux d'essayer de décrire.

Ainsi, la ligne à baleines enveloppe l'embarcation tout entière de ses sinuosités compliquées, la parcourant, virant et serpentant en tous sens. Tous les rameurs se trouvent individuellement prisonniers de ce réseau aux dangereuses contorsions, à tel point qu'à l'œil ébahi du terrien timide, ils ont l'air tout à fait de ces bateleurs hindous qui s'amusent à faire festonner sur leurs membres les plus mortellement venimeux des serpents. Aussi n'est-il aucun fils d'une mère humaine qui puisse s'asseoir lui-même, pour la première fois, dans ce lacis inextricable de chanvre ou de manille, et, tout en tirant de toutes ses forces sur son aviron, songer qu'à un imprévisible moment donné, le harpon sera lancé, mettant brusquement et horriblement en branle ces effroyables lacets à la vitesse d'un éclair, sans que cette pensée provoque en lui un tel tremblement que la moelle de ses os elle-même en frissonne comme une molle gélatine. Et pourtant l'habitude... l'étrange chose ! Que ne peut faire l'habitude ?... Vous n'aurez jamais entendu se croiser par-dessus l'acajou de votre table de saillies plus joyeuses, de reparties plus brillantes ; jamais vous n'aurez ouï de plus franche gaieté et de plus libre humour, que sur ce demi-pouce de cèdre blanc dont est faite une baleinière, alors que les convives ont le cou ainsi passé dans les nœuds coulants du bourreau et qu'à l'instar des six bourgeois de Calais devant le roi Édouard, ces six hommes de l'équipage s'avancent, ou plutôt se jettent, souquant de toutes leurs forces, jusque entre les mâchoires de la mort... la corde au cou, on peut le dire !

Peut-être un brin de méditation vous mettra-t-il à même, à présent, de vous faire une idée de ces constants et répétés et mortels accidents de la grande pêche, qui ne font que fort rarement l'objet d'une relation, où il est question de tel ou tel homme enlevé par la ligne et emporté par-dessus bord, qui a été perdu. Car lorsque la ligne fuse, être assis dans la baleinière c'est à peu près comme de se trouver installé au beau milieu d'une vrombissante mécanique à vapeur en plein élan, dont chaque engin et chaque pièce, chaque piston, chaque levier, chaque roue vous frôlent en sifflant. C'est pire même, puisque vous ne sauriez demeurer immobile au cœur de tout ce multiple danger, la barque se ballottant comme un berceau et vous jetant, de-ci de-là, sans le moindre égard ni avertissement ;

une manière d'élasticité naturelle et une quasi-instantanéité de réflexe et d'action vous gardent seules de devenir un Mazeppa et de filer comme l'éclair en des lieux où le soleil, qui voit tout, ne pourrait lui-même plus jamais vous atteindre.

Et encore n'est-ce pas tout : car de même que le calme apparemment si profond qui précède et annonce l'orage est peut-être plus terrible encore que l'orage lui-même (puisqu'il en est véritablement l'enveloppe et que dans son silence, il le contient, tout entier, exactement comme le fusil d'apparence si innocente contient sous ses dehors inoffensifs la poudre fatale et la balle mortelle et l'explosion assassine) ; de même dans son gracieux repos, alors qu'elle serpente immobile et silencieuse autour des hommes aux avirons, avant que d'entrer effectivement en action, la ligne est une chose qui recèle positivement une terreur plus grande que n'importe quelle autre apparence de toute cette dangereuse affaire. – Mais pourquoi en dire plus ? Tous les humains vivent enveloppés de lignes à baleines. Tous les hommes naissent également avec un nœud coulant autour du cou ; mais c'est uniquement lorsqu'ils sont enlevés dans le brusque et soudain détour rapide de la mort, que les humains se rendent compte de la constante, silencieuse et subtile présence des périls de l'existence. Et pour peu que vous soyez philosophe, alors même que vous êtes assis dans la baleinière, vous n'aurez pas à ressentir au fond de votre cœur un soupçon de plus grande terreur que si vous étiez installé devant votre feu, à la veillée, avec un tisonnier à côté de vous, et non pas un harpon.

LXI

STUBB TUE UN CACHALOT

Si pour Starbuck l'apparition du Grand Calmar était chose de mauvais augure, pour Quiequeg il en allait tout différemment.

– Quand toi voir lui « camar », affirmait le sauvage tout en affûtant son harpon sur le plat-bord avant de son canot hissé aux bossoirs, toi vite voir lui « permaceti ».

Le lendemain était une journée extraordinairement pesante, étouffante ; et comme rien de particulier ne venait occuper son intérêt ou ses muscles, l'équipage du *Péquod* avait grand-peine à résister à l'appel du sommeil dont l'envoûtait le vide immobile de la mer. Ce secteur de l'océan Indien à travers lequel nous croisions alors n'est pas ce que les baleiniers nomment un « parage vif », c'est-à-dire qu'on y voit bien moins de bondissants marsouins, moins de dauphins ou de poissons volants et autre gent vivace, que dans certaines eaux plus turbulentes, comme par le travers du Río de la Plata, par exemple, ou le long de la côte du Pérou.

C'était mon tour de vigie de misaine ; les épaules appuyées contre les drisses du cacatois molli, j'étais paresseusement bercé dans l'espace qui me semblait comme enchanté. Aucune résolution ne pouvait y tenir et j'étais sous le charme, si bien que pour finir, dans cet état de rêve, je perdis tout sentiment de conscience et mon âme s'en fut loin de mon corps qui, lui, continuait d'osciller comme avec le mouvement d'un pendule longtemps après que la force qui l'a lancé s'est retirée.

Avant de glisser tout à fait dans l'oubli de toutes choses, j'avais remarqué que les deux autres vigies somnolaient déjà au grand

mât et à l'artimon; ainsi étions-nous tous les trois des corps sans
vie, lentement balancés à la pointe des mâts; et avec chaque
balancée, en bas, la tête sommeillante du timonier oscillait elle
aussi. La molle houle également roulait indolemment la tête de ses
vagues, et sur l'immensité de l'océan en extase, l'orient engourdi
laissait aller vers l'occident une tête dodelinante, et le soleil
lui-même, par-dessus tout, dormait.

   Tout soudain il se fit comme un pétillement de bulles éclatantes
derrière mes paupières closes; mes mains se serrèrent comme des
étaux sur les haubans : quelque invisible et toute gracieuse providence venait de me sauver. D'un coup brutal, je revins à la vie. Et
là, juste sous notre vent, à moins de quarante brasses de notre
bord, très semblable à la coque d'une frégate capotée, un gigantesque cachalot roulait la masse énorme de son dos noir, luisant,
éthiopien de couleur, qui scintillait sous le soleil comme un miroir !
Tel qu'il allait, ondulant paresseusement dans l'entre-deux des
lames et lâchant çà et là, tranquillement, la fumée vaporeuse de
son jet, il avait l'air d'un gros bourgeois ventripotent fumant sa
pipe dans la chaleur de l'après-midi. Mais cette pipe, hélas ! était
la dernière pour toi, pauvre cachalot ! Comme touché soudain par
la baguette magique de quelque enchanteur, le navire endormi
avec chacun de ses dormeurs se trouva tout à coup dans le plus vif
éveil, et ce furent plus de vingt voix à la fois, de toutes les parties
du vaisseau, qui lancèrent en même temps que les trois guetteurs
de la mâture le cri accoutumé, cependant que l'immense poisson,
avec lenteur, continuait de souffler régulièrement sa bruine étincelante.

   – Les canots à la mer ! Lofez ! commanda Achab qui, obéissant
lui-même à son ordre, jeta la barre dessous avant même que le
timonier eût eu le temps d'y mettre la main.

   L'explosion soudaine des cris de l'équipage avait dû alarmer
le cachalot qui, majestueusement, vira de bord et s'éloigna sous le
vent avant que les baleinières eussent touché l'eau; mais il nageait
avec une si tranquille sérénité, ridant à peine la surface, qu'Achab,
en se disant qu'il n'avait peut-être pas été alerté encore, après tout,
donna l'ordre de border tous les avirons et de ne parler qu'à voix
basse. Assis donc ainsi que des Indiens tout contre le plat-bord de

nos embarcations, nous avancions à la pagaie vite et sans bruit ; le calme rendait vain l'établissement d'une voile. Peu après, alors que nous étions en pleine chasse, on vit la queue du monstre se lever perpendiculairement et battre l'air à quarante pieds au-dessus de la surface, puis s'enfoncer et disparaître à la vue comme une tour engloutie.

– Voilà la queue ! la queue qui plonge ! fut le cri lancé.

Et à cette nouvelle apparut l'allumette de Stubb qui alluma sa pipe. Un moment de répit nous était accordé.

Lorsque le plein délai d'une plongée normale fut écoulé, le cachalot réapparut sur les devants du canot du fumeur ; et comme il se trouvait moins éloigné de celui-ci que de chacun des autres, Stubb comptait sur l'honneur de la capture. Il était évident, maintenant, que le cétacé s'était rendu compte qu'on l'avait pris en chasse ; aussi les précautions et le silence étaient-ils périmés. Les pagaies furent rentrées et les avirons entrèrent brusquement dans la danse. Toujours fumant sa pipe, Stubb encourageait ses hommes à l'assaut.

Une complète métamorphose avait changé l'allure du cachalot. Parfaitement conscient du danger, il filait « tête hors » cette puissante étrave projetée hors de la folle écume que produisait sa nage[1].

– De la vitesse, mes gaillards, de la vitesse ! Mais pas de précipitation, non ! prenez votre temps. De la vitesse, seulement. Filez-moi dessus comme des coups de tonnerre, voilà tout ! s'exclamait Stubb tout en fumant sa pipe et en rejetant ses bouffées entre ses interjections. En vitesse, à présent ! Vas-y, Tashtégo, donne-leur la cadence, longs et forts, les coups ! Vas-y, Tash, mon garçon, de la vitesse !

---

1. On aura l'occasion ailleurs de voir de quelle extraordinairement légère substance est rempli tout l'intérieur de l'énorme tête du cachalot. Quoi qu'elle soit apparemment la plus massive partie de sa personne, cette tête est en réalité, et de loin, la plus flottante. Aussi n'a-t-il aucune peine à la redresser, et c'est invariablement ce qu'il fait lorsqu'il nage en pleine vitesse. En outre, l'étrave de son front est en haut si largement bombée alors qu'elle est, en dessous, si finement profilée, qu'en projetant obliquement sa tête hors de l'eau comme il le fait, le cachalot se transforme positivement lui-même, de galiote camarde à la proue lourde et ronde qu'il était, en un fin bateau-pilote new-yorkais à l'étrave tranchante. (NdA.)

Allez, allez tous ! mais du sang-froid, oui, du sang-froid !… des concombres, voilà le mot ! Et en douceur, hein, en douceur ! Vous n'avez qu'à y aller comme la mort amère et tous les démons grimaçants, les enfants, et faire dresser les morts tout debout dans leurs tombes ! Pas autre chose, fistons. Filez dessus !

– Wou-hou ! Ouch-hie ! hurlait comme en réponse la Tête-Folle de Gay Head, lançant au ciel quelque vieux cri de guerre, tandis que dans sa baleinière furieusement lancée, chaque rameur se trouvait malgré soi projeté en avant par le terrible branle que lui donnait à chacun de ses coups d'aviron féroces et puissants, l'Indien déchaîné qui les menait.

Et à son cri sauvage répondaient d'autres cris non moins sauvages.

– Ké-lé, kou-lou ! ululait Quiequeg avec un clappement des lèvres comme si c'était sur un beefsteak tartare.

Bondissantes à chaque coup de pelle, enlevées à chaque hurlement, les nacelles filaient ainsi, fendant les flots. Stubb, cependant, qui maintenait son avance, continuait d'encourager ses hommes à se ruer à l'attaque, tout en tirant à longs traits sur sa bouffarde qui demeurait vissée entre ses dents. Tels des désespérés, ils souquaient de toutes leurs forces, tiraient à s'en déchirer les muscles, jusqu'au moment enfin que retentit le cri bienvenu :

– Debout, Tash ! mets-lui-en !

Et le harpon siffla.

– Sciez ! Tous ! commanda Stubb – et les hommes rejetèrent le canot en arrière.

A l'instant même ils sentirent tous, presque sur leurs poignets, quelque chose de chaud qui filait en sifflant. C'était la ligne magique, à laquelle Stubb avait, juste avant, donné d'un geste vif deux nouveaux tours autour de la bisbille, d'où maintenant, avec la vitesse toujours croissante de son déroulement, elle faisait monter une fumée bleutée de chanvre qui se mêlait à la fumée des longues bouffées régulières qu'il continuait de tirer de sa pipe. Et de même que la ligne se dévidait en tournant follement autour de la bisbille, de même aussi filait-elle, avant de gagner ce pivot, entre les deux mains nues de Stubb, auquel avaient échappé accidentellement les deux maniques, faites de carrés de grosse toile piquée, dont on se sert alors. C'était comme de tenir par sa lame acérée l'épée à double tranchant d'un ennemi qui ne cesserait, pendant tout ce temps, de vouloir l'arracher à votre prise.

– Mouillez la ligne ! Mouillez la ligne ! commanda Stubb au rameur de la baille (celui dont le poste de nage est à côté de cette baille à bord).

Et l'homme, tirant promptement son chapeau s'en servit comme d'une épuisette pour l'inonder[1]. Quelques tours supplémentaires furent encore donnés à la ligne, qui commença ainsi à freiner un peu. Le bateau à présent volait à travers les eaux bouillonnantes, écumeuses, tel un requin lancé de toute sa vitesse. Stubb et Tashtégo cependant changèrent de place, pointe pour pointe, de proue en poupe et de poupe en proue, ce qui n'est pas une petite affaire, croyez-moi, comme travail d'équilibriste, dans un canot bondissant et ruant en pleine course !

Avec la ligne vrombissante qui courait sur toute la longueur de la baleinière, et tendue maintenant partout comme une corde de harpe, vous eussiez cru que le canot en se ruant comme il le faisait à travers les deux éléments possédait également deux quilles : l'une qui fendait l'eau, et l'autre qui fendait l'air. Une double cascade sans fin retombait de l'étrave ; un bouillon continuel tournoyait dans le sillage ; et au moindre mouvement, fût-ce celui du petit doigt, qu'on faisait dans cette coque vibrante et gémissante, on la voyait aussitôt plonger frénétiquement jusqu'au ras des plats-bords dans l'océan. Et ainsi filait-on, chaque homme cramponné des deux mains à son banc, et mettant toute sa force pour n'être pas projeté dans l'écume fuyante ; et la puissante forme de Tashtégo, à l'aviron de queue, était presque complètement pliée en deux pour parvenir, autant que possible, à maintenir malgré tout son centre de gravité. On eût dit que des Atlantiques et des Pacifiques entiers défilaient sur cette lancée, jusqu'au moment où, pour finir, le cachalot ralentit quelque peu l'élan de sa fuite.

---

1. Quant à la nécessité absolue de la chose, disons que dans la grande pêche autrefois, les Hollandais avaient à bord un faubert réservé à cet usage : mouiller la ligne pendant son dévidage ; sur maintes autres embarcations on a pour cela une épuisette de bois ou une écope. Mais rien de plus pratique que le chapeau des Américains. *(NdA.)*

– Hale dessus ! hale dessus ! commanda Stubb à l'homme de proue, cependant que tout l'équipage, aux avirons, exécutait une manœuvre semi-circulaire pour ramener sur le flanc du cachalot l'embarcation qu'il tenait toujours en remorque.

Quand on parvint, bientôt, à l'accoster ainsi, Stubb, solidement appuyé du genou contre la planche à cuisse, lança coup après coup son arme dans le poisson en course ; au commandement, la baleinière, tantôt sciait pour sortir de la souille horrible du cachalot, tantôt revenait pour un nouvel assaut.

Le rouge flot sourdait à présent de tous les côtés du monstre ainsi que des torrents d'une montagne. Son grand corps torturé ne roulait plus dans l'eau salée, mais dans une mer de sang qui bouillonnait et écumait sur des centaines et des centaines de mètres dans son sillage. Le soleil près de se coucher jouait sur cette masse pourpre, dont le reflet faisait flamboyer les visages qui se voyaient les uns les autres comme des Peaux-Rouges. Et pendant tout ce temps, jet sur jet, le souffle agonisant du cachalot faisait fuser la fumée blanche de son évent ; et bouffée sur bouffée, nerveusement, la fumée véhémente s'échappait de la bouche de l'officier surexcité qui ramenait à lui après chaque nouvelle attaque (par la ligne qui l'amarrait) sa lance à chaque fois faussée afin de la redresser, et encore et encore de quelques coups pressés sur le plat-bord, avant de l'enfoncer de nouveau, et de nouveau encore dans le corps du cétacé.

– Serre dessus ! serre ! commandait Stubb à l'homme de proue, maintenant que le cachalot relâchait sa fureur. Serre dessus ! plus près ! plus près !

Et la baleinière vint à toucher le flanc du monstre. Alors, penché tant qu'il pouvait hors de l'étrave, Stubb vrilla sa longue lance aiguë dans le corps du poisson, sondant et resondant avec une attention extrême comme s'il eût cherché de la pointe de sa lance à découvrir, sans la briser, une montre d'or que l'animal eût engloutie, et qu'il voulait récupérer. Seulement cette montre d'or qu'il cherchait si précautionneusement, c'était le nœud vital au plus intime du cachalot. A présent le voilà trouvé, atteint : car ce ne sont plus l'agonie et sa terrible angoisse qui l'agitent, mais l'indicible chose que sont les dernières convulsions du cachalot expirant. Le monstre se vautrait horriblement dans son sang, s'enveloppait soi-même d'un linceul fantastique fait d'une écume follement bouillonnante, opaque, impénétrable, au point que le canot n'eut que le temps de se jeter hors du péril en sciant promptement, n'ayant plus qu'une hâte, mais non sans peine : échapper n'importe comment à ces ténèbres d'épouvante et de furie pour revenir à la claire lumière du jour.

Puis avec le dernier sursaut de son ultime convulsion, le cachalot roula encore et réapparut à la vue, chavirant bord sur bord, houleusement, les derniers spasmes d'une respiration courte et violente dilatant et contractant son évent. Tout à la fin, caillot après caillot, plusieurs bouillons de sang, semblables à la lie pourprée du vin rouge, furent crachés, jetés dans l'air épouvanté, pour retomber en pluie sur l'océan et sur les flancs sans vie de l'animal. Son cœur avait éclaté !

– Il est mort, Monsieur Stubb, prononça Tash.

– Oui, les deux pipes sont fumées ! dit Stubb en retirant la sienne de sa bouche pour en vider les cendres mortes sur la mer.

Et là, pendant un moment, il resta méditativement à regarder le colossal cadavre qu'il avait fait.

LXII

LE DARD

Un mot à propos d'un passage du précédent chapitre.

L'usage est invariable dans la grande pêche, qui veut que la baleinière déborde du navire avec son chef de bord, ou tueur de baleines, comme barreur provisoire, et le harponneur ou piqueur de baleines au premier aviron de pointe, qui est nommé d'ailleurs aviron du harponneur. Mais lancer le premier fer dans le poisson réclame un bras puissant de muscles et de nerfs, car bien souvent dans ce qu'on appelle le lancer-long, ce pesant engin doit être expédié à une distance de vingt ou trente pieds. Or, quelque longue et exténuante que puisse être la poursuite, on n'en attend pas moins du harponneur qu'il tire sur son aviron avec la dernière énergie ; on compte sur lui, en fait, pour qu'il donne aux autres l'exemple d'une activité surhumaine non seulement par la force incroyable de ses coups d'aviron, mais encore par ses exclamations hurlées et incessantes. Crier de toutes ses forces quand on a tous ses muscles tendus, près d'éclater, nul ne sait ce que cela signifie, qui ne l'a point soi-même essayé. Pour moi, je suis incapable de crier à tue-tête et vraiment de bon cœur tout en me livrant, dans ce seul et même moment, à un travail de force vraiment excessif. Le harponneur, lui, en plein effort et donnant de la voix à pleins poumons, tournant le dos à l'animal chassé, s'entend soudain donner l'ordre excitant : « Debout ! et mets-lui-en ! » Il lui faut alors border son aviron, faire demi-tour, s'emparer de son harpon en le dégageant de la fourche et, avec le peu qui lui reste de forces, essayer de piquer le cétacé.

Quoi d'étonnant alors, pour prendre la flotte baleinière dans son ensemble, si sur cinquante bonnes chances pour le lancer, il n'y a pas cinq harpons qui réussissent; quoi d'étonnant si tant de harponneurs malchanceux sont follement injuriés, démis de leurs fonctions; quoi d'étonnant s'il y en a, parmi eux, qui se fassent éclater les artères à forcer dans le canot; quoi d'étonnant s'il se trouve que des vaisseaux en campagne après le cachalot fassent quatre ans de croisière pour quatre barils d'huile; quoi d'étonnant, enfin, si pour tant d'armateurs, la pêche à la baleine soit une affaire déficitaire? Car tout repose sur le harponneur; c'est lui qui fait le succès ou l'échec d'une campagne; et si vous lui avez arraché le souffle du corps, qu'espérez-vous tirer de lui au moment où il vous fait le plus besoin?

Et au surplus, lorsque le lancer du harpon aura réussi, alors, l'instant d'après, lorsque le cétacé s'élance dans sa fuite, également dans le canot s'élancent, pour le plus grand danger de tous, le barreur de la poupe et le harponneur de la proue, car c'est à ce moment-là qu'ils doivent changer de poste et que le chef de bord, le capitaine de la baleinière, va prendre position sur l'avant.

Peu m'importe qui viendra soutenir le contraire, je dis que tout cela est à la fois stupide et inutile. Le chef de bord pourrait fort bien se tenir sur l'avant du commencement à la fin; il pourrait tout aussi bien lancer et le harpon et la lance, d'autant plus qu'on ne lui demanderait jamais, sauf en extrême urgence exceptionnelle, de manœuvrer le moindre aviron. Je n'ignore pas que cela entraînerait peut-être une légère perte de vitesse au moment de la poursuite proprement dite; mais une longue expérience faite à bord de baleiniers battant divers pavillons m'a convaincu que dans la forte majorité des échecs, ce n'est pas tant une supériorité de vitesse du cétacé sur le canot, que la fatigue fatale et l'épuisement total du harponneur qui en sont la vraie cause.

Afin d'assurer l'efficacité la plus grande du lancer, à ce moment où ils se dressent, c'est du repos détendu que devraient sortir les harponneurs de ce monde, et non du travail exténuant!

LXIII

LA FOURCHE

Du tronc, croissent les branches; des branches, les rameaux. Et les chapitres font de même avec la sève du sujet.

La fourche, dont il a été question dans une page précédente, mérite une mention spéciale. C'est une sorte de hampe à encoche, haute de quelque deux pieds, insérée verticalement dans le plat-bord de la baleinière, non loin de l'étrave, où repose le harpon sur sa hampe de bois; la pointe barbelée et dégainée s'avance à l'extérieur, dépassant l'avant du canot. Grâce à cette disposition, l'arme se trouve immédiatement dans la main du lanceur qui l'enlève de son support aussi promptement que le colon des forêts de notre Amérique du Nord décroche son fusil du mur. Il est d'usage d'avoir deux harpons dans cette fourche, nommés le premier fer et le second fer.

Chacun de ces deux harpons est semblablement rattaché à la ligne par son lien propre, car il s'agit, autant que possible, de les lancer promptement l'un et l'autre dans le même cétacé afin de doubler les chances pour le cas où le premier céderait. Mais il arrive fréquemment que l'immédiat et violent élan de la victime au reçu du premier fer rende impossible au harponneur, quelle que soit la vitesse de ses gestes, de piquer le second. Auquel cas, du fait que ce second fer est assujetti sur la ligne qui commence à filer, il faut que, par précaution nécessaire, n'importe comment et n'importe où, cette arme dangereuse soit expédiée par-dessus bord avant qu'elle soit d'elle-même entraînée à l'eau; tout l'équipage se trouverait, autrement, dans le plus extrême danger. On l'envoie

donc s'agiter dans l'eau dans ces cas-là, et la chose est rendue possible (dans la plupart des cas) grâce aux brasses de ligne en réserve
lovées en poupe, dont il a été dit un mot dans un chapitre antérieur. Mais cette opération est loin d'être sans danger, et il ne
manque pas de cas où elle a été fort malheureusement suivie
d'accidents graves ou mortels.

En outre, lorsque ce second fer a été effectivement jeté par-
dessus bord, vous ne pouvez pas ignorer qu'il y devient une dansante et tranchante terreur dont le périlleux ballet exécute ses
capricieuses arabesques entre la baleinière et le poisson, emmêlant
ou coupant les lignes, distribuant les plus extraordinaires sensa-
tions dans tous les sens. Il n'est, en général, pas possible de le récupérer avant que la baleine soit vaincue et transformée en cadavre.

Imaginez, à présent, ce qu'il peut en être lorsque quatre baleinières ont entrepris de concert la capture d'un animal particulièrement fort, entreprenant et rusé, et qu'à tous les dangers issus de
ces qualités mêmes viennent s'ajouter ceux de la danse de huit ou
dix seconds fers tournoyant autour du belliqueux gibier ! Car, bien
évidemment, toutes les baleinières sont pourvues de plusieurs harpons à frapper sur la ligne à baleines, pour le cas où le premier
aurait été jeté sans résultat, et perdu. Tous ces détails sont rapportés ici avec une exactitude fidèle, parce qu'ils ne manqueront pas
de venir, par la suite, éclairer certains épisodes capitaux, mais fort
compliqués, du récit.

LXIV

LE SOUPER DE STUBB

Le cachalot de Stubb avait été mis à mort à quelque distance du navire. Nous étions dans un calme ; aussi fallut-il, les trois canots s'y attelant en flèche, que nous entreprenions la lourde besogne du remorquage de notre trophée vers le *Péquod*. Dix-huit hommes nous étions, c'est-à-dire trente-six bras, cent quatre-vingts doigts et pouces cramponnés sur les avirons, halant en haletant, heure après heure, sur l'océan cette masse inerte, ce paresseux cadavre, qui paraissait ne pas bouger du tout malgré tous nos efforts ; ces dix-huit hommes que nous étions avaient là une bonne preuve de l'énormité du corps qu'ils remorquaient. Car sur le grand canal du Han-Ho, en Chine (peu importe de quels autres noms on le nomme), quatre ou cinq haleurs sur le chemin vous traîneront une lourde jonque en pleine charge à la vitesse d'un mille à l'heure ; mais l'énorme caraque que nous remorquions si péniblement pesait comme si elle avait eu la panse pleine de lingots de plomb.

L'obscurité tomba ; mais trois feux qui se balançaient dans la haute mâture du *Péquod*, apparaissant, disparaissant, nous indiquaient vaguement notre route. Enfin, lorsque nous approchâmes, nous vîmes Achab prendre une des nombreuses lanternes supplémentaires et se pencher avec elle par-dessus la lisse. Laissant tomber un regard morne sur le cachalot flottant, il donna les ordres habituels pour l'arrimage de nuit, puis, remettant sa lanterne à un matelot, il se rendit à sa cabine et ne reparut plus jusqu'au matin.

Bien que le capitaine Achab, à commander et à surveiller la poursuite de ce cachalot, eût fait preuve de son activité coutumière, si je puis m'exprimer ainsi, maintenant que l'animal était mort, il semblait ressentir quelque déception irritée, que ce fût d'impatience ou de désespoir, comme si la vue de ce corps éteint lui rappelait que Moby Dick était toujours en vie et encore à tuer. Eût-on ramené un millier de cachalots à son bord, cela ne le rapprochait pas d'un pouce de son grand, de son seul, de son obsédant objet.

Peu après, à entendre le bruit de chaînes qui se faisait sur le pont du *Péquod*, on eût pu croire que l'équipage entier était en train de s'apprêter à jeter l'ancre en plein océan. De lourdes chaînes, en effet, étaient halées bruyamment sur les ponts ; de lourdes chaînes, en effet, étaient manœuvrées par les sabords ; mais tout ce cliquetis ferraillant, c'était pour l'embossage de l'énorme carène morte, et non pas du navire. Arrimé par la tête en poupe et par la queue sur l'avant, le cachalot gisait à présent tout contre le vaisseau ; et avec cet énorme dos noir couché contre la carène, dans l'obscurité qui maintenant occultait la mâture, on eût dit deux énormes bœufs sous le même joug, mais dont l'un serait couché alors que l'autre serait toujours debout[1].

Si le sombre Achab – du moins pour ce qu'on en pouvait savoir sur le pont – était à présent toute quiétude, Stubb, son officier en second, était en revanche triomphant et manifestait une excitation extraordinaire et joyeuse. Le voyant dans sa pétulance si débordant d'activité, le toujours sérieux Starbuck, son supérieur hiérarchique, lui laissa calmement le gouvernement provisoire du navire. Et l'une des menues choses qui venait encore ajouter à tant de vivacité et d'entrain inhabituels chez Stubb devait se révéler de façon inattendue et sans retard. C'était un bon vivant que Stubb ; et il était

---

1. Un petit détail sera le bienvenue ici. La meilleure et la plus solide prise que le vaisseau puisse serrer sur le cétacé quand il le tient arrimé contre son flanc est celle de la queue. Mais à cause de la densité relativement plus grande de cette partie du corps (exception faite des nageoires latérales), et à cause de la flexibilité qu'elle garde dans la mort, la queue est entraînée à couler profondément audessous de la surface, de sorte qu'il est impossible de passer dessous à la main une chaîne pour la saisir. Cette difficulté a été ingénieusement tournée : un mince et résistant filin est préparé, dont un bout est amarré au vaisseau, l'autre à une bouée de bois, et qui comporte un poids en son milieu. Adroitement manœuvré, on amène le flotteur sur l'autre côté du corps qui se trouve ainsi encerclé. Rien de plus facile alors que de faire suivre la chaîne et de la faire glisser jusqu'au plus étroit du corps, juste avant l'épanouissement de la queue, où elle est solidement fixée. *(NdA.)*

grand amateur de cachalot, il avait pour le cachalot une estime particulière, un immodéré penchant – gastronomique, s'entend.

– Une tranche, une tranche avant que j'aille me coucher ! clama-t-il. Toi, Daggoo ! vas-y et coupe-moi un filet du creux !

Il faut qu'on sache, ici, que si nos sauvages pêcheurs de baleines n'ont pas coutume de faire payer, selon l'usage militaire, les frais de la guerre à l'ennemi (du moins avant la réalisation finale des bénéfices de la campagne), il arrive cependant parfois que vous rencontriez tel ou tel de nos Nantuckais qui se montre tout particulièrement friand du morceau désigné par Stubb ; morceau qui se situe vers l'extrémité caudale du cachalot, dans cette partie du corps qui va se rétrécissant.

Aux environs de minuit, ladite tranche était taillée et cuite ; et notre Stubb, éclairé par deux luminaires à l'huile de spermaceti, se disposa gaillardement, debout à la tête du cabestan en guise de buffet, à consommer son souper de spermaceti. Pourtant, il n'était pas seul à banqueter de la chair du cétacé, cette nuit-là. Prenant part à sa dégustation et mêlant leurs clappements à la mastication de l'homme, des armées de requins grouillaient autour du léviathan défunt et se gorgeaient goulûment de sa graisse. Les rares dormeurs en bas, au poste d'équipage, ne faisaient guère que sursauter dans leurs hamacs aux violents coups de queue dont était giflée la coque, à quelques pouces seulement de leurs cœurs de dormeurs. Il n'était que de se pencher sur la muraille pour les voir (comme avant on les entendait) grouillant dans les lourdes eaux sinistrement noires, se tournant sur le dos pour arracher du cachalot de grosses bouchées rondes, de la taille d'une tête humaine. Ce coup de dents du requin est une prouesse qui semble vraiment tenir du miracle. Comment, d'une surface aussi visiblement inentamable, arrivent-ils à extirper de rondes bouchées aussi géométriques ? C'est encore là un de ces problèmes qui reste et demeure partie intégrante de l'universel problème de toutes choses. La marque qu'ils laissent sur le cétacé ne saurait être mieux comparée qu'au forage du charpentier quand il fraise une noyure pour une tête de vis.

On verra les requins, pendant l'horreur affreuse, dans la fumée et dans l'enfer d'un combat naval, lever de longs regards d'envie vers les ponts des vaisseaux – tels des chiens affamés vers un étal où l'on découpe de la viande rouge – prêts et prompts à gober d'un coup chacun des humains morts qui leur est envoyé; et tandis qu'au-dessus de la table des ponts, nos vaillants bouchers sont en train de s'entre-découper leurs chairs vivantes avec de beaux et grands couteaux tout empanachés d'ors et de glands, les requins, de même, sous la table, se disputent le découpage de la viande morte avec leurs gueules précieusement serties de joyaux; dessus ou dessous, quelle que soit la façon dont vous preniez la chose, elle demeure toujours sensiblement la même : une sale affaire de requins, abominable d'un côté comme de l'autre. On trouvera aussi les requins formant l'escorte obligatoire de tous les négriers traversant l'Atlantique, trottant allégrement sur les flancs du navire afin de se trouver à portée s'il y avait quelque colis, par hasard, à livrer quelque part, ou quelque esclave mort à ensevelir proprement. Et ainsi pourrait-on citer quelques autres circonstances encore, qui sont pour les requins le temps, le lieu et l'occasion de réunions aimables et de joyeux festins. Mais il n'en est aucune, où que ce soit, où vous les trouverez en aussi grand nombre et en si joyeuse humeur qu'autour d'un cachalot tué, amarré de nuit au flanc d'un baleinier, en pleine mer. Et s'il ne vous a jamais été donné de voir pareil spectacle, suspendez alors votre jugement sur l'à-propos d'un culte à donner au diable, et sur l'opportunité de se le concilier.

Quant à Stubb, il n'avait jusque-là aucunement pris garde au bruissant banquet qui se poursuivait à ses pieds, pas plus d'ailleurs que les requins n'avaient fait attention à lui lorsqu'il claquait une langue gourmande et pourléchait ses lèvres épicuriennes.

– Coq! coq!… où est-il ce vieux Flix? appela-t-il à la fin, tout en écartant encore un peu les jambes comme pour donner une assiette plus ferme à son souper – et, piquant sa fourchette dans le plat, comme s'il y portait un coup de sa lance : Coq! Ohé, le coq! Aborde ici! cria-t-il encore.

Le vieux Noir, qui n'était pas au dernier point ravi d'avoir été tiré si prématurément de la chaleur de son hamac, et à une heure aussi indue, s'en vint d'un pas traînant de sa cambuse. Comme beaucoup de vieux nègres, il avait des ennuis du côté des rotules, qui ne mijotaient pas aussi gaillardement que ses casseroles. Ce vieux Flix, comme on l'appelait, s'approcha clopinant, claudicant, soutenant sa démarche sur ses pincettes à feu, objet rudimentaire, façonné d'un cercle de baril aplati ; boitillant, trébuchant, le vieil ébène s'avança et vint, au commandement, s'arrêter net en face de Stubb, de l'autre côté de son buffet. Une fois là, les deux mains posées en avant sur sa canne à deux branches, il inclina plus encore son vieux dos tout arqué par-dessus, penchant sa tête de côté afin de présenter sa meilleure oreille.

– Coq ! prononça Stubb, non sans porter vivement à ses lèvres une bouchée de viande nettement rouge, est-ce que vous ne croyez pas que cette viande a un bon coup de feu de trop ? Et tu l'as trop battue, cuisinier, elle est trop tendre. N'ai-je pas toujours dit qu'un steak de cachalot, pour être bon, doit être dur ? Voilà ces requins-là, de l'autre côté ; ne vois-tu pas qu'ils le préfèrent dur et cru ? Mais quel boucan ils font !... Vas-y un peu et dis-leur, coq, dis-leur qu'ils sont cordialement invités à se servir, mais poliment et avec modération, et qu'ils doivent garder un peu de silence. Du diable si je peux seulement entendre ma propre voix ! Allons, coq, en route ! va leur transmettre mon message ; tiens, prends cette lanterne (il lui tendit une des lanternes posées sur son buffet) et maintenant va et sermonne-les !

Renfrogné, le vieux Flix prit la lanterne qu'on lui tendait et s'en fut à petits pas, traversant le pont, jusqu'à la lisse où il se pencha, descendant à bout de bras sa lanterne afin de mieux apercevoir son auditoire.

– Camâades, mes fêres : Ici me voici, pasque z'ai 'eçu ôdre de vous dîe que vous devez aêté ce maudit damné tapase que vous faites. Vous entendez ? Aêtez ! y en a assez de ce maudit claque-ment de vos lèvres ! Messé Stubb y dit que vous pouvez châger vos maudites cales zusqu'aux écoutilles, mais Boddi ! faut que vous aêtiez ce chaïvaï de tous les diab' !

– Coq ! vint l'interrompre Stubb en lui administrant avec ses paroles une soudaine claque sur l'épaule ; coq ! maudit coquin ! il ne faut pas jurer de cette abominable façon quand vous faites un sermon. Ce n'est pas comme ça qu'on convertit les pécheurs !

– Qu'est ?... Ben, faites-y vot' sêmon vous-même, prononça le vieux nègre morose, en se tournant pour partir.

– Non, non ! coq, vas-y, continue !

– Tès bien, alô's, mes tès chers fêres…

– Parfait ! approuva Stubb, cajole-les un peu, c'est ça, essaye voir.

Et le vieux Flix continua :

– C'est que vous êtes des equins tous, tant que vous êtes, et focément tès voaces pâ natûe, mais ze vous dis moi, camâades, que cette voacité… allez-vous finî de fouetter avé vos maudites queues ! comment voulez-vous entende, si vous aêtez pas tout ce chaïvaï d'enfé de fouetté vos queues et claqué vos saqués gueules ?

– Coq ! protesta Stubb en l'arrêtant de la main sur l'épaule, pas de ces jurons, je t'ai dit. Tiens-leur un langage comme il faut, distingué !

Et le sermon reprit une fois encore :

– Vote voacité, camâades, on ne vous en veut pas poû ça ! c'est la natûe et on n'y peut ien changé. Mais gouvênez cette mauvaise natûe, oilà ce qu'il faut. Vous êtes des equins, pas v'ai ? Sû que vous êtes des equins. Seuêment gouvênez le equin en vous, c'est des anzes alô's que vous êtes ! Un anze, oui, c'est pas aut'chose qu'un equin bien gouvêné. Aussi écoutez-moi bien à pêsent, mes fî, tâzés voiz un coup d'ête polis et bien êvés poû vous sévi sû ce spê'maceti Boddi ! C'est pas à vous qu'il est, pas v'ai ? il appâtient à quêqu'un d'aut'. Faut pas ôter cette gaisse de la bouzze de vot' pôchain, moi vous dî ! Y en a pas un equin qui a plus d'oit qu'un aut'… Oh ! moi, sais bien y en a qui z'ont des têiblement plus gandes gueules que les aut'; mais aussi y a quêqfois que les gandes gueules y zont des petits ventâs, et c'est pour ça que ces gandes gueules c'est pas fait poû tout bouffé d'un coup, mais poû âaché des gands bouts de gaisse poû le petit fetin de equins qu'y peut pas ête de la cuée et se sévi tout seuls.

– Bien dit, vieux Flix ! s'exclama Stubb. Ça c'est parler en chrétien ! Continue.

– Pas b'soin continué, Messé Stubb ! Cette maudite enzeance y font ien que de se batte ent' eux et de s'y donné des coups. Y z'écoutent pas un tait' mot, ces maudits g'outons du diab' comme vous dites ; y a pas la peine de leû faî un sêmon zusqu'à tant qui z'auont empli leû cales, pasque leû cales elles ont pas de fond ; et pis alô's y plongent tout au fond de la mê poû dômi' tout en bas sû le co'ail, et y peuvent plus ien du tout vous entende, plus ien et plus zamais ien du tout, zamais plus.

– Sur mon âme, coq, je suis à peu près du même avis. Alors donne-leur la bénédiction, Flix, et je retourne à mon souper.

Les deux mains étendues sur le grouillant tintamarre des squales, le vieux nègre éleva sa voix pointue et leur cria :

– Maudits chiens de damnés compê'es ! Faites tout le tapase d'enfé que vous voud'ez ; emplissez vos saqués maudites cales afin qu'elles éclatent ; et pis quevez !

– Maintenant, coq ! dit Stubb, se remettant à son souper, au cabestan, reviens comme tu étais tout à l'heure, là, juste en face de moi, et écoute-moi bien.

– Tout o'eille, Messé ! dit Flix de nouveau appuyé sur ses pincettes dans la position voulue.

– Bon ! prononça Stubb tout en se servant copieusement néanmoins ; j'en reviens à présent à cette question de grillade. Et tout d'abord, quel âge as-tu, coq ?

– Quel âppôt y a ça avec la guillade, grommela le vieux Noir de mauvaise grâce.

– Silence !... Quel âge as-tu, coq ?

– Dans les quat'vingt-dix, à ce qu'on dit, gargouilla-t-il sombrement.

– Et tu as vécu sur cette terre près d'un siècle entier, coq, pour ne pas encore savoir à l'heure qu'il est faire cuire un filet de cachalot ? lança Stubb en engouffrant une nouvelle bouchée, avec son dernier mot, si vite que la bouchée semblait être la suite même de la question. Où es-tu né, coq ?

– De'iè l'écoutille, sû le bateau transpo'teû, en tavê'sant l'Oanoque.

– Né sur un bac ! Drôle de chose, ça aussi. Mais ce que je veux savoir, coq, c'est dans quel pays tu es né.

– J'ai y pas dit que c'était le pays de l'Oanoque ? protesta-t-il de sa voix pointue.

– Non, coq, tu ne me l'as pas dit. Mais moi, je vais te dire où je veux en venir. Il faut que tu retournes là-bas et que tu te remettes à y naître de nouveau. Tu ne sais pas, à ce jour, comment on fait griller un filet de cachalot.

– En vé'ité ! Dieu me gâ'de si jamais j'en fait cui' un aut' ! gronda le vieillard, fâché, en se détournant pour partir.

– Reviens ici, coq ! Là... tends-moi un peu ces pincettes, là... et maintenant prends-moi ce morceau-ci, et dis-moi si tu penses que cette viande est cuite comme il faut. Prends-le, je te dis (Stubb lui présentait les pincettes), prends-le, et goûte-moi ça !

Les vieilles lèvres s'agitèrent faiblement sur cette bouchée pendant un moment, puis le Noir grommela :

– La mieux cuite des guillades que j'ai jamais goûtées ; succulente, vaiment succulente.

– Coq ! recommença Stubb en reprenant sa posture, est-ce que tu fais partie de l'Église ?

– J'en ai vu une, une fois, à Capedown, que j'ai passé devant.

– Ainsi tu as une fois dans ta vie passé devant une sainte église à Capetown, où tu n'as pas manqué d'entendre, coq ! un saint curé qui s'adressait à ses ouailles, à ses frères bien-aimés, à son prochain, à ses semblables – pas vrai, coq ? Et voilà que tu viens quand même à présent me faire un aussi abominable mensonge ! Hé ?... Où crois-tu donc que tu iras ainsi ?

– Au lit, le plus vite possible, marmonna le vieux tout en faisant demi-tour.

– Halte-là ! Vire de bord ! Quand tu mourras : je te demande, coq. C'est une grave et terrible question. Et maintenant quelle est ta réponse ?

– Losque ce vieil homme noi' ici, il mou'a, prononça-t-il avec solennité, changeant complètement de ton et d'attitude, il n'ia pa' lui-même nulle pâ. Mais un anze béni viend'a et l'empôte'a.

– L'emportera ?... Comment ça ?... Dans un carrosse à quatre comme fut emporté Élie ? Et où donc l'emportera-t-il ?

– Là-haut, énonça Flix en levant ses pincettes droit au-dessus de sa tête, où il les maintint d'un geste emphatique et solennel.

– Ainsi donc, c'est dans notre grand-hune que tu espères aller, coq, quand tu seras mort ? Mais ne sais-tu donc pas que plus on monte, plus il fait froid ? La grand-hune, eh ?

– Pas dit ça du tout, moi ! lâcha le vieil homme de nouveau boudeur.

– Tu as bien dit là-haut, non ? Alors, regarde par toi-même où pointent tes pincettes. Mais c'est peut-être au ciel que tu espères grimper en passant par le trou du chat ? Que non, coq ! tu n'y arriveras pas par là ; il faut faire le tour par le chemin régulier dans le gréement extérieur ; c'est tout une affaire, je sais bien, mais il faut y passer, autrement il n'y a rien à faire ! Seulement aucun de nous n'est encore au ciel, à cette heure. Allons ! redescends-moi ces pincettes et écoute mes ordres. Tu m'as entendu ? Le chapeau d'une main et l'autre à la pointe du cœur, pendant que je donne mes ordres, coq ! Quoi ? C'est là que tu as le cœur ? C'est ta poche à foin qui est là ! Plus haut ! Plus haut !... voilà, tu y es maintenant. Garde-la bien là, et ouvre tes oreilles !

– Tout o'eilles, dit le noir vieux bonhomme, ses deux mains disposées comme désiré, et vrillant en avant sa vieille tête grise comme pour essayer de présenter ses deux oreilles en même temps de face.

– Bon ; alors tu vois, coq, ton filet de cachalot était si mauvais que j'ai dû le passer hors de vue le plus vite possible. Tu comprends ça, oui ? Très bien. A l'avenir, donc, quand tu me feras cuire un autre steak de cachalot, préparé pour ma table personnelle, ici, sur le cabestan, je vais te dire ce qu'il faut faire pour ne pas le gâcher par excès de cuisson. Tu prends le steak d'une main, et de l'autre tu lui présentes une braise ardente ; pas plus. Cela fait, tu le sers. Compris ?... Et à présent pour demain, coq, quand nous serons en train de le dépecer, tâche de ne pas manquer d'être présent pour avoir le bout des nageoires. Tu le mettras à la sauce piquante. Quant aux pointes de la queue, tu les mettras à la marinade. Voilà, tu peux filer maintenant.

Mais le vieux Flix n'avait pas fait trois pas qu'il fut rappelé.

– Coq ! Tu me feras des côtelettes pour mon souper, demain, au grand quart de nuit. C'est entendu ? Alors va, lève l'ancre. Holà ! ho ! arrête. Une révérence, avant de partir... Halte encore et enregistre : boulettes de cachalot pour le breakfast ; n'oublie pas !

– Si seulement, Boddi ! le cachalot y pouvait le manger, au lieu que lui mange le cachalot. Que le diab' m'empô'te s'il est pas plus equin que Messé Equin en pésonne ! gronda le vieux bonhomme en boitillant vers sa cambuse – et avec cette sage explosion, il regagna son hamac.

LXV

CÉTACÉ ET GASTRONOMIE

Qu'un mortel puisse faire son aliment de l'animal dont s'alimente sa lampe, et qu'il puisse, comme Stubb, le consommer à sa propre lumière (ou tout comme), c'est là une chose si surprenante et bizarre d'apparence qu'une petite incursion historique et philosophique sur le sujet nous paraît non seulement nécessaire, mais indispensable.

La chronique nous rapporte que voilà trois siècles, la langue de la baleine était goûtée et comptée comme un morceau de choix en France où elle atteignait des prix élevés. On sait de la même façon qu'au siècle de Henri VIII, un certain maître queux de la cour reçut une fameuse récompense pour avoir inventé une admirable sauce d'accompagnement pour les rôtis entiers de marsouins qui sont, vous vous le rappelez, une des espèces de cétacés. Les marsouins, d'ailleurs, sont de nos jours encore appréciés comme un aliment délicat. On en fait des boulettes de viande hachée, à peu près de la grosseur d'une boule de billard, qu'on prendrait, quand elles ont été dûment assaisonnées et épicées, pour des boulettes de tortue ou des boulettes de veau. Les anciens moines de l'abbaye de Dunfermline[1] en étaient très friands et recevaient de la Couronne une grande libéralité en marsouins.

Le fait est que le cétacé, au moins parmi ceux qui le chassent, serait assurément considéré comme un plat noble, n'était qu'il y en a vraiment trop ; c'est que si vous vous attablez devant un pâté en

1. Ancienne capitale des rois d'Écosse, non loin du golfe de Forth.

croûte d'une bonne centaine de pieds de long, cela vous ôte un peu
l'appétit. Il n'y a guère, de nos jours, que des hommes libres de
tout préjugé, tels que Stubb, pour consommer du cachalot cuisiné ;
mais les Esquimaux ne font pas tant de façons. Nous savons tous
qu'ils tirent leur subsistance de la baleine et qu'ils possèdent des
crus fameusement vieux et précieux de thran de première qualité.
Zogranda, une des lumières de leur science médicale, recommande
particulièrement pour les enfants, comme extrêmement savou-
reuses et nourrissantes, les longues tranches de lard de baleine. Et
ceci me rappelle l'histoire de certains sujets britanniques qui
avaient été accidentellement laissés au Groenland, il y a de cela pas
mal de temps, par un navire baleinier, et qui vécurent plusieurs
mois durant des déchets de cuisson de baleine, alors moisis, qui
étaient restés à terre après l'opération de la fonte. Ces mêmes
déchets sont dénommés «beignets» par les baleiniers hollandais – et
en effet, bruns et croustillants quand ils sont frais, ils ressemblent
fort, par l'extérieur et par le goût, aux pets-de-nonne ou aux beignets des vieilles ménagères d'Amsterdam. Ils sont si appétissants
à voir, que l'étranger le plus sobre ne saura qu'à grand-peine se
retenir d'y porter une main gourmande.

Mais ce qui déprécie surtout le cétacé dans la gastronomie civilisée, c'est sa richesse excessive en principes nutritifs. Il est
l'énorme bœuf gras primé de l'océan, trop gras pour être délicatement exquis. Prenez sa bosse par exemple, elle ferait un plat aussi
excellent que celle du buffle (réputée rare et exquise), si elle n'était
pas une aussi énorme pyramide de graisse compacte. C'est comme
le spermaceti lui-même, si doux, si crémeux, si semblable au lait
blanc et transparent et gélatineux d'une noix de coco à son troisième mois ! Il est pourtant trop riche pour remplacer fût-ce même
le beurre. Et malgré tout, nombre de baleiniers, afin de le consommer, usent d'une méthode qui consiste à le mélanger avec un autre
aliment. C'est ainsi que pendant les longs quarts de nuit, il est courant chez les hommes du bord d'aller plonger les biscuits de mer
dans les énormes fondoirs, et de les y laisser frire un moment. J'ai
moi-même fait ainsi plus d'un souper exquis.

Quand le cachalot est de petite taille, sa cervelle est fort estimée.
La boîte crânienne est alors ouverte en deux à la hache, sur son

axe, et les deux lobes dodus et blancs en sont extraits. On dirait tout à fait deux gros puddings. Enrobés de farine et cuits ainsi, ils constituent un mets délectable, de goût très voisin de ce plat que ne renient pas certains épicuriens : la tête de veau. Or, nul n'ignore qu'il est des gastrolâtres parmi les gastronomes, qui, à force de régaler leurs dîners de tête de veau, finissent par ne plus conserver beaucoup de leur propre cervelle et font eux-mêmes, de leurs propres têtes, des têtes de veau : ce qui, évidemment, rend extra-ordinairement difficile la distinction. Telle est aussi la raison qui fait qu'un de ces jeunes snobs, attablé devant une tête de veau ayant quelque peu l'air intelligent, est l'un des spectacles les plus désolants que vous puissiez voir. La tête semble pleine de reproche devant lui, avec un amer « Toi aussi, Brutus ! » dans toute son expression.

Pourtant ce n'est peut-être pas à cause de son excessive onctuo-sité que le cétacé, culinairement parlant, est repoussé avec abomi-nation par les terriens ; il appert qu'il s'agit là bien plutôt de la raison invoquée plus haut : à savoir qu'un homme puisse consom-mer un être marin fraîchement mis à mort, et qu'il le consomme à sa propre lumière, pour tout dire. Soit ! Mais il ne fait aucun doute que le premier homme qui jamais tua un bœuf fut lui-même regardé comme un meurtrier ; peut-être même fut-il pendu ; en tout cas s'il avait passé en jugement devant un tribunal bovin, il l'eût été certainement ; et il l'eût vraiment mérité autant que meur-trier puisse jamais l'avoir mérité ! Il vous suffira de vous rendre à la halle aux viandes un samedi soir, et d'y observer les foules de bipèdes vivants regardant les longs alignements de quadrupèdes morts ; pareil spectacle ne retire-t-il pas une dent à la mâchoire du cannibale ? Car cannibale, qui ne l'est pas ? Je vous le dis, en vérité, au jour du Jugement il y aura plus de pardon pour le Fidjien qui aura mis au saloir, dans sa cave, un maigre mission-naire en prévision des jours de famine, que pour toi, civilisé et éclairé gourmand, qui cloues les oies au sol pour déguster en pâté de foie gras leur malheureux organe hypertrophié !

Oui, mais Stubb, dites-vous, mangeait du cachalot à la lumière du cachalot ; et c'est là, n'est-ce pas, ajouter l'insulte à la blessure, l'injure au tort ? Bien ; mais jetez un coup d'œil sur le manche de

vos couteaux, mes chers civilisés gourmands, tandis que vous
dînez de roast-beef. De quoi donc est-il fait, si ce n'est de l'os du
propre frère de celui que vous mangez? Et avec quoi vous
curez-vous les dents après avoir savouré cette oie grasse? Avec une
plume de la même volaille. Et de quelle plume, monsieur le
Secrétaire de la Société pour la Suppression de la Cruauté et la
Protection du Jars, de quelle plume rédige-t-il ses circulaires? Ce
n'est que le mois dernier ou peut-être il y a deux mois que cette
société a passé la résolution de n'accorder son patronage désormais qu'aux seules plumes d'acier.

LXVI

LE MASSACRE DES REQUINS

Sur les baleiniers en campagne dans les mers du Sud, il n'est pas d'usage – du moins en général – lorsque tard dans la nuit, après un long et dur effort, un cachalot capturé est amené enfin au flanc du navire, de procéder immédiatement au dépeçage. Car c'est là une grande et pénible besogne dont on ne voit pas la fin de sitôt, et qui requiert le labeur de tous. Dans les circonstances ordinaires, la coutume est d'amener toute la toile, d'arrimer la barre dessous et d'envoyer tout le monde aux hamacs jusqu'au lendemain matin ; avec cette réserve, toutefois, que les quarts aux bossoirs seront doublés et assurés par roulement horaire, l'équipage venant ainsi successivement vérifier sur le pont si tout va bien.

Il est des cas, pourtant, où ces dispositions ne sauraient en rien convenir, notamment sur la Ligne dans le Pacifique, à cause des hordes de requins qui se rassemblent autour de la carcasse amarrée, si nombreuses que si elle demeurait là, disons six heures de temps, il n'en resterait guère que le squelette le lendemain matin. Dans la plupart des autres parties de l'océan où ces poissons n'abondent pas aussi terriblement, leur stupéfiante voracité peut être parfois considérablement diminuée dans ses effets par l'actif emploi du tranchant des «bêches à baleines[1]» ; mais il arrive,

---

1. La bêche à baleines employée pour le dépeçage est faite du meilleur acier ; elle est à peu près de la taille d'une main d'homme grande ouverte, et pour sa forme générale correspond à l'outil aratoire dont elle porte le nom ; seulement ses côtés sont absolument plats, et sa partie supérieure nettement plus étroite que l'inférieure. Cette arme est toujours extrêmement affilée ; après usage, on en

parfois, au contraire, que cette méthode énergique ne fasse guère qu'exciter un peu plus leur activité dévorante. Ce n'était pas le cas cette fois-ci pour le *Péquod* et ses requins; ce qui n'empêche, évidemment, qu'un homme peu habitué à ces spectacles, les voyant par-dessus bord cette nuit-là, aurait pensé que la mer était un rond et énorme fromage tout grouillant d'asticots.

Donc cette nuit-là, lorsque Stubb, son souper achevé, eut aposté le quart aux bossoirs, et que Quiequeg, en conséquence, et un autre gabier furent montés sur le pont, ce ne fut pas un petit désordre ni une mince agitation chez les requins; car les deux hommes, disposant immédiatement par-dessus bord les plates-formes de dépeçage et descendant trois feux de manière à projeter de longs rais lumineux sur la confusion troublée des eaux, se mirent à l'œuvre, à grands coups de leurs bêches à baleines, procédant à un incessant massacre de requins, dans les crânes desquels ils enfonçaient profondément le tranchant acier de leurs armes; le crâne, en effet, paraît être la seule partie vitale du requin. Mais dans la mêlée écumeuse et grouillante des squales excités, nos escrimeurs ne réussissaient pas toujours à faire mouche, ce qui ouvrait de nouveaux aperçus sur l'incroyable férocité de cette engeance. Non seulement les étripés étaient instantanément happés par les autres, mais eux-mêmes, se ployant comme des arcs flexibles, dévoraient leurs propres intestins; et l'on eût dit que les mêmes entrailles étaient englouties et réenglouties dans la même gueule, pour se vider toujours par la blessure béante. Ce n'est pas encore tout; et mieux vaut ne pas avoir affaire aux cadavres mêmes et aux esprits de ces créatures, car une sorte de vie générique, une sorte d'universel élan vital et panthéistique semble rester caché jusque dans leurs articulations et au creux de leurs os, après que ce qu'on peut appeler la vie individuelle s'en est allée. L'un de ces requins, tué et hissé sur le pont (à cause de la peau) arracha presque complètement la main de Quiequeg qui voulait rabaisser la lèvre morte sur cette mâchoire assassine.

repasse le tranchant comme on fait d'un rasoir. Elle est emmanchée d'une longue perche de vingt à trente pieds. *(NdA.)*

– Quiequeg pas s'occuper savoir quel dieu il a fait lui requin, disait le malheureux sauvage en secouant sa main endommagée; pas savoir si c'est dieu fidjien ou dieu de Nantucket. Mais lui dieu qui a créé requin doit être sacré Inguien.

LXVII

DÉPEÇAGE

C'était un samedi soir ; mais quel jour de sabbat, celui qui suivit ! Par profession tous les baleiniers sont des professeurs ès violations du saint repos du jour du Seigneur. Notre ivoirin *Péquod* se trouva métamorphosé en quelque chose qui semblait être un abattoir, et chaque matelot en boucher. On eût dit que nous offrions dix milliers de rouges bœufs en sacrifice aux dieux de la mer.

Pour commencer, les énormes palans du dépeçage – qui, entre autres pesants apparaux, comprenaient une énorme agglomération de lourdes poulies peintes en vert, qu'un homme seul ne pouvait d'aucune manière soulever – furent mis en place ; c'est-à-dire que cette grappe de raisin colossale fut hissée à la grand-hune et fermement saisie au capelage du bas mât, le plus solide appui qui se puisse trouver au-dessus des ponts d'un voilier. Le bout du gros filin commis en aussière qui courait dans ce jeu compliqué des caliornes fut alors amené au cabestan, et la forte poulie inférieure de l'appareil vint se suspendre au-dessus du cachalot ; à cette poulie, l'énorme croc à lard, pesant quelque cent livres, fut adapté. Armés de leurs longues bêches et suspendus sur des plates-formes volantes par-dessus bord, Starbuck et Stubb se mirent alors à découper un trou dans le corps, tout contre la nageoire pectorale la plus proche, pour y passer le croc. Cela fait, le lard fut encore découpé en demi-lune autour du premier trou par où la pointe du croc fut dégagée ; et la plus grande partie de l'équipage se mit à entonner un refrain sauvage au cabestan, raidissant furieusement le tout. Sans tarder, toute la carène gémissante s'inclina de côté sous l'effort ; il n'était pas une cheville du bâtiment qui ne peinât, grinçât, craquât comme les clous d'une vieille charpente dans une bourrasque de grand froid ; le navire entier tressaillait, tremblait, et saluait le ciel avec effroi de ses mâts frémissants. A chaque spasme de traction – et le navire de plus en plus s'inclinait sur le cétacé – venait répondre en aide une pulsion conjointe de la houle ; puis à la fin, avec un éclat sifflant, brutal, soudain, le navire roula et se redressa, s'écartant d'un seul coup du cachalot ; et l'on vit apparaître la caliorne triomphante, arrachant du corps, à partir de la demi-lune, la première bande de lard.

La graisse enveloppe le cachalot exactement comme sa peau, une orange ; et de même qu'on pèle parfois une orange en une longue spirale, de même enlève-t-on le lard du cétacé. La traction constante du treuil faisait rouler l'animal sur lui-même dans l'eau, tandis que la bande s'enlevait en suivant la ligne, appelée « taille », tracée tout au long par les bêches de Starbuck et de Stubb : elle s'élevait lentement, au fur et à mesure qu'elle était ainsi pelée, jusqu'à venir atteindre le niveau de la grand-hune. Les hommes du cabestan cessèrent alors de haler, et pendant un moment cette énorme masse dégoulinante de sang se balança d'avant en arrière, comme pendue au ciel, prodigieuse. Il s'agissait pour tous de se tenir hors de portée de ses énormes gifles et de veiller qu'au passage elles ne viennent pas vous frotter les oreilles et vous envoyer piquer une tête par-dessus bord.

Il incombait alors à l'un des harponneurs de s'avancer, armé d'un long outil tranchant appelé, à cause de sa forme, le « sabre d'abordage », afin de tailler avec dextérité et adresse, en choisissant l'instant propice, une grosse ouverture à la base même de cette bande battante. Dans ce trou fut passé le croc de la seconde caliorne qui, maintenant sa traction, s'apprêtait à reprendre le même travail pour son compte. Cela fait, l'homme à l'épée, ayant averti tout l'équipage d'avoir à se tenir sur ses gardes et hors de portée, d'un nouveau coup d'épée judicieusement calculé (une mince et longue entaille par le travers et de biais) trancha complètement la bande suspendue, presque à sa base, cependant que l'amorce de la suivante était déjà en traction. Cette première bande, maintenant libre (on la nomme « couverture »), était prête à être descendue à bord. Les hommes du cabestan reprirent leur refrain et leur effort; et tandis qu'une deuxième pelée s'effectuait, la première fut lentement manœuvrée en sens inverse et descendue verticalement par la grande écoutille dans une cale vide, réservée à cet usage, qu'on nomme à bord la « chambre à lard ». Dans cet appartement crépusculaire, des hommes entraînés s'emploient à rouler sur soi-même ce ruban fantastique qui ressemble à un entrelacs de serpents vivants, au fur et à mesure de sa descente.

Et ainsi se poursuit le travail, bande de couverture après bande de couverture; les deux énormes palans se hissent et se rabaissent alternativement; le treuil ne cesse de tourner, le cétacé de rouler sur soi-même; les haleurs chantent; ces messieurs de la chambre à lard enroulent; les officiers taillent en bas, commandent en haut; le vaisseau geint, et tout le monde jure à pleins poumons de temps à autre, par manière d'assouplissement dans la tension générale.

LXVIII

LA COUVERTURE

Je ne me suis pas penché négligemment sur le problème si débattu concernant la peau du cétacé. J'ai eu de longues controverses en mer avec des hommes de haute expérience, et à terre avec des naturalistes savants. Mais cela n'a rien changé à mon opinion première qui demeure la même, bien que ce ne soit, après tout, qu'une opinion.

La question est de savoir ce qu'est, et où se trouve la peau du cétacé. Vous savez d'ores et déjà ce qu'est son lard : c'est une graisse qui a, en plus ferme encore, en plus élastique et plus serré, la consistance de la graisse dense du bœuf de bonne qualité, et dont la couche atteint huit, dix, douze et même quinze pieds d'épaisseur[1].

Encore qu'il puisse paraître absurde à première vue, à propos de n'importe quel animal, de parler de peau d'une pareille épaisseur et d'une telle consistance, il n'en reste pas moins qu'aucun argument valable ne peut s'y opposer et qu'on ne peut « peler » rien d'autre sur le corps du cétacé ; or, l'enveloppe extérieure d'un animal, pour peu qu'elle soit d'une densité raisonnable, que peut-elle être d'autre, sinon sa peau ? Il est vrai que sur le corps écorché du cachalot, une fois retirée cette enveloppe de graisse, vous pouvez encore retirer à la main une substance extrêmement mince, transparente, qui ressemble assez aux pellicules les plus fines de la colle gélatineuse séchée, sauf qu'elle est souple et douce comme du satin

1. De 2,50 m à 4,75 m.

– tout au moins avant de sécher elle-même, car alors elle devient
dure et cassante. Je possède personnellement plusieurs de ces fragments desséchés, dont je me sers comme de signets pour les
ouvrages de ma bibliothèque baleinière. C'est une substance
transparente, comme je viens de le dire ; posée à plat sur la page,
je me suis plu bien souvent à imaginer qu'elle avait une vertu gros-
sissante ou magnifiante sur le texte. De toute façon, lire des choses
qui se rapportent exclusivement au cétacé, à travers ce qu'on
pourrait aisément nommer ses propres lunettes, est une chose fort
agréable. Mais ce que je veux dire ici, c'est que cette pellicule
infime, gélatineuse, qui, je l'admets, enveloppe la totalité du corps
du cétacé, ne saurait être regardée comme la peau proprement dite
de l'animal, mais bien plutôt et seulement comme la peau de la
peau, pour ainsi dire ; car il serait tout bonnement ridicule de prétendre que le terrible monstre qu'est la baleine puisse être revêtu
d'une peau infiniment plus mince et plus délicate que celle d'un
enfant nouveau-né. Suffit donc sur ce premier point.

En admettant que le lard soit la peau du cétacé : lorsque cette
peau fournit positivement ses cent barils d'huile, comme c'est le
cas pour les cachalots de grande taille ; et si l'on considère que
cette huile, ainsi exprimée, ne représente en quantité – ou plus
exactement en poids – pas plus des trois quarts de l'enveloppe
totale, on ne manquera pas de se faire une idée approximative de
ce que peut être l'énormité réelle de cette masse animée, dont le
seul épiderme, et partiellement encore, est capable de fournir un
aussi formidable lac de liquide. A compter dix barils à la tonne,
nous obtenons dix tonnes qui sont le poids net des trois quarts de
la seule peau, du seul épiderme du cachalot !

Lorsqu'il est en vie, ce qu'il offre à la vue, de la surface de son
corps, n'est pas la moindre des merveilles qu'il nous présente. Cette
surface est presque toujours étroitement croisillonnée de hachures
très semblables à celles des plus délicates eaux-fortes italiennes.
Ces hachures, pour profondes qu'elles soient, ne se trouvent point
répétées sur la pellicule gélatineuse d'en dessous, mais on les voit
comme par transparence au travers, comme si elles étaient impri-
mées dans le corps même du poisson. Et ce n'est pas tout. Dans
certains cas, à l'œil attentif et prompt de l'observateur, ces tailles

linéaires, ainsi que dans une véritable gravure, ne semblent rien d'autre que le fond et la composante de véritables dessins qui sont des hiéroglyphes – car si c'est là le nom qui convient pour les chiffres mystérieux qu'on voit gravés dans la pierre des pyramides, alors il s'applique tout spécialement à ceux-ci. Ma fidèle mémoire a gardé fort net le souvenir des hiéroglyphes d'un certain cachalot, qui m'avaient frappé par leur ressemblance étonnante avec une reproduction que j'avais vue des vieux caractères indiens gravés sur les fameuses parois hiéroglyphiques du cours supérieur du Mississippi. A l'instar de ces roches mystérieusement chiffrées, le cétacé possède ses signes mystiques qui demeurent indéchiffrables. Et avec cette allusion aux vieilles pierres mystiques des Indiens, il me souvient de quelque chose encore ; c'est qu'à côté de tous les autres phénomènes que peut présenter l'extérieur du cachalot, il n'est pas rare que son dos, et ses flancs plus souvent encore, offrent – mais à demi effacées sous les lignes parallèles – des traces et des cicatrices d'un tout autre dessin, comme fait au hasard, par suite des innombrables chocs et égratignures dus à sa vie océane. Je dirais que les rocs erratiques de la Nouvelle-Angleterre qu'Agassiz[1] imagine porter les marques du violent et constant contact avec les mouvants icebergs ne présentent pas une mince ressemblance avec le cachalot à ce point de vue. Et je me représente ces marques, ces égratignures ou cicatrices comme les traces des combats du cachalot avec les autres membres de son espèce, puisque c'est surtout sur les individus ayant atteint leur pleine croissance de taureaux adultes que je les ai relevées.

Encore un mot ou deux sur cette peau ou ce lard du cachalot. Comme on l'a déjà dit, elle lui est enlevée en longues bandes nommées la couverture ; et ce terme, comme la plupart des mots du vocabulaire marin, est fort heureusement choisi, faisant image avec beaucoup de justesse. Le cétacé est en effet positivement enveloppé dans sa graisse comme dans une couverture ou une courtepointe, ou pour mieux dire encore, comme dans un poncho

---

1. Louis Agassiz (1807-1873), naturaliste suisse fixé en Amérique, adversaire des idées du transformisme, qui soutint que les différents types des espèces correspondaient chacun à une idée particulière du Créateur.

indien qui l'envelopperait de la tête à la dernière extrémité. C'est par l'effet de ce douillet et confortable enveloppement de tout son corps, que le cétacé se sent à l'aise dans toutes les eaux de tous les océans du monde, par tous les temps de Dieu et à toutes les profondeurs. Qu'adviendrait-il, dites-le-moi, d'une baleine du Groenland dans les mers glaciales et violentes du Grand Nord, sans ce manteau épais et moelleux ? Certes, je sais bien que dans ces eaux hyperboréales on trouve aussi d'autres poissons pas mal vigousses et sans le moindre capitonnage ; mais ce sont, notez-le bien, des poissons à sang froid, dépourvus de poumons, dont la panse est une authentique glacière ; et ces créatures se réchauffent suavement sous le vent d'un iceberg tout comme un voyageur se prélasse les pieds sur les chenets de la cheminée, à l'auberge. Le cétacé, au contraire, a le sang chaud et des poumons exactement comme l'homme ; que son sang refroidisse, et il meurt. Aussi quelle merveille – toute explication mise à part –, quelle merveille que ces grands monstres auxquels la chaleur interne est aussi indispensable qu'à l'être humain se trouvent à longueur de vie immergés jusqu'aux lèvres dans ces terribles eaux arctiques, où il n'est pas rare, quand quelque matelot tombe par-dessus bord, de le retrouver raide debout, des mois plus tard, gelé au cœur même de la glace, comme une mouche prise dans l'ambre ! Et ce qui est plus stupéfiant encore, c'est que l'expérience a prouvé que le sang d'une baleine polaire est plus chaud, naturellement, que celui d'un nègre de Bornéo en plein été.

J'ai l'impression que nous voyons ici une manifestation de la merveilleuse et rare efficace d'une solide vitalité personnelle, la merveilleuse et rare efficace de l'épaisseur des parois, la merveilleuse et rare efficace de la vastitude de l'espace intérieur. Homme ! que ne prends-tu modèle avec admiration sur la baleine ! Que ne demeures-tu, toi aussi, au chaud parmi les glaces ! Que ne vis-tu dans ce bas monde comme n'étant pas d'ici ! Sois frais à l'Équateur et conserve à ton sang sa fluidité jusqu'au Pôle. Tel le grand dôme de Saint-Pierre, et tel le grand cétacé lui-même, retiens et perpétue, ô humain ! à travers toutes les saisons la chaleur qui est tienne.

Hélas ! combien facile et combien sans espoir, de prêcher de la sorte ! Car de tant et tant de monuments, qu'ils sont rares ceux qui sont couronnés d'un dôme immense comme Saint-Pierre de Rome ! et entre tant et tant de créatures, hélas ! qu'elles sont rares celles qui sont douées de la vaste grandeur dont jouit la baleine !

– Rentrez les chaînes ! Laissez filer la carcasse !

Les puissantes caliornes ont à présent accompli leur tâche. Le blanc corps pelé du cachalot décapité présente l'aspect luisant d'un sépulcre de marbre. S'il a changé de couleur, il semble n'avoir rien perdu de l'énormité de sa taille. C'est toujours le même colosse. On voit sa lourde masse à flot s'éloigner lentement sur l'arrière ; et les eaux autour d'elle sont tourmentées et violentées par la horde toujours insatiable des requins ; et l'air au-dessus d'elle est déchiré par le vol criard des vautours de la mer, dont les becs sont comme autant de poignards blessant le cétacé. L'immense et blanc fantôme décapité s'en va flottant loin du vaisseau ; et chaque tiers de nœud qu'il prend dans la distance semble tripler le nœud grouillant des requins, trois fois tripler le nœud aérien des rapaces, augmentant à mesure leur meurtrier tumulte. Pendant des heures et des heures ce spectacle hideux resta en vue du navire à peu près immobile. Dérivant lentement sous la pureté enchanteresse de l'azur, sur le miroir à peine troublé d'une mer de douceur, caressée par de folâtres brises, cette grande masse de la mort continua de flotter jusqu'à se perdre dans l'infini des horizons lointains.

Funérailles lugubres et des plus dérisoires ! Les vautours de la mer pieusement en deuil et les requins de l'air scrupuleusement vêtus de noir ou arborant le crêpe. Combien de ces amis eussent-ils secouru le cachalot dans la détresse, je le demande, à supposer qu'il les eût appelés à l'aide ? Mais au sinistre banquet de ses funé-

railles, combien pieusement ils s'empressent ! Oh ! l'affreuse voracité vulturine du monde, à laquelle n'échappe pas même le plus
puissant léviathan !

Est-ce seulement fini ? Non, pas encore. Si profané que soit son
corps, un fantôme féroce lui survit encore, qui plane autour de lui
pour répandre l'effroi. Découvert de très loin par quelque timide
trois-ponts ou quelque peu sérieux voilier d'exploration, alors que
la distance offusque le tournoiement des oiseaux mais laisse apercevoir la blanche masse à flot sous le soleil et la blanche couronne
d'écume qui se brise sur elle, vite, une main tremblante métamorphose le malheureux cadavre inoffensif en consignant sur le livre
de bord : *Attention ! hauts-fonds, récifs et brisants dans les
parages.* Et ce sera pendant des années peut-être, que les navires
éviteront ces eaux, tels des moutons stupides qui sauteront
par-dessus rien derrière leur chef qui, à l'origine, avait sauté pour
franchir un bâton qu'on lui tendait. Telle est votre fameuse loi des
précédents ; telle est l'utilité de vos fameuses traditions ; telle est la
fameuse histoire de la survivance sempiternellement obstinée de
vos vieilles croyances qui n'ont pas plus d'assiette sur la terre
qu'au ciel ! Telle est l'orthodoxie !

Et c'est ainsi que le corps vivant du grand cétacé qui a pu être
réellement une terreur pour ses ennemis devient dans la mort un
fantôme qui répand une panique sans remède pour le monde
entier.

Croyez-vous aux fantômes, mon ami ? Il y a d'autres revenants
que celui de Cock-Lane ; et il y a des hommes infiniment plus profonds que le Dr Johnson pour y croire.

LE SPHINX

Il eût convenu de ne pas omettre de rapporter que, avant que de peler complètement le corps du léviathan, on le décapitait. Et cette décollation du cachalot est un exploit de science anatomique dont Messieurs les doctes chirurgiens ès baleines se montrent fort orgueilleux – et non sans raison.

Le cétacé ne possède rien, en effet, de ce qu'on pourrait dénommer un cou, bien au contraire, car là exactement où la tête et le corps font leur jonction, exactement en ce point, se trouve le plus épais du corps de toute sa personne. En outre, le chirurgien se voit contraint d'opérer à quelque huit ou dix pieds au-dessus de son champ opératoire, lequel champ opératoire est la plupart du temps presque entièrement caché et ballotté sous les eaux glauques d'une mer souvent fort agitée. Et puis, il y a encore que, dans ces conditions pour le moins peu favorables, le chevalier du bistouri doit pénétrer de plusieurs pieds dans la chair avec son outil, et travailler en quelque sorte d'une manière souterraine et aveugle, sans avoir jamais le loisir de glisser le moindre coup d'œil dans cette incision dont les lèvres se referment toujours ; et là, sans erreur, évitant déviations et obstacles, il lui faut atteindre la colonne vertébrale en un point crucial et précis, tout proche de la boîte crânienne, pour l'en séparer. Ne vous émerveillerez-vous pas, alors, de la dextérité de Stubb qui ne demandait guère que dix minutes pour décapiter un cachalot ?

Sitôt tranchée, la tête dérive sur l'arrière où elle est amarrée par un câble jusqu'à ce que le corps entier soit pelé. Lorsque la chose est faite, donc, s'il s'agit de la tête d'un petit animal, on la hisse alors sur le pont pour en disposer à l'aise. Mais s'il s'agit d'un léviathan bellement adulte, il faut y renoncer, car la tête constitue près du tiers de son anatomie, et par conséquent vouloir haler à bord un poids pareil, même avec le secours des énormes palans d'un baleinier, est chose absolument impossible, à peu près aussi praticable, disons, que de vouloir verser une grange hollandaise dans une balance d'orfèvre.

Donc, le cachalot du *Péquod* étant décapité, et le corps ayant été pelé, la tête fut amenée et à demi hissée hors de l'eau contre le flanc du navire, une bonne partie de son énorme poids restant ainsi soutenue par son élément naturel. Dans cette position, avec le navire donnant fortement de la bande sous l'effort de traction, et chaque vergue inclinée sur le flot comme un bras de grue, la tête ruisselante de sang se trouvait supportée sur la hanche du *Péquod* comme la tête du géant Holopherne sur la hanche de Judith.

Cette manœuvre d'arrimage accomplie, il était midi et les hommes gagnèrent le poste d'équipage pour le repas. Un grand silence régna soudain sur le pont tout à l'heure si bruyant, si tumultueux, et maintenant désert. Un calme cuivré et incandescent, semblable à un universel lotus jaune, épanouissait toujours plus ses infinis pétales de silence sur l'océan immense.

Après un temps de ce prodigieux silence, venant de sa cabine, arriva Achab, seul, qui sembla y introduire sa personne. Quelques allées et venues sur le gaillard d'arrière, puis il se pencha par-dessus bord, immobile un moment. Il passa ensuite lentement sur le grand porte-haubans où, prenant la longue épée de Stubb restée là après l'opération anatomique, il la planta au-dessous, assez bas dans l'énorme masse à demi suspendue, et, glissant l'autre extrémité sous son aisselle à la manière d'une béquille, il s'immobilisa de nouveau, penché en avant, les yeux intensément fixés sur cette tête.

Suspendue comme elle l'était, noire et encapuchonnée, au sein de ce calme flamboyant et total, on eût dit la tête du sphinx dans le désert.

– Oh! toi, grande et vénérable tête, murmura Achab, parle-nous, tête puissante, blanchie de mousses çà et là, même si tu ne portes pas la barbe, ô vénérable, parle, dis-nous le secret que tu portes en toi! De tous les plongeurs, c'est toi qui as plongé le plus profond. Et si le haut soleil de midi resplendit à présent sur toi, tu as couru parmi les assises du monde. Là-bas où se rouillent tant de noms oubliés, et des flottes entières, où tant d'espoirs jamais plus avoués se décomposent avec les ancres, où dans ses cales assassines notre frégate-terre porte le lest des ossements de millions d'engloutis : c'est là, dans cette horrible patrie des eaux, que tu avais ton domicile familier. Tu es allée où ni le scaphandrier ni la cloche à plongeur ne sont jamais allés ; tu as dormi tout à côté de tant de marins endormis, là-bas où tant de mères que le sommeil avait fuies eussent donné leur vie pour dormir à ta place ; tu les as vus, ces amants embrassés, tels qu'ils avaient sauté de leur vaisseau en flammes, cœur contre cœur, plongeant sous les eaux exultantes, fidèles l'un à l'autre, alors que les cieux mêmes semblaient leur avoir manqué. Tu l'as vu, le second assassiné par les pirates, après qu'ils l'eurent jeté du haut des ponts de la mi-nuit ; pendant des heures il est tombé dans cette plus profonde mi-nuit à la gueule insatiable ; oui, et ses meurtriers ont vogué sans dommage, tandis que les ardents éclairs ont chaviré l'autre vaisseau tout proche, qui eût ramené le vertueux époux dans des bras longtemps impatients et tendus par l'attente. Ô tête ! tu as vu bien assez pour déchirer les étoiles et pour faire d'Abraham un impie ! Et rien. Tu ne prononces pas une syllabe !

– Voilier en vue ! cria une voix triomphante de la vigie du grand mât.

– Oui ! Eh bien, bravo ! cria Achab en se relevant brusquement tandis que s'effaçait de son front la nuée si lourde d'orage – ce cri de vie sur ce calme de mort ferait presque de vous un homme meilleur. Où est-il ?

– Trois points tribord sur l'avant, Monsieur ; amenant droit sur nous dans son vent !

– De mieux en mieux, mon brave. Si seulement saint Paul voulait descendre aussi ce chemin, portant sa brise et son souffle sur mon âme sans air ! Ô Nature ! et toi, âme de l'homme ! quelles profondes analogies enchaînées, au-delà de toute expression ! Et pas le moindre atome qui ne frémisse ou vive dans la matière, sans avoir sa réplique et son double subtil dans l'esprit.

LXXI

L'HISTOIRE DU « JÉROBOAM »

La main dans la main, le voilier et la brise arrivaient sur nous ; mais la brise courut plus vite, et le *Péquod* se mit à tanguer.

Petit à petit, reconnu à la longue-vue avec ses hommes à la pointe des mâts, le voilier inconnu se révéla être un baleinier. Mais comme il était encore loin et dans le vent, le cap apparemment sur d'autres parages, le *Péquod* ne pouvait pas espérer le rejoindre. Aussi hissa-t-on le signal, attendant sa réponse.

Il me faut dire ici que, tels les vaisseaux de la marine de guerre, les navires de la flotte baleinière américaine possèdent chacun leur signal particulier ; le recueil complet de ces pavillons, avec le nom du navire en regard, constitue un volume que chaque capitaine détient à bord ; et ainsi les commandants de baleiniers en mer peuvent se reconnaître le plus facilement du monde sur l'océan, et à des distances considérables.

En réponse au signal du *Péquod*, l'inconnu finalement envoya le sien, et nous sûmes qu'il s'agissait du *Jéroboam* de Nantucket. Brassant carré, il nous courut dessus pour venir mettre en panne sur notre embelle, et une embarcation aussitôt à la mer ; le canot approcha promptement. Mais comme Starbuck allait faire dérouler l'échelle de côté pour permettre au capitaine étranger de monter à bord, ce dernier, à l'arrière de son canot, fit signe de la main que c'était tout à fait inutile. Le *Jéroboam* avait une épidémie grave à bord et Mayhew, son capitaine, craignait de contaminer le *Péquod* – encore que lui-même et ses rameurs en fussent indemnes, que son navire fût distant du nôtre d'une demi-portée

de fusil, et qu'entre les deux circulassent les incorruptibles eaux de
l'océan et l'air tonique du vent marin. Obéissant strictement aux
lois timides de la quarantaine en usage au port, il refusait
consciencieusement et péremptoirement de prendre un contact
direct avec le *Péquod*.

Ce refus, toutefois, ne coupait pas court à toute communication,
puisqu'en maintenant quelques pieds de distance entre son canot
et notre navire avec lequel, d'un coup de rame de temps à autre, il
restait en ligne parallèle, il parvenait à demeurer à portée malgré
la brise qui avait sérieusement fraîchi. Le *Péquod*, avec son grand
hunier masqué, s'avançait lourdement sur la mer, et la grande
poussée d'une vague déferlante jetait parfois le léger canot sur nos
devants ; mais en sciant, il avait tôt fait de regagner ses positions
relatives, et la conversation, coupée par ces écarts et par des interruptions d'un autre ordre aussi, se poursuivait néanmoins entre les
deux capitaines.

A l'un des avirons de la baleinière du *Jéroboam* se trouvait un
homme d'une apparence singulière, même pour la vie sauvage de
cette grande pêche où ne se rencontrent guère que des individualités surprenantes. C'était un petit homme courtaud, plutôt jeune, le
visage entièrement piqueté de taches de rousseur, avec une
tignasse ébouriffée et filasse. Il était boutonné dans une jaquette
de coupe cabalistique à longues basques, d'une teinte fanée de
brou de noix ; les manches trop longues étaient roulées au-dessus
du poignet. Son regard brûlait d'une démence profonde, solidement fixée, fanatique.

A peine l'eût-il aperçu, que Stubb s'exclama :

– C'est lui ! c'est lui ! le polichinelle aux longues frusques dont
ceux du *Town-Ho* nous ont parlé !

Stubb faisait allusion à une étrange histoire qui courait sur le
Jéroboam et un certain personnage de son équipage, récente
encore quand le *Péquod* avait eu son gammage avec le *Town-Ho*.
A en croire cette histoire, et ce qu'on avait pu en apprendre par la
suite, ledit polichinelle avait conquis un stupéfiant ascendant sur
presque tous à bord du *Jéroboam*.

Élevé dans la secte folle des Trembleurs de Neskyenna, il y avait
été grand prophète ; il était à plusieurs reprises, au cours de leurs

réunions secrètes de loufoques, descendu du ciel par le chemin d'une trappe pour annoncer l'ouverture imminente du sceau de la septième fiole qu'il détenait dans la poche de son gilet, mais qui, au lieu de poudre à canon, était chargée de laudanum, à ce qu'on pense[1]. Une folle lubie apostolique l'ayant saisi, il avait quitté Neskyenna pour Nantucket où, avec cette malice d'astuce particulière à la démence, il avait revêtu un extérieur décent et raisonnable pour s'offrir comme novice à bord du *Jéroboam* en partance pour une campagne de pêche à la baleine. On l'avait enrôlé ; mais le navire avait à peine quitté le port et laissé la terre hors de vue que la folie de notre homme éclata de plus belle. Il se présenta comme l'archange Gabriel, ordonnant au capitaine de sauter pardessus bord. Il proclama par manifeste qu'il était le libérateur des îles de la mer et le vicaire général de toutes les Océanies. La gravité inflexible qu'il mettait à ces déclarations ; les jeux hardis et sombres de son imagination exaltée et jamais en repos ; toutes les terreurs naturelles et surnaturelles entraînées par sa réelle démence vinrent s'unir dans l'esprit superstitieux de la plupart des membres incultes de l'équipage, pour revêtir ce Gabriel d'un prestige et d'un caractère sacrés. Au surplus, ils avaient peur de lui. Mais comme cet homme, toutefois, ne rendait pour ainsi dire nul service à bord, d'autant qu'il refusait de travailler sauf quand cela lui disait, le capitaine – qui n'était pas superstitieux – eût aimé s'en défaire ; seulement notre archange, ayant appris que l'intention des autorités était de le poser à terre au premier port venu, s'empressa d'ouvrir tous ses sceaux et toutes ses fioles, vouant navire et hommes à la plus complète perdition au cas où ce projet serait mis à exécution. Il avait si bien travaillé ses disciples à bord qu'ils se rendirent en corps trouver le capitaine, lui disant que si

---

1. Fondée vers le milieu du XVIIIe siècle en Angleterre, cette secte se répandit rapidement en Amérique du Nord et notamment dans l'État de New York. Communauté de biens, séparation des sexes, célibat et vie agricole en sont les principales lois. Pour les Trembleurs, Jésus n'est point Dieu, mais un esprit intermédiaire entre le monde et Dieu. Leur culte consiste en une sorte de chant accompagné de danse : les extrémités du corps commencent à trembler, puis le corps tout entier entre en agitation ; ils croient par là entrer en communication avec les esprits. Anna Lee, James Wittacker et Joseph Meacham en sont les fondateurs.

Gabriel était débarqué, pas un homme de l'équipage ne resterait sur le navire. Le capitaine dut donc abandonner son plan. Les hommes, aussi, s'opposèrent à ce que Gabriel fût jamais molesté, quoi qu'il pût dire ou faire ; et c'est ainsi que le prophète eut désormais sa plus parfaite liberté à bord. Il en usa, en conséquence, pour ne se soucier que fort peu du capitaine et de son état-major ; et plus que jamais son autorité sur les hommes s'affirma depuis que l'épidémie les avait frappés ; la peste, comme l'appelait l'archange, s'était abattue sur eux par son ordre et ne cesserait qu'à son bon plaisir. Les matelots, de pauvres diables pour la plupart, pliaient devant lui et certains même rampaient positivement, l'adulant et, pour obéir à ses ordres, lui rendant un culte personnel comme à un dieu.

On pourra penser que de pareilles choses sont incroyables, et pourtant, si stupéfiantes qu'elles soient, elles n'en sont pas moins vraies. Dans l'histoire de ces fanatiques, si infinie que soit la volonté de duperie chez l'intéressé, ce n'est pas encore là le plus choquant, mais bien l'infinie soumission, crédulité et obéissance chez les autres, qui le revêtent de cette extraordinaire puissance. Mais il est temps de revenir au *Péquod*.

– Je ne crains pas ton épidémie, mon vieux ! cria le capitaine Achab de la lisse au capitaine Mayhew. Arrive à bord !

Gabriel, alors, se dressa tout debout, hurlant :

– Songe aux fièvres, penses-y ! aux fièvres jaunes et bilieuses ! Prends garde à l'épouvantable peste !

– Gabriel ! Gabriel ! protesta le capitaine Mayhew, tu ferais mieux…

Mais à cet instant une haute lame lança le canot loin sur l'avant, et son déferlement brouilla toute parole.

– As-tu vu le Cachalot Blanc ? questionna Achab quand le canot fut revenu à portée.

– Songe à ta baleinière, penses-y ! réduite en miettes et naufragée ! Prends garde à l'épouvantable queue !

– Je te répète encore une fois, Gabriel, que…

Mais de nouveau le canot fut jeté en avant, comme emporté par les démons. Et il se passa un moment pendant lequel, sous le déferlement successif de plusieurs lames en furie, rien ne fut dit, quoique, par un de ces caprices fréquents de l'océan, elles n'emportassent pas le canot en avant, mais voulussent, semblait-il, lui tomber dessus. La tête du cachalot contre notre bord était secouée avec une grande violence, et Gabriel contemplait ce spectacle avec beaucoup plus d'appréhension, semblait-il, que ne l'eût justifié sa nature d'archange.

Lorsque cet entracte eut pris fin, le capitaine Mayhew commença un sombre récit sur Moby Dick, mais non sans de fréquentes et intempestives interruptions, tant de ce Gabriel dans sa folie que de la mer dont la furie semblait vouloir se faire l'alliée de la démence.

Le *Jéroboam* n'était, paraît-il, pas depuis tellement longtemps en campagne quand son équipage, par une conversation échangée avec un autre baleinier, entendit parler de Moby Dick avec expérience, et apprit quels dégâts et ravages il avait faits. S'emparant goulûment de la chose dans son esprit, Gabriel prévint avec solennité son capitaine contre Moby Dick, l'avertissant de ne pas l'attaquer au cas où le monstre viendrait à être repéré ; il prononçait dans son charabia démentiel que le Cachalot Blanc n'était rien moins que le Dieu Trembleur incarné (la secte des Trembleurs reconnaissant la Bible). Mais lorsque Moby Dick, un an ou deux plus tard, fut effectivement pris en vue des hautes vigies des trois-mâts, Macey, le second, se sentit brûlé du désir de l'affronter ; et comme son capitaine lui-même, en dépit de toutes les prophétiques élucubrations et autres mises en garde de l'archange, se trouvait très porté à le laisser faire, Macey réussit à persuader cinq hommes d'équiper sa baleinière ; il déborda, poussa à force de rames, et après quelques dangereuses tentatives manquées, parvint à planter un fer. Gabriel, pendant ce temps, était grimpé à la pomme du grand mât où, avec force gestes frénétiques et hurlements féroces, il prophétisait de plus belle le prompt anéantissement des assaillants sacrilèges de sa divinité. A présent, Macey, le second, était debout à la pointe de sa baleinière, guettant l'occasion propice de travailler de sa lance, tout en jetant à pleine voix dans l'espace la gerbe des exclamations sauvages de sa race intrépide et tenace ; et voilà qu'une énorme ombre blanche s'éleva de la mer, coupant le souffle aux rameurs par la forme et la vitesse de son élan. L'instant d'après, le malheureux second si plein de vie et de fureur était lancé en l'air et décrivait un arc allongé pour retomber à quelque cinquante mètres de là, dans la mer. Pas une cheville de la baleinière ne fut endommagée, pas un cheveu des hommes qui la montaient ne fut touché, mais le second avait sombré pour toujours.

Ouvrons ici une parenthèse pour signaler qu'entre les accidents divers que connaît la pêche au cachalot, les aléas mortels de ce genre sont à peu près aussi fréquents que tous autres. Parfois, rien n'est endommagé d'autre que l'homme, qui, lui, est anéanti ; plus fréquemment la proue du canot est déchiquetée, ou le tillac est enlevé avec celui qui s'y appuie. Mais le plus étrange de tout, c'est qu'en bien des cas, lorsque le corps fut retrouvé et recueilli, on ne releva sur lui aucune trace de violence : il avait été tué net.

Toute cette scène désastreuse, et la trajectoire du corps de Macey, on y avait clairement assisté du vaisseau. Poussant un hurlement suraigu : « La fiole ! la fiole ! » Gabriel détourna les hommes de la baleinière, frappés de terreur, de poursuivre la chasse de ce cachalot ; et ce terrible événement revêtit l'archange d'un prestige nouveau auprès de l'équipage, en redoublant son ascendant sur lui. Ses crédules et superstitieux disciples s'imaginaient en effet qu'il avait, non pas fait une prophétie en termes généraux comme n'importe qui eût pu faire, tombant juste mais dans une vaste marge de possibilités ; ils étaient sûrs qu'il avait fait une prédiction précise et circonstanciée de la chose. Et il devint une terreur sans nom sur le navire.

Mayhew ayant achevé son récit, les questions que lui posa Achab furent de telle nature, et si insistantes que le capitaine étranger ne put se retenir de lui demander s'il avait l'intention de livrer combat à Moby Dick, s'il arrivait qu'il le rencontrât.

– Oui, bien sûr ! répondit Achab.

Instantanément Gabriel une fois de plus sauta sur ses pieds, fixant le vieil homme et s'exclamant, un doigt pointé sur lui :

– Songe au blasphémateur, penses-y ! trépassé et englouti là-dessous ! Prends garde à la fin du blasphémateur !

Achab, flegmatiquement, se tourna de l'autre côté, puis dit au capitaine Mayhew :

– Capitaine, je viens juste de me rappeler que je dois avoir une lettre pour l'un de tes officiers dans le courrier que j'ai à bord. Je ne crois pas me tromper. Starbuck ! va ouvrir le sac et y jeter un coup d'œil.

Chaque baleinier transporte, en effet, bon nombre de lettres destinées à différents autres navires, qui ne seront délivrées aux intéressés qu'au hasard des rencontres sur les quatre océans. Aussi la plupart de ces lettres ne parviennent-elles jamais à leur destinataire, et beaucoup parmi les autres ne sont reçues qu'après un délai d'une ou de deux années, quelquefois plus.

Starbuck remonta assez vite, une lettre à la main. Elle était en piteux état, fatiguée, humide, piquée d'une sinistre quantité de taches vertes de moisissure, après son long séjour dans un sombre coffre de la cabine. D'une missive pareille, la mort elle-même eût fort bien pu être le facteur.

– N'arrives-tu pas à la lire ? s'exclama Achab. Passe-la-moi, mon garçon ! Oui, évidemment, oui... ce n'est guère qu'un gribouillis peu déchiffrable. Mais voyons un peu...

Et tandis que son capitaine s'efforçait de distinguer l'adresse, Starbuck s'empara d'un long manche de bêche à baleines dont il fendit une extrémité avec son couteau afin d'y insérer la lettre et de la faire parvenir ainsi à bord du canot sans que celui-ci eût à s'approcher plus du *Péquod*.

Achab, pendant ce temps, murmurait lentement :

– Monsieur Har... oui, monsieur Harry (une fine écriture féminine : l'épouse de l'homme, j'imagine). Oui, c'est cela : Monsieur Harry Macey, à bord du *Jéroboam*. Voilà, c'est pour Macey, et il est mort !

– Pauvre garçon ! le pauvre garçon ! et c'est de sa femme, prononça tristement Mayhew. Donne-la-moi quand même !

– Hé non ! garde-la toi ! hurla Gabriel à Achab. Tu ne tarderas pas à le suivre par le même chemin.

– Que l'enfer t'étrangle, maudit ! lui jeta Achab à pleine voix. Capitaine Mayhew, tiens-toi prêt à la recevoir.

Et, prenant des mains de Starbuck le bâton-poste que celui-ci avait préparé, il y inséra la fatale lettre et la tendit vers le canot. Mais à l'instant qu'il le faisait, les rameurs en attente avaient cessé de nager, et le léger bateau distancé se trouva rejeté sur notre arrière. Ce qui fit que, comme par un effet de magie, la lettre se trouva exposée à portée de la main impatiente de Gabriel qui s'en empara sur-le-champ, dégaina son couteau de mer pour y piquer la lettre, et la relança, ainsi lestée, sur notre pont. Elle vint tomber aux pieds d'Achab. Aussitôt Gabriel commanda à ses camarades de scier, et cette baleinière de mutins se trouva promptement écartée du *Péquod*.

Et tandis que nos hommes, après cet intermède, reprenaient leur travail sur le manteau du cachalot, il y eut bien des choses étranges qui furent avancées à propos de cette brutale conclusion et de toute l'affaire.

LXXII

LA LAISSE A SINGE

Cette tumultueuse activité de travail et de dépeçage du cachalot comporte pas mal de va-et-vient de la part de tout l'équipage. On a besoin des hommes ici, on a besoin d'eux ailleurs ; il n'est personne pour demeurer en place, car tout doit être fait en même temps et en tous lieux. Comment n'en irait-il pas de même pour qui veut vous narrer la chose ? Nous referons donc, nous aussi, quelques pas en arrière.

Comme nous l'avons dit en passant, au début de l'opération de dépeçage, le croc à lard est passé dans le trou creusé par les bêches des seconds ; mais comment s'effectue ce passage, comment cette pesante et peu maniable masse est proprement insérée d'abord, puis fixée dans ce trou, nous ne l'avons pas dit. Ce travail incombait personnellement à mon ami Quiequeg dont la mission en tant que harponneur consistait à descendre et à se tenir sur le dos du monstre à cette fin. En bien des cas, il faut le dire, les circonstances exigent que le harponneur reste ainsi sur le dos du cétacé jusqu'à la fin du travail de dépeçage. L'animal, rappelons-le, est presque entièrement immergé, à l'exception seulement de la petite partie sur laquelle on est en train d'opérer. Ainsi donc, à quelque dix pieds au-dessous du niveau du pont, le pauvre harponneur reste là à patauger, moitié sur le cachalot et moitié dans l'eau, tandis que l'énorme masse roule sur elle-même sous ses pieds comme le moulin d'un écureuil. Cette fois-ci, donc, Quiequeg s'y tenait, vêtu à l'écossaise – c'est-à-dire en pans de chemise et en chaussettes –, costume qui, à mes yeux, lui seyait à ravir ; or, nul n'était mieux placé que moi pour en juger, ainsi qu'on va le voir.

Étant l'homme de proue ou « bosseman » du sauvage, ainsi qu'on nomme celui qui manœuvre l'aviron dit « de proue » de la baleinière (c'est-à-dire le second à partir de l'étrave, et le premier immédiatement derrière l'aviron du harponneur), j'avais pour cordiale mission de l'assister pendant qu'il se débattait et faisait l'acrobate sur le dos de l'énorme cadavre. Vous avez assurément déjà vu quelque Italien, avec son orgue de Barbarie, faisant danser un singe au bout d'une longue laisse. Eh bien, c'est exactement de même, que d'en haut, du pont du navire, je tenais Quiequeg, là-bas en bas, dans la mer, par le moyen de ce qu'on nomme dans la grande pêche une « laisse à singe », laquelle venait le saisir dans une forte ceinture de tresse serrée sur ses reins.

C'était une affaire d'une drôlerie assez périlleuse pour l'un et l'autre de nous deux, car – disons-le avant d'aller plus loin – cette laisse de singe était arrimée aux deux bouts : attachée solidement à la large ceinture de tresse de Quiequeg d'une part, et attachée non moins solidement à mon étroite ceinture de cuir personnelle d'autre part. En sorte que, pour le meilleur et pour le pire, tous deux, nous nous trouvions alors conjoints ; et si le malheureux Quiequeg devait plonger pour ne plus réapparaître, tout ensemble l'honneur et l'usage commandaient qu'au lieu de couper le chanvre je le suivisse dans son sillage. C'était donc un lien siamois quelque peu prolongé qui nous unissait. Quiequeg était devenu mon inséparable frère jumeau ; quant à moi, il ne m'était possible d'aucune manière de m'affranchir des responsabilités auxquelles m'engageait ce lien de chanvre.

Le sentiment que j'avais de ma situation était si solidement affermi et si lourd de sens métaphysique, que tout en surveillant sans défaillance ses mouvements, j'avais la nette impression de voir ma propre personnalité dédoublée par cette coresponsabilité ; mon libre arbitre avait reçu une blessure mortelle ; la faute ou le malheur d'un autre pourraient entraîner fatalement l'innocent que j'étais dans une catastrophe et une mort imméritées. J'avais là, sous les yeux, l'image même d'un interrègne dans la providence, puisque son équité aux justes mains n'eût jamais pu admettre une aussi formidable injustice, En poursuivant pourtant le fil de mes réflexions – tout en le tirant d'un coup sec, par-ci par-là, d'entre le cétacé et le navire – j'en vins, dis-je, en poursuivant le fil de ma méditation, à voir que ma situation n'avait rien que de très semblable à celle exactement de tout individu qui respire : la seule différence étant que pour eux, généralement, mais oui, presque toujours, ce lien siamois les relie à toute une collection d'autres mortels, au lieu d'un seul individu. Si votre banquier saute, vous êtes fait ; si votre pharmacien, par erreur, introduit du poison dans vos pilules, vous décédez. Évidemment, il reste que vous pouvez prétendre, par une attention extrême et toutes sortes de précautions poussées à l'excès, échapper peut-être à ces aléas et à la foule infinie des autres risques de l'existence. Mais il n'empêche que malgré tous les soins que je pouvais mettre à manœuvrer la laisse à singe de Quiequeg, il lui donnait parfois de telles secousses que j'étais à deux doigts de passer par-dessus bord. Et il m'était impossible d'oublier, quoi que je fisse, que je n'avais le gouvernement que d'une seule extrémité [1].

Je viens de dire qu'il m'arrivait souvent de retirer d'un coup sec le malheureux Quiequeg d'entre le cachalot et le navire, où le faisaient tomber les constants roulements et balancements de l'un et l'autre ; mais ce n'était pas là l'unique et pressant péril auquel il était exposé. Les requins, fort peu inquiétés et nullement impressionnés par le massacre de la nuit, n'étaient que plus nombreux, plus voraces et plus audacieux que jamais, attirés et alléchés par le sang jusqu'alors contenu et qui commençait à ruisseler de la carcasse ; et ces féroces créatures se serraient tout alentour comme abeilles dans une ruche.

Et juste au centre de cette foule était Quiequeg, qui souvent repoussait les squales à coups de pied – chose absolument incroyable, s'il n'était que, sans doute, attiré par une proie telle

---

1. L'usage de la « laisse à singe » est répandu sur tous les baleiniers. Toutefois, ce n'était qu'à bord du *Péquod* que le singe et son surveillant se trouvaient noués l'un à l'autre. Ce perfectionnement sensible de l'emploi original était dû au génie inventif de Stubb soi-même, qui avait ainsi fourni au harponneur si dangereusement exposé un maximum de garantie quant à la vigilance et à la réelle fidélité du compère de l'autre bout. *(NdA.)*

qu'un cachalot, cet éclectique carnivore qu'est le requin négligeait
de s'en prendre à l'homme.

Pourtant on comprendra sans peine qu'avec cette engeance dévorante qui se ruait à la curée, il faisait bon ouvrir l'œil. Aussi dois-je
dire qu'en plus de la laisse à singe, dont un coup sec retirait ce
pauvre Quiequeg du voisinage un peu trop familier avec les
mâchoires d'un individu plus particulièrement féroce, une autre
protection venait encore le couvrir. Suspendus sur le flanc du navire
par une des plates-formes, Tashtégo et Daggoo, tous deux armés de
tranchantes bêches, ne cessaient de les agiter au-dessus de sa tête,
massacrant autant de requins qu'ils pouvaient en atteindre. Cette
débordante activité, on n'en saurait douter, était de pure chevalerie,
d'une charité et d'un désintéressement complets. Ils ne voulaient,
c'est certain, que le plus grand bien de Quiequeg en assurant sa sauvegarde ; mais dans leur zèle empressé à le secourir, surtout que
celui-ci et les requins se trouvaient bien souvent tout ensemble à
moitié cachés dans l'eau brouillée de sang, leurs terribles épées n'en
étaient pas moins indiscrètes et bien plus près parfois d'amputer
une jambe que de trancher une queue. Notre pauvre Quiequeg,
j'imagine, tout suant et soufflant dans ses efforts avec l'énorme croc
de fer – notre pauvre Quiequeg, j'imagine, priait incessamment son
Yojo et remettait sa vie entre les mains de ses dieux.

Voilà, voilà, cher camarade et frère jumeau, pensais-je tout en
tirant et relâchant la laisse avec le mouvement de la mer ; et puis
qu'est-ce que ça peut faire, après tout ? N'es-tu pas la précieuse
image de chacun de nous tous, les humains, en vie dans un monde
de chasse à la baleine ? Voilà l'insondable océan où tu te débats :
c'est la Vie ; ces requins, ce sont tes ennemis ; ces épées, tes amis.
Et toi, entre les bêches et les squales, te voilà en bien triste posture
et bougrement en danger, mon pauvre vieux !

Mais courage ! Le tout proche avenir te réserve un fameux réconfort, Quiequeg.

Et en effet, lorsque le sauvage à bout de forces, les lèvres bleues
et les yeux injectés de sang, finit par se hisser sur le porte-haubans
et de là sur le pont où il se tint trempé des pieds à la tête et tremblant malgré lui, le steward alors s'avança et avec un regard attendri, plein de sympathie, lui tendit... quoi ? un brûlant cognac ?

non! Ce qu'il lui tendait, oh! Seigneur! c'était une tasse d'eau tiède au gingembre!

– Du gingembre? Ne serait-ce pas l'odeur du gingembre que je sens? s'enquit Stubb en s'approchant d'un air soupçonneux. Ma parole! ce doit être du gingembre! s'exclama-t-il en jetant un coup d'œil dans la tasse encore intacte.

Et il resta sur place un moment, comme n'en pouvant croire ses yeux et ses narines. Puis, s'avançant froidement vers le steward qui reculait, étonné, il lui dit avec une grande lenteur :

– Gingembre, hein! Du gingembre! Voudriez-vous avoir l'extrême bonté de me dire, monsieur Mie-de-Pain, en quoi consiste la vertu du gingembre?... Pouvez-vous, s'il vous plaît, m'expliquer à quoi cela sert?... Du gingembre? Est-ce là l'espèce de combustible liquide dont tu te sers, steward, pour rallumer le feu chez ce cannibale frissonnant?... Du gingembre! Malédiction, qu'est-ce que c'est donc, le gingembre?... de la houille?... du bois de chauffage?... des allumettes?... mèche?... poudre à canon?... quoi?... Qu'est-ce que c'est, par le diable, que ce gingembre-ci que tu prétends offrir dans cette tasse-ci à notre pauvre Quiequeg que voilà? Je te demande un peu!... Il y a quelque sordide mani-gance des sociétés de tempérance là-dessous! s'exclama-t-il tout à coup, alors que s'approchait Starbuck qui revenait de l'avant.

– Voulez-vous donner un coup d'œil à cette burette, Monsieur? Sentez-la, je vous prie! dit-il en se tournant vers le second – puis, attentif à sa réaction, il ajouta : Le steward, Monsieur Starbuck, a eu le front d'apporter cette eau blanche, ce calomel et ce julep à Quiequeg, ici, qui remonte à l'instant de sur le cachalot. Est-ce que le steward est un apothicaire, Monsieur? Et puis-je demander si c'est là le tonique qu'il préconise pour ramener la vie dans le corps d'un homme à moitié noyé?

– J'espère que non, répondit Starbuck, c'est une décoction suf-fisamment fadasse.

– Eh oui! eh oui! steward, explosa Stubb, nous allons t'apprendre à droguer un harponneur. Pas de tes médecineries d'apothicaire ici! Tu veux donc nous empoisonner, oui? Tu nous as assurés sur la vie, hein? et tu veux nous assassiner tous pour empocher l'argent, c'est ça?

– Ce n'est pas moi, Monsieur! pleurnicha le steward; c'est tante Charité; elle a apporté le gingembre à bord et m'a dit de ne jamais donner d'alcool aux harponneurs, uniquement ce « ginger-jub » comme elle m'a dit.

– Ginger-jub toi-même, racaille engingembrée! Attrape! et file à présent dans tes offices nous ramener quelque chose de propre. Monsieur Starbuck, j'espère ne pas abuser; ce sont les ordres du capitaine : grog pour le harponneur sur le cachalot.

– Ça va; seulement ne le frappe plus, répondit Starbuck, mais…

– Oh! je ne fais jamais mal quand je frappe, sauf quand je cogne sur un cachalot ou quelque chose de cette espèce; mais ce gringalet n'est qu'une belette. Qu'est-ce que vous alliez dire, monsieur!

– Rien d'autre que ceci : descends avec lui et choisis toi-même ce que tu veux.

Lorsque Stubb réapparut, il tenait d'une main un flacon de couleur foncée, et de l'autre une sorte de boîte à thé. Le premier contenait un spiritueux énergique et fut tendu à Quiequeg; la seconde, qui était le cadeau de tante Charité, fut charitablement offerte aux vagues.

LXXIII

STUBB ET FLASK TUENT
UNE BALEINE FRANCHE ET ONT
UNE CONVERSATION SUR ELLE

Il convient de ne pas oublier que nous avons toujours la prodigieuse tête d'un cachalot suspendue au flanc du *Péquod*. Mais il nous faut la laisser arrimée là, jusqu'à ce que nous puissions nous occuper d'elle. Pour le moment, d'autres choses pressent ; et tout ce que nous pouvons faire de mieux à propos de cette tête, c'est de supplier le ciel que les caliornes tiennent.

Durant toute la nuit et la matinée de ce jour-là, le *Péquod*, donc, s'était trouvé porté peu à peu dans une zone où dérivaient çà et là de vastes traînées jaunes de plancton, donnant ainsi la preuve inattendue de la présence de baleines franches dans le voisinage – une sorte de léviathan que personne ne se fût attendu à rencontrer à cette époque dans cette région de la mer. Or, bien que l'équipage tout entier, d'une façon générale, méprisât la chasse de ces animaux inférieurs ; bien que le *Péquod* n'eût en aucune manière été mis en campagne pour leur capture ; et quoiqu'il en eût déjà croisé des quantités dans les parages de l'Archipel Crozet sans jamais mettre à la mer une seule fois pour eux : à présent pourtant, alors qu'un cachalot avait été amarré à son flanc et décapité, voilà qu'à la surprise de tous l'ordre nous était donné, si l'occasion s'en présentait, de prendre en chasse et de capturer une baleine franche ce jour-là.

Il n'y eut pas longtemps à attendre. Des souffles puissants furent aperçus sous le vent, et deux baleinières, celles de Stubb et de Flask, furent détachées à leur poursuite. Poussant toujours et toujours plus avant, elles étaient devenues presque invisibles aux vigies du haut des mâts quand tout à coup au loin, les guetteurs

aperçurent un grand bouillonnement d'eau blanche, et peu après
on nous cria d'en haut qu'un des canots, ou les deux, se trouvaient
en remorque. Un moment passa, puis les canots apparurent à nos
yeux, entraînés à toute vitesse droit sur nous par la baleine
furieuse. Le monstre arriva si près de la coque du *Péquod* qu'on
put croire tout d'abord qu'il avait de mauvaises intentions, mais
tout soudain il plongea dans un vrai maelström à une dizaine de
mètres à peine de nos bordés, disparaissant complètement à notre
vue comme s'il avait coulé sous la quille.

« Coupez ! coupez ! » fut le cri du navire aux embarcations qui
parurent, pendant un instant, devoir venir s'écraser fatalement
contre le flanc du navire. Mais comme ils avaient encore beaucoup
de ligne en réserve dans la baille, et comme la baleine ne sondait
pas avec une excessive rapidité, les canotiers donnèrent de la ligne
en abondance, tout en souquant de toutes leurs forces pour gagner
et venir passer sur l'avant du navire. Pendant quelques minutes,
cette lutte resta critique au dernier point ; avec la ligne qui les
entraînait dans une direction et les avirons dans une autre, les deux
embarcations risquaient à tout moment de capoter. Cependant
c'étaient quelques pieds seulement que les hommes cherchaient à
gagner, et ils y réussirent, tirant comme des fous jusqu'à ce qu'ils
les eussent gagnés. A l'instant même, sous notre quille, courut un
tremblement prompt comme l'éclair ; puis la ligne trop tendue qui
raclait les dessous du navire gicla avec un sifflement qui claqua
comme un coup de fouet sous le beaupré ; et nous la vîmes, tendue
et frémissante qui jetait partout sur les eaux des gouttes fines
comme des éclats de verre, en même temps que la baleine réapparaissait plus loin. Les canots filaient de nouveau avec l'espace libre
devant eux. Mais la baleine épuisée perdait de sa vitesse et, changeant de direction à l'aveugle, revenait maintenant sur notre
arrière, toujours tirant les deux baleinières qui avaient fait ainsi le
tour du *Péquod*.

Pendant ce temps, les hommes avaient halé et halaient main sur
main leurs lignes, jusqu'à venir près à toucher sur chaque flanc,
cependant que coup pour coup, Stubb et Flask se répondaient,
eût-on dit, avec leurs lances. Et le combat se poursuivit, cercle
après cercle, tout autour du *Péquod*, tandis que les multitudes de

requins, acharnés peu avant sur la carcasse du cachalot, se ruaient vers ce sang fraîchement répandu, buvant avidement à chaque nouvelle blessure comme les Israélites assoiffés à la miraculeuse fontaine jaillissante qui sortit du rocher frappé.

Pour finir, le jet du souffle s'épaissit, et avec un horrible hoquet, dans un roulement terrible, le monstre mort fut sur le dos.

Alors que les deux officiers côte à côte amarraient solidement les lignes aux palmes de la queue et prenaient toutes les dispositions requises pour le remorquage de cette montagne flottante, une conversation s'engagea entre eux.

– Je me demande ce que le vieux compte faire de cette dondon de mauvaise graisse ! prononça Stubb, non sans dégoût à l'idée d'avoir affaire avec un aussi peu noble léviathan.

– Ce qu'il compte en faire ? répondit Flask qui lovait un excédent de ligne sur le tillac de son canot; dis donc, Stubb, as-tu jamais entendu dire que le baleinier qui a une seule fois eu à tribord une tête de cachalot, en même temps qu'une tête de baleine à bâbord, ne peut jamais plus chavirer ?

– Pourquoi donc ?

– Je n'en sais rien, mais j'ai entendu ce spectre en gomme-gutte de Fédallah qui l'affirmait; et il a l'air d'en connaître un bout en fait de sortilèges nautiques. Mais moi, j'ai comme une idée qu'il est en train d'ensorceler le navire et que tout ça ne finira pas bien du tout. On ne peut pas dire que je l'aime beaucoup, ce type, Stubb ! As-tu remarqué que cette dent qu'il a est comme la sculpture d'une tête de serpent ?

– Faut le noyer ! Je ne le regarde jamais; mais si j'ai la chance une fois, par une nuit noire, de le voir stationner quelque part près de la lisse, et qu'il n'y ait personne par là autour, eh bien ! Regarde un peu, Flask... – et il fit vers la mer un geste significatif de ses deux mains. Oui, oui, je le ferai, Flask ! Pour moi, ce Fédallah est le diable déguisé. Tu y crois, toi, à cette histoire à dormir debout : qu'il ait été caché à bord ? C'est le diable, je te dis. La raison qui fait que tu ne vois pas sa queue, c'est qu'il la tient hors de vue, lovée dans sa poche, je suppose. Par l'enfer ! et maintenant que j'y pense, il est toujours en train de demander de l'étoupe pour bourrer la pointe de ses bottes.

– Il dort avec ses bottes, non ? En tout cas, il n'a pas de hamac ; et je l'ai souvent vu couché, la nuit, sur une glène de cordages.

– Bien sûr ! c'est à cause de sa maudite queue ; il la roule, tu vois, dans le trou du milieu.

– Qu'est-ce que le vieux a donc tant à faire avec lui ?

– Un marché à conclure, je suppose, ou un troc.

– Un marché ? mais de quoi ?

– Ben, tu comprends, le vieil homme a une terrible envie du Cachalot Blanc, et le diable est en train d'essayer de le posséder et d'obtenir de lui qu'il lui troque sa montre d'argent, ou son âme, ou quelque chose de ce genre, en échange de quoi, il lui livrera Moby Dick.

– Peuh ! Stubb, tu me fais marcher. Comment veux-tu que Fédallah puisse le faire ?

– Je n'en sais fichtre rien, Flask, mais le diable est un malin coco et un sacré maudit, moi je te le dis. Tiens ! on raconte comment il a sauté à bord du vaisseau amiral, une fois, en se pavanant avec sa queue comme avec une badine, et diablement à l'aise et sûr de soi, demandant si le grand patron se trouvait chez lui. Bon. Il était chez lui, le patron, et il demanda au diable ce qu'il voulait. Le diable tapa du sabot et dit : « Je veux John. » Le vieux gouverneur demanda pourquoi. « Qu'est-ce que ça peut bien vous faire ? » lança le diable en pleine rage. J'en ai besoin. – Prends-le ! consentit le grand patron, et par Dieu, Stubb ! si le démon n'a pas collé le choléra asiatique à ce John avant d'en prendre livraison, moi je t'avale cette baleine d'une bouchée.

– Il me semble bien me souvenir d'une histoire comme celle que tu viens de me raconter, reprit Flask, quand les deux baleinières, enfin, commencèrent leur pesant remorquage vers le vaisseau. Mais je ne me rappelle plus où.

– *Les Trois Espagnols* ? Dans les aventures de ces trois gabiers sanguinaires, hein ? C'est là que tu l'as lue, je parie.

– Non, je n'ai jamais lu ce livre-là. J'en ai entendu parler, bien sûr. Mais dis-moi, Stubb, est-ce qu'à ton avis le diable de l'histoire et celui qui est à présent sur le *Péquod*, ce serait le même ?

– Suis-je le même homme qui a donné la main à la capture de cette baleine ? Et le diable, est-ce qu'il ne vit pas éternellement ?

Qui a jamais entendu dire que le diable fût mort, hein ? Aurais-tu par hasard vu un curé portant le deuil du diable ?... Et si ce diable possédait un passe-partout pour entrer dans la cabine de l'amiral, crois-tu qu'il ne pourrait pas passer par un écubier ? Alors, monsieur Flask ?

– Quel âge crois-tu qu'il ait, ce Fédallah, Stubb ?

– Tu vois le grand mât que voilà, oui ? dit Stubb en désignant le navire. Bon, eh bien, ça c'est le chiffre un. Et maintenant aligne derrière tous les cercles de barriques de la cale du *Péquod* pour faire les zéros, tu comprends ? Très bien, alors, ça ne commence même pas à donner une idée de l'âge de Fédallah. Et tous les cercles de tous les tonneaux de la terre ne font pas encore assez de zéros !

– Mais alors, Stubb, écoute-moi un peu : je crois me rappeler qu'il y a un instant, tu t'es un peu vanté en prétendant faire boire une tasse à Fédallah si l'occasion se présentait. Car enfin, s'il a autant d'années qu'en font les cercles et les zéros que tu dis, et s'il doit rester en vie à jamais, quel bien est-ce que ça peut faire de le balancer par-dessus bord, voyons !

– Ça lui ferait prendre un bon bain, de toute façon.

– Bon ; et en admettant qu'il se mette en tête de te faire piquer une tête à toi... oui, et de te noyer... alors quoi ?

– Quoi ? il ferait beau voir qu'il essaye ! Je te lui pocherais les deux yeux de telle manière que l'envie lui passerait pour un bon bout de temps d'amener sa face dans la cabine de l'amiral ! Il resterait dans le faux-pont où il habite, je te garantis, et on ne le verrait plus traîner son nez tout le temps sur le pont comme il en a l'habitude. Maudit soit le diable, Flask ! alors voilà que tu imagines que j'ai peur de lui ? Mais qui est-ce qui a peur de lui, excepté le vieux gouverneur qui n'a même pas osé l'attraper et le coller aux fers, à la boucle double de la barre de justice, comme il le méritait, mais qui le laissa aller, libre d'attraper les gens ? Qui, et qui encore signa un pacte avec lui, aux termes duquel tous les gens ainsi enlevés, le diable les faisait rôtir pour son compte ! Ah ! oui, en voilà un gouverneur !

– Est-ce que tu penses que Fédallah veuille enlever le capitaine Achab ?

– Et toi ? Tu le sauras avant qu'il fasse longtemps, Flask. Mais en ce qui me concerne, j'ai l'intention d'avoir l'œil sur lui, tu peux me croire, et si je vois qu'il se trame quelque chose de suspect, je vais te l'attraper par la peau du cou et lui dire : « Écoute un peu ici, Belzébuth, pas de ça, c'est compris ? » Et s'il fait la moindre histoire, par le Seigneur ! je lui enverrai ma main en mission dans le fond de ses poches lui chercher la queue, que je lui passerai au cabestan, en lui donnant dessus un tel effort de torsion que je te la lui extirperai d'où je pense jusqu'au dernier moignon. Tu vois ça ? Et alors, j'imagine sans peine que quand il se verra troussé de cette drôle de façon, il va se tirer au large sans même avoir la satisfaction de se sentir la queue entre les jambes.

– Et qu'est-ce que tu vas faire de la queue, Stubb ?

– Ce que je vais en faire ? Mais la vendre comme manche de fouet, au retour. Qu'est-ce qu'on pourrait faire d'autre ?

– Tout ça c'est très joli, Stubb ; mais est-ce qu'il y a quelque chose de sérieux dans tout ce que tu viens de raconter ?

– Sérieux ou pas sérieux, nous voilà au navire.

Les baleinières reçurent d'en haut l'ordre de remorquer la baleine à bâbord, où les chaînes de queue et autres dispositions d'amarrage étaient d'ores et déjà parées.

– Qu'est-ce que je t'avais dit ? confia encore Flask à Stubb. Oui, tu ne tarderas pas à voir la tête de cette baleine faire pendant à celle du spermaceti.

Flask avait dit vrai, on ne tarda pas à le voir. Et le *Péquod*, qui jusque-là donnait de la bande sur la tête du cachalot, avec cette seconde tête comme contrepoids reprit son aplomb ; mais il était durement chargé, vous pouvez me croire ! Ainsi en va-t-il de vous, quand vous vous mettez à haler d'un côté sur la tête de Locke, alors vous voilà tout penchés sur ce côté-là ; mais si, de l'autre côté, vous halez sur celle de Kant, vous voilà redressés ; seulement dans quel misérable état ! C'est de cette façon que certains esprits sont toujours en train d'équilibrer leur nef. Ah ! fous que vous êtes ! rejetez donc par-dessus bord toutes ces têtes à foudre, que vous flottiez droits et légers !

Les manœuvres d'amarrage et la disposition d'une baleine contre le flanc du vaisseau sont les mêmes, en général, que pour le cachalot; la seule différence est que, pour ce dernier, la tête est décollée d'un bloc, tandis que pour la baleine, les lèvres et la langue sont préalablement sectionnées et hissées sur le pont, de même que les fanons qui sont ramenés avec la pièce d'anatomie dénommée la «couronne». Cette fois-ci, cependant, rien de tout cela ne fut fait, et l'une comme l'autre, les deux carcasses furent larguées et laissées derrière; le navire, chargé de ses deux têtes de part et d'autre, ressemblait plus qu'un peu à un mulet écrasé sous le poids de deux paniers de bât trop lourds.

Fédallah, lui, était en contemplation paisible devant la tête de la baleine franche, et à plusieurs reprises son regard passa des rides profondes de cette tête aux lignes de sa propre main. Et il se trouva qu'Achab se tenait près de lui, de telle sorte que l'ombre du parsi recouvrait ou chevauchait son ombre; la sienne, si toutefois il en avait une, se confondait avec celle d'Achab et la prolongeait.

Et pendant tout le temps que dura le travail sur le pont, les considérations et les spéculations les plus lapones furent échangées entre les membres de l'équipage sur les événements en cours.

LXXIV

LA TÊTE DU CACHALOT ;
VUE CONTRASTÉE

Voici donc à présent deux grands cétacés qui nous offrent conjointement leurs deux têtes ; joignons-nous à eux et mettons-y la nôtre.

Dans le grand ordre des léviathans in-folio, cachalot et baleine franche sont de loin les plus dignes de remarque. Ce sont les seuls cétacés pratiquement chassés par les humains. Aux yeux des Nantuckais, ils figurent les deux extrêmes de toutes les espèces et variétés connues. Et puisque la différence entre eux est au premier chef discernable par leurs têtes ; puisque aussi bien nous avons actuellement la tête de chacun des deux par tribord et bâbord de notre bateau, et qu'il nous suffit tout simplement de traverser le pont pour passer le plus facilement du monde de l'un à l'autre – quand donc, et où, je vous le demande, aurons-nous jamais une meilleure occasion de nous livrer à une étude pratique de cétologie ?

En premier lieu, on est frappé par le contraste de l'aspect général entre l'une et l'autre de ces têtes. Toutes deux sont plutôt massives, je vous le concède ; mais il y a une certaine symétrie mathématique dans celle du cachalot, qui fait tristement défaut à celle de la baleine franche. La tête du cachalot a nettement plus de caractère. A la considérer, vous ne pouvez, malgré vous, que lui accorder une immense supériorité, à cause de la dignité qui se trouve en elle partout répandue. Et dans le cas présent, cette éminente dignité se trouvait encore accusée par la couleur poivre et sel du sommet de cette tête, qui révélait chez elle un âge avancé et une grande expérience. Bref, c'était là ce que nous appelons, nous les pêcheurs, un « cachalot à tête grise ».

Voyons et notons tout d'abord ce qu'il y a de moins dissemblable entre l'une et l'autre tête, à savoir l'œil et l'oreille, deux organes capitaux. Très loin en arrière sur le côté de la tête, et fort bas quant au niveau, presque à la commissure de leurs lèvres, vous trouverez, en le cherchant bien, un œil sans cils que vous imagineriez aisément être celui d'un jeune poulain, pour la dimension, et qui se trouve parfaitement disproportionné, en complet désaccord relatif avec la dimension grandiose de la tête.

Cette position toute latérale et très particulière des yeux chez le cétacé fait qu'il ne peut jamais, c'est évident, apercevoir un objet placé exactement devant lui, ni non plus exactement derrière. En un mot, les yeux du cétacé occupent la position des oreilles chez l'homme – et vous pouvez sans difficulté vous représenter par vous-même ce qu'il en serait pour vous, si vous deviez promener vos regards sur le monde à partir de vos oreilles. Vous constateriez alors que vous ne pouvez pas remonter plus de trente degrés vers l'avant, en partant de l'axe de votre vision latérale ; et semblablement vers l'arrière, votre champ de vision ne s'étendrait pas à plus de trente degrés de cet axe latéral. Si votre ennemi mortel s'avançait droit sur vous, de face, en plein jour, la dague levée, il vous serait tout aussi impossible de le voir que s'il se glissait vers vous par derrière. Somme toute, vous posséderiez deux dos, si je puis dire, mais aussi et en même temps deux fronts (deux fronts latéraux) – car qu'est-ce donc, en vérité, qui fait le front d'un homme si ce ne sont ses yeux ?

Mais il y a plus : c'est que si chez le plus grand nombre des animaux dont il me souvient sur l'instant, les yeux sont ainsi disposés que leur champ visuel se recouvre imperceptiblement, en sorte qu'ils donnent au cerveau une image unique et non point deux ; chez le grand cétacé, en revanche, cette position particulière des yeux (séparés comme ils le sont effectivement par quelques bons mètres cubes de solide tête, qui les tient de part et d'autre comme une montagne, les lacs de deux vallées distinctes) doit aussi séparer les impressions reçues de chacun de ces deux organes et donner deux images : une image de ce côté-ci et une autre image de ce

côté-là, distinctes l'une de l'autre, avec entre elles un gouffre de
ténèbres et de néant. On peut dire, en effet, que l'homme regarde
le monde du fond de sa guérite par les deux battants d'une même
fenêtre ; tandis que pour le cétacé, les deux châssis sont séparés
l'un de l'autre, ouverts isolément à des endroits distincts, constituant chacun, à soi seul, une fenêtre ; ce qui délimite et restreint
considérablement et tristement la vue sur le paysage.

Cette particularité anatomique des yeux chez le grand cétacé est
une chose que le pêcheur ne doit jamais oublier ; et le lecteur fera
bien de se la rappeler aussi au passage de certaines scènes à venir.

Il y aurait un problème extrêmement curieux et fort énigmatique
à débattre sur l'optique personnelle du léviathan. Mais je ne puis
que l'effleurer. Voici : autant et aussi longtemps que l'homme a ses
yeux ouverts à la lumière, l'acte de voir est chez lui involontaire ;
c'est-à-dire qu'il ne peut s'empêcher de voir automatiquement les
objets, quels qu'ils soient, qu'il a devant lui. Et chacun sait par sa
propre expérience que s'il peut, d'un seul coup d'œil, embrasser
indistinctement tout l'ensemble des choses, nul ne peut, en revanche,
examiner attentivement et complètement deux choses à la fois – si
grandes ou menues soient-elles – quand bien même elles seraient
placées côte à côte et se touchant. Mais que vous sépariez à présent
ces deux objets, que vous les cerniez l'un et l'autre d'un gros trait
noir : en fixant toute votre attention et votre regard sur l'un, vous
perdrez entièrement alors la conscience sensible de l'autre. Or, comment en va-t-il, en l'occurrence, chez le cétacé ? Certes, ses deux
yeux doivent, chacun pour soi, opérer simultanément ; mais alors
son cerveau serait-il tellement plus subtil que celui de l'homme, plus
complexe et capable, qu'il puisse dans le même moment examiner
attentivement deux perspectives distinctes, l'une sur sa droite et
l'autre exactement à l'opposé sur sa gauche ? S'il le peut, alors il y a
quelque chose en lui d'aussi proprement merveilleux que si
quelqu'un se montrait capable de suivre dans un seul et même
moment la distincte démonstration de deux théorèmes d'Euclide. Et
ce n'est pas là, à strictement y réfléchir, une comparaison incongrue.

Il se peut que ce soit de ma part pure imagination oiseuse, mais
il m'a toujours semblé que l'extraordinaire hésitation dans ses
mouvements dont fait preuve un cétacé quelquefois, lorsqu'il est

pressé par trois ou quatre baleinières ; sa timidité et la façon dont il est sujet à des peurs bizarres –, oui, il m'a toujours semblé que cela s'expliquait par une perplexité de la volition que ne peut manquer d'entraîner cette double vision qui lui est propre, étendue à deux champs distincts et diamétralement opposés.

Quant à l'oreille du cétacé, elle est pour le moins aussi surprenante que son œil. Ignorant tout de cette espèce animale, vous pourriez chercher cet organe pendant des heures et des heures sur l'une et sur l'autre tête, et ne le découvrir jamais. L'oreille n'a chez lui pas le moindre pavillon externe, et dans sa cavité même, c'est à peine si vous pourriez introduire le tuyau d'une plume, tant elle est merveilleusement minuscule. Elle est portée légèrement en retrait de l'œil. Mais il y a, pour cette oreille, une différence d'importance à noter entre le cachalot et la baleine : le premier a bien une ouverture extérieure, mais la baleine, en revanche, l'a entièrement couverte et uniformément d'une membrane, ce qui la rend parfaitement invisible du dehors.

N'est-il pas curieux, pour un animal aussi formidable de dimensions et de force que la baleine, que ce soit par un œil aussi menu qu'il voie le monde, et que ce soit par une oreille plus minuscule que celle d'un lièvre qu'il entende le tonnerre ? Et pourtant, s'il avait les yeux aussi grands que la grosse lentille du télescope de Herschel, et si ses oreilles se déployaient avec l'ampleur des porches de cathédrales, en aurait-il la vue meilleure ou l'oreille plus fine ? Point du tout. Aussi, pourquoi tant vouloir vous « élargir » l'esprit ? Subtilisez-le.

Procédons à présent (avec la machinerie et les treuils à vapeur que vous voudrez, peu importe !) au retournement complet de la tête du cachalot, de manière à l'avoir sens dessus dessous ; puis, grimpant sur le sommet par une échelle, jetons un coup d'œil dans sa gueule. Si le corps n'en avait pas été séparé, nous eussions pu descendre dans l'énorme caverne aux mammouths de son estomac ; mais tenons-nous-en à cette dent, à laquelle nous nous accrochons, et voyons un peu où nous en sommes. Quelle superbe bouche, en vérité, et combien pure d'apparence ! Du plancher au plafond, elle est tapissée ou plutôt entièrement doublée d'une blanche membrane étincelante comme un satin nuptial.

Sortons de là, à présent, et contemplons cette fatale mâchoire inférieure, qui ressemble plus qu'à toute autre chose au long et étroit couvercle de quelque immense tabatière, qui aurait sa charnière à une des extrémités au lieu de l'avoir sur le côté. Si vous soulevez ce formidable levier jusqu'au-dessus de votre tête, avec l'alignement de ses dents, alors, elle ressemble à une herse terrifique – ce qu'elle est en réalité, hélas ! pour plus d'un malheureux bougre sur lequel ces piques viennent s'abattre avec une écrasante puissance. Pourtant, combien plus impressionnante encore n'est-elle pas lorsque vous la voyez, cette mâchoire, prodigieusement ouverte, ses quelque quinze pieds de long tombant à la verticale, formant un angle droit avec le corps, chez un cachalot malade qui navigue entre deux eaux, à quelques brasses sous la surface ! Comme un mât de beaupré rompu. Le cachalot que vous voyez ainsi n'est pas mort, non, il est seulement déprimé, un peu grognon et de mauvaise humeur peut-être, mélancolique, hypocondriaque, mais si dolent que les gonds de sa mâchoire sont relâchés, la laissant pendre dans cette étonnante expression de plainte, comme pour en faire reproche à toute sa race, laquelle, assurément, ne peut que serrer les dents pour lui !

Presque toujours, dans la grande pêche, cette mâchoire inférieure du cachalot est dégondée par quelque artiste praticien, puis dégagée et hissée sur le pont, où l'on en extraira les dents d'ivoire pour ensuite nettoyer l'os dur et blanc qui viendra enrichir la réserve de cette matière première dont les marins tirent toutes sortes d'articles curieux, depuis les cannes ciselées aux becs d'ombrelles ouvragés et aux manches de cravaches sculptés.

C'est à grand-peine et durement que la mâchoire est halée sur le pont, telle une ancre pesante. Et quand vient le moment – c'est-à-dire quelques jours après le gros travail du dépeçage et la récolte du spermaceti –, Quiequeg, Daggoo et Tashtégo, tous trois dentistes experts, entreprennent l'extraction des dents. Avec une bêche de dépeçage particulièrement affûtée, Quiequeg incise les gencives ; la mâchoire est ensuite fixée solidement aux boucles d'amarrage sur le pont, et avec une poulie frappée en haut, dans le gréement, ils procèdent à l'extraction des dents tout comme les bœufs du Michigan sont attelés à l'extraction des souches de vieux chênes dans les vieilles forêts sauvages. En général, il y a quarante-deux dents en tout, qui sont parfois très usées chez les sujets âgés, mais rarement cassées ni non plus couronnées ou plombées selon nos propres et artificielles façons. Des scieurs de long débitent ensuite la mâchoire qui est alors mise en piles comme les voliges aux abords d'une maison en construction.

LXXV

LA TÊTE DE LA BALEINE FRANCHE ;
VUE CONTRASTÉE

Traversons le pont et prenons un bon examen de la tête de la baleine.

Si, dans sa forme générale, la noble tête du cachalot peut être comparée à un char de guerre romain (de face surtout, avec son puissant et vaste arrondi), la tête de la baleine franche, vue d'ensemble, présente assez peu élégamment une nette ressemblance avec une géante chaussure à bout carré. Il y a deux cents ans, un vieux voyageur hollandais l'a comparée à une forme de cordonnier. Mais c'est une forme ou un soulier dans lesquels tiendraient à l'aise et la mère Gigogne des contes et tout son essaim d'enfants.

Vue de plus près, cette énorme tête affecte différents aspects selon l'endroit d'où vous la considérez. Si vous vous tenez au sommet, regardant les deux trous en forme de f des évents, la tête entière vous apparaîtra comme une phénoménale basse de viole, dont ces narines spéciales seraient les ouvertures de la table d'harmonie. Et si, maintenant, vous fixez vos yeux sur cet étonnant créneau en dents de peigne incrusté au sommet de la masse – cette surface verte, couverte de bernicles que les pêcheurs du Groenland appellent la « couronne » et ceux des mers du Sud le « bonnet » –, si donc, vous considérez uniquement cet endroit, il vous semblera alors que cette tête est le tronc d'un vieux chêne, avec un nid dans sa fourche ; c'est en tout cas une idée qui ne peut manquer de vous venir à l'esprit en voyant les crabes vivants qui s'agitent dans ce bonnet ; et si c'est, au contraire, la dénomination technique de couronne qui a frappé votre imagination, alors vous ne pourrez vous empêcher de songer avec intérêt, vous demandant comment, et par quel miracle, lors du sacre, cette vaste couronne a été posée sur la tête de ce monstre puissant, devenu le roi couronné de la mer. Mais si ce cétacé est un roi, il est un compagnon bien sombre pour porter le diadème, et d'humeur bien maussade. Voyez un peu le pli amer de sa lèvre inférieure ! quelle moue colossale, quelle lippe formidablement boudeuse ! – mesurée par le charpentier, elle vous fait ses bons vingt pieds en longueur et ses cinq pieds d'épaisseur. C'est une lippe qui vous rendra ses cinq cents gallons d'huile, et même plus[1].

La grand-pitié, c'est que notre malheureuse baleine soit affligée d'un bec-de-lièvre dont la fente a bien un pied de large. Il faut croire que sa mère a dû, sur une bonne distance, descendre les côtes du Pérou dans le moment que des tremblements de terre faisaient bâiller les plages. De cette lèvre, comme d'un seuil trop luisant, nous glissons à présent dans la bouche. Ma parole, si je me trouvais à Mackinac[2], je me croirais à l'intérieur d'un wigwam indien. Seigneur ! est-ce donc ici le chemin qu'emprunta Jonas ? Le toit se tient à quelque douze pieds de haut (plus de trois mètres cinquante) et court avec une arête à angle aigu comme un véritable faîte, tandis que les côtés en arche, nervurés et chevelus, nous présentent la stupéfiante architecture semi-verticale des lames en forme de cimeterres qui constituent les fanons, au nombre, disons, de trois cents par côté, tombant de la partie haute de la mâchoire qu'on dénomme l'os de couronne, et qui forment ces fameuses jalousies à l'italienne dont il a déjà été question précédemment. L'extrémité inférieure de ces lamelles est effrangée en fibres barbues à travers lesquelles la baleine rejette l'eau, et qui retiennent dans leur enchevêtrement les minuscules habitants des eaux dont elle fait sa nourriture, cheminant bouche ouverte à travers les champs de plancton à l'heure de ses repas. Sur la partie médiane de ces rideaux, on relève de curieuses marques, des courbes, des trous, des arêtes et des sillons, toutes sortes de dessins à partir desquels certains pêcheurs de baleines supputent l'âge de l'animal, de même que les bûcherons calculent l'âge d'un chêne par ses sillons concentriques. Bien que

1. Près de 2 500 litres.
2. Entre le lac Michigan et le lac Huron.

cette méthode soit loin d'avoir démontré critiquement son exactitude, elle n'en a pas moins un net parfum de probabilité, par
analogie. En tout cas, d'après les indications qu'elle fournit, il
conviendrait que nous attribuions à la baleine un âge infiniment
plus grand que celui qui paraît raisonnable à première vue.

Dans l'ancien temps, les plus étranges imaginations ont eu cours
à propos de ces fanons. Dans les pèlerinages de Purchas[1], un certain voyageur les qualifie de merveilleuses « moustaches » à l'intérieur de la bouche de la baleine[2]; un autre les nomme « soies de
cochon » ; un troisième encore, qui est un vieux gentilhomme cité
par Hackluyt, s'exprime en le langage fort élégant que voici : « Il y
a quelque chose comme deux cent cinquante plumes qui croissent
de part et d'autre de sa boutique, formant arche par-dessus sa
langue, de chaque côté de sa bouche. »

Comme chacun sait, ces « soies de cochon », ces « plumes », ces
« barbes », ou ces « jalousies vénitiennes » – quel que soit le nom
qu'il vous plaise leur donner – fournissent aux dames leurs corsets
et autres adjuvants du maintien. Mais c'est là un rayon où la
demande ne fait que décliner depuis longtemps. Ce fut à l'époque
de la reine Anne, que la baleine connut l'apogée de sa gloire,
lorsque la robe à grands paniers était le haut chic à la mode.
Cependant, tout comme les grandes dames de jadis, qui se mouvaient, brillantes et parées, dans la gueule même de la baleine, si
j'ose m'exprimer ainsi, de même courons-nous de nos jours à l'abri
de cette même mâchoire, puisque nos parapluies sont des tentes
que déploient ces mêmes fanons de baleine.

Oublions à présent, pour un instant, ces rideaux ou moustaches ;
et dressés tout debout dans la gueule de notre baleine, jetons de
nouveaux regards à la ronde. A voir ces colonnades si bellement

---

1. Samuel Purchas (1577-1626), écrivain anglais, auteur d'ouvrages des plus
curieux, devenus excessivement rares, entre autres : *Le Pèlerinage de Purchas…*,
Microcosmus ou l'Histoire de l'Homme et *Hackluytus posthumus*, où il a édité les
Voyages de Hackluyt, demeurés jusqu'alors inédits.

2. Cela me rappelle, en effet, que la baleine possède des sortes de favoris ; ou
plutôt des moustaches composées de crins blancs et peu nombreux, piqués sur le
rebord supérieur, à l'extrémité extérieure de la mâchoire de dessous. Il arrive parfois que ces barbes donnent un air de vieux bandit à son expression plutôt solennelle en général, et pleine de componction. *(NdA.)*

rangées de part et d'autre, ne vous croiriez-vous pas debout dans les orgues fameuses de Saint-Bavon, à Haarlem, le regard contemplant leurs mille tuyaux ? Le tapis d'orgue est le plus moelleux des tapis d'Orient, en l'espèce : c'est la langue, qu'on dirait réellement collée au plancher de la bouche. Elle est extrêmement grasse et si tendre, que rien qu'à la vouloir hisser sur le pont, on la déchire en pièces. À en juger au coup d'œil, cette langue-ci, celle que nous avons présentement devant nous, est une « six-barils », dirai-je, ce qui signifie en langage clair qu'elle nous fournira approximativement cette quantité d'huile.

Vous n'avez certainement pas attendu jusqu'ici pour apercevoir nettement la vérité de ma première assertion : à savoir que le cachalot et la baleine possèdent des têtes presque totalement dissemblables. Résumons-nous donc : pour celle de la baleine, nul grand puits de spermaceti, point de dents d'ivoire, pas non plus de longue, mobile et svelte mâchoire inférieure comme chez le cachalot qui, lui, n'a pas trace de ces fanons en volets italiens, pas de lèvre inférieure énorme, et pour ainsi dire point de langue. Enfin, si la baleine possède deux évents ou narines, le cachalot n'en a qu'un.

Donnons-leur un dernier regard, à ces deux têtes vénérables sous leur vaste capuchon de graisse, tandis qu'elles sont encore côte à côte : l'une d'elles ne tardera pas à sombrer loin de toute mémoire dans l'abîme des profondeurs ; et l'autre ne mettra pas longtemps à la suivre.

Apercevez-vous l'expression propre du cachalot, d'où vous êtes ? Elle n'a pas changé dans la mort, sauf peut-être que les profondes rides de son front se sont atténuées. J'imagine que ce front immense est tout empli d'une végétale sérénité, d'une placidité de prairie, façonné par une indifférence philosophique à l'égard de la mort. Considérez à présent l'autre tête ; voyez son étonnante lèvre inférieure, que le hasard fait s'écraser contre la hanche du navire, de telle sorte qu'elle enveloppe et recouvre la mâchoire entière. Cette tête, telle que vous la voyez, ne vous semble-t-elle pas exprimer tout entière une formidable et pratique détermination en affrontant la mort ? Cette baleine franche, je tiens qu'elle a dû être un philosophe stoïque, tandis que le cachalot est assurément un platonicien qui a dû pratiquer Spinoza dans ses dernières années.

LXXVI

LE BÉLIER

Avant que de quitter tout de suite la tête du cachalot, j'aimerais qu'en physiologiste pratique, très simplement, vous veuillez bien examiner l'apparence de son front, de face, dans sa massive construction. J'aimerais que vous l'examiniez pour vous-même, honnêtement, pour vous faire une idée non exagérée et cependant légitime de l'extraordinaire puissance qui s'y trouve logée, en tant que bélier. C'est là un point d'une importance capitale, et il convient que vous puissiez en juger par vous-même d'une manière satisfaisante, faute de quoi vous risqueriez de demeurer sceptique sur l'un des plus surprenants, mais non des moins véritables événements qu'aura à rapporter par la suite ce récit, et qu'on ne trouve peut-être nulle part ailleurs.

Vous remarquerez que dans sa position de nage ordinaire, le front du cachalot se présente en offrant un plan presque absolument vertical par rapport à la surface horizontale des eaux; mais vous remarquerez aussi que la partie inférieure de la tête s'incurve nettement en arrière, créant une sorte de retrait oblong où vient s'appliquer la mâchoire inférieure, en forme de bout-dehors. Et vous noterez que la gueule est totalement située en dessous de l'architecture générale de la tête, un peu, si vous voulez, comme si vous aviez la bouche placée sous le menton. De plus, vous vous apercevrez avec évidence que le cétacé n'a pas de nez proéminent : la sorte de nez qu'il a – c'est-à-dire son évent – se situe sur le sommet de son crâne. Vous verrez également que ses yeux comme ses oreilles sont disposés sur les flancs ou côtés de cette tête, et pas loin d'un tiers en arrière, si l'on mesure la longueur totale de son anatomie. De sorte que vous n'aurez pas manqué d'avoir l'impression que ce front massif, énorme, dépourvu de tout organe des sens comme de tout relief sensible, est comme un mur sourd, aveugle et mort. Vous constaterez ensuite que dans tout ce front, si l'on excepte la partie enfouie tout au-dessous et en arrière qui constitue la mâchoire, il n'y a pas l'ombre d'un os quelconque, et que le crâne se développe ainsi sur vingt bons pieds ; ce qui vous amènera à conclure que le front se présente comme une espèce de tampon capitonné, dans sa masse éloignée de tout squelette et de tout organe. En réalité, ce tampon contient pour partie, comme vous le découvrirez bientôt, l'huile la plus fine et la plus délicate ; mais il vous faut à présent apprendre de quelle matière est gonflée cette éminence qui garde un aspect si fragile. Je vous ai déjà exposé précédemment que sa graisse enveloppait le cétacé comme sa peau, une orange. Et c'est exactement ainsi qu'il en va, également, de la tête, avec cette différence notable, toutefois, que cette enveloppe, pour dépourvue d'os qu'elle soit, est d'une résistance dans son élasticité, que personne ne saurait ni admettre ni même concevoir à moins de l'avoir éprouvée par soi-même. Le harpon le mieux dirigé et le plus puissamment lancé, la lance maniée par le plus solide des bras humains ne sauraient l'entamer et rebondissent, impuissants, sur elle. Tout se passe comme si le front du cachalot était pavé de fers à chevaux. Je n'ai pas l'impression non plus qu'il recèle la moindre sensibilité.

Or, songez-y un peu à présent : lorsque deux énormes vaisseaux des Indes, à pleine charge, risquent d'entrer en collision et de se fracasser l'un contre l'autre, à quai, que font les matelots alors ? Est-ce qu'ils intercalent, à l'endroit du choc présumé, une quelconque matière dure, telle que le fer, par exemple, ou le bois ? Non point : ils glissent là un gros tampon bourré d'étoupe et de liège, rond de forme, tenu dans le cuir de bœuf le plus épais et le plus solide. Et c'est ce sac qui soutient gaillardement le choc et conserve intacts les bordés, qu'eussent infailliblement brisés toutes les gaffes de chêne ou les anspects d'acier. C'est là une illustration parfaite de ce que je veux démontrer. Mais encore faut-il ajouter ici que, si les autres poissons possèdent tous ce qu'on appelle une vessie natatoire qui, par sa contraction ou sa dilatation volontaire

commande le degré d'immersion, le cachalot, autant que je sache,
n'a rien qui s'en rapproche ; aussi, considérant la manière qu'il a
de plonger sa tête sous la surface, ou, au contraire, de la tenir élevée au-dessus, dans ses différentes nages ; considérant la parfaite
élasticité de toute cette masse sous cette enveloppe ; considérant,
dis-je, l'homogénéité matérielle du contenu de ce front, j'en suis
venu à cette hypothèse que cette ruche mystérieusement alvéolée
et souple comme un poumon pouvait se trouver de quelque
manière encore ignorée et insoupçonnée de nos jours, en relation
avec l'air atmosphérique, capable de dilatation et de rétraction
sous son influence. S'il en était ainsi, imaginez alors un peu sa
puissance, à laquelle viendrait contribuer le plus subtil comme le
plus violemment destructeur de tous les éléments !

Représentez-vous bien la chose, à présent : c'est que le cachalot
porte et pousse infailliblement devant soi cette insensible, impre-
nable et inentamable paroi, cette fortification vivante, plus légère
que l'eau ; imaginez-vous comment il nàge retranché derrière cette
masse énorme, mais toute en vie, formidable à tel point qu'on n'en
peut prendre mesure qu'à la corde, comme on fait du bois empilé,
oui, imaginez-vous, dis-je, que tout cela obéit à une seule et même
volonté unique, exactement comme le plus minuscule des insectes !
Ainsi, lorsque j'aurai par la suite à insister sur les manifestations
particulières et les concentrations d'énergies spéciales de la puissance fabuleuse partout répandue, partout recélée dans ce monstre ;
lorsque j'aurai à vous raconter tels hauts faits à vous casser la tête
de ce héros, j'aime à croire que vous aurez quitté tout scepticisme
de pure ignorance et que je vous trouverai prêt à me suivre sans
sourciller ; et que même si je vous dis que le cachalot s'est creusé
de la tête un passage à travers l'isthme de Darién, mêlant ainsi au
Pacifique l'Atlantique, pas un poil de vos arcades ne se haussera.
Car si vous méconnaissez le cachalot, vous n'êtes, en fait de vérité,
qu'un petit provincial et un individu suspect de sentimentalité. La
vérité, la claire vérité est une affaire de géants, faite pour les
grandes salamandres seulement ; quelles chances pourrait avoir de
la trouver un petit provincial, je vous le demande ? Et qu'est-il
arrivé à ce petit jeune homme qui s'en fut soulever le voile redoutable de la déesse à Saïs ?

LXXVII

LA GRANDE CUVE DE HEIDELBERG

Voici le moment venu, où nous allons procéder à l'ouverture du coffre. Mais pour correctement comprendre la chose, il convient que vous connaissiez quelque peu sa structure interne.

Prise théoriquement comme un corps solide de forme cubique et allongée, la tête du cachalot peut être divisée de biais dans son volume en deux « cales[1] » dont l'inférieure est constituée par l'anatomie osseuse du crâne et des mâchoires, tandis que la supérieure est une onctueuse masse absolument exempte de tout os, dont la partie large et haute se présente, verticale, sur tout le front (la partie effilée étant dirigée vers l'arrière). Coupant horizontalement cette cale à mi-hauteur en deux parties approximativement égales, vous trouvez une paroi de séparation intérieure faite d'une épaisse matière tendineuse. La partie située au-dessous de cette séparation est appelée la « caille », et c'est un immense gâteau de miel dont les cellules sont gorgées d'huile, au nombre de dix mille, faites de blanches fibres élastiques dont l'intrication remplit tout le volume ; la partie supérieure, nommée le « coffre », peut être considérée comme la grande cuve de Heidelberg du cachalot. Et de même que cette fameuse tonne est gravée au front de signes mystiques, de même l'ample front du cachalot est-il plissé et tout ornementé de

---

1. « Cale » n'est pas un terme de la géométrie euclidienne ; il ressort des pures mathématiques nautiques. J'ignore s'il a jamais reçu de définition jusqu'ici. Une cale est un corps solide qui diffère du coin par le fait qu'au lieu de s'effiler des deux côtés à la fois vers sa pointe, il n'est incliné que sur un plan de sa partie épaisse à sa tranche mince. (NdA.)

rides innombrables qui forment les dessins mystérieux et les motifs décoratifs de sa merveilleuse cuve. Et là n'est pas la seule analogie, car de même que le tonneau de Heidelberg a toujours été rempli des meilleurs crus de la vallée du Rhin, de même la cuve du cachalot contient, et de très loin, le meilleur de ses vendanges grasses : c'est-à-dire le très prisé spermaceti à l'état absolument pur, tout limpide et odoriférant. Or, cette précieuse substance ne se peut trouver vierge en aucune autre partie du corps de l'animal. Vivante, elle conserve sa parfaite fluidité ; mais morte, et exposée à l'air, elle ne tarde pas à se solidifier, se cristallisant en longues aiguilles splendidement élancées comme fait la première et fine couche de glace sur l'eau qui vient de se prendre. Le coffre d'un grand cachalot fournit en général quelque chose comme cinq cents gallons de spermaceti[1], bien que du fait des circonstances une certaine et importante quantité en soit inévitablement répandue, gâchée et perdue de façon ou d'autre pendant les opérations délicates de la récupération.

J'ignore de quelle précieuse matière peut être doublée, à l'intérieur, la cuve de Heidelberg, mais quelle que soit la richesse somptueuse de ce revêtement, on ne saurait en aucune manière le comparer à la soyeuse membrane de couleur perle qui, telle la doublure délicate d'une magnifique pelure, constitue la surface intérieure, la face interne du coffre du cachalot.

Cette cuve de Heidelberg chez le cachalot, comme on l'a vu, occupe sur toute sa longueur la totalité du volume de sa tête, prise dans sa partie supérieure ; or, comme nous l'avons déjà dit, cette tête elle-même occupe un tiers à peu près de la longueur totale du corps de l'animal ; supposons donc que cette longueur totale soit, pour un cachalot de belle taille, de quatre-vingts pieds, ce sera donc une cuve de plus de vingt-six pieds[2] en longueur que vous aurez, suspendue au flanc du navire, après la décollation.

Au cours de cette opération, l'instrument du chirurgien qui décapite le cachalot travaille extrêmement près de l'endroit où sera fixée, par la suite, l'entrée dans la grande réserve à spermaceti ; il

---

1. 2 300 litres environ.
2. 25 mètres, et donc plus de 8 mètres pour la cuve.

faut donc que le praticien opère avec une adresse et une attention inouïes afin qu'un bistouri malheureux ne vienne à violer ce sanctuaire et à provoquer la perte pure et simple par écoulement de son inestimable contenu. Quand la tête décapitée est amenée au flanc du navire où les caliornes la tiennent à demi suspendue, c'est cette partie-là qui est maintenue hors de l'eau; et c'est une véritable forêt vierge de câbles que les emmêlements du chanvre de tous les apparaux établissent à cet endroit.

Cela étant dit, je vous prie, à présent, d'accorder toute votre attention à la merveilleuse – et cette fois-ci presque fatale – opération de mise en perce de la grande cuve de Heidelberg du cachalot.

LA CITERNE ET SES SEAUX

Adroit comme un singe, Tashtégo s'est élancé dans la mâture et, toujours droit sur ses pieds, a couru sur la grand-vergue jusqu'au point où elle surplombe la cuve de Heidelberg arrimée à notre flanc. Il avait emporté avec lui un cartahu, c'est-à-dire une manœuvre simple courant à travers une poulie. Frappant cette poulie sur la grand-vergue à l'aplomb de la tête, il jette un des bouts du filin sur le pont, où il est attrapé par l'un des hommes qui le tient alors fermement ; et sur l'autre bout de la manœuvre, main sur main, Tashtégo se laisse glisser dans les airs pour venir atterrir acrobatiquement sur le sommet de la tête du cachalot, bien au-dessus du niveau où s'agite le reste de l'équipage. Et là, avec ses cris et ses clameurs de commandement, l'Indien ressemble à quelque muezzin appelant le bon peuple à la prière du haut de son minaret. Une bêche à manche court et bien tranchante ayant été envoyée jusqu'à lui, le voilà qui se met diligemment à rechercher le bon endroit pour la mise en perce de la grande tonne. C'est une affaire à laquelle il procède avec une attention extrême, tel un chercheur de trésor sondant les murs d'une vieille demeure pour trouver le point où l'or a été scellé. Le temps que soit menée à bien cette prudente recherche, une puissante baille lourdement cerclée de fer, parfaitement semblable à un seau de citerne, a été élinguée à l'une des extrémités du filin du cartahu, tandis que l'autre extrémité, là-bas sur le pont, est aux mains agiles de deux ou trois hommes, prêts à haler.

Les voilà qui amènent à présent la baille à portée de l'Indien, lequel a reçu des mains d'un autre homme une très longue gaffe. Passant cette gaffe par un bout dans la baille, Tashtégo la guide ainsi à l'intérieur de la tonne où elle a disparu. Au commandement, les hommes du pont la hissent de nouveau, et la voici qui réapparaît tout emplie, crémeuse, mousseuse, écumeuse comme un seau de lait qu'on vient de traire. Redescendu avec précaution des hauteurs, le récipient débordant est amené jusqu'au pont, entre les mains d'un homme qui a charge de le vider promptement dans une grande baille amenée à cet effet. Puis il remonte, vide, replonge, et ainsi fait la navette jusqu'à ce que soit complètement asséchée la grande citerne où il puise. Plus on approche de la fin, plus Tashtégo doit manœuvrer dur et plus dur, profond et plus profond, sa longue gaffe dont plus de vingt pieds s'engloutissent dans la tonne.

On en était là; l'équipage du *Péquod* avait besogné depuis un bon moment à la récolte; plusieurs grandes bailles avaient déjà été successivement remplies de spermaceti parfumé, lorsque se produisit un accident soudain et fort étrange. Fut-ce Tashtégo, l'Indien sauvage, qui avait été assez imprudent ou négligent pour lâcher un instant les aussières d'amarrage auxquelles il se tenait d'une main? Était-ce que la place où il campait était à ce point traîtresse et visqueuse? Ou fut-ce le Maudit en personne qui en avait décidé ainsi, sans donner ses raisons particulières? Qui saurait le dire à présent? mais le fait est que tout soudain, alors que pour la quatre-vingtième ou la quatre-vingt-dixième fois remontait le seau téteur, mon Dieu! le pauvre Tashtégo!... comme le seau jumeau dans un véritable puits, tête la première, le voilà qui plonge dans cette tonne de Heidelberg, et dans un affreux gargouillis huileux, qui disparaît à la vue!

– Un homme par-dessus bord! clama Daggoo qui, le premier, revint de la stupeur générale.

– Envoyez par ici la baille! commanda-t-il.

Et avec un pied à l'intérieur afin de mieux assurer sa prise de main sur le filin glissant du cartahu, le voilà qui s'envole, hissé sur le haut de la tête avant même que Tashtégo eût eu le temps de parvenir au fond. Le tumulte était général. Et par-dessus la lisse on voyait l'énorme tête, inerte jusque-là, se secouer et se dresser

au-dessus de la surface de l'océan, comme prise d'une idée soudaine et importante ; mais ce n'était que le malheureux Indien
dont les mouvements désespérés révélaient ainsi en quelles dangereuses profondeurs il avait sombré.

A cet instant même, et tandis que Daggoo juché là-haut, au
sommet de la tête, s'affairait à désembrouiller le filin gras du cartahu qui s'était engagé dans les aussières du grand amarrage, on
entendit un éclatement sec ; et à l'inexprimable horreur de tous,
l'un des deux énormes crochets qui soutenaient la tête se rompit,
tandis que dans une formidable vibration l'énorme masse plongea
à demi, n'étant plus soutenue que d'un côté et que le navire en
tituba tel un ivrogne, vacillant comme sous le choc d'un iceberg.
Le dernier croc restant, qui soutenait à lui seul tout le formidable
poids à présent, semblait à tout moment sur le point de lâcher
– accident dont l'éventualité était accusée encore par les violents
mouvements de la tête.

– Descends-y ! descends ! hurlaient les matelots à Daggoo qui,
lui, se tenait d'une main solide aux manœuvres raidies de la dernière caliorne, afin de rester suspendu en l'air si la tête venait à se
décrocher tout à fait.

Le nègre avait rendu clair le filin engagé, et il s'efforçait à présent de descendre la baille par l'ouverture effondrée du puits,
espérant que le harponneur englouti l'empoignerait et pourrait
être ainsi hissé dehors.

– Au nom du ciel, mon bonhomme, lança Stubb, est-ce que tu
t'imagines bourrer une bouche à feu ?... Arrête ! Comment veux-
tu le secourir en lui précipitant sur le crâne cette baille cerclée de
fer ? Arrête ! c'est compris ?

– Gare la caliorne ! explosa une voix tout soudain en un cri
prompt comme une fusée.

Au même instant, ou presque, avec un fracas de tonnerre
l'énorme masse s'effondra dans la mer, ressemblant un instant à la
Table de Roc du Niagara sous les remous tourbillonnants. La
coque, soulagée soudain, roula si violemment d'un bord sur l'autre
que le cuivre du doublage scintilla au soleil. Et tout le monde eut
le souffle presque coupé, cependant que la silhouette de Daggoo,
balancée dans les airs –, tantôt sur la tête des hommes, tantôt au-

dessus de l'eau – apparaissait vaguement à travers l'écran aérien des embruns projetés en épais brouillard, accrochée à l'énorme pendule du palan libéré. Le malheureux Tashtégo, enseveli vivant, coulait sans rémission dans le fond des abîmes ! Mais l'écran des eaux jaillissantes n'était pas encore retombé tout à fait qu'on vit un corps luisant et nu, un sabre d'abordage à bout de bras, voler par-dessus les bordages. Un floc retentissant annonça, l'instant d'après, que Quiequeg le brave avait plongé à son secours. Tout l'équipage se précipita d'un bloc sur le même bord, et il n'était pas un regard qui ne comptât chaque ride, chaque frisson sur l'eau, alors que les secondes succédaient aux secondes sans que le moindre signe réapparût en surface, ni du plongeur ni du sombré. Quelques hommes s'étaient laissés glisser du tangon dans une baleinière à flot, et avaient légèrement débordé, en attente.

– Ah ! Ha !... s'exclama tout à coup Daggoo, de son volant perchoir maintenant immobile au-dessus des têtes.

Et à quelque distance de notre bord, nous vîmes tous un bras surgir soudain hors des vagues bleues, aussi surprenant à voir qu'un bras qui se fût dressé hors de l'herbe au-dessus d'une tombe.

– Les deux ! les deux ! Il y a les deux ! annonça de nouveau Daggoo avec un cri joyeux.

Presque aussitôt, nous pûmes voir Quiequeg battant vigoureusement l'eau d'un bras, tandis que de l'autre, il remorquait l'Indien par les cheveux. Hissés dans la chaloupe en attente, ils furent promptement ramenés sur le pont ; mais Tashtégo fut longtemps à reprendre ses sens ; quant à Quiequeg, il ne semblait pas non plus en très brillant état.

Comment ce noble sauvetage avait-il été accompli ? Eh bien, voilà : plongeant à la suite de la tête qui s'enfonçait lentement, Quiequeg l'avait entaillée vers sa base à grands coups de son sabre tranchant, de manière à y pratiquer une vaste ouverture ; puis, lâchant son arme, il avait passé son bras par le trou, en tâtonnant à l'intérieur et il avait fini par en extirper le malheureux Tashtégo la tête la première. Il nous raconta qu'à sa première tentative d'extraction, le sujet s'était présenté par la jambe ; mais Quiequeg savait bien que la chose ne pouvait pas se passer de la sorte et que le cas offrait de grandes difficultés; aussi avait-il repoussé cette jambe et, par un habile et violent effort, il avait fait accomplir un demi-tour à l'Indien, qui, à la seconde tentative, se présenta selon la bonne, vieille et naturelle voie : par la tête. L'accouchement s'était fait sans mal et la grande tête, quant à elle, se portait aussi bien qu'on pouvait l'espérer.

C'est ainsi que, grâce au courage et grâce aussi à l'experte habileté en obstétrique de notre ami Quiequeg, la délivrance, ou plus exactement le sauvetage du pauvre Tashtégo fut accompli avec succès, jusque entre les dents mêmes du malheur et dans les conditions les plus difficiles. C'est là une grande leçon à ne pas oublier. L'obstétrique devrait faire partie de l'éducation et on devrait l'enseigner en même temps que l'escrime et la boxe, l'équitation et l'aviron.

Je sais bien que la bizarre mésaventure de notre Tête-Folle de Gay Head ne manquera pas de paraître incroyable à telle ou telle personne de l'intérieur des terres, quand même ces personnes auraient pourtant déjà entendu parler elles-mêmes de cas où quelqu'un tomba dans un puits, sur la terre ferme, et même si ce dernier accident – quoique relativement fréquent – se trouve avoir beaucoup moins de raisons et d'explications parfaitement légitimes que celui survenu à l'Indien, compte tenu de l'excessive et périlleuse onctuosité glissante de la margelle du puits du cachalot.

Peut-être me sera-t-il permis néanmoins d'avancer maintenant un commentaire sagace ? Nous pensions, dites-vous, que cette tête tout alvéolée et gorgée d'huile était la plus légère, la mieux flottante, la plus semblable au liège des différentes parties du corps du cachalot; or, vous nous la faites sombrer dans un élément dont la densité est de loin beaucoup plus grande que la sienne. Là, mon cher, nous vous tenons ! – Point du tout, mes amis; c'est moi, au contraire, qui vous tiens. Suivez-moi bien : au moment où notre malheureux Tash est tombé dedans, le coffre avait été presque entièrement vidé de son contenu si léger, et il ne restait guère que la lourde paroi tendineuse du puits laquelle est, comme je l'ai déjà dit, d'un poids bien supérieur à celui de l'eau; si pesante est-elle, même, qu'un fragment jeté à la mer y sombre comme un morceau de plomb, ou presque. Cette précipitation à couler, en revanche, était en la circonstance matériellement combattue par la tendance opposée de l'autre partie de la tête, cette partie inférieure alors parfaitement intacte. Et c'est pourquoi, en fait, la tête s'enfonçait avec une lenteur réfléchie, offrant ainsi à Quiequeg une petite chance d'accomplir, mais au pas de course si l'on peut dire, son accouchement savant et habile. Et ce fut, en effet, un sauvetage exécuté à bout de souffle. Oui, voilà bien ce qu'il fut.

Mais si Tashtégo avait dû trouver la mort dans cette tête, c'eût été une mort véritablement très précieuse que d'être ainsi embaumé dans le tout blanc, tout pur, tout exquis et parfumé spermaceti ; d'être ainsi et tout à la fois mis en bière, mené en corbillard et couché au tombeau ou dans le saint des saints, dans la chambre du trésor, dans la cavité intérieure et secrète du cachalot ! Je ne vois guère qu'une fin plus suave encore qui puisse lui être comparée, c'est la très délicieuse mort d'un chasseur d'abeilles de l'Ohio qui, recherchant du miel à la fourche d'un arbre creux, en découvrit une telle quantité qu'il y fut aspiré en se penchant trop, et ainsi mourut dans ce baume. – Mais combien n'y en a-t-il pas, songez-vous, qui ont semblablement chu dans la ruche gorgée de miel qu'est la tête de Platon, et tout aussi suavement y ont péri [1] ?

---

1. Allusion savoureuse au roman de Fenimore Cooper, intitulé *La Prairie*, dont on retrouve le titre au chapitre suivant.

Perscruter les traits du visage ou tâter les bosses du crâne du léviathan, c'est une chose que nul physiognomoniste ni aucun phrénologiste n'a à ce jour entreprise. C'est pourtant là une tentative qui promettrait, semble-t-il, d'être presque aussi féconde que la scrutation, par Lavater, des sillons du Roc de Gibraltar, ou la manipulation, par Gall, au sommet d'une haute échelle, du dôme du Panthéon. Lavater, dans son célèbre ouvrage, ne traite-t-il pas déjà, en dehors de la variété des différentes faces humaines, des visages de chevaux, d'oiseaux, de serpents et de poissons ? Ne s'attarde-t-il pas à analyser avec beaucoup d'attention et en détail les modifications de l'expression qu'on y discerne ? Et Gall lui-même, ainsi que son disciple Spurzheim, ont-ils manqué de lancer et de proposer quelques suggestions touchant les caractéristiques phrénologiques d'individus autres que l'être humain ?

Aussi pourquoi ne serais-je pas le pionnier – si peu et si mal qualifié que je sois – de l'application de ces deux demi-sciences au cétacé ? Je ferai de mon mieux ; j'essaie tout et j'achève ce que je puis.

Physiognomoniquement parlant, le cachalot est un être anormal. Il n'a point de nez. Et comme le nez est au milieu des traits, le plus central et le plus éminent ; comme c'est sans doute lui qui les modifie le plus et, finalement, qui les contrôle tous ; il s'ensuit, semble-t-il, que sa totale absence en tant qu'appendice extérieur devrait affecter considérablement le caractère et l'expression du visage du cachalot. Car, de même que dans la composition du pay-

sage, un clocher, une coupole, un monument ou une tour quel-
conques semblent à peu près indispensables pour compléter la
scène, de même aucun visage ne peut-il être expressif, physiognomoniquement, sans le beffroi hautement ouvragé du nez. Abattez
le nez du Jupiter de marbre de Phidias, quelle désolante ruine vous
aurez là ! Oui, mais le léviathan, lui, est si puissant dans sa grandeur ; si fermes sont ses proportions, si imposantes de majesté, que
l'ablation qui rendrait hideux le Jupin de marbre, n'est, chez lui,
pas même un défaut. Bien au contraire ; c'est un surcroît de grandeur. Un nez à un cachalot, ce serait proprement une incongruité.
Et tandis que pour votre exploration physiognomonique, vous
naviguez dans votre youyou autour de son immense tête, pas une
fois les nobles conceptions qu'il vous suggère ne seront insultées
par la réflexion qu'il lui manque un nez qu'on puisse tirer. Et
pourtant c'est là une pensée obsédante et empoisonnée, qui souvent viendra avec insistance se jeter sur vous, même à la contemplation révérende du plus puissant potentat royalement assis sur
son trône.

À certains égards, même, la vision la plus imposante peut-être
que puisse avoir le physiognomoniste du cachalot, c'est la vue de
face de sa tête. Sous cet angle, il est sublime.

Dans ses pensées, le beau front d'un humain est semblable à
l'orient ému par le lever du jour. Dans le repos des pâturages,
le front bouclé du taureau porte le sceau d'une certaine grandeur.
Le front de l'éléphant, hissant de pesants canons dans les défilés
de montagne, est quelque chose de majestueux. Humain ou animal, le front est ce sceau mystique analogue au grand sceau dont
les empereurs germains scellaient leurs décrets. Il signifie : « Fait
en ce jour et de Ma main : Dieu. » Mais chez le plus grand nombre
des créatures, et chez l'homme plus particulièrement, le front n'est
guère, le plus souvent, qu'une mince bande de terre alpestre joux-
tant la ligne des neiges. Rares, en effet, sont les fronts qui s'élèvent
si haut, tels celui de Shakespeare ou celui de Melanchthon, et qui
descendent si bas, que les yeux y paraissent comme de clairs,
d'éternels et d'immobiles lacs de montagne au-dessus desquels,
dans les rides du front, on peut suivre la trace des pensées aux
hautes ramures qui descendent pour y boire, de même que le

chasseur des Highlands relève sur la neige l'empreinte des daims. Mais chez le cachalot dans sa noble grandeur, cette haute et puissante, cette presque divine dignité du front est si formidablement amplifiée, qu'à le voir de face, c'est la puissance de Dieu qui s'impose à vous, et celle des forces redoutables, plus irrésistiblement qu'à la contemplation de n'importe quel autre objet de la vivante nature. Vous n'y voyez rien en particulier, en effet, vous ne distinguez pas un trait en détail : pas de nez, pas d'yeux, pas d'oreilles, pas de bouche; aucun visage. Il n'en a point; il n'a rien. Rien que l'immense et le vaste, l'ample et le puissant firmament de son front tout sillonné d'énigmes, qui s'abaisse en silence pour la destruction des canots, des navires et des êtres humains. De profil, ce front majestueux ne perd rien non plus de son magnifique volume, quoique le sentiment de grandeur soit pourtant moins impressionnant que de face; et lorsque vous le voyez ainsi, vous remarquez nettement la dépression frontale en demi-lune, dont le sillon horizontal est chez l'homme, selon Lavater, la marque du génie.

– Quoi? du génie chez le cachalot? Mais voyons! a-t-il jamais écrit un livre, a-t-il jamais seulement prononcé un discours? Non, certes; la grandeur même de son génie se manifeste et se démontre par le fait même qu'il ne fait rien pour le prouver. Il le démontre même par son silence pyramidal. Et à bien songer : si le grand cachalot avait été connu de la civilisation orientale dans sa jeunesse, il eût été assurément déifié sur-le-champ dans cette jeune pensée magique. Ces hommes avaient fait un dieu du crocodile du Nil parce qu'il ne possède pas de langue; et le cachalot n'en a pas, ou si peu en tout cas, qu'elle est absolument incapable de bavardage. Si dans l'avenir, quelque nation poétique et de haute culture devait rétablir dans leurs droits d'aînesse les jeunes dieux joyeux et printaniers de l'Antiquité; si elle devait repeupler de leurs trônes et de leur vie notre ciel d'à présent si serré sur son quant-à-soi; si on allait en remeubler les collines à présent désertées, il ne fait pas de doute qu'élevé au-dessus du trône de Jupiter le grand cachalot en serait le suprême seigneur.

Champollion a déchiffré les hiéroglyphes qui ornaient le granit; mais il n'est de Champollion aucun pour déchiffrer l'Égypte qu'est le visage de chaque homme et de tout être vivant. La physiognomonie, comme toutes les autres sciences humaines, n'est guère qu'une fable éphémère. Et si Sir William Jones qui ne lit pas moins de trente langages se montre parfaitement incapable de déchiffrer le sens subtil et profond de la plus simple face de paysan, comment l'inculte Ismahel que je suis pourrait-il espérer venir à bout de lire et de déchiffrer le front terriblement chaldéen du cachalot ? Aussi ne fais-je rien que poser devant vous, sous vos yeux, ce front. A vous de le lire, si vous le pouvez !

LXXX

LA NOIX

Si le cachalot demeure, physiognomoniquement parlant, un sphinx, son cerveau n'est rien moins, pour le phrénologiste, que le cercle géométrique dont la quadrature est une parfaite impossibilité.

Le crâne atteint, chez le sujet adulte, une longueur d'au moins vingt pieds[1]. Désarticulez la mâchoire inférieure, l'aspect en sera, de profil, celui d'un rabot plan à sa base et légèrement incliné de dessus. Comme nous l'avons vu, toutefois, ce plan supérieur incliné est angulairement rempli, presque au carré, par l'énorme masse de la caille gorgée de spermaceti. A son sommet, le crâne se déprime en une sorte de cratère sur lequel vient s'appuyer la plus grande partie de cette masse formidable ; et sous le long plancher de ce cratère, dans une seconde cavité qui ne dépasse guère dix pouces de longueur et dont la profondeur est à peu près égale, le cerveau du monstre, à peine assez gros pour vous remplir la main, repose. Ce cerveau est au moins à vingt pieds derrière le front de l'animal en vie ; il est caché, retranché derrière les ouvrages avancés, tout comme la citadelle intérieure de Québec se tient derrière le développement de ses fortifications et autres travaux de défense. Pareil à un coffret précieux, il se trouve si bien dissimulé à l'intérieur, que j'ai connu des baleiniers pour soutenir péremptoirement que le cachalot ne possédait pas d'autre cerveau que la presque semblance qu'en donnent les mètres cubes entassés de son magasin à spermaceti. Lovée, pliée et repliée en mille circonvolutions

1. Six mètres.

étranges, cette masse, en effet, semble à leurs yeux répondre beaucoup mieux à l'idée qu'ils se font de la puissance générale du
cétacé, et bien mieux lui convenir comme le siège de son intelligence.

Il appert donc, avec évidence, que la tête de ce léviathan sous
l'aspect qu'elle présente en pleine vie, a phrénologiquement une
apparence essentiellement trompeuse. Son vrai cerveau, vous n'en
voyez trace aucune. Le cachalot, semblable en cela à toutes les
choses douées d'une véritable puissance, présente un front pos-
tiche au commun des mortels.

Si vous déchargez ce crâne de son gros fardeau de spermaceti ;
et si alors vous prenez, par derrière, une vue générale et occipitale
de ce crâne, qui présente de ce côté son relief le plus important,
vous ne manquerez pas d'être frappé par sa ressemblance avec le
crâne humain, considéré sous le même angle. En réalité, si vous
disposiez ce crâne (ramené bien entendu à l'échelle humaine) de
manière à le voir ainsi parmi une foule de crânes humains, vous
le confondriez inévitablement avec eux ; et, notant au passage la
dépression qu'il porte à son sommet, vous ne manqueriez pas de
conclure, du point de vue phrénologique : « L'homme que voici
ne se surestime aucunement soi-même et ne s'adore pas avec un
respect exagéré. » Ce qui ne manquerait pas d'un certain sel, il faut
bien le dire, dans le propos doublement négatif, dès l'instant qu'on
viendrait à le confronter avec le fait indiscutablement positif et
affirmatif de la prodigieuse et massive puissance du sujet, vous
amenant ainsi à vous faire, de cette extraordinaire suprématie du
cachalot, une idée tout à la fois véridique et non dénuée d'humour.

Mais si, à cause de ses dimensions relatives, vous estimez que le
cerveau du cétacé ne saurait être rangé à côté de rien d'autre, alors
j'ai une autre idée à vous soumettre. En effet, à considérer l'épine
dorsale de n'importe quel quadrupède de la création, vous serez
frappé par la ressemblance qu'ont ses vertèbres avec un chapelet de
petits crânes enfilés, chacune d'elles présentant une analogie nette,
quoique grossière, avec le crâne qui en forme le premier chaînon.
C'est une idée allemande, qui affirme que les vertèbres ne sont pas
autre chose que des crânes à l'état premier de développement.
Mais je suis convaincu que, de cette stupéfiante ressemblance

extérieure, les Allemands ne sont pas les premiers à avoir pris conscience. Un mien ami, de race exotique, me l'avait fait remarquer lui-même sur le squelette d'un ennemi abattu, avec les vertèbres duquel il était en train d'orner, en une sorte de bas-relief, la proue en bec d'oiseau de sa pirogue. Cela dit, je considère personnellement que les phrénologistes se sont rendus coupables d'une grave omission en ne poussant pas leurs investigations au-delà du cerveau, au long du canal médullaire. Je suis persuadé, quant à moi, que la presque-totalité du caractère d'un individu se trouve recélée dans sa moelle, et je préférerais de beaucoup, qui que vous soyez, vous tâter l'échine, plutôt que de palper votre crâne. Jamais jusqu'à ce jour une frêle poutrelle, en guise d'épine dorsale, n'a servi de soutien au bâtiment d'une âme grande et noble. Je me flatte et me réjouis de ma colonne, comme de la hampe solide et fière de l'étendard que je déploie à demi à la face du monde.

Appliquons donc cette branche dorsale et médullo-spinale de la science phrénologique à notre sujet : le cachalot. Sa boîte crânienne, ou cavité cervicale, se continue nettement dans la première vertèbre de même nom, laquelle vertèbre possède un canal médullaire, qui affecte la forme d'un triangle la pointe en haut, mesurant bien dix pouces sur sa longueur et huit pouces de haut. Tout au long des vertèbres qu'il traverse, ce même canal va diminuant, certes, mais sans cesser jamais de présenter une capacité considérable sur une longue distance. Or, ce canal, évidemment, est rempli tout au long de la même substance étrangement fibreuse – la moelle épinière – que le cerveau lui-même; et il communique directement avec ledit cerveau. Mais il y a plus : c'est que cette moelle épinière conserve une égale dimension à plusieurs pieds de distance de sa sortie de la boîte crânienne, où sa section, comme je l'ai dit, est presque celle du cerveau. Tous ces éléments étant donnés, est-il déraisonnable de vouloir procéder à l'examen phrénologique et dresser la carte phrénologique de la colonne vertébrale du cachalot ? Car vue sous ce jour, la merveilleuse petitesse du volume de son cerveau se trouve plus que compensée par la merveilleuse ampleur du développement de sa moelle épinière.

Mais laissons aux phrénologistes le soin de tirer parti, selon le cas, de cette suggestion. Pour moi, je ne m'arrêterai à cette théorie qu'un instant, pour la rapporter à la bosse du cachalot. Cette bosse auguste, si je ne me trompe, s'érige au-dessus d'une des vertèbres capitales et l'une des plus grosses, dont elle n'est, en quelque sorte, que le relief extérieur et l'accentuation convexe. Par la position qu'elle occupe, je déduirai donc que cette bosse est l'organe et le siège, chez le cachalot, de la fermeté du caractère et de son humeur indomptable.

Et pour ce qui est de son caractère indomptable, vous aurez tantôt de fortes raisons de le connaître, de le reconnaître et de l'admettre.

LXXXI

LE « PÉQUOD » RENCONTRE LA « VIERGE »

Au jour dit et voulu par le destin, nous fîmes la rencontre du baleinier *Jungfrau*, de Brême, Derick de Deer, capitaine.

Gent baleinière la plus nombreuse autrefois de par le monde, les Hollandais et les Allemands sont devenus les nations les plus rares ; mais il peut arriver cependant à de très grands écarts de longitude et de latitude, que vous rencontriez de temps à autre leur pavillon sur les eaux du Pacifique.

Pour une raison ou pour une autre, la *Jungfrau* semblait très impatiente de nous présenter ses respects ; et alors qu'elle était encore à distance du *Péquod*, elle mit en panne, dépêcha un canot à force de rames, où le capitaine, dans sa hâte, se tenait debout sur l'avant, et non point à l'arrière.

– Qu'est-ce qu'il tient donc là, dans sa main ? s'exclama Starbuck le doigt tendu vers quelque chose que l'Allemand balançait à bout de bras. Ma parole ! on dirait... mais c'est impossible !... une burette de lampe ?

– Mais non, intervint Stubb, ce n'est pas ça du tout, monsieur Starbuck : c'est une cafetière. Il arrive pour nous faire le café ; c'est le marmiton. Vous n'avez pas vu le grand bidon qu'il a à côté de lui ? C'est l'eau bouillante. Oh ! il est parfait, cet homme : c'est le marmiton.

– Allez donc ! trancha Flask, ça va, ça va !... C'est une burette de lampe et un bidon à huile. Il est à court, et il vient nous en demander.

Si curieux qu'il puisse paraître de voir un voilier-huilier venir quémander de l'huile sur des parages de pêche baleinière, et bien que ce soit en complète contradiction avec le proverbe qui parle de porter de l'eau à la mer, c'est néanmoins une chose qui arrive parfois ; et dans le cas présent, c'était bien une burette de lampe que tenait effectivement à la main, comme Flask l'avait annoncé, le capitaine Derick de Deer.

Comme il montait sur le pont, Achab l'interpella aussitôt sans s'occuper le moins du monde de ce qu'il avait à la main. Mais l'autre, dans son charabia, n'eut pas long à faire comprendre sa totale ignorance au sujet de Moby Dick, après quoi, il amena immédiatement la conversation sur sa burette et son bidon à huile, ajoutant en manière de commentaire qu'il lui fallait rejoindre son hamac, la nuit venue, dans les plus denses ténèbres, sa provision d'huile de Brême ayant été épuisée jusqu'à la dernière goutte, et cette carence n'ayant même pas été compensée par la capture d'un poisson volant ! Et il conclut en disant que son vaisseau était ce qu'on appelle en termes de métier un « navire net », c'est-à-dire complètement vide, méritant ainsi très parfaitement son nom de *Jungfrau*, c'est-à-dire de *Vierge*.

Sa requête ayant été satisfaite et ses récipients remplis, Derick nous quitta ; mais il n'avait pas encore accosté le flanc de son vaisseau que des cachalots furent signalés presque simultanément par les vigies des deux bords. Au lieu de s'arrêter à déposer sur son pont le bidon et la burette, Derick, tant était grande son impatience à prendre la chasse, fit virer de bord à son canot et s'élança tout de go à la poursuite des bidons d'huile du léviathan.

Le gibier, donc, ayant fait son apparition sous le vent, le capitaine et les trois autres baleinières allemandes qui n'avaient pas tardé à le suivre, avaient une avance considérable sur les esquifs du *Péquod*. Il y avait huit cachalots, une compagnie moyenne. Alertés et fort conscients du danger, ils fuyaient sous le vent de toute leur vitesse, serrés les uns contre les autres et se touchant flanc à flanc comme des attelages de chevaux accouplés sous le harnais. Ils laissaient derrière eux un large sillage vierge comme s'ils y déroulaient indéfiniment un énorme parchemin blanc.

Au beau milieu de cette route rapide, mais à plusieurs brasses en arrière, nageait un colossal et vieux taureau bossu qui avait

l'air, tant par sa course nettement plus lente que par l'espèce de
tartre jaunâtre dont il était extraordinairement couvert, qui avait
réellement l'air de souffrir d'une jaunisse ou de quelque autre
maladie. Quant à savoir si ce podagre appartenait au groupe qui
fuyait devant lui, non seulement la question se posait, mais la
chose paraissait même douteuse tant il est peu fréquent de voir ces
vieux léviathans vénérables aimer la compagnie. Mais il n'en
continuait pas moins de ramer dans leur sillage, encore que les
remous violents qu'ils laissaient derrière eux dussent, en fait, le
freiner sensiblement : c'étaient comme les eaux d'un torrent qui
venaient se briser sur son vaste museau. Son souffle était court,
lent, pénible ; il s'échappait avec une sorte de borborygme incon-
venant, se déchirait sur lui-même en copeaux tournoyants, immédiatement suivi d'étranges et profondes secousses dans le corps,
qui semblaient trouver une issue à son autre extrémité sous les
eaux, car la mer derrière lui était bouillonnante de bulles.

– Qui est-ce qui a un peu de parégorique ? s'enquit Stubb ; il
doit avoir mal au ventre, j'en ai bien peur. Seigneur ! imaginez un
peu : un mal de ventre d'un demi-arpent ! Les vents contraires s'en
donnent et exécutent un sacré sabbat dans son corps, les enfants ;
et c'est bien la première fois que je vois un cachalot en train de
péter ! mais regardez-moi ça ! A-t-on jamais vu pareilles embar-
dées ? Il faut qu'il ait bel et bien perdu sa barre de gouvernail.

Tel un « marchand » indien descendant les côtes de l'Hindoustan,
chargé lourd et le pont surchargé de chevaux en démence, qui s'en
va donnant de la bande, plongeant, piquant, roulant, tanguant,
pataugeant dans sa route, ainsi ce vieux cétacé bringuebalait son
antique carcasse et, roulant sur ses flancs ridés, révélait de temps
à autre la cause de cette dérive extraordinaire : le moignon de son
bras de tribord. Avait-il perdu cette nageoire au cours d'une
bataille ou cette anomalie était-elle de naissance ? c'était bien difficile à dire.

– Attends un peu seulement, mon vieux ! s'écria Flask avec
cruauté en désignant la ligne à côté de lui, et je te vais passer une
écharpe à ce bras blessé !

– Prends garde qu'il ne t'écharpe pas toi-même ! cria Starbuck
à son tour. En avant, les gars, sinon les Allemands vont l'avoir !

Avec une même intention, les embarcations rivales convergeaient toutes sur cet unique cachalot non seulement parce qu'il était le plus gros, et donc de plus grande valeur, mais aussi parce qu'il était le plus près et que les autres, devant, filaient à une vitesse telle qu'il était hors de question de les prendre à la course pour l'instant. Le moment critique approchait. Les esquifs du *Péquod* avaient rejoint et dépassé les trois baleinières allemandes qui avaient pris la mer en dernier; mais à cause de sa grande avance au départ, celle de Derick tenait toujours la tête, quoique serrée de près par ses rivaux étrangers. La seule chose qu'ils craignaient, c'était de ne pas avoir le temps de dépasser complètement l'Allemand avant qu'il ait réussi, tant il était près de le faire, à planter son fer et sa marque dans le cachalot. Quant à Derick, il paraissait absolument sûr de son coup, et il agitait de temps à autre, par dérision, sa burette de lampe en direction des autres canots.

– Chien grossier et ingrat! s'exclama Starbuck. Voilà qu'il me moque et me défie avec la sébile même que je viens de lui remplir il n'y a pas cinq minutes! – puis reprenant son ton chuchoté et sifflant : En avant, mes lévriers! Mordez! mordez-le!

– Moi, je vous le dis, les gars, monologuait Stubb en exhortant son équipe, c'est contre ma religion de piquer des rages folles; mais je voudrais le bouffer, ce voyou de gâte-sauce. Souquez, voulez-vous bien? Est-ce que vous allez laisser cette canaille vous battre?... L'eau-de-vie, vous aimez ça? Il y en a un tonneau pour le meilleur de vous. Allons! n'y a-t-il personne qui se fasse claquer une veine? Hein! Qui est-ce qui a jeté une ancre par-dessus bord?... nous ne bougeons pas d'un pouce... nous voilà encalminés! Ohé! voilà l'herbe qui pousse au fond du canot... et oh! Seigneur! voilà le mât, là, en train de bourgeonner. Ça ne va pas, mes garçons. Voyez-moi le marmiton! En un mot comme en cent, et en cent comme en mille, mes gaillards, est-ce que vous allez oui ou non vous décider à cracher le feu?

– Oh! lala! quelle eau de savon il nous fait! clamait Flask en sautant d'un pied sur l'autre. Quelle bosse, mes aïeux!... Oh! jetez-nous sur ce bœuf, les gars! allez vous empiler dessus comme un stère de bois!... Sautez! ah! bondissez mes enfants, il y a des

grillades de porc et des crêpes pour dîner, vous savez ! des
palourdes et des petits pains mollets !... Ah ! sautez, sautez, bondissez ! c'est un cent barils au moins, vous n'allez pas gâcher ça maintenant, oh ! non ! oh ! non !... dites... Ce cambusier, regardez-le.
N'êtes-vous même pas capables de gagner votre croûte, bande de
ganaches ? Souquez, mais souquez donc, les gars !... Un pareil
morceau, tout de même !... Vous n'aimez pas le spermaceti ? Ce
sont trois cents dollars que vous laissez filer, trois cents dollars au
moins ! toute une banque ! Les caves de la banque d'Angleterre !...
oh ! allez, allez, allez ! Mais ce cambusier de malheur, qu'est-ce
qu'il fabrique à présent ?

Derick, en effet, jetait à ce moment-là sa burette en direction
des canots qui gagnaient sur lui, puis aussi son bidon à huile, sans
doute dans la double intention de retarder leur marche, si possible,
et d'accélérer la sienne par l'allégement et l'impulsion donnée par
le jet de ce poids sur l'arrière.

– Barbare de chien d'Allemand ! lança Stubb. Allez, mes amis,
souquez à présent, comme une charge de mille millions de tonnerres de cinquante mille diables rouges de bouches à feu de
navires de ligne ! Qu'est-ce que tu dis, Tashtégo ? Es-tu homme à
te rompre l'échine en vingt-deux morceaux pour l'honneur de
notre vieux Gay Head ? Hein, qu'est-ce que tu dis ?

– Je dis... je tire... comme un maudit ! jeta l'Indien.

Avec une fureur féroce, encore excitée et piquée au vif par les
sarcasmes de l'Allemand, les trois baleinières du *Péquod*, de front
toutes trois, arrivaient maintenant sur lui, et les trois officiers
s'étaient dressés, dans cette fière, souple et splendide attitude de
l'homme de l'aviron de queue approchant de sa proie, excitant leur
chef de nage d'un occasionnel cri bref et piquant : « On l'a, on le
tient ! Le voilà qui glisse !... Hurrah pour la brise qui porte l'aviron !... A bas le marmiton ! Courez devant ! »

Mais l'avance qu'il avait prise au départ était si marquée, qu'en
dépit de la vaillance de tous, l'Allemand eût été néanmoins le vainqueur de cette course si la justice immanente n'était intervenue
sous la forme d'une fausse rame qui engagea l'aviron de son
homme de milieu. Pendant que ce balourd s'efforçait de dégager
sa pelle, manquant de faire chavirer le canot de Derick, et pendant

que celui-ci, au comble de la fureur, tonnait sur ses hommes, ce furent de doux instants pour Starbuck, Stubb et Flask. Avec un seul cri, ils s'étaient jetés en avant d'un nouvel élan presque mortel, prenant une légère avance et se rabattant devant lui. L'instant d'après, les quatre embarcations, en diagonale, fendaient l'écume dans le sillage immédiat du cachalot.

C'était un spectacle excitant, terrifiant et infiniment pitoyable, que celui de l'animal pourchassé, qui fuyait, tête hors de l'eau, envoyant sans discontinuer devant lui le jet tortueux de son souffle, tandis que de son unique bras, il nageait avec épouvante, au comble de l'angoisse. Roulant d'un flanc sur l'autre, il zigzaguait dans sa fuite éperdue, tantôt fonçant sous la lame, tantôt battant l'air de cet unique bras découvert. J'ai vu ainsi un oiseau avec son aile rognée qui tournait follement avec effroi dans les airs, cherchant en vain à échapper au faucon vorace. Mais l'oiseau a une voix, et ses cris plaintifs expriment en partie sa peur ; tandis que la peur de l'énorme animal muet des océans est tout inexprimable, enchaînée, magiquement nouée au fond de lui ; il ne possède aucune voix, hors le choc de son souffle à travers son évent. Et ce mutisme affolé le rendait infiniment pitoyable à voir, bien qu'il y eût, en vérité, dans son énorme masse, dans ses mâchoires formidables et dans sa queue d'une puissance souveraine, bien de quoi figer d'épouvante le plus robuste courage de qui s'apitoyait ainsi.

Voyant que quelques instants de plus ne feraient qu'accuser l'avantage des baleinières du *Péquod*, et plutôt que de laisser échapper sa proie et de fuir sa toute dernière chance, Derick décida de risquer ce qui était, pour lui, un lancer long d'une extraordinaire portée.

Mais son harponneur ne s'était pas plutôt dressé pour le lancer, que nos trois tigres – Quiequeg, Tashtégo et Daggoo – d'un même élan avaient sauté d'instinct sur leurs pieds et déjà pointaient leurs fers, tous trois sur une ligne en diagonale ; et au nez du harponneur allemand, les trois harpons de Nantucket piquèrent dans le cachalot. Aveuglantes vapeurs d'écume et de feu blanc ! Les trois esquifs, volant en avant avec le premier bond furieux du cachalot blessé, heurtèrent au passage la baleinière allemande par côté, si violemment que tout ensemble Derick et son harponneur bafoué furent jetés à la mer, les trois canots leur passant littéralement dessus.

– Soyez sans crainte, mes boîtes à beurre ! s'exclama Stubb, leur jetant au foudroyant passage un rapide coup d'œil, votre sauvetage ne va pas tarder... parfait ! parfait !... J'ai aperçu quelques requins juste derrière... ces bons saint-bernard, vous savez... la providence des voyageurs en détresse. Bravo ! hurrah ! ça c'est ce que j'appelle naviguer à présent ! Bravo ! chaque quille comme un rayon de soleil ! Voilà, oui, hurrah ! nous voilà filant comme trois boîtes de fer-blanc attachées à la queue d'un puma enragé. Ça me donne envie de m'atteler en tilbury derrière un éléphant dans une plaine... il vous fait voler les rayons de roue, les amis, quand vous y êtes attelé de la sorte ! et puis il y a le danger d'être jeté dehors, aussi, quand vous rencontrez une colline. Hurrah ! les gars, voilà ce que ressent un type en train de filer chez Méphisto : une dégringolade effrénée et sans fin sur un plan incliné !... Hurrah ! ce cachalot vous emporte en coursier de l'éternité !

Mais l'élan furieux du monstre fut une course brève. Brusquement, dans un spasme violent, il sonda d'une manière brutale et désordonnée. Avec un sifflement, les trois lignes volèrent de plus belle, filant sur la bisbille avec une telle force qu'elles y creusèrent de profonds sillons ; mais les harponneurs, dans la crainte que cette soudaine et si rapide plongée n'épuisât d'un coup toute la ligne de la baille, risquèrent toutes leurs forces et leur adresse extraordinaire à saisir plusieurs fois la ligne fumante pour lui donner de nouveaux tours et la freiner ; de sorte que, pour finir, sous la pesée qu'exerçaient les lignes sur les gorges de plomb de l'étrave, d'où elles plongeaient à la verticale dans le bleu des profondeurs, les plats-bords des trois canots affleuraient presque la surface sur l'avant, tandis que les trois arrières pointaient vers le ciel. Le cachalot mettant bientôt un terme à sa furieuse descente, et quoique leur position fût quelque peu critique, ils demeurèrent un moment dans cette situation délicate, craignant de donner plus de ligne à leur gibier. Encore que nombreuses soient les baleinières qui aient été tirées bas et perdues par cette manœuvre, c'est ce « coup de frein » comme on l'appelle, par l'effet du cisaillement dans ses chairs vives des barbes du harpon, qui contraint bien souvent le léviathan torturé à remonter sans retard en surface pour y recevoir les coups de lance de ses ennemis. Sans insister sur le danger propre de la chose, il y a lieu de douter que cette manœuvre soit pourtant toujours la meilleure, car on a toutes les raisons de croire que plus l'animal blessé demeure longtemps sous l'eau, et plus il s'y épuise ; ceci à cause de la formidable pression de l'eau sur l'énorme surface de son corps qui atteint, chez un cachalot adulte, quelque chose comme deux mille pieds carrés. Nul n'ignore quel étonnant fardeau atmosphérique nous supportons tous ; oui, même ici, sur le sol, en plein air ; imaginez alors le formidable faix que porte sur son dos un cétacé, quand c'est une colonne de deux cents brasses de plein océan ! Il doit équivaloir, pour le moins, au poids de cinquante atmosphères ; et, selon l'estimation d'un expert baleinier, il correspond au poids total de vingt vaisseaux de ligne avec tous leurs canons, leurs vivres et réserves et leurs équipages complets à bord.

Alors que nos trois canots restaient ainsi à se bercer doucement sur la houle lente de l'océan, les yeux de tous plongés dans l'immuable azur de son éternel midi, d'où ne montait pas un grondement, pas un soupir, non, pas le moindre bruit, pas même une ondulation légère ou la plus petite bulle venue de ces profondeurs – qui donc eût pensé qu'au-dessous de tout ce silence et la tranquillité de cette paix, qui donc d'entre tous les terriens eût pu imaginer que le plus formidable monstre des océans se tordait et se débattait dans les affres de l'agonie ? C'était à peine si huit pouces de ligne perpendiculaire se voyaient à l'avant des canots. Était-il seulement croyable que le grand léviathan fût suspendu et tenu au bout de ces trois fils si menus, tel le poids d'une grande grosse horloge qui marche une semaine ? Et tenu, suspendu à quoi ? A trois malheureux bouts de frêles planches !

Est-ce elle que voilà, est-ce bien elle, la créature dont il fut dit si triomphalement une fois : « Vas-tu charger son cuir de pointes barbelées ? ou sa tête de foènes ? Le glaive ni l'épée que tu baisses sur lui n'y peut suffire, ni la lame, ni le dard, ni le harpon : le fer lui est ainsi qu'un chalumeau ; la flèche ne peut le faire fuir ; les dards lui sont ainsi que chaumes ; il se rit de l'estoc ! »

Est-ce là le léviathan ? Est-ce bien lui ? oh ! voilà donc combien restent inaccomplies les prophéties et les paroles des prophètes. Car c'est avec la force de mille cuisses dans sa queue que le grand léviathan a couru, enfonçant sa tête sous les montagnes de la mer, pour se cacher des foènes du *Péquod* !

Avec le soleil incliné du soir, les ombres que projetaient les trois esquifs sur la mer devaient être assez vastes, longues et larges bien assez pour couvrir la moitié de l'armée de Xerxès. Qui dira quels effrois pouvaient jeter sur l'animal blessé les énormes fantômes qu'il voyait flotter au-dessus de sa tête ?

– Tenez-vous prêts, tous, le voilà qui revient ! lança Starbuck au moment où les trois lignes ensemble se prirent à vibrer dans l'eau, amenant jusqu'à eux, comme sur un fil magnétique, les distinctes secousses, le battement des affres de vie et de mort du cachalot qui se faisaient sensibles jusque sur le banc de chacun des hommes aux avirons.

L'instant d'après, brusquement relâchées par la force qui enfonçait leurs proues, les baleinières eurent une sorte de bondissement semblable à celui d'une petite île de glace au moment où un groupe serré d'ours blancs se jette d'un coup à la mer, chassé par la peur.

– Rentrez ! rentrez la ligne ! commanda alors Starbuck, le voilà qui remonte.

Les lignes, sur lesquelles l'instant d'avant on n'eût pas pu reprendre une largeur de main, étaient à présent halées à pleines brasses et lovées à la diable, toutes ruisselantes, dans les canots, et le cachalot ne tarda guère à faire surface à deux longueurs à peine devant ses chasseurs.

Par ses mouvements, on reconnaissait pleinement qu'il était à bout. C'est que, si chez la plupart des animaux terriens les veines sont un peu partout coupées par des sortes de portes d'écluses qui se ferment instantanément et empêchent l'afflux du sang dans certaines directions quand la tête est blessée, retardant ainsi, au moins provisoirement, l'hémorragie mortelle, il n'en va pas de même chez le cachalot dont c'est une des particularités que d'avoir un système non valvulaire de circulation dans ses vaisseaux sanguins ; de sorte que lorsqu'il est blessé, même bénignement, lorsqu'il est piqué, disons, par une pointe relativement aussi minuscule que l'est un harpon, c'est un écoulement mortel de son sang qui commence aussitôt à se produire, et qui est tellement aggravé par l'effroyable pression de l'eau sitôt que l'animal plonge à quelque profondeur, qu'on peut dire sans la moindre exagération que c'est sa vie qui se répand hors de lui en fleuves incessants. Le cachalot, toutefois, possède une telle et si énorme quantité de sang, et ses sources de vie sont si nombreuses et si distantes les unes des autres à l'intérieur de son vaste corps, qu'il va rester ainsi perdant et perdant à flots son sang pendant un temps vraiment considérable. C'est de même que va continuer de couler en un temps de sécheresse une rivière dont les sources lointaines jaillissent au creux de collines hors de vue, insoupçonnables dans la distance. Oui, et même à présent que les baleinières se jetaient sur ce cachalot, s'insinuant dangereusement au-delà des palmes furieuses et battantes de sa queue ; maintenant que lance après lance de nouvelles blessures lui étaient faites, ouvrant la source à de nouveaux fleuves de sang à chaque fois ; le jet du souffle, quoique plus rapide, continuait néanmoins de lancer toujours, à intervalles, la buée naturelle de son angoisse dans les airs. Par cet évent, il n'était point venu de sang encore, aucune partie vitale n'ayant encore été atteinte en lui jusqu'à maintenant. Sa vie, comme le disaient éloquemment les hommes, était intacte.

A présent que les baleinières le cernaient de tout près, toute la partie supérieure de son énorme silhouette, dont la presque-totalité est généralement immergée, s'offrait largement à la vue ; et ses yeux notamment, ou plus exactement l'emplacement où avaient été les yeux apparaissait. Mais de même qu'on voit aux plus nobles chênes, quand ils sont abattus, d'étranges excroissances qui ont poussé dans leurs nœuds, c'étaient, à l'endroit qu'avaient occupé les yeux chez le cachalot, de gros bulbes aveugles, des protubérances tourmentées qu'on voyait, horribles et pitoyables. Seulement la pitié n'était pas de mise à présent. C'était la mort qui devait venir, et c'était par l'assassinat qu'il devait périr, ce vieux cachalot, malgré son grand âge, malgré son bras amputé, malgré ses yeux aveugles ; il devait mourir afin d'éclairer les joyeuses noces et autres festivités des hommes, afin aussi d'illuminer les

temples solennels où l'on prêche le total et inconditionnel amour
de tous pour tous, l'absence totale et inconditionnelle de toute
agressivité de tous envers tous. Et voilà que roulant toujours plus
dans son sang, le cachalot vint à découvrir finalement, assez bas
sur son flanc, une sorte de tumeur grosse comme un boisseau et
curieusement décolorée.

– Une fameuse cible ! s'écria Flask. Permettez que j'y donne un
bon coup de lancette.

– Laisse ! commanda Starbuck, il n'a pas besoin de cela !

Mais l'humain Starbuck était arrivé trop tard. Déjà le dard était
lancé, et un jet purulent avait fusé de cette cruelle blessure, provo-
quant chez le cachalot un tel surcroît de douleur qu'il en souffla le
sang en une épaisse colonne par son évent ; et, pris d'une soudaine
et aveugle furie, il se jeta comme une flèche contre les canots, les
inondant, eux et leurs équipages déjà glorieux, de lacs de sang, chavirant le canot de Flask en lui endommageant l'étrave. Ç'avait été
le coup de la mort. Car voici qu'épuisé par tout le sang qu'il avait
perdu, il roula désespérément à l'écart du naufrage qu'il venait de
provoquer, demeurant alors tout pantelant sur le côté, son moignon
encore agité de mouvements impuissants, puis se renversant avec
lenteur de plus en plus, tel un monde sur sa fin, lentement, lentement, laissant apparaître sous le ciel les blancs mystères de sa
panse, il se raidit et mourut, flottant comme une bûche. Rien de
plus pitoyable que ce qu'avait été son dernier souffle qui s'était lentement éteint comme lorsqu'une main invisible vient couper progressivement le débit d'un jet puissant et fier, dont la blanche
colonne lentement s'abaisse et vient finir, avec un faible glouglou
mélancolique à demi étouffé, au ras du sol.

Peu de temps après, alors que les équipages attendaient l'arrivée du navire, le corps du cachalot donna de nets symptômes de sa
tendance à sombrer, lui et tous ses trésors inentamés. Aussitôt, sur
les ordres de Starbuck, les lignes furent affermies en différents
points de ce corps, chaque baleinière faisant bientôt office de
bouée. Le cachalot immergé était suspendu par ces filins aux
canots, à quelques pouces au-dessous d'eux. Avec d'infinies précautions, lorsque le navire se fut approché, le cachalot fut passé
sur son flanc où il fut bientôt amarré avec les plus solides chaînes

d'ancre, car il était clair que, sauf à être soutenu par ces artifices, le corps eût sans plus attendre sombré par le fond.

Le hasard voulut que, presque au premier coup de bêche de dépeçage, sous l'aisselle, on trouvât dans la tumeur que nous avons dite, la longueur entière d'un fer de harpon rouillé profondément enfoncée dans les chairs. Il n'est pas rare qu'on trouve ainsi des pointes ou des bouts de harpons dans le corps des cachalots ramenés au navire, mais les chairs sont toujours parfaitement saines alentour et jamais aucune proéminence d'aucune sorte n'en signale la présence. Il y avait donc, dans le cas, une autre raison pour l'expliquer, une autre cause à l'ulcération ; mais laquelle ? Encore plus étonnante fut la découverte, non loin de là, d'une pointe de lance de pierre taillée, fichée dans des chairs fermes et parfaitement saines. Qui donc avait lancé cette arme ? et quand ? Peut-être quelque Indien de l'Ouest, bien antérieurement à la découverte de l'Amérique.

Et quelles autres merveilles n'eût-on pas pu tirer de ce monstrueux musée ? Seulement il y eut un arrêt brutal à toutes investigations ultérieures, quand le navire, entraîné par le poids immense de ce corps qui tirait de plus en plus vers le fond, se mit sérieusement à engager, ce qui était pour tous un fait sans précédent. Starbuck avait alors le commandement et la responsabilité du navire ; ses ordres étaient de tenir ferme, et on tint ferme. On tint ferme si résolument et si longtemps, en fait, que lorsque vint enfin l'ordre de lâcher, le navire était sur le point de faire chapelle. Et lorsque cet ordre fut donné de larguer les amarres – chaînes et câbles – la traction sur celles-ci était si phénoménale qu'il fut impossible de les dégager des bittes. La gîte du *Péquod* était telle que pour gagner l'autre bord, sur le pont, c'était comme si l'on eût escaladé la pente raide d'un toit. Tout le navire grinçait et gémissait dans ses membrures ; çà et là, bien des ornements et autres incrustations d'ivoire dans les cabines ou sur les bordés se trouvèrent déchaussés par cette dislocation forcenée. Ce fut en vain qu'on s'escrima avec des anspects et toutes sortes de leviers sur les chaînes de queue absolument immuables ; on essayait à toute force de les dégager des bittes parce que l'énorme corps avait d'ores et déjà coulé si bas que les autres extrémités, profondément immergées, ne pouvaient plus être atteintes d'aucune manière; et de nouvelles tonnes de poids semblaient de moment en moment s'ajouter encore à la traction effroyable de cette masse en train de sombrer; le navire, à chaque seconde, allait tourner, semblait-il, la quille en l'air.

– Tiens-toi, mais tiens-toi donc! criait Stubb en interpellant la carcasse; n'aie donc pas une pareille fureur de hâte diabolique à vouloir sombrer! Tonnerre de tonnerre, il faut qu'on fasse quelque chose, mes bons messieurs, ou nous filons avec! Assez, là-bas, ça ne sert à rien de s'escrimer de cette manière, assez! vous dis-je, fichez-moi le camp avec vos anspects. Que l'un de vous galope me chercher un livre de prières et un canif; je ne vois que ça pour couper les grosses chaînes!

– Un canif? Voilà, voilà! clama Quiequeg, qui s'emparait de la lourde hache du charpentier, se penchait par un sabord et entreprenait, acier contre fer, d'abattre les plus grosses chaînes.

Mais quelques coups seulement, tout jaillissants d'étincelles, furent appliqués; la traction formidable accomplit le reste. Avec un claquement terrifiant d'explosion, chaque amarre fut rompue net; le vaisseau se redressa d'un coup; et la carcasse s'en fut dans les abîmes.

Cette perdition, par naufrage, du cachalot fraîchement tué est une chose extrêmement curieuse qui, pour inévitable qu'elle soit à l'occasion, n'a cependant encore reçu aucune explication satisfaisante de la part d'aucun spécialiste de la grande pêche. D'ordinaire, le corps d'un cachalot tué flotte avec une légèreté manifeste, une grande partie de son flanc ou de son ventre haut levée au-dessus de la surface. Si les cachalots qui sombrent de la sorte étaient uniquement les vieux individus amaigris par l'âge, avec un cœur déficient, le squelette alourdi par les rhumatismes et l'enveloppe du lard nettement diminuée et flétrie, il n'y aurait aucune raison, alors, pour ne pas avancer que cette anomalie soit causée par l'exceptionnel poids spécifique de l'animal, dû à l'absence, chez lui, de la quantité habituelle des éléments de flottaison. Mais ce n'est pas le cas. Car il y a de jeunes bêtes en pleine et florissante santé, tout emplies de nobles aspirations, dont la vie a été ainsi brutalement tranchée dans le flux chaleureux de son premier printemps, qui sombrent parfois de la sorte sitôt mortes, quelle qu'eût été la pétulance, quelle qu'eût été l'ardeur héroïque, quelle qu'eût été la légèreté dont elles avaient pu faire preuve, et bien qu'elles fussent moelleusement enveloppées de tout leur lard !

Il convient néanmoins de le dire ; le cachalot est infiniment moins sujet à cet accident que les individus des autres espèces. Pour un cachalot qui sombre ainsi, on compte au moins vingt baleines auxquelles cela arrive. Il ne fait aucun doute que cette notable différence entre l'une et l'autre espèce soit imputable en grande partie à la pesanteur de l'élément osseux que la baleine possède en plus : ses seuls fanons, dont le cachalot est totalement dépourvu, pèsent déjà plus d'une tonne. On connaît néanmoins des cas où le cétacé mort, après une immersion dont la durée varie de plusieurs heures à plusieurs jours, est revenu en surface, plus léger encore que lorsqu'il était en vie ; mais la raison en est claire : avec les gaz qui se forment dans son corps, il se gonfle d'une manière prodigieuse et devient une sorte de ballon-animal. Un vaisseau de ligne en pleine charge parviendrait à peine à l'enfoncer alors. Dans la grande pêche côtière à la baleine, dans les baies de Nouvelle-Zélande, sur les fonds moyens, lorsqu'une baleine franche donne des signes de vouloir sombrer, les pêcheurs lui fixent des bouées avec une généreuse quantité de filin, et ainsi, lorsque le cadavre est enfoncé, ils savent où attendre son éventuelle remontée.

Il ne s'était guère écoulé de temps depuis le moment où avait sombré la carcasse, quand un appel des vigies du *Péquod* nous annonça que les baleinières de la *Jungfrau* reprenaient la mer, bien que l'unique souffle en vue fût celui d'un fin-back, cet in-folio dont la capture est impossible à cause de son incroyable vitesse de nage. Il est vrai que le souffle du fin-back a une analogie si grande avec celui du cachalot, que les pêcheurs inexpérimentés s'y trompent souvent. Et c'est ainsi que le capitaine Derick et son armée s'étaient maintenant jetés avec vaillance à la poursuite du sauvage et inapprochable animal. Toute sa toile dessus, la *Vierge* s'empressait à la suite de ses quatre poussins de canots, et nous pûmes les voir disparaître tous à l'horizon sous le vent, pleins d'ardeur et d'espérance dans leur chasse.

Ah ! les fin-backs sont nombreux, mes amis, et nombreux aussi sont les Derick de par le monde !

LXXXII

HONNEUR ET GLOIRE
DE LA GRANDE PÊCHE

Il est des entreprises pour lesquelles un soigneux désordre est la méthode véritable.

Plus je plonge profond dans ce sujet baleinier, plus je pousse avant mes recherches à l'approche des sources authentiques, et plus aussi je me sens impressionné par sa haute noblesse et son antiquité vénérable. La pêche à la baleine est une haute lignée, et lorsque je rencontre un si grand nombre de demi-dieux et de héros, tant de prophètes de toutes sortes qui s'y sont, ou qui l'ont illustrée d'une manière ou de l'autre, oui, je me sens exalté par la pensée que j'appartiens moi-même, bien qu'à un rang inférieur, à une famille confraternelle si fièrement emblasonnée.

C'est le très vaillant Persée, fils illustre de Jupiter, qui fut le premier baleinier ; et il convient de le dire ici, pour l'éternel honneur de notre profession : la première baleine attaquée dans notre confrérie ne fut tuée aucunement avec quelque sordide arrière-pensée ou quelque vénale intention. C'était alors l'ère de la pure chevalerie dans notre métier, et nous ne prenions les armes, en ce temps-là, que pour porter remède à la grande détresse, non point pour remplir les lampes à huile et les bidons de nos frères humains. Il n'est personne pour ignorer la splendide histoire de Persée et d'Andromède, et comment l'adorable Andromède, fille d'un roi, avait été attachée à un rocher, sur le bord de la mer ; et comment dans le moment que le léviathan allait l'enlever, le magnifique Persée, prince des baleiniers, s'avança sans peur et harponna le monstre, délivrant la jeune princesse qu'il épousa. Ce fut un magnifique exploit, un chef-d'œuvre de l'art ; et bien rares sont, parmi les meilleurs harponneurs d'aujourd'hui, ceux qui l'ont accompli ; car ce fut au premier, et à ce seul coup de lance, que le léviathan trouva la mort. Que nul ne se permette de mettre en doute cette histoire vénérable comme Noé, puisque dans l'antique Joppé, qui est l'actuelle Jaffa, sur la côte de Syrie, on a pu voir pendant des siècles, dans l'un des temples païens, le vaste squelette d'une baleine qui n'était autre, selon la légende de la cité et à l'affirmation de tous ses habitants, que l'authentique ossature du monstre même qu'avait tué Persée. Quand les Romains s'emparèrent de Joppé, ce squelette fut amené jusqu'en Italie en grande pompe pour le triomphe. Mais ce qu'il y a, dans cette histoire, de plus suggestif et de plus singulier dans sa grande importance, c'est que c'est de Joppé que Jonas embarqua.

Directement apparentée à l'aventure de Persée et d'Andromède – certains vont même jusqu'à supposer qu'elle en est directement issue – est la fameuse histoire de saint Georges avec le Dragon ; ce dragon ayant été, je le maintiens et le soutiens, une baleine ; car dans d'innombrables vieilles chroniques, baleines et dragons sont curieusement mêlés, étrangement confondus, et souvent pris les uns pour les autres. « Tu es comme un lion des eaux et un dragon de la mer », dit Ézéchiel, parlant sans ambages de la baleine, à tel point que certaines versions de la Bible usent du nom lui-même. J'ajouterai que cela enlèverait bien du lustre et retirerait beaucoup de gloire à son exploit, si saint Georges n'avait affronté qu'un tortillant reptile terrestre au lieu de livrer sa bataille au grand monstre des profondeurs. N'importe qui peut tuer un serpent, mais il n'y a qu'un Persée, un saint Georges ou un Coffin[1] pour trouver en eux-mêmes assez de cœur et marcher intrépidement au-devant de la baleine.

N'allons surtout pas nous laisser égarer par les peintures modernes illustrant ce sujet ! Même si, en effet, la créature affrontée par ce brillant et courageux baleinier est dépeinte sous la forme d'un vague griffon ; même si le combat nous est représenté sur la

---

1. Coffin est le nom de plusieurs familles et de toute une lignée de fameux baleiniers de Nantucket.

terre ferme, et le saint monté sur un cheval; – à considérer la
grande ignorance de ces temps, où la forme véritable de la baleine
était inconnue des artistes; – à considérer aussi que, comme dans
l'affaire de Persée, la baleine de saint Georges pouvait fort bien
avoir pu ramper hors de l'océan sur la plage; – à considérer enfin
que l'animal chevauché par le saint peut aussi bien avoir été tout
simplement un veau marin de grande taille ou l'espèce de monstre
appelé cheval marin : rien ne s'oppose, en vérité – et nous ne voyons
là aucune incompatibilité absolue soit avec la légende sacrée, soit
avec les plus anciennes représentations graphiques de la circonstance –, à ce que nous tenions le prétendu dragon pour nul autre que
le grand léviathan en personne. De l'histoire entière, placée en fait
sous le tranchant de la stricte vérité, il en ira comme de Dagon,
l'idole mi-chair, mi-poisson des Philistins : quand on le plaça
devant l'arche d'Israël, sa tête de cheval ainsi que l'une et l'autre
de ses mains se séparèrent de lui et tombèrent, ne laissant subsis-
ter que le moignon en poisson de son individu. Grâce à quoi, donc,
et pour l'authentification de notre noblesse, c'est un baleinier, et
pas un autre, qui est le gardien tutélaire de l'Angleterre; aussi
est-ce à bon droit que nous devrions, nous les harponneurs de
Nantucket, compter au nombre des dignitaires de l'ordre de saint
Georges. Vous n'admettrez, par conséquent, et vous ne souffrirez
jamais qu'un quelconque chevalier de cette honorable compagnie
(dont aucun, j'imagine, n'a jamais eu affaire avec le léviathan à
l'instar de son grand patron) se permette de laisser tomber un
regard de dédain sur un Nantuckais, puisque même avec nos
vareuses de grosse laine et nos pantalons goudronnés, nous avons
plus de titres que lui à la décoration qu'il porte.

  Devons-nous, ou ne devons-nous pas admettre Hercule dans
nos rangs? C'est une question qui m'a longtemps laissé dans le
doute. C'est que si, d'après la mythologie, ce muscle halé, ce
Crockett et ce Kit Carson de l'Antiquité, ce champion des bonnes
œuvres réjouissantes fut avalé et rejeté par une baleine, il reste à
savoir si, à strictement parler, cela suffit à faire de lui un baleinier.
Car il n'appert nulle part qu'il eût jamais harponné positivement
son poisson, à moins, évidemment, qu'il ne l'eût fait de l'intérieur.
Peut-être, malgré tout, convient-il et peut-on le considérer comme

un baleinier malgré soi, une sorte de baleinier involontaire ; en tout cas, il est certain que la baleine l'a attrapé, si lui ne l'a pas attrapée, elle. Je le réclame donc comme l'un des nôtres.

Mais comme, par les opinions les plus autorisées, quoique contradictoires, cette histoire grecque d'Hercule et de sa baleine est regardée comme une réplique de la plus ancienne histoire hébraïque de Jonas et de sa baleine – ou vice versa ; et comme assurément elles sont très semblables, alors, quand j'ai admis le demi-dieu, pourquoi pas le prophète ?

Héros, saints, demi-dieux et prophètes, ce n'est pourtant pas tout, et la liste nobiliaire de notre ordre n'est pas complète. Il reste toujours à nommer notre grand maître, puisque à l'égal des hautes lignées royales de l'Antiquité, notre fraternité baleinière ne descend de rien moins que des grands dieux eux-mêmes. Il nous faut reprendre dans les Çâstra[1] la merveilleuse histoire de l'Orient qui nous donne pour seigneur le terrible Vishnou, le divin Vishnou, l'une des trois personnes de la Divinité des Hindous : Vishnou qui, par la première de ses dix incarnations terrestres a élu à jamais, mis à part et sanctifié la baleine. Lorsque Brahma, ou le dieu des Dieux, dit le Çâstra, résolut de recréer le monde après l'une de ses périodiques dissolutions, il donna naissance à Vishnou afin qu'il présidât à cet ouvrage ; mais les Veda, ou livres mystiques, dont la connaissance semble avoir été indispensable à Vishnou avant qu'il se mît à la création du monde, sans doute parce qu'ils devaient contenir quelque chose comme des conseils pratiques destinés aux jeunes architectes, ces Veda, donc, reposaient sur le fond des eaux. Et c'est pourquoi Vishnou prit son incarnation dans la baleine et, plongeant en elle ainsi jusqu'aux plus profondes des profondeurs, sauva les livres sacrés. Ne fut-il pas un baleinier, ce Vishnou, tout de même que l'humain qui monte un cheval est appelé un cavalier ?

Persée, saint Georges, Hercule, Jonas et Vishnou ! Voilà pour vous la liste de nos membres d'honneur. Quel club, autre que celui des baleiniers, pourrait inscrire le nom de ses nouveaux membres sous pareil patronage ?

---

1. Ce sont les traités religieux et les livres de lois (à l'exception des rituels) de l'Inde ancienne. Tels sont le Çâstra-Çâs, ou Livre des Enseignements, et le Mânava-Dharma-Çâstra, ou Code des Lois de Manou.

LXXXIII

JONAS CONSIDÉRÉ HISTORIQUEMENT

Nous nous sommes appuyé, dans le chapitre précédent, sur l'histoire de Jonas et de la baleine dans sa teneur proprement historique ; mais il convient d'ajouter que bien des Nantuckais considèrent cette historique aventure avec une méfiance certaine. Il est vrai que des Grecs aussi et des Romains ne manquèrent pas, qui, s'exceptant de la foule des païens orthodoxes de leur temps, montrèrent quelque scepticisme aux histoires d'Hercule avec la baleine et d'Arion avec le dauphin, sans pourtant que cela eût nui le moins du monde, au bout du compte, à la carrière et à la pérennité de ces traditions.

L'une des principales raisons avancées par le vieux baleinier de Sag-Harbour pour mettre en doute l'histoire hébraïque tient beaucoup au fait que le vieux bonhomme était en possession d'une de ces vieilles bibles étrangement illustrées de gravures plutôt curieuses, et certes fort peu scientifiques : sur l'une de ces planches, on voyait la baleine de Jonas représentée avec *deux* évents au sommet de la tête, ce qui s'applique rigoureusement, en tant que particularité spécifique, à la seule baleine proprement dite (baleine franche, et autres léviathans de cette espèce). Or, c'est une manière de proverbe chez les pêcheurs, pour caractériser ces baleines, que de dire « qu'un petit pain d'un sou l'étoufferait », tant elle a le gosier étroit. Soit donc ; mais à cela monseigneur Jebb a déjà, par anticipation, préparé sa réponse : il n'est pas indispensable, avance en effet l'évêque, que nous regardions Jonas comme tombé *dans* le ventre de la baleine ; il suffit de penser qu'il s'est trouvé logé provisoirement dans quelque coin ou recoin de son museau. C'est là un argument de poids, et qui ne semble pas dénué de vraisemblance chez notre bon évêque ; car véritablement le logement buccal de la baleine est vaste assez pour recevoir et loger confortablement deux tables de whist avec tous leurs joueurs. Et il ne serait pas impossible, même, que Jonas fût allé se loger dans une dent creuse !... (heureusement, il me revient à temps à l'esprit que la baleine est privée de dents !).

Une autre des raisons de notre vieux Sag-Harbour (c'est ainsi qu'on le nomme) avancée pour justifier le peu de foi qu'il accorde à l'histoire du prophète, a de certains et obscurs rapports avec les sécrétions des sucs gastriques du cétacé et la vitalité du corps humain qui s'y trouvait incarcéré. Cette objection est également renversée et renvoyée comme sans fondement par l'assertion de tel exégète allemand qui avance que Jonas trouva refuge dans le corps flottant d'une baleine *morte* – exactement de même que les soldats français, pendant la campagne de Russie, se faisaient, de leurs chevaux morts, de véritables tentes où ils trouvaient abri. En outre et au surplus, la perscrutation profonde de certains autres exégètes européens a pu aller jusqu'à deviner que lorsque Jonas fut lancé par-dessus les bordages du voilier de Joppé, ce fut pour être instantanément sauvé et recueilli sur le pont d'un autre vaisseau tout proche, lequel portait comme figure de proue une baleine, et pouvait fort bien – ajouterai-je personnellement –, pouvait fort bien se nommer *La Baleine*, à l'instar de tels de nos vaisseaux actuels qui sont baptisés *Le Requin*, par exemple, ou *La Mouette* ou encore *L'Aigle*. Et le nombre est fort grand, des exégètes non moins savants et illustres qui opinent que le cétacé susdit, mentionné dans le livre de Jonas, n'était tout simplement rien d'autre qu'une bouée de sauvetage, une vessie gonflée de vent, que le prophète en son péril rejoignit à la nage et grâce à laquelle il échappa à sa perdition aquatique.

Oh ! Pauvre Sag-Harbour, à présent, tu parais bien réduit et cerné de toutes parts !

Pourtant il conservait encore une raison par-devers lui pour justifier de son manque de foi, une raison qui, s'il me souvient bien, n'était autre que celle-ci : à savoir que Jonas, historiquement, est

avalé par la baleine en Méditerranée, et qu'au bout de trois jours il
est dégluti quelque part sur une côte, *à moins de trois journées de
marche de la ville de Ninive*, située, elle, sur les rives du Tigre, et
certes éloignée, par voie terrestre, de beaucoup plus de trois jours
de marche de quel point que ce soit des côtes de Méditerranée. Or,
comment cela se fit-il ? Existait-il seulement une voie maritime
qu'eût pu emprunter la baleine pour déposer à terre le prophète
Jonas à moins de trois jours de marche de Ninive ? Oui, bien sûr ;
elle eût pu lui faire faire le tour par le cap de Bonne-Espérance ;
mais dans cette hypothèse – et sans parler de la traversée dans
toute leur longueur, d'abord de la mer Méditerranée, ensuite du
golfe Persique et enfin de la mer Rouge – il faudrait admettre, en
trois jours, la descente complète et la remontée totale de toutes les
côtes de l'Afrique ainsi contournée, et ne pas tenir compte
de l'insuffisante profondeur des eaux du Tigre près de ce site de
Ninive, qui ne permettait à aucune baleine, quelle qu'elle fût, d'y
naviguer. Au surplus et encore, il reste qu'en recevant cette idée de
Jonas allant doubler le cap de Bonne-Espérance en des temps aussi
reculés, on se verrait contraint alors de frustrer des honneurs de la
découverte de cette célèbre et extrême avancée des terres, de ce
promontoire fameux, le réputé navigateur Bartolomeu Dias, et
partant, de frapper de mensonge toute l'histoire moderne.

Oui, oui ; seulement il y a que tous ces arguments absurdes de
notre vieux Sag-Harbour ne font qu'étaler au plein jour le fol
orgueil de sa raison – chose particulièrement coupable et blâmable
chez lui, qui ne possède pour toute science et pour toute sagesse
que le peu qu'il a pu en ramasser sous le soleil et sur les eaux. Oui,
il ne fait, par là, je dis bien, qu'étaler et démontrer toute la folie et
l'impiété de son orgueil dans son abominable, dans sa diabolique
rébellion contre la sainte et révérende clergie. Car un prêtre catholique, fût-il même de nationalité portugaise, ne saurait voir, dans
cette idée de Jonas doublant alors le cap de Bonne-Espérance, pas
autre chose qu'une exaltation particulière du miracle universel :
un grand signe de ce miracle général. Et c'est aussi ce que ce fut.

Ajouterai-je que, jusque dans nos jours, les plus hautement
éclairés des Ottomans croient avec la plus grande ferveur et la plus
parfaite piété à cette historique aventure de Jonas ? Faudra-t-il

que je dise que, voilà quelque trois siècles, un navigateur anglais rapportait, dans les *Voyages* de Harris, avoir vu une mosquée turque édifiée en l'honneur de Jonas, et que dans cette mosquée, il y avait une lampe merveilleuse qui brûlait et éclairait sans huile aucune?

LXXXIV

LA JAVELINE DE HARCÈLEMENT

Si les essieux des carrosses sont huilés et graissés afin qu'en soit plus souple et plus rapide le roulement, c'est avec une intention similaire et dans un but identique de rapidité que certains baleiniers exécutent, sur leurs canots, une opération analogue; ils en graissent le fond. Et si ce procédé, indubitablement, ne peut nuire en aucune manière auxdites embarcations, il se peut même qu'il présente d'indiscutables avantages; d'autant que, comme on le sait, huile et eau sont matières grandement hostiles, et que l'huile est spécifiquement glissante, et que le but visé est de faire glisser le canot le plus alertement du monde. Quiequeg, lui, était un partisan fervent de l'onction des baleinières, et un certain matin – peu de temps après que la *Jungfrau* eut disparu à nos yeux à l'horizon – il était précisément fort occupé à cet ouvrage, auquel il se livrait avec plus de soin que jamais : glissé sous le fond de la barque, entre les portemanteaux où elle était saisie, il mettait à frotter ses planches et à y faire pénétrer l'onctueuse matière une énergie aussi appliquée que s'il eut voulu faire croître sur sa quille chauve une véritable moisson de cheveux. On eût dit qu'il travaillait sur les instances particulières d'un pressentiment insistant, que ne devait d'ailleurs point démentir l'événement.

En effet, vers midi, des cachalots furent signalés; mais à peine le navire avait-il mis le cap sur eux qu'ils virèrent de bord et s'élancèrent dans une fuite aussi désordonnée et hâtive que celle des gabares de Cléopâtre à Actium.

Cependant, nos canots avaient entamé la poursuite, emmenés

par la baleinière de Stubb qui tenait la tête. Après de grands et épuisants efforts, Tashtégo réussit finalement à piquer un fer; mais l'animal harponné, au lieu de sonder comme il en va d'ordinaire, n'en continua que de plus belle sa fuite horizontale et sans cesse accélérée. L'effort violent de traction exercé de la sorte sur l'unique harpon planté allait inévitablement l'arracher tôt ou tard; aussi devenait-il urgent de travailler le poisson de la lance, faute de quoi, il faudrait alors se résigner à le perdre. Mais si grande était la vitesse avec laquelle il fuyait, que haler le canot jusqu'à son flanc était chose pratiquement impossible. Que faire alors?

Les trucs, astuces et tours de main des baleiniers, les subtilités et les adroits expédients auxquels savent recourir les vieux routiers de la pêche à la baleine sont en nombre à peu près infini – et il leur faut très souvent y recourir; mais entre tous, l'un des plus remarquables est bien celui de la javeline, ou travail de harcèlement à la lance légère. Il s'agit de quelque chose qui surpasse, et de loin, l'escrime la plus délicate au fleuret ou la plus énergique au sabre. Ce haut exercice de sport devient, en fait, absolument indispensable avec un gibier comme le nôtre, qui s'obstine furieusement dans une fuite éperdue; et ce n'est pas un mince exploit, croyez-moi, ni un peu merveilleux fait d'armes que l'étonnante distance et la stupéfiante précision avec laquelle est jetée cette javeline, en avant d'un canot lancé lui-même à toute allure et qui rue, se cabre, saute et bondit en tous sens. L'engin entier, pointe d'acier et manche de bois compris, atteint quelque dix ou douze pieds de longueur; cette longue hampe, déjà beaucoup plus fine que celle du harpon, est faite aussi d'un matériau plus léger: le bois de pin. La «bouée» – car c'est ainsi qu'on nomme le fin et long cordage dont elle est pourvue – permet de la ramener à bord et de la reprendre en main après le jet.

Notons tout de suite, la chose étant d'importance, que bien qu'on puisse aussi exécuter des jets de harcèlement avec le harpon lui-même, on recourt fort rarement à cet expédient parce qu'il présente un caractère d'efficacité infiniment moins grand que celui de la lance, tant à cause du poids excessif que de la portée réduite de cette arme, qui sont, en effet, des inconvénients sérieux. En fait,

et dans la plupart des cas, on attend donc que le poisson soit solidement «piqué», c'est-à-dire harponné par le canot pris en
remorque, avant de se mettre au harcèlement à la javeline.

Cela dit, voyons Stubb à présent, lui qui, par son imperturbable
sang-froid dans les pires circonstances, par cette constante jovialité d'humeur et cet esprit de décision qui le caractérisent, se
trouve tout spécialement qualifié pour cet exercice délicat où il
excelle. Voyons-le, maintenant, debout tout à la pointe bondis-
sante de son embarcation, qui vole littéralement sur les flots.
Comme drapé dans les blancs et moelleux duvets de l'écume qu'il
fait mousser autour de lui, le cachalot en pleine course est au
moins à quarante pieds là-bas, devant l'étrave de l'esquif.
Balançant légèrement à deux ou trois reprises la légère javeline à
bout de bras, pour bien en vérifier du geste autant que du regard
le parfait équilibre et la rectitude impeccable, Stubb siffle entre ses
dents et, de son autre main, ramasse les plets de la bouée, qu'il
veille à tenir bien claire afin d'en assurer le facile dévidage, le
moment venu. Il a maintenant son javelot bien équilibré dans la
main, saisi presque en son milieu. Et voici qu'il l'ajuste sur le
cachalot, une fois, deux fois ; puis, sûr de son geste, il en reçoit
l'extrémité inférieure dans la paume de sa main, élevant le fer là-
haut, à quelque quinze pieds dans les airs, semblable pendant un
instant à un jongleur qui tiendrait sur son menton un long et fin
bâton en équilibre, mais pendant un instant seulement, car l'instant d'après, projeté avec un élan si prompt et si vigoureux qu'il en
est invisible, voilà le brillant acier décrivant une courbe superbe
dans l'espace pour venir se ficher, tout frémissant, là-bas, de
l'autre côté de la zone écumeuse, droit dans un point vital du corps
du cachalot. Au lieu du jet vaporeux et scintillant, c'est maintenant du sang rouge qu'il rejette par son évent.

– Ça lui a coupé le sifflet ! lançait le jovial Stubb. Nous voilà à
cet immortel jour du 4-Juillet, et toutes les fontaines doivent
déverser du vin aujourd'hui. Dommage que ce ne soit pas du
whisky vieux de Nouvelle-Orléans, ou du vieil Ohio, ou du vieux
de vieux Monongahéla, l'ineffable ! moi, je préférerais… mais
quand même, l'ami Tashtégo, vas-y et remplis-nous un pichet à ce
jet, qu'on le boive à la régalade ! Il n'y a pas à dire, mes jolis cœurs

tout débordants de vie, c'est un punch de première qualité que nous sommes en train de brasser dans le vif de cet évent, et c'est de vraie liqueur de vie qu'on va lamper dans la vivante coupe à punch que voilà !

Toujours et encore, sans interrompre les plaisanteries incessantes, la fine javeline était lancée et relancée avec adresse, revenant après chaque coup dans les mains de son maître, tel un fin lévrier habilement tenu en laisse. Le cachalot expirant fut secoué par les dernières convulsions; la ligne à baleine mollit; et le lanceur de javelot, revenant prendre place en poupe, silencieux à présent, regarda le monstre mourir.

LXXXV

FONTAINES

Que pendant plus de six millénaires – et nul ne sait encore combien de millions d'années en sus – les grands cétacés eussent projeté leur souffle sur toutes les surfaces océanes, aspergeant et perlant ainsi de rosée par ces bouches en nombre infini les jardins de la profondeur ; et que, depuis plusieurs siècles déjà, tant de milliers de chasseurs se fussent trouvés si près de ces fontaines baleinières, guettant et observant le jet brumeux de ces souffles ; mais tout cela sans que, jusqu'à la sainte minute où nous voici (à une heure, quinze minutes et quinze secondes de ce seizième jour de décembre de l'an de grâce 1851), sans que cessât d'être un problème la question de savoir si ces souffles sont en réalité de l'eau, ou seulement de la vapeur : c'est assurément là une chose exceptionnellement digne de remarque.

Souffrez donc que nous examinions quelque peu en détail l'ensemble de cette affaire et que nous nous livrions en passant à quelques observations intéressantes. Nul n'ignore que, du fait de la particulière subtilité de leurs branchies, les peuples poissonneux jouissent fort généralement de la faculté de respirer l'air qui ne cesse de se trouver combiné à l'élément liquide où ils évoluent ; et partant, qu'un hareng ou une morue peut bien vivre tout un siècle sans jamais passer le bout de son nez au-dessus de la surface. Au contraire, en raison de sa décisive anatomie intérieure, qui le dote de véritables et authentiques poumons parfaitement semblables à ceux de l'être humain, le cétacé, lui, ne peut vivre qu'en y introduisant l'air libre de la libre atmosphère. D'où, pour lui, la nécessité absolue des visites itératives et périodiques qu'il fait au monde d'en dessus. Cette respiration, toutefois, il ne saurait en aucune manière l'effectuer par le canal de sa bouche, pour la raison très simple que dans la position qu'il occupe d'ordinaire, cette bouche se trouve ensevelie à quelque huit pieds et plus au-dessous de la surface ; et qui plus est, la manche à air du cachalot est sans rapport direct avec son gosier. Non : il respire par son seul évent, lequel s'ouvre sur le haut de la tête.

Si maintenant j'affirme que chez toute créature animale, le souffle ou respiration est une fonction proprement vitale, et cela par le fait que ce souffle aspire dans l'air un certain élément qui, mis subséquemment en intime contact avec le sang, lui apporte son principe vital et son élément vivifiant, je crois bien ne pas me tromper – quand bien même il serait possible, pour le dire, d'user de termes plus spécifiquement scientifiques. Admettons donc la chose, ainsi qu'il convient ; il s'ensuit naturellement que si tout le sang contenu dans un homme pouvait être aéré d'un coup et définitivement par une seule et unique aspiration d'air, l'homme n'aurait plus alors qu'à sceller ses narines et n'aurait plus besoin de respirer pendant un laps de temps considérable. Ce qui revient à dire qu'il vivrait alors sans respirer. Or, et si anormale que la chose puisse paraître, c'est là précisément le cas pour le cétacé, lequel perpétue automatiquement son existence pendant une heure et parfois plus, d'intervalle en intervalle, quand il est dans les profondeurs, sans aspirer la plus petite fois ou autrement la moindre particule d'air, puisque, rappelons-le, il ne possède point de branchies qui filtreraient l'air de l'eau. Comment c'est possible ? Eh bien, par l'existence en lui, entre ses côtes et tout au long de son épine dorsale, sur chaque flanc, d'un réseau complexe, véritable labyrinthe crétois, de vaisseaux vermiculaires qui se trouvent tout remplis et gorgés et gonflés de sang oxygéné, au moment où l'animal quitte la surface. Ce qui fait que le cachalot, à quelque cent brasses dans les profondeurs, emporte avec soi pour une heure et plus, une manière de réserve de vitalité où il puise, exactement comme le chameau traversant l'aridité du désert emporte avec soi une réserve d'eau dans ses quatre estomacs supplémentaires, aux fins d'utilisation en cours de route. La réalité anatomique de ce labyrinthe est absolument incontestable, et l'hypothèse touchant son utilisation me paraît non seulement raisonnable, mais véridique, d'autant plus que rien ne peut mieux la confirmer que l'obstination remarquable du léviathan «à venir souffler dehors» comme disent les matelots, obstination qui serait parfaitement inexplicable autrement. Voilà donc ce que je veux dire : quand il est monté en surface, si rien ne vient le déranger, le temps qu'y passera le cachalot sera exactement et rigoureusement le même d'une fois à l'autre (toujours s'il n'y est pas molesté). Nous dirons donc qu'il demeure en surface pendant une durée approximative de onze minutes, pendant lesquelles il lancera soixante-dix jets, c'est-à-dire qu'il respirera exactement soixante-dix fois consécutivement. A sa prochaine réapparition (si vous avez compté les souffles et mesuré le temps) vous aurez l'assurance de le voir de nouveau respirer ses soixante-dix fois. Mais si vous l'effrayez et s'il plonge d'une manière anticipée après avoir seulement respiré quelques fois, il ne manquera jamais de réapparaître bientôt pour venir compléter son habituelle et nécessaire réserve d'air. Ce n'est que lorsqu'il aura réellement et effectivement compté (et vous avec lui) ses soixante-dix respirations complètes, que vous le verrez sonder et demeurer dans les profondeurs pendant le laps de temps habituel; jamais avant. Il est à remarquer que selon les individus, ces durées et ces nombres sont variables, quoique toujours semblables chez le même sujet. Or, pourquoi donc le cétacé mettrait-il une pareille insistance à toujours avoir son compte plein et entier de souffles, si ce n'était que, par eux, il dût remplir sa réserve d'air personnelle et nécessaire avant de plonger pour de bon ? Car c'est cette fatale nécessité, la chose est assez évidente ! qui expose le cachalot à tous les risques mortels de la chasse : il n'est en effet ni hameçon ni filet capables d'aller prendre le léviathan qui navigue à plus de cent brasses au-dessous de la lumière solaire. Et tu peux bien te dire, ô chasseur de baleines, que c'est moins ton habileté quelle qu'elle soit, que cette nécessité absolue pour le léviathan de revenir toujours en surface, qui t'octroie, à toi, la victoire !

Chez l'homme, la respiration est absolument continue; une inspiration ne peut servir à plus de deux ou trois pulsations sanguines, de telle sorte que, quelle que soit la nature ou l'intensité de ses occupations, dans l'état de veille comme pendant son sommeil, il faut et il est nécessaire que l'homme respire, sinon il meurt. Tandis que le cachalot, en ce qui le concerne, ne respire guère que pendant un septième de son temps, ce qui revient à dire, si l'on veut, qu'il ne respire, lui, que le dimanche pour toute sa semaine.

Comme nous l'avons dit, il ne respire en fait que par son évent; et si l'on pouvait affirmer véritablement que son souffle rejette effectivement de l'eau, je tiens pour avéré que nous aurions alors la raison et l'explication de l'oblitération quasi complète, notoire et évidente du sens olfactif chez cet animal; le seul organe, en effet, qui réponde chez lui à ce qu'est un nez chez les autres est précisément ce seul évent, qui, ainsi embarrassé par deux éléments à la fois, ne saurait guère prétendre conserver une quelconque vertu olfactive. Mais à cause du mystère qui toujours couvre et entoure le jet de ce souffle (à savoir s'il est fait d'eau ou de vapeur), on ne saurait décidément avancer nulle conclusion absolument certaine sur ce chef. La seule chose sûre, c'est que le cachalot n'est doué personnellement d'aucun sens olfactif; mais à quoi pourrait-il l'employer? Il n'y a ni roses, ni violettes, ni eau de Cologne dans l'océan.

Au surplus, comme cette soupape donne directement et exclusivement dans son seul canal respiratoire (sans connexion avec l'arrière-bouche), et comme ce canal sur toute sa longueur – tel le grand canal Érié – comporte toute une succession d'écluses qui s'ouvrent et se referment afin de retenir l'air en bas et d'expulser l'eau en haut, il s'ensuit que le cétacé n'a non plus point de voix – à moins que vous n'alliez l'insulter en prétendant qu'il parle du nez quand il ronfle de cette étrange manière en respirant. Mais encore une fois, à quoi bon une voix? et qu'est-ce donc que le cétacé aurait à dire? Rarement, oui, rarement ai-je rencontré un être profond qui eût quoi que ce fût à dire à ce bas-monde, sauf à balbutier par contrainte un vague quelque chose pour en tirer sa subsistance. Ah! c'est heureux que le monde soit un si bon entendeur!

Mais pour en revenir au canal respiratoire du cachalot constitué comme il l'est en exclusif conduit à air, et courant horizontalement comme il le fait, sur plusieurs pieds de longueur, juste sous la surface supérieure de la tête, mais légèrement par côté, il ressemble tout à fait à quelque citadine conduite de gaz enfouie sur le bas-côté d'une rue. Reste à savoir, néanmoins – et c'est toujours la même question – si c'est seulement une conduite à gaz ou si c'est en même temps, et aussi, un tuyau d'eau. Ou, pour le dire autrement, il s'agit de déterminer si le jet que souffle le cachalot est constitué uniquement par la seule et simple vapeur exhalée de sa respiration, ou si, à cette vapeur se trouve aussi mélangée de l'eau qu'il aurait avalée par la bouche et qu'il rejetterait alors par son évent. Car la bouche en effet, il y a là une certitude, communique indirectement avec le canal respiratoire ; mais il reste impossible d'en déduire positivement si c'est, ou non, aux fins de rejeter par l'évent l'eau qu'aurait absorbée la bouche. Car la chose aurait, en fait, son utilité principale (il me semble) quand le cachalot, en se nourrissant, viendrait à avaler par accident de l'eau. Or, la nourriture propre du cachalot habite et se trouve très loin au-dessous de la surface, là où il ne peut absolument pas, quand même il le voudrait, ouvrir sa soupape et respirer avec ses poumons. A le bien observer, qui plus est, et à le chronométrer montre en main, vous découvrirez infailliblement un rythme d'accord (quand l'animal n'est pas alarmé) entre les périodes de son jet et les périodes normales et ordinaires de sa respiration.

– Mais à quoi bon nous assommer de toutes ces questions âprement discutées et de tous ces raisonnements plus ou moins abstraits ? Allons, parlez clair ! Vous l'avez vu, de vos yeux vu, ce souffle du cachalot ; alors dites-nous tout simplement ce qu'il est. Seriez-vous donc incapable de distinguer l'eau de l'air ?

– Mais mon cher monsieur, c'est qu'en ce monde-ci, il n'est pas si facile que cela de décider des choses les plus simples et les plus évidentes apparemment. Je n'ai personnellement jamais trouvé que les choses qu'on prétend simples fussent les plus faciles à connaître ou les mieux connues d'entre toutes. Quant audit souffle du cétacé, eh bien, vous logeriez dedans que vous seriez encore indécis sur ce qu'il peut bien être en réalité !

Sa colonne centrale se trouve cachée, complètement occultée par le brouillard neigeux et étincelant qui l'enveloppe de toutes parts; et comment dire, comment pouvoir vraiment s'assurer si de l'eau en retombe effectivement ou non, alors qu'immanquablement, quand vous vous trouvez assez proche d'un cétacé pour avoir un bon coup d'œil sur le jet qu'il souffle, c'est toujours dans un tumulte prodigieux, dans un charivari énorme des eaux bouleversées autour du furieux animal? S'il vous arrive alors, dans de pareils moments, de croire réellement apercevoir d'authentiques gouttes ou gouttelettes dans la colonne de ce jet, qui vous dira si elles ne sont pas tout simplement formées par la condensation de la vapeur exhalée? et comment saurez-vous s'il ne s'agit pas, tout simplement encore, de la projection, par ce souffle, de l'eau naturellement retenue dans la dépression de l'évent au-dessus de la tête? Car même lorsque votre cachalot se promène tout paisiblement en surface, en plein midi, sur le miroir immobile d'une mer étale, avec sa bosse aussi sèche sous le soleil équatorial que celle du dromadaire en plein désert, oui, même alors le cachalot emporte toujours un petit bassin d'eau sur le sommet de sa tête, ressemblant fort à ces petites réserves d'eau de pluie qu'il vous arrivera parfois de découvrir dans le creux d'un rocher cependant cuit sous le soleil torride.

En outre, il serait moins que prudent de la part d'un chasseur de baleines de se montrer par trop curieux de la nature exacte de ce jet; et il lui en cuirait, assurément, s'il voulait, en y regardant de trop près, y fourrer le nez et les yeux. Non, non, vous ne pouvez pas vous approcher de cette fontaine avec un récipient que vous viendriez y remplir. Car au seul et plus léger contact de la vaporeuse frange la plus extérieure de ce jet (ce qui ne manque pas d'arriver souvent) votre peau déjà est tout enflammée, instantanément corrodée par l'acide violent de cette matière subtile. Je connais, pour mon compte, quelqu'un qui, pour être entré en contact un peu trop intime avec l'un de ces jets (si c'était dans un but scientifique ou non, je ne saurais vous dire), en eut la peau des joues et des deux bras littéralement pelée. Aussi est-il que chez les baleiniers, ce souffle a la réputation d'un venin, auquel ils s'efforcent d'échapper le plus possible. Et ce n'est pas encore tout, car j'ai entendu dire – et je ne vois personnellement rien qui m'en puisse faire douter – que si ce jet vous est soufflé dans les yeux,

vous en restez aveugle. Le plus sage sera donc, à mon avis, pour
l'investigateur le plus avisé, de laisser ce souffle mortel respirer
seul et loin de lui.

Rien ne nous empêche, toutefois, de nous livrer au jeu des hypothèses, même si nous nous trouvons incapables de les vérifier positivement et de les démontrer. Voici donc la mienne : c'est que le jet
n'est fait que de vapeur. Et parmi les raisons qui m'amènent à
cette conclusion péremptoire, je compte certaines considérations
ayant trait à la sublime grandeur et à la dignité suprême du cachalot, que je tiens pour un être hors de la médiocrité et du commun
étiage, en m'appuyant sur le fait absolument indiscutable qu'on ne
le rencontre jamais dans les zones de médiocre profondeur ou non
loin des rivages, où il arrive qu'on rencontre parfois les autres
cétacés. Non. Le cachalot est tout ensemble un être profond et de
grand poids. Et je conserve en moi la chaude conviction que, de la
tête de tous les êtres profonds et de grand poids – tels que Platon,
Pyrrhus, le Diable, Jupiter, Dante, et autres semblables –, toujours
monte et s'élève une vaporeuse et semi-visible fumée quand ils
sont en pleine activité méditative, en train de suivre et d'entretenir
de profondes pensées. Alors que je m'adonnais moi-même à la
composition d'un court traité sur l'éternité, j'eus la curiosité de
placer devant moi un miroir où je pus bientôt distinguer, s'y réfléchissant, une étrange ondulation, comme vermiculaire, qui agitait
et gaufrait l'atmosphère au-dessus de ma tête. Ajouterai-je que la
moiteur invariablement constatée dans ma chevelure, lorsque je
suis plongé dans la profondeur de mes pensées après l'absorption
de six tasses de thé brûlant, dans mon grenier aux minces
planches, au cœur de l'après-midi d'un jour d'août, me paraît être
un argument de plus en faveur de ce que je veux dire ?

Et quelle noblesse ne prend-elle pas dans son exaltation, la
haute idée que nous nous faisons de ce monstre majestueux et
magnifiquement couronné de vapeur, à le voir croiser comme il
fait, solennel, sur le miroir immobile des calmes eaux tropicales ;
au-dessus de son vaste front plein de sérénité se déploie le dais
vaporeux engendré par ses contemplations inexprimables, intra-
duisibles, insaisissables ; et cet arc impalpable – comme il vous
arrivera de le voir parfois – reçoit le sceau de gloire d'un mer-

veilleux arc-en-ciel, comme si le ciel lui-même voulait sceller ces secrètes pensées. Car, voyez-vous, jamais les arcs-en-ciel ne visitent ni ne hantent les airs transparents et clairs; c'est dans les vapeurs seulement qu'ils irradient leur splendeur. Et c'est ainsi, parfois, qu'à travers les épaisses brumes, lourdes de doute, de mon esprit, de divines intuitions se font jour de temps à autre, illuminant mon brouillard de leurs célestes rayons. Que Dieu reçoive mon merci! car dans le doute, tous les humains sont plongés et nombreux parmi eux sont ceux qui versent dans la négation; mais entre tous ces doutes et ces négations passent parfois de rares intuitions. Vous pouvez douter de tout, terrestrement, et avoir cependant l'intuition de telle ou telle des choses célestes, ce qui ne fera de vous ni un croyant, ni un impie, mais bien un homme qui saura voir et considérer les uns et les autres d'un même œil, d'un même et semblable regard.

LXXXVI

LA QUEUE

D'autres poètes ont célébré la louange du doux regard de l'antilope ou de l'adorable plumage de l'oiseau qui jamais ne se pose; moins céleste, c'est une queue que je vais chanter.

A ne la mesurer que depuis cet endroit resserré du corps, qui n'est guère plus gros que la taille d'un homme, où elle commence son déploiement, l'immense queue du cachalot s'épanouit sur une surface d'au moins cinquante pieds carrés. Le tronc musclé et cylindrique qui forme sa racine se projette en deux fermes, larges et plates palmes qui vont s'amincissant vers les extrémités jusqu'à n'avoir plus qu'un seul pouce d'épaisseur. A leur fourche ou jonction, ces palmes sont légèrement croisées l'une sur l'autre, pour ensuite se séparer franchement comme deux ailes, laissant un grand espace vide entre elles. Je n'ai, sur nul être vivant, connu une ligne de pure beauté aussi parfaite et aussi exquisement découpée que le croissant ou l'arc dessiné par le bord extrême de ces palmes, dont l'ampleur, chez l'animal adulte, excède de beaucoup une mesure de vingt pieds.

Dans sa totalité, cette partie du corps du cachalot se présente comme un matelas épais de nerfs entrelacés et soudés; mais ouvrez-la en coupe, et vous constaterez que trois stratifications distinctes la composent : dessus, dessous et au milieu. Les fibres des couches supérieure et inférieure sont disposées horizontalement et en long; celles de la couche médiane, fort courtes, viennent transversalement s'entrelacer à celles des couches longitudinales. C'est cette structure trinitaire, plus que toute autre chose, qui doue la

queue de sa souveraine puissance. Qui s'intéresse aux constructions romaines découvrira, à l'examen de ces prodigieux restes de
l'Antiquité, que la couche intérieure ou médiane de ces murailles
présente une mince épaisseur de brique en alternance avec la
pierre, ce qui contribue grandement à la formidable résistance de
la maçonnerie.

Mais comme si ce n'était point assez de la vaste puissance contenue déjà dans cette armature nerveuse et tendineuse de la queue,
la formidable masse du léviathan est encore, sur toute sa longueur,
enveloppée dans un maillot serré de fibres musculaires qui, descendant de part et d'autre des reins, viennent aboutir dans les
palmes de la queue avec lesquelles elles font corps, ajoutant encore
à leur prodigieuse puissance. C'est ainsi que la queue est en
quelque sorte le point d'aboutissement où viennent converger
toutes les énergies et les forces immenses du cachalot tout entier.
Et si l'anéantissement universel devait jamais se produire, tel
serait le battoir propre à l'accomplir.

Et pourtant, malgré tout, ce stupéfiant cumul de puissance
n'entrave en aucune façon la souplesse et la grâce de ses mouvements : c'est une délicatesse d'enfant qui joue et qui répand ses
aises dans cette force de titan ; et c'est même de là que ses mouvements tirent, au contraire, leur si terrifiante beauté. La véritable
force ne fait jamais obstacle à l'harmonie ni à la beauté, et souvent
même elle les suscite ; il n'est d'objet d'une beauté grandiose et
imposante où la force n'intervienne et n'ait sa part dans la magie.
Supprimez les muscles tendus qui semblent partout vouloir éclater
hors du marbre de cette statue d'Hercule, et voilà tout son charme
évanoui. Lorsque le fervent Eckermann, après la mort de Goethe,
souleva le drap mortuaire et contempla le corps nu, il fut frappé,
subjugué, stupéfait par l'ample et puissante poitrine du grand
homme, qui paraissait tel un arc-de-triomphe romain. Et lorsque
Michel-Ange voulut peindre Dieu le Père sous une forme humaine,
voyez de quelle robustesse il le doua. Quant aux délicates, aux
onduleuses, aux hermaphrodites peintures italiennes qui ont si
bien réussi à incarner l'image du Fils, malgré tout ce qu'elles parviennent à exprimer de Son divin amour, voyez comme elles sont
dépourvues de toute virilité, comme elles se défendent de suggérer

une force quelconque pour insister au contraire sur l'aspect négatif, féminin, tout de soumission et de patience, vertus que tout le
monde reconnaît comme les pratiques vertus cardinales de son
enseignement.

La souplesse élastique de la puissante queue du cachalot est si
fine, si grande et si subtile, que quelle que soit l'humeur de l'animal – que ce soit dans le jeu, le sérieux ou la colère – ses mouvements et ses flexions sont toujours et invariablement marqués de la
grâce suprême. Un bras de fée ne saurait être plus gracieux.

On peut reconnaître à ses gestes cinq actions différentes, cinq
grands mouvements distincts : 1- lorsqu'elle lui sert d'organe de
propulsion ; 2- lorsqu'il en use au combat comme d'une massue ;
3- le « balai » effleurant la surface ; 4- le « jeté » du jeu ; 5- le grand
piqué.

1- Comme organe de propulsion, dans sa position horizontale, la
queue du cétacé se comporte et agit autrement que celle de toutes
les autres créatures marines. Elle ne se tortille jamais. Pour le poisson comme pour l'homme, le tortillement est un signe d'infériorité.
Le cachalot n'a d'autre organe de propulsion que sa queue : roulée
sur elle-même à la manière d'un parchemin, et ramenée ainsi vers
l'avant au-dessus du corps, puis projetée vivement en arrière, c'est
elle qui donne au monstre cette singulière allure faite de bonds
successifs, lorsqu'il nage en furie. Ses nageoires pectorales ou ses
bras ne lui servent qu'à se diriger.

2- Ce n'est pas d'une mince signification que le cachalot, qui
pour combattre un autre cachalot l'affronte, jouant de la tête et de
la mâchoire, se serve principalement et dédaigneusement de sa
queue dans ses rencontres avec l'homme. Pour frapper un canot, il
détend sa queue en un coup de fouet rapide qui en éloigne les
palmes, le canot subissant en quelque sorte le contrecoup. Si la
trajectoire peut prendre toute son ampleur et surtout si elle tombe
en plein sur son objectif du haut des airs, alors le coup est tout
simplement irrésistible ; il n'est ni membre humain ni membrure
de canot qui puisse le supporter ; point de salut, autre que de l'éviter. Mais s'il vient par côté, à travers l'eau qui le freine, alors, grâce
à l'extrême légèreté de flottaison, grâce aussi à l'élasticité du bois
dont est faite la baleinière, le dommage se réduit généralement à

une simple plaie au côté : une membrure rompue ou un bordé crevé. Ces coups-là, venus d'en dessous et portés dans l'eau, sont si fréquents que les pêcheurs les regardent comme de simples enfantillages : une chemise en tampon, et le trou est bouché.

3- Tout incapable que je sois de l'avancer avec preuves à l'appui, je n'en suis pas moins convaincu que le sens du toucher, chez le cétacé, se trouve dans sa queue qu'on voit dotée, à cet égard, d'une subtilité à laquelle on ne peut guère comparer que la délicatesse dont est douée la trompe de l'éléphant. Cette finesse de tact est surtout évidente dans le geste du balai, lorsque le cétacé, avec une délicatesse virginale d'un grand geste doux et lent, meut ses palmes immenses de droite et de gauche sur la surface de la mer ; mais n'y percevrait-il que les moustaches d'un matelot, malheur alors à ce matelot, à ses moustaches et à tout le reste ! Quelle finesse, quelle tendresse, dans ce premier toucher ! Je ne pourrais me défendre, si cette queue possédait la moindre faculté de préhension, de songer infailliblement à l'éléphant de Darmonèdes qu'on voyait au marché aux fleurs, offrant aux frêles demoiselles avec une profonde inclination des bouquets embaumés, puis les prenant délicatement par la taille. Dommage est-il, et à plus d'un égard, que la queue du léviathan soit dépourvue de cette faculté préhensive, car j'ai aussi entendu parler d'un autre éléphant qui, lorsqu'il était blessé dans la bataille, se servait de sa trompe pour arracher le dard.

4- Tombant à l'improviste sur lui, au beau milieu des océans sauvages et solitaires, et sans que votre approche l'eût troublé dans son sentiment de sécurité, vous trouverez le cachalot, laissant là toute la majesté que lui confère sa vaste et digne corpulence, en train de jouer sur les eaux comme un chaton sur le parquet. Toutes proportions gardées, néanmoins, car ses jeux mêmes signalent et révèlent sa puissance. En effet, lorsqu'il lance jovialement les amples palmes de sa queue haut dans les airs, et quand il les rabat sur la surface comme un marteau sur une enclume, c'est un coup de tonnerre qui ébranle toute l'atmosphère et que vous entendez résonner sur des milles à la ronde. Au bruit, vous jureriez presque qu'un coup de canon de gros calibre vient d'être tiré, et pour peu que vous aperceviez le vaporeux panache de son évent à l'autre bout du corps, vous seriez prêt à croire que c'est là la fumée de la charge qui s'échappe par la lumière.

5- Lorsque le léviathan se tient dans sa position habituelle de nage, les lobes de sa queue – qui s'épanouissent bien au-dessous du niveau occupé par son dos – se trouvent complètement hors de vue, sous la surface. Mais lorsqu'il exécute son grand plongeon vers les profondeurs, la totalité de sa queue et pour le moins trente pieds de son corps sont jetés droit en l'air où ils restent, frémissants, pendant un moment avant que de s'engloutir et de disparaître à la vue. A la seule exception de la toute sublime « brèche » (dont description sera donnée par ailleurs), ce « grand piqué » de la queue est peut-être le plus majestueux spectacle que puisse offrir la nature animée tout entière. Érigée tout soudain des abîmes sans fond, la queue géante a l'air de se jeter frénétiquement pour saisir le plus haut des cieux. C'est ainsi que j'ai vu en rêve le majestueux Satan, hors de la mer Baltique des flammes de l'enfer, lancer sa griffe colossale et torturée. Mais à pareil spectacle, tout dépend de l'humeur que vous y apportez : inclinez-vous vers Dante ? ce sont alors les démons qui vous apparaissent ; inclinez-vous vers Isaïe ? alors ce sont les archanges. Dressé à la pointe du mât, il m'arriva un jour, pendant un lever de soleil qui empourprait le ciel et la mer, d'apercevoir toute une horde de cachalots à l'orient, se dirigeant tout droit sur le soleil ; et pendant un moment, toutes leurs queues dressées, vibrantes, frémissantes, exécutèrent ensemble le grand piqué. Jamais, me sembla-t-il alors, jamais pareille image, aussi grandiose et suggestive, de l'adoration des dieux n'avait été réalisée, non, pas même en Perse, patrie des adorateurs du feu. Et de même que Ptolémée Philopater témoigna pour l'éléphant africain, de même témoignerai-je ici pour le grand cétacé, certifiant qu'il est le plus pieux des êtres. Les éléphants, en effet, s'il faut en croire le roi Juba de Numidie, les éléphants militaires de l'Antiquité saluaient souvent le matin de leurs trompes dressées dans le silence le plus profond.

Mais qu'on ne s'y trompe pas : le parallèle tout fortuit, mené au long de ce chapitre entre le cétacé et l'éléphant, pour autant qu'il s'appuie sur la trompe de l'un et sur la queue de l'autre, ne saurait tendre ni prétendre mettre sur un pied d'égalité ces deux organes opposés, et encore moins les créatures qui en sont respectivement les légitimes propriétaires. Car si le plus puissant des éléphants n'est guère qu'un galopin à côté du léviathan, semblablement sa trompe, comparée à la queue géante, apparaît frêle comme la hampe d'un lis. Et le plus effroyable coup d'une trompe d'éléphant est une chiquenaude, un petit coup d'éventail donné par badinage, comparé au cataclysme énorme et fracassant des accablantes palmes de la queue, qu'on a pu voir bien des fois jongler avec des baleinières entières (équipage et armement compris) et les jeter l'une après l'autre en l'air comme un jongleur des Indes avec ses balles[1].

Plus je pense à cette queue potentate, et plus je déplore ma propre impuissance à la décrire. Elle a parfois de certains gestes qui, certes, honoreraient la main d'un homme, mais qui demeurent parfaitement inexplicables. Dans une horde nombreuse, ces signes mystérieux se font parfois si remarquables, qu'il m'est arrivé d'entendre des pêcheurs affirmer qu'ils étaient de même sorte et de même famille que les signes symboliques des francs-maçons, assurant que les cachalots, en fait, s'entretenaient intelligemment, par cette méthode, avec le monde. Il est vrai qu'il y a, dans tout le corps du cétacé, bien d'autres mouvements remplis d'étrangeté, qui restent inintelligibles au plus perspicace et au plus expérimenté de ses chasseurs. Je peux bien le disséquer autant que je veux, autant qu'il me plaît, la vérité est que je ne pénètre pas plus avant que sa peau. Non, je ne connais pas le cachalot, et je ne le connaîtrai jamais. Or, si je n'arrive même pas à le connaître par sa queue, comment le saisirais-je par sa tête ? et son visage, mieux encore, comment le comprendrais-je, quand de visage il n'a aucun ? – « Tu pourras voir mon dos, je te présenterai ma queue, semble-t-il dire ; mais ma face, tu ne la verras point. »

Mais voici que je suis incapable de déchiffrer seulement ses arrières. De face, il peut bien prétendre ce qu'il veut ; encore une fois je vous le dis : il n'a point de visage.

---

1. Encore que toute comparaison entre le cétacé et l'éléphant soit proprement absurde, quant à leur masse générale, et qu'à ce point de vue le plus gros éléphant soit à peu près au cachalot ce qu'est un chien à l'éléphant, il ne manque pourtant pas entre eux de certains points curieux de ressemblance, parmi lesquels on notera le jet. C'est un fait bien connu que l'éléphant pompe souvent de l'eau dans sa trompe, puis, redressant celle-ci, l'expulse en un jet violent et vaporeux. *(NdA.)*

LXXXVII

LA GRANDE ARMADA

L'étroite et longue péninsule de Malacca, qui prolonge au sud-est les territoires de la Birmanie, constitue la pointe extrême-sud des terres de l'Asie. Sur une même ligne prolongeant cette péninsule, s'étendent les îles longues de Sumatra, Java et Timor, qui forment, avec plusieurs autres plus petites, un vaste môle, ou une sorte de rempart qui s'allonge de l'Asie jusqu'à l'Australie et qui sépare les vastes étendues de l'océan Indien que rien ne vient couper du piquetage serré des archipels orientaux. Dans ce rempart, pour la commodité des vaisseaux et des grands cétacés, s'ouvrent plusieurs portes permettant le passage, parmi lesquelles les plus marquantes sont celles des détroits de la Sonde et de Malacca. C'est par le détroit de la Sonde, principalement, que les navires en provenance de l'ouest qui se rendent en Chine débouchent dans la mer de Chine.

Ce détroit de peu de largeur sépare Sumatra de Java à leurs extrémités, juste au milieu de ce grand barrage que forment les îles et qui s'appuie sur le verdoyant promontoire connu parmi les marins sous le nom de « pointe de Java ». Cette porte de passage ressemble par plus d'un point à quelque vaste poterne centrale qui serait ouverte en plein dans les fortifications d'une immense citadelle ; et quand on pense à l'inépuisable richesse des épices et des soies, des pierres précieuses, de l'ivoire et de l'or dont les mille et une îles des archipels d'Orient s'enorgueillissent, il semble bien que ce soit par une providence de la nature que tant de trésors fabuleux, au moins dans l'apparence et par la forme même qu'affecte la disposition des terres, même si en dernier ressort elle se révèle insuffisante, devaient être visiblement protégés de l'avide voracité du monde occidental. Quant aux rivages de ce détroit de la Sonde, ils sont dépourvus des arrogantes forteresses qui veillent aux portes de la Méditerranée, de la Baltique et de la Propontide ; et à l'encontre des Nordiques, les Orientaux n'exigent pas, au passage, l'hommage obséquieux des voiles hautes amenées, de l'infini défilé des vaisseaux qui courent sous le vent depuis des siècles, de jour et de nuit, entre les îles de Sumatra et de Java, emportant dans leurs cales les richesses et les marchandises les plus précieuses de l'Orient. Seulement il y a que, s'ils font volontiers l'abandon d'un cérémonial de cette espèce, ils ne renoncent aucunement, en revanche, à exiger un tribut plus solide.

Depuis des temps immémoriaux, les proues malaises des pirates qui se cachent dans les ombres basses des anses et des îlots de Sumatra se jettent à la poursuite des voiliers qui passent le détroit, réclamant férocement leur tribut à la pointe de l'épée. A la suite des châtiments sanglants et répétés qu'ils ont reçus par les soins des long-courriers européens armés, ces corsaires ont depuis quelque temps rabattu quelque peu leur audace ; mais il n'empêche que jusque dans nos jours vous entendrez parler, de temps à autre, de navires anglais ou américains qui ont été, dans ces eaux, impitoyablement pris à l'abordage et pillés sans merci.

Par bonne et fraîche brise, le *Péquod* approchait maintenant de ce détroit ; il entrait dans les vues d'Achab de passer de là dans la mer de Java, puis, croisant toujours vers le nord, dans des eaux connues pour être de temps à autre fréquentées par le cachalot, de longer les Philippines, pour gagner les lointaines côtes du Japon au plein de la grande saison de pêche dans ces eaux. De cette façon, au cours de sa circumnavigation, le *Péquod* aurait croisé à peu près sur tous les parages connus de pêche au cachalot, avant de redescendre sur la ligne de l'équateur, dans le Pacifique, où Achab comptait bien, au cas où partout ailleurs sa quête serait restée vaine, rencontrer et livrer bataille à Moby Dick ; car c'était dans ces eaux qu'on savait l'avoir le plus souvent rencontré, et le *Péquod* s'y trouverait précisément à l'époque où il était raisonnable de s'attendre à l'y voir.

Mais quoi ? Dans cette quête qui l'emportait d'océan en océan,
Achab ne touchait-il jamais terre ? Son équipage buvait-il donc de
l'air ? Car sûrement, il lui fallait aborder pour faire de l'eau. Que
non pas. Il y a belle lurette à ce jour, que le soleil itinérant court et
parcourt son cercle de feu sans besoin de rien d'autre que ce qu'il
a avec soi. De même Achab. Et puis n'oubliez pas ceci, à propos du
baleinier : c'est que si les autres vaisseaux ont leurs cales remplies
de marchandises étrangères qu'ils portent d'un port à l'autre, le
baleinier, au contraire, dans son errance autour du monde, ne
porte d'autre cargaison que sa propre carène et son propre équipage, ses propres armes et ses propres bagages, c'est-à-dire tout ce
dont il a besoin. Et c'est un véritable lac qu'il emporte, emmaga-
siné dans ses cales. C'est de son propre nécessaire qu'il est lesté, et
non de plomb en barres et autres gueuses inutiles. Il porte en réalité des années d'eau dans son ventre. Un excellent vieux cru de
bonne eau claire de Nantucket, que pendant ses trois ans de mer,
le Nantuckais, dans le Pacifique, préfère comme boisson au
liquide saumâtre mis en fût de la veille en quelque fleuve péruvien
ou hindou. D'où il s'ensuit que si les autres vaisseaux, pour aller de
New York en Chine, et retour, ont à toucher deux bonnes douzaines de différents ports, le baleinier, dans un même laps de
temps, n'aborde pas un grain de sable, et les hommes de son équipage ne voient pas d'autres hommes que des hommes de mer tout
semblables à eux : en pleine mer. De sorte que si vous arriviez,
apportant la nouvelle d'un nouveau déluge, ils ne pourraient que
vous répondre : «Bon, les amis, on est sur l'arche ! »

Mais revenons-en à notre *Péquod*. Comme de nombreux cachalots avaient été capturés au large de la côte ouest de Java, et
comme, en fait, tous les parages circonvoisins étaient reconnus
généralement par les baleiniers pour offrir un excellent point de
croisière, les vigies du *Péquod*, au fur et à mesure qu'on approchait de la pointe de Java, s'entendirent répéter et recommander
avec insistance d'ouvrir l'œil et le bon. Mais nous arrivâmes à toucher du regard les vertes palmes des hauts rivages à tribord, et nos
narines s'enivraient déjà des exquises senteurs de la cannelle
fraîche, sans qu'eût été signalé un seul souffle. A peu près renon-
çant à toute idée de rencontrer la moindre proie dans ces parages,

nous nous trouvions déjà près de nous engager dans le détroit, lorsque le cri de joyeuse alerte fut lancé des hauteurs, devançant de peu un spectacle d'une singulière magnificence qui allait nous saluer.

Mais il convient de dire préalablement ici, que les cachalots, à cause de l'acharnée et inlassable chasse qui leur est livrée depuis quelque temps sur les quatre océans, au lieu de se déplacer en petits groupes comme ils avaient coutume de le faire jadis, sont fort souvent rencontrés de nos jours en hordes formidables, si nombreuses parfois que leurs foules paraissent être celles de plusieurs nations cétacéennes qui se seraient liguées par serment solennel et auraient signé un traité d'assistance et de protection mutuelles. C'est sans doute à ce rassemblement des cachalots en de si énormes caravanes qu'il faut attribuer le fait que, même sur les parages les plus réputés, il peut vous arriver de voguer des semaines entières, voire des mois entiers, sans apercevoir le plus petit souffle ; après quoi, d'un coup, vous voilà salués par ce qui vous semble être des milliers de milliers.

A quelque deux ou trois milles devant notre étrave, en un immense demi-cercle qui couvrait la moitié de l'horizon, se déployait de part et d'autre une véritable muraille continue de jets étincelants qui ne cessaient de jouer dans la claire lumière de midi. Contrairement au double jet jumelé de la baleine franche, qui se lève à la verticale pour retomber de chaque côté, telles les branches d'un saule se séparant à son sommet en deux touffes distinctes, le jet unique et penché en avant du cachalot s'auréole d'une épaisse volute touffue de brume blanche qui s'incline et retombe toujours sous le vent.

Vue du pont du *Péquod*, comme si elle eût couronné quelque énorme colline élevée de la mer, cette armée de jets vaporeux qui se ployaient individuellement sous le vent, dans l'azur intense de l'atmosphère, apparaissait comme les mille fumées alertes et réconfortantes des cheminées de quelque métropole découverte soudain, un beau matin embaumé de l'automne, par quelque voyageur à cheval arrivant au sommet d'une hauteur.

Et telle une armée en marche accélère le pas aux approches d'un étroit défilé dans la montagne, tout anxieuse de laisser derrière elle ce dangereux passage, pour ensuite se déployer de nouveau dans la sécurité plus ouverte de la plaine ; telle aussi se hâtait l'immense flotte des cachalots, maintenant, poussant vers le détroit en resserrant graduellement les ailes de son énorme demi-cercle, pour former une masse plus compacte sur son centre, quoique toujours en forme de croissant.

Toute toile dessus, le *Péquod* s'était mis à leur suite ; les harponneurs avaient déjà leurs fers en main et donnaient de la voix, au tillac de leurs baleinières qui se balançaient aux bossoirs. Ils n'avaient aucun doute, pour peu que le vent se soutînt, que les vastes hordes chassées dans le détroit de la Sonde ne se déploieraient de nouveau qu'une fois dans les eaux des mers orientales, ce qui leur promettait la capture de plus d'une unité. Qui pouvait dire, d'ailleurs, si Moby Dick soi-même ne se trouvait pas, peut-être, nageant provisoirement au sein de cette caravane assemblée, tel le blanc éléphant sacré à la tête des processions siamoises ? Aussi, bonnettes basses et bonnettes hautes, toile sur toile, donnions-nous toute notre vitesse en chassant devant nous ces léviathans, quand tout à coup la voix de Tashtégo, à pleine gorge, attira notre attention sur quelque chose, là-bas, dans notre sillage.

Comme une réplique au croissant que nous avions sur nos devants, nous en vîmes un autre sur nos arrières. Il semblait lui aussi formé de blanches vapeurs distinctes qui se levaient et retombaient un peu comme le jet des cachalots, mais sans leur complète intermittence toutefois, car on ne les voyait pas s'évanouir tout à fait. Levant sa longue-vue dans cette direction, Achab se retourna soudain, pivotant dans son trou de tarière, pour hurler : « Aux vergues, tous ! et envoyez les bailles pour mouiller les voiles ! Les Malais sont après nous ! »

Comme s'ils s'étaient tenus trop longtemps cachés dans leurs criques, attendant que le *Péquod* fût engagé en plein dans le détroit, ces gredins asiatiques donnaient toute leur vitesse dans la poursuite pour rattraper leur excès de précaution et leur retard. Mais le rapide *Péquod* sous une fraîche et alerte brise était lui-même en pleine poursuite ; quelle attention aimable, vraiment, de la part de ces philanthropes à peau cuivrée, que de venir, par leur chasse, accélérer la nôtre, fouettant et éperonnant notre propre

vitesse par toute la vitesse qu'ils pouvaient y mettre ! Sa longue-
vue sous le bras, Achab arpentait le pont : et quand ses pas le tour-
naient vers l'avant, il voyait les monstres que lui-même chassait,
mais quand il revenait vers l'arrière, il voyait les pirates sanguinaires qui l'avaient pris en chasse, *lui* ; et cette idée ne pouvait
manquer de le frapper par son éloquence. S'il jetait des regards sur
les vertes murailles qui bordaient le détroit, ce col des étendues
marines où son navire était engagé à présent sans retour, il ne pouvait s'empêcher de penser que par cette porte étroite passait la
route de sa vengeance, et il ne pouvait pas ne pas voir comment,
par cette même porte étroite, il se trouvait à la fois et chassant et
chassé vers sa mortelle fin ; et non seulement il l'était, mais encore
il avait à ses trousses une horde sauvage de pirates implacables, un
troupeau de démons en révolte contre les hommes et contre Dieu,
qui le couvraient de malédictions et de blasphèmes, le saluaient de
leurs jurons d'enfer. Et sous l'effet de ces pensées, le front d'Achab
s'était rembruni et creusé, apparaissant farouche et désolé sous ses
rides, tout semblable à présent à quelque plage de sable noir après
que l'a mordue une marée tempétueuse, incapable pourtant, malgré toute sa fureur et son acharnement, d'arracher de sa place et
d'entraîner avec elle cette terre obstinée dans sa solide résistance.

Mais de pareilles pensées ne pouvaient guère troubler les
hommes de l'insouciant équipage ; et lorsque le *Péquod*, laissant
petit à petit et toujours plus les pirates derrière lui, quitta enfin
d'un coup les virides rivages de la pointe de Sumatra pour s'élancer de nouveau dans les mers grandes ouvertes derrière l'île de
Krakatoa, les harponneurs se montraient plus fâchés, semblait-il,
de voir que les rapides cachalots avaient pris de l'avance sur le
vaisseau, qu'heureux de constater que le navire avait pris, sur les
Malais, une avance victorieuse. Tenant toujours le cap dans le
sillage de notre gibier, nous le vîmes, à force, ralentir un peu sa
vitesse tandis que le navire s'en rapprochait peu à peu ; mais
comme la brise mollissait, ce fut alors le tour des baleinières qui
reçurent l'ordre de s'élancer. À peine leurs quilles avaient-elles
touché l'eau, que les cachalots, avertis par quelque merveilleux
instinct que les trois esquifs les prenaient en chasse à quelque
chose comme un mille sur leurs arrières, reformèrent soudain leurs

bataillons en rangs serrés et ainsi s'élancèrent, redoublant de vitesse, de nouveau, tous leurs jets alignés comme autant de baïonnettes étincelantes.

Tous vêtements rejetés, sauf la chemise et le caleçon, nous tirions comme des fous sur nos pelles, et après plusieurs heures de nage, alors que nous étions sur le point de renoncer, voilà qu'une sorte de flottement soudain dans l'allure générale se manifesta chez les cachalots, nous apportant le signe encourageant qu'ils venaient de tomber dans cet état d'étrange perplexité qui les laisse tout à coup irrésolus, inertes, et dont les pêcheurs disent, quand ils voient l'animal pris sous cette influence, que le cachalot « se fait de la bile ». Les rangs serrés des martiales colonnes, qui s'avançaient tantôt d'une nage rapide et sûre, brusquement maintenant se défaisaient en une formidable déroute; et tels les éléphants du roi Porus dans sa bataille aux Indes contre Alexandre, les cachalots paraissaient frappés de stupeur et devenus fous de terreur. Ils se jetaient dans toutes les directions, tournant en rond, sans but, d'une façon désordonnée, et trahissant par le jet épais et court de leur souffle l'état d'indicible panique où ils étaient. Signe plus évident et plus étrange encore : on en pouvait voir un grand nombre, totalement paralysés, qui se laissaient misérablement flotter à la dérive sur la mer, comme des épaves à demi noyées de vaisseaux démantelés. Eussent-ils été, ces léviathans, un simple troupeau de moutons poursuivi par trois loups enragés, qu'ils n'eussent certes pas fait preuve d'un plus grand désarroi !

Mais ces soudains accès de timidité ne sont-ils pas le propre de toutes les créatures grégaires ? On a vu des troupeaux galopants de dizaines de milliers de buffles à crinière, dans le grand Ouest, prendre la fuite devant un unique cavalier solitaire. Témoin encore, la conduite des êtres humains grégairement tassés au parterre d'un théâtre, qui se jettent n'importe comment vers les sorties, se bousculant, se piétinant, s'entre-écrasant et s'étouffant mortellement et sans pitié les uns les autres, à la moindre alerte d'incendie. Mieux vaut, par conséquent, ne pas trop s'étonner de la conduite extraordinaire de ces cachalots affolés devant nous, car il n'est de folie chez aucun animal de cette terre que ne surpasse infiniment la démence des hommes.

Malgré la folle agitation que nous avons dite, manifestée individuellement et en grand désordre par la majorité des cachalots,
l'ensemble de la horde, néanmoins, n'en demeurait pas moins sur
place, sans avancer ni reculer quant à la direction générale. Et
comme il est d'usage en pareil cas, les canots immédiatement
s'écartèrent l'un de l'autre, chacun se choisissant un animal isolé,
à l'extérieur de la foule. Trois minutes après, le harpon de
Quiequeg était ferré ; le cachalot piqué nous aveugla d'écume et,
filant comme l'éclair, nous entraîna tout droit au plein cœur de la
horde. Bien que cette réaction, de la part du cachalot atteint, soit
loin d'être inédite ou inexplicable ; bien qu'en réalité on s'y attende
plus ou moins, elle reste cependant une des éventualités et des
vicissitudes les plus dangereuses de cette chasse périlleuse. Car,
tandis que le monstre rapide vous hale toujours plus avant dans la
cohue en pleine frénésie, vous n'avez plus qu'à dire adieu à la vie
circonspecte et à vous laisser emporter, vous et votre existence,
dans les bouillons furieux du plus furieux délire.

Sourd et aveugle, semblait-il, notre cachalot piquait de l'avant,
comme si le seul pouvoir tranchant de la pure vitesse eût dû le
libérer de cette sangsue de fer qui s'était attachée à lui ; et nous,
entraînés à sa suite dans le canot volant qui ne laissait derrière lui
qu'une fine balafre blanche sur la mer, nous étions menacés de
tous les côtés à la fois par toutes ces masses affolées qui se jetaient
sur nous ; notre coque en danger était cernée de toutes parts, tel un
navire jeté par la tempête dans un dédale d'icebergs, et qui
s'efforce tant qu'il peut de gouverner entre eux en fonçant par tous
les étroits chenaux et les passages, sans savoir à quel moment il
sera pris peut-être, et écrasé dans les glaces.

Mais Quiequeg, qui n'était pas le moins du monde impressionné
ou ému, nous gouvernait avec une magistrale autorité, tantôt nous
sauvant par une embardée du monstre qui se trouvait en plein par
le travers de notre route, tantôt nous rejetant hors de portée des
colossales palmes d'une queue qui battait droit au-dessus de nos
têtes ; et pendant ce temps-là, penché sur le tillac avec sa lance en
main, Starbuck écartait de notre passage tous les cachalots qu'il
pouvait atteindre d'un lancer court ; car de lancers longs, il ne
pouvait en être question. Quant aux hommes à leur banc de nage,

ils n'étaient pas non plus inoccupés, encore qu'ils se trouvassent entièrement dispensés de leur besogne habituelle ; la tâche qui leur incombait était surtout le côté bruyant de l'affaire.

– Tire-toi de là, commodore ! gueulait l'un d'eux, par exemple, à quelque vieux dromadaire dont l'énorme masse montait dangereusement en surface et menaçait de nous engloutir.

– Bas la queue, toi là-bas, et en vitesse ! gueulait un autre à quelque demoiselle qui jouait tout tranquillement de l'éventail avec sa queue le long de notre plat-bord.

Et ainsi de suite et toujours pour notre périlleuse sauvegarde.

En outre, les baleinières sont toutes pourvues d'accessoires curieux, nommés des « dragues », dont l'invention est due originalement aux Indiens de Nantucket. Il s'agit de deux gros morceaux de bois équarris, de dimensions égales, et serrés fermement l'un contre l'autre à contre-fil ; une longueur considérable de ligne vient se fixer par un bout au milieu de ce bloc, tandis que l'autre extrémité présente un nœud coulant qui pourra, à tout instant, être frappé sur un harpon. C'est surtout au milieu de cachalots en panique que ces dragues entrent judicieusement en fonction, car vous vous trouvez entouré alors de plus de gibier que vous n'en pouvez prendre dans un même moment. Or, ce n'est pas tous les jours qu'on rencontre des cachalots, et quand l'occasion s'en présente, il faut en tuer autant qu'on peut ; mais puisqu'il vous est impossible de tous les tuer dans un même moment, alors vous les plombez, vous leur mettez du fer dans l'aile afin de pouvoir, par la suite, les tuer quand vous en aurez le temps. C'est à cela que servent, justement, les dragues en question. Notre baleinière en avait trois en réserve. Les deux premières furent piquées avec succès, et nous vîmes les cachalots blessés prendre la fuite péniblement, en zigzag, freinés et déroutés par l'énorme résistance oblique de la drague qu'ils traînaient. Ils étaient entravés comme des bagnards enchaînés au boulet. Mais la troisième drague venait juste d'être piquée, et à l'instant où le lourd carré de bois allait passer par-dessus bord, voilà qu'il attrape un des bancs de nage, qu'il l'arrache d'un coup et l'emporte avec lui, projetant sur le fond du canot le rameur dont le siège en un clin d'œil s'était évanoui. Par l'un et l'autre des bordages crevés, le canot embarquait ;

mais avec deux ou trois caleçons et chemises en guise de tampon, nous aveuglâmes les voies d'eau pour le moment.

Il eût été pratiquement impossible de piquer les harpons à dragues si, dans son avancée au cœur de la horde, notre cachalot n'avait pas considérablement ralenti l'allure folle de sa course ; de plus, au fur et à mesure que nous nous étions éloignés de la périphérie vers le centre, le plus terrible du tumulte était allé en s'évanouissant. Tant et si bien qu'à la fin, lorsque le harpon de notre ligne lâcha, et que le cachalot qui nous halait s'enfuit tranquillement de côté, notre erre faiblissante nous amena, glissant entre deux cachalots, au cœur même de la horde ; et c'était comme si, des cahots d'un torrent de montagne, nous avions été précipités sur le calme miroir serein d'un lac dans la vallée. On entendait bien encore, d'ici, les roulements d'orage qui grondaient là-bas, dans les étroits vallons marins serrés entre les cachalots le plus éloignés de nous ; on les entendait, mais on n'en sentait plus du tout les effets. Cette étendue centrale de la mer offrait une surface douce et satinée, véritablement onctueuse par l'effet de la sécrétion subtile que répand autour de soi le cachalot, quand il est dans ses humeurs les plus paisibles. Oui, nous nous trouvions à présent au cœur même de ce calme enchanté, dont on dit qu'il habite et se cache au plus secret de toutes les tempêtes. Pourtant, dans les lointains troublés, nous pouvions toujours voir le tumulte désordonné des rondes affolées de l'extérieur, où nous apercevions des rangs serrés de huit ou dix cachalots giroyants, qui ne cessaient de tourner, tour après tour, dans le même cercle, tels des chevaux de cirque rayonnant sur la piste ; et ils étaient si près, épaule contre épaule, qu'un écuyer titan eût pu les enjamber tous entre les deux extrêmes, et ainsi tourner avec eux. Mais à cause des foules tout immobiles des animaux qui se serraient de plus en plus en approchant de l'axe cintré autour duquel se déployait la horde, il n'y avait pour nous aucune chance d'échapper : il nous fallait attendre qu'une brèche s'ouvrît dans la vivante muraille qui nous entourait ; dans cette muraille qui ne s'était ouverte que pour mieux se refermer sur nous et nous tenir prisonniers. Restant donc au milieu de l'étang central, nous y recevions de temps à autre une visite familière de quelques petites vaches baleinières en compagnie de leurs veaux : les femmes et les enfants de cette horde en déroute.

Quant à son étendue générale, en comptant les espaces qui pouvaient séparer les uns des autres les cercles concentriques des groupes tournoyants de l'extérieur, et en comptant les espaces qui restaient libres entre chacun de ces groupes, la surface couverte par la foule entière de ces cachalots devait atteindre au moins deux à trois milles carrés. De toute façon – et malgré tout ce qu'en un pareil moment, pareille estimation pouvait avoir de décourageant – les souffles qu'on apercevait des bancs de notre canot fort bas sur l'eau jaillissaient de tous côtés jusqu'aux extrêmes limites de l'horizon. Je mentionne la chose à propos des dames cachalotes en compagnie de leurs petits, qui semblaient détenues intentionnellement dans le repli le plus intérieur de la horde tout entière, et dont l'énorme étendue alentour avait fait obstacle, apparemment, à ce que mères et enfants connussent la raison de l'arrêt soudain dans la marche générale ; ou peut-être était-ce tout simplement parce que dans leur extrême jeunesse, ces animaux étaient peu avertis et en toutes choses encore pleins d'innocence, d'inexpérience et de candeur ? – bref, quelle qu'en fût la raison, toujours est-il que ces petits de cachalots qui s'en venaient de temps à autre, des bords habités du lac dont nous occupions le centre, faire une petite visite à notre baleinière encalminée, montraient une telle et si étonnante absence de crainte, manifestaient une si magnifique confiance au beau milieu de la panique générale, qu'il était impossible de ne pas s'en émerveiller. Ils venaient renifler autour de nous et jusque contre nos plats-bords, se frottant contre nous comme de bons chiens familiers, à tel point qu'on eût dit qu'un charme les avait ensorcelés et fait d'eux des animaux domestiques. Quiequeg les caressait au front ; Starbuck leur grattait le dos de sa lance ; car la crainte des conséquences le retenait pour le moment de faire usage de son arme.

Mais loin au-dessous de ce monde miraculé de la surface, un autre et non moins étrange univers s'ouvrait à nos yeux, lorsque nous nous penchions par-dessus le plat-bord. Car au sein de ces voûtes marines, on voyait, comme suspendues, flotter les silhouettes des mères nourricières des petits cachalots, et aussi l'énorme panse de celles qui, visiblement, allaient bientôt le devenir. Le lac dont j'ai parlé était d'une transparence extraordinaire jusqu'à une très grande profondeur ; et de même que les enfants humains à la mamelle regardent tranquillement et fixement ailleurs, distraits du sein où ils tètent, comme s'ils menaient deux existences en même temps (aspirant d'une part leur nourriture terrestre, et se gorgeant d'autre part d'un aliment surnaturel avec quelque réminiscence supraterrestre) ; de même pouvait-on voir les nouveau-nés cachalots levant vers nous leurs yeux, mais sans nous regarder nous-mêmes plus que si nous étions autre chose que des herbes marines à la dérive pour leurs jeunes regards. A leurs côtés, les mères aussi levaient sur nous de paisibles regards. L'un de ces tout-petits qui à de certains signes peu douteux ne devait pas avoir plus d'un jour, mesurait bien ses quatorze pieds de long et faisait quelque six pieds de tour de taille ; on le voyait tout folâtre, encore que son jeune corps semblât à peine revenu de l'inconfort de sa position dans le ventre maternel, où il était resté si longtemps retenu, bandé comme un arc tartare, ainsi que sont avant de naître les petits cachalots, la tête contre la queue, tout prêts à se détendre pour le saut final. La délicate peau de ses jeunes nageoires et des récentes palmes de sa queue était encore toute fripée comme le sont les oreilles d'un bébé d'homme qui arrive juste dans notre monde, venant d'ailleurs.

– La ligne ! la ligne ! se mit à crier Quiequeg penché sur le plat-bord ; la ligne ! lui pris, solide !… lui pris !… Qui ligne lui ! qui frappé ?… Deux, oui, un gros et un petit !…

– Qu'est-ce qui t'arrive, mon gaillard ? intervint Starbuck.

– Voir toi ici ! insistait Quiequeg, le doigt pointé vers le fond.

Ainsi que le cétacé harponné, après avoir dévidé des centaines de brasses de ligne en sondant dans les profondeurs, remonte des abîmes en même temps que la ligne mollie qui réapparaît, toute flottante et enroulée dans un lacis de boucles lâches ; ainsi Starbuck voyait-il à présent les longs et lents enroulements flottants du cordon ombilical de Madame Léviathan, au bout duquel l'enfantelet paraissait être encore relié à sa mère. Il n'est pas rare, dans les rapides violences de la chasse, que cette ligne naturelle – dont le bout maternel est coupé – vienne à s'emmêler avec la ligne de chanvre, de sorte que le petit est lui aussi capturé.

Quelques-uns des plus délicats et subtils secrets des océans nous avaient été révélés au sein de cet étang enchanté : nous avions vu les amours des jeunes léviathans dans les profondeurs[1].

Ainsi donc, et bien qu'elles fussent entourées par les cercles tourbillonnants de l'effroi et de la terreur, les créatures impénétrables du centre n'en continuaient pas moins de mener tout tranquillement leur vie, libres de toute crainte, et de se livrer en toute sérénité aux délices des épousailles. Mais ne m'arrive-t-il pas souvent, au milieu des pires ouragans de l'Atlantique de mon être, de connaître moi-même et de goûter les délices d'un calme muet ? Et tandis que les lourdes planètes d'un inévitable malheur gravitent tout autour de moi, loin dans mes profondeurs, et profondément au-dedans de moi, ne suis-je pas baigné dans les douceurs et la suavité d'une joie éternelle ?

Cependant que nous restions là, comme figés par un charme, les brusques agitations dont les lointains nous donnaient le spectacle, nous apportaient la preuve que les autres baleinières étaient en pleine activité, toujours en train de piquer leurs dragues sur des cachalots de la frange extérieure, aux frontières de la horde ; ou peut-être avaient-elles porté la guerre à l'intérieur du premier cercle, où l'espace ne leur manquait pas, sans doute, ni certaines possibilités de retraite ? Mais la vue des cachalots enragés par la drague, qui se jetaient aveuglément de temps à autre, ici ou là, par le travers des différents cercles, n'était rien à côté du spectacle qui allait s'offrir à nos yeux. C'est un usage auquel on recourt parfois, lorsqu'on se trouve tenu solidement à la remorque d'un animal

---

1. Le cachalot, de même que toutes les autres sortes de léviathans, mais au contraire de la plupart des poissons, engendre indifféremment en toute saison ; après une gestation qui dure probablement neuf mois vient la naissance d'un seul petit, quoiqu'en certains cas connus on ait pu constater la mise au monde d'un Ésaü et d'un Jacob (circonstance qui donne lieu à l'apparition providentielle de deux mamelles curieusement situées, de part et d'autre de l'anus, alors que la mamelle originale se situe bien plus haut). S'il advient par hasard que ces précieux organes de la mère nourricière soient coupés par la lance du chasseur, lait et sang maternels répandent leurs couleurs rivales sur les étendues de la mer. Le lait, qui a été goûté par l'homme, est très sucré et fort riche ; il semble qu'il conviendrait très bien pour accommoder les fraises. Quand ils débordent de mutuelle estime, les cachalots se connaissent *more hominum*. (NdA.)

exceptionnellement résistant et vigousse, de chercher à lui couper les jambes en quelque sorte, c'est-à-dire à le paralyser en sectionnant ou en mutilant le puissant et gigantesque tendon de sa queue; et pour ce faire, c'est une tranchante bêche à manche court qu'on lui jette, à laquelle est fixée la ligne de halage qui sert à la ramener. Or, un cachalot blessé à cet endroit, mais non point efficacement mutilé à ce qu'il paraissait (c'est ce que nous devions apprendre par la suite), avait réussi à échapper à l'une de nos baleinières en emportant la moitié de la ligne avec le harpon; et dans l'insupportable excès de la douleur que lui causait sa blessure, l'animal fou se ruait tout au travers des cercles tournoyants, tel, dans son désespoir, Arnold, seul, à cheval, à la bataille de Saratoga, répandant partout la terreur sur son passage.

Mais ce que nous ne savions pas, c'était que malgré toute l'atrocité douloureuse de sa blessure, dont la seule vue était déjà épouvantable bien assez, là n'était pourtant pas la cause de l'horreur dont il frappait le reste tout entier de la horde de ses congénères; l'éloignement, tout d'abord, nous avait empêchés de voir que, par un de ces inimaginables accidents qui surviennent dans la chasse, ce cachalot s'était empêtré dans la ligne du harpon qu'il avait emportée, et aussi avait pris le large avec la bêche encore enfoncée dans son corps; de sorte que le bout flottant de la courte ligne attachée à cette arme avait non seulement fini par se prendre dans l'entortillement de la ligne du harpon, mais aussi avait arraché la bêche de la blessure. Et maintenant, fou de douleur et se débattant en tous sens, ce cachalot balançait effroyablement au bout de sa flexible queue, et frappait furieusement de tous côtés avec cette arme terriblement tranchante, blessant et tuant alentour ses propres compagnons.

Cet effroyable objet sembla réveiller la horde tout entière de sa transe d'immobilité. Et d'abord, les cachalots qui formaient les bords de notre lac commencèrent à se serrer les uns sur les autres en se bousculant, comme s'ils étaient roulés par de lourdes lames à demi épuisées, à bout de course; puis le lac lui-même se prit à ondoyer et à se soulever doucement; les chambres nuptiales et les nurseries sous-marines disparurent; en cercles de plus en plus étroits, de l'extérieur au centre, la foule des animaux, formée en

rangs serrés sur son axe, se mit alors en branle. Oui, le long calme
du centre s'était enfui. Nous entendîmes rouler de loin un sourd
grondement qui venait sur nous, puis, tels les gros blocs de glace
de l'Hudson à la débâcle de printemps, voici que la horde entière
roulait et se précipitait sur son centre comme pour s'y entasser en
une seule et même montagne.

Instantanément, Starbuck et Quiequeg avaient changé de place,
Starbuck s'emparant de l'aviron de queue.

– Vos pelles ! vos pelles ! soufflait-il de son murmure intense,
empoignez-moi vos avirons, et vos âmes avec, les gars ! C'est le
moment de vous tenir parés, par Dieu, mes bonshommes ! Chasse-
moi celui-là, toi, Quiequeg, ce gros-là !... pique-le !... frappe dessus !... debout, debout ! et restes-y !... En avant, les gars, sautez,
tirez, souquez dur !... ne vous occupez pas de leurs dos, raclez-les !
passez dessus !

L'embarcation était à présent presque écrasée entre deux
énormes montagnes noires qui ne laissaient entre elles, sur toute
leur longueur, que le mince passage de Dardanelles infimes ; mais
dans un effort désespéré, nous réussîmes à passer quand même,
trouvant une issue momentanée où nous nous jetâmes de toute
notre vitesse, nous éloignant le plus possible tout en cherchant
l'ouverture d'un autre passage devant nous. Après maint et maint
exploits de ce genre, où nous nous en tirions à un cheveu, nous
finîmes par glisser notre proue rapide dans ce qui avait été naguère
un des cercles affolés de l'extérieur, comblé à présent par les
courses aveugles et furieuses de cachalots qui se précipitaient tous
violemment vers le centre de la cohue. Notre heureuse délivrance
se trouva payée bon marché par la seule perte du chapeau de
Quiequeg, qui lui fut enlevé par le vent de deux énormes queues
venues battre simultanément tout près, alors qu'il se penchait à
l'avant pour piquer les cachalots en pleine ruée.

Cette anarchie brutale de mouvements fous et de remous désordonnés, pour violente qu'elle fût, ne tarda guère à se résoudre
pourtant en une marche générale et concertée, nous parut-il ; car
s'étant reformés à présent en une seule et dense colonne, les cachalots reprenaient leur fuite en avant, plus rapide que jamais.
Poursuivre cette armée eût été vain ; mais nos baleinières s'attar-

dèrent pourtant dans leur sillage, dans l'espoir de retrouver sur les arrières telle ou telle des bêtes «draguées» qui eût pu rester à la traîne, et aussi pour en reprendre une que Flask avait tuée et «marquée». La «marque», dont chaque canot emporte deux ou trois exemplaires, est un pennon au bout d'une longue gaffe, qu'on plante au sommet de la masse flottante du cachalot tué – lorsqu'on prend en chasse aussitôt quelque autre animal – tant pour pouvoir plus aisément le retrouver sur l'étendue de la mer, que pour en signaler la propriété (comme signe de priorité) aux baleinières d'un autre vaisseau qui pourraient s'approcher.

Quant au résultat final de cette mise à l'eau, il illustra assez bien le sage proverbe de la grande pêche : «Plus il y en a, moins on en prend.» De tous les cachalots dragués, nous ne fîmes capture que d'un seul. Les autres avaient réussi, pour l'heure, à nous échapper; mais seulement pour aller se faire prendre, ainsi que nous le verrons plus tard, par un autre vaisseau.

BANDES ET CHEFS DE BANDES
OU ÉCOLES ET MAITRES D'ÉCOLE

Le chapitre précédent porte récit de l'immense armée d'une horde de cachalots, avec la raison probable qui commande à la formation d'aussi énormes congrégations.

Maintenant on doit dire qu'en dehors de l'épisodique rencontre qu'on peut faire de ces foules, il arrive néanmoins que de nos jours encore, comme on aura pu le remarquer, on fasse rencontre de plus petites bandes indépendantes, comptant de vingt à cinquante individus. Ces cohortes ont reçu le nom particulier d'« écoles », qui sont généralement de deux sortes : les classes uniquement de femelles, ou presque, et les classes composées exclusivement de jeunes mâles vigoureux, surnommés familièrement des « taureaux ».

Comme infaillible chevalier servant de l'école des femmes, vous verrez toujours, en tout temps, un grand mâle au plus plein de sa vigueur et de sa taille, mais non point vieux, qui fera montre de son courage à chaque alerte, en couvrant noblement la retraite de ses femmes. En réalité, ce beau seigneur est un Ottoman luxurieux qui déambule par tout le monde marin sans manquer jamais des consolations, des tendresses et des caresses du harem qui l'accompagne. Le contraste entre ce pacha et ses concubines est frappant : s'il offre toujours, lui, les respectables proportions de la plus grande taille des léviathans, ces dames, en revanche, même en choisissant parmi elles les plus grandes, ne parviennent pas au tiers du volume atteint par un mâle de dimensions moyennes. Comparativement, elles sont fort délicates, par le fait, puisque je puis affirmer qu'elles n'excèdent guère la demi-douzaine de mètres de tour

de taille, encore qu'on ne puisse nier qu'elles soient héréditairement sujettes à *l'embonpoint* [1].

Il est fort intéressant de surprendre les errances indolentes de ce
harem et de son seigneur, qui sont toujours en quête, tels les gens
à la mode, de nouveauté et de variété pour occuper leurs loisirs.
Vous les rencontrerez sur la Ligne au plein de la grande saison
équatoriale (saison fleurie pour la nourriture cachalotière,
s'entend), revenant juste de passer l'été dans les mers nordiques,
sans nul doute, où ils ont évité les déprimantes chaleurs des excès
estivaux des tropiques. Et quand ils ont suffisamment et assez
longtemps folâtré tout au long des promenades équatoriales, les
voilà repartant pour les mers d'Orient, avant qu'ici ne les sur-
prennent les froidures saisonnières, allant se mettre ainsi, par anticipation, à l'abri de ces autres excès de la température annuelle.

Au cours de ces balades tout exquises, monseigneur cachalot
garde un œil vigilant sur son aimable famille, si jamais quelque
objet suspect ou inquiétant vient à se présenter. Et si quelque impu-
dent jeune cachalot a le malheur de s'approcher, l'air de vouloir
entrer en confidence intime avec quelqu'une de ces dames, voyez
avec quelle prodigieuse fureur notre pacha se jette sur lui et vous
le met en fuite ! Ce serait du joli, en vérité, si les jeunes et impu-
dents libertins dénués de principes comme celui-là pouvaient se
permettre de venir troubler la sainteté du bonheur domestique !...
bien qu'à tout prendre, et quoi qu'il puisse faire, notre pacha ne
puisse tenir hors de sa propre couche le plus notoire des don Juan,
puisque, hélas ! tous les poissons ont un seul lit commun. Ce qui
n'empêche que, comme sur terre, où les dames sont bien souvent
la cause des plus terribles duels entre leurs passionnés admirateurs
rivaux, les cachalots se battent à mort, eux aussi, de temps à autre,
et toujours par amour. Ils s'escriment et croisent leurs longues
mâchoires inférieures, que parfois ils sont incapables de dégager,
battant et combattant ainsi pour la suprématie tout comme les
élans sauvages croisent belliqueusement leurs andouillers. Le
nombre est grand parmi les cachalots capturés, de ceux qui
portent les marques profondes de ces rencontres : têtes labourées,

---

1. En français dans le texte.

dents cassées, nageoires mutilées, et dans certains cas mâchoires disloquées ou tordues.

Mais que le perturbateur du bonheur conjugal soit mis en fuite au premier assaut du seigneur du harem, observer ledit seigneur, alors, est pour le moins réjouissant ; car vous le voyez qui insinue fort galamment sa massive personne au milieu de ses femmes, avec lesquelles il reprend sur-le-champ ses ébats, tel le pieux Salomon se divertissant parmi ses mille concubines ; et jusque sous les yeux, pourrait-on dire, du jeune Lovelace auquel il inflige le supplice de Tantale.

Pour autant qu'il aura d'autres cachalots dans son horizon, le pêcheur s'en prendra rarement à l'un de ces Grands Turcs, et cela pour la raison que ces potentats lascifs, bien trop prodigues de leurs forces, sont plutôt pauvres de graisse. Quant aux filles et aux fils qu'ils engendrent, eh bien, ces enfants-là n'ont qu'à se débrouiller tout seuls ou avec l'aide de leur mère, le cas échéant ! Car à l'instar d'un certain nombre de séducteurs itinérants et omnivores qu'il me serait loisible de nommer, le seigneur cachalot n'a lui non plus aucun goût pour la nursery, quel que soit celui qu'il montre pour l'alcôve. Aussi le grand voyageur qu'il est, laisse-t-il ses bébés anonymes un peu partout de par le monde, éternels étrangers à l'endroit où ils naissent.

Mais vient l'heure, pourtant, où l'ardeur de la jeunesse décline, où s'accroissent tout ensemble le nombre des années et le poids des soucis, où la méditation impose ses silences ; bref, une lassitude générale s'empare du pacha trop comblé. Alors c'est l'amour du confort, celui de la vertu, qui remplacent l'amour des femmes ; et voici notre Ottoman parvenu dans l'ère impotente et repentante et admonestante de l'existence. Il abjure ; il disperse son harem. Et, devenu une vieille peau bougonne et exemplaire, il chemine solitairement parmi les méridiens et les parallèles, en récitant ses prières, toujours prêt à mettre en garde les jeunes léviathans contre leurs propres et amoureux errements.

Ce sont ces harems des cachalots qui ont reçu de nos pêcheurs le nom d'écoles ; et partant, leur seigneur et maître a droit techniquement au titre de maître d'école. Combien éminemment satirique n'est-il pas, s'il n'est pas rigoureusement conforme à la fonction, combien n'est-il pas admirable qu'après avoir été si longtemps à l'école, il s'en aille courir le monde pour inculquer aux autres, non pas ce qu'il y a appris, mais la vanité de ces choses! Son titre personnel de maître d'école paraît fort évidemment lui venir en droite ligne de celui qui fut donné au harem lui-même, mais on prétend aussi que celui qui, le premier, surnomma de la sorte cet Ottoman d'entre les cachalots, avait assurément lu les *Mémoires* de Vidocq et savait parfaitement quelle espèce de maître d'école avait été dans sa jeunesse ce Français très fameux, et en quoi consistaient les occultes leçons qu'il donnait à certains de ses élèves.

L'existence retirée et solitaire que mène à la fin de son âge notre maître d'école est celle même que pratiquent et à laquelle se livrent tous les cachalots devenus vieux. À peu près sans exception, le solitaire (comme on nomme ces ermites chez les léviathans) se trouvera être un vieillard. Tel notre vénérable Daniel Boone à la barbe moussue, il veut n'avoir auprès de soi personne si ce n'est la Nature, qu'il se choisit pour épouse au sein des eaux sauvages; et c'est assurément la meilleure des épouses qu'il a là, même si elle garde par-devers elle tant de sombres secrets.

Quant aux bandes qui ne sont composées exclusivement que de jeunes mâles vigoureux – et dont il a été fait mention plus haut –, elles font un violent contraste avec les écoles-harems. Si les femelles, en effet, sont d'un naturel timide, les jeunes mâles en revanche, ces «taureaux quarante-barriques» comme on les appelle, sont de très loin les plus belliqueux de tous les léviathans, et d'une si dangereuse pugnacité qu'elle en est devenue proverbiale, dépassant celle de tous les cachalots qu'on puisse rencontrer – exception faite, toutefois, des stupéfiantes «têtes grises», ces vieux grisons avec lesquels il peut vous arriver de vous trouver en conflit, et qui vous combattront avec l'acharnement d'un ennemi mortel exaspéré par toutes les furies prisonnières.

Ces bandes de taureaux quarante-barriques sont généralement plus nombreuses que ne le sont les harems. Pétulants, querelleurs et bouffons comme de jeunes étudiants, ils mènent autour du monde une telle vie de patachon que pas une seule compagnie d'assurances ne consentirait à leur souscrire une police, à eux pas plus qu'à tel ou tel étudiant chahuteur de Yale ou de Harvard. Ils perdent vite cette turbulence, toutefois, et, parvenus aux trois quarts de leur maturité, ils quittent la bande pour s'en aller isolément chercher une situation – c'est-à-dire un harem.

Autre dissemblance entre les bandes de mâles et les écoles de femelles, plus caractéristique encore de la différence des sexes; supposons que vous ayez harponné un quarante-barriques; pauvre bougre!... tous ses copains l'abandonnent. Mais frappez l'une des concubines du harem : voilà toutes ses compagnes qui nagent autour d'elle, visiblement inquiètes et pleines de sollicitude, s'attardant même parfois si longtemps et si près, qu'à leur tour elles tombent en victimes.

LXXXIX

POISSON-TENU
ET
POISSON-PERDU

L'allusion faite dans l'avant-dernier chapitre aux pennons et aux longues gaffes des marques nécessite une courte explication des lois et règlements en usage dans la grande pêche, desquels le « marquage » fournit sans doute le meilleur et le plus important symbole.

Il arrive souvent, lorsque plusieurs navires croisent de conserve, qu'un cachalot soit ferré par l'un des navires, puis lui échappe, pour être finalement tué et capturé par un autre vaisseau, ce qui implique au surplus toutes sortes de complications éventuelles, qui toutes participent plus ou moins directement aux grands traits de l'affaire. Par exemple : après une longue, exténuante et périlleuse poursuite, un cachalot peut avoir été pris, dont le corps, arraché ensuite par un violent coup de chien du navire où il était amarré, est parti à la dérive, puis recueilli par un second baleinier qui, le calme revenu, le remorque tout à son aise et sans le moindre risque jusqu'à son bord. Voilà qui ne manquerait pas d'entraîner les plus violentes, voire sanglantes querelles, si, écrite ou orale, mais indiscutée et universelle, une loi formelle ne venait trancher tous les cas prévisibles.

Il est possible que le seul Code baleinier faisant autorité par son enregistrement officiel dans les actes de la législature soit celui de Hollande. Le décret en fut établi par les États Généraux de l'an de grâce 1695. Mais si aucune autre nation n'a jamais possédé de Code baleinier écrit, les pêcheurs baleiniers américains se sont faits leurs propres législateurs en cette matière, en même temps

qu'avocats et juges. Ils ont élaboré un système qui, par son élégante concision comme par sa parfaite intelligibilité, l'emporte de
loin sur les Pandectes de Justinien ou sur les Statuts de la Société
Chinoise pour la Suppression de l'Ingérence dans les Affaires des
autres Nations. Oh oui ! car cette législation, tant elle est brève,
pourrait être gravée sur un sou de cuivre, consignée sur la griffe
d'un harpon, portée en pendeloque autour du cou.

Article I. – Le poisson-tenu appartient à qui le tient.

Article II. – Le poisson-perdu, proie légitime et libre, appartient
à qui saura le prendre le plus vite.

Le seul inconvénient de ce maître-code, c'est son admirable
brièveté, dont l'interprétation nécessite un gros volume de commentaires.

Et d'abord : qu'est-ce qu'un poisson-tenu ? Mort ou vif, un poisson est « tenu » techniquement parlant, lorsqu'il est relié à un
navire ou une embarcation non désertés, par quelque moyen que
ce soit au contrôle du ou des occupants : un mât ou un aviron,
un câble de neuf pouces ou un fil de télégraphe, un fil de caret ou
un fil d'araignée, cela revient au même. Également, un poisson est
techniquement tenu lorsqu'il porte une marque ou tout autre symbole reconnu de propriété, pour autant que l'équipage qui l'a marqué soit simplement capable de l'amener à son bord à un moment
quelconque et aussi ait l'intention de le faire.

Ce sont là les commentaires scientifiques ; les commentaires des
chasseurs de baleines, eux, se font parfois de paroles plus violentes, et de coups plus violents encore, qui sont les dissertations
du poing. La vérité, c'est que parmi les plus honorables et distingués baleiniers, des concessions sont toujours faites dans les cas
particuliers où il serait outrageusement injuste moralement, pour
tel parti, de réclamer la possession d'une baleine préalablement
chassée et tuée par un autre parti. Seulement, il s'en faut de beaucoup que tous les baleiniers se montrent aussi scrupuleux.

Il y a quelque cinquante ans, en Angleterre, fut plaidé un
curieux cas de litige en possession baleinière : les plaignants faisaient valoir qu'après une rude poursuite dans des eaux nordiques,
ils étaient enfin parvenus à harponner leur poisson, mais qu'alors,
en péril de mort, ils avaient été finalement contraints d'abandon-

ner non seulement leurs lignes, mais aussi leur baleinière. C'était alors que les défendeurs (l'équipage d'un autre baleinier) s'en étaient pris à cette baleine qu'ils avaient piquée, tuée, capturée, pour finalement se l'approprier sous les yeux mêmes des plaignants. Et lorsque ces défendeurs reçurent les protestations des plaignants, leur capitaine leur claqua des doigts sous le nez, ajoutant que par manière de compensation pour toute la peine qu'il s'était donnée, ou comme prime à l'exploit qu'il avait réussi, il garderait aussi lignes, harpons et canot, qui se trouvaient attachés à la baleine au moment de sa capture. A la suite de quoi, les plaignants avaient entamé leurs poursuites judiciaires, réclamant restitution de la valeur de leurs baleine, lignes, harpons et canot.

Mc Erskine était l'avocat des défendeurs, et lord Ellenborough le juge. Dans sa spirituelle plaidoirie, l'astucieux Erskine en vint, pour illustrer sa thèse, à faire allusion à un cas récemment plaidé, où un certain monsieur, après avoir essayé en vain de mater la vicieuse nature de son épouse, avait fini par l'abandonner sur les mers de l'existence; mais les ans ayant passé, il s'était repenti de ce geste et avait intenté une action en justice pour recouvrer sa possession; Erskine était de l'autre bord et il plaidait que si le susdit personnage avait d'abord, effectivement, harponné la dame qu'il avait bel et bien tenue; ensuite, et uniquement à cause de la violente tension exercée par les plongeons de sa nature vicieuse, il l'avait pourtant abandonnée. Il l'avait donc abandonnée, ce qui faisait d'elle un poisson-perdu. Et par conséquent, lorsqu'un second monsieur était venu, qui l'avait re-harponnée, elle devenait par là même la propriété de ce second monsieur, quel que fût le harpon, autre que le sien, qu'il eût pu découvrir en elle. Telle avait été la thèse soutenue par Erskine.

Et dans le cas présent il s'en tenait là, affirmant que les deux exemples, celui de la dame et celui de la baleine s'illustraient et s'éclairaient réciproquement.

La plaidoirie du défendeur ci-dessus, et celle du plaignant ayant été dûment entendues, le juge très docte se prononça en concrets attendus, à savoir :

Attendu que la baleinière avait été abandonnée par les plaignants, y contraints et forcés pour le salut de leurs vies, elle leur était adjugée ; mais pour ce qui était de la baleine en litige, et aussi de la ligne et des harpons, ils revenaient aux défendeurs ; attendu qu'au moment de la capture, la baleine était un poisson-perdu ; et attendu que les harpons et la ligne, lorsque le poisson avait pris le large avec eux, il (le poisson) s'en était acquis la propriété ; et que quiconque, donc, s'emparait par la suite du poisson, avait par là même son droit sur ces articles. Attendu, donc, que les défendeurs avaient pris possession de la baleine, les susdits articles étaient à eux.

Certes, un homme ordinaire, à considérer cette décision du très docte juge Ellenborough pourrait vouloir y objecter. Mais tournée et retournée et labourée jusqu'à toucher le roc foncier, ce n'en sont pas moins les deux grands principes fondamentaux qu'on retrouve en cette affaire, les deux articles jumeaux de la législation baleinière déjà cités, appliqués ici et élucidés par lord Ellenborough dans ce cas particulier. Oui, ces deux lois se rapportant au poisson-tenu et au poisson-perdu, pour peu qu'on y réfléchisse, seront trouvées les lois fondamentales de toute la jurisprudence humaine. Le Temple de la Loi, voyez-vous, en dépit de toutes ses fioritures et sculptures enchevêtrées, n'a, comme le temple des Philistins, que deux piliers.

N'est-ce pas un truisme qu'on retrouve sur toutes les lèvres, que la possession fait la moitié du droit ? je veux dire, sans qu'on s'occupe de savoir comment fut acquise cette possession… Mais bien souvent, la possession fait tout le droit et toute la loi. Que sont-ils, corps et âmes, les serfs russes et les esclaves républicains, sinon des poissons-tenus dans un monde où la possession fait tout le droit ? Qu'est donc, pour ce propriétaire rapace, l'ultime denier de la veuve, sinon un poisson-tenu ? Et l'hôtel particulier du scélérat insoupçonné, cette maison de marbre avec sa plaque de cuivre sur la porte en guise de marque, qu'est-elle, sinon poisson-tenu ? La ruineuse usure que Mordamort, le banquier, exerce sur Laffligé, le failli, lequel emprunte pour que sa famille ne meure pas de faim, qu'est-elle donc, cette usure, sinon poisson-tenu ? Et le revenu global de cent mille livres de l'archevêque Sauvelâme, tiré du maigre pain et des croûtes de fromage de centaines de milliers de laboureurs au dos rompu (tous assurés du ciel sans l'assistance de

Sauvelâme, les pauvres !) oui, ce magot de cent mille livres, qu'est-il, sinon poisson-tenu ? Et pour les héritiers du duc de Benêt, bourgs et hameaux que sont-ils, sinon poisson-tenu ? Qu'est donc la pauvre Irlande, pour John Bull, ce harponneur redoutable, si ce n'est un poisson-tenu ? Et pour cet apostolique manieur de lance qu'est frère Jonathan, qu'est donc le Texas, sinon poisson-tenu ? Pour tous ceux-là, est-ce que propriété ou possession ne font pas force de loi ? est-ce que tenir ne fait pas tout le droit ?

Or, si la doctrine du poisson-tenu trouve son application joliment répandue, sa jumelle, la doctrine du poisson-perdu est encore plus largement et généralement répandue, c'est-à-dire qu'elle trouve son application d'une manière internationale et universelle.

Qu'était donc l'Amérique en 1492, sinon un poisson-perdu sur lequel Christophe Colomb planta le pennon espagnol, afin de la marquer pour leurs royales majestés son maître et sa maîtresse ? Qu'était la Pologne pour le tzar ? Et la Grèce pour les Turcs ? Les Indes pour l'Angleterre ? Que fut enfin le Mexique pour les États-Unis ? Tous des poissons-perdus.

Que sont les Droits de l'Homme et la Liberté en ce monde, sinon poissons-perdus ? Les idées, sentiments et opinions humaines ? poissons-perdus. Le principe de la foi religieuse ? poisson-perdu. Et pour les rodomonts ostentatoires et verbeux, que sont les pensées des grands philosophes, sinon poissons-perdus ? Notre globe tout entier, n'est-il pas un poisson-perdu ? Et vous-même, ô lecteur, qu'êtes-vous donc sinon poisson-perdu et aussi poisson-tenu ?

TÊTES OU QUEUES

De balena vero sufficit, si rex habeat caput, et regina caudam.
Bracton, L. III, chap. 3.

Ce latin des livres de lois de l'Angleterre, pris dans son contexte, signifie que de tous les cétacés capturés par qui que ce soit au long des côtes du territoire, le roi, en qualité de Grand Harponneur d'Honneur, doit recevoir la tête, et la reine, le respectueux hommage de la queue. Manière de diviser les choses qui correspond, en ce qui touche la baleine, à la séparation d'une pomme en deux : c'est-à-dire qu'il ne reste plus rien entre les deux parties. Comme cette loi, d'une part, est toujours en usage en Angleterre sous une forme quelque peu modifiée, et comme elle présente à bien des égards, d'autre part, un cas d'exception bizarre vis-à-vis de la loi générale du poisson-tenu et du poisson-perdu – usant du même principe qui porte les chemins de fer anglais à faire les frais d'un wagon particulier spécialement réservé à l'accommodement de la royauté –, nous lui consacrerons aussi un chapitre spécial.

Et tout d'abord, comme preuve curieuse que la loi ci-dessus mentionnée est toujours en vigueur, je commencerai par vous rapporter un fait survenu il y a moins de deux années. Quelques braves mariniers de Douvres, de Sandwich ou de l'un quelconque des Cinq Ports, avaient donc, après une dure poursuite, réussi à tuer et à haler jusqu'sur une plage une superbe baleine, levée tout d'abord fort au large de la côte. Or, il se trouve que lesdits Cinq Ports tombent peu ou prou sous l'immédiate juridiction d'un certain policier ou appariteur qui reçoit le nom de lord-gardien. Détenant ses fonctions directement de la Couronne, je crois bien, il reçoit comme émoluments, par privilège spécial, tous les revenus royaux ressortant du territoire des Cinq Ports. Certains auteurs qualifient cet emploi de sinécure, ce qu'il n'est aucunement, puisque le lord-gardien se trouve parfois fort occupé et se donne beaucoup de mal pour mettre en poche son casuel, lequel devient sa propriété surtout par le fait même et en vertu de cet empochement. Lorsque donc, nos pauvres mariniers cuits et recuits sous le soleil, les pieds nus et leurs pantalons haut roulés sur leurs jambes murénidées, eurent enfin et non sans grande peine réussi à tirer au sec leur poisson gros et gras, se promettant déjà par la pensée un fameux bénéfice d'au moins cent cinquante livres de son huile et de ses fanons, qu'ils se voyaient sirotant sous forme de thé précieux en compagnie de leurs épouses, et de bonne ale avec les copains – voilà que s'avance vers eux un digne et docte personnage infiniment charitable et suprêmement chrétien, nanti d'un exemplaire de Blackstone qu'il portait sous le bras, et qu'il posa sur la tête de la baleine, leur disant :

– Bas les pattes, les amis ! Ce poisson est un poisson-tenu, que je saisis au nom du lord-gardien.

Sur quoi les malheureux mariniers dans leur respectueuse stupeur, si proprement anglaise, se mirent à se gratter la tête vigoureusement et partout, ne sachant que dire, portant alternativement leurs regards accablés de tristesse sur la baleine et sur le personnage. Mais ce n'était là rien qui pût changer rien à l'affaire quant au fond, ni attendrir le moins du monde la dureté de cœur du gentleman nanti de l'exemplaire de Blackstone. Pour finir, l'un des hommes, après un vigoureux grattage à la recherche de ses idées, se risqua à parler :

– Pardon, monsieur, qui est le lord-gardien, s'il vous plaît ?

– Le duc.

– Mais le duc n'a rien à voir avec ce poisson qu'il n'a pas pris ?

– Il est à lui.

– Est-ce que le duc est donc si pauvre, qu'il lui faille user de ces procédés désespérés pour assurer sa subsistance ?

– Il est à lui.

– Est-ce que le duc ne se contenterait pas du quart ? de la moitié ?

– Il est à lui.

Bref, la baleine fut saisie et vendue, et Sa Grâce le duc de

Wellington ramassa l'argent. Pensant que le cas, vu sous certaines lumières, apparaissait comme particulièrement dur et pouvait sans inconvénient, étant données les circonstances, offrir la simple possibilité d'une légère atténuation ou d'un amendement quelconque, un brave clergyman de la ville adressa une requête à Sa Grâce, la priant de bien vouloir prendre en considération sérieuse le cas des infortunés pêcheurs. A quoi le seigneur duc répondit en substance (les lettres de l'un et de l'autre ont été publiées) qu'il avait d'ores et déjà fait ainsi, et encaissé l'argent, et qu'il serait très obligé au révérend pasteur de bien vouloir, à l'avenir, se dispenser de s'occuper des affaires d'autrui. N'est-ce pas là, toujours sur la brèche, le militant vieillard embusqué à tous les carrefours des Trois Royaumes pour arracher de la main des pauvres l'aumône que l'on fait aux mendiants ?

On aura tout de suite saisi que dans le cas, l'imprescriptible droit ducal sur la baleine était une délégation du droit du souverain. Il nous reste donc à découvrir en vertu de quel principe le souverain lui-même se trouve originalement investi de ce droit. Je dis bien le principe, puisque les termes de la loi, nous les connaissons. Or, voici Plowdon qui nous en expose la raison : la baleine ainsi capturée appartient au roi et à la reine (nous dit Plowdon) « à cause de sa supérieure excellence ». Et c'est là un argument dont la pertinence a toujours été remarquablement considérée comme telle par les commentateurs les plus profonds.

Mais alors, messieurs de la jurisprudence, pourquoi faut-il que le roi ait la tête, et la reine la queue ? La raison, s'il vous plaît, messieurs les hommes de loi !

Dans son traité du « Trésor réginal, ou Caisse privée de la Reine », un vieux magistrat de la cour royale, du nom de William Prynne, s'exprime en ces mots : « Icelle queue de la baleine est réginale pour ce que la garde-robe de Madame Reine soit pourvue de baleines. » Et il est bien vrai que ceci fut écrit en un temps où le noir fanon de la baleine franche ou groenlandaise trouvait un large emploi dans la toilette féminine. Néanmoins, ces baleines de corset ne proviennent pas de la queue, mais de la tête, ce qui représente une lourde erreur de la part d'un sagace et aussi pertinent magistrat que Prynne. Serait-ce alors que la reine tiendrait de la sirène, qu'on lui doive ainsi l'hommage d'une queue de poisson? Il y a peut-être, là-dessous, une signification cachée et un sens symbolique.

Le fait est, en tout cas, qu'il y a deux « poissons royaux » nommément qualifiés et enregistrés comme tels par les scribes et docteurs de la loi d'Angleterre : la baleine et l'esturgeon. Ils sont l'un et l'autre, sous certaines réserves de détail, propriété royale et sont comptés – en valeur purement nominale – comme fournissant le dixième des revenus réguliers de la Couronne. Je ne sache pas qu'un autre auteur eût jamais abordé la question, mais je crois pouvoir inférer que l'esturgeon doit logiquement être partagé selon les mêmes voies que la baleine, le roi recevant la tête particulièrement dense et souple qui caractérise ce poisson; ce qui, symboliquement, pourrait fort bien reposer sur une analogie humoristique et une congénialité supposée. Car c'est ainsi qu'il y a, semble-t-il, une raison en toutes choses, et même dans la loi.

LE « PÉQUOD » RENCONTRE
LE « BOUTON DE ROSE »

*Ce fut en vain qu'on racla dans la panse de ce
léviathan, dont l'insupportable fétidité n'avait
pas empêché la recherche d'ambre gris.*
Sir T. Browne, V. E.

Ce fut une semaine ou deux après la dernière mise à la mer que
j'ai rapportée, et alors que nous voguions paresseusement sur les
eaux endormies et embuées de l'océan sous le zénith, que les nombreuses narines sur le *Péquod* se trouvèrent alertées et se révélèrent plus vigilantes que les trois paires d'yeux perchées à la
pomme des mâts. Une odeur spéciale et rien moins qu'agréable se
dégageait de la mer.

– Je parierais bien quelque chose à présent, commenta Stubb,
qu'il y a dans les parages un des cachalots dragués que nous avons
asticotés l'autre jour. Je me disais bien qu'ils n'allaient pas tarder
à mettre quille en l'air.

Les brumes venant à s'écarter sur nos avants, nous pûmes apercevoir au loin un navire immobile, dont les voiles ferlées disaient
assez qu'il devait avoir une sorte ou une autre de cétacé amarré à
son flanc. Nous approchant lentement, nous reconnûmes les couleurs françaises au pavillon de pic ; et à la tourbillonnante nuée de
vautours de mer qui l'auréolait, il était clair que son cachalot devait
être ce que les pêcheurs appellent un « soufflé », c'est-à-dire un
cachalot trouvé mort de sa belle mort en pleine mer, et gisant en surface comme une épave sans propriétaire. On peut imaginer quelle
sorte de parfum rien moins que suave peut exhaler une pareille
masse : c'est pire encore qu'une cité assyrienne en période de peste,
quand les vivants n'arrivent plus à enterrer les morts. Si effroyablement nauséabonde, en fait, que même la cupidité n'arrivera jamais
à convaincre certains baleiniers d'amarrer ça contre leur flanc. Mais

il s'en trouve pourtant pour vouloir le faire, même si l'huile obtenue sur de tels sujets se révèle de qualité extrêmement médiocre et n'ayant rien de l'essence de roses, comme bien on pense.

Nous approchant encore un peu sur la lente poussée d'une brise expirante, nous constatâmes que le Français avait un deuxième cachalot contre son bord, lequel paraissait avoir plus de bouquet encore que le premier. La vérité est que c'était, celui-là, un de ces animaux problématiques qu'une dyspepsie prodigieuse semble dessécher et conduire à la mort, laissant leurs corps défunts en complète faillite quant à ce qui pourrait ressembler de près ou de loin à quelque chose comme de l'huile. Et cependant, comme nous aurons l'occasion de le voir, il n'est pas un seul pêcheur d'expérience pour éloigner son nez d'un animal comme celui-là, quelle que puisse être l'horreur qu'il éprouve en général pour les puants cachalots soufflés.

Le *Péquod* était maintenant arrivé si près de l'étranger, que Stubb pouvait jurer reconnaître le manche court de sa bêche dans l'emmêlement des lignes entortillées autour de la queue d'un de ces cachalots.

– Un joli coco que voilà ! lançait-il, moqueur, de la proue où il se penchait. Un vrai chacal, oui ! Oh ! je sais bien que ces petits crapauds de Français sont des baleiniers de misère ; des fois, ils mettent à la mer pour des moutons, qu'ils ont pris pour des souffles de grands cachalots ; oui ! et des fois ils partent en croisière les cales bourrées de chandelles et de caisses d'éteignoirs, prévoyant que toute l'huile qu'ils récolteront ne sera pas en suffisance pour tenir allumé le lumignon du capitaine ; mais oui, tout le monde sait ça ! Mais ce crapaud-ci, regardez bien : le voilà qui se contente de nos restes, du cachalot dragué que vous pouvez voir, j'entends. Oui, et il se contente aussi de gratter le squelette de cet autre poisson précieux. Pauvre bougre ! Holà, un chapeau, quelqu'un, qu'on fasse la quête pour lui faire cadeau d'un peu d'huile, par pitié ! Parce que l'huile qu'il va récolter du dragué en question, on n'en voudrait pas pour brûler au bagne, ni même dans la cellule d'un condamné à vie. Mais pour l'autre cachalot, fichtre ! m'est avis qu'on en aurait plus en hachant menu nos trois mâts pour les mettre à la bouilloire, que ce qu'ils vont tirer de ce faisceau d'ossements... bien qu'à vrai dire, il pourrait bien, réflexion faite, contenir quelque chose de bigrement mieux que l'huile, oui ! de l'ambre gris… Je me demande si notre vieux type a pensé à ça. Faudrait qu'on essaye. Oui, j'en suis…

Et ce disant, il se rendit tout droit au gaillard d'arrière.

Le dernier grain de brise évanoui, nous étions en plein calme plat ; si bien que, le voulant ou non, le *Péquod* était bel et bien prisonnier dans cet air nauséeux, sans nul espoir d'en échapper tant que ne viendrait pas une risée. Remonté du carré, Stubb avait appelé son équipage au canot et débordait maintenant pour aller accoster l'étranger. Par le travers de la proue, il constata qu'en accord avec l'imagination pleine de fantaisie du goût français, le haut de la guibre de ce navire était sculpté sous la forme d'une tige élancée, peinte en vert, avec des clous de cuivre en guise d'épines qui la hérissaient de place en place ; le tout était sommé d'un gros bouton d'un rouge éclatant, dont les pétales refermés étaient disposés avec une parfaite symétrie. Sur les bordées, très haut, de part et d'autre du beaupré, en hautes lettres d'or, il lut : *Bouton de Rose* [1] – car tel était le nom romantique et exquis de cet aromatique voilier.

Stubb, qui ne comprenait pas le mot *Bouton* qui inaugurait l'inscription, mais à qui le mot *Rose* qui la parachevait n'était pas étranger, ne pouvait guère rester perplexe quant à la signification générale avec le gros bouton rouge vif de la figure de proue.

– Un bouton de rose en bois, eh ? s'exclama-t-il en se serrant le nez, voilà qui convient mieux que bien ! mais bon sang, il a plus de parfum que la création tout entière !

Il lui fallait à présent passer sur bâbord afin d'entrer en communication immédiate avec les hommes qu'il voyait sur le pont, ce qui l'amena tout contre le soufflé, par-dessus le corps puant duquel il entama conversation.

Dans cette position, et se bouchant toujours le nez d'une main, il héla :

– Ohé du *Bouton de Rose* ! D'entre tous vos boutons, y en a-t-il un qui parle anglais ?

– *Yes*, répondit aux bastingages un homme de Guernesey, dont on allait apprendre qu'il était le second.

---

1. En français dans le texte.

– Bon, alors mon joli bouton de *Bouton de Rose*, avez-vous aperçu le Cachalot Blanc ?

– *Quel* cachalot ?

– Le Cachalot *Blanc*... un spermaceti... Moby Dick, est-ce que vous l'avez vu ?

– Jamais entendu parler d'un cachalot comme vous dites. Cachalot Blanc ? Une baleine blanche ? Non.

– Très bien, dans ce cas. Au revoir. Je reviens dans une minute.

Et souquant en vitesse en direction du *Péquod*, il vit alors Achab qui se penchait sur la lisse du gaillard d'arrière, impatient de connaître la réponse. Mettant ses mains en porte-voix, il hurla : « Non, monsieur, non ! » Sur quoi Achab se retira, et Stubb revint vers le Français.

Il vit que l'homme de Guernesey venait de passer sur les portehaubans et de là, le nez emmitouflé dans une espèce de sac, s'escrimait avec une bêche de dépeçage.

– Qu'est-ce qui vous est arrivé avec votre nez ? demanda Stubb. Cassé ?

– Je voudrais bien qu'il soit cassé, et même n'en pas avoir du tout, répondit l'homme de Guernesey qui ne semblait pas goûter outre mesure le travail auquel il se livrait. Mais vous, pourquoi donc le tenez-vous ?

– Oh, rien ! c'est un faux nez, en cire ; il faut que je le maintienne. Splendide journée, vous ne trouvez pas ? L'air est embaumé, vraiment... Dites, envoyez-nous un bouquet de vos plates-bandes, voulez-vous, *Bouton de Rose* ?

– Qu'est-ce que diable vous nous voulez, vous, à tourner par ici ? éclata violemment l'homme de Guernesey emporté par une soudaine colère.

– Eh là ! ne perdez pas votre sang-froid... froid, oui, c'est bien le mot ! Pourquoi donc est-ce que vous ne collez pas ces poissons dans la glacière pour travailler dessus ? Mais blague à part, est-ce que vous vous rendez compte, *Bouton de Rose*, que c'est de la folie d'espérer tirer une seule goutte d'huile de cachalots dans cet état ? Quant à l'autre là-bas, le sec, n'en parlons pas.

– Je ne le sais que trop ; mais c'est notre capitaine, vous comprenez ? qui ne veut pas le croire, répondit tout au long le second.

C'est sa première croisière; avant, il était fabricant d'eau de Cologne. Mais venez donc à bord. Vous, il vous croira peut-être, s'il ne veut pas me croire, moi. Et alors, je pourrai balancer cette infecte saloperie.

– Tout ce qui pourra vous obliger, mon bon et charmant ami, rétorqua Stubb qui s'empressa de grimper sur le pont.

Un étrange spectacle l'y attendait. Les matelots, en bérets ronds à pompons rouges, étaient en train de parer à la manœuvre les lourds palans à baleines. Mais s'ils parlaient beaucoup et vite, ils travaillaient plutôt lentement et semblaient nettement de mauvaise humeur. Ils tenaient tous le nez piqué en l'air comme autant de bout-dehors; et de temps à autre, certains plantaient là le travail pour s'élancer dans la mâture respirer un peu d'air. Il y en avait qui, craignant d'attraper la peste, trempaient des tampons dans le goudron pour les porter à leurs narines de moment en moment. D'autres avaient cassé le tuyau de leurs pipes au ras du fourneau, ou presque, tirant dessus comme des endiablés pour se tenir le nez constamment empli de fumée.

De violents éclats de voix, hurlements et imprécations, vinrent frapper l'oreille de Stubb, sortant des appartements du capitaine dans la dunette, là-bas, sur l'arrière. C'était le chirurgien du bord qui, dans tous ses états, après avoir en vain protesté contre les dispositions et procédés du jour, s'était jeté dans la cabine du capitaine pour fuir la peste (il appelait ces lieux le *cabinet*), et ne pouvait s'empêcher de hurler encore, dans son indignation, protestations et supplications mêlées.

Enregistrant tout cela, Stubb en augura bien de son dessein et, se tournant vers l'homme de Guernesey, eut avec lui un petit entretien cordial qui permit au second du navire étranger de se plaindre amèrement de son capitaine qui, comme un fieffé ignorant qu'il était, les avait fichus dans cette puante, détestable et stérile affaire de cachalots soufflés. En le sondant avec précaution, Stubb se rendit compte que l'idée de l'ambre gris n'avait pas le moins du monde effleuré l'homme de Guernesey, et lui-même se garda bien d'en souffler mot, se montrant par ailleurs parfaitement franc et ouvert avec lui; et ils montèrent bien vite en confiance tous les deux un petit plan pour circonvenir et aussi mettre en boîte le capitaine, sans qu'il puisse même songer à suspecter leur sincérité. D'après ce qu'ils étaient convenus, l'homme de Guernesey, sous le prétexte de servir d'interprète, débiterait tout ce qu'il voudrait à son capitaine, mais comme venant de Stubb, évidemment ; quant à Stubb, il raconterait n'importe quoi de ce qui pourrait lui passer par la tête tout au long de l'entretien.

Ils en étaient là de leur dialogue, lorsque leur victime apparut, sortant de sa cabine. C'était un homme brun, petit et d'allure plutôt grêle et délicate pour un capitaine de mer, quoiqu'il portât les favoris épais et la moustache. Il arborait un gilet rouge avec des breloques à sa chaîne de montre. Stubb fut sur-le-champ et fort poliment présenté à ce Monsieur par l'homme de Guernesey qui s'adonna avec beaucoup d'ostentation à son rôle d'interprète.

– Qu'est-ce que je lui dis pour commencer ? demanda-t-il à Stubb.

– Eh bien, rétorqua Stubb en considérant le gilet de velours, la montre et les breloques, vous pouvez sans inconvénient commencer par lui dire qu'il me fait l'effet d'un bébé, bien que je ne me pose pas en juge.

– Il dit, Monsieur, prononça l'homme de Guernesey en français, s'adressant à son capitaine, que pas plus tard qu'hier son vaisseau a hélé un baleinier dont le capitaine, le second et six hommes d'équipage avaient succombé à la fièvre attrapée d'un cachalot pourri qu'ils avaient eu à leur flanc.

Le capitaine montra de l'émotion à ces mots, tout soucieux et impatient d'en savoir plus long.

– Et à présent, qu'est-ce que je lui dis ? demanda le second à Stubb.

– Oh ! puisqu'il ne le prend pas plus mal, dites-lui que maintenant que je l'ai bien regardé, je suis à peu près sûr qu'il est fait pour commander un navire baleinier autant, mais pas plus, qu'un singe de Santiago. Et tant que nous y sommes, dites-lui que pour moi il n'est qu'un babouin.

– Il jure et assure, Monsieur, que le second cachalot, le maigre, est encore plus pestiféré que le soufflé, et il nous supplie, si nous tenons tant soit peu à nos vies, de larguer sans délai ces poissons.

Sans attendre un instant, le capitaine s'encourut à l'avant où il hurla ses ordres à l'équipage, commandant de laisser les palans et de larguer immédiatement les chaînes et les amarres qui tenaient les cachalots contre le navire.

– Et quoi maintenant ? s'enquit l'homme de Guernesey quand le capitaine les eut rejoints.

– Heu, voyons un peu… oui, vous pouvez toujours lui dire à présent, que… que… eh bien, oui, quoi ! que je l'ai bien eu (et quelqu'un d'autre aussi peut-être bien, ajouta-t-il à part soi).

– Il dit, Monsieur, qu'il est bien aise d'avoir pu nous rendre service.

Le capitaine, à ces mots, jura en retour qu'eux-mêmes (il entendait par là son second et lui-même) étaient les seuls obligés, et fort reconnaissants encore, invitant Stubb par manière de conclusion à venir boire une bouteille de bordeaux dans sa cabine.

– Il désire boire un verre de vin avec vous, traduisit l'interprète.

– Remerciez-le infiniment, persifla Stubb, mais dites-lui qu'il est contre mes principes de trinquer avec un homme que je viens de rouler. Sérieusement, dites-lui que je dois partir.

– Il dit, Monsieur, que ses principes lui interdisent d'accepter un verre ; mais que si vous voulez, Monsieur, connaître, vivant, un autre jour pour boire vous-même, ce que vous avez de mieux à faire est de mettre nos quatre canots à la mer et de remorquer le navire loin de ces cachalots pestilentiels, car dans un pareil calme ils ne partiront pas à la dérive.

Stubb avait pendant ce temps enjambé le bastingage et sauté dans sa baleinière, d'où il héla l'homme de Guernesey pour lui dire qu'ayant justement à son bord une longue remorque, il allait leur donner un coup de main en éloignant de leur hanche le moins lourd des deux cachalots. L'autre remercia ; et tandis que les quatre embarcations du voilier français travaillaient à emmener d'un côté le vaisseau, Stubb, de l'autre côté, remorquait charitablement son cachalot, qu'il tirait ostentatoirement à une distance exceptionnellement longue.

Il y eut alors une risée ; Stubb feignit de larguer son cachalot tandis que le Français, hissant ses embarcations aux bossoirs, s'éloignait à pleines voiles. Le *Péquod*, pendant ce temps, avait manœuvré pour venir se glisser entre le cachalot et le navire étranger. Derrière cet écran, Stubb poussa rapidement jusqu'au cadavre flottant, d'où il héla le *Péquod*, l'avertissant qu'il voulait recueillir sans plus tarder le fruit qu'il espérait tirer de son inique enlèvement. Empoignant la bêche tranchante de sa baleinière, il se mit à creuser dans la carcasse, légèrement au-dessous de la nageoire latérale. On eût dit qu'il était en train de creuser une fosse dans la mer, et quand sa bêche, à la fin, vint heurter contre les maigres côtes, on eût pu confondre ce bruit avec celui de vieilles tuiles et de fragments de poteries romaines rencontrées au plein de la grasse glèbe anglaise. Tous les hommes qui montaient la baleinière suivaient avec passion le travail et aidaient leur officier, aussi impatients que des chercheurs d'or.

Le vol criard des oiseaux de mer en tumulte n'avait cessé de battre autour d'eux pendant ce temps, tournoyant, fonçant, se chamaillant de tous côtés ; et déjà Stubb semblait gagné par le désappointement – surtout que l'horrible fétidité ne cessait de croître – quand, tout à coup, et du cœur même de cette pestilence, commença de se dégager un fin ruisselet d'une suave odeur dont l'encens se levait au milieu des flux de l'infection, mais sans s'y perdre, tout comme on voit les flots d'une rivière, au confluent d'un fleuve, suivre longtemps leur cours sans se mêler ni se confondre avec ses eaux.

– Je l'ai ! je le tiens ! s'exclama Stubb dans le ravissement, tout en touchant du bout de son outil quelque chose, là-bas, dans les profondeurs de son excavation. Une bourse ! un sac !

Rejetant sa bêche, il y avait alors plongé ses deux bras, ramenant dans ses mains une poignée de quelque chose qui ressemblait à du fromage de Windsor bien à point, ou a du savon bien marbré, mais d'une onctuosité qui embaumait. D'une couleur qui tenait le milieu entre le jaune et le gris cendré, c'était une denrée qui se rayait facilement du pouce. Et cela, mes bons amis, c'était de l'ambre gris, lequel vaut au moins une guinée d'or à l'once chez n'importe quel apothicaire.

Six bonnes poignées furent ainsi extraites, mais il en fut inévitablement perdu davantage encore dans la mer ; peut-être en eût-on extrait plus encore, si l'impatient Achab n'avait hélé Stubb, lui commandant de laisser là et de venir à bord, sinon le navire partait sans eux.

AMBRE GRIS

Cet ambre gris est une très étrange matière, et un article si important dans le commerce qu'en 1791 un certain capitaine Coffin, natif de Nantucket, fut entendu sur ce sujet à la tribune de la Chambre des communes en Angleterre. A cette époque, et jusque tout près de nos jours, en réalité, l'ambre gris était resté, comme l'ambre lui-même, une énigme pour les savants. Encore faut-il dire que ce nom d' « ambre gris », de composition française, associe deux matières absolument distinctes. L'ambre, en effet, qu'on trouve parfois sur les rivages de la mer, s'extrait aussi du sol très loin à l'intérieur des terres ; l'ambre gris, en revanche, ne se trouve jamais que sur la mer. En outre, l'ambre est une matière inodore, cassante, translucide et dure, dont on se sert pour confectionner des embouchures de pipes, des colliers et autres ornements, tandis que l'ambre gris est mou, cireux, et d'une si exquise et haute fragrance qu'on en fait grand usage en parfumerie où il entre dans la confection de pastilles, de cierges précieux, de poudres pour les cheveux et de différents onguents et pommades. Les Turcs l'emploient encore pour la cuisine, et aussi en emportent à la Mecque de même qu'on porte de l'encens à Saint-Pierre de Rome. Il y a encore des marchands de vin qui en instillent quelques grains dans le clairet aux fins de le parfumer.

Mais qui penserait que la suprême élégance de tant de femmes délicates et de beaux messieurs distingués fît ses délices d'une essence recueillie dans les tripes infectes d'un cachalot malade ? C'est pourtant bien ainsi que va la chose. D'aucuns supposent que l'ambre gris est la cause, d'autres estiment qu'il est l'effet de la dyspepsie chez le cachalot. Mais comment soigner ses digestions embarrassées ? Voilà qui me paraît difficile à dire, à moins qu'on ne lui administre trois ou quatre pleins canots de pilules de Brandreth, après quoi il ne resterait plus qu'à se sauver au plus vite et le plus loin possible, à l'instar des ouvriers qui font sauter des rocs à la dynamite.

J'ai oublié de dire, en passant, que nous avions trouvé dans notre ambre gris des éléments durs, ronds et plats, apparemment osseux, dont Stubb pensa tout d'abord que ce pouvaient être des boutons de culotte de marins, mais qui se révélèrent n'être rien d'autre que des parcelles d'os de petites seiches ainsi embaumées.

Qu'on ne s'étonne pourtant pas de trouver, incorruptible et incorrompue, l'exquise et balsamique pureté de cet ambre gris au sein même et au plus puant de cette pourriture. Qu'on se rappelle ce que dit saint Paul aux Corinthiens sur la corruption et l'incorruption, et comment nous sommes semés dans la honte et sauvés dans la gloire. Qu'on se remette également dans l'esprit ce que dit Paracelse sur ce dont se trouve fait le meilleur musc. Et qu'on n'oublie pas non plus le fait que, de toutes les choses puantes, la plus puante est l'eau de Cologne aux premiers stades de sa fabrication.

J'eusse fort aimé conclure ce chapitre avec les exhortations ci-dessus ; mais c'est aussi ce que je ne puis faire, dans ma hâte et mon besoin de relever certaine imputation calomnieuse dont on accable trop souvent les baleiniers ; imputation que certains esprits faux seraient portés à juger valable et fondée en s'appuyant indirectement sur ce que nous avons pu dire à propos des deux cachalots du navire français. Nous avons déjà repoussé, quelque part dans ce volume, et prouvé la fausseté de la méchante calomnie qui voudrait faire du métier du baleinier une profession malpropre, un dégoûtant travail de souillon. Mais il y a une autre chose à réfuter. C'est la réputation faite aux baleines de sentir mauvais. Où donc cette odieuse et diffamatoire flétrissure a-t-elle bien pu trouver origine ?

Je suis assez d'avis qu'elle relève de l'arrivée des premiers baleiniers à Londres, à leur retour du Groenland, il y a quelque deux

cents ans passés. Car ces bâtiments ne fondaient pas alors – pas
plus qu'ils ne fondent aujourd'hui – leur huile en pleine mer
comme le font et l'ont toujours fait les baleiniers des mers du Sud :
ils coupaient tout simplement le lard frais en petits cubes, qu'ils
fourraient par le trou de bonde dans de gros boucauts pour le
ramener ainsi à leur port d'attache. La brièveté de la saison de
pêche dans ces mers arctiques, comme aussi la violence de leurs
tourmentes, interdisent en effet de s'y prendre autrement. La
conséquence en est que l'ouverture de ces cales et la translation de
ces cimetières cétacéens dans les docks londoniens des Groenlandais dégagent une odeur assez voisine de celle des travaux de
terrassement entrepris dans un cimetière citadin pour la construction d'une maternité.

Je soupçonne en outre que cette fâcheuse accusation peut également être partiellement imputée à l'existence, au temps jadis, sur
la côte proprement dite du Groenland, d'un village hollandais du
nom de Schmerenburgh ou Smeerenberg – ce dernier nom étant le
seul conservé par le savant érudit Fogo von Slack dans son grand
travail sur *Les Odeurs* : un ouvrage qui fait autorité en la matière.
Comme son nom l'indique *(smeer* = gras ; *berg* = montagne, entassement), ce village avait été fondé pour le traitement sur place du
lard baleinier de la flotte hollandaise, au lieu de le ramener en
Hollande pour ce faire. Ce n'étaient que fourneaux et fondoirs,
cuves à lards et entrepôts de barriques d'huile ; et l'on peut croire
que lorsque tout le village se trouvait en pleine activité, l'odeur
qu'il répandait ne devait pas être particulièrement suave. Mais il
en va tout à fait différemment sur les cachalotiers des mers du Sud
qui ne passent guère, au cours d'une campagne de quatre ans et
pour faire le plein de leur provision d'huile, plus de cinquante
jours, peut-être, aux travaux du fondoir, ramenant dans leurs cales
des barriques d'une huile pratiquement inodore. La vérité est que,
vifs ou morts, pour peu qu'ils soient traités convenablement, les
cétacés sont des animaux qui ne sont en aucune manière affectés
d'une mauvaise odeur ; et nul ne saurait reconnaître un baleinier,
comme les peuples du Moyen Age prétendaient le faire des juifs, au
relent. En réalité, la baleine ne saurait dégager une odeur autre
que fort agréable, étant donné qu'elle jouit en général d'une santé

excellente, qu'elle se donne du mouvement, prend de l'exercice vraiment en abondance, et toujours dehors, même s'il se trouve que ce ne soit pas souvent au plein air. J'affirme que le geste d'une queue de cachalot agitée au-dessus de la surface dégage un parfum musqué, tout comme celui du froufrou des jupes d'une dame exquisement parfumée quand elle se déplace dans la douce chaleur d'un salon.

Mais à quoi pourrais-je bien comparer le cachalot ainsi odoriférant, étant données ses majestueuses proportions ? Ne faut-il pas que ce soit à l'éléphant célèbre tout embaumé de myrrhe, avec ses défenses incrustées de joyaux, qui s'avança, pour l'honorer, hors d'une ville des Indes, à la rencontre d'Alexandre le Grand ?

L'ABANDONNÉ

Peu de jours après notre rencontre avec le baleinier français, un incident d'importance touchant le moins important des membres de notre équipage se produisit. Lamentable accident; événement déplorable; dont l'immédiate conséquence fut qu'aux joyeusetés parfois excessives de cet équipage prédestiné se trouva désormais mêlée, inséparablement, la prophétie vivante et constante de la fin catastrophique à laquelle il était lui-même promis.

Donc, sur les baleiniers, tous les hommes du bord ne montent pas dans les canots; il en est qui ne quittent pas le vaisseau : ce sont les «bordiers de garde», qui ont pour mission d'assurer la manœuvre du voilier quand les baleinières poursuivent le gibier. En général, ces bordiers sont d'aussi hardis et solides compères que les gars qui composent les équipages des canots. Mais s'il arrive qu'il y ait à bord un type particulièrement chétif, maladroit ou trouillard, ce type peut être certain d'être mis au nombre des reste-à-bord. Ainsi en était-il sur le *Péquod* pour le petit négro, Pépin de son vrai nom, et surnommé Pip par abréviation. Pauvre Pip !... Il vous souvient de lui sans doute, dont il a déjà été question, avec son tambourin, lors de certain minuit rudement agité de joie et de ténèbres.

Pour l'extérieur, Pip et Mie-de-Pain faisaient la paire, tels deux poneys de même taille attelés ensemble, mais un tout blanc et l'autre tout noir, par quelque excentrique cocher. Mais tandis que ce malheureux Mie-de-Pain, abruti et benêt, avait l'intelligence obtuse, Pip au contraire, sensible et de cœur tendre, était au fond

plein d'étincelles, pétillant de cette joie légère et spontanée si naturelle à sa race, qui met à s'amuser en toutes occasions, fêtes chô-
mées et autres solennités, une fraîcheur et un élan ignorés des
autres espèces humaines. Oui, le calendrier des nègres ne devrait
comporter que trois cent soixante-quatre 14-Juillet et un jour de
l'An. Inutile de sourire, voyons ! parce que j'ai écrit que notre petit
Noir était plein d'étincelles ; le plus beau noir peut être éblouissant, ainsi qu'on voit l'ébène poli resplendir dans les palais royaux.
Seulement Pip aimait la vie et tous les conforts et les paix et les
assurances et les sécurités de l'existence ; aussi le travail rien moins
que panique, le terrorisant métier qu'il faisait (pour lequel on ne
sait trop par quelles inénarrables voies il s'était engagé) avaient-ils
déplorablement éteint et terni son naturel éclat. Mais, comme on
va le voir sans trop attendre, tout ce qui avait été de la sorte terni ou
éteint dans sa nature ne l'avait été que provisoirement et devait n'en
rejaillir que plus farouchement en jetant de fauves éclairs, le revê-
tant pour finir d'un lustre dix fois plus brillant, quoique artificiel,
que l'éclat naturel dont il avait animé jadis, dans son Connecticut
natal, tant de joyeux ébats, de danses et de sarabandes sur les
pelouses ; le crépuscule mélodique de son existence, tout en s'accom-
pagnant d'un gai ha, ha ! avait transformé le terrestre horizon entier
en tambourin, avec les étoiles et les astres comme grelots. C'est ainsi
que le bel éclat de l'eau pure d'un diamant resplendira plein de
santé quand il sera suspendu sur un cou blanc veiné de bleu dans la
claire lumière du jour ; mais si le joaillier malin veut présenter son
diamant sous son lustre et dans son brillant les plus frappants, il
vous le posera sur un fond sombre pour l'éclairer, non par l'éclat du
soleil, mais par celui de quelque gaz artificiel. Car c'est alors qu'il
lance tous les feux et se revêt de tout l'éclat de sa magnificence infernale ; incendié soudain de fulgurations diaboliques, le diamant qui
naguère était le plus divin symbole du pur cristal des cieux, voici
qu'il apparaît comme une gemme enlevée à la couronne du roi des
Enfers. Mais reprenons notre récit.

Il s'était trouvé que, pendant l'histoire de l'ambre gris, le troisième rameur du canot de Stubb s'était foulé le poignet assez gravement pour être à peu près manchot pendant quelque temps ; si
bien que Pip dut provisoirement prendre sa place.

A la première mise à la mer, notre Pip se montra d'une extrême nervosité ; mais heureusement pour lui, ce jour-là, on n'entra pas en contact immédiat avec le cachalot, et il s'en sortit sans trop de déshonneur. Cependant Stubb, qui l'avait observé, prit soin après cette expérience de l'exhorter fermement à faire appel à son plus grand courage, dont il aurait souvent le plus grand besoin.

A la seconde mise, la baleinière fonça droit sur un cachalot qui, dans le moment où il recevait le harpon, donna l'habituelle secousse qui porta, cette fois-là, juste sous le banc du malheureux Pip. Dans la première stupeur du moment, sa pagaie en main, il sauta par-dessus bord, mais de telle façon qu'il emporta avec sa poitrine un des entrelacs de la ligne à baleines encore détendue, de sorte qu'il se trouva pris dedans quand il parvint dans l'eau. Ce fut à cet instant précis que le cachalot piqué partit à fond dans une course furieuse, raidissant instantanément la ligne ; et voilà Pip dans un bouillonnement d'écume ramené d'un coup devant la proue de l'embarcation et entraîné, emporté implacablement par le filin qui avait pris plusieurs tours sur sa poitrine et sur son cou.

Tashtégo se tenait au tillac, pris déjà par l'ardeur de la chasse. Il exécrait le petit Pip qui était un poltron. Enlevant de sa gaine le couteau de la baleinière, il en tint le tranchant suspendu sur la ligne sifflante, se retournant vers Stubb pour demander : « Je coupe ? » – Le visage révulsé de Pip à demi étranglé déjà et aux trois quarts noyé, semblait dire : « Coupe donc, pour l'amour du ciel ! » Cela avait duré le temps d'un éclair. Tout s'était fait en moins de trente secondes.

– Maudit gamin ! rugit Stubb. Coupe !

Et ce fut ainsi que fut perdu le cachalot, et sauvé Pip.

A peine était-il remis, que le malheureux petit nègre fut assaisonné de jurons et couvert d'injures par tout l'équipage. Stubb laissa tranquillement fuser ces malédictions non officielles mais expressives, après quoi ouvertement, officiellement, mais toujours dans son ton semi-humoristique, il maudit et tança le garçon. Cela fait, il lui donna à titre privé un certain nombre de bons avis et de conseils salutaires, qui revenaient à ceci en substance : « Ne saute jamais d'un canot, Pip, sauf dans le cas… » mais tout le reste sombra dans le vague d'où ne sortent jamais les meilleurs et les plus profonds conseils. Le fait est que «Colle-toi au canot» est en général le vrai proverbe, la devise foncière, le refrain-type de la grande pêche; mais les cas ne manquent pas non plus où «Saute du canot» se révélera d'une excellence bien supérieure. Au surplus, et comme s'il se rendait compte qu'à entrer trop dans le détail et à vouloir admonester Pip d'une manière par trop circonstanciée, il lui laisserait trop de marge pour sauter à l'avenir, Stubb coupa court et conclut sa leçon par un péremptoire :

– Colle-toi au canot, Pip; et si tu sautes encore, par Dieu! je ne te repêcherai pas une nouvelle fois. Tâche de te rappeler ça. On ne peut pas se permettre de perdre des cachalots pour des types de ton genre; un cachalot, Pip, ça se vend au moins trente fois plus cher que tu ne vaudrais, toi, en Alabama. Mets-toi bien ça dans la tête. Et ne saute plus.

Ce par quoi Stubb entendait sans doute que, malgré tout l'amour qu'il puisse avoir pour son prochain, l'homme est un animal à faire de l'argent, malgré tout, ce qui vient bien souvent entraver l'élan de sa naturelle bienveillance.

Seulement nous sommes tous entre les mains des dieux; et Pip sauta de nouveau. Ce fut à peu près dans les mêmes circonstances que la fois précédente, avec cette différence, toutefois, qu'il n'emporta pas la ligne avec lui. Quand le cachalot s'élança, cette fois-ci, Pip fut laissé en arrière sur la mer comme laisse son bagage à terre un voyageur pressé. Hélas! Stubb n'avait dit que trop vrai!

C'était un jour tout débordant de splendide magnificence, tout de soleil et d'azur. La mer pailletée d'or s'étendait, calme et plate, jusqu'aux bords de l'horizon, telle une feuille d'or laminé presque jusqu'à la transparence. Au sein des flots, la ronde tête couleur d'ébène du petit Pip était comme un clou de girofle flottant. Mais à bord, nul couteau ne se leva tandis qu'il filait si promptement en arrière; et le dos implacable de Stubb ne se retourna pas; et le canot volant resta aux trousses du cachalot ferré. En moins de trois minutes, un plein mille d'océan infini séparait Pip et Stubb. Et du milieu de l'océan, la ronde boule crépue du pauvre Pip, comme un point noir, en appelait au soleil, cet autre solitaire abandonné, quoique plus haut et plus éblouissant aussi.

Par temps calme, il n'est pas plus difficile pour le bon nageur de

tirer sa coupe dans le plein océan que de se faire tirer, à terre, dans
une berline mollement suspendue sur ses souples ressorts. Mais
c'est l'épouvantable isolement qui est insupportable. Cette intense
concentration, ce resserrement de soi sur soi au cœur de ces impitoyables immensités, mon Dieu ! qui les peut dire ? Voyez comment les matelots au grand large, quand ils se baignent dans un
calme plat, oui, observez comme ils serrent le flanc de leur navire
et ne font que nager tout contre lui.

Mais réellement, Stubb avait-il délibérément abandonné le
pauvre petit nègre à son destin ? Non ; ou du moins, il n'en avait
pas eu l'intention. Il savait avoir les deux autres baleinières directement dans son sillage, et il supposait, bien sûr, qu'elles arrive-
raient sans tarder et repêcheraient infailliblement le petit Noir.
Néanmoins, il faut dire que de pareils égards ne sont pas toujours
pris et manifestés, dans la grande pêche, au bénéfice et au profit
des rameurs qui se sont mis en péril eux-mêmes et par leur seul
manque de courage ; il s'en faut même de beaucoup. Chez les
baleiniers, tout comme sur les vaisseaux de guerre ou dans
l'armée, un couard est non seulement méprisé, mais haï avec une
réelle violence et traité avec une rudesse équivalente.

Seulement il se fit que les deux baleinières, venant à apercevoir
des cachalots à portée, virèrent soudain de bord pour les prendre
en chasse, avant que d'avoir vu Pip. Quant au canot de Stubb, il
était à présent si éloigné et son équipage tellement occupé par la
chasse, que le malheureux petit Pip ne voyait plus autour de lui
qu'un immense horizon effroyablement vide.

Ce fut par le plus grand des hasards que le navire lui-même, au
bout du compte, tomba sur lui et le sauva. Mais à partir de cette
heure, le pauvre petit Noir erra sur le pont comme un égaré, ayant
perdu l'esprit – ou du moins (car qui saurait décider de ces choses)
c'était ce qu'ils disaient de lui. L'océan railleur n'avait pas voulu
de son corps physique et l'avait rendu ; mais il avait englouti son
âme immatérielle. Il l'avait engloutie, mais sans l'emporter tout
entière. Non. Il l'avait entraînée en de merveilleuses profondeurs
où, vivante, elle voyait glisser de temps à autre dans son regard
passif d'étranges ombres et des figures du monde primordial
encore dans le chaos. La Sagesse, cette sirène avaricieuse, lui révé-

lait la masse accumulée de ses trésors ; et parmi les éternités
joyeuses et sans cœur et perpétuellement jeunes, Pip voyait le Dieu
omniprésent avec les multitudes infinies d'insectes corallins qui
poussaient jusqu'au faîte, jusqu'au dehors du firmament des eaux,
leurs orbes colossaux. Le pied de Dieu posé sur les leviers du grand
métier universel, il le voyait ; et il le disait ; et pour cela ses compagnons de bord le nommaient fou. L'humaine insanité est ainsi la
santé, le sens et le sentiment du ciel ; et c'est en s'éloignant de toute
raison humaine que l'homme parvient, à la fin, à ce contact, à
cette pensée céleste qui reste, pour la raison, absurdité et folie ;
bonheur et malheur, alors, lui sont indifférents exactement comme
est impassible le Dieu.

Aussi ne blâmez pas trop sévèrement Stubb ! D'autant que la
chose, loin d'être exceptionnelle, est courante dans la grande
pêche ; et comme viendra le montrer la suite de ce récit, on pourra
voir quel tout semblable délaissement m'était aussi réservé à moi-
même.

LE SERREMENT DES MAINS

Le cachalot de Stubb, payé d'un si haut prix, fut dûment ramené et amarré contre le flanc du *Péquod*, où s'effectuèrent ensuite les diverses opérations de dépeçage, d'épluchage et d'emmagasinage précédemment décrites, jusques et y compris le transvasement de la grande cuve de Heidelberg.

Alors que certains des nôtres s'employaient à ce dernier travail, les autres avaient pour tâche d'enlever au fur et à mesure les grandes bailles, dès qu'elles étaient pleines de spermaceti. Et, le moment venu, ce spermaceti dut être fort soigneusement manipulé avant de rejoindre les fondoirs, dont il nous faudra parler sous peu.

Refroidi, il s'était figé et cristallisé à un tel degré que lorsque je m'installai, avec plusieurs autres, devant une énorme baignoire de Constantin qui en était remplie, je le trouvai aggloméré en gros grumeaux glissant dans l'onctueux liquide qui n'était pas encore tout à fait pris. Nous étions là précisément pour écraser ces grumeaux entre nos doigts et les ramener à l'état liquide. Besogne douce s'il en fut, et onctueuse à souhait ! Rien d'étonnant que le spermaceti eût été, jadis, un cosmétique si prisé. Quelle délicatesse et quelle douceur, quelle finesse suave et claire dans cet émollient ! Mes mains n'y étaient pas plongées depuis quelques minutes, que j'avais l'impression que mes doigts, devenus des anguilles, commençaient à serpenter et à s'enrouler sur eux-mêmes.

Confortablement assis là, à croupetons sur le pont, après les durs efforts au guindeau, sous la limpidité d'un azur serein, avec

le navire qui se berçait indolemment dans son silencieux glissement pour ainsi dire insensible, les mains exquisement plongées
dans cette cuve de suavités à la recherche de ces grumeaux évanescents, de ces pelotes de douceur qu'une heure à peine avait formées, et tandis qu'elles s'écrasaient somptueusement entre mes
doigts, exprimant toute leur opulence ainsi que les lourdes grappes
d'un raisin très mûr donnent leur vin, oui, tandis que montait à
mes narines enivrées leur parfum pur, leur virginal arôme absolument identique, je le jure, à celui des fines violettes du printemps
– eh bien, oui ! je nageais dans les délices des jeunes prairies
embaumées. Je vous le certifie. J'avais tout oublié de notre terrible
serment. Dans l'ineffable spermaceti, j'avais lavé non seulement
mes mains, mais mon cœur, et je ne me sentais pas éloigné de
croire à la vieille assertion paracelsique qui doue cette matière
étrange de la vertu rare entre toutes de faire tomber les feux de la
colère. Tout fondant dans ce bain, je me sentais divinement bien,
débarrassé divinement de toute rancune, irritation, méchanceté,
de volonté ou de pensée, quelles qu'elles fussent.

Presser ! serrer ! étreindre ! tout le matin durant. Je pressais, je
serrais, j'étreignais cet onctueux spermaceti jusqu'à m'évanouir en
lui ; je serrais, je pressais, j'étreignais cet onctueux spermaceti
jusqu'à m'y aliéner, au point que je me surpris à serrer avec effusion et malgré moi les mains de mes compères en cet ouvrage, me
méprenant entre elles et les pelotes suaves. Ce travail faisait naître
un tel débordement d'affection, de cordialité et d'amour, qu'à la
fin je ne serrais plus que leurs mains, les regardant avec effusion
droit dans les yeux, comme pour dire : « Oh ! mes amis, mes frères,
pourquoi de la rancœur entre nous encore ? à quoi bon se jalouser
ou s'en vouloir ? Venez ! serrons-nous tous les mains, que dis-je ?
embrassons-nous tous à la ronde, étreignons-nous, fondons-nous
tous ensemble en un seul lait de bonté, en un universel spermaceti
de bienveillance ! »

S'il en était ainsi, je pourrais maintenant, désormais, ne cesser à
jamais de presser, de serrer, d'étreindre cet onctueux spermaceti.
Car maintenant je sais, après tant et de si longues expériences
encore et toujours recommencées, je viens d'apercevoir enfin qu'il
faut que l'homme, en toutes circonstances, en rabatte ou du moins

modifie l'idée qu'il se fait de la félicité suprême à laquelle il saurait prétendre ; qu'il ne la cherche point – où que ce soit – dans les
fumées de son intelligence ou dans l'imagination, mais qu'il la
trouve là : dans l'épouse, le cœur, dans le lit et la table, la selle
de son cheval ou le coin de son feu ; dans son pays, sur son lopin de
terre. Et à présent que j'ai vu cela, je suis prêt, je suis pris, je suis
épris d'effusion, d'étreinte, d'embrassement éternels. Dans les
visions de mon sommeil, j'ai vu de longues files d'anges au paradis, chacun portant dans ses mains une jarre de spermaceti.

☆

Mais ce n'est pas tout que de discourir sur le spermaceti, il
convient de parler aussi de telles choses connexes qu'on tire du
cachalot au cours des travaux du fondoir.

Et tout d'abord du *cheval-blanc*, puisque tel est le nom qu'on
lui donne, lequel est extrait de la partie caudale et effilée du corps
du poisson, et aussi des parties les plus épaisses des palmes de la
queue. Toute noueuse et tendineuse que soit cette chair, véritable
toron de muscles, elle contient néanmoins un peu d'huile. Une fois
séparé du corps du cachalot, le cheval-blanc est découpé sur sa
longueur en tronçons maniables, puis on le passe au hachoir. Ces
morceaux ressemblent tout à fait à du marbre du Berkshire.

Le *plum-pudding* est le nom réservé à certains fragments de
la chair même du cachalot, qui restent, de place en place, attachés à
la couverture de lard, et souvent participent pour une part considérable à son onctuosité. C'est une chose réjouissante, appétissante,
magnificente à voir au suprême degré. Comme son nom l'indique, il
se présente sous des couleurs d'une grande richesse de ton et de
variété, avec un fond zébré de blanc pur et d'or, que viennent mou-
cheter des taches d'un rouge vif et d'un pourpre profond. Un pla-
teau de prunes vermeilles répandues au milieu de citrons. Vous avez
peine, en vérité, à vous retenir d'en manger ; et j'avoue m'être une
fois caché derrière le mât de misaine pour y goûter. La saveur de
cette viande est quelque chose comme ce que devait être, j'imagine,
un royal cuissot de chevreuil à la table de Louis le Gros, mais tué un

jour d'ouverture, et dans une année où le gibier aurait été particulièrement excellent, conjointement avec un millésime exceptionnellement fameux des vignobles de la Champagne.

Une autre matière fort singulière qui apparaît au cours de ces
besognes, mais vraiment si difficile à décrire que je ne sais trop
comment m'y prendre est le *bouillon boueux*, qualificatif essentiellement spécifique, en usage chez les seuls baleiniers, mais qui
répond fort exactement à la nature de la chose. C'est une substance ineffablement vaseuse et fibreuse, qu'on trouve le plus
souvent au fond des bailles à spermaceti après une longue manipulation de pressurage et quand on a procédé au transvasement.
J'ai idée que c'est fait de la coagulation finale des pellicules extraordinairement fines que contenait la cuve, le déchet de membranes
imperceptiblement minces, rompues par le travail.

La *raclure* est un mot (et une chose) qui appartient proprement
au vocabulaire des seuls pêcheurs de baleines, mais qu'on entend
quelquefois aussi dans la bouche des chasseurs de cachalots. Il
s'agit de la substance gélatineuse et sombre dont on débarrasse au
grattoir le dos de la baleine franche ou groenlandaise, et qui
couvre les ponts des pauvres types qui se font une spécialité de la
pêche de ce peu noble léviathan.

Les *nippes*. Un nom qui n'est pas spécifiquement baleinier, mais
qui, dans son emploi particulier, le devient. La nippe du baleinier
est une courte plaque d'un cuir solide, taillée au plus mince de la
queue du léviathan. Elle a à peu près un pouce d'épaisseur et, pour
le reste, affecte la forme et la dimension d'un fer de houe. Passée
de biais au long du pont huileux, tel un râteau de pont en cuir,
cette nippe fort aimable entraîne avec elle, comme par magie,
toutes les saletés.

Mais pour tout apprendre et tout savoir sur ces abstruses
matières, le mieux que vous puissiez faire est de descendre sans
attendre dans la cale à graisse, ou chambre à lard, et là, d'avoir une
bonne conversation avec ses familiers. Il a déjà été fait mention de
cet endroit comme de la resserre où passaient les morceaux de couverture que les palans pèlent sur le cachalot. Mais quand arrive le
moment du découpage en menus morceaux des réserves là-dedans
entassées, ces enfers présentent un aspect vraiment terrifiant, surtout

la nuit, pour tous ceux qui n'y sont pas accoutumés. Sur l'un des côtés, mal éclairé par un mauvais lumignon, un espace vide a été ménagé pour les opérateurs, qui vont généralement par paire; le piqueur, qui se sert d'une pique et d'une gaffe, et le trancheur, armé d'une bêche. La pique à baleine est exactement semblable à la pique d'abordage des frégates, dont elle porte le nom; la gaffe est tout simplement un croc de marinier. Le piqueur croche donc dans un ruban de lard et s'efforce de l'empêcher de glisser au roulis ou tangage du navire. Pendant ce temps, l'homme à la bêche debout sur la pièce de graisse la tranche verticalement en sections qu'on pourra facilement manipuler. Cette bêche est affûtée à l'extrême de ce que peut donner la meule, et l'homme qui la manie est pieds nus; quant à la matière sur laquelle il se tient debout, on a beau faire, on ne peut pas la retenir de glisser parfois sous lui, aussi fuyante qu'une luge. S'il lui arrive de couper l'un de ses orteils ou celui d'un de ses aides, en serez-vous vraiment très étonné? Les orteils sont rares chez les vétérans de la cale à graisse.

LA SOUTANE

A supposer que vous eussiez déambulé à bord du *Péquod* pendant tous les travaux et les œuvres de cette autopsie générale du cachalot ; et en admettant que vous fussiez venu du côté du cabestan, je suis joliment sûr que vous auriez examiné de près et non sans curiosité une chose fort étrange qui vous eût intrigué, la voyant étalée de tout son long contre les dalots sous le vent. Ni la miraculeuse citerne de l'énorme tête du cachalot, ni sa prodigieuse mâchoire après son déboîtement, ni la merveilleuse symétrie des palmes de son immense queue, n'auraient pu susciter votre étonnement autant que la moitié d'un regard sur ce fourreau bizarre, ce cône inexplicable, de la hauteur d'un géant Kentuckais et d'à peu près un pied de diamètre à sa base, d'un noir de jais comme Yojo, l'idole d'ébène de Quiequeg. Et c'est bien une idole, en effet ; ou plutôt c'en fut le simulacre aux temps d'autrefois ; une idole comme celle qui fut découverte dans le bois consacré de la reine Maacha, en Judée ; et le roi Asa, son fils, lui retira sa dignité de reine parce qu'elle l'avait adorée, et il brûla l'idole au torrent du Cédron comme une idole abominable qu'il tenait à détruire, ainsi qu'il est sombrement rapporté au XVe chapitre du premier Livre des Rois.

Voyez venir à présent le matelot qu'on nomme le hacheur et qui, assisté de deux aides, charge sur ses épaules fléchissantes ce que les matelots nomment le « grandissimus », et s'en va, titubant sous son poids, comme s'il était un grenadier emportant du champ de bataille un compagnon tué. Il l'étale de tout son long sur le gaillard d'avant, où il se met à lui retirer de bas en haut sa sombre peau, tel un chasseur en Afrique dépouillant un boa. La chose faite, il remet la peau à l'endroit, la retournant comme une jambe de pantalon, et l'étire du mieux qu'il peut, doublant ainsi son diamètre original. Puis il la pend, bien étendue, dans le gréement, pour la faire sécher. Cela ne dure pas longtemps, et bientôt il la ramène sur le pont où, à quelque trois pieds au-dessous de sa pointe, il la sectionne ; il ouvre ensuite vers le haut deux ouvertures pour les bras, après quoi il la passe comme un noir fourreau qui l'enveloppe de toute sa hauteur. Vous avez maintenant le hacheur revêtu du grand vêtement sacerdotal inséparable de ses fonctions. Immémorialement consacrée à son ordre, cette seule vêture le couvrira convenablement et le protégera de même, tandis qu'il s'adonnera aux gestes sacramentels de son office.

Cette fonction, c'est le hachage au chevalet des blancs tronçons de lard en tout menus morceaux pour le fondoir ; c'est une opération qui s'effectue sur un chevalet bizarre, une sorte de cheval de bois dont un bout vient s'appliquer contre la muraille du navire, et sous lequel est glissée une baille de grande capacité qui reçoit à mesure les feuillets du lard éminé, aussi vite que les feuillets d'un orateur plein d'enthousiasme que son sujet emporte. Ainsi vêtu de noir strict, occupant une chaire insigne, absorbé tout entier par ses feuillets de bible, quel excellent candidat pour un archevêché, quel fameux gaillard pour un pape ferait notre hacheur [1] !

―――――――――

1. « En feuilles de bible ! en feuilles de bible ! » tel est l'ordre invariable et le cri des seconds qu'ils ne cessent d'adresser au hacheur en fonction. C'est lui enjoindre de faire attention et de couper ses tranches aussi minces qu'il est possible, ce qui a pour effet d'accélérer d'autant le travail de la fonte, d'augmenter considérablement la quantité d'huile extraite, et peut-être aussi, au surplus, d'en améliorer la qualité. (NdA.)

LE FONDOIR

Outre ses embarcations hissées aux portemanteaux, le baleinier américain se reconnaît, de l'extérieur, à son fondoir. Le navire dans son armement complet offre cette curieuse anomalie de marier au chêne et au chanvre la plus solide maçonnerie. C'est un peu comme si un four à briques avait été transplanté de la rase campagne sur le pont.

Le fondoir est construit entre le mât de misaine et le grand mât, au plus spacieux du pont. Les baux y sont, au-dessous, particulièrement solides et disposés de manière à soutenir sans défaillance cette masse de briques et de mortier de quelque dix sur huit pieds de base et de cinq pieds en hauteur. Pas de fondations s'enfonçant dans le pont, évidemment, mais la construction est fixée fermement à sa base par de pesantes équerres de fer qui l'embrassent de tous côtés et sont elles-mêmes boulonnées sur les baux. Elle est flanquée de parois de bois, et par-dessus, entièrement recouverte d'un grand et débordant panneau incliné d'écoutille. Quand on retire ce panneau, on découvre les bouilloires, au nombre de deux, chacune d'une capacité de plusieurs barils. Ces cuves sont tenues dans un état de propreté remarquable lorsqu'elles ne sont pas en fonction; on les polit de temps à autre au blanc d'Espagne et au sable, les faisant reluire comme des bols à punch en argent. Pendant les quarts de nuit, les vieux marins cyniques et endurcis s'y glissent parfois pour y piquer, roulés en boule, un petit somme paisible. Quand on s'emploie au périodique polissage – un homme dans chaque cuve –, on peut être sûr que plus d'une confidence sera échangée par-dessus les rebords de fer; et c'est aussi un lieu particulièrement propice aux profondes méditations mathématiques. C'est dans la cuve gauche du fondoir du *Péquod*, avec mon bloc de blanc d'Espagne activement lancé en rond autour de moi, que je fus frappé pour la première fois – indirectement – par le fait remarquable qu'en géométrie tous les corps – ma pierre à polir par exemple – glissant le long d'une cycloïde arrivent au bas de n'importe quel point en un temps exactement identique.

Lorsqu'on enlève la paroi de bois en face des bouilloires, on découvre alors la maçonnerie du four proprement dit, dans le bas de laquelle s'ouvrent les deux bouches des foyers, juste au-dessous des cuves. Ces ouvertures sont munies de deux lourdes portes de fer; et au-dessous des foyers, sur toute la surface de la construction, un réservoir de peu de hauteur fait écran de manière à protéger le pont de l'intense chaleur du feu. Par un petit canal ouvert à l'arrière du bâtiment, ce réservoir est incessamment rempli d'eau, au fur et à mesure de l'évaporation. Le tout ne comporte aucune cheminée apparente : les trous de tirage s'ouvrent directement sur la paroi opposée.

Cela dit à présent, souffrez que nous revenions quelque peu en arrière.

Il était à peu près neuf heures du soir lorsque les fondoirs du *Péquod* furent mis en route pour la première fois au cours de cette campagne. C'était à Stubb qu'incombait la surveillance de l'opération.

– Tout est paré ? Alors ôtez l'écoutille et mettez-les en route. Toi, le coq, allume les feux.

La chose ne présentait aucune difficulté, le charpentier ayant bourré les foyers de ses copeaux soigneusement ramassés depuis le début du voyage. Il faut, en effet, que le fondoir, sur un baleinier en campagne, soit alimenté au bois pendant un certain temps, la première fois où l'on s'en sert; ensuite on n'a plus besoin de bois, excepté pour le rapide allumage du combustible utilisé. Ce combustible n'est autre, pour tout dire, que ce qu'on nomme les beignets, c'est-à-dire les déchets croustillants et tout racornis qui viennent de la fonte et qui contiennent encore une quantité respectable de leur graisse. Ce sont ces beignets qui fournissent l'aliment de la flamme. Tel un martyr obèse sur le bûcher, ou tel un misanthrope se consumant soi-même, une fois allumé, le cachalot fournit son propre combustible et brûle au feu de son propre corps. Que ne consomme-t-il pas aussi sa propre fumée ! Car c'est une chose horrible à respirer que cette fumée, et non seulement vous ne pouvez pas ne pas la respirer, mais il vous faut vivre dedans pendant un certain temps. Elle est d'une âcreté féroce et hindoue, d'une odeur comme il ne peut en exister qu'au voisinage des bûchers funéraires. Elle sent comme l'aile gauche des armées sempiternelles au jour du Jugement : c'est une preuve décisive de l'existence de l'enfer.

Aux alentours de minuit, les fondoirs étaient en plein rendement. La carcasse avait été larguée ; les voiles étaient hissées ; le vent fraîchissait ; la ténèbre de l'océan sauvage était dense. Mais cette ténèbre se voyait léchée furieusement par les flammes féroces qui lançaient presque sans discontinuer leurs longues langues ardentes et fourchues par les trous de tirage fuligineux, illuminant jusqu'aux plus hautes manœuvres du gréement comme le célèbre feu grégeois des Grecs. Le navire flamboyant s'élançait sur sa route comme s'il courait sus implacablement à quelque terrible vengeance. Il allait, tout semblable à l'un des bricks gorgés de soufre et de poix de Kanaris, l'intrépide Hydriote, quand ils sortirent de leurs nocturnes ports pour se jeter sur les frégates turques, portant d'énormes flammes au lieu de voiles, et faisant tout sauter.

Avec son panneau d'écoutille enlevé, le fondoir apparaissait comme un énorme foyer avec, juste sur le devant, un espace rougeoyant. Debout là, on distinguait les silhouettes tartares des harponneurs, qui sont immuablement les chauffeurs païens du baleinier. Armés de longues piques fourchues, ou bien ils projetaient de sifflantes masses de lard dans les bouilloires surchauffées, ou bien ils activaient les feux au-dessous, jusqu'à ce que les flammes enragées se jetassent comme des serpents hors des foyers, se lançant en roulant jusqu'à leurs pieds. L'épaisse fumée montait en d'énormes masses qui s'éloignaient comme à regret. A chaque tangage du vaisseau, l'huile bouillante tanguait dans les cuves, prête à chaque fois, eût-on dit, à leur sauter au visage. En face des

bouches incandescentes des foyers, de l'autre côté du pont, se trouvait le cabestan que les circonstances transformaient en canapé
maritime. C'était là que venaient se détendre les hommes de la
bordée de quart quand ils n'étaient pas autrement occupés, le
regard fixé dans le rougeoiement intense jusqu'à en avoir les yeux
rôtis dans leurs orbites. Avec leurs visages hâlés, maintenant tout
noircis et barbouillés de suie et de sueur, avec leurs barbes embrous-
saillées comme des paillassons où venaient éclater, par contraste, la
brillante et barbare lueur blanche des dents, on les voyait apparaître
et disparaître étrangement sous les sursauts capricieux de la
flamme. Et tandis qu'ils se racontaient leurs aventures impies, se
faisaient les uns aux autres des récits terrifiants sur le ton de la rigolade, avec leurs rires qui fusaient soudain en éclats sauvages à l'instar des flammes fourchues du brasier; tandis que, devant eux,
passaient et repassaient les harponneurs dans leur agitation frénétique, brandissant leurs énormes fourches et leurs écumoires colossales; et tandis que le vent élevait sa voix, avec la mer qui se
creusait et le navire qui bondissait en se cabrant, puis piquait
en grognant, vibrant et gémissant de partout, mais sans cesser
d'emporter à la course, d'enfoncer toujours plus avant dans les
ténèbres de la nuit et de la mer son rouge enfer qui ronflait en
dévorant sans égard les blanches chairs du cétacé, crachant d'une
façon dégoûtante de tous côtés autour de lui; – oui, ce *Péquod*
entêté dans sa course, ainsi frété de sauvages et emportant un
chargement de feu, tout occupé à brûler un cadavre, sans cesser de
foncer toujours dans la noirceur des ténèbres, de plonger plus
avant dans l'obscurité de la nuit, ce *Péquod* apparaissait bien
comme la matérielle effigie, le double matérialisé de l'âme de son
commandant obstiné dans sa folie.

Et tel aussi me semblait-il, à moi qui me tenais à sa barre et qui,
depuis de longues silencieuses heures, maintenais dans sa route sur
l'océan ce vaisseau flamboyant. Enveloppé moi-même dans les
ténèbres de la nuit, pendant tout ce temps, je n'en voyais que
mieux la rouge lueur, et la folie, et l'horreur. Mais à les voir comme
je les voyais, ces silhouettes diaboliques qui toujours s'agitaient
devant moi, tantôt drapées dans la fumée et tantôt enveloppées de
feu, comment n'eussent-elles pas éveillé dans mon âme des visions

de même sorte, lorsque je finis par glisser dans ce bizarre état de somnolence indicible qui toujours, infailliblement, me prend quand je suis de barre au milieu de la nuit.

Pourtant cette nuit-là, cette nuit-là en particulier, il m'arriva quelque chose de très étrange (inexplicable pour moi encore aujourd'hui). Me réveillant en sursaut d'un bref assoupissement tout debout, je sentis horriblement que quelque chose de fatal était arrivé. La barre-mâchoire contre laquelle j'étais appuyé me frappait dans les côtes, et dans mes oreilles j'avais le sourd frémissement chuchotant des voiles qui commençaient de battre contre le vent. Je croyais bien avoir les yeux ouverts ; je me rendis à demi compte, pourtant, que je portais les doigts à mes paupières pour me frotter les yeux et les ouvrir plus grands. Mais rien n'y fit ; je n'arrivais à apercevoir devant moi ni l'habitacle, ni surtout le compas sur lequel reprendre ma route. Et pourtant il n'y avait pas une minute, me semblait-il, que j'étais en train de regarder la carte bien en lumière sous la lampe de l'habitacle ! Il n'y avait rien devant moi que l'obscurité noire, rendue plus effrayante encore par les éclats irréguliers du rougeoiement qui ne faisaient que l'épaissir. Mais surtout, par-dessus tout, j'avais l'impression que la chose qui m'emportait, quelle que fût sa promptitude, quelles que fussent et sa course et sa hâte, était bien moins une chose qui se dirigeait vers quelque havre devant elle, que quelque chose qui fuyait tous les havres qui se trouvaient derrière elle. Une effroyable angoisse, un véritable sentiment de la mort m'envahit. Je serrais convulsivement la barre de mes deux mains, mais avec cette drôle d'idée que, par quelque maléfice, elle était retournée, qu'elle avait de façon ou d'autre changé de sens. Mon Dieu ! mais qu'est-ce qui m'arrive ? me demandais-je. Tout simplement que, dans mon court assoupissement, je m'étais moi-même retourné, et qu'ayant ainsi fait demi-tour, j'avais la muraille de poupe devant moi, et dans mon dos le beaupré, la proue et le compas. Je me remis dans l'instant à l'endroit, juste à temps pour redresser le navire, l'empêchant de partir au lof et, très probablement, de chavirer. Quel ne fut pas mon soulagement, et avec quelle gratitude et quelle joie, d'être revenu de cette nocturne hallucination contre nature, et aussi des fatales conséquences d'une abattée sous le vent !

Oh! ne regarde pas trop longtemps dans la face du feu, toi, homme! Et ne rêve jamais quand tu as la main sur la barre. Ne tourne pas le dos au compas; mais accepte le premier avertissement de la barre prompte à réagir; ne te fie pas aux artifices du feu, dont la rouge lueur revêt les choses d'un aspect fantastique. Demain, sous le soleil de la nature, les cieux seront beaux et clairs; et ceux qui apparaissaient, tels des démons sous les flammes bifides, le matin te les montrera tout différents, sous un air à tout le moins plus fraternel, plus rassurant. Le glorieux, le tout doré, le bienheureux soleil est le seul luminaire; tous les autres ne sont que des menteurs!

Le soleil, lui, ne dissimule ni ne cache le Lugubre Marais de Virginie, ni non plus la maudite et malsaine Campagne de Rome, ni non plus la désolation du Sahara, pas plus que les millions de milles de terres désertes et dénudées et chagrines de notre globe. Le soleil ne dissimule ni ne cache l'Océan, qui est le côté noir de cette terre, et qui en couvre les deux tiers. Aussi est-il, et c'est pourquoi le mortel habitant de cette terre qui a en lui plus de liesse que de tristesse et plus de joie que de chagrin, cet homme ne saurait être ni véridique ni véritable; il n'est pas vrai, ou il est non développé. Semblablement, des livres. Le plus vrai de tous les humains ce fut l'Homme de Douleur, et le plus vrai de tous les livres est celui de Salomon; et l'Ecclésiaste est le plus fin acier trempé de la souffrance. « Tout est vanité. » TOUT. L'entêtement obstiné de ce monde n'a toujours pas saisi la sagesse du roi Salomon, non chrétien. Mais celui qui se détourne des hôpitaux et des prisons, et qui presse le pas pour traverser les cimetières, celui qui parlera plus volontiers des opéras que de l'enfer; celui qui dira de Cowper, de Young, de Pascal ou de Rousseau que ce sont tous de pauvres malades; celui qui tout au long d'une existence insoucieuse ne jure que par Rabelais pour sa sagesse, et partant sa joyeuseté : non, cet homme n'est point fait, ni prêt, ni capable, ni digne de s'asseoir sur la pierre des tombeaux et de creuser l'humus humide et vert en compagnie de l'inépuisablement, de l'insondablement merveilleux Salomon.

Mais Salomon lui-même a dit : « L'Homme qui s'écarte du sentier de la prudence reposera (c'est-à-dire : *même de son vivant)* dans l'assemblée des morts. » Aussi ne va donc pas te donner toi-même au feu, de peur qu'il ne te retourne et ne t'assoupisse, comme un moment il avait fait de moi. Il est une sagesse qui est malheur; mais il est un malheur qui est folie. Et il est en certaines âmes un aigle de Catskill, capable également de plonger dans les gouffres les plus ténébreux, mais d'en ressortir d'un vol plus verti-gineux qui l'enlève à perte de vue dans les solaires étendues. Et puis, s'il restait même à jamais volant au fond de ces gouffres, ces gouffres ne sont-ils pas ouverts dans les hautes montagnes? de sorte que cet aigle des montagnes, dans son plus abyssal plongeon, n'en demeure pas moins très au-dessus des oiseaux de la plaine, quand même ils planeraient au plus haut de leurs envolées.

LAMPES

Laissant là le fondoir, si vous étiez descendu au poste d'équipage du *Péquod* où dormait la bordée de repos, sur le premier moment vous auriez pu vous croire dans la chapelle ardente de quelque saint roi ou d'un grand personnage canonisé. Là gisaient, chacun dans sa niche voûtée de chêne, en silence, précieusement, les hommes de l'équipage; des lampes par douzaines resplendissaient sur leurs yeux clos.

Sur les navires marchands, l'huile est pour le matelot plus rare que du lait de reines. S'habiller dans le noir, et manger dans le noir, et trébucher dans le noir jusqu'à son grabat, voilà le lot habituel des marins long-courriers. Le baleinier, en revanche, qui est en quête de l'aliment de la lumière, vit aussi dans la lumière. Il transforme sa couche en une lampe d'Aladin et s'y installe pour dormir; de sorte que par les ténèbres les plus noires des plus obscures nuits, la sombre coque du navire abrite et véhicule une illumination.

Voyez avec quelle liberté entière le matelot baleinier s'en vient, portant sa brassée de lampes – qui ne sont bien souvent que vieux flacons et vieilles bouteilles – pour les remplir au refroidisseur du fondoir, comme pots de bière au tonneau. Et il brûle, au surplus, une huile vierge, dans son état de pureté parfaite; non manufacturée, c'est-à-dire non viciée : un fluide qu'ils ne connaissent absolument pas à terre avec toutes leurs inventions solaires, lunaires et astrales. Il est doux comme un beurre des premiers prés d'avril. Ainsi s'en va le baleinier chassant son huile soi-même comme pour être mieux sûr de sa fraîcheur et de sa pureté, de même que le voyageur dans la Grande Prairie chasse et se tire son propre dîner.

MISE EN CALE ET MISE AU NET

Nous avons déjà vu comment le grand léviathan est repéré à grande distance de la pointe des mâts; comment il est poursuivi sur les landes marines et égorgé dans les vallons de l'abîme; comment il est ensuite remorqué sur le flanc, puis décapité; et comment enfin (en vertu du principe qui valait aux bourreaux du temps jadis l'attribution des vêtements que portait le supplicié au moment de la décollation) son grand manteau ouaté vient en la possession de ses exécuteurs; nous avons vu encore comment, le moment venu, il est condamné aux bouilloires, et comment son huile, son spermaceti et ses os, tels Sidrac, Misac et Abdénago[1], passent indemnes par le feu. Mais il nous reste maintenant à conclure par un dernier chapitre l'ensemble de cette description, en racontant – en chantant même, s'il est possible – le pittoresque et romantique décantage et transvasement de son huile dans les barils, et leur descente au creux de la cale, où une fois encore le léviathan se retrouve dans ses natales profondeurs, glissant comme devant sous la surface, mais hélas! pour ne remonter plus jamais ni souffler.

L'huile encore chaude, tel un punch brûlant, est déversée dans des barils de six barriques; et pour peu que tangue et roule le navire sur l'océan de la mi-nuit, voilà les énormes futailles chahu-tées, renversées, roulées bord sur bord et parfois dangereusement lancées sur le pont tout glissant, s'écroulant et s'affaissant tels de véritables éboulements sur terre, tant qu'elles n'ont pas enfin été

1. Allusion à Daniel, III, 21.

saisies par des amarres humaines et immobilisées dans leur élan ;
et partout alentour, tap ! tap ! tap ! les cercles s'enfoncent sous
autant de marteaux qu'ils en peuvent porter, car pour l'instant, *ex
officio*, chacun des matelots est tonnelier.

Quand, à la fin, l'ultime pinte d'huile a été de la sorte entonnée ;
quand tout est refroidi, alors les panneaux de la grande écoutille
sont descellés, et dans les entrailles maintenant béantes du vaisseau, les barriques descendent pour leur dernier repos sous la mer.
Cela fait, les panneaux sont remis en place, et hermétiquement
fermée l'écoutille, tel un caveau remuré.

Dans la grande pêche au cachalot, c'est ici sans doute une des
plus remarquables particularités de toute l'affaire. Un jour, les
ponts ruissellent littéralement d'huile et de sang mêlés ; et jusque
sur le temple du gaillard d'arrière sont entassées – oh ! profana-
tion ! – les masses colossales de la tête du cachalot ; de grandes
futailles en désordre traînent partout, comme dans la cour d'une
brasserie ; les fumées du fondoir ont tout souillé de suie, tout sali ;
et les matelots eux-mêmes, imbibés d'onctuosité, s'agitent dans le
gras. Le navire est partout comme s'il était le grand léviathan lui-
même, et cela dans un bruit général à vous assourdir.

Mais un jour ou deux plus tard, vous pouvez regarder partout
sur ce même navire et tendre de tous côtés une oreille cha-
touilleuse : n'étaient les baleinières et le fondoir révélateurs, vous
seriez prêt à jurer que vous déambulez sur les ponts silencieux de
quelque long-courrier commandé par un capitaine particulièrement pointilleux en matière de propreté. L'huile vierge du cachalot possède une vertu étonnante de décapage, et c'est ce qui fait
que les ponts ne sont jamais aussi blancs et nets qu'après ce qu'on
nomme une « séance d'huile ». En outre, avec les cendres des
déchets brûlés on fabrique séance tenante une lessive fort efficace,
qui a tôt fait d'avoir raison de toute tache, trace ou macule qu'eût
pu laisser l'animal sur la coque du bateau. Les hommes s'activent
au long des bastingages à grand renfort de bailles et de chiffons,
ramenant tout à la netteté originale. Manœuvres dormantes et
courantes, espars et mâts : tout le gréement bas est débarrassé à la
brosse de la suie. Tous les outils, ustensiles divers et instruments
variés qui ont été employés pendant l'opération sont de même soi-

gneusement nettoyés et rangés. Le grand panneau d'écoutille qui couvre le fondoir, préalablement lessivé, est remis en place. Bailles, récipients et barils sont devenus invisibles ; palans et moufles, filins et apparaux ont disparu. Et quand par les soins diligents de l'équipage entier, dans une activité générale, ce grand et scrupuleux nettoyage est achevé, les hommes eux-mêmes procèdent à leurs ablutions personnelles, se changent des pieds à la tête, et finalement réapparaissent eux-mêmes frais et brillants sur le pont immaculé, tels de jeunes mariés tôt levés pour le jour de leurs noces et sortant d'entre les draps de la plus fine toile de Hollande.

Le pas léger, ils se promènent de long en large sur le pont, par petits groupes de deux ou de trois, discourant non sans gaieté de beaux salons, de profonds sofas, de moelleux tapis et de fins brocarts ; ils se proposent de clouer de la moquette sur les ponts ; ils songent à avoir des tentures aux mâts ; et ils ne se refuseraient pas à prendre le thé au clair de lune sur la terrasse du gaillard d'avant. Et vous voudriez parler d'huile, et de baleines, et de lard à ces marins qui fleurent le musc ? Mais ils ne savent même pas à quoi vous prétendez faire allusion. Voyons ! Laissez donc, et apportez-nous des napperons.

Mais notez bien que là-haut, à la pomme des mâts, trois vigies guettent intensément pour lever éventuellement de nouveaux cachalots, qui, s'ils sont pris, souilleront de nouveau infailliblement le vieux mobilier de chêne et laisseront tomber au moins une goutte de graisse ici ou là. Mais oui ! et il arrive plus d'une fois qu'après les plus rigoureux labeurs qui ne connaissent de répit ni de jour ni de nuit, et qui se poursuivent ainsi durant quatre-vingt-seize heures d'affilée – et cela après que les hommes se sont rompus les poignets à ramer toute la journée sur l'équateur, ne remettant les pieds sur le pont que pour manœuvrer de pesantes chaînes, s'exténuer au cabestan, oui, oui ! et tailler et couper et suer sang et eau pour être enfumés, et brûler et rebrûler sous les feux combinés du torride soleil et du torride fondoir –, il arrive souvent, dis-je, qu'au terme de tout cela, quand les pauvres gars se sont donné un mal de chien pour rétablir sur le vaisseau une propreté immaculée de laiterie modèle, au moment qu'ils boutonnent le col de leur chemise propre, les voilà qui sursautent au cri de

« Sou-ou-ou-ouffle, là ! » bondissant de nouveau à la poursuite et
au combat d'un nouveau cachalot, recommençant de A à Z toute
l'exténuante affaire. Ah ! les amis, il y a de quoi vous tuer un
homme ! Et pourtant, oui, c'est ça la vie. A peine avons-nous, malheureux mortels, après de longues et dures peines, extrait de la
vaste carcasse de ce monde son petit peu de spermaceti précieux ;
à peine, à grand-peine, nous sommes-nous purifiés nous-mêmes
de ses ordures et commençons-nous d'apprendre à vivre ici dans
les purs tabernacles de l'âme, que revoilà le cri d'alerte retentissant : « Sou-ou-ouffle là-bas ! » et revoilà le jet spectral qui se lève,
et nous voilà de nouveau mettant à la voile pour un autre monde,
pour un autre combat, recommençant toute la vieille routine pour
le cours d'une nouvelle existence.

Oh ! la métempsychose ! oh ! Pythagore, toi qui mourais voici
deux millénaires dans la Grèce éclatante de lumière, ô toi, si bon,
si sage, si affable et bénin ! c'est en ta compagnie que j'ai fait voile
tout au long des côtes du Pérou dans cette dernière traversée, et
tout stupide que je sois, un vrai novice, un bleu, je t'ai quand
même appris à faire une épissure.

LE DOUBLON

Notre récit a déjà rapporté précédemment l'habitude qu'avait Achab d'arpenter le château d'arrière en faisant régulièrement demi-tour, ici devant l'habitacle, et là au pied du grand mât. Mais entre toutes les choses qui mériteraient narration, il n'a pas été dit que lorsqu'il était le plus profondément plongé dans ses plus noires humeurs, il avait l'habitude de marquer un temps d'arrêt à chacune de ces extrémités, et qu'il restait planté là un moment, l'œil fixé bizarrement sur chacune des bornes particulières de sa déambulation. Quand il était devant l'habitacle, son regard restait fixé sur l'aiguille pointée du compas, et ce regard s'intensifiait, lancé en avant comme un javelot aigu vers le but précis de son unique propos. Et quand il revenait enfin sur ses pas pour s'arrêter devant le grand mât, ce même regard fixe et intense se rivait sur la pièce d'or qui y était clouée, marqué de la même détermination sauvage et immuable, mais alourdie, eût-on dit, d'une accablante nostalgie, d'une angoisse terrible et peut-être désespérée.

Pourtant un matin, venant à passer devant le doublon, il parut tout à coup attiré particulièrement par les inscriptions et figures étranges qui y étaient gravées, tout comme s'il les voyait pour la première fois ou comme s'il commençait maintenant, pour la toute première fois, à y déchiffrer personnellement et à y voir, dans sa monomanie, quelque signification cachée l'intéressant particulièrement. En toutes choses se cache un certain sens; sinon rien ne vaudrait rien, et le globe terrestre tout entier ne serait qu'un énorme zéro, un chiffre et une chiffe nuls, à vendre au tombereau

comme déblai – ainsi qu'on le fait des collines alentour de Boston –
pour combler quelque marécage de la Voie lactée.

Ce doublon, donc, était de l'or le plus pur, tiré du cœur de l'une
de ces collines somptueuses d'où s'écoulent, à l'est et à l'ouest,
courant sur des sables d'or, les flots de plus d'un pactole. Et bien
qu'il fût aujourd'hui cloué au milieu de la rouille des pièces de fer
et du vert-de-gris des chevilles de cuivre, vierge de toute souillure,
immaculé et intact, il conservait tout son lustre original de Quito.
Mieux même, et bien qu'il fût exposé à la portée constante des
rudes mains d'un rude équipage, tout au long des heures du jour
comme aussi tout au long des heures de la nuit dont l'opacité eût
couvert les cauteleuses approches, chaque aube néanmoins retrouvait le doublon où le coucher du soleil l'avait laissé. C'est aussi
qu'il était réservé, sanctifié dans ses fins mystérieuses ; et quelles
que fussent par ailleurs les impiétés et grossièretés salées des matelots, il n'en était pas un qui ne le révérât comme le talisman du
Cachalot Blanc. Il leur arrivait d'en parler parfois, au long des
paresseux et lents quarts de nuit, se demandant à qui il finirait par
revenir, et si celui-là vivrait assez pour pouvoir le dépenser.

Ces nobles écus d'or de l'Amérique du Sud se présentent
comme de vraies médailles solaires, de purs symboles des tropiques. Palmiers et alpagas, soleils et astres équatoriaux, cornes
d'abondance et somptueux étendards y sont répandus avec une
telle profusion, gravés avec une telle luxuriance, que le précieux
de l'or semble ajouter encore à sa préciosité et rehausser ses gloires
sous le déversement poétique de ces imaginations follement espa-
gnoles.

Le doublon du *Péquod* était un magnifique échantillon de ce
genre de choses, qui portait en exergue les lettres circulaires de :
REPUBLICA DEL ECUADOR : QUITO. Ainsi donc, ce resplendissant
écu d'or venait de cette contrée piquée sur le milieu du monde et
plantée sous le grand équateur dont elle a pris le nom ; et son or
avait été frappé au cœur même de ces Andes au climat invariable
qui ne connaît point d'automne. Dans le cercle formé par les
lettres, c'était l'image de trois sommets des Andes : l'un surmonté
d'une flamme, l'autre d'une tour et le troisième d'un coq lançant
son chant ; par-dessus s'incurvait l'arc d'un fragment du zodiaque

marqué de ses habituels signes cabalistiques, avec le soleil au plus haut, entrant au point équinoxial de la Balance.

Devant cette pièce équatoriale était immobilisé Achab, sous les regards de tous.

– Il y a toujours un orgueil plein de suffisance dans les sommets des monts et les tours, comme dans toutes les choses qui s'érigent dans les hauteurs. Voilà ces trois sommets orgueilleux comme Lucifer. La solide tour, c'est Achab; et ce volcan, c'est Achab; et cet oiseau victorieux, lui aussi, c'est Achab encore. Toujours Achab. Et ce disque d'or, ce n'est rien d'autre que l'image de la parfaite rondeur de ce globe terrestre qui ne reflète pour chacun, comme un miroir magique, que l'image de son propre moi mystérieux. Grandes peines et petit profit, voilà ce que récoltent ceux qui demandent au monde la solution des problèmes qui les concernent; il ne peut même pas résoudre les siens propres. Ce soleil, on dirait, rougit d'être monnaie, mais oui! et regarde un peu : il entre dans le signe tempétueux de l'équinoxe, et il n'y a pas six mois qu'il sortait de l'autre signe d'équinoxe, Aries! De tempête en tempête! Qu'il en soit ainsi donc! Enfanté dans la douleur, l'homme est fait pour vivre dans les tourments et mourir dans les transes. Qu'il en soit donc ainsi! Mon étoffe est solide : excellente matière pour que tourmentes et tourments s'acharnent dessus. Donc, qu'il en soit ainsi.

– Ce ne sont sûrement pas des doigts de fées qui ont pu graver cet or, mais les griffes du diable doivent y avoir laissé leur empreinte depuis hier, monologuait Starbuck appuyé contre la rambarde. On croirait le vieil homme en train de déchiffrer l'effroyable message tracé devant Balthazar!... Mais je n'ai moi-même jamais regardé cette pièce de près. Voilà le vieux qui redescend. Allons-y!... Une sombre vallée au pied de trois sommets puissants, trois pics s'élevant jusqu'aux cieux... on dirait d'un terrestre symbole représentant la Trinité. Dans cette vallée de la mort, Dieu nous entoure de partout; et sur toutes nos ténèbres, dans toutes nos obscurités brille cependant toujours le soleil de Sa Justice, notre phare et notre espérance. Si nous baissons les yeux, la ténébreuse vallée ne nous montre que sa boue; mais si nous les levons, le soleil apparaît, qui vient chercher notre regard à mi-

chemin et nous donner courage. Mais pourtant, ah ! le soleil dans
toute sa splendeur n'est pas un fanal fixe ; et si, en pleine nuit,
nous voulons essayer de lui demander quelque doux réconfort, nos
yeux le cherchent en vain ! Oui, le doublon que voilà parle avec
une grande sagesse et non sans vérité, non sans prudence, mais
cependant toujours trop tristement pour moi. Allons-nous-en, de
peur que la Vérité ne nous ébranle et nous jette dans les errements.

   – D'abord le vieux Moghol, soliloquait Stubb à côté du fondoir,
et ensuite Starbuck, et tous les deux avec des mines de neuf aunes
pour le moins y sont venus, semblablement profonds et scruta-
teurs. Et tout ça pour regarder une sacrée pièce d'or que je
n'aurais pas seulement le temps de voir avant qu'elle soit dépensée, si je l'avais à présent quelque part à Negro Hill ou à Corlear's
Hook. Moi je trouve ça, hum !... bizarre ; oui, voilà ce que c'est à
mon pauvre petit avis personnel. Des doublons, quoi ! j'en ai vu
des quantités depuis que je bourlingue : vieux doublons espagnols
et doublons du Pérou, doublons du Chili, doublons de Bolivie et
doublons du pape ! Et quantité de milreis et de condors et d'escu-
dos par-dessus le marché, et des onces d'or, des demi-onces et des
quarts d'onces. Alors, qu'est-ce qu'il a donc de si terrifiquement
admirable, ce doublon de l'Équateur ? Par tous les trésors de
Golconde, il faut que j'y donne un coup d'œil ! Fichtre ! En voilà
des signes et des merveilles en vérité ! Cet arc, là, c'est ce que le
vieux Bowditch dans son *Compendium* dénomme le zodiaque,
nommé de même dans l'Almanach que j'ai en bas. Je te vais aller
le quérir, cet Almanach, attends un peu ! et comme j'ai entendu
dire qu'on pouvait évoquer les démons à l'aide de l'arithmétique
de Daboll, je vais me faire la main en essayant de tirer une signification des embrouillaminis que voilà avec mon calendrier du
Massachusetts... Là, voilà le bouquin. Alors, allons-y. Voyons,
voyons... Signes et merveilles, avec le soleil qui est toujours au
milieu... Voyons, voyons, voyons... Ah ! les voilà. Voilà leur ronde ;
les voilà, les gaillards, qui dansent tous la farandole : Aries ou le
Bélier ; Taurus ou le Taureau ; et par le nègre-blanc, voilà les
Gémeaux en personne, ou mieux dit : les Jumeaux. Bon ! Le Soleil
chemine au milieu d'eux. Très bien. Justement, sur cette pièce, il
est en train de passer le seuil entre deux des douze maisons qui

font le cercle. Mais halte ! à partir de là, toi le bouquin, tu mens.
En vérité, vous devriez savoir mieux rester à votre place, vous les
livres ! Ce qu'il vous faut, c'est nous donner les strictes paroles et
les faits tout nus ; c'est à nous qu'il revient d'apporter les idées
et les pensées. Voilà le fruit de ma petite sagesse personnelle et de
mon expérience privée, dans les limites, s'entend, du calendrier du
Massachusetts, du Manuel de navigation de Bowditch et de l'arithmétique de Daboll. Des signes et des merveilles, eh ?... Dommage,
décidément, qu'il n'y ait dans les signes nulle merveille, et dans les
merveilles aucun signe qui ait un sens ! Mais attends voir ! il doit
bien y avoir une clef quelque part... un instant, chut !... Par
Jupiter, la voilà ! Je la tiens. Alors, écoute-moi bien, toi, le doublon : ton zodiaque, c'est la vie humaine en un chapitre rotatif,
giratoire et circonvolutif. Il ne me reste plus qu'à la lire de bout en
bout d'après le livre. Hola, Almanach ! arrive un peu. Là : et pour
commencer, voilà Aries ou le Bélier – un chien lascif qui nous
engendre ; ensuite vient Taurus ou le Taureau – qui nous flanque le
premier coup de corne ; puis ce sont Gemini ou les Gémeaux, les
jumeaux – c'est-à-dire la Vertu et le Vice ; nous nous efforçons
donc vers la vertu quand boum ! voilà qu'arrive le Cancer ou
Crabe, qui nous tire en arrière. Et là, sortant de la Vertu, c'est
Leo : un lion rugissant qui se couche en travers du chemin – on en
reçoit quelques bons et féroces coups de dents, quelques rudes
coups de patte aussi ; mais on s'en sauve. Et nous voilà devant
Virgo, la Vierge ! – qui est notre premier amour. Nous l'épousons
et nous croyons être heureux à jamais, quand paf ! nous voilà dans
la Balance, Libra – qui pèse le bonheur et le trouve léger. Alors, et
tandis qu'on est là tout triste encore de la chose, aïe, Seigneur !
c'est Scorpio, le Scorpion qui nous a piqués au talon ; nous sommes
encore en train de soigner cette blessure quand, vlan ! tout autour
de nous volent les flèches ; c'est Sagittarius ou l'Archer qui s'amuse
un brin. Nous nous enlevons les traits dont nous sommes percés,
quand attention ! tirons-nous de côté, voilà qu'arrive Capricornus,
le bouc furieux, droit sur nous, au grand galop ; et nous voilà projetés la tête la première. Aquarius, ou le Verse-Eau, nous inonde
alors de tout son déluge et nous noie ; et pour finir, c'est avec
Pisces, les Poissons, que nous dormons le dernier sommeil. Tel est

donc le sermon écrit et gravé au plus haut du ciel, et le soleil le
parcourt de bout en bout chaque année, et n'en ressort toujours
que plus vif, plus alerte et de meilleure humeur. Il roule gaillardement là-haut, à travers peines et douleurs ; et de même ici-bas fait
ce gaillard de Stubb. La bonne humeur, voilà le dernier mot de tout !
Adieu, doublon !… Mais halte-là, voici venir Gros-Bois. Évitons-le,
et passons derrière le fondoir pour écouter ce qu'il va dire. Là, le
voilà devant, il va sûrement nous sortir quelque chose à présent.
Oui, oui, le voilà qui commence.

   – Je ne vois rien d'autre là qu'un disque bien rond et fait d'or ;
et quiconque lèvera un certain cachalot, ce disque-là sera à lui.
Qu'est-ce qu'ils ont tous à le regarder ? Il vaut ses seize dollars, ça
c'est bien vrai ; et à deux cents le cigare, cela nous fait neuf *cent*
soixante cigares. Moi, je n'aime pas la pipe puante comme Stubb,
mais j'aime le cigare ; or, en voilà là neuf *cent* soixante unités. Ça
vaut la peine. Aussi, mon petit Flask, en haut et ouvre l'œil !

   – Dois-je à présent appeler ça folie ou sagesse ? Car si c'est réellement et positivement sage, ça vous a tout de même l'air assez
idiot ; et si c'est vraiment une stupidité, elle a tout de même une
manière de bon sens. Mais assez ! voilà que vient le vieil homme de
Man, ce vieux cocher de corbillard car c'est ce qu'il a dû être, je
veux dire avant de venir en mer. Il prend une bordée devant le
doublon ; hé là ! mais où va-t-il ? le voilà qui vire derrière le mât.
C'est un fer à cheval qui est cloué de ce côté-là. Ah ! il revient.
Qu'est-ce que veut dire ce manège ? – Écoutons !… Cette voix qui
marmonne, on dirait d'un vieux moulin à café hors d'usage.
Oreille au guet et tâchons d'entendre.

   – Si le Cachalot Blanc est levé, ce sera dans un mois et un jour,
quand le Soleil sera au plein d'un de ces signes-là. Je les connais,
ces signes ; j'ai étudié leur sens ; la vieille sorcière de Copenhague
me les a appris, il y a de ça une bonne quarantaine d'années. Et le
Soleil, alors, il sera dans quel signe ? Dans le signe du fer à cheval,
bien sûr, puisque le voilà bien, juste vis-à-vis de l'or. Et qu'est-ce
que c'est, le signe du fer à cheval ? C'est le Lion qui est le signe du
fer à cheval : le lion rugissant et dévorant. Oh ! navire, vieux
navire ! ma vieille tête frémit de penser à toi.

   – Un nouvel air, mais toujours la même chose, la même chanson. C'est aussi qu'il y a toutes sortes d'hommes dans une seule espèce de monde, tu comprends ? Esquivons-nous de nouveau : voilà Quiequeg. Avec tous ses tatouages il a l'air d'être lui-même le zodiaque. Bon ; qu'est-ce que dit notre cannibale ? Ma parole ! il se livre à une étude de textes comparés ; il s'en réfère à son fémur ; il doit croire sans doute que le Soleil est dans son fémur ; ou dans son mollet, ou dans ses tripes, est-ce que je sais ? – comme les sorcières noires parlent d'astronomie chirurgicale... Mais par Jupin ! le voilà qui a découvert quelque chose là-bas, du côté de son fémur ; – parions que c'est Sagittarius ou l'Archer. Mais non. Il ne sait qu'en faire, de ce doublon : il le prend pour un vieux bouton de culotte d'une royauté quelconque... Mais chut ! voici venir ce spectre du diable, le Fédallah... sa queue lovée et invisible, comme d'habitude, et de l'étoupe comme d'habitude dans ses souliers. Qu'est-ce qu'il va bien pouvoir dire, lui, avec son regard ? Eh bien, rien ! Il fait seulement un signe au signe en s'inclinant profondément ; c'est vrai qu'il y a un Soleil sur cette pièce d'or : un adorateur du feu si ça se trouve... Oh ! mais c'est que ça n'arrête pas ! En voilà d'autres et d'autres encore. C'est Pip qui arrive ce coup-ci... pauvre gars ! s'il était mort au moins, ou moi... de le voir me fait presque horreur. Lui aussi, il a guetté tous les interprètes successifs, moi compris ; et il vient à son tour, avec son expression fixe de stupidité surnaturelle, lire la chose. Ah ! que je me cache encore un coup pour écouter. Chut !...

– Je regarde, tu regardes, il regarde ; nous regardons, vous regardez, ils regardent.

– Parole d'honneur ! Le voilà en train d'apprendre la grammaire élémentaire ! Il se meuble l'esprit, le pauvre petit gars ! Mais qu'est-ce qu'il dit encore ? Eh ?...

– Je regarde, tu regardes, il regarde ; nous regardons, vous regardez, ils regardent.

– Amusant, pas vrai ?

– Et moi, toi et lui ; et nous, vous et eux : tous des chauves-souris ; moi, je suis un corbeau, surtout quand je suis perché tout là-haut sur ce grand tronc de pin. Croa ! croa ! croa !... croa ! croa ! croa !... Est-ce que je ne suis pas un corbeau ? Mais où sont les épouvantails ? En voilà un ici : deux os piqués dans les jambes d'un vieux pantalon, et deux autres plantés dans les manches d'une vieille veste.

– Me demande ce qu'il veut dire?… Fameux hommage! – pauvre type!… Cela me ferait venir des envies de me pendre! De toute façon, ça suffit pour le moment. Les autres, je puis encore les supporter parce qu'ils sont sains ou simples d'esprit; mais le voisinage de Pip ne me vaut rien : il est trop follement spirituel ou spirituellement fou pour mon sens. Allons-nous-en! Et laissons-le à ses marmottages.

– C'est ici, le voici, le nombril du navire… ce doublon d'or ici. Et tous sont enragés à vouloir le dévisser. Mais essayez un peu de vous dévisser le nombril, et qu'est-ce qu'il arrive? Et puis même s'il y reste, c'est quand même tout aussi mauvais; parce que clouer quelque chose au mât, c'est un signe que tout va mal, désespérément mal. Oh! lala! vieil Achab! Le Cachalot Blanc, il va te clouer! C'est un tronc de pin que voilà. Mon père, chez nous là-bas, une fois, il a abattu un pin et il a trouvé dedans un anneau d'argent; l'arbre avait poussé autour; la bague de mariage d'un vieux, vieux Noir. Mais comment y était-elle venue? C'est cela aussi qu'ils se demanderont au jour de la résurrection, quand ils viendront à repêcher ce vieux mât et trouveront ce doublon fiché dedans sous son écorce de coquillages. Oh! l'or, l'or précieux, précieux!… bientôt la mer avare l'engloutira! Mais chut! chut!… Dieu s'en va par le monde à la cueillette des mûres. – Eh! coq, oh, coq! encoque-nous! – Jenny, hi, hi, hi! Jenny, ma jolie, as-tu fait ton lit? Hi, hi, hi! Jenny! ma jolie Jenny! as-tu fait ton nid?

C

BRAS ET JAMBE;
LE « PÉQUOD » DE NANTUCKET
RENCONTRE LE « SAMUEL ENDERBY »
DE LONDRES

– Ohé du navire ! Avez-vous vu le Cachalot Blanc ?

Une fois de plus, Achab hélait un navire qui nous croisait, celui-là, sur l'arrière, et qui battait pavillon anglais. Son porte-voix embouché, le vieil homme se tenait hissé sur les hauteurs de son gaillard d'arrière, et sa jambe d'ivoire était pleinement visible pour le capitaine étranger qui se tenait négligemment penché à la proue de son bateau. C'était un homme sympathique et de belle prestance, solidement bâti, le teint cuit et recuit, qui pouvait avoir dans les soixante ans. Il était revêtu d'un surtout rond en drap bleu de pilote dont les plis amples festonnaient autour de lui ; et l'on voyait une manche vide de sa veste battre dans le vent comme la manche non enfilée de l'uniforme des hussards.

– Vu le Cachalot Blanc ?

– Et ça, vous le voyez ? rétorqua le capitaine en retirant de sous les plis qui le cachaient un bras blanc fait dans un os de cachalot, que terminait une tête de bois comme d'un maillet.

– Armez le canot ! hurla Achab impatiemment en armant les avirons. Paré à larguer les garants ! Paré à déborder !

En moins d'une minute, et sans quitter la petite embarcation, Achab et ses hommes étaient mis à la mer. L'instant d'après, ils accostaient l'étranger. Mais là une curieuse difficulté se présenta. Achab avait oublié, dans l'excitation du moment, que depuis la perte de sa jambe il n'était monté à bord d'aucun autre vaisseau que le sien, où il le faisait pratiquement grâce à un ingénieux et commode appareil toujours à portée sur le *Péquod*, mais qui faisait défaut évidemment sur tout autre navire où l'on ne pouvait l'arrimer et le disposer sur l'instant. Or, ce n'est déjà pas tellement facile (sauf pour les hommes des baleinières qui en ont la pratique, habitués qu'ils sont à le faire pour ainsi dire à chaque heure), non ce n'est pas chose aisée, même pour un bon marin, que de passer d'un canot à la mer sur le pont d'un vaisseau, avec les hautes lames qui vous lancent le canot presque à hauteur des rambardes pour le précipiter instantanément à mi-chemin de la quille ; aussi Achab se trouva-t-il fort embarrassé, avec sa jambe défaillante, devant le navire qui, naturellement, ne disposait d'aucun ingé-nieux appareil, et il se sentit une fois de plus mortifié, odieusement réduit à l'abjecte maladresse d'un terrien. Il fixait avec dépit ces hauteurs perpétuellement changeantes jusqu'auxquelles il ne pou-vait guère espérer parvenir.

Nous avons déjà signalé, peut-être, qu'en chaque petite circons-tance où Achab rencontrait une difficulté résultant plus ou moins directement de sa malheureuse infirmité, il éclatait instantané-ment et sortait de ses gonds. Mais cette fois-ci, sa fureur était encore exaspérée par la présence de deux officiers penchés à la coupée du navire étranger, et par la proximité du chanvre et des degrés de bois de l'échelle de côté qui s'y balançait avec les orne-ments et les nœuds de ses cordages d'appui ; les deux Anglais, là-haut, ne semblaient pas avoir compris sur le premier moment qu'un homme privé de l'une de ses jambes fût trop gravement infirme pour pouvoir se servir de leur escalier marin. Mais l'embarras ne dura qu'un instant, grâce au capitaine étranger qui jugea de la situation au premier coup d'œil et lança ses ordres.

– Bon, bon ! Halez-vous au faux-bras, là-bas ; attendez pour rentrer devant. Vous, les gars, envoyez le palan de dépeçage. Et vite !

Par chance, en effet, ils avaient eu un cachalot à flanc la veille ou l'avant-veille, et les lourds apparaux étaient encore à portée avec l'énorme croc à lard – dûment nettoyé et poli maintenant – toujours suspendu au filin. Promptement, le croc fut descendu sur Achab qui comprit instantanément la manœuvre et passa sa jambe valide dans la courbure du fer, où il était installé comme sur le bras d'une ancre ou à la fourche d'un pommier. S'y tenant ferme, il donna l'ordre de hisser tout en aidant lui-même à la manœuvre en halant main sur main l'un des filins du moufle. Bientôt il était soigneusement amené à l'intérieur de la haute muraille et doucement déposé sur la table du cabestan. Son bras d'ivoire cordialement tendu en signe de bienvenue, le capitaine étranger s'avança vers Achab, qui, de sa position élevée, leva sa jambe d'ivoire et la croisa (comme deux épées se croisent) avec ledit bras, s'exclamant dans son ton de vieux morse :

– Oui, oui, de grand cœur ! croisons nos os pour nous saluer ! Un bras et une jambe !... Un bras qui ne peut pas faillir, n'est-ce pas ! et une jambe qui ne peut pas fuir. Où avez-vous vu le Cachalot Blanc ? Il y a combien de temps ?

– Le Cachalot Blanc, dit l'Anglais en pointant vers l'est son bras d'ivoire avec un long et triste regard immobile dans cette direction, comme s'il avait levé un télescope, c'est par là que je l'ai vu, sur la Ligne, la saison dernière.

– Et c'est lui qui a enlevé ce bras-là, non ? demandait Achab tout en se glissant à bas du cabestan, appuyé sur l'épaule de l'Anglais.

– Oui, c'est lui en tout cas qui en fut cause. Cette jambe aussi ?

– Racontez-moi ça, dit Achab, qu'est-il arrivé ?

– C'était la première fois que je croisais sur l'équateur, commença l'Anglais. Je n'avais jamais entendu parler du Cachalot Blanc à ce moment-là. Bref, un jour, nous mîmes à la mer pour un petit groupe de quatre ou cinq, et ma baleinière en piqua un. Un vrai cheval de cirque, c'était là, qui tournait en rond, tournait en rond, et tellement vite et court que mon équipage arrivait tout juste à équilibrer le canot en s'alignant, tous les derrières posés sur le plat-bord intérieur. A ce moment-là fit brèche du fond de la mer, avec un bond formidable, un gros cachalot à tête et à bosse d'un blanc de lait, tout ridé et sillonné de partout.

– C'était lui ! c'était lui ! ne put s'empêcher de clamer Achab, tout haletant.

– Et avec des harpons fichés tout contre son bras de tribord.

– Oui, oui, c'étaient les miens... *mes* fers ! s'exclama l'exultant Achab. Mais continuez !

– Laissez-moi alors une toute petite chance d'essayer, sourit

l'Anglais. Donc ce vieil aïeul à tête et bosse blanches se rua littéralement, dans une cataracte d'écume, en plein dans le paquet des
autres, où il se mit à s'acharner furieusement de la mâchoire sur la
ligne raidie de mon harpon.

– Oui, je comprends !… pour la couper… libérer le poisson-
tenu. C'est un de ses vieux trucs… oh ! je le connais !

– Ce qu'il en était exactement, je n'en sais rien, poursuivit le
capitaine manchot ; mais à happer ma ligne, il finit par se prendre
dedans quelque part dans la gueule ; seulement nous ne nous en
étions pas rendu compte, ce qui fit que lorsque nous halâmes dessus, un peu plus tard, ce fut pour nous jeter droit sur sa bosse ! au
lieu de l'autre cachalot qui, lui, s'en alla sous le vent en battant de
la queue. En voyant ce qui arrivait, et surtout à quel noble et
grand cachalot nous avions affaire – le plus noble, en vérité, et le
plus grand de tous ceux que j'ai vus de ma vie, Monsieur ! – je me
décidai à le prendre, malgré l'épouvantable colère où il était visiblement. Et craignant que cet arrimage de fortune qui nous tenait
à lui ne vienne à se larguer, ou que la dent, peut-être, sur laquelle
ma ligne était tournée, ne lui fût arrachée (car j'ai un fameux équipage de vrais démons sur mon canot, quand il s'agit de tenir la
remorque), je sautai donc dans la baleinière de mon second,
M. Mounttop que voici – (mais que je vous présente M. Mounttop,
capitaine ; le capitaine, M. Mounttop) – et comme je vous le disais,
je sautai dans la baleinière de M. Mounttop qui était bord à bord
avec la mienne à ce moment-là ; je bondis sur le premier harpon et
hop ! le vieil aïeul en avait pris un bon coup. Mais par le Dieu
vivant, je vous jure, Sir… l'instant d'après, en moins de rien,
j'étais aussi aveugle qu'une taupe – oui, des deux yeux – ne voyant
plus rien qu'un brouillard noir à travers lequel, vaguement, se
dressait à la verticale la queue du cachalot, comme un clocher de
marbre. Inutile de scier, à ce moment-là ; mais tandis qu'en plein
midi, sous un soleil resplendissant de tous ses feux, je tâtonnais
dans le noir pour attraper le second fer et le passer par-dessus
bord, oui, alors que je tâtonnais comme un aveugle, la queue
s'écroula sur nous comme une tour de Lima, coupant en deux la
baleinière et pulvérisant les deux tronçons ; puis aussitôt après, à
reculons, oui, la queue la première, voilà la grosse bosse qui

revient parmi les épaves réduites à l'état de copeaux. Tout le monde se jeta de toutes ses forces à l'écart. Et moi-même pour éviter les terribles coups de fléau, agrippant mon propre harpon fiché dans son corps, je m'y cramponnai un moment, collé à son dos comme un rémora. Mais un violent coup de râteau d'une lourde lame m'en arracha, juste à l'instant où l'animal, avec un énorme bond en avant, filait comme un éclair vers les profondeurs ; et les barbes du maudit second fer qu'il remorquait près de son flanc vinrent m'attraper ici (et ce disant, le capitaine plaqua la main valide juste au-dessous de l'attache de l'épaule). Oui, c'est ici qu'il m'attrapa, ce harpon du diable, m'entraînant et m'engloutissant à sa suite jusque dans les flammes de l'enfer, à ce que je pensais... mais alors, tout d'un coup, alors, Dieu merci ! voilà que le fer crochu se mit à me déchirer les chairs, et il tira son chemin sur toute la longueur de mon bras pour me lâcher à peu près à la hauteur du poignet ; aussitôt je revins en surface... et c'est le gentleman que voilà qui vous racontera la suite. (Que je vous le présente, capitaine : le Dr Bondon, chirurgien du bord ; – Bondon, mon vieux, voici le capitaine.) Et maintenant, l'ami Bondon, allez-y de votre bout de filin.

Le médecin si familièrement introduit se tenait non loin d'eux depuis le tout début de la conversation ; et rien dans l'extérieur du personnage ne dénotait le moins du monde ses qualités distinguées et le grade supérieur qu'il avait à bord. Il avait une figure presque exagérément poupine, quoique grave ; et son costume était composé d'une marinière ou chemise de lainage d'un bleu délavé, ainsi que d'un pantalon rapiécé. Il tenait d'une main un épissoir, dans l'autre une boîte de pilules, partageant entre l'un et l'autre objet son attention depuis le début, non sans jeter de temps à autre un regard critique sur les membres d'ivoire des deux capitaines mutilés. Mais présenté à Achab par son supérieur, il s'inclina courtoisement et sans plus attendre se mit au récit demandé.

– C'était une salement mauvaise blessure, commença le chirurgien baleinier, et sur mon conseil le capitaine Boomer mit le cap du vieux Sammy...

– *Samuel Enderby* est le nom de mon navire, coupa le capitaine à l'adresse d'Achab. Allez-y, mon garçon.

– … mit le cap du vieux Sammy droit au nord, afin de sortir de la zone torride de l'équateur. Mais inutile… et j'eus beau faire tout ce que je pouvais, passer mes nuits assis à son chevet, me montrer extrêmement sévère en fait de régime…

– Oh ! très sévère ! trompeta l'intéressé lui-même, puis baissant le ton : il buvait des grogs chauds à longueur de soirée avec moi, jusqu'à n'y voir plus assez clair pour me refaire mes bandages ; et il m'envoyait au lit, à demi rond, sur les trois heures du matin. Oh ! cieux étoilés ! à mon chevet, en vérité, et très strict pour mon régime ! Ah ! oui, c'est un veilleur de grandes veilles, et d'une sévé-rité diététique extraordinaire, notre Dr Bondon. (Que ne riez-vous aux éclats, Bondon, vieille canaille ! vous savez bien que vous êtes un sacré coquin de joyeux lascar.) Mais en route, mon garçon, allons-y ; quoi qu'il en soit, je préfère être tué par vous que tenu en vie par n'importe qui d'autre !

– Mon capitaine, comme vous avez pu le remarquer, très honoré Monsieur (prononça avec un air de dévotion imperturbable le Dr Bondon, en s'inclinant légèrement devant Achab), a parfois une certaine propension à la facétie. Il n'a pas son pareil pour vous trousser des compliments de ce genre. Mais je peux aussi bien vous avouer – *en passant*, comme disent les Français – qu'en tant qu'ex-membre du clergé de la révérende Église, moi, Jack Bondon, je pratique la plus stricte abstinence ; je ne bois jamais…

– D'eau ! lança le capitaine. Non, il n'en boit jamais. Ça lui donne des crises. L'eau fraîche provoque chez lui des accès d'hydrophobie… Mais poursuivez, mon vieux, poursuivez votre histoire de bras.

– Oui, je ferai tout aussi bien, répliqua le chirurgien, froide-ment. J'allais précisément vous dire, Monsieur – avant les spiri-tuelles interventions du capitaine Boomer –, que malgré tous mes efforts et les plus sévères précautions, la blessure prenait de plus en plus mauvais aspect. Pour tout dire, c'était vraiment la plus vilaine plaie ouverte que chirurgien eût jamais vue ; longue de plus de deux pieds et des pouces. Je l'ai mesurée avec la ligne de sonde du bord. En bref, elle devint noire. Sachant ce que ça voulait dire, j'ampu-tai. Mais je ne suis personnellement pour rien dans le gréement de ce bras d'ivoire ; c'est là une chose qui va à l'encontre de toutes les règles (dit-il en pointant dessus son épissoir) ; ça, c'est l'ouvrage du capitaine, non le mien ; il a lui-même commandé au charpentier de le lui faire ; et il y a fait fixer cette sorte de massue pour enfoncer quelque crâne, j'imagine, comme il a déjà essayé de le faire du mien. Il lui prend des colères sataniques parfois. Ce trou que vous voyez là, monsieur (et ce disant il tirait son chapeau, écartait d'un geste ses cheveux et mettait à jour une dépression en forme de soucoupe dans son crâne, mais sans l'ombre de la moindre cicatrice ni le plus petit signe permettant de croire que ce fût jamais une blessure), le voyez-vous ? Eh bien, le capitaine vous dira comment il est venu là ! lui le sait.

— Je n'en sais fichtre rien, moi ! protesta le capitaine. Mais sa mère le sait parfaitement ; il a ça de naissance. Ah ! sacré chenapan solennel de Bondon ! Y a-t-il jamais eu un Bondon pareil sur toutes les étendues marines ? Ah ! vous, vous Bondon, vieux bougre, quand vous mourrez il faudra qu'on vous mette à la saumure. Il est indispensable que l'on conserve pour les générations futures un polisson tel que vous.

— Mais qu'est-il advenu du Cachalot Blanc ? lança alors Achab qui n'avait pas écouté sans impatience toutes ces diversions des Anglais.

— Ah ! s'exclama le capitaine manchot, ah, oui ! Eh bien, après qu'il eut sondé, nous ne le revîmes plus, du moins à ce moment-là. Mais comme je vous l'ai dit, je ne savais point alors qui était le cachalot qui m'avait joué ce tour ; je ne devais l'apprendre qu'un peu plus tard, quand nous revînmes sur la Ligne où nous entendîmes alors parler de Moby Dick — comme on le nomme parfois — et ainsi je sus à qui j'avais eu affaire.

— Croisé dans son sillage depuis ?

— Deux fois.

— Mais sans avoir pu harponner ?

— Oh ! je ne l'ai pas même essayé ; un membre, ça me paraît suffisant, non ? Qu'est-ce que je deviendrais sans mon autre bras ? D'autant qu'à mon avis, maintenant que j'y pense, j'ai l'impression très nette que Moby Dick se complaît plus encore à engloutir qu'à seulement mordiller.

— C'est justement, intervint Bondon : donnez-lui votre bras

gauche en gage pour pouvoir récupérer le droit. Savez-vous, messieurs – et le révérend chirurgien empli d'une gravité totale faisait
successivement devant chaque capitaine une identique et mathématique révérence –, savez-vous, messieurs, que les organes spécifiques de la digestion chez le cachalot ont été inscrutablement
disposés par la sainte Providence de telle sorte qu'il lui est positivement et absolument impossible de digérer complètement, ne
fût-ce qu'un bras de l'homme ? Et savez-vous qu'il ne l'ignore
aucunement, lui ? A telle enseigne que ce que vous prenez l'un et
l'autre pour pure méchanceté chez le Cachalot Blanc n'est rien de
plus que maladresse. Oui, maladresse, car jamais l'idée ne lui est
venue une seule seconde d'avaler un membre quelconque ; il n'avait
l'intention que d'épouvanter en faisant semblant. Seulement, il lui
arrive parfois ce qui est aussi arrivé à un jongleur, un avaleur de
sabres, que j'ai eu comme malade à Ceylan ; il faisait semblant
d'avaler des sabres quand un jour, il en avala un pour tout de bon.
A la suite de quoi il resta alité une douzaine de mois ou peut-être
plus ; et quand je lui eus donné un émétique, savez-vous quoi ? il
me le rendit sous forme de petits clous. C'est qu'il ne pouvait en
aucune manière parvenir à digérer ce sabre entièrement et à
l'incorporer totalement, à le faire passer sans déchets dans son
organisme par la voie naturelle et physiologique. Ainsi, capitaine
Boomer, pour peu que vous ne tardiez pas trop et que vous soyez
décidé à engager (à mettre en gage, je veux dire) un bras pour
avoir, en échange, le privilège de donner à l'autre des funérailles
décentes et convenables – alors, ce bras-là est à vous. Il suffit que
vous offriez sous peu une nouvelle occasion au cachalot ; voilà tout.

– Non, vraiment merci, Bondon, répondit le capitaine anglais.
Grand bien lui fasse le bras qu'il a déjà, d'autant que je n'y puis
rien à présent ; et je ne le connaissais pas alors. Mais un autre bras,
non, vraiment pas. C'est assez de Cachalot Blanc pour moi. J'ai
mis à la mer une fois pour lui, et je suis grandement satisfait de la
sorte. Oh ! certes, ce serait une belle grande gloire que de le tuer, je
ne l'ignore point ; et en outre c'est une pleine cale de précieux spermaceti qu'il y a en lui ; mais voyez-vous, je trouve qu'il est très
bien où il est. N'êtes-vous pas de cet avis, capitaine ? demanda-
t-il en jetant les yeux sur la jambe d'ivoire d'Achab.

– Très bien. Mais il n'en sera pas moins pris en chasse, et précisément à cause de cela. Il est assurément très bien où il est, comme vous dites, le maudit animal ; mais ce n'est pas là le moindre de ses charmes. Un véritable aimant, justement !... Combien donc y a-t-il de temps que vous l'avez vu pour la dernière fois ? Quelle route suivait-il ?

– Dieu ait mon âme, et maudite soit celle du Maudit ! Cet homme-ci, prononça Bondon qui flairait Achab à petits pas, le corps penché, en imitant le reniflement bizarre et saccadé d'un chien, cet homme-ci a le sang sur le point de bouillir !... vite un thermomètre ! Le battement de son pouls fait trembler le pont !... Monsieur !... – et il s'avançait vers le bras d'Achab, tirant une lancette de sa poche.

– Arrière ! rugit Achab en l'envoyant violemment contre le bastingage. Armez le canot ! Quelle route tenait-il ?

– Bonté divine ! qu'est-ce qu'il y a donc ? demanda le capitaine à qui était posée la question. Il faisait route vers l'est, je pense...

– Est-ce qu'il est fou, votre capitaine ? murmura-t-il à l'adresse de Fédallah.

Mais Fédallah, posant le doigt sur ses lèvres, s'en fut par l'échelle de côté reprendre l'aviron de queue de la baleinière, cependant qu'Achab, en attrapant le palan au-dessus de lui, commandait à l'équipage du navire d'amener.

En un clin d'œil, il était debout à l'arrière de son canot, et les hommes de Manille tiraient à pleins bras sur les avirons. Ce fut en vain que l'Anglais le héla. Tournant le dos au vaisseau étranger, fixant, avec un visage de pierre, son propre navire, Achab demeura debout jusqu'à ce qu'il eût accosté le *Péquod*.

LA CAVE A LIQUEURS

Devant que le voilier anglais se soit évanoui à notre vue, disons ici que son port d'attache était Londres et qu'il portait le nom de feu Samuel Enderby, marchand et armateur de cette ville, premier de la noble lignée et fondateur de la maison Enderby & Sons, fameux nom de la gent baleinière, maison héréditaire qui dans mon opinion de baleinier le cède à peine aux royales maisons des Tudors ou des Bourbons du point de vue historique. Depuis combien de temps avant l'an de grâce 1775, existait en fait cette grande maison baleinière ? mes innombrables documents baleiniers ne me l'ont point appris avec évidence ; mais ce qui est sûr, c'est qu'en cette année 1775, elle arma les premiers navires anglais qui eussent jamais chassé exclusivement le cachalot. Il est vrai de dire que quelque cinquante ans auparavant (exactement depuis 1726) nos vaillants Nantuckais et Vineyardais, les Coffin et les Macey, avaient poursuivi le léviathan avec de vraies flottilles, mais uniquement dans l'Atlantique, Nord et Sud, et nulle part ailleurs. Il convient de se souvenir, de bien établir et de ne pas oublier, ici, que ce sont les Nantuckais qui furent les premiers humains de l'humanité à harponner le grand cachalot avec l'acier civilisé, et que pendant près d'un demi-siècle ils furent effectivement les seuls à le faire.

En 1778, un magnifique et fin voilier, *L'Amélia*, armé dans cette unique intention et aux seuls frais des puissants Enderby, alla audacieusement doubler le cap Horn ; et ce fut le premier navire d'entre toutes les nations qui mit à la mer une baleinière quelconque dans les mers du Sud. La croisière fut entre toutes heureuse et profitable; et c'est avec la cale emplie de précieux spermaceti que revint à son port *L'Amélia*, dont l'exemple n'allait pas tarder à être suivi par d'autres navires, tant anglais qu'américains. Et ainsi les immenses eaux du Pacifique furent ouvertes à la grande pêche. Mais cette infatigable maison, non contente de cet exploit, devait s'illustrer encore dans les annales baleinières : sur les instances et sous les auspices – comme aux plus grands frais, j'imagine – de Samuel et de ses fils (combien ils étaient, leur mère le sait!), le gouvernement de Sa Majesté britannique envoya son *Rattler*, une corvette de guerre, en croisière d'études et de découvertes baleinières dans les mers du Sud. Cet épatant *Rattler*, sous les ordres d'un capitaine de vaisseau de l'Amirauté, fit un voyage épatant qui rendit sans doute quelques services; mais lesquels? c'est ce qu'on ne voit pas facilement à première vue. Pourtant ce n'est pas encore tout : en 1819, cette même maison Enderby & Sons arma l'un de ses propres baleiniers et l'expédia à la découverte dans les lointaines eaux des mers du Japon. Ce vaisseau – bien dénommé *La Sirène* – accomplit une fameuse croisière expérimentale, et ce fut ainsi que vinrent à être connus les immenses et excellents parages baleiniers du Japon. *La Sirène* était sous le commandement, pour cette célèbre croisière, d'un certain capitaine Coffin, un Nantuckais.

Honneur et gloire donc à ce fastueux nom des Enderby, dont la maison existe toujours, je pense, bien que Samuel Ier ait depuis belle lurette largué ses amarres et mis à la voile pour les grandes mers du Sud de l'autre monde!

Quant au voilier qui avait reçu ce noble nom, il était en tous points digne de cet honneur, rapide coureur et fier vaisseau à tous égards. Il m'arriva de venir à son bord une fois, vers minuit, au large des côtes de Patagonie, et de boire un fameux petit coup avec ses gars, en bas, au poste d'équipage. Ce fut un fort excellent gammage que nous y eûmes; personne à bord, non, pas un homme qui ne fût un as! Courte et bonne vie à eux tous, et bonne mort... Ce magnifique gammage que j'y eus – c'était longtemps, longtemps après que le vieil Achab eut talonné le fond avec sa quille d'ivoire – est un bel exemple de la noble et fière et solidement saxonne

hospitalité de cette coque anglaise; que mon curé me laisse et que
le diable m'emporte si jamais je l'oublie! Un fameux petit coup?
n'ai-je pas dit que nous y avions bu un fameux petit coup? Oui,
certes, et que nous engloutîmes à la moyenne honnête de dix gallons à l'heure[1]. Et quand arriva la rafale (car c'est assez venteux
là-bas, du côté de la Patagonie) tout le monde, invités compris,
tous les hommes à bord furent envoyés arriser les voiles hautes; et
nous étions si bien partis, tous, que nous devions nous cramponner
les uns aux autres là-haut, sur les marchepieds des cacatois, et que
nous serrâmes les pans de nos vestes, sans nous en rendre compte,
dans les rabans; de sorte que nous restâmes à nous balancer, solidement arrisés nous-mêmes, dans les sifflements rauques de la
tempête – exemplaire leçon pour tous les mathurins ivres. Malgré
tout, les mâts ne passèrent pas par-dessus bord, et peu à peu, l'un
après l'autre, nous redégringolâmes de là-haut, mais si dégrisés
qu'il nous fallut reprendre le flacon à la ronde, bien que les sauvages cascades de saumure écumante qui cataractaient par l'écoutille de descente l'eussent, pour mon goût, assaisonné d'une
amertume excessive et inondé d'un peu trop d'eau.

Le bœuf y était magnifique, encore que d'une consistance
plutôt ferme. Les uns le disaient bœuf taurin, les autres, bœuf-
dromadaire; mais je n'ai jamais su, quant à moi, ce qu'il était réellement. Il y avait aussi des boulettes de pâte à leur bord : petites,
mais si substantielles et d'une si parfaite sphéricité qu'elles en
étaient indestructibles. On pouvait, j'imagine, les sentir rouler et
bringuebaler dans sa panse après l'ingurgitation; et si l'on se penchait trop brutalement en avant, on courait le risque de les voir
rouler dehors comme des billes de billard. Le pain – mais qu'y
pouvait-on? surtout que c'était un antiscorbutique, bref, le pain
était leur unique aliment frais et vivant. Mais comme le poste
n'était pas très éclairé, il vous était facile d'aller vous mettre dans
un coin sombre pour le manger. A tout prendre, néanmoins, de la
quille à la pomme du mât et des sous-barbes à la sauvegarde,
compte tenu de la dimension relative des marmites de la cambuse
et de la capacité des vivantes marmites parcheminées du bord, le

---

1. 45 litres et quelques.

Samuel-Enderby était un fier navire, de bonne et copieuse table, de cave excellente et forte à souhait, et rien que des champions à bord, chics types du talon au pompon.

Mais vous allez vous demander comment il se faisait que ce *Samuel-Enderby* et tels autres baleiniers anglais que j'ai connus – pas tous, cependant – fussent des navires si fameusement hospitaliers, qui dispensaient largement à la ronde le bœuf et le pain et les flacons précieux et la bonne humeur, avec des équipages qui ne se lassaient pas de bien manger, bien boire et bien rire ? Je m'en vais vous l'apprendre. Car l'abondance de bonne chère à bord des susdits baleiniers anglais est matière à recherche historique ; et jamais je ne me suis montré avare de recherche historique en fait de pêche à la baleine, quand la chose avait quelque utilité.

Les Anglais eurent pour prédécesseurs dans la grande pêche les Hollandais, les Zélandais et les Danois, desquels ils ont hérité maints termes techniques et professionnels encore en usage de nos jours, et bien mieux encore : leurs mœurs plantureuses en matière d'approvisionnement. Car si, en général, les long-courriers et les marchands anglais tirent sordidement sur la gamelle de l'équipage, les baleiniers anglais, eux, ne font pas de même. D'où il suit que la bonne chère à bord des baleiniers n'est pas, en tant que chose anglaise, chose naturelle et normale, mais bien un phénomène particulier et spécial ; cette belle exception, par conséquent, ne peut qu'avoir les origines et raisons privées que nous avons dites, et que nous allons à présent développer un peu.

Au cours de mes recherches ès choses léviathanesques et histoires s'y rapportant, il m'advint de tomber sur un vieux recueil hollandais dont la franche senteur cétacéenne, mais quelque peu moisie, m'apprit à n'en pas douter qu'il devait traiter de baleineries. Il avait pour titre *Dan Coopman*, ce qui m'amena à conclure qu'il devait s'agir des très précieux mémoires de quelque tonnelier d'Amsterdam devenu baleinier [1], puisqu'il n'est de vaisseau baleinier qui n'ait son tonnelier à bord. Je ne pus d'ailleurs que me trouver confirmé dans cette opinion par la constatation que

---

1. *Cooper*, en anglais (et par extension Coopman) signifie ou peut signifier « tonnelier ».

l'ouvrage était l'œuvre d'un dénommé « Fitz Swackhammer[1] ». Mais mon excellent et très savant ami le Dr Molcrane, érudit professeur de haut allemand et de bas hollandais à l'université de Saint-Nicolas-et-Saint-Sylvestre, à qui j'avais confié l'ouvrage aux fins de traduction (avec une boîte de cierges de spermaceti pour sa peine) m'assura au premier regard que « Dan Coopman » ne voulait pas dire « Le Tonnelier », mais « Le Marchand ». Bref, ce monument de la science et du langage bas hollandais portait sur le commerce des Pays-Bas et contenait, parmi d'autres choses, un fort intéressant rapport sur la pêche à la baleine de cette nation. C'est dans le chapitre qui avait pour titre : « Smeer » – c'est-à-dire « Graisse » – que je trouvai la longue liste détaillée de l'approvisionnement général (cave et grenier) des cent quatre-vingt voiliers de la flotte baleinière hollandaise ; une interminable énumération dont je tiens à donner ci-après, dans la traduction de mon ami le Dr Molcrane, un extrait :

400 000	livres de bœuf.
60 000	livres de porc de Frise.
150 000	livres de bacaliau (morue séchée).
550 000	livres de biscuit de mer.
72 000	livres de pain frais.
2 800	tines de beurre.
20 000	livres de fromage du Texel et de Leyde.
144 000	livres de fromage (probablement un article de qualité inférieure).
550	setiers de genièvre.
10 800	barils de bière.

Si la plupart des statistiques sont d'une lecture aride à vous dessécher sur pied, les listes en question, en revanche, ne le sont pas, et le lecteur s'y trouve noyé et écrasé par force muids, boisseaux, feuillettes, pintes, setiers, quartauts et canons de bonne eau-de-vie

---

1. De savants étymologistes et les généalogistes compétents ont pu rattacher cette famille aux différentes souches françaises des Maillet, Merlin, Martel, Martineau, Martelet, etc.

et de gaillarde chère. J'avoue que, pour mon compte, j'ai consacré trois grandes journées à la digestion studieuse de tout ce bœuf, cette bière et ce pain, au long desquelles je fus visité par maintes profondes pensées et livré à des méditations transcendantes et platoniques. J'ai compté, en outre, et établi par mes propres calculs de nouvelles listes et tables fixant, par exemple, la quantité probable de morue séchée consommée par chacun des harponneurs néerlandais dans ces anciens temps de la pêche à la baleine au Groenland et au Spitzberg. Au premier chef, les masses de consommation de beurre et de fromage, tant du Texel que de Leyde, apparaissent comme stupéfiantes. Le fait est imputable, à mon avis, à la nature éminemment onctueuse du hollandais, rendue naturellement plus onctueuse encore par la nature même du métier auquel se livraient ces Hollandais baleiniers, et tout spécialement par la poursuite du gibier marin dans les eaux glaciales de ces mers polaires, dans l'immédiat voisinage des côtes esquimaudes, ce pays où les aborigènes bons vivants trinquent à pleins gobelets de thran et lèvent leurs coupes d'huile rance pour se souhaiter bienvenue et bonne santé.

La quantité de bière, aussi, est fort impressionnante : dix mille huit cents barils. Mais comme au surplus ces campagnes de pêche polaire ne se pouvaient entreprendre que pendant le court été propre à ces climats, la croisière entière de l'un de ces baleiniers hollandais ne pouvait guère durer plus de trois mois, aller et retour compris ; si bien que si l'on compte une moyenne de trente hommes pour chacun des voiliers de cette flotte de cent quatre-vingts vaisseaux, cela nous fait exactement cinq mille quatre cents loups de mer néerlandais – et par conséquent, pour la précise durée de ces douze semaines, la non moins précise quantité de deux barils par homme, et cela sans dommage aucun pour la jolie ration individuelle que donne la répartition mathématique des cinq cent cinquante setiers de genièvre. Que ces hommes bourrés, imbibés et gorgés de bière et d'eau-de-vie comme il faut bien qu'on se les représente, eussent été des harponneurs-types, qu'ils eussent représenté dans toute sa perfection et sa rigueur le genre d'homme essentiellement apte et convenable à se tenir impavidement au tillac de la baleinière et à lancer le harpon avec la haute précision requise, c'est ce qui paraît pour le moins improbable. Néanmoins, c'est ce qu'ils firent et c'est aussi ce qu'ils furent. Mais il faut ne pas oublier que ces choses se passent au plus extrême nord, où la bière convient fort à l'organisme. Sur l'équateur, évidemment, dans nos parages des mers du Sud, la même bière n'aurait point d'autre effet que de vous endormir les harponneurs à la pomme des mâts ou de vous coucher des pochards dans le canot; et des pertes sérieuses ne manqueraient pas de s'ensuivre fatalement à Nantucket et à New Bedford.

Qu'il suffise! En voilà bien assez pour montrer et démontrer que nos vieux baleiniers hollandais d'il y a deux ou trois siècles étaient de fameux bons vivants, et que les baleiniers anglais de nos jours ont su perpétuer un exemple aussi excellent. Quand vous êtes bredouille sur votre bateau vide, vous diront-ils, si vous n'avez au monde rien à tirer de meilleur, au moins tirez un bon dîner. Ça soulage la cave à liqueurs.

UN TEMPLE DE VERDURE
SUR LA TERRE DES ARSACIDES

Jusqu'ici, en dissertant descriptivement du cachalot, je me suis surtout attardé sur les merveilles de ses apparences extérieures ; et ce n'est qu'accidentellement, pour le détail, que j'ai traité de quelques particularités de sa structure interne. Mais pour donner une entière et complète, pertinente et parfaite connaissance de ce léviathan, il m'appartient de le déboutonner maintenant plus avant, de lui tirer ses houseaux et ses jarretières, de délacer et dégrafer les nœuds et attaches, ligaments et jointures du plus secret de ses membres, afin de vous le montrer dans sa nudité dernière, c'est-à-dire dans l'absolu de son squelette.

— Qu'est-ce à dire, Ismahel ? Et comment se fait-il que toi, simple rameur de baleinière, tu aies la prétention de connaître quoi que ce soit de l'anatomie profonde et des souterraines parties du cachalot ? Serait-ce que l'érudit Stubb, monté en chaire sur le cabestan, vous eût tenu un cours de cétologie anatomo-physiologique ? Vous aurait-il, pour l'illustrer, hissé au guindeau un spécimen de thorax ? Allons ! explique-toi, Ismahel. As-tu donc, comme un cuisinier dresse et pare un rôti de porc sur un plat, couché et étalé sur le pont du navire un cétacé adulte aux fins d'examen ? Assurément pas. Or, tu fus jusqu'ici un témoin véridique, Ismahel ; mais voici, prends-y garde, que tu vas t'emparer du privilège unique réservé à Jonas, à Jonas seul : le privilège de discourir sur les baux et barrots, couples et varangues, estains et lisses, hiloires et bardis, entrevous et sous-œuvres, qui, de la guibre à l'étambot, constituent la carène du cachalot ; et

semblablement de disserter sur les chandelleries, laiteries, beurre-
ries et fromageries de ses entrailles.

Je reconnais que, depuis Jonas, peu nombreux sont les baleiniers qui sont entrés très avant et profondément sous l'enveloppe
du cétacé adulte; néanmoins, j'ai été favorisé d'une occasion
exceptionnelle et j'ai pu le disséquer en miniature. Sur un navire
qui me comptait dans son équipage, un nouveau-né cachalot fut
une fois amené sur le pont (pour sa poche, ou sac, dont on fait des
fourreaux pour les pointes barbelées des harpons et les têtes de
lances). Vous pensez bien que je n'ai pas laissé passer cette chance
sans recourir à ma hachette de mer et à mon couteau de poche
pour faire sauter le sceau et déchiffrer le contenu de ce jeune petit.

Quant à ce qui est de l'exacte connaissance que je puis avoir de
l'ossature du cachalot dans son gigantesque développement total,
je dois cette rare connaissance à feu mon royal ami Tranquo,
Sa Majesté de Tranque, l'une des Arsacides. Car me trouvant à
Tranque, voici des années, alors que j'appartenais au bord du voilier de commerce, le *Dey d'Alger*, je fus invité à passer une partie de
ces vacances arsacidiennes par le seigneur de Tranque, et en sa compagnie, dans sa villa des palmiers en sa campagne de Poupella : un
étroit vallon en bordure de mer, non loin de ce que nos matelots
appelaient Bambou-Ville, sa capitale.

Au nombre de ses magnifiques qualités, mon royal ami Tranquo
avait celle d'un amour passionné pour toutes choses douées d'un
caractère ou d'une vertu barbare; aussi avait-il réuni à Poupella
toute une collection des objets les plus rares et des inventions les
plus ingénieuses de son peuple : bois sculpté de décorations magnifiques, coquillages ciselés, lances incrustées, précieuses pagaies,
pirogues odoriférantes, etc., tout cela disposé au milieu des merveilles naturelles auxquelles les vagues porteuses de merveilles
avaient rajouté l'hommage et le tribut de ce qu'elles déposaient sur
ses rivages.

Et la merveille de ces merveilles était sans contredit un énorme
cachalot qui, à la suite d'un cyclone particulièrement long et
exceptionnellement violent, avait été jeté sur le sable et trouvé
mort, la tête contre un cocotier dont la touffe verdoyante et plu-
meuse avait l'air d'être son souffle végétal. Lorsque le corps vint à

se dépouiller enfin de ses épaisseurs profondes de plusieurs brasses, et lorsque les os dénudés eurent commencé à sécher au soleil, le squelette fut alors précautionneusement emporté au plus haut du vallon de Poupella, où l'abrite maintenant l'énorme temple des palmes seigneuriales.

Les côtes reçurent et portèrent les trophées de guerre; sur les vertèbres furent gravées, en hiéroglyphes bizarres, les annales arsacidiennes; et dans le crâne, les prêtres entretiennent jour et nuit un feu sacré d'essences aromatiques, de sorte que la tête mystique ne cesse de lancer son jet vaporeux, tandis que l'effroyable mâchoire inférieure, suspendue à une branche, frémit et oscille incessamment sur la tête des fidèles, telle l'épée à un cheveu pendue, qui tant effrayait Damoclès.

Merveilleuse vision! Les bois verdoyaient comme mousses du Val Glacé; les arbres s'élançaient, hauts et fiers, tout parfumés de leur sève vivante; la terre active et inlassable était là, à leur pied, tel un métier de tisserand avec une somptueuse tapisserie en travail, où les vrilles des jeunes vignes figuraient les fils de trame et de chaîne, et les étincelantes fleurs, les figures rehaussées. Tout était mouvement, activité: les grands arbres avec leurs branches alourdies, les buissons touffus et les fougères hautes et le fin gazon, auxquels l'air apportait son perpétuel message. A travers l'entrelacs des feuilles, le vif soleil était comme une navette de lumière travaillant la verdure, l'inextinguible verdure, la verdure sans fin. Oh! tisserand invisible, arrête un peu, écoute! Que fait-on de l'ouvrage? A quel palais est-il donc destiné? Oh! pourquoi et toujours ces efforts incessants?... Mais dis-le, tisserand! parle donc! arrête un peu ta main! Rien qu'un seul mot! Non? – Non. Vole et file la navette, et les figures apparaissent toujours, éblouissantes, du grand tissage en cours; et toujours et encore et à jamais toujours se forme et se déroule l'éternelle tapisserie. Le divin tisserand est au travail à son métier; et c'est ce bruit qu'il fait qui l'assourdit et l'empêche d'entendre aucune voix mortelle; et c'est aussi ce bruit, ce ronronnement éternel, qui de même nous assourdit, nous qui contemplons le métier à l'ouvrage, ce qui fait que c'est uniquement en le quittant que nous pouvons entendre les mille voix qui s'expriment à travers lui. N'en va-t-il pas ainsi dans toutes nos fabriques? Les paroles qu'on n'entend pas, qu'on ne peut pas entendre dans le bruit fracassant des navettes actives, ces paroles inentendues dedans, on les entend très bien dehors, à l'extérieur des murs, par les fenêtres ouvertes. Et c'est ainsi que bien des infamies ont été découvertes, surprises. Ah! mortel, prends-y garde! montre-toi vigilant! car tout semblablement dans tout ce tintamarre laborieux de cet immense métier à tisser du monde, tes plus subtiles pensées peuvent s'entendre de très loin.

Ainsi donc au milieu de la verte, grouillante, sempiternelle et incessante activité vivante du bois des Arsacides, l'immense et blanc et vénéré squelette se reposait et reposait dans sa géante paresse. Et pourtant, tandis que toujours et sans fin, dans une frémissante et murmurante activité, la verdure croisait et recroisait sa chaîne et sa trame autour de lui, le plus géant et tout-puissant oisif semblait le tisserand solaire. Enveloppé lui-même et recouvert du tissu verdoyant des vignes; et chaque mois plus vert, et chaque mois plus vivant de verdure; mais squelette. La vie enveloppait la mort; et la mort treillissait la vie. Le sombre dieu était épousé par la jeune vie qui engendrait et le couvrait de gloires aux têtes bouclées.

Or, quand je visitai ce merveilleux cachalot, en compagnie du royal Tranquo, et quand je vis le crâne transformé en autel d'où la fumée entretenue par artifice montait par où avait passé le jaillissement du souffle authentique, je m'étonnai devant le roi qu'il pût considérer comme objet de ses collections privées une chapelle, un temple. Il rit. Mais je m'étonnai bien plus encore à entendre les prêtres affirmer que cette colonne de fumée fût la naturelle et l'originale. Longuement je déambulai de long en large devant ce squelette, écartant çà et là les vrilles et les feuillages, pénétrant sous la voûte des côtes où, muni d'une pelote de fil arsacidien, j'errai en tous sens parmi le labyrinthe des colonnades et des fûts ombreux. Mais je me trouvai bientôt à court de fil et, rebroussant chemin en le rembobinant, je revins émerger par où j'étais entré. A l'intérieur, je n'avais vu rien de vivant : uniquement des os.

M'étant taillé un rameau vert en guise de mesure, je plongeai une fois de plus dans l'entrée du squelette. Les prêtres, par l'incision en tête de flèche du sommet du crâne, m'aperçurent tandis que je prenais les mesures de la dernière côte, notamment la hauteur totale.

– Qu'est-ce donc ? me crièrent-ils. Tu prends et oses prendre à présent les mesures de notre dieu ? C'est nous seuls que cela regarde.

– Vous avez raison, ô prêtres ! Quelle est donc la longueur que vous lui donnez ?

Mais là-dessus s'éleva entre eux une contestation féroce au sujet de pouces et de pieds, une dispute si furieuse qu'ils finirent par se taper sur la tête avec leurs bâtons-mesures, et que l'énorme crâne-temple en retentit. Je saisis cette heureuse chance pour achever rapidement mes propres opérations métriques.

Ces mesures, je me propose de vous les communiquer maintenant. Mais qu'on se dise bien, et avant tout, qu'il ne m'est pas loisible en ce domaine d'avancer des chiffres de fantaisie qui pourraient plaire à mon imagination. Parce qu'il existe des autorités squelettiques auxquelles vous pouvez en référer pour vérifier et mon exactitude et ma fidélité. Il y a, m'a-t-on dit, un Muséum cétacéen à Hull, en Angleterre, un des grands ports baleiniers de cette nation, où l'on peut voir quelques magnifiques spécimens de finbacks et autres cétacés in-folio. J'ai également entendu dire qu'au musée de Manchester, dans le New Hampshire, en Amérique, ils possédaient ce que leurs propriétaires qualifient eux-mêmes de « seul spécimen parfait aux USA de Baleine Groenlandaise ou Baleine de Rivière ». Et surtout, dans le Yorkshire, en Angleterre, au lieu-dit Burton Constable, un certain Sir Clifford Constable a en sa possession un squelette de cachalot ; mais il est d'une taille moyenne et n'atteint en aucune manière les magnifiques proportions et l'ampleur de l'adulte de mon ami le roi Tranquo.

Dans l'un comme dans l'autre cas, les cachalots échoués (et les squelettes qui demeurèrent) furent semblablement réclamés par leurs propriétaires actuels en vertu d'un similaire principe : le roi Tranquo, parce que tel était son bon plaisir ; et Sir Clifford parce qu'il était le seigneur des seigneuries du lieu. Le cachalot de Sir Clifford a été articulé en tous ses points, si bien qu'à l'instar d'une grande armoire à tiroirs, vous pouvez l'ouvrir et le refermer sur tous ses antres osseux ; vous pouvez lui déployer les côtes en un

éventail gigantesque; ou vous balancer tout un jour sur le maxil-
laire inférieur du colosse. On est sur le point de poser des serrures
aux portes, trappes et volets de certains endroits; et un valet de
pied guidera les visiteurs, les emmenant dans leur promenade avec
un gros trousseau de clefs au côté. Sir Clifford envisage d'exiger un
droit d'entrée de deux pence pour une visite dans la galerie à écho
de la colonne vertébrale, trois pence pour entendre l'écho dans
la voûte crânienne, et six pence pour le coup d'œil inégalable de la
terrasse de son front.

Les dimensions et mesures du squelette que je vais maintenant
coucher par écrit sont relevées textuellement de mon bras droit, où
je les ai tatouées. L'existence follement errante et sauvage que je
menais alors ne me permettait aucun autre moyen de conserver
assurément des statistiques aussi précieuses; mais l'espace étant
limité, vu que je désirais garder les autres parties de mon corps
comme pages blanches pour un poème auquel je travaillais alors
(et que resterait-il de moi, au bout du compte, qui ne soit pas
tatoué?) – je ne me suis donc fait aucun tracas pour les bribes et
morceaux représentés par les quelques malheureux pouces excéden-
taires; et d'ailleurs, c'est un fait que les pouces n'ont absolument
pas à entrer en ligne de compte dans l'établissement léviathanesque
et la formulation cétacéenne des dimensions et mesures du cachalot.

DIMENSIONS ET MESURES
DU SQUELETTE DE CACHALOT

Je tiens, avant toute chose, à mettre sous vos yeux une simple donnée se rapportant au volume général, à la masse totale – mais dans l'état de vie – du léviathan dont nous allons ci-après examiner rapidement le squelette. Pareille observation ne sera pas inutile ici.

Il ressort de mes propres et scrupuleux calculs (appuyés en partie sur les estimations du capitaine Scoresby qui nous donne un poids de soixante-dix tonnes pour une grosse baleine du Groenland atteignant soixante pieds de long) il ressort, dis-je, qu'un cachalot de la plus grande dimension, atteignant quelque quatre-vingt-cinq ou quatre-vingt-dix pieds de long et quelque chose comme quarante pieds de tour au maximum de sa taille, ce cachalot, donc, pèsera au moins quatre-vingt-dix tonnes; c'est-à-dire qu'en comptant une moyenne de treize hommes à la tonne, son poids total non seulement correspond mais dépasse largement la population entière d'un village de onze cents âmes.

Pareille masse, dites-moi, ne faut-il pas lui concevoir un attelage de plusieurs cerveaux, tels des chevaux de trait devant un lourd camion, pour pouvoir se l'imaginer en mouvement?

Cela dit, et comme en diverses occasions je vous ai déjà présenté son crâne, l'évent, la mâchoire, les dents, la queue, le front, les nageoires et autres différentes parties, je voudrais à présent ne faire que simplement ressortir en gros ce qu'il y a de plus intéressant dans l'ensemble de sa massive ossature mise à nu. Mais comme le crâne, qui en est de loin l'élément le plus complexe, tient une si grande partie du squelette, et comme nous n'y reviendrons pas au cours de ce chapitre, il convient donc que vous ne le perdiez pas de vue et que vous le gardiez, soit en mémoire, soit sous le bras, tandis que nous passons outre, faute de quoi votre perspective générale de la chose serait inévitablement faussée.

De longueur totale, le squelette du cachalot de Tranque mesurait soixante-douze pieds[1]; si bien que la taille réelle du cachalot en vie devait atteindre quatre-vingt-dix pieds – puisque le squelette, chez le cachalot, est d'environ un cinquième plus court que l'animal vivant. De ces soixante-douze pieds, crâne et mâchoire en occupaient une vingtaine, ce qui fait que l'épine dorsale proprement dite s'étendait sur une longueur de quelque cinquante pieds[2]. Sur le tiers environ de cette longueur venait se rattacher l'énorme panier de la cage thoracique qui contenait autrefois les organes vitaux.

A mes yeux ce coffre, avec ses membrures d'ivoire et la longue ligne axiale de l'épine dorsale qui en prolonge l'arête, ressemblait fort à la carène d'un grand vaisseau récemment mis en chantier, lorsqu'une vingtaine seulement des grandes membrures nues sont en place et que le reste de la quille se présente encore comme une longue et simple poutre.

On comptait dix côtes sur chaque flanc; la première, directement placée à l'endroit du cou, avait près de six pieds de hauteur, et les suivantes augmentaient progressivement jusqu'à la cinquième, la plus grande et médiane, qui dépassait les huit pieds. Elles allaient ensuite en diminuant de façon plus marquée jusqu'à la dixième et dernière, laquelle se déployait sur cinq pieds et des pouces. Pour l'épaisseur, elles étaient toutes relativement et également proportionnées à leur longueur. Les côtes médianes étaient les plus arquées; en certains points des terres des Arsacides, elles servent d'arches aux passerelles qui franchissent les petits cours d'eau.

Il m'était impossible, à bien regarder l'agencement de ces côtes, de ne pas être de nouveau frappé par le fait – sur lequel on a déjà

1. Quelque 22 mètres.
2. Près de 16 mètres.

pas mal insisté tout au long de ce livre – que le squelette du cachalot ne correspond en aucune manière et ne saurait donner aucune
idée même approximative de la silhouette véritable de l'animal
vivant. Ainsi la plus grande des côtes médianes de notre squelette
de Tranque, qui, donc, occupait la partie du corps la plus volumi-
neuse du poisson vivant, ne mesurait guère plus de huit pieds,
alors que le corps réel, à cet endroit, devait avoir eu, en fait, une
profondeur d'au moins seize pieds ; c'est-à-dire le double exactement de l'idée qu'on eût pu s'en faire en voyant la côte du squelette. Sans compter que là où n'apparaissait plus que l'axe nu de
l'épine dorsale, il y avait eu naguère des tonnes de chair, de lard,
de muscles, de sang chaud et d'entrailles ; et qu'à la place des
vastes nageoires pectorales, ce n'étaient que quelques jointures
défaites ; tandis qu'au lieu des lourdes palmes majestueuses et
puissantes de la queue (qui sont dépourvues de tout osselet) il y
avait le néant intégral !

Quelle vanité et quelle folie, pensais-je, pour l'humain sédentaire et timoré, que de prétendre et vouloir comprendre avec pleine
justesse ou avec quelque justice ce merveilleux, stupéfiant cachalot, et cela par le seul examen et à la simple étude de ces ossements
morts et mesquins, tels que les voilà étalés dans ce rustique et paisible bocage ! Oh non ! c'est seulement au cœur des plus aigus
périls, au sein des plus âpres dangers, sous les vertigineuses et
tourbillonnantes fureurs de sa queue, au-dessus des abîmes de
l'océan sans frein, oui, c'est seulement ainsi et c'est seulement là
que se peut découvrir valablement, dans toute l'impressionnante
majesté de sa vie, le véritable léviathan.

– Et la colonne vertébrale ? direz-vous. Eh bien, le mieux que
nous ayons à faire, afin de la bien voir, c'est d'empiler ses os, un à
un, jusqu'au dernier, à l'aide d'une grue ! Besogne qui ne va pas
vite. Mais à présent que la voilà faite, c'est quelque chose de fort
semblable à la colonne Pompée, qui se présente sous nos yeux. Il y
a quelque quarante et des vertèbres, qui ne sont pas, dans le squelette, jointes ensemble. Elles se présentent pour la plupart comme
les gros blocs noueux de quelque clocher gothique, servant en
quelque sorte de relais ou d'assises successives à la pesante maçonnerie. La plus grosse de ces vertèbres, qui se situe vers le milieu, est

large de près de trois pieds et haute de plus de quatre[1]. La plus
menue, à cette extrémité où l'épine dorsale s'évanouit en pointe
devant la queue, n'a guère que deux pouces[2] de diamètre, et présente un peu l'apparence d'une blanche boule de billard. Je me
suis laissé dire qu'il y en avait de plus petites encore, mais que ces
garnements de petits cannibales, enfants des prêtres, les avaient
prises pour jouer aux billes et les avaient perdues. Ce qui nous
montre comment jusqu'à l'échine même du plus colossal des êtres
vivants s'amenuise et finit en un jeu d'enfant.

1. 90 cm, et 1,2 m.
2. 5 cm.

LA BALEINE FOSSILE

De par sa magnitude, la baleine s'offre comme un thème particulièrement propice et toujours favorable à tous développements,
élargissements, amplifications et déploiements divers. Le voudriez-
vous, que vous ne pourriez le réduire. En toute justice, c'est sur un
grand in-folio impérial qu'il faudrait en écrire. Pour ne point revenir sur les pieds qui séparent son évent de sa queue ou sur les yards
qui s'allongent autour de sa taille, qu'on se contente donc d'imaginer seulement le gigantesque enroulement de ses intestins dont
les glènes s'entassent dans son corps comme les énormes grelins et
les fortes aussières dans les profondeurs du faux-pont d'un vaisseau de ligne.

Et puisque j'ai entrepris de traiter du léviathan, ne m'incombe-
t-il pas de me montrer omniscient en la matière et d'épuiser la
question ? N'est-il pas de mon devoir de ne laisser rien échapper
de lui, pas la plus microscopique semence vitale de son sang ; et de
scrupuleusement défaire jusqu'au plus replié des replis de ses circonvolutions intestinales ? Or, comme je l'ai d'ores et déjà décrit
dans la plupart de ses actuelles particularités tant anatomiques
que morales – ou si l'on veut dans l'ensemble de son caractère
contemporain – il me reste à présent à le scruter et à le développer
du triple point de vue archéologique, fossilifère et antédiluvien.
Évidemment, appliqué à toute autre créature que le léviathan – à
une fourmi, par exemple, ou à une puce – ce vocabulaire lourd de
pompe apparaîtrait d'une insupportable grandiloquence ; mais
quand il s'applique au léviathan, tout change. Me voilà prêt, au

contraire, à chanceler pour cette entreprise sous les vocables les plus accablants du dictionnaire. Je me dois d'ajouter ici, fort précisément, qu'en chaque circonstance où il m'a paru séant de consulter l'un d'eux au cours de ce travail, je me suis invariablement servi de l'édition grand in-quarto du peu maniable Johnson, achetée expressément à cette fin. L'obésité peu commune et la ventripotence remarquable dont jouit personnellement l'œuvre du célèbre lexicographe, la rendaient plus que toute autre convenable aux consultations éventuelles d'un auteur cétologue tel que moi.

Fréquemment on entend parler d'auteurs qui se gonflent et s'enflent de leur sujet, lequel pourtant paraît bien n'être que fort mince et banal. Mais comment cela pourrait-il m'arriver, à moi qui écris sur le léviathan ? Mon écriture, malgré moi, s'étale en caractères d'affiche, toutes mes lettres sont majuscules. A moi, les plumes de condor ! et le cratère du Vésuve comme encrier !... Oh ! mes amis, retenez-moi le bras ! car de vouloir seulement consigner mes pensées sur ce léviathan, j'en suis exténué et je défaille au déploiement de leur formidable envergure, dont l'étendue veut embrasser le cercle entier de toutes sciences, et les cycles des générations des mastodontes de toutes sortes, baleines et humains passés, présents et futurs, et la révolution complète de tous les panoramas des empires successifs et transitoires de la terre, et l'univers, l'univers tout entier, et encore ses banlieues ! Telle est, et si magnifiante, la vertu d'un sujet grandiose et généreux ! Il nous entraîne à sa mesure. Choisissez un sujet puissant si vous voulez écrire un ouvrage puissant. Jamais aucun volume ni majeur ni durable ne sera écrit sur la puce, quels et aussi nombreux que soient tous ceux qui auront pu s'y essayer.

Avant que d'entamer ce sujet des baleines fossiles, je tiens à présenter mes lettres de créance de géologue, et à bien établir que, dans ma vie diverse et mouvementée, j'ai été maçon et aussi grand piocheur et pelleteur de fossés, de canaux et de puits, de caveaux à vin, citernes et caves de toutes sortes. Je désire également, à titre préliminaire, rappeler au lecteur que si les fossiles des monstres découverts dans les couches géologiques les plus anciennes appartiennent à des espèces aujourd'hui à peu près complètement éteintes, les restes temporellement postérieurs qu'on trouve dans ce qu'on nomme les formations tertiaires, semblent, au contraire, établir la liaison ou du moins constituer les chaînons intermédiaires entre les créatures préhistoriques et celles dont la postérité la plus éloignée est entrée, affirme-t-on, dans l'Arche. Toutes les baleines fossiles découvertes à ce jour appartiennent à la période tertiaire, qui constitue la couche ultime, immédiatement au-dessous des formations superficielles. Et si aucune de ces baleines ne correspond exactement à l'une des espèces actuellement connues, les premières ont cependant suffisamment de rapports d'affinité et de ressemblance générale avec les dernières pour justifier leur classification comme cétacés fossiles.

Divers fragments épars d'os fossiles et morceaux de squelettes fossiles de cétacés préadamites ont été découverts durant ces trente dernières années çà et là en Lombardie et en France, au pied des Alpes, et aussi en Angleterre et en Écosse, et dans nos États de Louisiane, du Mississippi et d'Alabama. Parmi les plus intéressants et les plus curieux de ces vestiges, il y a un morceau de crâne qui fut mis au jour en 1779 dans la rue Dauphine, à Paris (une courte rue donnant presque directement sur le palais des Tuileries), et certains ossements exhumés pendant le creusement des grands docks d'Anvers, au temps de Napoléon. Ces fragments, prononça Cuvier, appartenaient à une espèce totalement inconnue de léviathan.

Mais indiscutablement le plus merveilleux de tous les vestiges cétacéens est le vaste squelette fossile presque complet d'un monstre d'une race éteinte qui fut découvert en 1842 sur la plantation du juge Creagh, en Alabama. Frappés de terreur, les crédules esclaves des environs le tenaient pour les ossements de l'un des anges déchus. Les savants d'Alabama optèrent pour le squelette d'un énorme serpent qu'ils baptisèrent du nom de « Basilosaure ». Mais quelques spécimens d'os étant parvenus par-delà l'océan à Owen, le naturaliste anglais, il s'avéra que le prétendu reptile était un cétacé, quoique d'une espèce disparue. Probante illustration du fait, sans cesse et encore répété au long du présent volume, que le squelette du cétacé ne donne que peu d'indications sur la forme réelle de son corps. Owen rebaptisa donc « Zeuglodon » ce monstre ; et dans sa communication à la London Geological Society, il prononça en substance que c'était là l'un des êtres les plus extra-ordinaires que notre globe, dans ses mutations, eût anéantis.

A me tenir au milieu des squelettes de ces formidables lévia-thans, parmi ces crânes, ces défenses, ces mâchoires, ces vertèbres et ces côtes qui sont marqués tous et sans exception d'une certaine ressemblance avec ceux des vivantes espèces de nos monstres marins, mais qui se rattachent par ailleurs et avec de semblables affinités aux léviathans préhistoriques, leurs ancêtres incalcu-lables dont les espèces et les races se sont éteintes – ah ! véritable-ment les flots m'emportent et je me retrouve en ces âges inimaginables, qu'on peut dire antérieurs à l'existence du temps lui-même, car le temps commence avec l'homme ! Ici je sens rou-ler sur moi le gris chaos saturnien, et j'ai parfois la vision vacillante, incertaine, presque éteinte, de ces éternités polaires : avec les lourds bastions de glace empilés et rivés sur nos tropiques d'aujourd'hui, lorsque sur tout le tour de l'orbe terraqué, tout au long des vingt-cinq mille milles de la circonférence de ce globe, rien, pas le moindre lopin, pas une largeur de main de terre, de lande, ou de sable habitable n'était visible. La terre entière alors était le monde du cétacé ; et, roi de la création, il laissait son sillage sur ce que sont aujourd'hui les lignes de crête de nos Andes et de nos Himalayas. Qui peut produire une ascendance semblable à celle du léviathan ? C'est un sang plus antique que celui même des pharaons que le harpon d'Achab a versé. Mathusalem est un gamin. On cherche Sem des yeux pour aller lui serrer la main. Oui, l'existence est sans âge, sans origine et sans nom, de l'indicible épouvante qui s'attache au léviathan ; d'avant Moïse, elle remonte devant les sources, elle existe dès avant le temps et nécessairement doit perdurer quand tous les temps et les âges et les siècles humains seront évanouis ; et je m'en sens pénétré d'épouvante.

Et ce n'est pas seulement sur les plaques enregistreuses de la nature qu'il a laissé ses traces préhistoriques, ni dans les marnes et les glaises d'avant Adam qu'il a moulé son buste, ce léviathan ; mais aussi sur les tablettes de la vieille Égypte, dont la haute anti-quité semble se réclamer d'un caractère de fossilité, où nous retrouvons l'indéniable empreinte de sa nageoire. Dans l'une des chambres du grand temple de Dendérah a été découvert, voici une cinquantaine d'années, un zodiaque gravé et peint sur le plafond de granit[1] portant une suite de figures fantastiques semblables aux grotesques qu'on voit sur les globes célestes des modernes. Et parmi eux, nageant comme depuis toujours, glisse le léviathan ; il était là, nageant dans ce zodiaque, des siècles avant la naissance de Salomon.

Un autre témoignage, que nous ne saurions omettre ici, de la haute antiquité de la baleine, mais cette fois-ci dans sa propre réalité postdiluvienne et dans le positif état de sa carcasse osseuse, nous est apporté par le vénérable Jehan Léo, ce grand explorateur de la Barbarie :

« Non loin de la côte maritime, ils ont un temple dont les poutres et chevrons sont des os de baleines ; car des baleines d'une taille énorme sont fréquemment jetées à la côte et trouvées mortes en ces parages. Le commun nourrit la croyance que par un mystérieux et divin pouvoir imparti au temple lui-même, aucune baleine ne peut passer devant sans être frappée d'une mort immédiate. La vérité est que, de part et d'autre de ce temple, des récifs s'avancent jusqu'à deux milles dans la mer, sur lesquels viennent se déchirer les baleines au passage. Ils y conservent une côte de baleine d'une dimension incroyable et qui tient du miracle, si haute que lorsqu'elle est dressée sur le sol, formant une arche, un homme à dos de chameau passe dessous sans pouvoir atteindre le sommet de la voûte. Cette côte (écrit Jehan Léo) se trouvait là depuis plus de cent ans avant que je la visse moi-même, à ce qu'ils m'ont dit. Et leurs histoires assurent que, de ce temple, était venu l'un des prophètes qui prophétisèrent Mahomet ; d'autres n'hésitent pas à soutenir que c'est à la base de ce temple que le prophète Jonas fut rejeté par la baleine. »

En ce temple africain de la Baleine, je vous laisse, lecteur ; et si vous êtes un Nantuckais, et baleinier, vous vous y recueillerez en silence, adorant et priant.

---

1. Aujourd'hui au musée du Louvre.

LE CÉTACÉ DÉGÉNÈRE-T-IL ?
EST-IL EN VOIE DE DISPARITION ?

Aussi bien, puisque voici le léviathan roulant sa masse énorme aux sources mêmes de l'éternité, pouvons-nous maintenant nous demander si, tout au long du cours de ses générations infinies, il n'est point allé en dégénérant, et notamment s'il n'a rien perdu de la taille initiale de ses pères ancestraux.

Or, la recherche et l'étude nous apprennent non seulement que la taille des cétacés actuels l'emporte sur celle des fossiles des stratifications tertiaires (dont l'histoire s'étend sur une période géologique distincte, antérieure à l'apparition de l'homme), mais encore que ces cétacés fossiles du tertiaire sont eux-mêmes plus grands que ceux qu'on a pu découvrir dans les couches géologiques antérieures.

De tous ces cétacés de l'époque préadamite découverts à ce jour, le plus grand est indiscutablement le fossile d'Alabama mentionné au chapitre précédent, lequel n'a pas tout à fait soixante-dix pieds de longueur, alors que la mesure nous donne soixante-douze pieds – nous l'avons vu – pour le moderne squelette d'un cachalot de grande taille. J'ai même entendu dire, par des baleiniers d'expérience dont l'autorité est sûre en la matière, que des cachalots de près de cent pieds[1] avaient été mesurés après leur capture.

Ne se pourrait-il pas toutefois, même si les modernes baleines ont gagné en taille sur celles des périodes géologiques précédentes, ne se pourrait-il pas qu'elles eussent dégénéré depuis Adam ?

---

1. Trente mètres.

Assurément c'est ce qu'il nous faudra conclure, si nous sommes prêts à croire les rapports de bons messieurs tels que Pline et les naturalistes de l'Antiquité en général. Pline ne nous parle-t-il pas de baleines dont la vivante superficie couvrait des acres, et Aldrovandi ne fait-il pas mention de cétacés mesurant huit cents pieds de long? (Une piste de cordier, le tunnel sous la Tamise devenus cétacés!) Et même au temps de Banks et de Solander, les compagnons naturalistes de Cook, ne se trouva-t-il pas un Danois, membre de l'Académie des sciences, pour faire état de baleines islandaises (des «Reydar-fiskur» ou ventres ridés) mesurant quelque cent vingt yards de long? Et Lacepède, le naturaliste français, dès le début de sa grande étude sur les baleines (page 3) ne donne-t-il pas cent mètres de long à la baleine franche? Or, l'ouvrage en question fut publié en l'année 1825!

Seulement il ne se trouvera pas un seul baleinier pour les croire. Non. La baleine de nos jours est aussi grande que celle du temps de Pline, laquelle a été son aïeule; je l'affirme, et si jamais je me rends où Pline se trouve, je me fais fort de le lui dire, moi, en tant que baleinier (qui le suis plus qu'il ne le fut). Je ne saurais comprendre, en effet, quand les momies égyptiennes qui furent ensevelies des millénaires avant que Pline ne vît le jour ne sont pas d'un pouce plus grandes, dans leurs sarcophages, qu'un Kentuckais en chemise; quand le bétail de ferme et tous les autres animaux qu'on voit représentés sur les bas-reliefs égyptiens et assyriens, à en juger par les proportions du dessin, sont nettement inférieurs par la taille au bétail distingué de nos élevages de Smithfield, plus grand, plus beau et plus lourd que le bœuf gras le plus colossal qu'eussent jamais nourri les étables pharaoniques; je ne saurais admettre, dis-je, que seul entre tous les animaux, le cétacé eût dégénéré.

Reste à présent une autre question, que souvent les plus réfléchis des Nantuckais ont débattue entre eux. C'est à savoir si, en vertu de la quasi-ubiquité des vigies aux pointes de mâts des baleiniers, qui s'en vont bourlinguer jusque dans le détroit de Béring à présent, et dans tous les recoins les plus cachés et les moins accessibles du monde; et si par le fait des milliers de harpons et de lances expédiés sur le dos des baleines au long des côtes de tous les continents, le léviathan pourra longtemps soutenir la chasse cruelle qu'on lui fait; si les féroces ravages accomplis dans ses rangs ne vont pas, à la fin, entraîner son extermination pure et simple; et si un beau jour le cétacé ne disparaîtra pas définitivement des eaux. Bref, ne verra-t-on pas la dernière baleine, fumant sa dernière pipe comme le dernier homme fumera la sienne, s'évaporer comme lui dans sa dernière bouffée?

A comparer les hordes bossues des baleines avec les hordes bossues des buffles qui déboulaient, voici quarante ans à peine, par dizaines de milliers sur les étendues de l'Illinois et du Missouri, agitant leurs crinières de fer et baissant leurs fronts orageux en des lieux où se dressent de nos jours des cités et des capitales où le courtier aux belles manières vous vend de la terre à un dollar le pouce; sur cette comparaison, il semble bien y avoir là un irrésistible argument tendant à prouver irréfutablement la prompte, inévitable et complète disparition de la baleine ainsi chassée.

Mais la question veut être examinée sous plusieurs jours : un jugement à première vue ne suffit pas. Or, s'il est vrai que naguère – c'est-à-dire voici moins que la durée normale d'une courte existence humaine – le recensement des buffles de l'Illinois atteignait un chiffre supérieur à celui du recensement des habitants de Londres aujourd'hui; et s'il est vrai que de nos jours, ni un sabot ni une corne n'en reste dans toute cette région; s'il est vrai, au surplus, que la raison unique et la seule cause de cette totale extermination fut bel et bien la main de l'homme; néanmoins il est clair que les formes et modes absolument différents sous lesquels s'opère la chasse à la baleine, sont, pour le léviathan, une interdiction péremptoire de connaître une si peu glorieuse et déplorable fin. En effet, quarante hommes sur un baleinier, chassant le cachalot pendant quarante-huit mois, estimeront avoir fait une campagne heureuse et remercieront Dieu s'ils rentrent en rapportant l'huile de quarante poissons. Tandis qu'aux beaux jours des vieux trappeurs canadiens et indiens, quand le Far West lointain (sur le couchant duquel le soleil néanmoins se lève toujours), quand l'immense Far West était terre sauvage et vierge, un même nombre de ces hommes chaussés de mocassins, pour une même durée de quatre ans, mais montés sur des chevaux au lieu de chevaucher un navire, vous abattaient non pas quatre dizaines, mais quarante milliers et plus encore de buffles. Le fait, s'il en était besoin, pourrait être prouvé par les statistiques.

Et tout bien considéré, ce n'est pas non plus un argument qui viendrait appuyer la thèse de l'extermination progressive du cachalot, celui qui ferait valoir, par exemple, qu'à la fin du siècle dernier, les campagnes de pêche étaient moins longues et aussi beaucoup plus profitables, du fait que les petites compagnies de léviathans étaient beaucoup plus nombreuses et donc plus fréquemment rencontrées. Comme nous l'avons vu déjà, c'est influencés par un souci de sauvegarde que les cétacés se sont mis à croiser dans les océans en caravanes immenses, qui ont en grande partie absorbé dans leurs foules la plupart des solitaires, des couples, des groupes, des écoles et des autres cohortes singulières des temps passés. On ne les rencontre presque plus ; soit. Et les énormes armées, où ils sont enrôlés à présent, sillonnent les mers à des intervalles d'autant plus grands qu'elles sont elles-mêmes plus vastes. C'est tout. Il serait également illusoire et faux de croire que les baleines proprement dites (baleines vraies, baleines à fanons) se font plus rares et que leur espèce décline parce qu'elles ne fréquentent plus de nos jours certains parages assez nombreux où elles abondaient naguère ; c'est seulement qu'elles ont été poussées de cap en promontoire en fuyant les pêcheurs. Et si leurs souffles ont cessé d'animer l'horizon qui borde telle côte, on peut être certain que tel autre et plus lointain rivage s'est étonné tout récemment à ce spectacle tout nouveau.

Et puis, ce n'est pas tout : car ces léviathans (je veux dire les derniers nommés) ont au surplus deux forteresses imprenables, qui selon toute vraisemblance humaine, le resteront toujours. De même que les Helvètes, quand leurs vallées ont subi l'invasion, se retirent sur leurs froides montagnes ; de même les baleines peuvent-elles, quand elles seraient chassées des pâturages et des grands champs marins des zones tempérées, gagner en dernier ressort leurs citadelles polaires ; et là, plongeant sous les derniers contreforts du grand rempart glacé, ressortir au milieu des icebergs et des banquises ! – pour, au milieu de ce cercle enchanté d'un décembre éternel, défier à jamais toute poursuite humaine.

Mais comme on massacre environ cinquante de ces baleines

pour un seul cachalot, certains philosophes du gaillard d'avant en ont conclu que cette hécatombe avait d'ores et déjà éclairci sérieusement les rangs cétacéens. On ne peut nier, en effet, que depuis un certain temps, c'est déjà en nombre considérable – pas moins de treize mille – qu'elles sont tuées, annuellement, par les seuls Américains, sur les côtes nord-ouest. Pourtant et malgré tout, certaines considérations réduisent à peu près à néant la valeur de cette circonstance en tant qu'argument favorable à la thèse de l'extermination.

Autant qu'il soit naturel de se montrer quelque peu sceptique sur le grouillement populeux des plus colossales de nos créatures terrestres, qu'aurons-nous pourtant à répondre à Harto, l'historien de Goa, lorsqu'il nous rapporte que le roi de Siam s'empara de quatre mille éléphants au cours d'une seule chasse, et qu'en ces régions les éléphants sont aussi nombreux que les troupeaux de bétail dans nos régions tempérées ? Or, quand les éléphants, qui ont été chassés depuis des milliers d'années par Sémiramis, Porus, Hannibal et toute la hiérarchie successive des monarques d'Orient, survivent cependant en si grand nombre en un seul lieu, quelle raison aurait-on de ne pas penser que la grande baleine, bien plus assurément, survivra à toutes les chasses entreprises, d'autant qu'elle a pour s'y répandre des pacages qui sont fort précisément, quant à l'étendue, le double de ce que sont toute l'Asie et les deux Amériques, l'Europe et l'Afrique, l'Australie et toutes les îles du monde mises ensemble ?

Une autre chose encore est à prendre en considération, et c'est la longévité des baleines, auxquelles on suppose une durée d'existence d'un siècle et plus ; ce qui fait qu'à n'importe quel moment dans le temps, plusieurs générations différentes d'adultes se trouvent être contemporaines. Pour savoir ce que cela signifie, il suffit de se représenter toutes les nécropoles, tous les cimetières, les caveaux de famille et les tombeaux de la création restituant les corps vivants de tous les hommes, femmes et enfants qui vivaient à un moment quelconque des soixante-dix dernières années ; et d'ajouter ces innombrables cohortes à l'actuelle population humaine du globe.

Aussi est-ce pourquoi nous tiendrons le cétacé pour immortel dans son espèce, tout périssable qu'il soit dans son individu. Avant que les continents n'émergeassent des eaux, il nageait par les mers ; il a nagé jadis où sont les Tuileries, le château de Windsor et le Kremlin. Dans les eaux du Déluge, il ne faisait pas cas de l'arche de Noé. Et si jamais le monde devait connaître une nouvelle inondation – pour l'extermination des rats, comme aux Pays-Bas –, néanmoins et toujours l'éternel cétacé y survivra ; et sur le faîte des plus hautes crêtes du flot équatorial il jaillira, lançant au ciel les bouillons vaporeux de son jet, comme un défi.

LA JAMBE D'ACHAB

La hâte précipitée qu'avait mise le capitaine Achab à quitter le *Samuel Enderby* de Londres n'avait pas non plus épargné sa personne dans sa violence. Il s'était jeté avec une telle énergie dans son canot qu'en heurtant un banc de nage, l'ivoire de son pilon s'était à demi fendu sous le choc. Et peu après, quand il eut regagné son pont et retrouvé son trou à pivot, il mit une telle véhémence à se retourner soudain pour jeter un commandement urgent au timonier (c'était, comme toujours, quelque chose à propos de la route qui n'était pas tenue avec une assez rigoureuse précision), que la jambe d'ivoire déjà fêlée sembla céder plus encore sous cet effort de torsion; certes, elle était demeurée entière et gardait toutes les apparences de la solidité, mais Achab n'osa plus s'y fier tout à fait.

Et en fait, il n'y avait pas lieu de s'étonner qu'en dépit de tout le tumulte intérieur qui l'habitait, Achab donnât les soins les plus attentifs à l'état du membre mort qui lui servait pour moitié de soutien. Car (c'était fort peu de temps avant que le *Péquod* ne mît à la voile de Nantucket) Achab avait un soir été trouvé gisant sur le parquet, évanoui; à la suite d'un inimaginable accident demeuré inexpliqué – et selon toute apparence inexplicable – sa jambe d'ivoire, déplacée et rompue net sous un coup d'une rare violence, lui avait pénétré l'aine comme un épieu; et la blessure extrêmement douloureuse ne s'était pas guérie facilement ni sans complications.

Or, à l'époque, l'esprit démentiel et furieux d'Achab n'avait pas manqué de regarder cet accident et toutes les angoisses endurées de ses souffrances physiques comme la conséquence directe d'une peine antérieure; et il considérait aussi – ce n'était que trop évident – que, de même que le plus venimeux reptile des lieux sombres perpétue son espèce aussi infailliblement que le plus doux oiseau chanteur de la lumière, de même aussi la félicité, et de même également les malheurs qui engendrent infailliblement une postérité de malheurs. Ah! et bien plus encore qu'également, se disait Achab, étant donné que tout à la fois l'ascendance et la descendance de la Douleur vont bien plus loin que l'ascendance et la descendance de la Joie. Car ne l'oublions pas : il ressort de certains enseignements canoniques que, tandis que les joies de ce monde n'enfantent pas de descendance directe dans l'autre monde, mais sont au contraire suivies dans leur stérilité de tous les désespoirs de l'enfer, la culpabilité de la misère humaine, en revanche, ne cesse d'engendrer avec fécondité sa descendance par-delà la tombe, où le suit et se multiplie une éternelle et croissante progéniture de tristesse. Non, ne l'oublions pas : car plus on approfondit la chose, plus cette inégalité est évidente. Si les suprêmes félicités terrestres, en effet, se disait encore Achab, sont toujours frappées au cœur d'une certaine petitesse et d'une certaine insignifiance, les profondes douleurs ont au contraire toujours, au fond, une signification mystique, et, chez quelques hommes, une grandeur archangélique. C'est là une évidence que les apparences mêmes ne sauraient démentir. Car à reparcourir tout l'arbre généalogique de la haute misère humaine, nous parvenons en dernier ressort à ces dieux qui n'ont point été engendrés, ces primogéniteurs, eux-mêmes sans antériorité; ce qui fait qu'à la face de tous les soleils de la Joie, mûrisseurs de blondes moissons, et à la face de toutes les rondes lunes de douceur caressant les foins parfumés, il nous faut, nous devons, nous ne pouvons pas ne pas le reconnaître : que les dieux eux-mêmes ne sont pas toujours dans la Joie, heureux toujours et à jamais. L'ineffaçable sceau de tristesse qui marque de naissance le front humain est leur héritage direct, le signe et la signature de leur douleur.

Voici qu'involontairement ici un secret a été dévoilé, qui peut-être eût dû l'être plus proprement en son lieu, antérieurement.

Mais avec mainte autre chose touchant Achab, le mystère en était demeuré toujours entier pour la plupart des nôtres, et l'on ne savait toujours pas pourquoi, pendant cette double période, à la fois avant et après le départ du *Péquod* il s'était lui-même retranché et tenu caché aussi exclusivement que le grand lama en personne ; ni pourquoi, pendant toute cette période, rien n'avait transpiré de sa retraite, comme s'il eût cherché refuge au milieu du sénat marmoréen des morts. Les raisons qu'en donnait le capitaine Péleg étaient visiblement par trop insuffisantes ; bien qu'à vrai dire, et comme en tout ce qui touche au plus profond d'Achab, la révélation tînt plus d'une obscurité significative que de la lumière d'une claire explication. Tout, néanmoins, finit par se découvrir. Cette histoire en tout cas. La temporaire réclusion d'Achab avait eu pour cause ce douloureux accident. Mais cet accident demeurant inexpliqué et inexplicable autant qu'il le fut aux yeux du cercle étroit des familiers qui, pour une raison ou pour une autre, avaient malgré tout conservé un relatif droit d'approche dans le bannissement de tous ; et les réactions d'Achab, qui plus est, étant plus que sombres ; cet accident avait revêtu pour eux un caractère terrifiant, accablant, que n'expliquaient pas seulement les peines endurées et les douleurs souffertes par leur ami. Si bien que dans leur zèle envers Achab, les rares membres de ce petit cercle avaient conspiré de n'en souffler mot, autant que possible, et de cacher la chose au monde extérieur. Telle était la raison pour laquelle la chose avait mis si longtemps, avant que de finir tout de même par se savoir sur les ponts du *Péquod*.

Quoi qu'il en fût, d'ailleurs, et que les invisibles et ambiguës assemblées des puissances de l'air, ou les vindicatifs princes et potentats du feu eussent, ou non, affaire avec le physique ou le moral de l'Achab terrestre, cela ne l'empêcha pas, en l'occurrence, de prendre pour sa jambe d'immédiates, de concrètes et pratiques mesures : il appela le charpentier.

Et lorsque ce praticien se présenta devant lui, il lui commanda de se mettre sans délai à la confection d'une nouvelle jambe d'ivoire, chargeant les officiers en second de veiller sur son approvisionnement complet en clous, chevilles, goupilles, viroles, etc., faits d'os de mâchoire de cachalot, ordonnant qu'il pût choisir à

loisir sa matière première la plus fine de grain et la plus solide de
qualité dans le stock qui en avait été accumulé à bord depuis le
début de la campagne. Ces dispositions prises, le charpentier
devait avoir terminé la jambe cette nuit même, et aussi la fournir de
tous les accessoires indispensables, indépendamment de ceux encore
en usage sur la jambe endommagée. De plus, Achab commanda
qu'on tirât la forge des cales où elle était en repos ; et le forgeron
reçut l'ordre de se mettre, pour accélérer la chose, immédiatement à
la disposition du charpentier, prêt à lui confectionner sur-le-champ
toute ferronnerie dont il pourrait avoir besoin.

LE CHARPENTIER

Assieds-toi en sultan parmi les lunes de Saturne et, de là, considère l'homme dans son unité et son essence la plus haute : c'est tout ensemble une merveille, une grandeur et une misère. Mais considère, de là, l'humanité dans son ensemble : on dirait d'une foule de copies, une cohue de duplicata inutiles pour la plupart, de vaines répétitions contemporaines aussi bien qu'héréditaires. Ce qui n'empêche que notre charpentier, tout humble et tout éloigné qu'il fût d'être un échantillon de la haute quintessence humaine, n'était en rien un duplicata. Et c'est pourquoi le voici en personne qui entre en scène.

Semblable en cela à tous les charpentiers-matelots en activité à bord des voiliers, et tout particulièrement à ceux des baleiniers, le charpentier du *Péquod* était une sorte d'homme à tout faire que sa longue expérience pratique avait familiarisé avec de nombreuses activités diverses plus ou moins rattachées à son métier propre, qui était comme le tronc sur lequel s'épanouissaient d'innombrables rameaux. Mais en plus de ces aptitudes où le travail de bois intervenait toujours pour une part plus ou moins grande, il avait, lui, un talent tout spécial pour les mille et une petites inventions mécaniques dont le besoin se fait toujours sentir sur un grand voilier en campagne pendant trois ou quatre années sur des océans perdus et sauvages. Sans parler de son adresse et de sa promptitude aux besognes ressortant plus directement de sa tâche : réparation des baleinières éventrées, confection d'espars perdus, retaillage des pelles d'avirons, gournablage des bandages ou remplacement des verres de hublots, etc., et combien d'autres et innombrables travaux qui ne revenaient qu'à lui seul, il faisait preuve d'une compétence et d'une sûreté de main fort remarquables dans toutes sortes de différents autres domaines assez contradictoires, touchant aussi bien la fantaisie que l'utilité, le caprice que la méthode.

La grande scène où il déployait ces talents si divers était invariablement son établi de charpentier-menuisier : une longue, lourde et forte table nantie de nombreux étaux de tailles différentes, de fer et de bois. Exception faite des jours où nous avions des cachalots à flanc, cet établi était toujours et solidement amarré par le travers du pont contre la partie arrière du fondoir. Un cabillot se montre-t-il réticent au râtelier ? le charpentier le serre dans un de ses étaux toujours prêts au service, et sur-le-champ vous le ramène au calibre. Un oiseau flamboyant de plumage est-il venu de terre, épuisé, s'abattre sur le pont où on l'a capturé ? vite le charpentier, avec des fanons de baleine entrelacés sur un bâti d'os de cachalot, vous construit une cage comme une pagode. Un homme s'est-il luxé le poignet aux avirons ? sans retard le charpentier lui confectionne un baume. Est-ce Stubb qui voudrait tant avoir une fulgurante étoile d'un ardent vermillon sur la pelle des avirons de son équipage ? voilà le charpentier passant chaque aviron dans les mâchoires de son gros étau de bois, qui aussitôt lui aligne cette constellation symétrique. Prend-il à un maturin la fantaisie d'arborer des boucles d'oreille en dents de requin ? c'est encore le charpentier qui lui perce le lobe. Cet autre souffre-t-il d'une rage de dents ? le charpentier toujours : il s'empare de ses pinces, et frappant du plat de la main son établi, fait signe à l'autre de s'y asseoir ; mais le pauvre type de patient ne manquera pas d'hésiter douloureusement quand l'opérateur, desserrant la vis de son grand étau de bois, prétendra lui assujettir la mâchoire dedans, s'il veut qu'on lui arrache sa dent malade.

C'était ainsi qu'il était, notre charpentier : toujours prêt à peu près à tout, et semblablement indifférent devant toutes choses, sans le moindre respect de rien. Les dents ? tout simplement des chevilles d'ivoire ; les têtes ? des poulies de caliornes ; les hommes eux-mêmes ? mais pas autre chose que des cabestans. A en juger par l'étendue et la variété de ses capacités, comme par l'adresse

extraordinaire dont il faisait preuve, on serait sans doute porté à
lui croire une vivacité d'intelligence peu commune ; mais tel n'était
pas exactement le cas. Non, car en rien cet homme n'était remarquable autant que par une certaine impassibilité naturelle, et
comme impersonnelle eût-on dit. Si impersonnelle même, qu'elle
se fondait dans l'infini des choses et semblait ne faire qu'un avec
l'universelle placidité qui caractérise le monde visible ; ce monde
éternellement et sans aucun repos actif sous mille modes, qui
pourtant toujours garde un silence immuable, une paix immuable,
et vous ignore même si vous êtes à creuser des fondations de cathédrales. Mais encore qu'une pareille placidité, effroyable à demi
chez cet homme, impliquât nécessairement, à ce qu'il semblait, un
manque de cœur aux ramifications multiformes – néanmoins elle
était traversée parfois et fort étrangement par le souffle asthma-
tique d'un vieil humour boiteux et antédiluvien, que venait pimen-
ter de temps à autre un esprit lointain, chevrotant et chenu, tel que
celui, sans doute, qui avait servi à faire passer le temps, de barbe
blanche à barbe blanche, sur le gaillard d'avant de l'arche de Noé.
Était-ce que ce vieux charpentier, à force de bourlinguer et de rouler sa bosse toute sa vie durant, non seulement n'avait amassé
aucune mousse, mais encore et de plus avait perdu en cours de
route, par l'effet de ce roulement perpétuel, le peu qu'il avait pu en
avoir, originellement, d'accroché dans ses anfractuosités personnelles ? C'était une abstraction pure ; une intégrale absolue, infrac-
tionnable ; à peu près aussi chargé de compromission qu'un enfant
nouveau-né ; vivant sans plus de préméditation, ni à l'égard de ce
monde-ci, ni de l'autre. Pureté ou candeur, on pouvait presque
dire que cet étrange absolu en lui, cette absence totale d'égard
impliquait une manière de non-intelligence ; car il faisait ses
innombrables métiers moins par raison, par instinct ou par science
acquise, et moins par une quelconque combinaison de ces trois éléments, que par une sorte d'automatisme naturel, spontané, une
sorte de mouvement élémentaire, tout simplement, une activité littéralement mécanique, sourde et muette. C'était un pur manipula-
teur ; son cerveau, si jamais il en avait eu un, avait dû – comme par
une fuite – s'écouler depuis belle lurette et se perdre dans ses
muscles et ses doigts. Il était positivement comme l'un de ces objets

absurdes et pourtant très utiles, dits *multum in parvo*, fabriqués à Sheffield, qui offrent l'apparence – un peu gonflée il est vrai – d'un couteau de poche, mais détiennent en réalité non seulement des lames de calibres variés, mais encore des tournevis, des tire-bouchons, des brucelles, des poinçons, des plumes, règles, limes à ongles, limes à métaux et fraises. C'est ainsi que lorsque ses supérieurs voulaient utiliser le charpentier comme tournevis, par exemple, tout ce qu'ils avaient à faire était de l'ouvrir lui-même à cet endroit-là de lui-même, et l'écrou était serré, la vis était vissée; quand ils voulaient des pinces, par exemple, ils n'avaient qu'à l'empoigner par les jambes, et le tour était joué.

Malgré tout, comme il a été déjà dit, cet outil universel de charpentier, ce charpentier à tiroirs, cet ouvrez-moi, fermez-moi, n'était tout compte fait pas une simple machine, la mécanique d'un automate. S'il n'avait pas d'âme ordinaire en lui, il possédait néanmoins un subtil quelque chose qui en faisait fonction de façon ou d'autre, à l'occasion. Pour dire ce que c'était : essence de vif-argent ou bouillon de sorcière, on n'en sait rien. Mais quelque chose il y avait, et ce quelque chose habitait chez le charpentier depuis maintenant une bonne soixantaine d'années, peut-être plus. Et c'était ce quelque chose, cet inexplicable quelque chose, ce malicieux et insaisissable principe vital en lui – c'était cela qui le faisait soliloquer la plupart du temps; mais je dis bien : uniquement comme une roue qui tourne, qui, elle aussi, sans le moindre raisonnement, monologue en bourdonnant. Ou mieux encore : disons que son corps était une guérite dans laquelle ce soliloqueur était de garde; et il parlait tout le temps pour se tenir éveillé.

ACHAB ET LE CHARPENTIER

LE PONT. – PREMIER QUART DE NUIT.

(Le charpentier est à son établi, s'activant à limer le morceau d'os pour la jambe, à la lumière de deux lanternes. L'os est serré dans l'étau. Lames et morceaux d'ivoire, lanières de cuir, mèches de vilebrequins, vis, outils de toutes sortes sont répandus sur l'établi. Sur l'avant, le rougeoiement de la forge, où s'emploie le forgeron.)

– Diable d'os et sacrée lime ! Ce qui devrait être dur est mou, et ce qui devrait être mou est dur. Voilà ce que c'est, quand on lime de vieilles mâchoires pour des tibias. Voyons-en voir une autre. Ah ! oui, celle-là mord un peu mieux *(éternuement)*. Eh là ! cette poudre d'os est *(éternuement)*… elle est *(éternuement)*… c'est qu'elle est *(éternuement)*… bon sang ! elle ne va pas me laisser parler ! Ah ! voilà bien ce qu'un vieux bonhomme attrape à travailler de la charpente morte. Sciez-moi un arbre vivant, ça ne vous fait pas cette sacrée poussière… amputez-moi de l'os vivant ; pas de sciure *(éternuement)*. Bon, bon, dis voir, vieux Smut, attrape voir un peu cette virole, là, et cette vis de serrage ; qu'on avance un peu ; je vais en avoir besoin tout de suite. Heureusement encore *(éternuement)* qu'il n'y a pas de genou à fabriquer ; ça compliquerait pas mal de choses. Mais rien qu'un tibia… c'est aussi facile qu'une simple perche ; tout ce que je voudrais, seulement, c'est lui donner un bon coup de fini. Le temps, le temps ; si j'avais seulement le temps, je lui en ferais, une jambe, et aussi bien tournée que jamais jambe *(éternuement)* qui plia devant une dame dans un salon. Ces fausses jambes de daim et de cuir de veau que j'ai vues dans les vitrines, elles ne seraient même pas comparables ! Parce qu'elles prennent l'eau, voilà ce qu'elles font ; et bien sûr elles ont des rhumatismes, alors il faut les soigner *(éternuement)* avec des compresses et des lotions, autant comme des jambes vivantes... Là ! avant de la scier du haut, faut que je voie la quille du Grand Moghol et que je me rende compte si elle va, comme longueur. Peut-être un rien trop courte, s'il y a quelque chose, voilà ce que je pense. Ha ! voilà le pilon ; on a de la chance ; le voilà qui vient par ici, ou alors c'est quelqu'un d'autre, pour sûr !

ACHAB *s'avance.*

(Pendant la scène qui suit, le charpentier continue d'éternuer de temps à autre.)

— Alors, faiseur d'hommes !

— Juste au bon moment, m'sieu. Si vous le permettez, capitaine, je vais à présent marquer la longueur. Faut que je mesure, m'sieu.

— A la toise pour une jambe ? soit ! Somme toute, ce n'est pas la première fois. Allons, vas-y ! mets tes pattes dessus. C'est un fameux étau que tu as là, charpentier ; voyons un peu s'il serre convenablement... Ah oui ! comme cela, oui, ça vous pince pas mal.

— Oh ! attention, m'sieu, attention ! vous allez vous briser les os.

— Pas de danger. Une bonne poigne, j'aime cela. Sentir quelque chose qui sache tenir dans ce monde fuyant, j'aime bien. Et Prométhée là-bas, qu'est-ce qu'il est en train de faire – le forgeron, je veux dire, à quoi est-ce qu'il travaille ?

— Il doit être à forger la bride de serrage à présent.

— Parfait. C'est du travail d'équipe ; il apporte la partie muscle. Mais quel féroce feu il nous fait, là-bas !

— C'est sûr, m'sieu, il doit pousser au blanc pour le travail délicat qu'il fait.

— Heu oui... il doit. J'estime que c'est une chose pleine de signification, au fait, que Prométhée, ce Grec des Anciens, eût été

forgeron, lui qui fabriqua des hommes, dit-on; et qu'il les ait ani-
més par le feu. Car ce qui est fait par le feu doit proprement appar-
tenir au feu. Et de même l'enfer, probablement. Mais quelle
suie !... C'est avec ce déchet sans doute que le Grec a dû faire les
Africains. Dis donc, charpentier, quand il aura fini avec cette
bride, demande-lui donc de forger une bonne paire d'épaulettes
d'acier : il y a un porteur à bord, qui a un fardeau écrasant.

– Vous dites, capitaine ?

– Attends ! Tant qu'il y est, Prométhée, je vais lui commander
un homme entier, de la mesure convenable. Cinquante pieds de
taille pour commencer, pieds nus sous la toise. Et puis la poitrine
à l'échelle du tunnel de la Tamise. Et puis des jambes avec des
racines, pour qu'il se plante solidement en un lieu. Des poignets de
trois pieds de diamètre, aussi; et pas de cœur du tout, mais un
front d'airain et quelque chose comme un demi-arpent du meilleur
cerveau. Et puis, voyons... est-ce que je lui commande des yeux
pour qu'il regarde dehors ? Non. Mais qu'on lui ouvre une lucarne
sur le dessus de la tête, qu'il soit éclairé à l'intérieur. Voilà. Enlève
la commande, et ouste !

– Ben... de qui parle-t-il à présent, et à qui parle-t-il ? *(A part.)*
Je voudrais bien savoir... et si je dois rester là à attendre.

– C'est tout simplement de l'architecture ordinaire, de faire un
dôme opaque, sans jour. Aveugle. En voilà un. Non, non et non. Je
veux avoir une lumière.

– Ah ! bon, ce n'était que ça, hé ? J'en ai deux ici, m'sieu; une
seule, ça fait bien assez mon affaire.

– Qu'est-ce que tu as à me balancer cet attrape-voleur sous le
nez, hein ? Une lumière levée, c'est pire que pistolets braqués !

– J'ai cru, M'sieu, que vous aviez parlé au charpentier.

– Le charpentier ? mais c'est... mais non ! un très délicat, et je
dirai même un métier extrêmement distingué que tu fais là, charpentier. Ou bien est-ce que tu préférerais travailler dans la glaise ?

– La glaise, M'sieu ? La glaise ? Mais c'est de la boue. Nous lais-
serons la glaise aux puisatiers, capitaine.

– Un impie, ce gaillard !... Pourquoi donc éternues-tu tout le
temps, l'ami ?

– La poudre d'os, M'sieu; c'est une sacrée poussière.

– Oui, aussi n'oublie pas le conseil, et quand tu seras mort, ne va pas t'enterrer sous le nez des vivants.

– Comment, M'sieu ? oh ! ah ! j'y suis... Ah ! ben oui ! Oh ! Seigneur !...

– Écoute-moi bien, charpentier. Je suppose que tu te tiens à juste titre pour un ouvrier qui connaît son ouvrage d'ouvrier, hein ? Bon ! alors ce qui sera un vrai compliment pour ton ouvrage, c'est si je continue malgré tout de sentir une autre jambe en même temps que la tienne, à la place où celle que tu auras faite sera ajustée ; c'est-à-dire, charpentier, ma vieille jambe à moi, la jambe de chair et de sang, que j'ai perdue. Sauras-tu ne pas le chasser, le vieil Adam ?

– Vrai, M'sieu, je commence à vous entendre un petit bout, à présent. Bien sûr, il m'est déjà revenu aux oreilles des bizarreries étranges dans ce sens, comme quoi les hommes démâtés ne perdent jamais complètement le sentiment de leur espar perdu, mais qu'au contraire, ça leur fait plutôt des élancements par-dedans, des fois... Oserai-je me permettre, M'sieu, de vous demander si – révérence parler – il en est réellement ainsi ?

– Oui, mon garçon. Tiens ! place un peu ta jambe vivante là où se trouvait la mienne à l'instant. Bon. Voilà maintenant, là, une seule jambe apparemment, visible à l'œil ; et pourtant, il y en a deux pour l'âme. Là où tu sens battre et frémir la vie ; eh bien, là, exactement là, au millimètre près, je la sens. N'est-ce pas un vrai mystère ?

– Avec votre permission, M'sieu, je dirais que c'est un casse-tête.

– Bon, alors écoute-moi. Comment peux-tu savoir s'il n'y a pas, justement là où tu te tiens, une chose vivante, pensante, entière, mais invisible et absolument inentamable, et qui se tient quand même là, malgré toi ? Dans tes heures de grande solitude, hein, est-ce que tu ne crains pas qu'on te surprenne ? n'as-tu pas peur des écouteurs invisibles ? Attends ! ne parle pas encore !... Quand je sens, moi, des élancements dans mon membre arraché – et peu importe depuis quand il est maintenant pourri, anéanti !

– alors, charpentier, pourquoi ne pourrais-tu pas, toi, ressentir dans l'éternité toutes les tortures de l'enfer, même sans ton corps ? Ha !

– Bon sang de bon sang ! Réellement, M'sieu, si c'est comme ça que ça va, alors il faut que je refasse mon compte. Je crois bien que je dois avoir une assez jolie addition !

– Aux petites têtes vont les petits bonnets, vois-tu... Dans combien de temps, cette jambe ?

– Peut-être une heure, m'sieu.

– Bon. Expédie-moi ça en vitesse, alors, et apporte-la-moi. *(S'en allant.)* Oh ! existence ! Me voici orgueilleux et fier comme un dieu grec, quand pourtant je reste l'obligé de cette tête de bûche pour l'os sur lequel me tenir debout ! Maudit soit-il, ce mutuel endettement perpétuel des hommes, dont on ne voit la fin sur aucun grand-livre, pour solde de tout compte. Je voudrais être libre comme l'air, et me voilà couché comme débiteur sur tous les livres de compte du monde entier. Si riche que je sois, moi qui aurais été capable de répondre enchère pour enchère, à l'encan de l'Empire romain (qui était celui du monde), aux mises des plus dignes et des plus puissants prétoriens, je n'en suis pas moins endetté par la chair, et jusque de cette langue même avec laquelle je fanfaronne. Par tous les cieux ! C'est un creuset qu'il me faut, un creuset pour moi-même, et que je m'y fonde et m'y réduise jusqu'à ne faire plus qu'un petit régule concentré de vertèbres. C'est comme ça.

LE CHARPENTIER *se remettant à son travail.*

– Bon, bon, bon, bon ! Il le connaît mieux que tout le monde, Stubb ; et il a toujours dit, Stubb, qu'il était drôle. Rien d'autre que ce petit mot de drôle... Il est « drôle », c'est ça qu'il dit, Stubb. Drôle... drôle... Et il ne cesse de sonner ça aux oreilles de M. Starbuck : il est drôle, monsieur, drôle... drôle... très drôle, monsieur. Étrange, bizarre, drôle... Et voilà, là, sa jambe. Oui... et maintenant que j'y pense, c'est sa compagne de lit, que voilà ! Il a pour épouse un bâton d'os de mâchoire de cachalot ! Le voici. C'est sa jambe. C'est là-dessus qu'il tient debout... Qu'est-ce qu'il racontait donc avec cette histoire de jambe ; une seule et même jambe debout à trois endroits différents, et tous ces trois endroits ensemble dans un seul et même enfer ? Comment ça marchait-il ?... Oh ! il n'y a pas à s'étonner qu'il m'ait regardé si dédaigneu-

sement! Je suis un drôle de penseur parfois, qu'ils disent; mais
c'est seulement du « par hasard ». Aussi bien, je te le dis, ce n'est
pas à un pauvre petit bout de tronçon de bonhomme comme tu es,
de vouloir essayer d'emboîter le pas jusque dans les eaux profondes aux immenses échassiers de capitaines; on a tout de suite
l'eau au menton, et voilà qu'on piaille après le canot de sauvetage!
Bon, la voilà, sa jambe de héron; elle est longue et mince, ça c'est
sûr. La plupart des gens, une paire de jambes, ça leur suffit la vie
durant… sans doute parce qu'ils s'en servent charitablement,
parce qu'ils la pilotent avec précaution comme une vieille dame de
cœur tendre fait conduire tout doux, tout doux, l'attelage de son
vieux carrosse. Mais Achab, aïe! c'est un sacré cocher! Holà! Vois
donc, il a déjà mené une de ses jambes au tombeau, esquintant
l'autre à vie; et à présent, il vous use ses béquilles d'os en un rien
de temps, il en consomme des câbles!… Mais ça, vieux Smut,
attrape voir un peu ces écrous à présent, et qu'on en finisse avant
que le type à trompette du Jugement dernier ne vienne sonner le
rassemblement de toutes les jambes, vraies ou fausses, comme les
gaillards de la brasserie qui rassemblent tous les vieux tonneaux
pour les remplir de nouveau… La fameuse jambe que voilà! Elle
a l'air d'une vraie vivante, limée, polie, lissée jusqu'au cœur.
Demain, il sera campé dessus; de l'alpinisme, qu'il va faire avec!
Hé là! j'allais oublier la petite tablette ovale d'ivoire poli, pour ses
calculs de latitude. Là, ça y est. Un dernier coup de lime; un coup
de papier de verre, et voilà!

ACHAB ET STARBUCK AU CARRÉ

Le lendemain, à l'aube, les hommes étaient aux pompes, selon l'usage, et voilà qu'une quantité non négligeable d'huile remonta des cales avec l'eau. Il devait y avoir une fuite sérieuse en bas, dans les barils. Grande inquiétude à bord ; et Starbuck se rendit au carré pour faire immédiatement son rapport sur cette mauvaise histoire[1].

Venant du sud-ouest, le *Péquod* approchait maintenant de Formose et des îles Bachi qui enserrent l'un des détroits tropicaux ouvrant le passage des mers de Chine dans le Pacifique. Aussi Starbuck trouva-t-il Achab avec une grande carte générale des archipels d'Orient étalée devant lui, à côté d'une autre carte détaillée des côtes et des longues îles japonaises : Nippon, Matsumaï et Sikok. Sa jambe neuve, éblouissante de blancheur, appuyée contre le pied vissé de la table du carré, tenant en main la longue lame en forme de serpe d'un couteau de poche, et donnant le dos à la porte, l'étonnant Achab, les sourcils froncés, était en plein dans l'habituel calcul de ses routes de chasse.

– Qui est là ? lança-t-il en entendant les pas s'approcher. Sur le pont ! Filez !

1. Sur les cachalotiers ayant à bord une certaine quantité d'huile, c'est une des tâches régulières que d'amener deux fois par semaine une manche à eau dans la grande cale et d'arroser les barils avec de l'eau de mer, que les pompes rejetteront par la suite, après un temps plus ou moins long. Ce procédé vise à maintenir, par l'humidité, l'étanchéité parfaite des barils, comme aussi il permet aux matelots, à la seule vue des eaux pompées, de déceler immédiatement toute fuite sérieuse dans la précieuse cargaison *(NdA)*.

– C'est moi, capitaine Achab, vous vous méprenez. Il y a une fuite de l'huile dans la cale, monsieur. Il va falloir gréer les « Burton » et ouvrir.

– Hisser les Burton et ouvrir ? A présent que nous arrivons en vue du Japon ? Se mettre en panne ici toute une semaine pour retaper un lot de vieille ferraille de fichus cercles de barriques ?

– Ou bien le faire, monsieur, ou perdre plus d'huile en un jour que nous n'en pourrons faire en une année. Ce qui nous a fait courir vingt mille milles de croisière, monsieur, vaut la peine qu'on s'en occupe.

– Ça, bien sûr, ça bien sûr ! si on lui met la main dessus.

– Je parlais de l'huile dans la cale, monsieur.

– Moi pas. Et je n'y pensais pas non plus le moins du monde. Allez, ouste ! Et laissez-la fuir. Je ne suis que fuites moi-même. Eh oui fuites sur fuites. Et non seulement bourré de barils qui fuient, mais ces barils percés sont embarqués sur une coque qui fuit. C'est autrement plus grave que le cas du *Péquod*, mon vieux. Eh bien, je ne m'arrête pas pour autant à essayer de boucher la fuite, non ! car qui irait la trouver dans les fins fonds de la cale en lourd ? – et même si on la découvrait, quel espoir y a-t-il de l'aveugler jamais dans la hurlante tourmente de cette existence ? Starbuck ! point de Burton à poste. Voilà !

– Que vont dire les armateurs, monsieur ?

– Laisse les armateurs sur la plage de Nantucket hurler comme des typhons. Qu'est-ce que cela peut bien faire à Achab ? Propriétaires ? armateurs ? Ce Starbuck est toujours là à me corner aux oreilles ces pingres de propriétaires, ces misérables armateurs comme si c'était ma conscience. Non, monsieur ! Le seul véritable propriétaire de quelque chose, Starbuck, c'est celui qui commande. Et entends-moi bien : ma conscience est sur la quille de ce navire-ci. Alors ouste !… sur le pont !

– Capitaine Achab, prononça le second en rougissant, mais s'avançant néanmoins avec audace dans le carré, quoique ce fût avec une telle expression de respectueuse attention et de prudente réserve qu'on eût dit, à le voir, que non seulement il cherchait par tous les moyens à éviter la plus légère manifestation de son existence, mais encore qu'il était même intimidé par cette seule

existence; capitaine Achab, prononça-t-il pourtant, d'autres et de
meilleurs que moi vous passeraient aussi ce qu'ils prendraient fort
mal d'un homme plus jeune; oui, et plus heureux aussi, capitaine
Achab.

– Mille diables! Serait-ce que tu vas jusqu'à oser nourrir dans ta
pensée des critiques à mon sujet?… Sur le pont!

– Non, monsieur, pas encore; je me permets d'insister. Et j'oserai
vous supplier d'avoir la patience… Capitaine Achab, ne pourrions-
nous pas nous comprendre mieux l'un et l'autre que jusqu'à maintenant?

Achab s'empara d'un mousquet chargé au râtelier (qui fait partie du mobilier du carré et des cabines de presque tous les marins
des mers du Sud) et le pointa sur Starbuck en s'exclamant :

– Il y a un Dieu, lequel est le Seigneur de la terre; et un capitaine, qui est le seigneur du *Péquod*… Sur le pont!

L'espace d'un instant, à la flamme qui passa dans les yeux du
second, et à l'éclair de feu qui lui monta aux joues, vous auriez
presque pensé qu'il avait réellement reçu la décharge du canon
braqué sur lui. Mais il maîtrisa son émotion et, recouvrant à demi
son calme, en quittant le carré, il dit :

– C'est un outrage; pas une insulte, capitaine Achab. Mais je ne
demande pas, à cause de cela, au capitaine Achab de prendre
garde à Starbuck; il ne ferait qu'en rire; mais qu'il prenne garde à
Achab. Méfie-toi de toi-même, vieil homme!

– Il croît en courage, mais quand même obéit… très prudent, ce
courage! se murmura Achab comme Starbuck disparaissait.
Qu'est-ce qu'il disait? Achab, méfie-toi d'Achab, non? ce doit être
quelque chose comme ça…

Et se servant inconsciemment du mousquet comme d'une canne,
il se mit à marcher de long en large dans la cabine. Son front était
de fer; mais bientôt les plis creusés s'y détendirent et, replaçant le
mousquet au râtelier, Achab monta lui-même sur le pont.

– Chic type, Starbuck, tu ne l'es que trop! lui dit-il à voix basse.
Puis à pleine voix, à la bordée de quart :

– A ferler les perroquets! Aux palanquins de hunier!
Partout!… Et amenez la grand-vergue! Les Burton à poste! La
grande écoutille parée à la décharge!

Il serait vain, sans doute, de se livrer aux conjectures expliquant pourquoi, comme s'il se soumettait à Starbuck, Achab agissait de la sorte. Peut-être fut-ce par un éclair d'honnêteté ou de scrupule en lui ; peut-être tout simplement par prudente politique envers le premier officier de son navire chez lequel, dans les circonstances présentes, il ne voulait pas provoquer et faire apparaître le plus léger symptôme de désaccord, même momentané. Quoi qu'il en fût, d'ailleurs, ses ordres furent exécutés, et hissés les Burton.

Aux recherches, il s'avéra que les derniers barils mis en cale étaient parfaitement sains, et que la fuite devait se trouver au-dessous, dans les profondeurs. Le temps calme s'y prêtant, on chercha donc de plus en plus profond, bousculant les bardis et tirant de leur pesant sommeil les grosses tonnes du fond du puits, ramenant ces énormes taupes du creux des antres ténébreux à la pleine lumière du jour. On arriva si loin, de la sorte, et les plus basses membrures qu'on découvrait avaient un air si antique, si vermoulu, moisi, moussu, herbu, qu'on se fût cru à la recherche de quelque vieille jarre abîmée et enfouie aux fondations, avec le numéraire du capitaine Noé et quelques exemplaires de l'affiche placardée en vain pour prévenir le vieux monde orgueilleux du Déluge. Futaille après futaille, barriques d'eau douce aussi, et bou-cauts de pain et de bœuf, brassées de douves et paquets de cercles de tonneaux, tout le magasin vint peu à peu s'entasser sur le pont où l'encombrement se fit tel qu'on y pouvait à peine passer. Quant à la carène vide, elle sonnait sous le pied comme si vous aviez che-miné sur de désertes catacombes, et elle tanguait et roulait sur la mer comme une tourie pleine d'air. Le navire était lourd du chef tel un étudiant, l'estomac creux et la tête pleine de tout Aristote. Heureusement que les typhons ne lui firent pas visite alors.

Ce fut à ce moment-là que mon malheureux païen de compère et ami tout intime, Quiequeg, fut atteint d'une fièvre maligne qui faillit bien l'emporter.

Dans ce métier de baleinier, il faut bien le dire, les sinécures n'existent pas plus de nom que de fait ; grade et danger vont de pair, et jusqu'à ce que vous parveniez au rang de capitaine, plus vous montez, plus le travail est pénible et dur. Ainsi en était-il pour Quiequeg qui, en sa qualité de harponneur, devait non seulement affronter toutes les fureurs du cachalot en vie, mais encore – comme nous l'avons vu ailleurs – chevaucher son cadavre ballotté sur la mer furieuse, pour, enfin, descendre dans les ténèbres de la cale et, emprisonné dans cette cave à longueur de journée, y suer fort amèrement à manutentionner les tonnes mastodontales en veillant à leur mise en place. Les arrimeurs, pour tout dire d'un mot (puisque ainsi on les nomme), ce sont, à bord des baleiniers, les harponneurs.

Pauvre Quiequeg, alors que le navire était comme éventré, ses entrailles au jour, vous auriez dû le voir là-bas, tout au fond – en vous penchant par la grande écoutille – s'agitant et glissant dans les bourbes liquides, nu jusqu'à la ceinture, n'ayant sur lui qu'un caleçon de laine, tout semblable avec ses tatouages à un grand lézard moucheté de vert au fond d'un puits ! Car ce fut bien un puits, hélas ! et même une chambre froide pour notre malheureux païen qui, avec toutes ses ruisselantes sueurs, y attrapa un chaud et froid d'une rare violence, doublé d'une mauvaise fièvre, qui le laissa dans son hamac, en quelques jours de maladie, aux portes de la mort. On le vit fondre et dépérir en ces quelques jours, au point qu'il ne restait littéralement plus rien de lui que les os et les tatouages. Mais, tandis que tout en lui s'amenuisait, disparaissait ; tandis que saillaient de plus en plus ses tranchantes pommettes, ses yeux cependant ne cessaient de s'emplir et de se charger d'une étrange et profonde douceur, vous regardant ainsi, du milieu même de la maladie, comme un merveilleux et surprenant témoignage de cette immortelle santé qui ne pouvait, en lui, ni mourir ni seulement faillir. Et tels ces cercles des ondes qui, en s'affaiblissant, s'élargissent toujours, ses yeux paraissaient s'agrandir et s'agrandir encore, de plus en plus profonds et vastes comme les ondes de l'éternité. Une épouvante mystique et sans nom sur la terre, respectueuse et sacrée entrait en vous, tandis que vous restiez assis au chevet du sauvage à l'agonie, voyant passer sur son visage d'aussi étranges choses que les choses étranges aperçues par tous ceux qui étaient présents à la mort de Zoroastre. Car le plus merveilleux et le plus terrifiant de ce qui est vraiment dans l'homme, ni mots ni livres n'y ont jamais touché jusqu'ici. La tout intime approche de la mort, qui tout ensemble résout tout et marque toute chose d'une ultime révélation, il n'y a qu'un auteur venu d'entre les morts qui saurait en parler convenablement. Et c'est ainsi – répétons-le – que pas un Grec à sa mort, pas un seul Chaldéen mourant n'avait été visité par de plus saintes et sublimes pensées que celles dont on voyait l'ombre mystérieuse passer sur le visage de Quiequeg, immobile et paisible gisant dans le balancement de son hamac; lui que les houles longues de la mer semblaient tout doucement bercer pour son dernier sommeil, quand l'invisible et forte pulsation de l'océan, plus haut, toujours plus haut, l'emportait vers le port de sa destination ultime.

Il n'était pas un homme à bord pour penser qu'il s'en tirerait; quant à ce qu'il en pensait lui-même, une certaine faveur qu'il demanda ne permettait pas d'en douter un instant. Il avait appelé quelqu'un dans l'aube grise du premier quart, à ce moment où le jour va se lever, et, lui prenant la main, lui avait confié qu'à Nantucket il avait aperçu, tout à fait par hasard, certaines petites pirogues de bois noir semblable au bois de guerre somptueux de son île; que, s'étant renseigné, il avait su que tous les baleiniers qui décédaient à Nantucket étaient couchés dans ces pirogues noires, et que l'idée d'être lui-même ainsi couché lui avait beaucoup plu; ce n'était pas très différent, en effet, des coutumes de son île, où, après l'embaumement du guerrier défunt, on le couche dans sa propre pirogue que l'on confie aux flots, afin qu'elle le conduise aux archipels célestes des étoiles. Car non seulement ils croient que les étoiles sont des îles, mais encore que là-bas, loin par-delà les horizons qu'ils connaissent, les étendues infinies de l'océan des douces terres qu'ils habitent, communiquent et se fondent avec l'azur du ciel, formant ainsi en se brisant la blanche écume de la Voie lactée. Il ajouta qu'il frémissait à l'idée d'être enveloppé et cousu dans son hamac, selon la coutume et les usages de la mer, pour être expédié comme un déchet, droit dans la gueule des requins mangeurs de cadavres. Non! il désirait une pirogue comme celles de Nantucket, qui seyaient d'autant mieux au baleinier qu'il était, ces pirogues-cercueil, qu'elles étaient dépourvues de quille tout comme une baleinière… même si cela impliquait une navigation plutôt incertaine et pas mal de dérive au long du siècle des siècles d'ombre.

Lorsque cette curieuse histoire vint à être connue au carré, le charpentier reçut l'ordre immédiat de satisfaire au souhait de Quiequeg, quoi qu'il pût comporter. Or, il se trouvait à bord une petite réserve d'un vieux bois païen couleur de cercueil, coupé sur pied, lors d'un périple fort antérieur, dans ses natifs bosquets des îles de la Désolation ; et ce fut de ces sombres planches qu'on lui recommanda de confectionner le cercueil. Quant à notre charpentier, il n'avait pas plutôt reçu ses ordres qu'il arriva au poste d'équipage, son mètre en main avec toute la promptitude et la complète indifférence qui le caractérisaient, pour se mettre aussitôt à prendre les mesures de Quiequeg avec précision, traçant à la craie sur le corps du malade les traits de ses repères chaque fois qu'il déplaçait son mètre.

– Oh ! le pauvre vieux ! s'exclama le gabier de Long Island à cette vue, va falloir qu'il trépasse, à présent !

Revenu à son établi, pour plus de commodité et afin d'éviter les erreurs, le charpentier reporta sur sa table même les dimensions du cercueil à faire, marquant d'une encoche chaque extrémité ; puis il rassembla planches et outils – et en route, au travail !

Le dernier clou planté et le couvercle bien raboté et mis en place, il jeta sans plus de souci le cercueil sur son épaule et s'en fut vers l'avant, demandant s'ils étaient prêts, par là, à s'en servir sur-le-champ.

Entendant d'en bas les hurlements avec lesquels, rajoutant par humour à leur indignation, les hommes du pont renvoyaient le cercueil, Quiequeg, à la consternation générale, commanda qu'on lui amenât la chose sur l'instant. Qui donc le lui eût refusé puisque de tous les mortels, les mourants sont souvent les plus tyranniques ; ce qu'il faut bien leur pardonner, vu que certainement les pauvres bougres dans si peu de temps auront fini à jamais de nous déranger.

Penché sur le rebord de son hamac, Quiequeg contempla longuement d'un regard attentif son cercueil. Après quoi il réclama son harpon, demandant qu'on en retirât le long manche de bois et qu'on plaçât le fer, ainsi qu'une pagaie de sa baleinière, le long de l'une et de l'autre paroi. Toujours sur sa requête, des biscuits de mer y furent aussi disposés de part et d'autre, ainsi qu'un flacon d'eau douce à la tête, et au pied, un sachet de poussière terrestre recueillie dans la cale ; enfin il fit placer à l'endroit où lui-même reposerait sa tête, un rouleau de toile à voile en guise d'oreiller. Tous ces préparatifs achevés, Quiequeg supplia qu'on le transportât et qu'on le déposât maintenant dans sa couche dernière, afin qu'il pût apprécier son confort, si elle en avait si peu que ce fût. Immobile, il s'y tint étendu quelques instants, puis demanda qu'on voulût bien aller jusqu'à son sac lui chercher son petit dieu noir, Yojo. Croisant alors ses bras sur sa poitrine, Yojo placé au milieu, il réclama que le couvercle – qu'il nommait le panneau d'écoutille – fût mis en place. Avec un léger grincement de ses charnières de cuir, le couvercle fut rabattu sur cette dernière vision de l'immobile et gisant Quiequeg, parfaitement paisible.

– *Rarmai!* souffla-t-il enfin après un moment (ça ira ; on est bien !), faisant comprendre ensuite qu'on devait le replacer dans son hamac.

Mais on n'avait pas eu le temps de le faire, que Pip, l'air égaré, qui était resté à tourner là pendant tout ce temps, s'était approché soudain tout près du pauvre Quiequeg et lui avait pris la main, silencieusement en pleurs, tenant dans l'autre main son tambourin.

– Malheureux vagabond ! lui disait-il, n'en auras-tu jamais fini de tout cet épuisant vagabondage ? maintenant où vas-tu ?... Si pourtant les courants devaient te porter là-bas, jusqu'aux tendres Antilles où seuls les blancs nénuphars viennent battre les plages, voudrais-tu faire quelque chose pour moi ? Tu chercherais le nommé Pip, porté manquant depuis longtemps déjà : je crois qu'il est aux Antilles lointaines. Si tu le trouves, console-le ; il doit être bien triste, vois-tu, parce qu'il a laissé son tambourin derrière lui... et moi je l'ai trouvé ! Riguedig, dig-dong !... Meurs, Quiequeg, à présent ; et moi je te scanderai ta marche funèbre.

Starbuck, qui regardait au panneau avant, se murmura :

– J'avais entendu dire que, dans certains violents transports fébriles, des hommes complètement ignorants avaient parlé des langues mortes ; et aussi, lorsqu'on fouillait ce mystère, qu'on s'apercevait toujours que ces hommes, dans leur toute petite enfance oubliée, avaient invariablement entendu parler ces langues par quelque érudit. J'ai la profonde conviction que notre pauvre Pip, de même, dans l'étrange douceur de sa démence, nous rapporte de célestes preuves de chacune de nos célestes demeures. Où donc aurait-il pris et appris ces choses, sinon là ?... Mais écoutons ! le voici qui parle encore, cette fois plus rudement.

– En rangs par deux ! Faisons de lui un général !... Ho ! son harpon, où est-il ? Qu'on le pose en travers, ici !... Riguedig, dig, dig, hop-là ! Et un vaillant coq de combat sur sa tête perché, et qu'il chante ! Quiequeg meurt crânement ! – Souvenez-vous de ça. Quiequeg meurt crânement ! – Ne vous y trompez pas. Quiequeg est mort avec du cran, du cran, j'ai dit ! Du cran, du cran, du cran ! L'ignoble petit Pip, lui, est mort lâchement ; il est mort tout tremblant ! Haro sur Pip ! Écoutez-moi : si vous le rencontrez, Pip, répétez-le à toutes les Antilles que c'est un vil fuyard, un lâche, un couard, un lâche ! Dites-leur qu'il a sauté d'une baleinière ! Jamais pour le vil Pip je ne battrais du tambour, ni ne lui rendrais les honneurs comme à un général, s'il était à mourir ici encore une fois. Non, oh ! non, honte sur tous les lâches !... honte sur eux ! Qu'ils s'engloutissent comme Pip, qui a sauté d'une baleinière, oh, honte ! Honte !...

Quiequeg pendant tout ce temps n'avait pas bougé, gisant les yeux fermés comme perdu dans un rêve. On éloigna Pip ; et le malade fut recouché dans son hamac.

Mais à présent que tous ses préparatifs étaient faits, apparemment, en vue de la mort ; à présent que son cercueil, à l'essai, avait prouvé qu'il lui allait ; voilà que Quiequeg, d'un coup, se remit ; et très bientôt il apparut que la boîte du charpentier n'avait nulle utilité. Et lorsqu'un peu plus tard, certains lui exprimèrent leur étonnement ravi, il expliqua en substance que la cause et la raison de son soudain rétablissement étaient ceci : à un certain moment critique, il s'était tout à coup souvenu d'une petite obligation à terre, qu'il avait encore à remplir, et il avait alors changé d'idée au sujet de sa mort : il ne pouvait pas mourir encore, affirmait-il. Les autres lui demandèrent alors si la question de vivre ou de mourir dépendait exclusivement de sa volonté souveraine et de son bon plaisir. Mais certainement, répondit-il. En un mot, l'opinion de

Quiequeg, c'était que si un homme se met dans l'idée de vivre, la simple maladie ne saurait avoir raison de lui et rien ne peut le tuer, non rien, si ce n'est un cachalot ou un cyclone, ou quelque autre inintelligente, ingouvernable et violente force destructrice de cette sorte.

Voilà pour son sentiment profond. Maintenant, il y a entre le sauvage et le civilisé cette notable différence, que si le civilisé, après une maladie, peut avoir besoin de six mois de convalescence, le sauvage, en général, est déjà à moitié remis en un jour. Et ce fut ainsi que mon ami Quiequeg, rétabli, reprit rapidement des forces, et qu'après être resté quelques dolentes journées assis sur le cabestan (mais son appétit, disons-le, était magnifiquement vigoureux) il bondit tout soudain sur ses pieds, s'étira puissamment bras et jambes, s'ébroua un bon coup, bâilla quelque peu, puis d'un saut élastique se planta au tillac de sa baleinière hissée à bloc, prit en main le harpon et se déclara prêt au combat.

Fantasque dans sa sauvagerie, il utilisa désormais son cercueil comme coffre de mer, où il rangea soigneusement le contenu vestimentaire de son sac de toile. Il occupa alors mainte et mainte heure de loisir à sculpter et à graver sur le couvercle des ornements et des figures baroques, où il semblait, à sa manière quelque peu rudimentaire, répéter les sinuosités bizarres de certaines parties des tatouages qu'il portait sur le corps. Or, ces tatouages étaient l'œuvre d'un feu prophète et voyant de son île natale qui, par ces hiéroglyphes, avait imprimé sur son corps une cosmogonie complète et un traité mystique sur l'art d'atteindre à la vérité ; si bien que Quiequeg, dans sa propre personne humaine comme sur son individu, était une énigme à résoudre, une œuvre merveilleuse en un volume ; mais lui-même ne pouvait pas déchiffrer ces mystères, bien que le pouls de sa propre vie battît au-dessous d'eux. De sorte que ces écritures mystérieuses étaient finalement destinées à pourrir avec le vivant parchemin qui les portait, et par conséquent à demeurer mystère jusqu'au bout. Et ce dut être cette pensée, sans doute, qui arracha à Achab cette brutale exclamation, un beau matin, quand il se détourna soudain de la vue des topographies du malheureux Quiequeg.

– Oh ! diabolique tentation des dieux !

LE PACIFIQUE

Lorsque nous défilâmes doucement contre les îles Bachi pour déboucher enfin dans les grandes eaux du Sud, n'y aurait-il eu que cela, j'aurais pu saluer mon très cher Pacifique de grâces innombrables, car voici qu'était comblée enfin la longue et suppliante attente de ma jeunesse : les sereines immensités de l'océan, sur des milliers de milles devant moi, vers l'Orient, faisaient onduler l'azur de leurs eaux.

Il y a, dans ces eaux, on ne sait quel tendre mystère, avec ce doux mouvement redoutable qui semble vous parler d'une âme enfermée au-dessous, semblable aux fabuleux frissons onduleux de la terre qui émeuvent, dit-on, le sol éphésien où est enseveli l'Évangéliste saint Jean. Et il est juste aussi que sur le déploiement de ces plaines marines, que sur ces amples, mouvants pâturages de l'océan, qu'au-dessus de ces vastes fonds des quatre continents, les vagues roulent et se lèvent, se creusent et se gonflent incessamment ; car des millions d'ombres et de fantômes, de rêves engloutis, ténébreux noctambules, et de songes noyés s'y entremêlent ; tout ce que nous nommons la vie et l'âme, les vies, les âmes sont là qui rêvent, sans finir ; et qui se tournent comme des dormeurs sur leur lit ; aussi les vagues éternelles ne sont-elles rien que le battement de leur inquiétude.

Le mage méditatif et voyageur, sitôt qu'il voit ce serein Pacifique, c'est aussitôt l'océan de ses préférences, sa patrie d'adoption. C'est lui qui roule les eaux abdominales du monde ; l'Atlantique et l'Indien sont ses bras. Les mêmes vagues qui vont

baigner les môles des cités neuves de la Californie – plantées d'hier
par la race la plus récente des hommes – lavent aussi les ourlets
somptueux et splendides toujours, quoique passés, des terres de
l'Asie plus vieilles qu'Abraham; et leurs flots éternels portent des
voies lactées de petites îles de corail, et d'infiniment longs et bas
archipels inconnus et de Japons impénétrables. Ainsi ce mystérieux et divin Pacifique embrasse la masse entière de notre monde,
dont toutes les côtes ne sont, pour lui, qu'une même et unique
baie; il semble être le pouls marin du cœur de cette terre. Porté et
soulevé sur son éternité qui roule ses houles lentes, vous ne pouvez
que reconnaître en lui la séduction divine, et saluer, en inclinant la
tête, le dieu Pan.

Pourtant ce n'étaient point des pensées adressées au dieu Pan
qui agitaient le cerveau d'Achab, alors qu'il se tenait comme une
statue de fer à sa place accoutumée, au pied du gréement d'artimon. D'une narine, il respirait distraitement les sucres parfumés
de ces îles Bachi (dont les bosquets exquis abritaient sans nul
doute les douces promenades de tendres amoureux), et de l'autre
narine, avec passion, il aspirait le souffle salin de ces mers retrou-
vées : ces mers que le Cachalot Blanc tant exécré devait courir déjà
de ses nages féroces. Parvenu en fin de compte, et lancé maintenant sur ces eaux quasi définitives, s'avançant vers les parages
japonais de pêche au cachalot, le dessein du vieil homme, ce projet si longtemps et si passionnément caressé, prenait une plus
grande intensité encore. Il en avait les lèvres serrées comme un
étau; le delta que formaient les veines de son front se gonflait,
comme torrents débordants; et jusque de son sommeil s'échappait
le cri retentissant qui emplissait la voûteuse carène :

– Tout le monde sur l'arrière ! Il souffle un sang épais, le
Cachalot Blanc !

LE FORGERON

Après avoir apporté sa contribution à la confection de la jambe d'Achab, Perth, le vieux forgeron barbouillé de noir et brûlé de partout, profitant du temps clair et doucement estival des latitudes où nous étions, et nous sachant au seuil d'une période de chasse particulièrement active, n'avait pas redescendu sa forge dans la cale, mais l'avait laissée là, solidement arrimée aux lourdes boucles d'amarrage devant le mât de misaine ; c'était presque sans discontinuer que maîtres d'équipage, harponneurs et chefs de nage en appelaient à lui pour leurs petits travaux de réparation, modification et redressement des multiples armes et autres ferrures des baleinières. On le voyait souvent entouré de tout un cercle d'impatients dans l'attente d'être servis, ceux-ci avec des bêches à lard, ces autres avec des pointes de gaffes, des piques, des lances, des harpons ; tout ce monde guettant jalousement chacun des mouvements de sa danse de ramoneur, alors qu'il était au travail. Mais il n'en avait pas moins le marteau patient, manié par un bras patient, le vieux bonhomme. Pas un mot ni un murmure, pas un seul geste d'impatience ni de hâte, rien d'inutile ni d'empressé qui s'échappât de lui. Silencieux, lent, solennel, et courbant toujours plus son échine courbée, il poussait son travail comme si cet ouvrage était sa lourde vie elle-même, et le pesant battement de son pesant marteau, le pesant battement de son cœur lourd. Tel il était. Oh ! combien misérable !

Quelque chose de drôle dans sa façon de marcher, une sorte de flottement qui semblait douloureux dans son allure, avait excité la

curiosité des matelots tout au début de la croisière, et sous l'indis-
cret assaut de leurs questions réitérées, il avait fini par céder : personne n'ignorait plus à bord la honteuse histoire de son destin
brisé.

S'étant trouvé tardivement – et sans qu'il pût s'en dire innocent –
par une nuit d'hiver rigoureuse, à mi-chemin entre deux bourgs, et
cédant à la mortelle torpeur qui le gagna dans son état de demi-
conscience, il avait cherché asile dans une vieille grange toute
démolie où il s'était endormi. Résultat : amputation du bout de
chaque pied. Cette confidence faite, et de fil en aiguille, morceau
après morceau, on en vint à connaître les quatre premiers actes de
plein bonheur, et l'accablant, le long cinquième acte encore
inachevé du drame de cette vie.

Car c'était un vieil homme, déjà dans la soixantaine, qui avait
rencontré sans un dernier sursis cette chose désolante que les voca-
bulaires techniques du désespoir nomment la ruine. Il avait été un
artisan florissant, d'une excellente renommée, possédant pignon
sur rue et jardin, jouissant des tendresses d'une très jeune épouse
aimante et de trois gaillards de bambins robustes et rieurs ; chaque
dimanche, il se rendait à une ravissante chapelle érigée au milieu
d'un bosquet. Mais un malheureux soir, sous le couvert des
ténèbres et sous le plus adroit déguisement, un impitoyable voleur
s'était glissé dans la maison, cette maison du bonheur, et les avait,
lui et les siens, dépouillés de tout. Chose plus noire encore, c'était
le forgeron lui-même qui avait, sans le savoir, amené ce voleur au
sein de sa famille : le démon de la bouteille. A peine le fatal flacon
avait-il été débouché, que le démon en était sorti et le foyer avait
été flétri. La forge, pour de très sages raisons de prudence et d'éco-
nomie, tenait le bas de la maison du forgeron, mais avec une entrée
séparée, évidemment ; et c'était ainsi que toujours sa jeune épouse
aimante et vigoureuse entendait sans désagrément nerveux, mais au
contraire avec un sain plaisir résonner sur l'enclume le jeune marteau puissant de son mari âgé, dont les échos se répandaient par
toute la maison et venaient, amortis à travers murs et planchers,
bercer non sans douceur les enfants jusque dans leur chambre.

Ah ! misère des misères ! Et toi, Mort, ne pouvais-tu venir
encore au bon moment ? Tu aurais pris le vieux forgeron avant que

fût sa ruine complète; la jeune veuve aurait connu un honnête chagrin; les orphelins auraient gardé, dans leur souvenir, l'image d'un père vénérable à caresser comme une légende tout au long de leur vie; et tous auraient été à l'abri du besoin. Mais la mort vint enlever un vertueux frère aîné sur le seul et heureux travail quotidien de qui reposait toute la charge d'une autre famille; et elle laissa le bien pis qu'inutile vieillard toujours debout, attendant que la plus hideuse déchéance, sans doute, rendît plus facile encore la moisson de sa vie.

Pourquoi tout raconter? Les coups de marteau du rez-de-chaussée ne firent de jour en jour que s'espacer de plus en plus, et chaque nouveau coup était plus affaibli que le précédent. L'épouse restait assise, les yeux secs, glacés, à la fenêtre, regardant de ses yeux brillants les visages inondés de larmes de ses petits; le soufflet cessa de ronfler; la forge s'étouffa sous les cendres; la maison fut vendue; la mère fut engloutie sous l'herbe haute du cimetière; deux des enfants l'y suivirent; et le vieil homme sans demeure, sans famille, s'en fut d'un pas cassé, vagabond dans son deuil, n'éveillant de pitié aucune pour ses misères, sa blanche tête méprisée par les boucles blondes du dernier enfant!

La mort paraît l'unique fin souhaitable pour une telle carrière; mais la mort n'est qu'un saut dans l'inconnu étrange; elle n'est qu'un premier pas et le salut des immenses possibilités de l'immense lointain, de l'Infini, Indompté, Océanique, Sans-Rivages; et c'est pourquoi aux yeux de tels hommes qui aspirent après la mort, mais qui conservent encore au fond d'eux-mêmes des scrupules intimes contre le suicide, le tout à tous, l'universel, le toujours accueillant Océan déploie l'invitation alléchante de ses immenses plaines emplies des inimaginables et prenantes terreurs et des merveilles aventureuses d'une vie nouvelle. Pour ces hommes désespérés, au plus profond du cœur des Pacifiques infinis, mille sirènes les appellent, qui chantent :

« Venez, venez à nous, ô cœurs brisés! Vous connaîtrez ici l'existence nouvelle qui ne s'achète pas au prix de la mort; ici vous connaîtrez, sans être mort pour les connaître, des merveilles surnaturelles. Venez à nous, venez! Ensevelissez-vous dans cette vie qui fait horreur autant qu'elle a horreur de votre monde terrien, et qui dispense plus d'oubli que la mort. Venez à nous ! Érigez-la *aussi* votre pierre tombale dans votre cimetière, et venez jusqu'ici, que nous vous épousions ! »

Et comme elle entendait ces voix de l'orient à l'occident et du lever du jour à la chute du soir, l'âme du forgeron répondit : « Oui, je viens ! » Et Perth, ainsi, s'embarqua pour la grande pêche.

LA FORGE

La barbe embroussaillée, un long tablier de peau de requin roussi au feu lui tombant jusqu'aux pieds, Perth travaillait, aux environs de midi, entre sa forge et son enclume à portée de sa main sur un socle de bois de fer. Il tenait au feu, d'une main, une tête de pique, faisant, de l'autre, fonctionner le soufflet de sa forge, lorsque le capitaine Achab s'avança, tenant à la main un petit sac de cuir flétri. A une courte distance de la forge, le sombre Achab s'immobilisa, attendant que Perth enfin retirât son fer du brasier et se mît à le travailler sur l'enclume, son marteau faisant voler haut des gerbes d'étincelles dont certaines s'en venaient retomber jusqu'aux pieds d'Achab.

– Les oiseaux picoreurs du Petit Poucet, hein, Perth ? Toujours à voleter derrière toi. Ce sont oiseaux de bon augure, aussi ; mais pas pour tous... tu vois, ils brûlent. Mais toi, tu vis au milieu d'eux sans une brûlure.

– Parce que je suis calciné tout partout, capitaine Achab ! répondit le vieux Perth se reposant un moment sur son marteau. Il ne reste plus rien à brûler sur moi ; c'est qu'une cicatrice, on ne peut la rebrûler facilement.

– Bon, bon, suffit. Ta voix recuite sonne trop lourdement pour moi, trop déplorablement, uniformément, sainement triste. Moi qui ne suis pas non plus au paradis, je ne supporte rien de la misère d'autrui quand elle est trop patiente et insuffisamment folle. Tu devrais t'enrager, forgeron, devenir fou ; dis-moi, pourquoi n'es-tu pas fou ? Comment peux-tu tenir, endurer sans furie ?

Est-ce que le ciel te hait à ce point, que tu ne puisses devenir fou ?... Qu'est-ce que tu fabriquais là ?

– Une tête de pique au blanc soudant, Monsieur ; il y avait des pailles et des brèches dedans.

– Et peux-tu lui rendre son fil, forgeron, après le dur emploi qu'elle a fourni ?

– Je crois que oui, Monsieur.

– Et je suppose que tu peux rendre lisses toutes rides et bosselures, pour si dur que soit le métal, forgeron ?

– Oui, Monsieur, je crois que je peux, toutes les bosselures et les rides, sauf une sorte.

– Alors, s'exclama Achab passionnément, s'approchant et posant ses deux mains sur les épaules de Perth, alors, regarde un peu ici, *ici !*... saurais-tu m'aplanir une bosselure comme celle-ci (sa main passait d'un geste vif sur son front ridé) ? Si tu le peux, forgeron, je ne serais que trop heureux de poser ma tête sur ton enclume et de sentir ton lourd marteau entre mes deux yeux. Réponse ! peux-tu l'aplanir ?

– Oh ! c'est justement pour celle-là, Monsieur, que je vous ai dit non ! Vous ai-je pas dit toutes, sauf une sorte ?

– Eh oui, forgeron, c'est celle-là, justement ; oui, oui, vieillard, elle est inarrangeable ; et encore, tu ne la vois que dans ma chair, quand elle a gravé jusqu'à l'os de mon front. C'est mon crâne qui est ridé !... Mais assez plaisanté. Et assez de grappins et de piques pour aujourd'hui. Regarde un peu ceci (il agitait le petit sac de cuir comme s'il était plein de pièces d'or). Je veux aussi que tu me fasses un harpon, Perth, mais un harpon que mille paires d'ennemis ne puissent rompre ; quelque chose qui tienne dans un cachalot comme l'os même de sa nageoire. Et voilà la matière !... (ce disant, il lança la bourse sur l'enclume). C'est une collection de clous de fers de chevaux de course.

– Des clous de fer à cheval ? Eh bien, le capitaine Achab possède là le meilleur métal et le plus résistant que nous puissions jamais travailler, nous forgerons !

– Je le sais, vieillard ; ces clous vont se fondre comme de la colle faite d'os de meurtriers. Vite ! forge-moi ce harpon. Mais tu me forgeras d'abord douze verges pour sa hampe, que tu vas tordre et tresser et marteler ensemble, tels les fils et torons d'une aussière de remorque. Allez, vite ! J'activerai le feu.

Lorsque les douze verges furent faites, Achab les essaya en les ployant de sa propre main sur une longue et lourde tige de fer.

— Une paille ! s'exclama-t-il en rejetant la dernière. Retravaille-moi celle-là, Perth !

La chose faite, le vieux Perth allait se mettre à forger les douze pièces en une seule, lorsque Achab lui arrêta le bras, disant qu'il voulait lui-même forger son propre fer. Et tandis qu'avec des ahans bien scandés il frappait du marteau sur l'enclume, cependant que Perth lui passait l'une après l'autre les verges rougies au blanc dans le foyer incandescent de la forge qui crachait une intense flamme droite, le parsi s'avança silencieusement vers la forge où, inclinant sa tête sur le feu, il sembla appeler par une invocation quelque bénédiction ou quelque malédiction sur l'ouvrage. Mais aussitôt qu'Achab leva les yeux dans cette direction, il se détourna et s'en fut.

— Qu'est-ce que ce brandon de Lucifer va fabriquer par là ? grommela Stubb qui observait la scène du gaillard d'avant. Ce parsi renifle le feu comme si c'était une allumette-tison, et lui-même sent la poudre comme une culasse encore chaude de mousquet !

Enfin, la hampe maintenant forgée en une masse homogène reçut sa dernière chaude, et lorsque pour la tremper le vieux Perth la plongea toute sifflante dans la baille d'eau qu'il tenait près de lui, l'eau bouillonnante et la vapeur fusèrent jusque sur le visage alors penché d'Achab.

— Voudrais-tu me marquer au feu, Perth, lança Achab en grimaçant de douleur, quand c'est précisément mon propre fer à marquer que je viens de forger ?

— A Dieu ne plaise ! mais j'ai crainte de quelque chose, capitaine Achab. Est-ce que ce harpon ne serait pas pour le Cachalot Blanc ?

— Pour le démon blanc, oui ! Et maintenant, aux barbelures. C'est toi qui vas les faire, forgeron. Tiens, voici mes rasoirs... le meilleur des aciers ; là ! et tu me fais ces barbes aussi aiguës que les plus fines aiguilles de la glace des océans polaires.

Un moment, le forgeron resta à contempler les rasoirs avec l'intention de ne point vouloir s'en servir.

– Prends-les sans crainte, forgeron, je n'en ai plus besoin ; il n'est plus question pour moi de me raser, de manger ou de prier tant que… mais allons ! au travail.

Forgé en arêtes de flèches, finalement, et soudé par Perth sur la hampe de fer, l'acier vint bientôt la couronner de ses pointes. Mais au moment où il allait porter les barbes à l'incandescence une dernière fois avant de les tremper, demandant à Achab d'approcher la baille pleine d'eau :

– Non, non ! s'exclama celui-ci. Pas d'eau pour lui ! Je veux qu'il ait la véritable trempe de la mort. Holà ! Tashtégo, Quiequeg, Daggoo ! qu'est-ce que vous en dites, païens ? Allez-vous me donner assez de sang pour y plonger cette pointe ?

Et ce disant, il brandissait son arme incandescente. Trois hochements de têtes sombres acceptèrent ensemble. Trois piqûres vinrent ouvrir les chairs païennes. Et les barbelures du fer du Cachalot Blanc furent trempées.

– *Ego non baptizo te in nomine patris, sed in nomine diaboli !* hurla follement Achab, cependant que le fer dévorait furieusement le sang de son feu.

Puis, rassemblant tous les manches de bois de la réserve, Achab en choisit un de hickory que l'écorce recouvrait encore, et il en ajusta le bout dans la gorge du fer. Une glène de filin de remorque neuf fut alors amenée, dont on dévida quelques brasses qu'on étira ensuite au cabestan avec une tension énorme ; Achab, du pied, vérifiait la traction jusqu'à ce que le filin vibrât comme une corde de harpe. Il se pencha alors pour l'examiner avidement de près, et constatant que tous les brins en étaient intacts :

– Bon ! s'écria-t-il, et maintenant l'embridure !

Décommis à l'une de ses extrémités, le filin fut tressé et comme tissé par chacun de ses brins autour du talon de la pointe de fer ; le bois y fut alors emmanché à force, et tout le long de ce manche, le filin fut amarré plat jusqu'au bout, solidement trésillonné. Manche, fer et filin, aux trois Parques semblables, étaient inséparables à présent ; et le toujours sombre Achab s'éloigna, emportant son arme. Tout au long du pont on entendit sonner et résonner son pas d'ivoire doublé du bruit du manche de hickore ; mais il n'était pas encore descendu au carré qu'on entendit aussi un bruit léger, comme surnaturel, tout à la fois moqueur et suprêmement pitoyable.

Oh! Pip, ce n'était pas sans une signification profonde que ton rire poignant, ton œil vide et toujours inquiet, toutes tes expressions étranges ou hagardes vinssent se mêler à la tragédie sombre de ce triste vaisseau, et la moquassent!

FEUILLES D'OR

S'enfonçant toujours plus avant au cœur des grands parages japonais, le *Péquod* ne tarda pas à être en pleine activité de pêche. Souvent, par un temps exquis de douceur, et pendant douze, quinze, dix-huit ou vingt heures d'affilée, les hommes étaient aux baleinières souquant sans fin, ou courant à la voile, ou travaillant de la pagaie à la poursuite des cachalots, ou bien encore suspendus pendant soixante ou soixante-dix minutes dans l'attente de leur réapparition en surface; mais sans grand succès pour tant de peines.

A voguer ainsi tout le jour durant, sous un soleil à la fois lumineux et tendre, au banc de cette baleinière aussi légère qu'un canoë de bouleau, intimement bercé presque à même la vague qui vient jusque sur le plat-bord ronronner comme un chat au coin du feu, souvent, oui, souvent on se laisse glisser dans ce calme rêveur, et à voir la splendeur toute tranquille et le paillettement de la peau océane, on oublie et ne pense plus au cœur de tigre qui bat dessous impatiemment; on oublie et ne veut plus penser que cette patte de velours cache une griffe féroce.

Ce sont de ces moments où l'homme à l'aviron, dans son canot, se sent des sentiments de tendresse filiale et de confiance quasi terrienne envers la mer, qu'il regarde plutôt comme un parterre fleuri; et le navire au loin, dont on ne voit plus guère que la pointe des mâts, semble faire sa route non pas en la taillant contre la houle haute, mais en glissant dans l'herbe haute d'une plaine onduleuse; et tout pareillement cheminaient les chevaux des émigrants vers l'ouest, dont on ne voyait plus que l'oreille pointée, cependant que leurs corps s'ouvraient, dessous, une ample route dans le vert stupéfiant.

Longues glissades dans le creux ; vierges vallons ; azur exquis dont se colorent les flancs de ces coteaux ; souffles, frissons, murmures qui les caressent... vous seriez prêt à jurer que des enfants, après leurs jeux, se sont couchés et dorment dans ces solitudes, au plus joyeux de mai, lorsque les fleurs des bois sont cueillies. Au meilleur de vous-même tout se trouve mêlé, si bien que le réel avec l'imaginaire à mi-chemin fondus, intimement mêlés, ne se distinguent plus et ne forment qu'un tout.

Tout éphémère qu'il fût, tout provisoire, l'enchantement de cette paix si infiniment douce et pénétrante ne fut pas sans effet – tout provisoire qu'il fût – sur Achab lui-même. Mais si ces secrètes clefs d'or semblaient ouvrir en lui le secret et les ors cachés de ses trésors, sa seule haleine, en vérité, les ternissait.

Oh ! vertes éclaircies ! Oh ! printemps éternel et sans fin de ces pays de l'âme – aussi arides seraient-ils, et desséchés depuis long-temps par l'âpreté mortelle de cette vie terrestre – de toi, toujours, les hommes peuvent s'enivrer ; en toi, toujours, ils peuvent se rou-ler tels de jeunes poulains dans la jeune herbe du matin, baignés pendant quelques instants fugaces de la fraîche rosée de la vie immortelle. Ah ! plût à Dieu que la bénédiction de ces instants de paix n'eût point de fin ! Mais le tissu de l'existence est fait des fils entrecroisés de chaîne et de trame : calmes et ouragans s'y mêlent, et pour chaque moment de calme, c'est un orage. La vie de notre vie ne se fait pas continûment d'un progrès sans retour ; non, nous n'avançons pas par degrés successifs pour connaître, au sommet, le repos ; et si par l'inconscient et magique alphabet de l'enfance, nous passons à la foi non préméditée de la première adolescence, puis au doute majeur de la première raison (le jugement commun), au scepticisme ensuite et à l'irréligion, pour en venir enfin à la pensive réflexion du Si de l'âge d'homme : le cycle à peine par-couru, aussitôt nous recommençons, et de nouveau nous voilà des enfants, puis des adolescents, puis des hommes, puis des Si éter-nels. Où donc est-il, ce dernier port ultime où nous jetterons l'ancre pour ne la lever plus jamais ? L'éther profond, l'éther exta-sié quel est-il, au sein duquel croise le monde dont les cœurs les plus las jamais ne seront lassés ? Où se tient-il caché, le père de l'enfant abandonné ? Nos âmes sont semblables à ces orphelins nés d'une fille mère elle-même morte en couches : le secret de notre paternité est enfoui dans la tombe, et là nous devons aller pour l'apprendre.

Penché ce jour-là sur le plat-bord de son canot, le regard fixement plongé aux profondeurs de ce même océan d'or, Starbuck se disait tout bas :

– Insondable beauté, plus que jamais amant ne vit dans l'œil de sa jeune épousée !... Ne me dis rien de tes requins, des mâchoires armées et de tes mœurs cannibalesques de voleuse d'enfants. Laisse à la foi le triomphe sur le fait ; laisse à l'imagination le pas sur la mémoire. Je ne veux que regarder droit au fond et croire.

Et Stubb, en se levant d'un bond dans la lumière du même or, vif comme un étincelant poisson :

– Je suis Stubb, disait-il, et Stubb a son histoire ; mais Stubb ici fait le serment qu'il a toujours été gaillardement en joie !

Et gaillardement joyeux devaient aussi être les sons et le spectacle que nous porta le vent quelques semaines seulement après la confection du harpon d'Achab.

C'était un trois-mâts baleinier de Nantucket, le *Bachelor*, qui venait juste de trouver une dernière place pour arrimer son dernier baril d'huile et d'assujettir les panneaux sur ses écoutilles bourrées à craquer, et qui maintenant, sous le grand pavois, croisait joyeusement et non sans quelque gloriole, allant de l'un à l'autre des vaisseaux dispersés sur ces parages de pêche, avant que de virer de bord pour prendre le cap de retour.

Les trois vigies, là-haut, arboraient à leurs chapeaux de longs et étroits rubans rouges qui ondulaient; aux portemanteaux de poupe, la baleinière était hissée quille en l'air; sous le beaupré, c'était la longue mâchoire de leur dernier cachalot qui se balançait. Flammes, pavillons et guidons de toutes les couleurs battaient partout dans la mâture. Tout là-haut, chacun des trois nids de pie en panier était flanqué bâbord et tribord, d'un baril de spermaceti, et plus haut encore, aux barres de perroquet, on pouvait voir de plus petits récipients du même précieux liquide, ainsi qu'à la pomme du grand mât une grosse lampe de cuivre.

Comme nous devions l'apprendre par la suite, le *Bachelor* avait fait une campagne étonnamment heureuse; et le plus surprenant était encore que ç'avait été en croisant sur des parages en même temps que d'autres vaisseaux qui y avaient passé des mois sans mettre à flanc un seul animal. Et non seulement il avait distribué à la ronde boucauts de pain et de bœuf pour faire place dans ses propres cales aux barils de spermaceti tellement plus précieux, mais encore il avait troqué tout ce qu'il avait pu en échange de barils supplémentaires, à bord des navires rencontrés ; ceux-là étaient arrimés en rangs sur le pont et jusque dans le carré et les cabines du capitaine et des officiers. Il n'était pas jusqu'à la table même du carré qui n'eût été réduite en bûchettes et remplacée par une grosse barrique, arrimée au beau milieu, et sur laquelle désormais déjeunait et dînait l'état-major. Au poste d'équipage, les hommes étaient allés jusqu'à calfater et goudronner leurs coffres personnels pour les remplir ; on ajoutait encore, pour rire, que le coq avait collé un couvercle à sa plus grosse marmite, qu'il avait remplie ; que le steward avait soudé sa boîte à café, qu'il avait remplie ; que les harponneurs avaient démanché leurs harpons, qu'ils avaient remplis ; qu'en vérité tout à bord était rempli de spermaceti, sauf les poches du pantalon du capitaine, lequel capitaine les avait réservées afin d'y plonger les mains en un geste infatué témoignant fièrement de sa pleine et entière satisfaction.

Tandis que cet heureux navire de la meilleure chance approchait du sombre *Péquod*, le son barbare de tam-tams formidables montait de son gaillard d'avant : c'était, nous le vîmes en approchant, toute une grappe d'hommes tapant à tour de bras sur les cuves retirées du fondoir, qui avaient été tendues de la « poche » ou peau d'estomac d'un blackfish, et qui roulait avec un fracas de tonnerre sous le poing des batteurs. Sur le château d'arrière, seconds et harponneurs dansaient avec des filles de teint olivâtre qu'ils avaient enlevées sur des îles de la Polynésie ; tandis que, grimpés dans un canot orné qui se balançait entre le grand mât et le mât d'artimon, trois nègres de Long Island présidaient aux réjouissances en jouant du violon avec d'étincelants archets en ivoire de cachalot. Pendant ce temps-là, d'autres membres de ce joyeux bord étaient tumultueusement en train de démolir la maçonnerie du fondoir, dont les cuves avaient été enlevées. C'était à croire qu'ils s'étaient mis à jeter bas la Bastille maudite, tant ils poussaient de furieux hurlements en arrachant briques et mortier qu'ils jetaient par-dessus bord.

Maître et seigneur de cette liesse bruyante, le capitaine était debout sur sa haute dunette, et il semblait que tout ce théâtre joyeux qui se déployait à ses pieds n'était monté que pour son seul divertissement personnel.

Achab se tenait, lui aussi, sur son gaillard d'arrière, tout renfrogné et sombre, avec un air de farouche entêtement. Et comme les deux vaisseaux croisaient leurs sillages – l'un tout en jubilation pour les choses passées, l'autre assombri de l'appréhension des choses à venir – les deux capitaines figuraient personnellement l'incarnation même du contraste frappant de cette scène.

– Montez à bord, montez à bord ! hélait le joyeux commandant du *Bachelor* exhibant une bouteille et un verre à bout de bras.

– Vu le Cachalot Blanc ? envoya le grinçant Achab en manière de réponse.

– Non. Seulement entendu parler. Mais n'y crois pas du tout ! fit l'autre, toujours jovial. Venez donc à bord !

– Fichtrement, trop fichtrement joyeux tu es ! Tiens ta route. Perdu des hommes ?

– Pas la peine d'en parler... juste deux Islandais en tout... mais venez donc à bord, mon vieux, venez ! J'aurai tôt fait de vous tirer des sombres humeurs où vous voilà. Arrivez vite ; on s'amuse bien. Cales pleines et le cap sur la maison !

– Étonnant ce qu'un idiot peut être familier ! grommela Achab. Puis à pleine voix : Navire plein sur le retour, dis-tu ; eh bien moi, c'est navire vide sur le départ que je suis. Garde ton cap et je garde le mien. Holà ! vous autres : toute la toile dessus, et serrez le vent !

Et ainsi donc, tandis que l'un des navires voguait gaillardement sous vent arrière et fraîche brise, l'autre luttait péniblement, obstinément, en serrant le vent au plus près. Les deux voiliers se séparèrent donc ; l'équipage du *Péquod* suivant avec de sombres et longs regards l'éloignement du *Bachelor*, dont les hommes, eux, ne détournèrent point les yeux de leurs fêtes et joyeusetés. Quant à Achab, penché sur la lisse de poupe et regardant partir le vaisseau qui rentrait, il sortit de sa poche une petite fiole de sable, portant alternativement les yeux de la fiole au navire, comme s'il cherchait avec effort à réunir ces deux lointaines, lointaines associations ; la petite fiole, en effet, était emplie du sable d'un coup de sonde à Nantucket.

L'AGONIE DU CACHALOT

Ce n'est pas chose rare que, dans cette vie, lorsque passent tout contre votre bord les favoris de la fortune, alors que l'instant d'avant tout allait mal pour vous, vous attrapiez un peu de la bonne brise et sentiez allégrement vos voiles creuses se gonfler. Ainsi du *Péquod* sembla-t-il. Le lendemain de la rencontre avec le gai *Bachelor*, en tout cas, nous prîmes des cachalots en chasse. Quatre furent tués, dont un par Achab.

En fin d'après-midi, quand tous les coups du pourpre combat eurent été portés ; l'un et l'autre flottant, qui dans le ciel, qui dans la mer des pourpres du couchant, soleil et cachalot trépassèrent ensemble et silencieusement. Il y eut alors un moment de si poignante douceur, tandis que chaviraient les horizons dans l'immensité vermeille et nacrée, qu'on eût pu croire, venus du fond des couvents enfouis au creux des vertes et lointaines vallées de la lointaine Manille, les vents crépusculaires de la terre espagnole, spontanément changés en vents marins, nous apporter, chargés d'encens et de chants d'église, le salut du soir.

Au calme de nouveau, mais au calme seulement d'une plus sombre et plus profonde humeur, Achab, qui venait de s'écarter du cachalot, observait intensément ses derniers soubresauts, du bord de son canot maintenant tranquille. De l'étrange spectacle qu'offrent dans l'agonie tous les cachalots – qui se tournent, pour mourir, du côté du soleil – de ce spectacle particulièrement émouvant dans la sérénité si paisible du soir, Achab reçut un émerveillement inconnu jusqu'alors.

– Il tourne et se retourne vers lui, lui présentant avec lenteur, mais avec quelle constance, l'hommage de son front comme d'une prière, dans les dernières convulsions de la mort. Lui aussi a le culte du feu, ce plus fidèle, ce plus grand, ce plus noble vassal du soleil !... Ah ! que mes yeux bénis puissent longtemps contempler encore ces spectacles bénis ! Vois donc, ici, immensément au milieu des eaux, très loin du plus petit frisson de joie ou de souffrance humaine, au cœur des océans tout innocents et impartiaux où il n'existe pas un roc pour servir de tablette aux traditions, où roulent de toujours sans dire et sans entendre une parole, les houles éternelles du fond des millénaires plus profonds que des Chines, tels les astres qui resplendissent sur les sources inconnues du Niger : ici, également, l'existence prend fin tournée pleine de foi vers le soleil. Mais vois, la mort à peine venue a fait tourner le corps et orienté la tête vers un autre côté !...

» Ô toi, Hindoue obscure, moitié de la nature ! toi qui, d'os engloutis, as bâti quelque part ton trône séparé dans le fond de ces océans qui ne verdissent point ! tu es une infidèle, ô reine ! et ce n'est qu'avec trop de vérité que tu m'as parlé dans le vaste typhon massacrant tout sur son passage et dans le calme funéraire qui le suit. Et ce n'est pas non plus sans une leçon pour moi que ton cachalot ait tourné vers le soleil sa tête agonisante, et puis se soit détourné.

» Ô flancs trois fois ferrés et vêtus de puissance ! Ô souffle d'une aspiration sublime avec l'arc-en-ciel de ton jet ! – celui qui haut s'élance, cet autre qui jette tout en vain ! En vain, ô cachalot, en vain tu vas chercher l'intercession du grand soleil, universel dispensateur de vie, qui peut uniquement appeler à la vie, mais ne peut pas la rendre, la redonner une seconde fois. Et pourtant, moitié sombre, tu me berces d'une plus orgueilleuse foi, quand même elle est plus sombre. Tout le dédale de tes emmêlements est là, qui flotte au-dessous de moi ; je suis porté par des souffles d'êtres naguère vivants, exhalés, expirés dans l'air, mais devenus eau à présent.

» Salut à toi, par conséquent, et salut à toujours, ô mer ! dont l'éternelle houle offre à l'oiseau sauvage son seul repos. Si je suis né sur terre, je fus pourtant nourri du lait de l'océan ; et malgré monts et vaux de ma terre maternelle, tous les déferlements marins sont mes frères de lait.

Les quatre cachalots tués de la soirée avaient succombé très à l'écart ; l'un fort éloigné contre le vent, un autre moins éloigné sous le vent, le troisième sur l'avant et le quatrième sur l'arrière. Les trois derniers furent amenés aux flancs du navire avant la nuit close ; mais le quatrième, au vent, ne pouvait pas être rejoint avant l'aube du lendemain ; aussi la baleinière qui l'avait tué dut-elle passer la nuit à son côté. C'était la baleinière d'Achab.

La hampe de la marque était fichée droit dans l'évent de l'animal, et le feu qui se balançait au sommet laissait tomber une flaque de lumière confuse et clignotante, faisant luire au loin le noir brillant des vagues nocturnes qui venaient doucement clapoter contre les flancs de la bête morte, ainsi que le doux ressac alenti d'une plage.

Achab et les hommes de son équipage semblaient endormis, à l'exception du parsi ; à plat ventre sur le tillac, il observait le ballet fantomatique des requins qui évoluaient autour du corps du cachalot et frappaient de leurs queues, dans leur ronde, les minces planches de cèdre du canot. Il y eut dans l'air un frémissement lugubre, comme au passage sur la mer Morte des gémissantes cohortes des spectres sans pardon de la maudite Gomorrhe.

Sortant de son assoupissement, Achab se trouva vis-à-vis du parsi, qui lui faisait face. Drapés tous deux dans les opacités ténébreuses de la nuit, ils apparaissaient tels les deux derniers hommes d'un monde disparu sous les flots.

– J'en ai encore rêvé, dit Achab.

– De corbillards ? Est-ce que je ne t'ai pas dit, vieil homme, que tu n'aurais ni cercueil, ni corbillard ?

– Et qui donc, mourant en mer, aurait un corbillard ?

– Mais je t'ai dit, vieil homme, que tu ne pouvais pas mourir dans cette campagne-ci avant que d'avoir vu réellement toi-même et de tes yeux deux corbillards sur la mer ; et le premier n'aura pas été fait par des mains humaines ; et le visible bois de l'autre aura poussé dans les forêts de l'Amérique.

– Oui, oui ! spectacle bien étrange que celui-là, parsi ! – un corbillard empanaché flottant sur l'océan, avec les vagues pour tenir les cordons du poêle ! Ha ! ce n'est pas de sitôt que spectacle pareil sera donné.

– Que tu le croies ou non, tu ne peux point mourir avant de l'avoir vu, vieil homme.

– Et qu'est-il dit de toi dans la prophétie ?

– Quoi qu'il advienne jusqu'au bout, toujours, je dois passer devant toi, comme ton pilote.

– Et si tu dois partir devant – si jamais cela devait arriver – afin que je puisse te suivre, tu dois cependant toujours apparaître à mes yeux et toujours, pourtant, me servir de pilote ?... Est-ce bien cela ?... Voilà donc, ô pilote ! si j'en crois ce que tu dis, deux gages sûrs que j'abattrai Moby Dick et que je lui survivrai.

– Reçois-en un troisième, vieil homme, dit le parsi dont les yeux brillaient comme braises dans la nuit : le chanvre seul peut te tuer.

– Le nœud coulant, dis-tu ?... Alors je suis immortel, sur terre comme sur mer ! s'exclama Achab avec un rire moqueur. Immortel sur terre et sur mer !

Tous deux retombèrent au silence de la nuit. Puis les grises lueurs de l'aube montèrent dans les ténèbres, éveillant l'équipage qui se réinstalla aux bancs de nage ; et dès avant midi le cachalot avait été remorqué au navire.

LE SEXTANT

La grande saison de pêche sur la Ligne avait fini par approcher, et chaque matin, quand Achab apparaissait au haut du capot de cabine, l'homme de barre qui le guettait avec vigilance, se tenait ostentatoirement prêt à recevoir ses ordres, tandis que les gabiers volaient littéralement aux bras de vergue, attendant impatiemment – et fixant tous le doublon cloué au mât – que le navire tournât sa proue vers l'équateur. En temps voulu, les ordres vinrent. C'était un jour, juste avant le plus haut midi, Achab étant installé sur le tillac de sa baleinière hissée à bloc, prêt à prendre son observation quotidienne du soleil pour la détermination de sa latitude.

Dans la mer du Japon, les jours d'été sont comme des cataractes d'incandescence ; le feu liquide du soleil japonais que l'œil ne saurait affronter est comme l'éblouissant foyer du miroitement infini des mille facettes ardentes de la mer. Le ciel est comme de laque ; pas un nuage ; les horizons sont embrasés ; et cette incandescence infiniment multipliée et partout réfléchie, cette irradiation universelle et nue, est comme la splendeur insoutenable du trône de Dieu. Aussi le sextant d'Achab était-il bien nanti des verres fumés et colorés grâce auxquels les feux de cet incendie solaire pouvaient être affrontés ; et Achab lui-même, balancé aux bercements du canot sur ses garants, sa silhouette renversée, l'œil contre l'oculaire de son instrument astronomique, était immobile dans cette position pour viser le soleil à l'instant précis où il aurait atteint la verticale absolue. Il était là, toute son attention concentrée, et à ses pieds le parsi était à genoux sur le pont du vaisseau, le visage levé semblablement vers le plus haut du ciel, et le regard semblablement fixé sur le soleil; seulement il avait les yeux nus, sans autre protection que celle de ses paupières fortement clignées, et sa face de cuir était comme figée d'une terrestre extase. Pour finir, l'observation attendue fut prise et Achab, avec son crayon, se mit aussitôt à calculer sur la tablette d'ivoire de sa jambe, quel était le point de sa latitude à cet instant précis. Puis cédant un instant aux méditations rêveuses qui l'habitaient, il murmura pour soi-même : «Oh! toi, diurne fanal, puissant et haut pilote, tu me dis véritablement où je *suis*!... mais peux-tu seulement me souffler, fût-ce d'un signe, où je *vais aller*? Et n'es-tu pas capable de me dire où sont en ce moment tels autres êtres vivants que moi? Moby Dick, où est-il? Tu le vois de ton œil présentement. Et mes deux yeux à moi regardent dans l'œil même qui le voit, qui le regardent; oui! ils interrogent cet œil qui contemple également, et dans ce moment même, les choses de l'inconnu qui sont cachées de l'autre côté de toi, oh! soleil... »

Et reportant alors ses regards sur le sextant, dont il manipula, l'une après l'autre, les nombreuses et cabalistiques articulations, il se plongea dans ses réflexions encore, tout en murmurant :

– Ridicule jouet! hochet digne de ces amiraux, de ces commodores et des capitaines soufflés d'orgueil! Le monde se flatte de t'avoir, le monde chante louange et s'enchante de ta finesse, de ta puissance! Mais que peux-tu, après tout, sinon tout juste indiquer le misérable, le pitoyable point de l'immense planète où il se trouve que tu sois, toi, et aussi celui qui te manipule! Rien, pas un iota de plus. Incapable tu es, de seulement dire où demain à midi se trouvera une goutte d'eau, un seul et minuscule grain de sable! Et malgré toute ton impuissance, tu prétends insulter aux majestés solaires! Oh! science! Malédiction sur toi, jouet de vanité! Et maudits soient tous les instruments qui font que l'œil humain regarde tout là-haut, dans ce ciel, dont la splendeur vivante ne fait que le brûler, de même que ces deux et vieux yeux que voici, maintenant même, sont éblouis et brûlés par ta lumière, ô soleil! L'étage naturel, pour le regard humain, c'est le niveau de l'horizon, en face duquel l'œil de l'homme a été placé... et non point à la verticale au sommet de sa tête, comme si Dieu eût voulu qu'il regardât Son firmament. Et maudit sois-tu, toi, sextant!

Avec ce cri, Achab jeta l'instrument sur le pont.

– Maudit!… je ne veux pas une seconde de plus guider par toi mes voies sur cette terre; je ne veux pas de toi pour mon terrestre chemin. Uniquement le compas horizontal du navire, et la supputation horizontale par le loch et les nœuds de la ligne! Voilà ce qui va me conduire et me dire mon lieu sur l'océan. Hé oui!… (le vieil homme se jetait d'un trait du canot sur le pont)… et je te piétine, et je te fracasse, ridicule objet qui prétends misérablement pointer vers le ciel, oui! je t'écrase! je t'anéantis!

Et tout en s'exclamant de la sorte, le vieil homme dans sa frénésie pulvérisait sous le talon de sa jambe vivante et sous le pilon de sa jambe morte l'objet de sa colère, cependant qu'un ricanement, qui semblait de triomphe, adressé à Achab, et d'un fataliste abandon d'espoir adressé à soi-même, s'échappait de la poitrine du parsi sans que l'ombre d'une émotion vînt agiter, toutefois, son impassible visage. Inaperçu, il se leva et se glissa plus loin, tandis que frappés d'une stupeur épouvantée et respectueuse à l'aspect de leur commandant, les hommes de l'équipage étaient allés tous se grouper sur le gaillard d'avant.

Le vieil Achab, empli d'une violence inapaisée, arpentait le gaillard d'arrière. Et soudain il cria:

– Barre dessus et brassez carré!

En un clin d'œil, les vergues manœuvrèrent pour venir aux nouvelles amures, et le navire, obéissant à la barre, pivota gracieusement sur sa quille, avec ses trois mâts bien équilibrés et haut dressés sur la longue coque côtelée, qui semblaient trois Horaces changeant de pas sur une même et élégante monture.

Starbuck, tout en surveillant l'abatée, debout lui-même au pied des trois mâts cavaliers, considérait le galop de la monture tumultueusement lancée, en même temps que la démarche tumultueuse d'Achab sur son pont.

– Je me suis assis devant un foyer de charbons ardents, récita-t-il comme pour lui-même, regardant la vivante braise encolérée d'une vie flamboyante et toute tourmentée; puis j'ai vu tout ce flamboiement retomber, plus bas, toujours plus bas, jusqu'à n'être plus que muette cendre. Oh! vieil homme coureur des mers! Tout cet élan féroce de ta vie, il ne donnera rien de plus, au bout du compte, qu'un petit tas de poussière et de cendre!

– Sûr! lança Stubb en lui répondant, sûr et certain, monsieur Starbuck, mais des cendres d'un anthracite marin, pensez-y! et pas de tourbe vulgaire... Oui, oui, je vous le dis, tel que vous me voyez, j'ai entendu Achab qui murmurait : «Voici donc que quelqu'un a mis telles cartes dans mes vieilles mains; eh bien, c'est celles-là que je dois jouer, et point d'autres, je le jure!» ... Et ma parole, Achab, c'est bien ce que tu fais, et tu fais bien! Joue crânement le jeu, et meurs-y crânement!

LES CIERGES FLAMBOYANTS

Ce n'est guère qu'aux plus torrides zones que se nourrissent les plus cruelles dents. Ainsi le tigre du Bengale rampe sous le couvert de l'incessante et dense végétation tropicale. Les cieux les plus incandescents détiennent aussi les plus mortelles foudres. Ainsi Cuba la plantureuse connaît des ouragans comme jamais il n'en fut pour balayer nos terres modérées du septentrion. De même aussi est-ce dans l'éblouissant miroitement de ces eaux japonaises, que le navigateur rencontre la plus effroyable de toutes les tourmentes : le typhon. Le typhon qui viendra parfois éclater dans ce ciel sans nuage, aussi soudain qu'une bombe explosant dans une ville assoupie et ensommeillée.

Vers le soir, ce jour-là, le *Péquod* ayant perdu d'un coup toutes ses voiles arrachées, eut à combattre ainsi, vergues nues, un typhon qui lui était tombé dessus, droit de front. Et quand vint l'obscurité, ciel et mer rugissaient ensemble et mêlaient leurs tonnerres, tandis que les éclairs illuminaient soudain le gréement dépouillé, où battaient çà et là des lambeaux que le premier assaut de la furie n'avait pas arrachés pour pouvoir s'en amuser plus tard.

Se tenant ferme à un hauban, Starbuck était au gaillard d'arrière, levant les yeux à chaque nouvel éclair pour voir là-haut quel nouveau désastre avait pu frapper le lacis des cordages emmêlés ; Stubb et Flask commandaient aux hommes qui s'efforçaient de hisser à bloc et de saisir plus fermement les baleinières, mais dont toutes les peines ne servirent de rien : l'embarcation d'Achab, pourtant mise à bloc des portemanteaux, n'y échappa point. Un énorme paquet de mer déferlant haut par-dessus les bordages du navire follement ballotté dans la lame prit le canot par l'arrière et le laissa, défoncé, tout ruisselant de partout comme un crible.

— Mauvaise affaire ! sale histoire, monsieur Starbuck ! commentait Stubb en considérant les débris ; mais la mer ne veut rien savoir. Elle n'en fait qu'à sa tête ; et Stubb, tout le premier, ne peut rien contre. C'est qu'une lame prend un tel élan, vous comprenez, tout le tour du monde, monsieur Starbuck, et après ça elle saute ! Tandis que moi, tout ce que j'ai comme recul pour lutter, c'est la largeur du pont. Mais qu'importe ! tout ça, c'est de la rigolade, comme dit la vieille chanson. *(Il chante.)*

> *L'ouragan, c'est un rigolo*
> *Un joyeux drill' le cachalot*
> *Qui vous évente de sa queue !*
> *Si joyeux et joli, et joueux et gentil,*
> *Jappeux, jaseux, heureux compère*
> *Est l'océan !*

> *Et vole, vole la rafale*
> *D'écume sont ses blancs pétales*
> *Une vrai' mousse de champagne !*
> *Si joyeux et joli, et joueux et gentil,*
> *Jappeux, jaseux, heureux compère est l'océan !*

> *Foudroyés, les bateaux descendent*
> *Au fond de sa gueule gourmande*
> *Qui se régale du morceau !*
> *Si joyeux et joli, et joueux et gentil,*
> *Jappeux, jaseux, heureux compère*
> *Est l'océan !*

— Ça va, Stubb ! s'écria Starbuck. Laisse le typhon chanter tout seul et jouer de la harpe dans nos cordages ; c'est suffisant. Et si tu es un brave, alors tiens-toi tranquille.

— Mais non, je ne suis pas un brave ; je n'ai jamais prétendu être

brave. J'ai la frousse, oui, et je chante pour me donner du cœur. Et
s'il faut tout vous dire, monsieur Starbuck, il n'y a pas d'autre
moyen pour couper mes chansons ici-bas, que de me trancher la
gorge. Et après qu'on l'aura fait, encore, dix contre un que je vous
chante un *Gloria in excelsis Deo* pour obtenir bon vent.

– Insensé ! mais regarde donc par mes yeux, si tu n'en as point
toi-même pour voir !

– Quoi ?... Et comment y verriez-vous mieux dans cette nuit
noire que n'importe qui d'autre, aussi idiot soit-il ?

– Là !... s'exclama Starbuck, saisissant Stubb aux épaules et lui
montrant du doigt le lit du vent. Ne vois-tu pas que la tempête
vient de l'est ? Exactement la route que doit tenir Achab pour
Moby Dick. Exactement le cap qu'il a pris aujourd'hui même. Et
regarde à présent sa baleinière. Où a-t-elle été défoncée ? Dans
l'arrière, vieux, là où il a *son* siège ; c'est *son* poste qui a été démoli,
mon vieux ! Et maintenant, tu n'as qu'à sauter par-dessus bord
pour aller chanter ailleurs, si tu dois chanter !

– Je n'y entends guère plus que goutte ; soufflez-moi.

– Oui, oui, c'est en doublant le cap de Bonne-Espérance, la route
la plus courte pour Nantucket, monologuait soudain Starbuck sans
se soucier de ce que disait Stubb. Cette tornade qui nous tape dessus à nous en défoncer, on peut en faire une bonne brise qui nous
portera droit chez nous. Au vent, là-bas, ce ne sont que ténèbres de
fin du monde ; mais sous le vent, vers chez nous, ah ! j'y vois une
lumière... et ce n'est pas celle des éclairs.

A cet instant, et au plus épais des intenses ténèbres qui se refer-
maient entre chaque éclair, il entendit une voix toute proche, à
côté de lui, juste avant le fracas d'une décharge tonitruante au-
dessus de leurs têtes.

– Qui est là ?

– Le Vieux Tonnerre, dit Achab en tâtonnant le long de la lisse
pour retrouver son trou à pivot, mais qui soudain vit le pont tout
illuminé par les lances de feu des éclairs.

Il nous faut dire ici qu'à l'instar des paratonnerres sur les clochers du rivage, destinés à conduire et à perdre dans la terre les
dangereuses décharges, leurs frères jumeaux, que portent certains
navires à la pointe de leurs mâts, les paratonnerres de mer sont

destinés à canaliser la foudre et à la perdre dans l'eau. Seulement, comme il convient que le fil conducteur soit immergé assez profondément pour que l'extrémité en soit suffisamment éloignée de la coque; et comme, au surplus, si ce câble restait ainsi plongé à demeure, il ne manquerait pas de gêner considérablement et risquerait d'entraîner toutes sortes de désagréments, sans compter qu'il pourrait se mêler aux manœuvres dormantes et courantes, et qu'il serait toujours plus ou moins un obstacle au gouvernement clair du vaisseau, il s'ensuit que la partie inférieure de ces paratonnerres de mer ne passe pas constamment par-dessus bord, mais est généralement lovée proprement sur les porte-haubans (étant faite d'une petite chaîne souple) de telle sorte qu'on puisse facilement l'immerger en cas de besoin, ou bien la ramener pour laisser claires les manœuvres le reste du temps. Aussi est-ce pourquoi, alerté soudain par les vifs éclairs qui avaient servi de flambeau à Achab pour le conduire à son poste habituel, Starbuck lançait à présent aux hommes du pont :

– Les paratonnerres! Sont-ils à poste? Passez-les par-dessus bord. Immergez partout! Vite!

– Autant! cria Achab. Il faut jouer honnêtement notre partie, ajouta-t-il, même si nous sommes du côté le plus faible. J'irais tout le premier planter des paratonnerres sur les Himalayas et sur les Andes, s'il s'agissait de mettre le monde entier en sécurité; mais pas de privilèges particuliers! Laissez-les où ils sont, lieutenant.

– Voyez là-haut! s'exclama Starbuck, le feu Saint-Elme, voyez! le feu Saint-Elme!

Toutes les vergues portaient des aigrettes de feu livide à leurs extrémités, de même que les trois hauts mâts, tels des cierges géants devant un autel, brûlaient silencieusement dans l'air sulfureux, chacun des trois paratonnerres portant sur sa triple pointe trois blanches flammes effilées.

– Maudite barque! entendait-on Stubb pester à ce moment : maudit canot! qu'il aille au diable!

Un paquet de mer qui avait pris par-dessous sa propre baleinière, alors qu'il y passait une saisine supplémentaire, lui avait à moitié écrasé la main en balançant violemment le canot.

– Au diable! hurlait-il encore en se rejetant en arrière sur le

pont – mais dans ce mouvement, ses yeux levés apercevant les
aigrettes blanches, il changea aussitôt de ton pour dire : Feu Saint-
Elme ! Feu Saint-Elme ! Ayez pitié de nous ! Ayez pitié de nous
tous !

Le matelot, en vérité, jure à peu près, comme il respire ; vous
l'entendrez sacrer dans l'immobilité cataleptique des calmes équatoriaux et blasphémer jusque dans les mâchoires de la tempête ; il
défilera tout un chapelet de malédictions perché à la pointe des
vergues les plus hautes quand les furies l'y secouent le plus furieusement au-dessus de la mer démontée ; mais au cours de toutes
mes navigations, rarement ai-je entendu le plus petit juron lorsque
le doigt brûlant de Dieu s'était posé sur le vaisseau ; lorsque dans
les drisses et les haubans s'était tissé en lettres de feu son terrible
Mane, thecel, pharès. Et tant cependant que dura le livide incendie là-haut, l'équipage effaré du *Péquod* ne parla guère ; tous les
hommes serrés ensemble étaient plantés sur le gaillard d'avant, et
l'on voyait leurs yeux luire de cette pâle phosphorescence, comme
une constellation perdue dans la distance. Tranchant sur la fantomatique lueur, la géante silhouette noire de Daggoo semblait trois
fois plus grande que nature, et l'on eût dit que c'était là le nuage
d'où ce tonnerre s'était détaché. La bouche ouverte de Tashtégo
laissait apercevoir ses dents blanches de requin, qui luisaient d'un
éclat étrange comme si elles aussi avaient été porteuses du feu
Saint-Elme. Quant à Quiequeg, illuminé par la lueur surnaturelle,
il avait sur le corps entier comme une flamme satanique courant,
verte et bleutée, sur tous ses tatouages.

Puis le tableau entier s'évanouit en même temps que là-haut
disparaissait la livide phosphorescence. Dans l'instant et une fois
de plus, le *Péquod* tout entier et ses gens se retrouvèrent dans les
plis de noirceur d'un voile mortuaire.

Au bout d'un moment, Starbuck, qui se dirigeait vers l'avant, se
heurta à quelqu'un. C'était Stubb.

– Et qu'en penses-tu à présent, dis-moi ? J'ai entendu ton appel.
Pas tout à fait le même que la chanson…

– Non, non, pas du tout. J'ai demandé au feu Saint-Elme
d'avoir pitié de nous tous ; et j'espère bien qu'il aura pitié, de toute
façon… Mais il ne doit pas, sans doute, avoir pitié seulement des

faces longues d'une aune; il doit avoir aussi des tripes pour s'émouvoir d'un rire, non? Et puis, voyez-vous, monsieur Starbuck... mais il fait trop noir pour y voir! Alors écoutez-moi, monsieur Starbuck : je considère cette flamme que nous avons vue à la pointe des mâts comme de bon augure, étant donné que ces mâts ont leurs racines au fond de la cale qui est en train de se bourrer à bloc de pur spermaceti, vous comprenez, et alors toute cette huile va monter comme sève dans les mâts. Oui, nos trois mâts vont tantôt devenir comme trois cierges de spermaceti... et c'est là ce qui nous a été annoncé et promis.

Lentement, Starbuck vit alors le visage de Stubb émerger de l'obscurité, couvert d'une pâle lueur. Jetant un regard vers le haut, il s'écria de nouveau :

– Vois! vois!

Et derechef, ce furent les hautes et minces flammes, là-haut, mais avec un éclat qui semblait redoubler leur surnaturelle pâleur.

– Le feu Saint-Elme ait pitié de nous tous! jeta Stubb une nouvelle fois.

Au pied du grand mât, en plein sous le doublon et sous le flamboiement spectral, le parsi était à genoux, devant Achab, mais lui tournant le dos, incliné d'un autre côté; non loin, dans l'arche haute que formait le gréement, on voyait une partie de la bordée, qui venait d'y grimper pour brider un espar, immobilisée par la soudaine lueur, les hommes serrés les uns contre les autres et demeurant suspendus là comme un essaim de guêpes engourdies sur le rameau fléchissant d'un fruitier. Quant aux autres, ils restaient rivés sur le pont, figés dans toutes sortes d'attitudes et de mouvements arrêtés net, ainsi que les squelettes debout, au pas, en course, de Herculanum. Seulement tous regardaient en haut.

– C'est ça, les hommes, c'est ça! s'exclama Achab à leur adresse. Regardez-le là-haut, fixez-le bien. Le feu blanc nous éclaire la route pour le Cachalot Blanc!... Voilà la chose! Amenez-moi maintenant la chaînette de descente du paratonnerre de grand mât, que je lui tâte un peu le pouls!... Sang contre feu; mon pouls contre le sien. Oui!

La chaîne fermement serrée dans son poing gauche, il se tourna, posant le pied sur le parsi agenouillé; et le regard fixé là-haut, le bras droit haut levé, il se tint ainsi dressé de toute sa raide hauteur devant la haute trinité du feu, là-haut, qui dardait ses trois fines flammes aiguës.

– Oh ! clair esprit du feu, prononça-t-il, toi que sur ces océans j'ai jadis adoré, comme un Perse ; toi qui, dans ce geste sacramentel, m'as si profondément brûlé que j'en porte aujourd'hui encore la cicatrice et la marque : à présent je te connais bien, clair esprit, et je connais que te bien adorer c'est te défier. Ni à l'amour, ni au respect, tu ne te rends aimable ; et pour la haine, tu ne peux que tuer ; tous aussi sont tués. Non, ce n'est pas un fol impavide qui t'affronte. Je confesse ta puissance implacable et sans mot ; mais jusqu'à mon dernier souffle sur cette terre je te disputerai l'intégrale et inconditionnelle possession et maîtrise de moi-même. Au plein de l'impersonnalité personnifiée, une personnalité est ici, qui se dresse : quelqu'un. Sur un point, en tout cas, le meilleur : d'où que je vienne, et où que j'aille, il y a que durant le temps de ma vie terrestre, une personnalité royale habite en moi, qui m'impose le sentiment de ses royales prérogatives. Mais douloureuse est la guerre, et misérable la haine. Viens donc sous ta forme d'amour le plus atténué, et je m'agenouillerai devant toi, je t'embrasserai ; mais sous ta forme la plus haute, que ce soit seulement comme une simple puissance surnaturelle, car bien que tu lances des flottes entières de mondes habités, il y a quelque chose ici, qui toujours néanmoins y reste indifférent. Oh ! toi, oh ! clair esprit qui m'as fait de ton feu, tel un vrai fils du feu, mon souffle te le rend !

(Éclairs soudains, violents et répétés. Les neuf langues de feu au sommet des mâts ont pris brusquement le triple de hauteur. Achab, avec les autres, a fermé les yeux, sa main droite toujours haut levée dans leur direction.)

» … Je confesse ta puissance implacable et sans mot ; ne te l'ai-je pas dit ? Et ce ne m'était point arraché par contrainte ; pas plus que maintenant je ne vais relâcher cette chaîne. Tu peux, toi, m'aveugler ; mais je peux, moi, continuer à tâtons. Tu peux me consumer ; je puis être de cendres. Accepte donc et reçois l'hommage que te rendent ces malheureux yeux et l'écran de ces mains ;

je n'en veux point; je ne le garderai point. Oui, ces éclairs m'ont traversé le crâne, et mes yeux sont des cendres de cendre; j'ai l'impression que mon cerveau, sur le coup, a été arraché et roule avec fracas sur le sol foudroyé. Mais tout aveugle que je sois, ah! ah! j'ai quelque chose encore à te dire. Tu es lumière, soit, mais tu sors des ténèbres; tandis que moi, je suis ténèbres qui sortent de la lumière, des ténèbres qui sortent de toi!...

» Les dards de feu ne jaillissent plus... les yeux ouverts... vois-tu ou non? Ah! voici là-haut les flammes!... Oh! magnanime feu! que je me glorifie à présent de ma descendance! Mais tu n'es, toi, que mon père incandescent; ma douce mère, je ne la connais point. Ah! cruel, qu'en as-tu fait? L'énigme de mon mystère est là; mais plus grande est la tienne! Et parce que tu ignores d'où tu procèdes, tu te nommes toi-même l'incréé; et parce que tu ne sais assurément point comment tu as commencé, tu te nommes toi-même le sans-commencement. Mais moi, je sais de moi, ce que toi, tu ignores de toi, oh! omnipotent. Il y a une immensité au-delà de toi, clair esprit, quelque chose d'inétendu au regard de quoi toute ton éternité n'est que temps, et tout ton pouvoir créateur, ta puissance d'engendrement, une mécanique. Mes yeux, à travers toi, mes yeux brûlés l'entrevoient obscurément à travers ton incandescence et tout le flamboiement de ton être. Ô feu, enfant trouvé, orphelin solitaire, ermite immémorial! tu as aussi, toi aussi, ta propre et incommunicable énigme; tu as aussi, toi aussi, ta douleur, ta muette douleur à laquelle nul, rien ni personne ne peut participer. Ici encore, au paroxysme d'une fière angoisse, je déchiffre et connais mon ancestral seigneur. Ah! saute, bondis, lèche le ciel! Je bondis avec toi, je me consume avec toi; je voudrais même être soudé à toi; et m'opposant à toi de toute la force de mon défi, je rends mon culte à ta divinité!

– Le canot! cria soudain Starbuck. Le canot! Qu'il regarde son canot, le vieil homme!

Le harpon d'Achab, celui que le feu du vieux Perth avait forgé, était resté solidement saisi sur les fourches du canot, avec sa pointe projetée en avant de l'étrave; mais le paquet de mer qui avait fracassé l'arrière de la barque avait aussi arraché la coiffe de cuir qui en recouvrait la pointe, et ces barbes aiguisées portaient aussi, à présent, l'aigrette d'une flamme pâle et fourchue. Et tandis que le harpon élevait ainsi, en silence, cette langue incandescente de serpent, Starbuck agrippa le bras d'Achab, lui disant :

– Dieu, vieil homme, Dieu même est contre toi ! Crains-le et abstiens-toi. C'est une mauvaise croisière ; mauvaise dans son commencement, mauvaise dans sa poursuite. Laisse-moi virer de bord, vieil homme, tant que nous le pouvons, et prendre en bon vent favorable celui-ci, pour faire notre retour, afin d'avoir une navigation meilleure que celle-ci.

Les hommes terrorisés de l'équipage n'avaient pas plutôt entendu les paroles de Starbuck, que déjà ils s'étaient rués aux postes de manœuvre, oubliant dans leur affolement qu'il n'y avait plus une toile aux vergues. D'emblée, ils s'étaient sentis unanimes à partager les sentiments du second épouvanté ; et les murmures qui commencèrent étaient presque un cri de rébellion. Mais Achab aussitôt, rejetant sur le pont la chaînette du paratonnerre et s'emparant du harpon flamboyant, se jeta au milieu d'eux, jurant de transpercer le premier homme qui seulement oserait toucher le bout d'une drisse. Reculant horrifiés devant son air formidable et terrorisés plus encore par la flamboyante épée qu'il tenait en main, les hommes s'égaillèrent en désordre. Achab, alors, leur adressa ces mots :

– J'ai votre serment à tous, qui vous lie autant que moi-même à donner la chasse au Cachalot Blanc. Or, le vieil Achab y est lié de cœur, de corps et d'âme, par les tripes mêmes de son existence. Et pour que vous sachiez bien une fois pour toutes de quoi est fait ce cœur et quelle musique il chante, voyez ; regardez bien : je souffle comme une bougie ce qui vous a fait peur ; j'efface la dernière crainte !

Et d'un seul souffle de ses poumons, il éteignit la flamme.

Tels les hommes, dans l'ouragan qui balaie la plaine, s'écartent craintivement de l'orme gigantesque et solitaire, que sa hauteur et sa force même ne font que rendre plus dangereux parce qu'il est une meilleure cible pour la foudre ; tels aussi la plupart des hommes du *Péquod*, aux derniers mots d'Achab, s'éloignèrent de lui précipitamment, frappés d'une crainte panique.

LE PREMIER QUART DE NUIT SUR LE PONT PEU AVANT LE CHANGEMENT DE BORDÉE

(Achab est debout près de la barre. Starbuck vient à lui.)

– Il va falloir amener la grand-vergue de hunier, Monsieur. Le bras du vent s'est détaché, et les pantoires sous le vent sont prêtes à céder. J'amène, monsieur ?

– Tu n'amènes rien du tout. Amarre-la. Si j'avais des espars de contre-cacatois, je les hisserais à présent.

– Au nom du ciel, capitaine ! au nom du ciel !…

– Très bien !

– Les ancres sur les chaînes travaillent, monsieur. Je les hisse à bord ?

– N'amène rien et ne hisse rien. Amarre tout. La brise fraîchit, mais je ne vois pas qu'elle m'ait encore doublé les bords. Vite, va m'arranger tout ça ! – Par mâts et coques ! Il me prend pour une échine flasque de capitaine rase-côtes à la petite semaine ! Amener ma vergue de grand-hunier ! Tudieu, marins à la colle ! Les plus hautes mâtures sont faites pour les vents les plus furieux, et le gréement que je porte, moi, dans mon cerveau, fait jaillir l'écume des nuages à présent. Est-ce que je vais l'amener ? Rien du tout. Mais les couards mettent bas les voiles de leur cœur au moment des tempêtes. Ah ! quelles grondantes orgues par là-haut… Pour un peu je les trouverais sublimes, si je ne savais pas que la colique est une maladie bruyante. Ah ! prends ton médicament ; prends donc ton médicament !

MINUIT, SUR L'EXTRÊME AVANT

(Stubb et Flask, aux bossoirs, sont en train de passer des sai-sines aux ancres.)

– Non et non, Stubb; vous pouvez frapper tant que vous vou-drez votre amarre, là, mais vous ne me ferez jamais tenir et retenir, à moi, ce que vous prétendez à présent. Combien de temps y a-t-il que vous disiez exactement le contraire? Que quel que soit le navire commandé par Achab, sa prime d'assurance devrait être majorée tout comme s'il transportait un chargement composé de barils de poudre à l'arrière et de caisses d'allumettes sur l'avant; n'est-ce pas là – bon! arrêtez maintenant – n'est-ce pas là ce que vous disiez?

– Bon, et même en l'admettant; eh bien, et alors? J'ai bien changé en partie de peau depuis lors; pourquoi n'aurais-je pas changé d'avis? En outre, admettant même que nous soyons réelle-ment chargés de poudre à l'arrière et d'allumettes à l'avant, com-ment ces allumettes pourraient-elles jamais prendre feu sous ces cataractes d'embruns, hein? Toi-même, mon petit vieux, malgré le rouge assez ardent de ta tignasse, tu ne réussirais pas à t'allumer à l'heure qu'il est. Allons, secoue-toi! te voilà Aquarius en personne, c'est-à-dire le Verse-Eau; on pourrait tirer des cruches d'eau du seul col de ton caban, Flask. Ne vois-tu pas que pour ces risques exceptionnels, les compagnies d'assurances maritimes jouissent de garanties exceptionnelles? Les voilà, les bouches d'incendie; les voilà bien. Maintenant écoute-moi encore un petit peu, Flask, que

je te réponde à la seconde chose… Mais d'abord ôte-moi ta jambe
de dessus l'organeau de l'ancre, que je puisse passer le filin ; bon,
et maintenant écoute. Où est la belle différence, veux-tu me dire,
entre tenir le paratonnerre d'un mât en plein orage, et naviguer en
plein orage au pied d'un mât qui n'a pas de paratonnerre du tout ?
Ne vois-tu pas, tête de bois, qu'il ne peut arriver de mal à celui qui
le tient en main que si, d'abord, le mât lui-même a été frappé ?
Alors, qu'est-ce que tu viens nous chanter, hein ? Il n'y a pas un
navire sur cent qui ait des paratonnerres. Ton Achab, mon vieux
– et nous tous par la même occasion – nous ne courions pas plus de
danger à ce moment-là, à mon humble avis, que les équipages des
dix mille vaisseaux croisant à l'heure présente sur les océans.
Voyons, Gros-Bois, prétends-tu que tous les hommes sur cette terre
se baladent avec un petit paratonnerre personnel fixé au chapeau
comme la plume d'un officier de l'armée, et tirant l'autre bout derrière eux comme une traîne ? Que n'es-tu pas un peu plus raisonnable, Flask ? il est facile d'être un peu raisonnable ; alors
pourquoi pas toi ? N'importe qui ayant seulement la moitié d'un
œil peut être raisonnable.

– Pas que je sache, Stubb ; vous-même, il vous arrive de trouver
ça difficile parfois.

– C'est vrai, quand un type est trempé comme une soupe,
notamment, il lui est difficile d'être raisonnable ; c'est un fait. Je
me sens près d'être noyé sous ces embruns. Bah ! qu'importe ?
Attrape toujours ce tour et passe-le. Là ! J'ai l'impression qu'on est
en train d'arrimer ces ancres comme si l'on n'allait jamais plus
devoir s'en servir. Les attacher, ces deux ancres-là, Flask, c'est
comme de lier derrière son dos les mains de quelqu'un. Des mains
d'une ampleur vastement généreuse, on peut le dire ! Ce sont nos
poignets de fer, pas vrai ? Et quelle poigne, aussi !… Je me
demande, Flask, si le monde est ancré quelque part ; et s'il l'est, il
chasse sur un formidablement long câble, en tout cas. Là ! Plus
que ce dernier nœud à serrer, et c'est fini. Voilà ! Sitôt après mettre
le pied à terre, c'est remettre ses pieds sur le pont qui est la plus
agréable des choses… du moins, Flask, si tu veux bien me rabattre
ces basques. Merci. On se moque des longs pans, Flask, mais à
mon avis les queues-de-pie, on devrait toujours les porter par gros

temps. Les pointes qui descendent de la sorte, tu vois, ça sert à
évacuer l'eau. Même chose avec les tricornes, Flask : les pointes
servent de gouttières et les bords de chéneaux. Qu'on ne me parle
plus de cirés et de suroîts ; c'est un habit à queue-de-morue dont il
faudra que je m'habille, et un chapeau de cuir bouilli que je vais
piloter ; voilà. Holà ! fichtre ! voilà mon suroît parti par-dessus
bord ! Seigneur, Seigneur, dire que les vents qui viennent du ciel
puissent manquer à ce point de savoir-vivre !... Une méchante nuit
que voilà, fiston.

CXXII

MINUIT,
DANS LA MATURE,
TONNERRE ET ÉCLAIRS

(La grand-vergue de hune, où Tashtégo frappe des faux bras.)

– Bouh, ouh, ouh ! Assez du tonnerre, assez ! Assez et plus qu'assez il y a de tonnerre ici en haut. A quoi ça sert, le tonnerre ? Bouh, ouh, ouh ! Du tonnerre, on n'en veut pas, non, c'est du rhum que nous demandons. Du rhum, un verre de rhum, s'il vous plaît. Bouh, ouh, ouh !

LE MOUSQUET

Durant les plus violents coups de boutoir du typhon, l'homme de barre à la mâchoire du *Péquod* avait été à plusieurs reprises projeté çà et là sur le pont, malgré la drosse qui en atténuait les secousses, parce qu'il fallait bien qu'elle eût quelque souplesse indispensable dans son jeu.

Dans un sévère coup de temps comme celui que nous avions, alors que le navire est comme un volant sur la raquette de la tempête, il n'est ni rare ni exceptionnellement extraordinaire de voir les aiguilles du compas tourner parfois sur elles-mêmes, affolées. Ce fut ce qui se passa sur le *Péquod*; et presque à chaque sursaut violent de la barre, le timonier ne manqua pas de constater l'étonnante vitesse de leur giration sur les points de la rose; un spectacle que nul ne peut voir sans une émotion certaine et tout involontaire.

Quelques heures après minuit, le typhon s'emporta avec une telle virulence, que malgré les efforts forcenés de Starbuck et de Stubb, l'un en proue et l'autre en poupe, les lambeaux déchiquetés du grand foc et des voiles du petit et du grand hunier partirent dans la rafale en tournoyant comme des plumes d'albatros enlevées dans le vent, quand il arrive que l'oiseau soit pris à rebours dans les tourbillons de l'orage.

Les trois voiles neuves correspondantes furent alors enverguées et serrées, tandis qu'une voile de cape était établie sur l'arrière, si bien que le navire répondit de nouveau avec quelque précision à la barre et put reprendre le cap est-sud-est, indiqué au timonier comme la route à tenir autant que possible désormais. Au plus violent de la tourmente, en effet, il n'avait gouverné qu'en obéissant aux nécessités du moment. Mais à présent, tandis qu'il tenait le navire du mieux possible sur sa route en surveillant le compas, voilà que tout soudain – et enfin un bon signe – le vent avait tourné de tout au tout, et du furieux vent debout qu'on avait, c'était un excellent vent arrière à présent !

Immédiatement, au chant joyeux de tout l'équipage, on brassa carré :

> *As-tu entendu la bordée*
> *Aux bras de bâbord derrière*
> *Et brassons bien partout carré*
> *Nous sommes plein vent arrière !*

Il n'avait pas fallu plus que la promesse contenue dans la tournure des événements pour effacer chez les hommes tous les lourds pressentiments et les sombres présages de devant.

Conformément à la consigne formelle laissée par son commandant – de porter sur-le-champ à sa connaissance, et à n'importe quelle heure, tout changement notable dans les affaires du pont – Starbuck n'eut pas plutôt amuré partout – bien à contrecœur, il est vrai, et fort sombrement – qu'il descendit automatiquement pour informer le capitaine Achab.

Avant de frapper à sa porte, il suspendit involontairement son geste, s'immobilisant un instant. La lampe du carré, balancée à grands coups au tangage, brillait capricieusement en envoyant de capricieuses ombres sur la porte fermée du vieil homme : un mince battant dont le panneau supérieur était remplacé par des rideaux tendus. La solitaire profondeur de l'endroit, bien qu'entourée par les rugissements des éléments, faisait qu'il y régnait une manière de silence bourdonnant et sourd. Le scintillement des mousquets chargés, alignés côte à côte dans leur râtelier sur la cloison avant du carré, révélait leur présence. Starbuck était un honnête homme, un homme droit ; mais dans son cœur, à l'instant où ses yeux se portèrent sur les armes, une étrange et mauvaise pensée se leva ; mais si feutrée, si voilée de bonnes intentions, qu'il n'en eut pour ainsi dire pas conscience sur le moment.

Il était prêt à me tirer dessus cette fois-là, se disait-il, oui, et voilà le mousquet qu'il a braqué sur moi : celui-là, avec la crosse cloutée ; voyons, que je le touche, que je le prenne en main. Bizarre, que moi qui ai manié tant de lances mortelles, je me sente trembler à ce point. Chargé ? Il faut que je voie ça. Mais oui ! et de la poudre dans le bassinet... Ce n'est pas bon, ça. Mieux vaudrait le décharger, non ?... Attends ; il faut que je me guérisse de ça. Je vais tenir fermement ce mousquet pendant que je réfléchis à la chose... Je viens lui faire rapport de bon vent. Mais quel bon vent ? Bon vent pour lui. Bon pour la mort et la damnation... c'est-à-dire bon pour Moby Dick. C'est un bon vent qui n'est bon que pour ce poisson de malédiction... Le canon qu'il pointait sur moi ! celui-là même... celui-là, que je tiens à présent. Il était prêt à me tuer avec l'arme même que je serre dans mes mains... Oui, comme il est prêt à tuer tout son équipage. Disait-il pas qu'il n'amènerait jamais une toile dans aucune tempête ? N'a-t-il pas brisé en miettes son sextant ? Et ne voilà-t-il pas qu'il fait route à tâtons dans ces mers dangereuses, à l'estime douteuse du loch si propice à l'erreur et au cœur même de ce typhon, est-ce qu'il n'a pas juré qu'il désirait ne pas avoir de paratonnerres ?... Faudra-t-il supporter benoîtement que ce fou de vieil homme entraîne avec lui l'équipage entier de son navire à la perdition ?... Oui ! il se sera fait délibérément le meurtrier, l'assassin volontaire de trente hommes et plus, si ce navire vient à se perdre... et il ne peut fatalement que se perdre, mon âme est prête à le jurer, si Achab a ce qu'il veut ! Mais s'il en était maintenant empêché, pareil crime ne lui serait plus imputable... Ha ! est-ce qu'il n'est pas en train de marmonner dans son sommeil ? Mais oui, là-dedans ; il est là en train de dormir. Dormir ? oui, oui, mais bien vivant, et qui va tantôt se réveiller ! Ah ! et alors je ne pourrais m'opposer à toi, vieil homme ! Rien, ni raisonnement, ni reproche, ni supplication, tu ne veux rien entendre ; tu te moques de tout cela. Obéir sans explication aux ordres que tu donnes sans explication, c'est tout ce que tu demandes. Tu ne vois pas autre chose. Non. Et ne disais-tu pas que tous les hommes étaient liés par serment au serment que tu as fait toi-même ? n'as-tu pas dit que nous étions tous, chacun de nous, des Achab ? Le Dieu du ciel nous en garde, Seigneur !... Ah ! mais n'y a-t-il vraiment pas d'autre moyen? pas de moyen légal?... Le faire prisonnier pour le ramener de force? Quoi! quel moyen d'espérer retirer des mains vivantes du vieil homme sa vivante puissance? Il faudrait être fou pour songer à essayer ça! Admettons même que ce soit fait: qu'il soit entravé, garrotté des pieds à la tête, enchaîné et rivé au plancher de sa cabine; il serait alors plus terrifique qu'un tigre en cage. Je ne pourrais en supporter la vue; je ne pourrais d'aucune manière échapper à ses hurlements; tranquillité, sommeil, inestimable raison, tout me fuirait pour ce voyage intolérablement long du retour... Mais que reste-t-il d'autre, alors? La terre est à des milliers de milliers d'encablures, et la plus proche est le Japon fermé. Me voilà seul ici, en pleine mer, avec deux océans et un continent tout entier entre moi et la loi... Mais oui, mais oui, c'est ainsi... Le ciel est-il un meurtrier quand sa foudre vient frapper dans son lit un meurtrier futur, calcinant tout ensemble et la chair et les draps?... Et serais-je un meurtrier moi-même, si...

Et lentement, précautionneusement, jetant un regard à la dérobée, Starbuck leva le canon du mousquet contre la porte légère.

– C'est à cette hauteur que se balance le hamac; la tête d'Achab est de ce côté-ci... Une simple pression du doigt, et Starbuck peut survivre et embrasser sa femme encore et son enfant... Oh! Mary, Mary!... mon enfant, mon petit, mon garçon!... Mais si je ne t'éveille pas dans la mort, vieil homme, qui peut dire en quels insondables abîmes le corps de Starbuck, dans une semaine peut-être, aura sombré avec tout l'équipage? Dieu, Seigneur, où es-Tu? Dois-je?... dois-je?...

– Le coup de vent a perdu de sa force, Monsieur, et nous portons plein vent arrière; les huniers de misaine et le grand sont envergués. Nous tenons le cap.

– Tout le monde sur l'arrière! Ah! Moby Dick, enfin je te tiens... enfin!

Telle fut la clameur retentissante qui s'échappa du sommeil agité du vieil homme, comme si les mots prononcés par Starbuck avaient appelé des épaisseurs du sommeil la parole.

Le mousquet tremblait comme dans la main d'un ivrogne et frappait le panneau de la porte; Starbuck avait l'air de lutter avec un ange, puis s'écartant de la porte, il replaça le guidon de la mort dans le râtelier et quitta la place.

– Il est trop enfoncé dans le sommeil, monsieur Stubb. Je te laisse y aller, l'éveiller et lui dire. Il faut que je sois sur le pont. Tu sais ce qu'il faut dire.

Le lendemain matin, la mer non encore décolérée roulait de longues, lentes et lourdes houles puissantes qui remontant le sillage gargouillant du *Péquod* le lançaient en avant comme de géantes paumes. Le vent qui soufflait toujours en coup de vent donnait l'impression que le ciel et l'air étaient d'immenses voiles portant plein, et que le monde fuyait devant sous ces vastes voilures. L'invisible soleil estompé dans la pleine clarté du matin ne se manifestait que par une intensité diffuse où se trouvaient ramassées en faisceaux les ardentes baïonnettes de ses rayons. Le resplendissement des ors de Byzance ou de Babylone semblait baigner et draper toutes choses. La mer était un creuset d'or liquide qui débordait, bouillonnant de lumière et de chaleur.

Enveloppé dans un long et magique silence d'enchantement, Achab se tenait à l'écart; et à chaque fois que le chevauchant navire piquait profondément du beaupré dans l'abîme, il contemplait le faisceau solaire qui tombait sur l'avant; à chaque fois que le navire se cabrait, plongé profondément de l'arrière, il regardait dans sa houache le même flamboiement solaire des ors fondus.

— Ah! vaisseau, mon vaisseau! tu pourrais bien être pris maintenant pour le char marin du soleil! finit-il par penser. Ho, nations, ho! vous toutes devant ma proue, je vous apporte le soleil! Ma chevauchée s'avance sur les prochaines lames, ohé! je pilote la mer!

Mais brusquement bridé par une pensée toute contraire, il se jeta vers la barre demandant avec brusquerie au timonier quel cap tenait le navire.

– Est-sud-est, monsieur ! répondit l'homme effaré.

– Menteur ! cria Achab en le frappant du poing. Le cap à l'est à cette heure du matin, et le soleil en poupe ?

Ce fut une stupéfaction générale, car le phénomène remarqué par Achab avait extraordinairement échappé à tous, sans doute à cause même de son incontestable évidence. Avançant la tête dans l'habitacle, Achab donna un coup d'œil au compas. Le bras, qu'il avait levé, lui retomba lentement, et il eut pendant un instant l'air de chanceler. A côté de lui, Starbuck examina le compas à son tour, et stupéfaction ! les deux aiguilles indiquaient l'est, alors que le *Péquod* avait indiscutablement le cap à l'ouest.

Mais avant que le premier sursaut d'inquiétude eût pu se propager au sein de l'équipage, le vieil homme, éclatant d'un rire dur, s'exclama :

– J'y suis ! La chose n'est pas sans exemple. La foudre de la nuit passée, monsieur Starbuck a faussé le compas… voilà tout. Tu as déjà eu vent de chose pareille, je suis sûr.

– Oui, monsieur ; mais elle ne m'était encore jamais arrivée à moi-même, dit sombrement le second, affecté.

Il nous faut dire que des accidents de cette nature se sont, en plus d'une occasion, produits sur des navires à la suite de violents orages. Comme nul ne l'ignore, la force magnétique des boussoles marines ne fait qu'un avec l'énergie électrique détenue dans le ciel ; aussi ne saurait-on s'étonner de semblables phénomènes. Dans certains cas où la foudre avait directement frappé le vaisseau, causant des avaries dans la mâture, son effet a pu être tout à fait fatal, les aiguilles s'étant trouvées entièrement vidées de leur vertu magnétique et n'offrant désormais pas plus de capacité à fournir une orientation que les aiguilles à tricoter d'une vieille bonne femme. Mais dans toutes ces occurrences, jamais plus l'aiguille faussée ne recouvre d'elle-même sa vertu initiale ; et quand sont ainsi touchés les instruments de l'habitacle, toutes les autres boussoles du navire où qu'elles soient – et seraient-elles même encastrées au plus profond de la carlingue – subissent le même sort fatal.

Fermement campé devant l'habitacle, les yeux fixés sur les aiguilles affolées, Achab, se servant du tranchant vertical de sa main, releva par son ombre l'exacte position du soleil sur la rose et constata avec satisfaction que les aiguilles étaient exactement inversées ; il cria immédiatement les ordres nécessaires pour virer bord sur bord et remettre le vaisseau sur sa route. La manœuvre s'effectua, et une fois de plus le *Péquod* offrit son étrave obstinée au vent contraire, la bonne brise supposée n'ayant été que fallacieuse.

Pendant tout ce temps – et quelles que pussent être par ailleurs ses propres pensées – Starbuck ne prononça pas un mot autre que ceux, calmement donnés, des ordres requis ; Stubb et Flask également – qui paraissaient partager, mais à un moindre degré, les sentiments du second – obtempérèrent sans discussion. Quant aux hommes, même si certains grommelaient tout bas, la crainte qu'ils avaient d'Achab l'emportait sur la crainte qu'ils avaient du destin. Les harponneurs demeuraient comme toujours exempts de toute impression ; ou s'ils étaient tant soit peu émus, c'était par le magnétisme dont l'inflexible cœur d'Achab venait toucher leur cœur tout fait pour le recevoir et l'entendre.

Le vieil homme arpenta son pont pendant un bon moment, livré au roulement de ses pensées. Puis venant à glisser de son talon d'ivoire sur les débris du sextant qu'il avait brisé la veille :

– Misérable orgueilleux guette-ciel et pilote solaire ! Hier je t'ai réduit en miettes, commenta-t-il, et aujourd'hui le compas voulait me mettre, moi, en miettes. Oui, oui. Seulement Achab n'en est pas moins le maître et seigneur de l'aimant. – Monsieur Starbuck ! appela-t-il ; un fer de lance sans son manche, un maillet et la plus fine des aiguilles que possède le voilier. Vite !

À côté de l'impulsion qui lui dictait ce qu'il allait faire, il y avait, peut-être aussi, quelques prudents mobiles qui pouvaient viser à redonner du vif au cœur de son équipage par un coup de subtile adresse en ces mystères étonnants du compas inversé. Au surplus, le vieil homme n'était pas sans savoir que gouverner avec des aiguilles retournées, bien que ce fût parfaitement faisable, n'irait pas sans entraîner chez les matelots toujours superstitieux, des tremblements de crainte et le sentiment d'un mauvais présage.

– Hommes ! prononça-t-il en se tournant avec une certaine emphase vers eux, cependant que le second lui remettait les objets réclamés; hommes du *Péquod*! Le tonnerre a faussé les boussoles du vieil Achab. Mais Achab est capable tout seul, avec ce bout d'acier, de fabriquer une aiguille qui donnera le nord aussi exactement que la plus exacte.

Des regards d'étonnement émerveillé et soumis furent échangés entre les hommes à ces paroles; et, fascinés, ils attendaient le travail magique qui allait s'opérer devant eux. Starbuck, lui, détourna les yeux.

D'un coup de maillet, Achab étêta l'acier de la lance qu'il tendit au second, le priant de tenir ferme la longue lame dressée, sans toucher le pont de son bout inférieur; ensuite, ayant pas mal battu à coups de maillet le haut de la lance rompue, il y posa de champ l'aiguille d'acier qu'il martela à plusieurs reprises, quoique moins fort (le second tenait toujours la lance comme devant). Puis il fit quelques gesticulations rapides et bizarres – dont on ne sait trop si elles étaient véritablement indispensables pour magnétiser l'acier, ou si c'était tout simplement pour impressionner plus encore et emplir de crainte et d'admiration les hommes – après quoi il demanda du fil. Revenant alors à l'habitacle, il en ôta les deux aiguilles faussées et suspendit la sienne, en équilibre par son milieu, sur la rose des vents. Au premier moment, l'acier se mit à tourner sur lui-même, tressautant et vibrant des deux extrémités, puis il finit par venir en place; alors Achab, qui avait attendu et guetté intensément le résultat, Achab se recula carrément de devant l'habitacle et, le doigt tendu au bout de son bras tendu :

– Venez et voyez vous-mêmes, s'exclama-t-il, si Achab n'est pas le maître de l'aimant! Le soleil est à l'est, et la boussole en fait serment!

L'un suivant l'autre, les hommes passèrent tous pour voir, car rien que leurs propres yeux ne pouvait les convaincre dans leur ignorance. Et l'un suivant l'autre, ils s'éloignèrent sans bruit.

Avec l'éclat triomphant et dédaigneux qui flamboyait dans ses yeux, on pouvait alors voir Achab dans tout son fatal orgueil.

LE LOCH ET LA LIGNE

Depuis le temps que le *Péquod* tenait la mer pour cette fatale croisière, on ne s'était pour ainsi dire jamais servi du loch. Se fiant à d'autres manières de déterminer leur position, certains long-courriers et nombre de baleiniers, surtout lorsqu'ils croisent sur les parages de pêche, négligent totalement de filer le loch ; ce qui n'empêche point d'ailleurs – et la plupart du temps simplement pour la forme – qu'on ne relève fort régulièrement sur l'ardoise, selon l'usage, aussi bien la route tenue par le vaisseau que sa vitesse relative présumée et sa progression horaire.

C'était aussi ce qui s'était passé à bord du *Péquod*. Le rouleau de bois où s'enroulait la ligne, avec le loch à son bout, était à poste, depuis longtemps inemployé, saisi sur la rambarde de l'extrême poupe. Les grains et les embruns l'avaient détrempé, le soleil et le vent l'avaient desséché ; tous les éléments ensemble avaient contribué à abîmer à force un instrument toujours exposé et dont nul ne se servait. Mais Achab n'avait cure de tout cela, quand suivant son humeur, et venant à jeter les yeux sur le rouleau peu de temps après la scène de l'aimant, il lui revint qu'il n'avait plus de sextant désormais et se rappela soudain son serment sur le loch et la ligne. Le navire piquait profondément du nez ; les lames roulaient en tumulte sur ses arrières.

– Holà, des hommes ! Le loch à filer ! commanda-t-il.

Deux gabiers s'avancèrent ; le Tahitien à la peau dorée et le gri-sonnant Manxien.

– Attrapez le rouleau, l'un de vous ! Je filerai moi-même.

Ils s'avancèrent sur l'extrême arrière au bord sous le vent, à
l'endroit où le pont incliné sous la solide brise rasait presque
à plonger dans la mer écumeuse qui filait le long du bord.

Le Manxien avait pris le rouleau et le tenait haut, à bout de
bras, par les poignées des extrémités, avec le loch perpendiculairement suspendu au fuseau. Achab s'avança, et il était en train de
dévider quelque trente ou quarante tours à la main pour en faire
une brasse maniable à passer par-dessus bord, quand le vieux
gabier, examinant tout ensemble le capitaine et la ligne de loch, se
risqua à parler :

– Je ne m'y fierais pas, monsieur ; la ligne a l'air d'être passablement détériorée ; la longue chaleur et l'humidité l'ont mangée,
monsieur.

– Elle va tenir, mon bon gars. La longue chaleur et l'humidité
t'ont-elles mangé, toi ? Tu m'as l'air de tenir pas mal. Ou plutôt,
peut-être à vrai dire, c'est la vie qui tient à toi, et non pas toi à elle.

– Moi, je tiens le rouleau, monsieur. Mais ce sera comme dit mon
capitaine. Avec les cheveux blancs que j'ai, vaut pas la peine que
je discute, spécialement avec un supérieur qui ne reconnaîtra
jamais qu'il a tort.

– Qu'est-ce que c'est ? Nous en voilà un loqueteux de professeur
de l'université de Dame Nature aux assises de granit ! mais qui me
semble un peu trop souple. Où es-tu né ?

– Sur le petit îlot rocheux de Man, monsieur.

– Fameux ! Tu as percuté sur le monde sur ce roc.

– Sais pas, monsieur, mais c'est là que je suis né.

– Dans l'île de Man ? Hé ! D'un autre côté, ce n'est pas mauvais
non plus. Te voilà un homme de Man, un homme de l'Homme, né
dans un Homme en soi indépendant, et dépendant maintenant de
quoi, sujet de l'homme ?... Plus haut, le rouleau ! C'est sur un mur
de mort aveugle que toutes les têtes questionneuses vont se cogner,
au bout du compte. Plus haut, je te dis ! Là, comme cela.

Le loch fut filé. Le mou du filin raidit rapidement en droite
ligne sur l'arrière, et aussitôt le rouleau se mit à tourner. Avec les
secousses du loch montant et descendant à la lame, la traction sac-
cadée faisait vaciller le vieux gabier de façon bizarre.

– Tiens ferme !

Clac ! La ligne détendue soudain flotta en longs festons souples. Le loch qui faisait résistance était parti.

– Je piétine le sextant ; la foudre me fausse le compas ; et voilà la mer furieuse qui m'emporte mon loch ! Mais Achab est capable de réparer tout. Hale dessus, Tahitien ; enroule, bonhomme de Man. Et écoutez-moi : le charpentier va me faire un nouveau loch, et vous, vous allez me revoir cette ligne. Veillez-y.

– Le voilà parti. Pour lui, rien n'est arrivé du tout, marmonna l'homme de Man ; mais pour moi, c'est comme si la broche sur quoi est enfilé le monde avait filé. Rentre-la, rentre-la vite, Tahitien. Ces lignes, ça file, ça file et ça se dévide en un clin d'œil ; mais pour ce qui est de les remonter, ça va lentement et ça revient en morceaux. Ohé, Pip ! Tu viens donner un coup de main, petit Pip ?

– Pip ? Qui appelez-vous Pip, vous autres ? Il a sauté de la baleinière, Pip. Porté manquant. Voyons un peu si vous ne l'auriez pas repêché par hasard, vous là, le pêcheur. Ça tire dur ; je parie qu'il est accroché au bout. Secoue-le, Tahiti ! Fais-le lâcher ! on ne remonte pas les froussards ici. Ho ! voilà juste son bras qui sort de l'eau. Une hache ! une hache ! il faut le lui couper. On ne remonte pas les froussards ici. Capitaine Achab ! Oh ! monsieur, monsieur ! il y a Pip qui essaye de remonter à bord.

– Ah ! la paix, toi, cinglé de maboul ! s'écria le vieux Manxien en le prenant par le bras. File de sur le château d'arrière !

– C'est toujours le plus grand idiot qui malmène l'autre, se disait Achab en revenant vers eux. Ôtez vos pattes de cet être sacré ! Où dis-tu qu'il était, ce Pip ?

– Sur l'arrière, monsieur, là, sur l'arrière ! Là, là !

– Et qui es-tu, toi mon garçon ? Je ne vois point mon image réfléchie dans les vacantes pupilles de tes yeux. Oh ! Dieu, que l'homme puisse être une chose ainsi, dont fuit l'âme immortelle ! Qui es-tu, petit ?

– Le garçon de cloche, monsieur ; le veilleur du vaisseau, ding-dong, ding-dong ! Pip ! Pip ! Pip ! Cent livres de terre de récompense à qui retrouvera Pip ; cinq pieds de taille, l'air d'un froussard, se reconnaît immédiatement à cela. Ding, dong, ding ! Qui a vu Pip, le froussard ?

– Il ne peut y avoir un cœur sous la neige glacée. Oh ! cieux de glace ! regardez ici-bas. C'est vous qui avez créé ce malheureux enfant, et vous l'avez abandonné, libertins créateurs ! Viens, petit. La cabine d'Achab sera l'appartement de Pip désormais, aussi longtemps qu'Achab aura vie. Au plus intime de moi tu atteins, petit ; tu m'es lié par des liens faits des veines mêmes et des artères de mon cœur. Viens. Descendons.

— Qu'est cela ? dit Pip, le regard intensément fixé sur la main d'Achab. De velours la voici, cette peau de requin ! Ah ! si le pauvre Pip avait jamais touché chose aussi douce que celle-ci, peut-être qu'il n'eût jamais été perdu ! Il me paraît, Sir, que c'est comme un filin de salut ; quelque chose à quoi peuvent se tenir les êtres faibles. Oh ! monsieur, faites venir à présent le vieux Perth, et qu'il rive ensemble ces deux mains, la noire avec la blanche, parce que je ne veux plus jamais la lâcher.

— Oh ! petit, moi non plus je ne te lâcherai point, à moins que je ne dusse t'entraîner vers de pires terreurs. Viens, allons dans ma cabine. Voyez ! vous qui croyez en la toute bonté des dieux, et en la toute mauvaiseté de l'homme, voyez donc, vous ! combien les dieux omniscients font oubli de l'homme souffrant ; et comment l'homme, tant soit-il idiot, tout ignorant de ce qu'il fait, est pourtant tout débordant des douceurs de l'amour et plein de gratitude. Viens ! je me sens plus fier de te guider, toi, en tenant ta petite main noire, que si je serrais celle d'un empereur !

— Deux tapés qui s'en vont ensemble, grommela le vieil homme de Man. Un tapé par la puissance et un tapé par la faiblesse. Et puis voilà le bout de cette fichue ligne rompue... et pleine d'eau aussi. Répare-la, hé ? M'est avis qu'on fera tout aussi bien d'en prendre une toute neuve. Faudra que je voie M. Stubb à ce sujet.

LA BOUÉE DE SAUVETAGE

Cap au sud-est, obéissant à l'aiguille aimantée d'Achab, et son avance uniquement relevée au loch d'Achab, le *Péquod* faisait route vers l'équateur. Il faisait route depuis longtemps dans des eaux immensément désertes où ne se rencontrait aucun navire ; depuis longtemps porté grand largue sous une brise invariable, bercé sur une longue houle adoucie, monotone et constante. Et tout ce calme apaisé des choses était comme le seuil étrange de silence avant la scène de violence et de tragique désordre.

Sur la fin, quand le navire atteignait aux bordures, si l'on peut dire, des parages de l'équateur, et à l'heure très noire qui devance la première lueur du matin, alors qu'on défilait au large d'un petit archipel d'îlots et de récifs rocheux, la bordée de Flask qui était de quart à cette heure, sursauta tout soudain en entendant le cri sauvage d'une plainte gémissante et surnaturelle – telle la lamentation presque parlée des fantômes de tous les Innocents du massacre d'Hérode – qui monta dans l'espace et figea de terreur tous les hommes, chacun restant immobile dans sa position, debout, assis ou appuyé quelque part, comme des statues d'esclaves romains, durant tout le temps que se fit entendre cette clameur lamentable. Les chrétiens et les civilisés d'entre les hommes se dirent que c'étaient des sirènes, et ils tremblèrent ; mais les païens, nos harponneurs, restèrent visiblement sans crainte. Quant au vieil homme de Man à la tête grise – le plus âgé de tous à bord – il assura que ces hurlements lugubres étaient les appels et les voix des derniers noyés de l'océan.

En bas, dans son hamac, Achab ne sut rien de la chose jusqu'au premier éclat grisâtre d'avant l'aube, lorsqu'il monta sur le pont et que Flask, non sans sinistres sous-entendus, lui en fit le récit. Achab fit entendre un rire qui sonnait sourdement, et leur expliqua le mystère.

Les îles que le navire avait bordées étaient le séjour de phoques innombrables, et quelques jeunes mâles ayant perdu leurs dames, ou quelques mères à la recherche de leurs petits avaient surgi le long du bord et épouvanté l'équipage de leurs appels et de leurs plaintes si étrangement semblables aux gémissements et aux sanglots des humains. Ce qui ne fit que frapper davantage certains des auditeurs, pour la raison que la plupart des matelots attachent le plus superstitieux de leurs sentiments et de leurs croyances à la présence des phoques non seulement à cause de la poignante détresse que peuvent exprimer leurs cris, mais aussi à cause de l'apparence tout humaine de leurs têtes rondes et de l'air d'intelligence de leurs visages quand on les voit apparaître en surface près des bordages. En pleine mer, il est arrivé plus d'une fois que des phoques, dans certains cas, fussent pris par erreur pour des hommes.

Ces sentiments de mauvais augure sombrement nourris par l'équipage devaient, le matin même, recevoir leur confirmation apparente et plausible par la perte d'un des hommes qui, au sortir de son hamac, juste au lever du soleil, grimpa au poste de vigie de misaine. Était-il mal réveillé (car il n'est pas rare que les hommes soient encore à moitié endormis quand ils montent aux mâts) ou se passa-t-il autre chose ? Nul ne saurait le dire ; mais quoi qu'il en fût, en tout cas, il n'était guère depuis longtemps à son perchoir quand on entendit un hurlement là-haut – et tous les yeux levés aperçurent un fantôme qui traversait les airs, puis dans le bleu de la mer un petit bouillonnement de bulles blanches à l'endroit de sa chute.

La bouée – un mince et long baril – fut larguée de l'arrière, lancée par un système à ressort sur lequel elle était toujours à poste. Mais nul bras ne réapparut pour la saisir, et ce tonnelet, desséché par les ardents soleils auxquels il avait été si longtemps exposé, se remplit lentement et finit par sombrer, entraîné par ses cercles de fer, allant fournir, eût-on dit, dans le fond des abîmes, un oreiller quelque peu dur à l'homme englouti.

Et ce fut ainsi que le premier homme du *Péquod* qui monta au mât pour prendre en vigie le Cachalot Blanc, aux abords des parages personnels de celui-ci, fut englouti par les abîmes; mais rares, sans doute, furent ceux qui y songèrent sur le moment. Car les hommes, en vérité, furent peu affectés par le caractère sinistrement prophétique de la chose : ils la considéraient, somme toute, moins comme une sombre préfiguration de l'avenir que comme l'accomplissement matériel d'un funeste présage antérieur. Ils connaissaient à présent, disaient-ils, la cause et la raison des cris sinistres qu'ils avaient entendus avant l'aube. Seul de nouveau, l'homme de Man opposa à leur unanimité sa dénégation.

Quant à la bouée perdue, il fallait à présent la remplacer, et Starbuck fut chargé de veiller à la chose; mais comme on ne trouva pas sur l'instant de tonnelet assez léger, et comme au surplus l'équipage entier, dans la fiévreuse attente de ce qui semblait être déjà l'approche du moment culminant de la croisière, se sentait peu disposé à s'écarter si peu que ce fût des tâches et des occupations immédiatement en rapport avec cette fin – quelle qu'elle pût être, d'ailleurs –, tout le monde était prêt à laisser avec indifférence la poupe démunie de bouée, lorsque s'en vint Quiequeg qui suggéra, par de bizarres signes et d'étranges allusions, l'idée du cercueil.

– Une bouée de sauvetage avec un cercueil ? s'exclama Starbuck en frémissant.

– Plutôt étrange, ça, je l'avoue ! commenta Stubb.

– Bah ! ça ne fera pas une mauvaise bouée, après tout, opina Flask. Le charpentier peut nous arranger ça facilement.

– Qu'on l'amène, puisqu'il n'y a pas autre chose, décida Starbuck après un moment de réflexion sans joie. Compris, charpentier ? Tu vas me l'arranger, mais ne me regarde pas comme ça ! – le cercueil, je veux dire. Est-ce que tu m'as entendu, oui ? Arrange-moi ça !

– Et le couvercle, monsieur, est-ce que je vais le clouer ? demanda le charpentier en mimant le geste, comme s'il avait un marteau dans la main.

– Bien sûr.

– Et calfater les joints, Monsieur ? *(Mimant les gestes du calfat.)*

– Naturellement.

– Et tout partout l'enduire de brai ? *(Mimant le geste du badigeon avec la baille à brai de l'autre main.)*

– Ouste ! mais qu'est-ce que c'est que cette comédie ?... Fais-
moi une bouée avec le cercueil, un point c'est tout. – Stubb, Flask,
avec moi sur l'avant !

– Le voilà qui a pris la mouche, monologua le charpentier. Le
gros de l'affaire, il le supporte, mais le plus petit détail, et le voilà
qui fume ! Eh bien, moi je n'aime pas du tout ça. J'ai confectionné
une jambe pour le capitaine Achab, et comme un gentleman, il la
porte. Mais voilà que je fais un « sapin » pour ce gars Quiequeg, et
lui qui refuse d'aller mettre sa tête dedans. Est-ce que je me donne
tout ce mal pour rien ? Et maintenant, il faut que j'en fasse une
bouée de sauvetage. Non, ça ne me plaît pas du tout. C'est du travail de retournage de vieux costumes, ça : l'envers vaut l'endroit,
comme qui dirait ; on remet la chair vivante à l'extérieur. De la
besogne de savetier ! du raccommodage ! Et moi je n'aime pas ça ;
mais pas du tout ça ! c'est dégradant. Ce n'est pas mon affaire.
Qu'on laisse aux bricoleurs et aux gamins le retapage et les rafistolages ; nous valons mieux que ça. Je n'aime pas prendre en main
autre chose que du net et du carré, bien propre et où on y voit clair,
du travail vierge qu'on prend honnêtement au commencement
pour commencer, qui est à mi-œuvre au milieu de l'ouvrage et
qu'on termine au bout de la fin. Pas ces bricolages qu'on entame
par le milieu, et qui commencent par la fin. Ce sont des trucs de
vieilles bonnes femmes, ces rafistolages à n'en plus finir. Bon
Dieu ! ce qu'elles peuvent aimer les rafistolages, les vieilles bonnes
femmes ! J'en connais une de soixante-cinq ans qui a réussi à enlever le réparateur, un gamin à tête nue de poil et d'idées. Et c'est
pour cela que moi, quand j'avais ma boutique à Vineyard, jamais
je n'ai voulu travailler pour les vieilles veuves esseulées, qui
auraient pu se fourrer dans leurs vieilles têtes veuves de vouloir
décamper avec moi. Oh ! mais... reusement, tout ce qu'on voit en
fait de blanches têtes féminines, ici en mer, ce sont les crêtes moutonneuses des vagues ! Bon. Voyons voir un peu ce boulot. Clouer
ferme le couvercle ; calfater le tout ; un bon coup de badigeon par-
dessus, que tout soit bien étanche ; et l'on suspend l'affaire sur le

système à ressorts de la rambarde de poupe. Où a-t-on jamais vu faire ça avec un cercueil ? Je connais, moi, plus d'un charpentier plus ou moins superstitieux qui se ferait pendre dans les haubans plutôt que d'accepter cette besogne. Mais moi qui suis fait dans le plus noueux des sapins noueux d'Aroostook, je m'en fiche ; je ne bronche pas. Attelé à un cercueil ! Faisant voile côte à côte avec un authentique sapin de fosse commune ! Mais qu'importe !... Nous autres, les artisans du bois, nous faisons aussi bien des lits de mariées et des tables de jeux que des cercueils et des catafalques. Nous travaillons au mois, à l'année, ou bien à la tâche ou sur le bénéfice, et qu'est-ce qu'on aurait à demander à quoi servira notre travail... quand ce n'est pas de ces sales besognes compliquées de retapage, et pour laisser tomber autant que possible ! Allez, houmph ! Je vais le faire, leur travail, avec tout mon soin et ma tendresse. Il me faut – voyons ! combien est-ce qu'on est sur le rôle, en tout ? Voilà que j'ai oublié ! Bah ! aucune importance, je vais y mettre trente bouts de filin terminés par un nœud de bonnet de Turc, chacun de trois pieds de long, disposés séparément sur tout le pourtour du cercueil. Comme cela, si la coque va par le fond, il se trouvera trente vigoureux gaillards luttant pour la possession d'un unique cercueil : un spectacle plutôt rare sous le soleil ! Et allons-y, marteau, patarasse, baffle à brai, épissoir ! au chantier !

(Le cercueil repose sur deux bailles à ligne, entre l'établi et le panneau ouvert de l'écoutille. Le charpentier en est au calfatage, et l'écheveau d'étoupe se dévide lentement hors de la poche de son tablier. Achab, qui vient lentement par le passavant, entend Pip derrière lui.)

– Retourne, fiston; je reviens avec toi tout de suite. Il redescend! Ma propre main ne s'accorde pas mieux à mon humeur, ni plus intimement que ce gamin!... Le transept d'une église? Ou qu'est-ce que c'est?

– Bouée de sauvetage, Monsieur. Selon les ordres de M. Starbuck. Oh! attention, Monsieur! Prenez garde au panneau ouvert.

– Merci, mon gars. Ton cercueil est à côté du trou.

– Comment, Monsieur? Ah! l'écoutille; oui, oui, Monsieur, c'est bien vrai!

– N'es-tu pas le faiseur de jambes, toi? Ce pilon-ci, regarde, ne vient-il pas de ta boutique?

– Si fait, Monsieur; je crois bien. Est-ce que la virole tient bien, Monsieur?

– Pas mal. C'est toi aussi, alors, l'entrepreneur des pompes funèbres?

– Dame oui, capitaine. Ce truc-là, je l'avais goupillé comme cercueil pour Quiequeg; mais on m'a remis dessus pour le transformer en quelque chose d'autre.

– Mais alors, dis-moi un peu, n'es-tu pas un sacré vieux fieffé coquin de païen je-fais-tout, un filou d'accapareur de tout-pour-moi? Toi qu'on voit un jour fabriquer des jambes, et le lendemain des cercueils pour vous y fourrer, et ensuite des bouées de sauvetage avec ces mêmes cercueils, hein! Tu m'as l'air aussi dénué de principes que les dieux, et tout autant en train de te mêler de tout.

— Mais je n'y mets pas d'arrière-pensée, Monsieur; c'est comme c'est. Et voilà tout.

— Tout juste comme les dieux, encore un coup. Dis-moi, te serait-il jamais arrivé de chanter tout en fabriquant un cercueil? Les Titans, à ce qu'on dit, fredonnaient des bouts de refrains tout en creusant les cratères des volcans; et le fossoyeur, dans la pièce, chante en maniant sa bêche. L'as-tu jamais fait?

— Chanter, Monsieur? Oh! je suis assez indifférent pour ça. Mais la raison pourquoi le fossoyeur se faisait de la musique, c'est peut-être bien parce que sa bêche n'en faisait pas. La patarasse, au contraire, en fait tout plein. Écoutez-moi ça, Monsieur!

— Oui, mais là, c'est parce que ton couvercle de boîte joue les tables d'harmonie; et ce qui fait en toutes choses la table d'harmonie, c'est qu'il n'y a rien dessous. Ce qui n'empêche, charpentier, qu'un cercueil avec un cadavre dedans résonne pourtant à peu près de la même manière. As-tu jamais aidé à porter une bière, et entendu le bruit quand elle cognait le portail du cimetière en entrant?

— Ma foi, Monsieur, je...

— Ta foi? Qu'est-ce que c'est que ça?

— Eh bien! ma foi, Monsieur, c'est façon de parler comme une sorte d'exclamation... et c'est tout, Monsieur!

— Oui, bon, continue.

— J'étais pour vous dire, Monsieur, que je...

— Serais-tu un ver à soie? Est-ce que par hasard tu filerais de toi-même le fil de ton propre suaire? Regarde un peu ton ventre! Allons! Expédie-moi ce travail en vitesse, et ôte-moi tous ces collets de la vue.

— Le voilà reparti sur l'arrière... Ça a été plutôt brusque, ce coup-ci; mais les rafales sont brutales et soudaines aux latitudes de grande chaleur... Il paraît que l'Albemale, une des Galápagos, est coupée juste en deux par l'équateur. J'ai bien l'impression que le vieux, il y a une espèce d'équateur aussi qui le coupe juste par le milieu ! Toujours sous la Ligne, qu'il est ; et ça brûle furieusement, moi je vous le dis… Attention, il regarde par ici ! – en route, vieux calfat, tire l'étoupe et au travail, en vitesse ! Mon maillet de bois, tap ! tap ! sera le « percutoir », et je m'en vais te jouer les professeurs de tympanon !

ACHAB *à soi-même.*

« Que voilà un spectacle ! et que voilà une musique !… L'oiseau piqueur à tête grise donnant du bec sur le tronc creux ! C'est le moment d'envier les sourds et les aveugles. Regarde-moi ça : la chose ainsi posée sur deux bailles à ligne, et pleines de ligne lovée ! Vieux farceur empli de la pire malice, le bonhomme. Tac, tac. Il bat les secondes humaines. Ah ! combien tous les matériaux sont chose immatérielle ! Qu'y a-t-il de réel, autre que les pensées qui sont sans épaisseur et sans poids ? Voilà, ici, le signe même et le symbole redouté de la mort redoutable, par un simple hasard tout à coup métamorphosé et devenant le signe entre tous expressif des secours et de l'espérance au plus profond du péril. Une bouée de sauvetage d'un cercueil ! Est-il possible ou nécessaire d'aller plus loin ? Se pourrait-il, pris dans un certain sens spirituel, que le cercueil ne fût, après tout, qu'un garde-immortalité ? Il faudra que j'y pense. Ou plutôt non. Si loin, je me suis avancé sur le côté obscur et sombre de ce monde, que son autre côté, le côté théoriquement lumineux et clair, ne m'apparaît que sous un jour incertain et crépusculaire. Mais n'en auras-tu donc jamais fini, oh ! charpentier, de cette musique de malédiction ? Je vais en bas ; que du moins je n'aie plus sous les yeux cette chose quand je remonterai ! Et maintenant à nous, Pip ! nous allons parler de tout cela ; ce sont de si merveilleuses philosophies dont tu me combles et me régales ! Il faut que d'autres mondes de l'inconnu t'en aient rempli ! »

LE « PÉQUOD » RENCONTRE LA « RACHEL »

Le lendemain fut aperçu de loin un grand voilier, la *Rachel*, qui venait droit sur nous, portant ses vergues toutes chargées d'hommes. Le *Péquod* filait bonne allure, mais quand l'étranger à la vaste voilure nous passa au vent, nos arrogantes voiles portant plein affalèrent d'un coup comme des outres déchirées, et toute vie quitta soudain la carène mortifiée.

– Mauvaises nouvelles ; ce sont des mauvaises nouvelles qu'il apporte, grommela le vieil homme de Man.

Mais avant que le commandant, qui se tenait dans sa baleinière, le porte-voix déjà embouché, eût pu seulement nous héler avec quelque espoir de se faire entendre, ce fut la voix d'Achab qui retentit :

– Aperçu le Cachalot Blanc ?

– Oui ; hier. Avez-vous vu un canot en dérive ?

Muselant sa joie, Achab répondit par la négative à cette question inattendue ; et il allait se décider à se rendre à bord de l'autre navire, quand on vit la baleinière du capitaine étranger descendre le long de son bord, après que le voilier eut mis en panne. Quelques coups d'aviron, et sa gaffe avait agrippé les grands porte-haubans du *Péquod* ; le capitaine sautait sur notre pont. Sur-le-champ, Achab l'avait reconnu : c'était un Nantuckais de ses relations. Mais nulle politesse ne fut échangée entre les deux hommes.

– Où était-il ?... pas tué, non ?... pas tué ? criait Achab en s'avançant. Qu'est-ce qu'il s'est passé ?

Tard dans l'après-midi de la veille, apprit-on, alors que trois des baleinières de la *Rachel* avaient pris la chasse d'un petit groupe de cachalots qui les avait éloignés de quatre ou cinq milles du vaisseau, où elles les poursuivaient ardemment au vent, la blanche bosse et le front blanc de Moby Dick étaient apparus soudain en surface, à peu de distance sous le vent du navire. La quatrième baleinière en état – c'était un canot de réserve – avait aussitôt été mise à la mer. Après une rapide course à la voile, plein vent arrière, ce quatrième canot – le meilleur marcheur des quatre – devait avoir réussi à ferrer, du moins à ce qu'avait pu en juger la vigie à bord. L'homme avait vu le canot se fondre dans le lointain ; puis un soudain éclair de blancheur autour du petit point noir ; puis plus rien ; sur quoi il avait conclu que le cachalot tenu avait filé loin, entraînant derrière lui ses chasseurs, comme il en va bien souvent. Il y eut certes quelque inquiétude à leur sujet, mais aucune appréhension véritable à bord. Les signaux de rappel furent hissés aux mâts, et l'obscurité survint. Forcée d'aller d'abord au vent rechercher et palanquer ses trois canots, avant de partir exactement dans la direction opposée en quête du quatrième, la *Rachel* s'était vue contrainte non seulement de laisser ce dernier livré à son propre destin jusqu'au plein de la nuit, mais encore d'accroître provisoirement la distance qui les séparait, lui et elle. Mais enfin, lorsque les trois premiers équipages se trouvèrent en sécurité à bord, le vaisseau fit force de voiles, montant bonnette sur bonnette, derrière le canot manquant. Ils allumèrent un feu dans le fondoir en guise de fanal et de phare ; tous les hommes disponibles grimpèrent aux plus hautes vergues pour guetter. Cependant, quand on eut approximativement reparcouru la distance et gagné les parages où la baleinière avait été vue pour la dernière fois ; quand on eut même battu la mer un peu de tous les côtés avec les baleinières remises à l'eau dans ce but, on ne trouva rien. On refit voile encore ; stoppa de nouveau ; recommença les recherches avec les canots. En vain. Et ainsi jusqu'au lever du jour. Pas la moindre trace du canot.

Son récit fait, le capitaine aborda sans plus tarder l'objet de la requête qui avait motivé sa visite : il désirait que le *Péquod* se joignît à son navire pour poursuivre la recherche. Les deux voiliers vogueraient à quelque quatre ou cinq milles de distance, suivant des routes parallèles, et l'on pourrait ainsi inspecter un double horizon, en quelque sorte.

– Je parierais bien quelque chose, chuchota Stubb à l'adresse de Flask, qu'un des gars de cette baleinière avait dû mettre le meilleur costume du capitaine!… ou peut-être avait-il pris sa montre? Il faut qu'il y ait quelque chose de ce genre pour qu'il soit si diablement pressé de le retrouver. Qui a donc jamais entendu parler de deux pieux et charitables baleiniers croisant de conserve, en pleine saison de pêche, derrière un canot manquant? Tu le vois, Flask, comme il est pâle… pâle jusqu'au plus noir de l'œil… ma parole! ce n'était pas son costume, ce devait être…

– Mon garçon, mon propre garçon est parmi eux. Pour l'amour de Dieu, je vous en conjure, je vous en supplie – insistait le capitaine auprès d'un Achab qui avait reçu polairement sa requête –, quarante-huit heures, permettez-moi d'affréter votre navire pendant quarante-huit heures… je serais trop heureux de payer, et largement pour ça… ne serait-ce que cela… seulement quarante-huit heures… rien que ce court laps de temps. Oh! vous ne pouvez pas, vous ne pouvez pas me refuser ça, et vous *devez* le faire!

– Son fils, oh! c'est son fils qu'il a perdu! s'exclama Stubb. Je retire le costume et la montre… mais que dit Achab? Il faut que nous sauvions ce gosse!

– S'est noyé avec les autres la nuit dernière, prononça le vieil homme de l'île de Man qui se tenait derrière les lieutenants. J'ai entendu, nous avons tous entendu leurs esprits.

En l'occurrence, ce qui rendait la malheureuse histoire de la *Rachel* plus poignante encore, comme nous vînmes à l'apprendre presque aussitôt, c'est qu'à un moment donné ce n'était pas seulement l'un de ses fils que le capitaine avait dans un canot perdu, mais deux. Un autre de ses fils, en effet, faisait partie de l'équipage de l'une des autres baleinières qui s'étaient trouvées écartées du vaisseau pendant les sombres vicissitudes de la chasse. Et le malheureux père fut un moment plongé dans la perplexité la plus cruelle, dont devait seulement le sortir son second en adoptant d'instinct la méthode ordinairement en usage à bord des baleiniers en pareille circonstance; à savoir, lorsqu'on a plusieurs canots en péril, mais dispersés, de se porter d'abord au secours des plus nombreux. De tout cela, le capitaine n'avait pas parlé tout d'abord, retenu par quelque raison non révélée de son caractère, et il ne l'avait fait que contraint par la froideur de glace que lui opposait Achab. Il n'avait voulu parler que du garçon perdu : un gamin d'à peine douze ans que son père, dans sa forte mais téméraire affection paternelle de Nantuckais, avait songé à initier de la sorte et de si bonne heure aux périls et aux merveilles d'une vocation et d'un métier presque immémoriaux chez ceux de sa race. Il n'est pas rare du tout que des capitaines de Nantucket vous expédient loin d'eux, à un âge aussi tendre, un enfant sur quelque autre vaisseau en partance pour une campagne de trois ou quatre années ; s'assurant par là que les premiers pas de leur fils dans la carrière de baleinier ne seront pas soutenus par un excès d'égards, de partialité ou d'attentions légitimes et naturelles chez un père, mais indues – ni troublés par des craintes ou des appréhensions exagérées.

L'étranger n'avait toujours pas cessé de supplier Achab de lui accorder cette pauvre faveur ; et Achab ne cessait toujours pas d'être comme une enclume, recevant chaque coup l'un après l'autre sans le moindre frémissement, sans la moindre émotion personnelle.

– Je ne veux point partir, que vous ne m'ayez dit *oui*, répétait le capitaine. Faites pour moi ce que vous voudriez qu'on fît pour vous dans un cas semblable. Car *vous aussi*, capitaine Achab, vous avez un enfant – bien que tout petit et bien au chaud à la maison –, un enfant de vos vieux jours, lui aussi… Oui, oui, vous consentez, vous cédez, je le vois… à présent. Vite, vous autres, sautez, sautez aux bras et pare à virer, vite.

– A bas ! hurla Achab. Que personne ne touche à une écoute.

Puis s'adressant au visiteur, d'une voix insistante qui frappait longuement chaque mot, il prononça :

– Capitaine Gardiner, je ne veux pas. D'ores et déjà j'ai perdu assez de temps. Adieu. Adieu. Que Dieu te bénisse et qu'il me pardonne, mais il faut que j'aille. Monsieur Starbuck, ayez l'œil à la montre de l'habitacle ; et dans trois minutes exactement d'ici, que tous les étrangers aient quitté le bord. Brassez, mêmes amures que devant, et même route.

Pivotant brusquement, sans se retourner une seule fois, il s'engagea dans la descente et gagna sa cabine, laissant le capitaine visiteur atterré par le rejet total et sans condition de sa suppliante requête. Puis se ressaisissant, le capitaine Gardiner se hâta sans mot dire au bordage, se laissa tomber plus qu'il ne sauta dans son canot, et regagna son bord.

Les deux voiliers bientôt éloignèrent leurs sillages divergents ; et tout le temps que l'autre resta en vue, nous pûmes l'apercevoir zig-zaguant çà et là, tirant des bordées vers chaque plus petite tache un peu plus sombre sur l'océan. Tantôt d'un bord, tantôt de l'autre, ses vergues étaient inclinées ; tantôt par bâbord, tantôt par tribord, on l'apercevait toujours louvoyant, serrant le vent au plus près maintenant, puis de nouveau grand largue, puis encore vent arrière, piquant contre la lame ou porté sur elle... Et pendant tout ce temps, aux vergues et aux mâts on apercevait des grappes humaines, comme au temps des cerises mûres les gosses aux branches des arbres touffus.

Mais à sa course toujours cassée, à son errance désolée, il était évident que ce dolent vaisseau dans ses larmes d'écume était tou-jours sans réconfort. C'était Rachel, pleurant ses enfants qui n'étaient plus.

LA CABINE

(Achab, prêt à monter sur le pont ; Pip lui a pris la main pour le suivre.)

– Non, mon petit, non : laisse. Je te dis qu'il ne faut pas venir avec Achab à présent. L'heure approche où Achab ne te laissera pas effaré loin de lui, quand pourtant il ne te voudrait pas non plus auprès de lui. Il y a quelque chose en toi, mon pauvre petit, dont l'effet sur ma maladie n'est que trop souverain, trop salutaire, je le sens. *Similia similibus curantur* : les semblables guérissent les semblables ; mais dans cette chasse-ci, c'est ma maladie même qui est ma santé la plus souhaitable. Reste ici, mon garçon, demeure ici en bas, où ils te serviront comme si tu étais le capitaine. Là, oui ! tu vas t'asseoir, tu vas te mettre dans mon propre fauteuil de mer ; boulonné au plancher ; comme un autre boulon, tu vas être.

– Oh ! non, non ! Monsieur, votre corps n'est pas un corps complet ; usez de ce pauvre moi comme de votre jambe ; appuyez-vous sur moi, Monsieur, marchez avec moi, sur moi. C'est tout ce que je demande : être ainsi une partie de vous-même.

– Toi !... Malgré des millions de scélérats, voilà qui fait de moi un fervent, un mystique croyant de la fidélité inflétrissable de l'homme !... un nègre ! un fou !... Mais je crois bien que *similia similibus curantur* s'applique aussi à lui : tant il a regagné en santé de raison.

– On m'a raconté que Stubb, Monsieur, avait une fois laissé le pauvre petit Pip, et que ses os noyés sont blancs de neige à présent, en dépit de tout le noir de sa peau vivante. Mais moi, je ne vous laisserai jamais, Monsieur, je ne vous abandonnerai jamais comme a fait Stubb avec lui. Il faut que je vous accompagne, Monsieur.

– Si tu me parles ainsi encore, et si peu que ce soit, tout le projet d'Achab se retourne en lui. Je te dis non ; cela ne se peut pas. Cela ne peut pas être.

– Oh ! maître, mon bon maître ! Mon bon maître !

– Mets-toi à pleurer, et je te tue ! prends-y bien garde, car Achab lui aussi est fou. Prête l'oreille : tu entendras mon pied d'ivoire retentir sur le pont, et tu sauras ainsi que je suis là. Maintenant je m'en vais. Je te quitte… Donne ta main, donne ! Fidèle, tu l'es, mon petit, comme le cercle à son centre. Oui. Que Dieu te bénisse à jamais ! et si les choses en venaient là… alors que Dieu te sauve pour toujours et à jamais, quoi qu'il advienne !

(Exit Achab ; Pip risque un pas, un seul.)

– Voici où il était à l'instant ; je me tiens dans son air… mais tout seul, je suis seul. Si seulement le pauvre petit Pip était ici maintenant, je pourrais supporter cela ; mais il est perdu. Pip, Pip ! Ding, dong ! ding, dong !… Qui a vu Pip ? Il doit être en haut ; j'essaye de cette porte. Comment ? ni serrure, ni verrou, ni barre… et elle ne s'ouvre pas. De la magie, il faut que cela soit ; il m'a dit de rester ici : oui, c'est cela, et il m'a dit que son fauteuil était pour moi. Je m'y assiérai donc, là, sur l'axe central, avec la quille entière du vaisseau et tous ses trois mâts devant moi, en droite ligne. C'est ici, disent nos vieux matelots, que des amiraux en grand uniforme prennent des fois le haut bout de la table, siégeant sur des rangées entières d'épaulettes dorées de capitaines et de lieutenants. Holà ! qu'est-ce donc ? Épaulettes ! épaulettes ! Des épaulettes d'or tout partout qui arrivent. Très heureux de vous voir, Messieurs, faites circuler les flacons ; servez-vous, Messieurs !… Comme il fait drôle qu'un petit nègre soit l'hôte de Blancs en uniforme et tout couverts de galons d'or !… Messieurs, avez-vous vu un certain Pip ?… un petit gamin noir, taille cinq pieds, mine louche, l'air lâche. A sauté d'une baleinière un jour ; pas vu ?… Non ?… Bien, alors emplissez vos coupes, capitaines, et

buvons à la honte de tous les couards. Je ne nomme personne.
Honte sur eux ! Un pied sur la table, et honte à tous les froussards !... Chut ! juste au-dessus, ici, j'entends l'ivoire... Oh !
maître, mon maître ! C'est comme si vous marchiez sur mon cœur
quand je vous entends marcher au-dessus de moi. Mais ici, j'y res-
terai, quand cette poupe talonnerait sur les écueils, quand les
rochers l'enfonceraient et quand les coquillages viendraient partout me recouvrir.

CXXX

LE CHAPEAU

Et maintenant que dans le temps et dans les lieux voulus, après une première campagne si vastement et si longtemps poursuivie, Achab – ayant battu toutes les eaux baleinières – avait traqué son ennemi dans un dernier vallon de l'océan, afin de pouvoir plus assurément l'abattre ; maintenant que le vieil homme se retrouvait en vérité sous la latitude et à la longitude où la blessure de son tourment lui avait été infligée ; maintenant qu'un voilier avait été hélé, qui avait, et la veille même, rencontré effectivement Moby Dick ; et alors que depuis si longtemps toutes les paroles échangées avec divers et maints vaisseaux n'avaient fait que confirmer de tant de différentes manières la diabolique indifférence avec laquelle le Cachalot Blanc, soit attaqué, soit attaquant, déchirait ses chasseurs ; oui, maintenant, Achab était Achab, et dans l'éclat de son œil, il y avait quelque chose d'insoutenable pour les âmes d'une trempe faible. Tout de même que l'astre polaire qui darde sans faiblir, tout au long des six mois de la longue et unique nuit arctique, l'éclat vif et perçant de son feu médian ; de même aussi l'idée fixe d'Achab étincelait sans défaillance au sein de la constante nuit de ce sombre équipage, le dominant si bien et de si haut, que chez les hommes tous les doutes, les présages obscurs, le découragement et les craintes se cachaient même de leurs propres âmes et ne se risquaient plus à laisser transparaître le plus petit bourgeon.

Dans ce prémonitoire instant, comme suspendu encore, toute gaieté quelle qu'elle fût, naturelle ou forcée, s'était évanouie aussi. Stubb ne tentait même plus d'évoquer un sourire ; Starbuck

n'avait plus rien à redire à personne. L'élan vital, toute joie et tristesse, l'espérance et la crainte, tout était écrasé, pilonné, réduit en
poudre et en poussière dans le mortier de fer de l'âme implacable
d'Achab. Tous muets, ils allaient et venaient sur le pont comme
des machines, conscients seulement de l'œil despotique du vieil
homme qui était posé sur eux, toujours.

Mais s'il vous eût été donné de le pénétrer, lui, au profond de
son être et dans le plus secret de ses moments intimes – lorsqu'il
pensait que nul regard, sauf un, n'était posé sur lui – vous eussiez
vu alors que si les yeux d'Achab impressionnaient tellement l'équipage, l'inscrutable regard du parsi faisait le même effet sur lui, et,
par moments du moins, le troublait profondément. Il est vrai que
le mince Fédallah se revêtait de plus en plus d'un mystère feutré,
d'un étrange silence ; de longs frissons incessants l'agitaient ; et les
hommes, à le voir, se demandaient si oui ou non il était là, incer-
tains qu'il fût réellement un être mortel, ou seulement l'ombre de
quelque être invisible, visible et frémissante sur le pont. Une
ombre errante et sans repos. Car même de nuit, on n'était pas bien
sûr que Fédallah dormît ou seulement quittât jamais le pont pour
descendre. On l'y voyait toujours, des heures durant, immobile ;
mais jamais il n'était assis, ni même appuyé ; et ses yeux à peine
entrouverts, mais d'une constance merveilleuse, affirmaient sans
détour dans leur éclat : « Nous sommes les veilleurs, nous deux, qui
ne dormons jamais. »

Et de même était-il impossible pour les hommes de poser jour
ou nuit le pied sur le pont sans avoir Achab devant eux, soit qu'il
se dressât à sa place habituelle, son talon d'ivoire fiché dans son
trou au poste de commandement, soit qu'il fît ses réguliers allers et
retours entre les strictes limites de l'artimon et du grand mât ; soit
encore qu'ils le vissent sous le capot de descente, sa jambe valide
avancée sur le pont comme pour un pas en avant, son chapeau
enfoncé sur les yeux, toujours aussi immobile, indifférent à l'accumulation des jours et des nuits, sans qu'il regagnât jamais son
hamac ; mais, cachés comme ils l'étaient sous l'ombre du chapeau,
on ne pouvait jamais dire à coup sûr si ces yeux se fermaient parfois, ou s'ils restaient intensément fixés sur les hommes ; d'une
immobilité de pierre, il y restait ainsi des heures, et peu importait

que la nocturne rosée vint perler sur son chapeau ou son caban. Les vêtements que la nuit avait mouillés, le soleil du jour les séchait; et ainsi jour sur jour et nuit sur nuit. Achab ne quittait plus le pont. S'il lui fallait quelque chose d'en bas, de la cabine, il l'envoyait chercher.

Il prenait également ses repas au plein vent, c'est-à-dire le breakfast et le déjeuner seulement, car il ne touchait jamais au dîner. Il ne se faisait non plus pas la barbe qui broussaillait en boucles gris de fer sur ses joues, pareille aux mousses drues qu'on voit croître sur les racines nues des arbres déracinés dont le feuillage se flétrit. Mais si la vie d'Achab n'était plus, tout entière, qu'une veille ardente et sans repos sur le pont; si le mystique feu du regard du parsi ne connaissait non plus de défaillance; les deux hommes, pourtant, ne se parlaient apparemment jamais – directement l'un à l'autre, veux-je dire – sauf de loin en loin pour des choses peu importantes du train-train quotidien. Quelque importants que fussent le lien et le charme magiques unissant ces deux hommes, ils se donnaient à l'extérieur, à la stupéfaction craintive et effrayée de l'équipage, comme les deux pôles opposés. Et s'il pouvait se faire qu'un mot, parfois, fût échangé entre eux dans la journée, de nuit, en revanche, ils sombraient l'un et l'autre dans un mutisme total. Des heures durant, sans qu'un souffle passât entre eux, ils restaient ainsi vis-à-vis sous les étoiles : Achab, de pierre, sous le capot de descente, et le parsi, sans un geste, au pied du grand mât. Mais leurs regards ne se quittaient pas. On eût dit que, dans le parsi, Achab voyait devant soi son ombre; et le parsi, dans Achab, la matière délaissée de son corps.

Même si Achab, en fait – qui n'abandonnait plus un instant une parcelle de son autorité et qui se révélait à toute heure, à chaque instant, comme le seul maître à bord – apparaissait de plus en plus comme une puissance seigneuriale et parfaitement autonome, il n'en était pas moins que l'un et l'autre, l'ombre fluette et la carcasse solide, étaient ensemble attelés côte à côte au même char, et menés tous deux par le même invisible tyran. Et quelle que fût la nature terrestre ou surnaturelle du parsi, Achab, lui, était le solide Achab, tout en sa quille immuable et en ses fermes membrures.

A la toute première pointe hésitante du jour, on entendait sa voix de fer clamant sur l'arrière :

– Les hommes aux postes de vigie !

Et tout au long du jour, et jusqu'après le coucher du soleil, et jusque dans l'ombre déjà sombre du crépuscule vespéral, heure après heure, chaque fois que le timonier avait piqué la cloche, on entendait cette même voix :

– Voyez-vous quelque chose ? Surveillez ! surveillez !

Oui, mais lorsque trois ou quatre jours se furent écoulés ainsi depuis la rencontre du *Péquod* avec la *Rachel* éplorée à la recherche de ses enfants, et que nul souffle n'eut été aperçu, le vieil homme obstiné dans sa monomanie se prit à douter de la fidélité de l'équipage ; il allait même jusqu'à se demander, semblait-il, si Stubb et Flask eux-mêmes ne faisaient pas exprès de ne pas voir ce qu'il cherchait si passionnément. Ces soupçons, toutefois, si réellement il les portait en lui, ne furent heureusement pas exprimés formellement – il n'alla pas jusque-là – et ses actes seuls, mais nettement, les laissaient transparaître.

– Je veux moi-même voir le cachalot le premier ! leur dit-il. Oui, c'est Achab qui va avoir le doublon.

Sur quoi il se mit à confectionner lui-même, de ses propres mains, une « chaise double[1] », envoyant frapper la poulie où passait le cordage tout au haut du grand mât, recevant en retour le bout du filin sur le pont. Il prépara alors pour ce bout un cabillot au râtelier de lisse, et, les deux extrémités en main, planté devant le râtelier, il dévisagea son équipage, arrêtant longuement son regard sur Daggoo, Quiequeg et Tashtégo, glissant sur Fédallah, pour finalement planter son œil ferme et insistant sur son second, lui disant :

– Prends le filin ; officier, c'est à toi, Starbuck, que j'en confie la garde.

Il s'installa alors dans la chaise et donna l'ordre qu'on le hissât à son perchoir, Starbuck ayant à crocher le filin en personne et à

---

1. C'est une double boucle dont le nœud ne peut se desserrer, dans laquelle s'assoit un homme qu'on veut hisser ou affaler dans la mâture ; l'un des plis sert de siège, et l'autre soutient les reins.

demeurer, par la suite, à portée. Achab, un bras autour du mât de cacatois, portait au loin son regard sur des milles et des milles d'océan, en proue, en poupe, à tribord et à bâbord, sur tout l'immense cercle d'horizon commandé depuis ces hauteurs.

Lorsqu'un matelot a à travailler de ses mains en quelque point élevé et isolé du gréement qui n'offre point d'assise pour les pieds, c'est ainsi qu'on le hisse en mer, le suspendant au niveau convenable au bout d'un filin; dans ces cas-là, l'extrémité crochée en bas, sur le pont, est toujours donnée en garde à quelque matelot qui en a la charge exclusive et particulière. Dans l'inextricable fouillis des manœuvres courantes, en effet, il n'est pas toujours possible de savoir infailliblement à quoi correspondent en haut les drisses, écoutes, pantoires et mille autres cordages choqués aux râteliers sur le pont; et comme ces manœuvres sont à tout instant larguées pour les besoins de la navigation, ce serait un accident à peu près inévitable, faute d'un veilleur particulier, que la précipitation soudaine de l'homme ainsi perché sur le pont ou en mer, par suite d'une fausse manœuvre de quelque gabier. Les dispositions d'Achab n'avaient donc, en elles-mêmes, rien d'extraordinaire, en fait; mais ce qui l'était, en revanche, c'était le fait d'avoir choisi Starbuck pour cette vigilance, le seul homme à bord qui eût jamais osé s'élever si peu que ce fût contre son dessein, l'un de ceux dont il pouvait douter le plus, tant pour la fidélité que pour l'ardeur à la chasse proprement dite de Moby Dick. Étrange était-il que ce fût lui, précisément, qu'Achab eût choisi pour lui confier délibérément la garde de sa vie même, qu'il se fût mis entre les mains d'un homme en qui, par ailleurs, il avait encore moins confiance qu'en tout autre.

Il n'y avait pas dix minutes qu'Achab, donc, avait été hissé à son poste de guet pour la première fois, qu'un de ces sauvages faucons de mer à bec rouge, qui viennent si souvent tournoyer fort incommodément autour des vigies de baleiniers sous ces latitudes, vint planer et criailler tout près de la tête du capitaine, le serrant dans les cercles tendus et rapides de son vol. Puis l'oiseau s'élança vertigineusement à la verticale, à quelque cent pieds dans les airs, pour redescendre en spirales et revenir tournoyer de nouveau tout près du mât.

Achab, le regard plongé passionnément sur la ligne incertaine du plus lointain horizon, semblait ne pas avoir seulement remarqué le rapace; et personne ne l'eût remarqué à bord, n'était l'étrangeté de la circonstance qui faisait que pour les yeux de tous, la vue la plus ordinaire, le spectacle le plus courant ou le plus accoutumé, prenait maintenant une signification particulière et se chargeait instantanément d'un sens augural.

– Votre chapeau, Monsieur, attention à votre chapeau! avait crié le Sicilien qui était en vigie à la pomme du mât d'artimon, c'est-à-dire juste derrière Achab, quoiqu'un peu au-dessous, et séparé de lui par un abîme aérien.

Mais déjà l'aile noire était devant les yeux d'Achab, le long bec crochu au niveau de sa tête; et avec un long cri, le noir faucon s'enlevait avec sa proie.

Un aigle, par trois fois, avait volé sur la tête de Tarquin, lui enlevant sa coiffure pour ensuite la lui remettre, et Tanaquil, sa femme, lui annonça en conséquence qu'il serait roi de Rome. Mais c'était seulement par le fait que la coiffure eût été replacée que l'augure, alors, avait été faste. Et le chapeau d'Achab ne lui fut jamais rapporté. Le faucon sauvage s'en fut et l'emporta au loin, là-bas, dans l'horizon devant l'étrave, et finalement disparut. Et au moment où il allait disparaître, on crut voir un minuscule point noir, dans le miroitement, tomber des hauteurs du ciel sur l'étendue de l'océan.

LE « PÉQUOD » CROISE LE « DÉLICE »

Le *Péquod* passionné faisait voile ; les houles et les jours passaient sur ses arrières où le cercueil-bouée se balançait légèrement. Un autre vaisseau, qui portait misérablement son nom malencontreux de *Délice*, vint en vue ; et tandis qu'il approchait lentement sur nous du fond de l'horizon, les regards de nos hommes furent tous attirés par le faisceau des gros étais, nommés bigues, que certains baleiniers portent sur le gaillard d'arrière où il s'élève à huit ou neuf pieds, servant de grue pour les canots de rechange à gréer ou les baleinières à réparer après avaries. On y voyait, suspendue, la blanche membrure démantelée de ce qui avait été une fois une baleinière, et n'était plus à présent qu'une armature dénudée à travers laquelle passait le regard, comme à travers le squelette blanchi et tout déboîté d'un cheval dans le désert.

– Aperçu le Cachalot Blanc ?

– Regarde ! répondit de son banc de quart le capitaine, pâle et la joue creuse, désignant de son porte-voix les restes démembrés de l'épave.

– Est-il tué ?

– Le harpon qui fera ça n'est pas encore forgé !

Et le capitaine, tristement, regardait sur son pont un hamac que des hommes en silence étaient en train de coudre sur un corps.

– Pas forgé ? hurla Achab, arrachant de ses fourches le harpon forgé par Perth et le brandissant haut. Regarde bien, Nantuckais : là, dans cette main, c'est la mort de Moby Dick que je tiens ! Une trempe de sang, et une trempe aux feux de la foudre, ce fer ! Et je

jure de lui donner sa troisième et dernière trempe dans le bouillant
foyer vital du Cachalot Blanc, sous son bras, là où bat le plus fort
sa maudite existence !

– Dieu te garde, vieil homme, en ce cas !... Tu vois ceci ? (il
montrait le hamac). Funérailles pour un seul des cinq hommes
vigoureux qui étaient bien vivants hier encore, mais qui sont morts
avant la nuit. Je ne puis faire de funérailles qu'à *celui-ci*; les autres
ont été ensevelis avant leur mort; vous croisez sur leur tombe.

Puis le capitaine étranger se tourna vers ses hommes :

– Paré ? La planche au sabord; et soulevez le corps, doucement,
là !... Ah ! Dieu, dit-il en s'avançant alors, les mains jointes, que la
résurrection et la vie...

– La barre au vent ! Bordez ! commanda Achab à ses hommes,
vif comme l'éclair.

Mais la brusque ruée en avant du *Péquod* ne fut pas assez
prompte, pourtant, pour qu'on n'entendît point le *plouf* du corps
envoyé à la mer; pas assez prompte, non plus, pour que l'écla-
boussure du plongeon ne vînt asperger la coque de ce baptême
d'outre-tombe.

Et comme Achab présentait ses arrières à ce *Délice* de la désolation, la bizarre bouée de sauvetage que le *Péquod* portait en poupe
tomba en pleine vue du funèbre navire. Une voix prophétique et
lourde monta dans notre sillage :

– Oh ! regardez, les hommes, voyez donc là, vous autres !...
C'est en vain que tu fuis de devant nos tristes funérailles, étranger;
tu ne t'es détourné de nous que pour nous montrer un cercueil.

SYMPHONIE

C'était un jour de claire transparence et tout d'un bleu d'acier. À peine si, dans cet azur intense où tout était baigné, le firmament de l'air pouvait se distinguer du firmament de l'eau : il y avait seulement que l'air pensif et doux de l'atmosphère avait une pureté exquise et comme la lumière d'un regard féminin, alors que le robuste et viril océan respirait à longs traits puissants et prolongés, comme la poitrine de Samson dans son sommeil.

Lointaine ou proche dans l'azur de la hauteur, l'aile blanche de neige de quelque oiseau immaculé glissait, silencieuse ; c'étaient les aimables pensées de l'atmosphère féminine. Mais çà et là dans l'abîme, profondément dans son azur sans fond, se ruaient le puissant léviathan et le poisson-épée et les requins ; pensées violentes, coléreuses, meurtrières du masculin océan.

Ce contraste, pourtant, n'était qu'intérieur ; extérieurement il ne se signalait qu'à peine par d'imperceptibles ombres : il n'y avait apparemment qu'un azur ; le sexe seul semblait, en quelque sorte, les distinguer l'un de l'autre.

Dans les hauteurs, tel un monarque et un tzar, le soleil paraissait faire don de l'atmosphère exquise et délicate au hardi et mouvant océan, comme une épouse à un époux. Et sur toute la ligne d'horizon qui formait un cercle parfait, une tendre et vibrante palpitation – plus visible ici, sous l'équateur – montrait avec quelle confiance attendrie et émue, et dans quelles amoureuses alarmes la timide épousée s'abandonnait.

Le front noueux et dur, sillonné, gravé, ravagé de rides ; fixé

dans son obstination inflexible et hagarde; avec aux yeux l'éclat
des braises qui luisent encore dans les cendres de la dévastation et
de la ruine; l'inébranlable Achab, planté dans cette matinale
transparence azurée, dressait son front casqué de fer et visière
baissée auprès du front splendide et féminin du ciel.

Oh!... l'immortelle enfance et la candeur tout innocente de
l'azur! Oh! vous, créatures ailées qui vous ébattez, invisibles,
autour de nous! Tendre jeunesse, suavité exquise de l'air et du
ciel! combien indifférentes vous étiez à la torsion douloureuse et
aux affres du cœur du vieil Achab! Semblablement j'ai vu Marthe
et Marie, petits elfes aux yeux rieurs, gambader et folâtrer autour
de leur vieux père, jouant sans souci avec la couronne des mèches
roussies qui restaient encore sur les bords du volcan éteint de son
cerveau.

Traversant lentement le pont depuis le capot de descente, Achab
alla se pencher sur la lisse, regardant son ombre s'enfoncer et
s'enfoncer toujours plus sous son regard dans les eaux à mesure
que lui-même scrutait et perscrutait plus avant dans les profondeurs. Mais les senteurs aimables et les arômes exquis de cet air
enchanté finirent, sembla-t-il, par avoir raison pour un moment
de ce qui lui rongeait l'âme. L'heureuse brise dans sa joie, le ciel
dans sa séduction finirent par le toucher, par l'enchanter lui-
même; le monde dur et si longtemps cruel – plein de pardon ou
plein d'oubli – paraissait à présent passer un bras affectueux et
maternel autour de son cou obstiné; il versait, semblait-il, des
larmes de joie sur lui, comme sur quelqu'un dont le cœur, malgré
son endurcissement et son péché, pouvait encore être sauvé, béni,
sanctifié. Et sous l'ombre du chapeau enfoncé sur ses yeux, une
larme d'Achab glissa et vint tomber dans la mer. Le Pacifique
entier ne contint rien, jamais, d'aussi précieux que cette unique
petite goutte d'eau salée.

Starbuck avait vu le vieil homme; il avait vu combien lourdement il se penchait sur la lisse, et son cœur entendit, semblait-il,
lui-même aussi profondément cet immense sanglot du silence au
sein de la sérénité universelle. Attentif à ne pas le toucher, à ne pas
le déranger en se faisant voir, Starbuck s'approcha tout près du
vieil homme et resta là.

Achab se retourna.

– Starbuck !

– Monsieur !

– Oh ! Starbuck, quelle tendre douceur a la brise, et quelle douceur a le ciel ! c'est par un jour pareil, d'une sérénité toute semblable à celle-ci, aussi suave, que j'ai frappé mon premier cachalot, gamin harponneur de dix-huit ans ! Quarante années, oui, cela fait quarante années de ça ! Quarante années incessantes de pêche à la baleine ! Quarante années de privations, de dangers et d'orages ! Quarante années passées sur l'implacable océan ! Et pendant ces quarante années de sa vie, Achab a déserté la terre et sa paix, pour mener la guerre sur l'horreur des abîmes ! Hélas oui, Starbuck, tout au long de ces quarante années, je n'en ai pas passé trois à terre... Quand je pense à la vie que j'ai menée, au désert de solitude qu'elle fut... cette existence fermée, retranchée, murée comme une citadelle qu'est celle d'un capitaine, qui ne reçoit et n'admet nulle sympathie de la vie verdoyante qui l'environne... oh ! lassitude ! oh ! tristesse accablante !... Noir esclavage du commandement solitaire !... Quand je pense à tout cela, que j'ai à peine entrevu mais jamais aussi nettement, pertinemment ressenti et connu auparavant – et comment durant quarante années je n'ai vécu que de nourriture séchée et salée... parfait symbole du dessèchement de mon âme... quand le plus pauvre à terre a des fruits frais à portée de la main chaque jour, et rompt le pain frais du monde au lieu de mes croûtes moisies... au loin, à des océans entiers de distance me séparant de cette femme-enfant que j'ai épousée après la cinquantaine, en partance dès le lendemain pour aller doubler le cap Horn, ne laissant qu'un creux de bête couchée dans l'oreiller de mes noces... une épouse ? une épouse ? plutôt une veuve, oui, dont le mari est vivant ! C'est une veuve, pas une femme, que j'ai fait de la pauvre petite quand je l'ai épousée, Starbuck... Et puis cette folie furieuse, cette rage frénétique, ce sang tumultueux et ce front bouillonnant pour déborder mille fois du vaisseau à la poursuite encolérée, écumante de la proie... plus un démon qu'un homme, le vieil Achab !... oui, ah ! oui, quand je pense à ce qu'ont été ces quarante années de folie, ah ! quel fou, quel vieux fou a été le vieil Achab ! Pourquoi ce perpétuel combat de la chasse ?

s'exténuer, se casser les bras à l'aviron, au harpon, à la lance? en
quoi est-il ou plus riche ou meilleur, le vieil Achab à présent?
Voyons. Oh! Starbuck, n'est-il pas dur qu'avec cet accablant fardeau que je porte et qui presque m'écrase, il ait fallu qu'une malheureuse jambe fût enlevée de dessous moi? Attends, que j'écarte
cette vieille chevelure; elle m'aveugle comme si je pleurais. Là!
des cheveux aussi gris, ce ne peut être que de cendres qu'ils ont
poussé! Mais est-ce que je parais si vieux, vraiment si, si vieux,
Starbuck? Si tu savais; je me sens débile, et ployé, et cassé,
comme si j'étais Adam, titubant sous le poids des siècles entassés
depuis le paradis. Dieu! oh! Dieu, Dieu!... qu'il éclate, ce cœur!
qu'il soit écrasé, ce cerveau!... Oh! dérision, dérision amère et
cuisante, dérision désolante de ces cheveux gris : ai-je vécu assez
de joies pour vous porter? et pour paraître et me sentir aussi
insupportablement vieux? Tout près, reste tout près de moi,
Starbuck, que je puisse regarder dans un œil humain... cela vaut
mieux que de regarder dans la mer ou le ciel; cela vaut mieux que
de regarder vers Dieu. Par le vent de la terre, par l'astre resplendissant de la voûte, c'est un miroir magique, ô homme! Je vois ma
femme et je vois mon enfant dans ton œil!... A bord, tu vas rester
à bord : non, non! tu ne mettras pas à la mer avec moi, tu ne
déborderas pas quand Achab et son dard de feu prendront en
chasse Moby Dick. Ce risque-là, non, non! ne sera pas le tien!
Non... pas avec le foyer là-bas, au loin, que je vois dans cet œil!
    – Oh! capitaine, mon capitaine! âme noble! noble et grand
cœur après tout! Pourquoi quelqu'un devrait-il nécessairement
donner la chasse à ce poisson haï? Allons-nous-en ensemble!
Quittons ces eaux de mort! Rentrons. Pour Starbuck aussi il y a
femme et enfant : femme et enfant de sa fraternelle et enjouée jeunesse cordiale, de même que les vôtres, capitaine, sont la femme et
l'enfant de votre aimante et patiente et paternelle vieillesse!
Rentrons, oh! rentrons; revenons chez nous. Laissez-moi sur l'instant changer de cap! Et avec quel enthousiasme, avec quelle joie
et quels rires n'allons-nous pas, oh! capitaine, faire ardemment
notre route pour revoir le vieux Nantucket! J'imagine, Sir, qu'ils
ont d'aussi sereines journées de pur azur, là-bas, à Nantucket!
    – Oui, oui. Il y en a. J'en ai vu : certains matins d'été. A peu près

à cette heure – oui, c'est l'heure où l'enfant dort après son repas –
il s'éveille, plein de vivacité ; il s'assied dans son lit, et sa mère lui
parle de moi, du vieux cannibale que je suis. Elle lui raconte que je
suis ici, à bord, sur les grandes profondeurs, mais que je vais revenir bientôt pour le faire sauter sur mes genoux.

– Tout à fait ma Mary, c'est ma Mary elle-même ! Elle a promis
que le petit, chaque matin, serait emmené sur la colline pour être
le premier à apercevoir les voiles de son père. Oui, oui, c'est fait ;
n'en parlons plus. Nous mettons le cap sur Nantucket. Venez, mon
capitaine, venez étudier notre route, et nous rentrons ! Voyez,
voyez le visage du petit à la fenêtre ; voyez la main de l'enfant qui
nous salue de la colline !

Mais le regard d'Achab était détourné. Tel un arbre flétri, il eut
un frémissement et son ultime fruit, séché lui-même, tomba au sol.

– Qu'y a-t-il, et quelle est cette chose sans nom, surnaturelle,
impénétrable ? Quel est l'occulte maître impénitent et le sournois
seigneur caché, la cruelle, l'implacable majesté qui me commande ?... que contre toutes mes attentes et toutes mes amours, je
n'en continue pas moins de pousser de l'avant, de forcer, de foncer
toujours moi-même, contraint dans le tourment et toujours prêt à
faire ce que mon propre cœur, livré à soi-même seulement,
n'aurait même pas l'audace d'envisager ! Achab est-il Achab ?
Est-ce moi, Seigneur, ou qui est-ce qui lève ce bras ? Mais si le
soleil même ne se meut pas de son gré, n'étant qu'un des petits
obéissants du ciel ; si pas un astre, pas une étoile ne fait sa course,
que lancé et porté par un invisible pouvoir, comment ce minuscule
cœur battrait-il, comment ce minuscule cerveau penserait-il, sans
que Dieu – et non moi – voulût et fît ce battement, cette pensée ?
Par le ciel, on nous tourne et nous fait tourner dans ce monde,
comme le cabestan que voilà ; et les barres ce sont les Parques ! Et
toujours et encore, voilà ! c'est ce ciel souriant, c'est l'océan que la
sonde ne peut connaître ! Regarde : cet albatros, qui le pousse et
l'incite à fondre ainsi sur le poisson-volant ? Où iront-ils, les meurtriers, dis-moi ? Et qui donc jugera, quand le juge lui-même se
trouve traîné au banc des accusés ?... Mais quelle tendre douceur
a la brise, et quelle douceur le ciel ! L'air sent bon le foin, à présent, comme s'il venait de lointaines prairies ; ils ont dû faire les

foins quelque part sur le versant des Andes, Starbuck, et les faucheurs sommeillent sur l'herbe fraîche coupée. Sommeillent? Ça
oui ! Nous pouvons bien nous agiter et peiner tant que nous voulons, tous nous dormons à la fin couchés sur le champ. Nous dormons ? Oui, oui, et nous pourrissons au sein de la verdure, ainsi
que rouillent des faux retombées et laissées sur l'andain
inachevé… Oh ! Starbuck !

Mais Starbuck, pâle comme la mort dans son désespoir, s'en
était allé.

Achab traversa le pont pour aller se pencher de l'autre bord;
mais ce fut pour recevoir un choc à la vue des deux yeux immobiles qu'il y vit, réfléchis sombrement dans les eaux : Fédallah,
l'immuable, était penché de même au même endroit.

LA CHASSE : PREMIER JOUR

Cette nuit-là pendant le grand quart, alors que le vieil homme – comme cela lui arrivait parfois – quittait le capot où il était abrité pour regagner le trou de tarière de son poste de commandement, il releva soudain son visage avec avidité, humant la brise comme eût pu faire un fidèle chien de bord aux approches de quelque île barbare. Il prononça qu'il y avait, pas loin, du cachalot. Et bientôt, en effet, l'odeur particulière qui signale – et parfois à une très grande distance – le cachalot vivant, devint nettement perceptible à tous les hommes de la bordée ; aussi n'y eut-il parmi eux aucune surprise quand Achab, ayant consulté le compas d'abord, et ensuite le penon, afin du mieux possible de s'assurer de la direction exacte de l'odeur, donna aussitôt ses ordres pour changer légèrement le cap du navire en remontant au vent, et diminuer de toile.

La parfaite légitimité et l'exacte pertinence de ces ordres se trouvèrent confirmées à la première apparition du jour, dès qu'on vit sur la mer, droit sur l'avant et au loin, une longue bande d'eau lisse et unie comme d'huile, qui ressemblait, dans son avancée au milieu des risées qui la bordaient de part et d'autre, aux surfaces comme de métal poli du revolin des lames à l'embouchure de quelque fleuve puissant et profond.

– Les hommes aux vigies ! Tout le monde sur le pont !

Tambourinant comme un forcené sur le pont du gaillard avec la masse de trois anspects ensemble, Daggoo réveilla les dormeurs avec un tel fracas de fin du monde qu'ils apparurent presque instantanément, comme vomis par un hoquet du panneau de descente, leurs vêtements à la main.

– Que voyez-vous ? hurlait Achab, la face renversée vers le ciel.

– Rien, m'sieu ; rien du tout, fut la réponse qui tomba des hauteurs.

– Toute la toile dessus ! clama Achab, des cacatois aux bonnettes hautes et basses. Toute la toile, j'ai dit !

On étarqua partout. Quand toutes les voiles furent établies, Achab vérifia claire la manœuvre de sa chaise et donna l'ordre de le hisser là-haut. Il était aux deux tiers de son ascension, quand regardant déjà au large par l'interstice entre le perroquet et le cacatois du grand phare, il lança dans les airs un hurlement modulé :

– Souffle là-bas ! sou-ou-ouffle là-bas ! Sa bosse comme une montagne de neige ! c'est Moby Dick !

Enflammés par le cri que n'avaient fait que prolonger les trois vigies, tant immédiate avait été leur triple annonce aussitôt, les hommes s'élancèrent dans la mâture pour apercevoir, eux aussi, le cachalot fameux à la poursuite duquel ils étaient depuis si longtemps. Achab avait maintenant gagné son poste de guet, quelques pieds au-dessus des autres guetteurs ; Tashtégo, debout sur le grand cacatois, avait la tête presque au niveau du talon d'Achab. De là-haut, le cachalot était à présent visible à un mille peut-être, droit devant, sa haute bosse étincelante apparaissant dans chaque creux de lame et le jet silencieux de son souffle montant régulièrement dans les airs. Aux yeux des matelots toujours superstitieux, c'était sans contredit le souffle même qu'ils avaient aperçu déjà sous les lunes de l'Atlantique et de la mer des Indes.

– Et nul de vous ne l'avait repéré avant moi ? demanda Achab aux trois guetteurs qui planaient comme lui dans les hauteurs.

– Presque en même temps que vous je l'ai vu, capitaine Achab, et je l'ai crié aussitôt, répondit Tashtégo.

– Mais pas au *même* instant, pas tout à fait, non ! s'exclama Achab... C'est à moi, le doublon ; c'est à moi que les Parques l'avaient réservé. A moi seul. Aucun de vous ne pouvait lever le Cachalot Blanc avant Achab. – Souffle, il sou-ouffle, là ! Il sou-ou-ouffle, là ! Il sou-ou-ouffle !... Et encore !... Et encore !...

Il criait avec de longues modulations lentes et mesurées, prolongées, intensifiées sur le souffle même du cachalot dont le jet était bien visible.

– Il va plonger! Rentrez les bonnettes! Amenez les cacatois! Les trois baleinières parées! Monsieur Starbuck, tu restes à bord, souviens-toi, tu gardes le navire. Ho! de la barre, un point dessus, doucement, là! tout doux, timonier, tout doux!... Il donne de la queue! non, non, seulement des eaux noires! Paré aux baleinières? Attention! attention! Affalez, Starbuck, affalez-moi, vite, vite, plus vite, allons!

Et le capitaine Achab glissa d'un trait sur le pont.

– Il file juste sous le vent, Monsieur, droit devant; peut pas avoir vu le navire encore! s'exclama Stubb.

– Tiens-toi coi, lieutenant. Parés à la manœuvre? Attention à la barre, dessous toute! Masquez! masquez! Là, très bien. Tout le monde aux canots! Larguez!

A l'exception de celle de Starbuck, les baleinières touchèrent l'eau presque aussitôt et mirent à la voile instantanément. Les écoutes bordées, les avirons ployant sous l'effort, elles foncèrent à pleine vitesse sous le vent, Achab en tête de la flottille. Un éclair froid, une lueur de mort était au fond des yeux sombres de Fédallah; un rictus hideux lui tordait la bouche.

Comme de muettes conques de nautiles, les coques légères filaient sur l'eau de toute leur vitesse, mais elles ne se rapprochaient que lentement de l'adversaire. Et à mesure qu'elles approchaient, l'océan augmentait de douceur, semblant étendre un tapis sur ses ondes, ressemblant à quelque douce prairie sous le soleil immobile de midi, tant immobile et sereine était son étendue. Pour finir, les chasseurs haletants vinrent si près de leur proie encore inattentive apparemment, que sa bosse tout entière était distinctement visible, étincelante, glissant comme une île isolée au sein de l'océan, auréolée d'un frissonnant friselis d'une très fine, flexible et verdissante écume. On lui voyait son vaste et complexe réseau de rides qui s'avançait vers la tête à peine soulevée; et là-bas, loin en avant sous le moelleux tapis persan des eaux comme assoupies, glissait l'ombre blanche de l'immense front laiteux, accompagné par le clapotis musical des eaux joueuses; derrière le corps immergé, les différents azurs se déversaient les uns sur les autres dans le creux du vallon de son puissant sillage, cependant que de chaque côté, sur ses flancs, montaient et dansaient d'éblouissantes bulles en un ballet incessant, que faisait éclater au ras des flots l'attouchement léger de centaines d'oiseaux qui voletaient joyeusement, délicatement, partout autour, croisant et recroisant leurs vols gracieux. Semblable au mât de pavillon dressé sur la coque peinte de quelque caravelle, la haute hampe pourtant brisée d'une lance récente était fichée au dos du Cachalot Blanc, droite dressée ; et l'un ou l'autre des légers oiseaux de la nuée des ailes qui faisait comme une arche, un véritable dais de plumes au-dessus du poisson, venait de temps à autre s'y poser en silence ; et il se balançait sur cette hampe, sa longue queue battant derrière lui comme un étendard.

Une exquise bonne humeur : la souveraine et puissante douceur du repos dans l'élan même de la vitesse émanait de la course glissante du cachalot. Non, même le blanc taureau jupitérien emportant à la nage sur sa corne gracieuse la ravissante Europe, et se hâtant dans un élan magique, son regard amoureux, caressant, levé sur la jeune vierge, glissant avec une douce promptitude ainsi vers le lit nuptial de Crète, non ! même lui, même Jupiter, dans son immense majesté suprême, ne dépassait pourtant pas en grâce le magnifique Cachalot Blanc dans sa nage divine !

De chacun de ses flancs rayonnants de douceur, avec les ondes qui, à peine séparées, s'écartaient vastement, amples et douces, c'étaient comme des charmes qui s'échappaient de lui, de séduisantes invitations. Quoi d'étonnant, alors, que certains parmi les chasseurs, ravis et comme enivrés, transportés ineffablement par tant de sérénité exquise, se fussent risqués jusqu'à l'attaquer pour ne découvrir que trop fatalement, hélas ! que toute cette quiétude, en définitive, ne faisait que couvrir les pires ouragans ? Et pourtant calme, oh ! cachalot, d'un calme enivrant, enchanteur, inexprimable, tu t'avances en glissant majestueusement sous les yeux de quiconque te voit pour la première fois – quel que puisse être le nombre de tous ceux que déjà tu as pu fourvoyer de la sorte et détruire !

Donc, Moby Dick taillait sa route au plus serein de ces eaux tropicales dans leur grandiose paix, parmi des ondes dont le clapotis même était comme en extase suspendu ; et sa masse immergée laissait constamment cachée aux yeux sa terrifique démesure et aussi la hideur de sa mâchoire tortue. Mais bientôt la tête entière apparut hors de l'eau, puis tout l'immense corps marbré, formant une arche haute et élancée comme le pont naturel de Virginie, apparut un instant, les immenses bannières de la queue battant l'air en signe d'avertissement : le grand dieu s'était révélé, avait plongé, était disparu hors de vue. Se mettant à planer sur place et rasant l'eau du bout de leurs ailes, les blancs voiliers de l'océan s'attardaient et traînaient sur le vaste remous que le grand plongeur avait laissé derrière soi.

Avirons rentrés, pagaies immobiles, écoutes de voiles larguées, les baleinières flottaient toutes trois silencieusement, attendant la réapparition de Moby Dick.

– Une heure, commenta Achab, debout et comme enraciné sur la poupe de son canot, le regard au-delà du lieu où avait piqué le cachalot, perdu dans les immensités bleues de l'espace onduleux et vide de la mer, sous le vent. Mais un instant seulement, car ses yeux de nouveau tournèrent, et puis sa tête, examinant tout le tour d'horizon. La brise fraîchissait, la houle commençait à creuser.

– Les oiseaux ! clama Tashtégo. Les oiseaux !

En file indienne, tels des hérons quand ils prennent leur vol, les oiseaux blancs se hâtaient tous à présent vers le canot d'Achab, autour duquel ils se mirent à tournoyer, volant en cercles criards sur les eaux toutes proches, pleins d'impatience et de joyeuse attente. Leur vue était plus perçante que celle de l'homme : Achab ne pouvait découvrir aucun signe sur l'océan. Mais soudain, comme il guettait au plus profond des profondeurs, il y perçut une vivante tache blanchâtre à peine plus grosse qu'une belette, qui remontait à une stupéfiante vitesse, grandissant à mesure jusqu'à l'instant où, se retournant, elle révéla distinctement une double rangée incurvée de dents luisantes et plus blanches encore, arrivant on ne sait trop comment de l'indiscernable fond des profondeurs. C'était Moby Dick, gueule ouverte, avec sa mâchoire tordue ; et tout le reste de sa vaste masse encore à demi voilé dans le bleu de la mer. L'étincelante bouche béait juste au-dessous de la baleinière comme le couvercle grand ouvert d'un tombeau de marbre. D'un long coup de son aviron de queue, Achab fit volter le canot de côté, l'éloignant de cette terrifique apparition. Puis il fit son changement de place avec Fédallah, gagnant lui-même vivement l'avant où il empoigna le harpon de Perth, commandant à ses hommes aux avirons de se tenir prêts à scier.

L'étrave du canot, par l'effet de cette volte opportune qu'il lui avait fait faire, devait à présent se trouver, se disait Achab, exactement devant la tête du cachalot, alors même qu'il était encore sous les eaux. Mais comme s'il avait compris le stratagème, Moby Dick, avec cette malice d'intelligence qu'on lui attribuait, l'éventa en se jetant par côté sur l'instant même, pour ainsi dire, pour venir lancer sa tête ridée juste à l'aplomb du canot.

De part en part, bordés et membrure, tout frémit sous la commotion cependant que le cachalot, légèrement renversé sur le dos comme un requin pour mordre, prenait avec lenteur et comme avec précaution l'étrave entière dans sa gueule grande ouverte, de sorte que la longue et étroite mâchoire inférieure tordue lança sa courbe bien au-dessus de la surface, avec une de ses dents crochée dans le tolet d'un aviron. L'intérieur d'un blanc bleuté de perle qui tapissait cette gueule n'était pas à six pouces de la tête d'Achab et montait bien au-dessus de lui. Dans cette position, le cachalot secouait le cèdre frêle comme un chat doucereux joue cruellement avec la souris. Fédallah regardait, sans surprise, les bras croisés ; mais tous les autres membres jaunes de l'équipage-tigre se ruèrent l'un par-dessus l'autre pour gagner plus vite l'extrême poupe.

Et maintenant, tandis que les deux plats-bords quelque peu élastiques allaient et venaient, rentrant et s'écartant, alors que le cachalot badinait de la sorte et aussi diaboliquement avec le malheureux canot perdu ; tandis que son vaste corps se trouvait encore immergé sous le canot et ne pouvait, par conséquent, pas être harponné de la proue puisque cette proue était pour ainsi dire prise dedans ; et tandis que les autres canots restaient comme figés devant l'imminence à laquelle, de toute façon, ils ne pouvaient rien ; alors il y eut que ce fou d'Achab, à la torture et rendu furieux par cette proximité affolante de son ennemi tant haï qui le tenait tout vivant et sans recours entre ses mâchoires maudites, il y eut que ce fou d'Achab saisit à pleines mains, frénétiquement, cet os tout en longueur et s'efforça furieusement de lui faire lâcher prise. Il en était là, dans ce vain effort, quand la mâchoire glissa sur lui, se refermant, faisant plier, puis éclater les frêles plats-bords, coupant net le canot en deux en glissant un peu sur l'arrière comme une paire de cisailles énormes, pour se refermer en claquant dans la mer au beau milieu des débris encore flottants. Les deux pointes du canot s'écartèrent, flottant toujours malgré leurs bouts noyés, et l'équipage cramponné aux plats-bords de la partie arrière tirait éperdument sur les avirons pour se mettre hors de portée.

L'instant d'avant, immédiatement avant que le canot fût coupé en deux, Achab avait deviné l'intention du cachalot à la façon violente dont il avait relevé puissamment la tête dans un mouvement qui le dessaisissait, lui, de sa prise ; et il avait fait un ultime effort pour dégager le canot des mâchoires. Mais le canot n'avait fait que glisser plus avant dans la gueule et, ce faisant, s'était incliné fortement de côté, déséquilibrant Achab à l'instant qu'il donnait tout son effort, de sorte qu'il était tombé à plat ventre dans l'eau.

Se reculant à petits coups, Moby Dick à présent se trouvait à une courte distance, plongeant et relevant sa longue tête blanche parmi les vagues, en roulant sur lui-même et détendant son corps comme un ressort, de sorte que les vagues maintenant assez creuses – quand il levait son front ridé à quelque vingt pieds ou plus encore au-dessus de la surface – venaient se briser sur le long fuseau en faisant rejaillir plus haut encore leur écume furieuse dans les airs[1]. C'est ainsi que pendant la tempête les lames à demi domptées de la Manche ne font que se briser au pied de l'Eddystone, mais jettent triomphalement jusque par-dessus sa tête leur écume furieuse.

Reprenant bientôt sa position horizontale, Moby Dick se mit à nager en cercles rapides autour de l'équipage naufragé ; traçant dans sa fureur un véritable sillon d'écume, comme s'il se fouettait lui-même en vue d'un nouvel et plus mortel assaut. La vue de la baleinière rompue avait l'air de le mettre en rage folle, comme le

---

1. Ce mouvement est particulier au cachalot. Ce « lancer » reçoit son nom par analogie avec le mouvement vertical de va-et-vient de la lance du « lancer léger » dans le jet précédemment décrit. Par ce mouvement bondissant, le cachalot se donne une vue meilleure et plus complète de tout ce qui l'environne. (NdA.)

jus de raisin et de mûre jeté devant les éléphants d'Antiochus dans le Livre des Macchabées. Achab, pendant ce temps, à demi suffoqué dans l'écume furieuse de l'insolente queue du cachalot, et trop infirme pour pouvoir nager – quoiqu'il fût néanmoins capable de se tenir à flot, et jusque dans un tourbillon aussi tumultueux – Achab, le malheureux, surnageait comme il pouvait, et l'on voyait sa tête ballottée comme une bulle que le plus faible choc va faire éclater. Sur la pointe arrière du canot brisé, Fédallah le regardait d'un œil calme et sans curiosité ; quant à l'équipage cramponné à l'autre extrémité mi-noyée, il ne pouvait rien pour le secourir ; ils n'avaient tous que trop déjà à s'occuper d'eux-mêmes, tant l'aspect du Cachalot Blanc était effrayant, dans sa fureur tournoyante, tant la révolution planétaire de ses orbes toujours plus étroits était rapide incroyablement, au point qu'on l'eût dit positivement en train de se jeter droit sur eux. Et quoique les deux canots intacts se tinssent tout auprès, néanmoins ils n'osaient pas se risquer à entrer dans la danse, avec la crainte que ce pût être le signal de l'extermination immédiate et complète des naufragés en péril, aussi bien d'Achab que des autres tous. Le regard tendu, ils restèrent donc sur le bord extrême de ce cercle effroyable dont le centre, à présent, était la tête même du vieil homme.

Mais depuis le commencement, on avait tout vu des vigies, à bord du *Péquod* ; et le vaisseau, brassant carré, s'était aussitôt dirigé sur les lieux du drame ; il était à présent si près, que d'où il se trouvait, Achab put héler à bord.

– Gouvernez dessus ! cria-t-il.

Mais juste à cet instant un lourd remous venu de Moby Dick lui passa dessus et l'engloutit pour un moment. Mais il réussit à s'en sortir et émergea, fort heureusement, au plus haut d'une vague, criant aussitôt :

– Gouvernez sur le cachalot !… Chassez-le plus loin !

L'étrave du *Péquod* s'élança et, rompant le cercle magique, effectivement sépara le Cachalot Blanc de sa victime. Tandis qu'il s'éloignait comme à regret, les deux canots volèrent au secours d'Achab.

Remonté dans le canot de Stubb, Achab aveuglé, les yeux injectés de sang, toutes ses rides comblées de sel et d'écume, épuisé par son long effort, sentit ses forces l'abandonner et dut céder, pour un moment, à son corps exténué : il s'affaissa dans le fond du canot, aussi plat et défait que quelqu'un qu'aurait piétiné un troupeau d'éléphants. Des profondeurs de son inconscience, d'indicibles gémissements montaient, lugubres et désolés comme le vent dans les précipices.

Mais l'intensité même de cette prostration physique eut pour effet de l'abréger. L'espace d'un instant, parfois, les grands cœurs condensent en une seule flamme de haute douleur la somme totale de toutes les souffrances plus légères supportablement réparties entre toutes les vies des faibles hommes. Et ces cœurs-là, pour sommaire que soit en elle-même chaque souffrance, portent en eux, si les dieux le décrètent, dans leur seul temps de vie, des siècles de douleur capables de flamboyer en un seul instant ; car jusque dans le centre du centre de leurs âmes, ces nobles natures contiennent et embrassent la circonférence entière des êtres qui leur sont inférieurs.

— Le harpon, demanda Achab tentant déjà de se relever et s'appuyant sur un coude, est-ce qu'il est sauf ?

— Oui, Monsieur ; on ne l'a pas lancé ; le voici, dit Stubb en le lui montrant.

— Mets-le devant moi. Manque personne ?

— Un, deux, trois, quatre, cinq. Il y avait cinq avirons, Monsieur, et nous avons cinq hommes ici.

— Bon. Donne-moi la main, homme, que je me lève. Là, voilà. Je le vois, là-bas, là-bas, qui file toujours sous le vent. Quel souffle puissant ; quel jet jaillissant !… Ôtez vos mains de moi ! Laissez-moi ! De nouveau la sève éternelle circule dans les os du vieil Achab !… La voile ! les avirons ! l'aviron de queue ! Poussez !

Il arrive souvent, lorsqu'une baleinière est détruite et que son équipage est recueilli dans un autre canot, que les hommes prêtent la main à la manœuvre de ce second canot, et que la poursuite soit reprise avec ce qu'on nomme des « avirons doublés ». Et c'était actuellement le cas. Mais la puissance supplémentaire ainsi acquise ne compensait nullement la puissance supplémentaire mise dans sa course par le cachalot. Si les avirons étaient doublés, les nageoires et les palmes de la queue étaient triplés chez lui ; et il

nageait avec une telle vélocité qu'il était clair, dans les circonstances présentes, que la chasse serait vainement poursuivie, et la
poursuite indéfiniment prolongée et finalement stérile. Aucun
équipage, en effet, ne saurait tenir à cette allure, et sans répit, et
pendant un temps indéfiniment long comme celui qu'il fallait
envisager, son effort surhumain à l'aviron ; la dépense forcenée
d'énergie est telle que la chose est à peine tolérable pour un élan
bref et un temps très court, avec le cachalot à portée. C'était le
navire lui-même, ainsi qu'il arrive parfois, qui offrait à présent
le meilleur moyen, et le plus efficace, de reprendre la poursuite.
Aussi les canots le rallièrent-ils et furent-ils bientôt palanqués aux
bossoirs, avec les éléments de l'épave qui furent hissés en même
temps à bord. Toute voile dessus, avec ses larges bonnettes
déployées comme les ailes d'un albatros, le *Péquod* se lança, vent
sous vergues, dans le sillage de Moby Dick. Aux intervalles bien
connus, le souffle étincelant du cachalot était régulièrement
annoncé par les hommes des vigies ; Achab relevait l'heure, puis
arpentait le pont, le chronomètre de l'habitacle en main ; et dès
que la dernière seconde du délai fatidique d'une heure était écou-
lée, on entendait sa voix :

– A qui le doublon, maintenant ? Le voyez-vous ?

Et si la réponse était un « Non, Monsieur ! » il se faisait immédiatement hisser à son poste de guet. Ainsi passa le jour, Achab
tantôt immobile là-haut, tantôt déambulant impatiemment sur le
pont.

Et tandis qu'il déambulait de la sorte, sans souffler mot, sauf
pour harceler les vigies ou pour commander que telle ou telle plus
haute voile fût étarquée encore, marchant ainsi sombrement sous
son chapeau enfoncé, à chaque fois il faisait demi-tour devant sa
baleinière brisée qu'on avait laissée là, quille en l'air, sur le
gaillard d'arrière, l'étrave fracassée devant l'arrière rompu. Pour
finir, il fit halte devant ; et comme on voit parfois dans un ciel déjà
lourd de nouvelles troupes de nuages venir s'amonceler et le charger encore, ainsi sur le sombre visage d'Achab, de nouvelles
ombres s'accumulèrent.

Stubb, qui avait vu le vieil homme interrompre son pas, et avec
l'intention, peut-être, de faire valoir devant son capitaine combien

peu son courage était abattu, espérant prendre ainsi une place plus chère dans son estime, Stubb s'avança à son tour et dit, regardant l'épave :

– Un chardon que l'âne a refusé, sir, il lui a trop piqué la gueule, ha ! ha !

– Quel est l'individu sans âme qui peut rire devant une épave ? Mon ami, mon ami, si je ne savais pas que tu fusses aussi brave que l'impavide feu, et tout aussi organiquement, je pourrais jurer que tu n'es qu'un poltron. On ne doit entendre devant une épave ni un gémissement ni un rire.

– Oh, oui ! Monsieur ! approuva Starbuck en s'approchant ; c'est un spectacle solennel, augural, et de mauvais augure.

– Augure ? augure ?... le dictionnaire ! Quand les dieux songent à s'adresser directement à l'homme, ils lui parlent directement, ouvertement ; avec honneur ; ils ne hochent pas la tête avec des sous-entendus de vieilles femmes et de sombres prophéties de sorcières. Retirez-vous ! Vous êtes les deux pôles opposés d'une même chose ; Starbuck est l'inverse de Stubb, et Stubb est l'opposé exact de Starbuck ; les deux bouts de la même humanité. Et Achab se dresse seul parmi les millions d'êtres qui peuplent cette terre ; ni les dieux ni les hommes ne sont ses proches, son prochain !... Froid ! froid ! je frissonne !... Et alors, là-haut ? Quoi maintenant ? Vous le voyez ? Annoncez chaque souffle, quand même il soufflerait dix fois la seconde !

Le jour touchait à sa fin ; il n'y avait plus que l'ourlet de sa robe d'or à faire bruisser un dernier frou-frou. Bientôt ce fut presque la nuit close ; mais les vigies étaient toujours et encore à leurs perchoirs.

– Peux plus voir de jet à présent, Monsieur. Trop sombre ! lança une voix des hauteurs.

– Quelle direction tenait-il au dernier signal ?

– Toujours pareil, Monsieur, droit sous le vent.

– Bon ! Il va ralentir à présent qu'il fait nuit. Amenez les cacatois et les bonnettes hautes, monsieur Starbuck. Il ne faut pas qu'on aille le dépasser avant l'aube. Il est « en passage » à présent, et il pourrait quelque peu abattre son allure. Ho ! la barre, droit sous le vent !... Descendez, là-haut !... Monsieur Stubb, tenez-moi un guetteur à la pomme de misaine, et cela jusqu'à l'aube.

Tous ses ordres donnés, Achab alla se planter devant le doublon au pied du grand mât.

– Hommes, leur dit-il, l'or que voici est à moi puisque je l'ai gagné. Mais je vais le laisser là, à sa place, jusqu'à ce que soit tué le Cachalot Blanc. Et le premier qui l'aura signalé le jour où il sera tué, alors l'or est à lui ! Et si c'est moi qui le lève de nouveau ce jour-là, alors je partagerai entre vous tous dix fois sa valeur ! Filez tous, à présent. Starbuck, je te laisse le pont.

Et avec ces mots, il regagna son abri sous le capot de descente où il demeura, le chapeau enfoncé sur les yeux, immobile jusqu'à l'aube, à l'exception des quelques fois où il s'avança à mi-corps pour voir où en était la nuit.

LA CHASSE : DEUXIÈME JOUR

A la première pointe du jour, ponctuellement, les trois vigies reçurent leurs trois guetteurs.

– Le voyez-vous ? cria Achab d'en bas, après avoir attendu un petit moment que la lumière se fût quelque peu répandue.

– Vois rien, Monsieur.

– Appelez tout le monde ! Et hissez toute la toile ! Il a fait route plus vite que je n'ai escompté. Les cacatois !… oui, on aurait dû les laisser dessus toute la nuit. Mais qu'importe !… juste un temps de repos pour une meilleure ruée.

Cette tenace poursuite, acharnée sur un même cachalot de jour en nuit, et de nuit en jour, n'était, disons-le, pas du tout chose insolite en ces grandes mers du Sud. Car l'étonnante pertinence, la merveilleuse prescience à force d'expérience et l'infaillible sûreté acquises par certains grands génies naturels d'entre les Nantuckais, sont telles et si prodigieuses, qu'il leur suffit d'une simple observation de la direction tenue par l'animal à la dernière levée, dans certaines conditions données, pour prévoir avec précision non seulement la direction que le poisson tiendra pendant un certain temps, mais aussi la vitesse probable de sa progression pendant cette durée. Un peu comme le pilote qui va perdre de vue une côte dont il connaît bien la découpure générale, et où il désire toucher de nouveau, sous peu, mais en quelque point plus éloigné, prend alors au compas le relevé exact du dernier cap en vue, de manière à se diriger plus assurément sur le point encore invisible de la terre où il compte se rendre : ainsi fait le cachalotier, au compas, avec le

cachalot; car pour le sagace pilote, lorsque le cachalot a été relevé
pendant plusieurs heures à la lumière du jour, sa course nocturne
lui devient aussi claire en l'esprit que la côte peut l'être pour le
pilote familier que nous avons dit. Il en va de telle sorte, avec la
merveilleuse pertinence de ces chasseurs, que le caractère prover-
bialement éphémère de cette chose éphémère entre toutes, un
sillage, la chose écrite sur l'eau, devient aussi assuré et constitue
un repère aussi fidèle que s'il était gravé en pleine terre. Et de
même que la vitesse et l'horaire de nos grands et modernes léviathans d'acier, les chemins de fer, sont si parfaitement certains
qu'en n'importe quel point du parcours, avec une simple montre
en main, les hommes peuvent tout calculer aussi facilement qu'ils
mesurent le pouls d'un bébé, affirmant aisément que le train montant ou le train descendant atteindra tel ou tel lieu à telle ou telle
heure; de même, ou presque, certains de ces Nantuckais vous
contrôleront la marche du léviathan des profondeurs en certaines
occasions, et détermineront – après avoir observé l'allure – et
l'humeur de la bête, à quelle heure le cachalot aura parcouru exactement deux cents milles, et en quel point précis de latitude et de
longitude il se trouvera alors. Mais encore faut-il, pour que pareille
pertinence donne tous ses fruits, que le vent et la mer soient les
alliés du baleinier; car au marin le plus subtil, à quoi peut bien
servir de savoir qu'il se trouve exactement à quatre-vingt-treize
lieues marines et un quart de son port, s'il est encalminé ou au
contraire en fuite sous la tempête? Bien des choses fort subtiles,
comme on peut le voir par ces remarques, interviennent et sont en
rapport avec la chasse au cachalot.

Le vaisseau se ruait en avant, labourant la mer d'un sillage profond, comme un obus tiré court éventre en droite ligne une plaine.

– Par le sel et le chanvre! explosa Stubb, cette vitesse vous prend
au cœur; elle vous grimpe du pont dans les jambes, vous chatouille
les tripes et vous berce le cœur! Ah! navire, nous sommes deux
fameux gaillards, toi et moi!... Holà, quelqu'un, hé! qu'on me
prenne et me lance de tout mon long, sur mon échine dans la mer;
ha! ha! par le chêne éternel et vivant! mon épine dorsale, c'est
une quille! Holà, ho! nous courons là le vrai galop, celui qui ne
laisse pas de poussière derrière!

– Souffle, là, sou-ouffle ! Il souffle… sou-ououffle ! Droit
devant ! cria-t-on alors à la pomme des mâts.

– Mais oui, mais oui ! s'exclama Stubb. Je le savais bien… tu ne
pouvais échapper !… souffle et crache ton jet, cachalot ! Le diable
rouge est après toi !… Souffle ta bosse !… Crache tes poumons !…
Joue toute ta musique !… Achab arrive, qui va t'arrêter le sang
comme un meunier ferme la vanne en amont du moulin !

Et Stubb, parlant ainsi, ne faisait guère que de s'exprimer pour
l'équipage presque unanime. La capiteuse ivresse de la chasse les
avait tous repris et travaillait en eux, pétillante et ardente, comme
travaille au temps des vendanges le vin vieux. Quels qu'eussent été
les craintes pâles et les sombres pressentiments portés naguère
encore par certains d'entre eux, non seulement ils étaient écartés
par l'ascendant toujours accru d'Achab, mais encore ils étaient
chassés, dispersés, mis en déroute comme les lièvres peureux de la
prairie, en fuite de tous côtés devant la charge du bison. La main
du Destin s'était emparée de leurs âmes ; et par l'excitation même
des périls encourus la veille ; par la suppliciante angoisse de
l'attente de la nuit ; par l'élan rectiligne, obstiné, aveugle et intrépide qui lançait sans répit leur violent navire en course derrière
son but fuyant ; oui, oui, de tout cela, ils se sentaient le cœur
gonflé et plein. Et le vent qui gonflait à plein ventre les voiles,
soulevant et jetant toujours plus fort, toujours plus vite en avant
le vaisseau, comme avec d'invisibles bras absolument irrésistibles,
le vent lui-même était comme le symbole de l'invisible providence
qui les emportait tous eux-mêmes à la chasse, comme un seul
homme.

Car ils étaient un seul, et non pas trente. A l'instar du vaisseau
qui les portait, ils étaient tous de matière différente ; chêne, érable,
sapin ou pin pour le bois ; fer et acier, brai et chanvre ; mais comme
sur le vaisseau tous ces matériaux concouraient ensemble et se
confondaient pour ne donner qu'une seule et même carène parfaitement équilibrée et qui taillait sa route sur l'axe central de la
quille unique ; de même se fondaient en un seul équipage toutes les
variétés humaines, les individualités et leurs caractères, la crainte
de celui-ci, le courage de celui-là, valeurs et défauts, tout ne faisait
plus qu'un, une seule unité, une entité humaine tout à la fois et

unanimement lancée vers cet unique but fatal que lui avait assigné
son maître et seigneur Achab, et vers lequel, comme sa propre
quille, il tendait.

Tout le gréement était vivant. La tête des mâts, comme le chef
de palmiers géants, balançait une touffe de bras et de jambes.
Certains, qui se tenaient d'une main à quelque espar, se lançaient
en avant dans un geste d'impatience ; certains autres, une main sur
les yeux pour se protéger du soleil, restaient là, bercés à l'extrême
pointe des vergues ; pas une branche qui ne portât son plein de
fruits humains, et tous étaient mûris et mûrs à leur destin. Ah !
comme ils se tendaient tous, dans cet infini de l'azur, comme ils
cherchaient impatiemment toujours à atteindre l'objet capable de
les anéantir !

– Pourquoi ne le criez-vous pas, si vous le voyez ? hurla Achab,
au bout de quelques minutes silencieuses après le premier signal.
Qu'on me hisse là-haut ! Vous vous êtes mépris, les hommes ; Moby
Dick ne souffle pas ainsi un unique jet, pour ensuite disparaître !

C'était exact ; dans leur impatiente ardeur, les guetteurs
s'étaient trompés et avaient pris quelque autre chose pour le blanc
souffle du cachalot ; l'événement n'allait pas tarder à le démontrer.
Car Achab était à peine arrivé là-haut, à son poste, et le filin qui
l'avait hissé venait à peine d'être croché au râtelier de grand mât,
qu'il lança, le premier, la note déclenchant l'explosion de tout un
orchestre qui éclata et fit retentir les airs comme une décharge de
mousquet. Trente poitrines aux puissants poumons lancèrent
presque simultanément un hurrah de triomphe, lorsque à moins
d'un mille sur l'avant, beaucoup plus près que l'endroit supposé
du jet imaginaire, Moby Dick soi-même apparut aux yeux de tous !
Ce n'était pas par la paisible buée de son souffle paisible, non, ce
n'était pas par l'indolent jaillissement de la source mystique de sa
tête, que le Cachalot Blanc révélait maintenant sa toute proche
présence, mais bien par le phénomène infiniment plus étonnant
encore et merveilleux de la brèche. Se projetant à une vitesse folle
des plus lointaines profondeurs, le cachalot avait jailli tout entier
dans les airs, entraînant, avec son énorme masse, une véritable
montagne d'écume étincelante, et signalant ainsi sa présence à
plus de sept milles à la ronde. La brèche, en certains cas, est acte

de défi chez le cachalot ; et à le voir, on dirait que les flots violen-
tés et furieux qu'il déchire, sont sa propre crinière.

– Il brèche, là ! Il brèche !

Tel fut le cri, à l'instant où le Cachalot Blanc, dans sa bravade
sans mesure, s'était lancé en un saut de saumon vers le ciel.
Brusquement aperçue sur l'étendue d'azur de la mer, et contre
l'azur plus intense encore du ciel à l'horizon, l'écume formidable
qu'il avait entraînée brilla et scintilla, intolérablement éblouissante pendant un moment, comme un glacier ; puis elle demeura
là, perdant petit à petit de son intensité lumineuse, jusqu'à n'être
plus que comme le brumeux écran d'un grain qui s'avance pendant l'orage.

– Mais oui, tu peux lancer contre le soleil ta dernière brèche,
Moby Dick ! clama Achab. Voici ton heure venue et voici ton harpon !... A bas, vous autres ! tout le monde sur le pont, sauf un
guetteur à la pomme de misaine. Aux baleinières ! Paré pour la
mise à l'eau !

Négligeant les fastidieuses enfléchures des haubans, les hommes
glissèrent comme des aérolithes sur le pont, en se jetant individuellement aux drisses et autres manœuvres courantes. Avec une
prestesse moins grande, certes, mais cependant fort rapidement
aussi, Achab fut affalé au pont.

– Larguez ! cria-t-il aussitôt qu'il eut mis le pied dans son canot
– une baleinière de rechange qui avait été gréée et armée la veille,
avant le coucher du soleil. – Starbuck, je te laisse le bateau ; tiens-
toi écarté des canots, mais à proche portée. Débordez, tout le
monde !

Comme pour jeter une prompte terreur parmi eux en se faisant
cette fois le premier attaquant, Moby Dick avait fait volte-face et
s'avançait droit sur les trois équipages. La baleinière d'Achab
tenait le centre ; et tout en encourageant ses hommes, il leur dit
qu'il allait prendre le cachalot front contre front (c'est-à-dire en
poussant droit sur lui et de face), une manœuvre, en réalité, assez
fréquente dans la grande pêche, puisqu'en ce faisant, et à partir
d'une certaine distance, le chasseur échappe à la vue du cachalot
en se trouvant dans l'angle mort de sa vision. Mais avant qu'eût
été atteinte cette limite (qui est assez rapprochée) et alors que les

trois baleinières étaient encore aussi nettement visibles pour son
œil que les trois mâts du vaisseau, le Cachalot Blanc accéléra prodigieusement sa vitesse et se rua, pour ainsi dire sur l'instant
même au milieu d'eux, gueule ouverte, queue battante, livrant une
effroyable bataille de tous côtés ; indifférent et sans souci des fers
que lui plantèrent les trois canots, il semblait n'avoir qu'une idée
et un but : anéantir positivement chacune des planches dont
étaient confectionnés les esquifs. Manœuvrés avec une habileté
consommée, voltant et virevoltant sans trêve comme des chevaux
de fantasia, les canots réussirent pendant quelque temps à éviter
ses assauts ; bien que ce ne fût guère parfois que de l'épaisseur
d'une planche. Le cri de guerre d'Achab, pendant tout ce temps,
un formidable hurlement surnaturel, inhumain, semblait littéralement lacérer le cri des autres.

Mais le Cachalot Blanc, dans les allées et venues de ses évolu-
tions compliquées, avait si bien croisé et recroisé, mêlé et emmêlé
de mille manières les trois lignes accrochées à lui, que leur rac-
courcissement attira pour finir les canots de plus en plus près des
fers piqués sur lui, cependant même que, maintenant, il s'écartait
d'eux légèrement comme pour l'élan d'un assaut plus furieux
encore. De ce très court répit, Achab profita sur-le-champ pour
filer plus de ligne et ensuite la haler rapidement, la secouant de
toutes ses forces à chaque brasse dans l'espoir de démêler quelque
peu et de venir à bout de ce fouillis ; quand soudain, ah ! vision
plus terrifiante et féroce que la mâchoire armée du requin ; inextricablement entraînés et battant dans ce méli-mélo de lignes, les
seconds fers et les lances perdues, les barbelures aiguës, les pointes
et les tranchants étincelants, arrivèrent en éclair dans un jaillissement d'eau et d'écume jusqu'aux gorges du plat-bord à l'avant de
sa baleinière. On ne pouvait faire qu'une chose : empoignant le
couteau du bord, et s'approchant dangereusement des tourbillons
fulgurants de l'acier mortel, Achab tira à lui un peu de ligne tendue, qu'il passa à son bosseman, et à deux reprises trancha le filin
au ras des gorges, rejetant ainsi à la mer tout ce fagot d'acier, et
sauvant ainsi le canot en un éclair. A l'instant même, le Cachalot
Blanc se jetait plus furieusement que jamais dans le lacis des lignes
auxquelles les canots de Stubb et de Flask étaient toujours tenus

périlleusement court ; et les deux baleinières se trouvèrent rabat-
tues d'un coup sur la queue battante du cachalot comme deux
bouchons roulés sur une plage au revers de la vague ; là, tout disparut dans un bouillonnant maelström, où vinrent au bout d'un
instant surnager des bouts de cèdre aromatique, comme des zestes
de citron et de la poudre de noix de muscade sur un punch en
pleine ébullition.

Pendant que les deux équipages nageaient çà et là pour s'accrocher aux giroyantes bailles à ligne, aux avirons, à tout ce qui pouvait flotter du naufrage ; et tandis que le petit Flask dansait sur la
vague comme une bonbonne vide, tout en lançant haut ses jambes
pour échapper aux horrifiantes mâchoires des requins ; cependant
que Stubb, lui, réclamait à grands cris que quelqu'un vienne le
ramasser d'un coup de louche ; et alors que le canot du vieil Achab,
toujours intact et débarrassé de sa ligne, s'apprêtait à pousser
jusqu'au cœur du tumulte tout bouillonnant d'écume pour
recueillir et sauver qui il pourrait dans ce vortex de mille périls
plus menaçants les uns que les autres ; soudain on le vit s'enlever
vers le ciel, comme par la détente de ressorts invisibles, à l'instant
que, surgissant comme une flèche des profondeurs, le cachalot le
prit de plein front sur le fond et l'envoya tournoyer en l'air, si bien
qu'il retomba sens dessus dessous et que le vieil Achab et ses
hommes, comme des phoques sortant d'une caverne sous-marine,
se dégagèrent un à un de dessous.

Le premier mouvement du cachalot, au moment où il franchis-
sait la surface, le jeta de toute sa longueur à côté du canot, à très
courte distance du massacre nautique dont il était l'auteur ; et, s'en
détournant de la tête, il resta là, tâtonnant de la queue à droite et
à gauche sur la surface, abattant comme une masse cet énorme
marteau-pilon pour chaque bout d'aviron rompu, fragment de
planche, morceau ou miette de n'importe quoi qu'il avait pu toucher. Après quoi, comme s'il était satisfait de l'ouvrage ainsi
accompli, lançant en avant l'étrave carrée de son énorme front sur
les plaines de l'océan, il s'éloigna sous le vent, reprenant de nouveau son allure de croisière et sa route, en remorquant tout le
fouillis des lignes emmêlées.

Comme la première fois, le vaisseau en alerte avait vu le

déroulement de toute la bataille, et il arrivait maintenant à la rescousse. Envoyant à la mer un canot, il procéda au sauvetage des
hommes et des objets qui flottaient en surface, avirons, bailles,
espars, lances et tout ce qu'il put trouver, le tout étant à mesure
hissé et déposé en sûreté sur le pont. Épaules luxées, poignets fou-
lés, chevilles démises, blêmes enflures et contusions diverses, harpons tordus, lances cassées, lignes inextricablement enchevêtrées,
avirons rompus, planches brisées, il y avait de tout ; mais aucun
accident fatal, semblait-il, et personne qui fût dans un état grave.
Comme Fédallah la veille, Achab fut recueilli sur la moitié toujours flottante de son canot brisé, cramponné sombrement, certes,
mais loin d'être aussi épuisé que la veille.

Mais une fois qu'on l'eut hissé sur le pont, tous les yeux restèrent
fixés sur lui, car au lieu de s'y tenir droit par ses propres moyens,
il était appuyé de tout son poids sur l'épaule de Starbuck qui avait
été le tout premier à lui porter secours en l'occurrence. Sa jambe
d'ivoire avait été brisée, et il ne lui en restait plus qu'un court tronçon éclaté sur une arête aiguë.

– Ah ! oui, Starbuck, oui c'est une bonne et douce chose que de
s'appuyer parfois, et peu importe qui est celui qui s'appuie !... Ce
vieil Achab, que ne s'est-il appuyé plus souvent qu'il ne l'a fait !

– C'est la virole qui n'a pas tenu le coup, Monsieur, dit le charpentier qui s'était approché ; c'était pourtant de la bonne ouvrage
que j'avais faite, avec cette jambe !

– Pas d'os cassé, j'espère, capitaine ! prononça Stubb avec une
réelle inquiétude.

– Si fait ! et tout en miettes, Stubb !... regarde-moi ça ! Mais le
vieil Achab, même avec un os cassé, est encore intact ; pas un seul
de mes os vivants n'est moi-même, je te le dis, autant que cet os
mort que j'ai perdu ! Mais Cachalot Blanc, ni homme ni diable,
absolument rien ni personne ne peut seulement faire une égratignure au vieil Achab dans son être propre, dans son inaccessible et
invulnérable essence. Y a-t-il une sonde qui puisse toucher le fond,
ce plancher de la mer ? existe-t-il un mât qui puisse toucher ce toit,
gratter le ciel ?... Ohé des vigies ! Quelle direction ?

– En plein sous le vent, Monsieur.

– Vent sous vergues, timonier ! Et vous, la bordée des gardiens, toute la toile dessus, de nouveau ! Amenez les baleinières de rechange, et gréez immédiatement !... Monsieur Starbuck, allez me rassembler tous les hommes des canots, vite !

– Permettez, capitaine, que je vous ramène au banc de quart.

– Ah, la ! ah ! la, la !... c'est comme si cet os pointu me labourait les chairs, à présent ! Malédiction ! destin maudit !... que l'âme inexpugnable du capitaine soit affligée d'un second aussi lâche !

– Comment ?

– Mon corps, l'ami, pas toi. Donne-moi quelque chose qui me serve de canne... là, cette lance cassée fera l'affaire. Rassemble les hommes. Je suis sûr de ne l'avoir pas vu encore. Par le ciel, c'est impossible ! Cela ne peut pas être !... manquant ?... vite ! vite ! appelle-les tous !

Le soupçon du vieil homme s'avéra. A l'appel, le parsi était manquant.

– Le parsi, commença Stubb, il a dû être pris dans...

– Le choléra te suffoque !... Allez tous, au galop, allez ! en bas, en haut, au carré, au poste, partout, et trouvez-le. Il n'est pas parti !... Il n'est pas parti !...

Mais les hommes ne tardèrent pas à revenir : le parsi ne se trouvait nulle part à bord.

– Oui, Monsieur, exposa Stubb, il a été pris dans les nœuds de votre ligne... je crois bien l'avoir vu filer par le fond.

– *Ma* ligne ! *ma* ligne ?... Parti ? parti ?... Quel sens a ce petit mot ?... quelle sorte de glas funèbre sonne-t-il, que le vieil Achab en soit tout remué comme s'il était lui-même le beffroi. Et le harpon aussi ?... fouillez dans ces débris là-bas, est-ce que vous le voyez ? le fer que j'ai forgé, les gars, le harpon du Cachalot Blanc... Mais non, fou que tu es, mais non c'est cette main elle-même qui l'a lancé !... planté dans le poisson !... Ho ! des vigies, soudez vos yeux sur lui !... vite, tous les hommes à gréer les canots... rassemblez les avirons... harponneurs ! les fers ! les fers !... et plus haut, les cacatois, à bloc !... qu'on étarque chaque toile !... Ferme, la barre ! Tiens ferme, timonier, au nom du... par ta vie !... Ah ! dix fois je ferai le tour immense du globe, oui, je le traverserai de part en part, mais je le tuerai pourtant !

– Dieu de Grandeur ! ne serait-ce qu'un seul instant, montre-

Toi ! s'exclama Starbuck. Jamais, jamais tu ne le captureras, vieil
homme !... Au nom de Jésus ! assez, assez de tout ceci, c'est pire
que de la folie, que de la possession démoniaque !... Chassé deux
jours ; et par deux fois tout en miettes ; ta propre jambe une nouvelle fois arrachée dessous toi ; et ton âme damnée de Fédallah
engloutie ; tous les anges gardiens te donnent avertissement sur
avertissement ; que te faut-il de plus ?... Faut-il que nous allions,
continuant de chasser ce cachalot assassin, jusqu'à ce qu'il ait
envoyé par le fond le dernier homme ? Faut-il que tous, il nous
traîne jusqu'au fond des abîmes ? Faut-il qu'il nous remorque
jusque dans les enfers ?... Oh ! c'est une impiété ! C'est un blasphème que de le chasser encore !

    – Starbuck, je me suis senti étrangement attiré vers toi, il y a
peu : depuis cette heure où nous avons vu tous deux... tu sais quoi,
dans les yeux l'un de l'autre. Mais pour ce qui regarde le cachalot,
ce sujet-là, que la face de ton visage soit devant moi comme la
paume de cette main : aussi muette d'expression et de parole.
Achab est Achab à jamais, homme ! Tout cela, la tragédie entière
est décrétée immuablement. Mille millions d'années avant que ne
roulent les eaux de cet océan, nous la répétions, toi et moi. Pauvre
fou ! je suis le lieutenant des Parques et j'agis sur ordres. Veille
donc, toi, subordonné, à obéir aux miens.

    Puis élevant encore la voix, le capitaine héla ses hommes.

    – Arrivez tous ici, vous autres, faites cercle. Vous voyez devant
vous un vieil homme entaillé sur sa base, qui s'appuie sur un bout
de lance brisée, étançonné sur un unique pied. Voilà Achab ! la
partie corporelle de son être. Mais l'âme d'Achab est myriapode et
court sur mille jambes. Il se peut que j'aie l'air tendu à l'excès et à
demi déchiré déjà, comme les remorques prêtes à rompre qui
tirent, en pleine tempête, des frégates démâtées ; et je me sens moi-
même ainsi. Mais avant que je ne rompe, vous m'entendrez
craquer... et tant que vous n'avez pas entendu *ça*, l'aussière
d'Achab, sachez-le, tient toujours. Est-ce que vous y croyez vous
autres, à ces choses qu'on nomme des présages ? Alors, éclatez de
rire, les gars, et hurlez : *encore*[1] ! Car avant de couler définitive-

---

1. En français dans le texte.

ment, les noyés remontent une deuxième fois à la surface : ils réapparaissent de nouveau pour disparaître à jamais. Et c'est comme
cela avec Moby Dick : deux jours de suite, il est remonté... et
demain sera le troisième. Oui, mes hommes, il va remonter encore
une fois, mais ce sera pour son dernier souffle ! Vous sentez-vous
braves, mes braves ?

– Impavides comme le feu ! répondit Stubb.

– Et organiques semblablement, se murmura Achab – et tandis
que s'éloignaient les hommes, il reprit son monologue en secret :
Les choses qu'on nomme des présages ! C'est ce que je disais ici
même à Starbuck, hier, à propos de ma baleinière brisée... Ah !
que d'ardeur à chasser du cœur d'autrui ce qui mord dans le mien
si fort !... Le parsi... le parsi ! parti ?... parti ?... et il *devait* partir
devant, me précéder. Mais encore il y a que je *dois* le revoir avant
que de pouvoir périr moi-même... Et comment cela se peut-il ?
C'est là une énigme qui laisserait coites toutes les générations
d'avocats doublées des fantômes de toute l'universelle descendance des juges... mais c'est comme un bec de faucon qu'elle tape
dans mon cerveau. Et pourtant je vais, oui c'est *moi* qui vais
connaître la solution !

A la tombée de la nuit, le cachalot était toujours en vue et toujours sous le vent.

De nouveau, donc, on ferla de la toile et toutes choses se passèrent
de même que la veille, à ceci près, toutefois, que le bruit des marteaux et les sifflements de la meule se firent entendre quasi
jusqu'au lever du jour. Les hommes travaillaient, aux lanternes, à
l'armement complet des nouvelles baleinières et à la préparation
de leurs nouvelles armes pour le lendemain. Quant au charpentier,
il tira de la quille du canot d'Achab une nouvelle jambe ; tandis
que celui-ci, le chapeau enfoncé sur les yeux, restait immobile
comme la nuit précédente contre le capot de descente ; et son
regard, nocturne héliotrope, laissant derrière lui, par anticipation,
l'aiguille du compas, était tendu fixement vers l'est et le premier
soleil.

LA CHASSE : TROISIÈME JOUR

Le matin de ce troisième jour poignit, splendidement clair et frais, et une fois encore le solitaire guetteur de nuit de la pomme de misaine fut relevé par toute une foule de diurnes vigilants, agglomérée sur chaque mât et presque sur chaque espar.

– Le voyez-vous ? interrogea Achab ; mais le cachalot n'était pas encore en vue. Toujours dans son infaillible sillage, commanda-t-il, il n'est que de rester dans son sillage. Barre ferme, là-bas, sur la route que tu tiens et que tu as tenue. Quel jour exquis encore ! Aurait-on là un monde tout nouveau et conçu seulement pour être la maison d'été des anges, et serait-ce aujourd'hui le jour de l'inauguration, qu'un jour plus beau ne pourrait se lever sur le monde... Bel aliment pour la méditation, si Achab avait le temps de penser ; mais Achab ne médite jamais, il ne fait que sentir, sentir, sentir, ce qui fait un tintouin bien suffisant pour l'homme. Penser, c'est de la présomption. Dieu en a seul le droit comme le privilège. La pensée, c'est – ou ce devrait être – un rafraîchissement, un apaisement ; et notre pauvre cœur, notre malheureux cerveau battent bien trop pour cela. Pourtant, oui, j'ai cru parfois que mon cerveau était très calme, d'un calme glacial – ce vieux crâne craque tellement... comme un flacon dont le contenu s'est pris en glace et le fait éclater ! Mais ces cheveux n'en croissent pas moins encore ; ils poussent en ce moment même, et il faut que les nourrisse de la chaleur... mais non ! c'est comme cette espèce d'herbe commune qui croît n'importe où, dans les terrestres craquelures des glaces du Groenland aussi bien que dans la lave du Vésuve. Ce que les vents sauvages peuvent les secouer, ces cheveux ! Ils les fouettent, et voilà qu'ils me cinglent le front comme les lambeaux des voiles déchirées giflent la coque secouée sur laquelle ils flottent encore. Un vent ignoble qui a déjà soufflé assurément par les couloirs et dans les cachots des prisons, dans les salles d'hôpitaux aussi, les aérant, et qui vient maintenant souffler par ici avec des innocences de duvet ! Pouah ! c'est infect ! Si j'étais le vent, je ne soufflerais plus sur un monde aussi misérable et mauvais. Je me glisserais quelque part dans une cave et je resterais là, caché. Et pourtant c'est quelque chose de noble et d'héroïque que le vent ! – qui l'a jamais conquis ? Dans chaque bataille, c'est lui qui toujours donne le dernier coup, et le plus amer ! Courez dessus lance baissée, vous ne faites que passer au travers. Ha ! un couard, un lâche, qui frappe dur sur les hommes nus, mais qui n'admet pas lui-même de recevoir même un unique coup ! Achab est lui-même plus courageux, plus noble que *ça*. Si seulement le vent avait un corps ! mais toutes les choses qui exaspèrent et outragent le plus gravement l'homme sont des choses sans corps ; incorporelles pourtant seulement comme objets, et non point comme agents. Voilà qui fait une énorme, très particulière, très maligne, oh ! une très diabolique différence ! Et néanmoins, je le répète, et je le jure quand même, il y a quelque chose dans le vent qui est toute gloire et toute grâce. Ces chauds alizés, du moins, qui soufflent dans le ciel clair avec une bonne constance, avec une ferme, solide et vigoureuse douceur, et qui ne dévient point de leur siège, pour autant que les inférieurs courants marins tournent, virent et louvoient, et que les plus puissants Mississipis et les Nils de la terre s'affolent et vont, de-ci de-là, ne sachant où aller au bout du compte. Et par les pôles de l'éternité ! ce sont ces alizés qui emportent si droit mon bon navire, ce sont ces alizés ou quelque chose qui leur ressemble, quelque chose d'aussi fermement constant, d'aussi inchangeable et d'aussi fort, qui souffle et porte en avant la quille de mon âme ! Allons-y, donc !... Ohé là-haut ! Que voyez-vous maintenant ?

– Rien, Monsieur.

– Rien ! et midi qui approche ! Le doublon n'a pas d'amateur !... Vois le soleil ! Oui, oui, ce doit être cela. Je lui ai passé

devant. Comment, j'ai de l'avance ? Mais oui, c'est lui qui me
donne la chasse à présent, *à moi*, et non plus moi qui le chasse, *lui*.
Mauvais, ça ! et puis j'aurais dû le savoir, aussi. Idiot !... les lignes,
les harpons qu'il remorque. Mais oui, mais oui, je l'ai dépassé la
nuit dernière... Pare à virer ! Tout le monde à brasser ; là-haut,
arrivez tous ! sauf les vigies à leur poste ! Tout le monde sur le
pont ! Pare à virer !

Brassé carré comme il courait, le *Péquod* portait presque plein
vent arrière, de sorte que contre-brassé en pointe après la
manœuvre, il était durement au plus près en remontant, dans
la direction opposée, et en écumant dans son propre sillage blanc.

– Il gouverne contre le vent à présent, vers la gueule béante !
murmura Starbuck pour soi-même, tout en choquant la grande
écoute aux nouvelles amures. Dieu nous protège ! mais déjà je me
sens les os trempés dans ma peau, et comme noyé de l'intérieur. Je
crains fort de désobéir à Dieu en lui obéissant !

– Tenez-vous prêts à m'enlever ! commanda Achab en se dirigeant vers sa chaise de chanvre. Nous n'allons pas tarder à le rencontrer.

– Paré, Monsieur ! répondit Starbuck immédiatement à l'ordre
d'Achab. Et une fois de plus, Achab regagna les hauteurs.

Une heure pleine passa, immense pièce d'or frappée d'éternité.
Le temps lui-même à présent ne respirait que lentement et retenait
son souffle, en attente, dans une angoisse aiguë. Mais, pour finir, à
quelque trois points par le travers de l'épaule au vent, Achab vit le
souffle de nouveau, et presque au même instant trois hurlements
fusèrent de la pointe des mâts, comme trois langues de feu.

– C'est face à face que je te rencontre, Moby Dick, cette troisième fois ! Holà, sur le pont ! Brassez en pointe plus encore !
Serrez à pincer le vent !... Il est trop loin encore pour mettre à la
mer, monsieur Starbuck. Mais tes voiles battent ! Tiens-toi à côté
du timonier avec une mailloche et surveille de près !... Ah ! le
voilà, le voilà ! il approche vite et il faut que je descende. Mais que
je donne encore une fois un coup d'œil à la ronde sur l'océan, d'ici
en haut ; c'est le bon moment pour cela... Spectacle ancien, si
ancien ! et cependant si jeune en quelque manière, et qui n'a pas
changé d'un trait depuis qu'enfant, sur les dunes de Nantucket, je

l'ai vu pour la première fois ! Le même, oui le même… et le même
pour Noé que pour moi. Voilà une douce averse sous le vent. De si
grandes douceurs exquises sont sous le vent ! Elles doivent conduire
quelque part, à quelque chose d'autre que la terre ordinaire,
quelque chose de plus serein que les palmes de la douceur. Sous le
vent ! c'est la route que suit le Cachalot Blanc… oui, c'est donc au
vent qu'il me faut regarder ; là est le meilleur secteur, quoique le
plus amer. Mais adieu ! adieu vieille flèche de mât ! Qu'est-ce là
donc, de la verdure ? mais oui ! de minuscules mousses dans ces
craquelures. Point de ces vertes taches temporelles sur le front
d'Achab ! C'est toute la différence entre la vieillesse humaine et
celle de la matière. Mais quand même, vieux mât, nous sommes
tous deux devenus vieux ensemble, et fermement plantés malgré
tout sur nos carènes, n'est-il pas vrai, toi, mon navire ? Mais oui,
une jambe en moins, c'est tout. Mais par le ciel, ce bois mort a de
toute façon la part meilleure que ma chair vivante ! Je ne saurais
me comparer à lui ; et j'ai connu des vaisseaux faits de bois mort,
bien plus durables que l'existence d'humains faits de la plus
vivante matière vivante tirée de leurs pères vivants… Qu'est-ce
qu'il me disait donc ? qu'il devait toujours partir et être devant
moi, mon pilote ? et que pourtant il me faudrait le revoir ? Mais
où ? Est-ce que j'aurai des yeux dans le fond des assises de l'océan,
à supposer que je descende ces marches infinies ? Toute la nuit j'ai
fait voile en m'éloignant de lui, quel que soit l'endroit où il ait
sombré. Ah ! oui, bien sûr, comme tant d'autres, tu as dit la désolante vérité en ce qui te touchait toi-même, parsi ! mais pour
Achab, voilà, tu as tiré trop court… Adieu, vieux mât ! garde bien
l'œil sur le cachalot pendant le temps de mon absence. Nous
reparlerons demain, non, ce soir, quand le Cachalot Blanc sera là,
gisant, tenu par la tête et la queue.

L'ordre donné, et toujours regardant tout autour de lui, il fut
fermement descendu dans l'azur de l'air qu'il partageait en deux,
jusque sur le pont.

Le moment venu, les baleinières armées se balancèrent aux bossoirs ; mais Achab, debout à la poupe de sa chaloupe, au moment
même où il allait descendre, fit signe d'arrêter au second qui était
aux manœuvres sur le pont.

– Starbuck !

– Monsieur ?

– C'est la troisième fois que le vaisseau de mon âme part pour cette croisière, Starbuck.

– Oui, capitaine ; tu l'auras voulu.

– Certains vaisseaux quittent le port, Starbuck, et par la suite sont perdus à jamais.

– Vrai, Monsieur, tristement vrai.

– Certains hommes meurent avec le jusant ; d'autres à marée basse ; d'autres au plein du flot... et je me sens à présent comme une haute lame toute en crête qui va verser, Starbuck. Je suis vieux... Serrons-nous la main, fils !

Les mains s'empoignèrent ; leurs regards s'étreignirent ; les yeux de Starbuck s'embuèrent de larmes.

– Capitaine, oh ! mon capitaine !... noble cœur... n'y allez pas... n'y va pas ! regarde, c'est un homme brave qui pleure ; mesure alors son angoisse à te persuader !

– Affalez ! ordonna Achab, éloignant de lui le bras du second. Paré à pousser, vous autres !

L'instant d'après, le canot débordait de la poupe.

– Les requins ! les requins ! cria encore une voix par la fenêtre d'arrière. Patron, oh ! patron, reviens !

Mais Achab ne l'entendit point ; lui-même criait à pleine voix et le canot volait en avant.

Pourtant la voix disait vrai ; car à peine avait-il débordé du navire, qu'une foule de requins, surgissant apparemment des noires eaux sous la carène, se jeta malignement derrière lui, mordant les pelles d'aviron à chaque nage et suivant ainsi le canot de ses coups de crocs. Ce n'est pas chose extraordinaire dans ces eaux où ils pullulent ; et il arrive parfois que les requins s'attachent à la baleinière avec la même prescience que les vautours, en Orient, qui planent sur les étendards des régiments en marche pour le champ de bataille. Ceux-là, pourtant, étaient les premiers requins que voyait le *Péquod* depuis que le Cachalot Blanc avait été levé. Était-ce parce que l'équipage d'Achab se composait de barbares à la peau jaune tigre, dont l'odeur plus musquée alléchait les requins (on sait qu'ils y sont très sensibles), ou était-ce pour une autre raison ? toujours est-il qu'ils ne semblaient attirés que par ce seul canot et ne s'en prenaient pas aux autres.

– Cœur d'acier forgé ! s'exclama Starbuck en soi-même, suivant des yeux le canot qui s'éloignait ; peux-tu résister quand même intrépidement à cette vue et te jeter avec ton esquif dans le peuple grouillant des féroces requins, tout droit dans les mâchoires ouvertes de la chasse, et cela le culminant troisième jour ?... Car lorsque trois jours, sans discontinuer, se poursuit la même intense chasse, il est certain que le premier est le matin, le deuxième est l'après-midi, et le troisième, quoiqu'il advienne, c'est le soir et la fin – quelle que soit cette fin. Oh ! Dieu, qu'y a-t-il qui me pénètre et me laisse aussi mortellement calme dans mon attente ?... comme immobile à la pointe d'un tremblement ! Devant moi, les choses du futur sont comme des silhouettes vides, des squelettes flottants ; le passé tout entier s'obscurcit et s'efface. Oh ! Mary, mon petit, tu t'évanouis en pâles gloires derrière moi, et toi, mon fils ! il me semble ne voir plus que tes yeux d'un bleu de miracle. Les plus mystérieux problèmes de l'existence paraissent s'éclaircir, mais cachés par d'épais nuages. Est-ce la fin de mon voyage qui s'approche ?... Je sens mes jambes défaillir, tel celui qui a marché tout le jour. Ton cœur bat-il encore, Starbuck ? Allons, secoue-toi !... sors-toi de là... bouge, bouge ! parle fort !... Ohé des vigies ! apercevez-vous mon garçon sur la colline ?... Fou ! je délire... Ho ! là-haut, surveillez bien les baleinières, ne les perdez pas un instant de vue : guettez le cachalot !... Ho ! encore : chassez-moi ce faucon ! voyez ! voyez ! il pique, il arrache l'enseigne ! (il désignait la longue banderole rouge qui flottait au grand mât de flèche). Ah ! il l'emporte dans son vol !... Où est le vieil homme à présent ? vois-tu ce spectacle ?... oh ! Achab, tremble ! tremble !

Les baleinières n'étaient guère éloignées encore, lorsque par un signal des vigies – le bras tendu vers le bas – Achab connut que le cachalot avait sondé ; mais comme il tenait à se trouver tout près à sa prochaine réapparition, il continua de pousser de l'avant dans la même direction, qui allait s'écartant légèrement de la route du navire. Son équipage, comme frappé par un sortilège, gardait le silence le plus profond ; on n'entendait que le martèlement, coup après coup, des vagues sur l'étrave.

– Frappez ! frappez vos clous ! enfoncez-les, oh ! vagues ! enfoncez-les à fond, jusqu'à la tête… c'est quand même une chose sans couvercle que vous clouez ! Et nul cercueil pour moi, point de corbillard ! Le chanvre seul peut me tuer. Ah ! ha !

L'onde soudain se mit à gonfler en lentes vagues amples autour d'eux, qui éclatèrent brusquement, comme écartées sur les flancs d'un iceberg monté d'un coup à la surface. Un souffle profond se fit entendre, comme un puissant murmure de sous terre ; et les hommes retenaient tous leur respiration quand surgit, dans un saut oblique, l'immense corps des profondeurs, tout embarrassé de lignes emmêlées, de harpons et de lances. Enveloppé d'un voile vaporeux de fine bruine retombante, il apparut un moment suspendu dans l'espace auréolé d'un arc-en-ciel, pour retomber pesamment sur l'abîme des eaux. Jaillissantes en gerbes et lancées à quelque trente pieds de haut comme des jets de fontaines, ces eaux étincelèrent dans le soleil, éblouissantes, avant de se séparer et de répandre une averse qui laissa crémeuse comme lait fraîchement tiré toute la surface autour de la masse marmoréenne du cachalot.

– Allez-y ! cria Achab aux canotiers.

Et les canots volèrent à l'attaque. Mais rendu fou par les fers de la veille qui lui fouaillaient les chairs, Moby Dick était comme possédé de tous les démons ensemble, de tous les mauvais anges qui tombèrent du ciel ; le vaste réseau des tendons musculeux qui lui couvrait le front, sillonnant sa blancheur sous la fine membrane transparente, apparaissait comme un nœud tandis qu'il se lançait, tête en avant et queue battante, sur les canots qu'il sépara une fois de plus, en s'abattant sur eux comme un fléau, dispersant fers et lances des canots de Stubb et de Flask dont l'avant était défoncé, mais laissant le canot d'Achab sans une seule égratignure, pour tout dire.

Cependant que Daggoo et Quiequeg s'affairaient à aveugler leurs avaries et après que le cachalot qui les avait dépassés eut fait demi-tour, un seul cri s'échappa de toutes les poitrines à la vue de son autre flanc qui venait droit sur eux. Littéralement lacé sur le dos du poisson par les tours et les nœuds de la ligne qu'il s'était enroulés au cours de la nuit sur le corps, le cadavre aux trois quarts déchiqueté du parsi apparaissait ; son long vêtement noir était en loques; ses yeux grands ouverts étaient tournés en plein sur Achab.

Le harpon d'Achab lui glissa des mains.

– Mystifié! mystifié!... laissa-t-il échapper dans un long souffle faible. Oui, parsi! Je te revois donc! Et tu passes devant, oui; et voilà, *voilà* le corbillard que tu m'avais annoncé... Mais je te tiens au dernier mot de ta prophétie. Où est le second corbillard?... Rentrez, vous les seconds; vos canots ne valent plus rien à présent; allez les réparer, et s'il en est encore temps, revenez avec moi; sinon, Achab aura assez de lui-même pour mourir. Assis! vous autres : le premier qui fait mine de sauter du canot où je suis, je le transperce de ce harpon. Vous n'êtes plus de simples humains : vous êtes mes bras et mes jambes; et tels donc, vous m'obéissez... Où est le cachalot? En plongée de nouveau?

Mais il le cherchait trop près des canots. Comme s'il ne songeait qu'à échapper avec le corps qu'il portait, et comme si cette dernière rencontre n'avait été qu'une simple étape dans sa course sous le vent, Moby Dick avait pris de nouveau son allure et son cap de croisière. Il avait presque dépassé le navire qui avait jusque-là fait voile à sa rencontre, mais qui maintenant s'était mis en panne. Le cachalot paraissait donner toute sa vitesse et n'avoir en vue que sa route à travers l'océan.

– Oh! Achab, héla Starbuck, non, il n'est pas trop tard, même maintenant, au troisième jour, pour renoncer. Vois! Moby Dick ne te cherche pas. C'est toi, toi seul, qui le pourchasses follement!

La voile hissée à la brise montante, la baleinière isolée était vivement emportée sous le vent par l'effort conjugué des avirons et de la toile. Et quand Achab vint longer le vaisseau, si près du bord qu'il pouvait voir distinctement les traits du visage de Starbuck penché sur la rambarde, il lui cria de virer de bord et de le suivre, mais pas trop vite, et à une judicieuse distance. Levant les yeux plus haut, il aperçut Tashtégo, Quiequeg et Daggoo qui se précipitaient aux postes de vigie. Au-dessus du pont, les canotiers se balançaient dans les baleinières qu'on venait juste de hisser aux bossoirs, tout occupés déjà à réparer les avaries. L'un derrière l'autre, il vit encore d'un rapide regard par les ouvertures sur l'avant, tandis qu'il filait, Stubb et Flask qui s'activaient au milieu

d'un faisceau de nouvelles lances et de nouveaux fers. Et tandis
que tout ce spectacle défilait devant ses yeux, accompagné des
coups de marteaux travaillant aux canots rompus, des marteaux
bien plus forts, lui semblait-il, lui enfonçaient un clou dans le
cœur. Mais il se ressaisit. Et voyant à présent que la flamme du
grand mât manquait, il hurla à Tashtégo, qui venait juste
d'atteindre le perchoir, de redescendre chercher une nouvelle
flamme, un marteau et des clous, et de clouer ce drapeau au mât.

   Soit qu'il fût fatigué par ces trois jours d'incessante poursuite et
freiné dans sa nage par le fardeau ficelé qu'il traînait ; soit que ce
fût par l'une ou l'autre des ruses diaboliques de sa méchanceté, le
fait certain, c'est que l'allure du Cachalot Blanc s'était assurément
fort ralentie pour que le canot l'eût rejoint si promptement ; mais
il est vrai, aussi, que son avance était bien moins grande qu'auparavant. Et les requins, toujours, comme Achab bondissait sur la
vague, les impitoyables requins le suivaient, plus enragés que
jamais à se coller à la baleinière et à mordre les avirons forcenés,
au point qu'ils en avaient les pelles toutes dentelées, déchiquetées,
et qu'ils laissaient de nouveaux éclats à chaque nouvelle plongée.

   – Ne vous en occupez pas ! dit Achab. Ces dents ne font que
donner plus de mordant à vos coups de rames. Souquez ! La
gueule du requin fait un appui plus ferme que l'eau fuyante !

   – Mais à chaque coup de dents, Monsieur, nos pelles raccour-
cissent plus encore !

   – Elles dureront toujours bien assez ! Souquez ferme ! commanda Achab. – Mais qui peut dire, se murmura-t-il, si c'est pour
festoyer d'Achab ou du Cachalot Blanc que nagent ces requins ?…
Souquez ! oui, de toutes vos forces à présent, nous y venons ! L'aviron de queue, prenez l'aviron de queue, laissez-moi passer !

   Deux des rameurs, à ces mots, l'aidèrent à passer sur l'avant du
canot en pleine course.

   Pour finir, quand l'embarcation barrait pour venir à longer le
flanc du Cachalot Blanc, celui-ci parut soudain, non pas ralentir,
mais oublier tout à fait d'avancer – ce que fait quelquefois le
cachalot – et Achab se trouva en plein dans la montagne vaporeuse
des brumes qui roulaient, depuis son évent, tout autour du
Monadnock de sa bosse ; il était près à le toucher lorsque, le corps

bandé, en arrière et des deux mains haut levées, il lança son harpon avec sa plus féroce malédiction dans le corps haï de son
ennemi. Tout ensemble l'acier et la malédiction y pénétrèrent de
toute leur force, comme aspirés dans une fondrière, et Moby Dick
se contorsionna, roulant dans ses spasmes son flanc tout proche
contre l'étrave du canot ; et sans le moindre dommage, il le dressa
soudain tout debout, si brusquement et de façon si inattendue que
sans la haute pointe de l'étrave à laquelle il resta suspendu, Achab
eût été une fois de plus jeté à la mer. Et ainsi en fut-il pour trois
des rameurs – qui ne pouvaient prévoir le moment précis du lancer, et qui n'étaient par conséquent pas prêts à en subir les effets –
qui se trouvèrent précipités à l'eau ; mais avec cette chance, pour
deux d'entre eux, qu'ils purent se raccrocher l'instant d'après au
plat-bord et, portés par une haute lame à sa hauteur, se rejeter
eux-mêmes dans l'embarcation ; le troisième homme fut laissé derrière sans secours, mais toujours à flot et nageant.

Simultanément peut-on dire, d'un seul élan de sa puissante
volonté, sans transition aucune, sans accélération, en pleine
vitesse, le cachalot partit comme une flèche droit à travers le hou-
leux océan. Mais lorsque Achab eut crié au barreur de prendre de
nouveaux tours sur la ligne et de l'arrêter, quand il eut commandé
aux hommes de faire demi-tour sur leurs bancs de nage pour haler
le canot en remorque jusqu'à son but, cédant traîtreusement à
cette double traction, la ligne défaillante se cassa net en fouettant
l'espace.

– Qu'est-ce qui vient de se rompre en moi ? L'un de mes nerfs a
craqué !… tout à recommencer. Aux avirons ! souquez ! souquez !
Sautez-lui dessus !

En entendant la course fracassante du canot bondissant de lame
en lame, le cachalot fit demi-tour afin de lui présenter la masse de
son front, comme aux abois. Mais en exécutant ce mouvement, il
vint à apercevoir la noire carène du navire qui approchait ; et
voyant en lui, probablement, la source même de toutes ses souffrances et persécutions ; pensant aussi, peut-être, que c'était là un
ennemi plus noble et plus puissant, il se jeta tout soudain en plein
en direction de son étrave, ouvrant et fermant son effroyable
mâchoire dans une cataracte de féroce écume.

Achab vacillait, les mains aux yeux et sur le front.

– Je n'y vois plus ; je suis aveugle !… Passez devant moi, hommes !
que je puisse pourtant continuer ma route à tâtons. Est-ce qu'il fait
nuit ?

– Le cachalot ! Le navire ! crièrent les hommes effarés.

– Aux avirons ! Souquez ! souquez !… Jusqu'en tes profondeurs,
océan ! incline-toi, offre-moi une pente avant qu'il soit à jamais
trop tard, afin qu'Achab puisse glisser une dernière, toute dernière
fois jusqu'à son but ! Je comprends : le vaisseau ! le vaisseau ! Ah !
faites vite, hommes, faites vite ! ne voulez-vous pas sauver mon
navire ?

Mais tandis que les hommes, en faisant ployer les avirons, for-
çaient impétueusement le canot dans le martèlement des vagues, le
bordé de l'étrave, ébranlé tout à l'heure par le cachalot, céda en
deux points ; et presque instantanément l'embarcation, pour le
moment hors d'usage, se trouva noyée au niveau des vagues avec
son équipage pataugeant presque à mi-corps, qui s'efforçait à la
fois d'aveugler l'ouverture et d'écoper l'eau qui se précipitait dans
la coque.

Dans le même instant – l'instant d'un seul regard – le marteau
de Tashtégo à la pomme du grand mât resta suspendu au bout de
son bras pétrifié ; et la grande flamme rouge vint le draper à mi-
corps, sa longue pointe flottant et battant comme si elle sortait de
lui, comme si c'était son propre cœur qui battait dans l'espace.
Starbuck et Stubb, qui se tenaient sur le beaupré, avaient aperçu
la ruée du monstre au même moment.

– Le cachalot !… La barre dessus ! La barre dessus ! Et vous,
favorables puissances invisibles de l'air, serrez-moi bien ! Ne laissez pas Starbuck, s'il doit mourir, défaillir comme une femme.
Barre dessus, j'ai dit ! bande d'idiots, la mâchoire ! la mâchoire !…
Serait-ce donc la fin de toutes mes ardentes prières ? de toute la
fidélité de ma vie durant ? Oh ! Achab, Achab, voilà ton
ouvrage !… Redresse, timonier, à présent. Non ! non ! barre à bloc,
de nouveau ! Il a viré pour nous arriver dessus ! Ah ! son front
inapaisé se tourne contre celui à qui le devoir dicte et commande
de ne point partir. Mon Dieu, soyez à mes côtés maintenant !

– Pas à mes côtés, mais au-dessous de moi, qui que vous soyez, si vous voulez porter assistance à Stubb ; car Stubb aussi est dans l'histoire. Ah ! tu te fends la gueule, cachalot ! mais je me ris de toi !... Qui donc a jamais aidé Stubb, qui a tenu Stubb en éveil, sinon son œil qui ne cille pas ? Et maintenant le pauvre Stubb va aller se coucher sur un matelas qui n'est que trop moelleux... oh ! que n'est-il tapissé d'épines ! Tu te fends la gueule, cachalot ! mais je te rends ton sourire. Et vous là-haut, soleil, lune et étoiles ! je vous assure que vous assassinez le meilleur type qui ait jamais ici-bas, lâché avec son dernier souffle son fantôme. N'empêche que je trinquerais bien encore un coup avec vous, si vous me tendiez la coupe ! Ha ! ha ! ha ! ha ! Tu te fends la gueule, cachalot ! mais tu ne vas pas tarder à avoir de quoi la remplir ! Alors, tu ne fiches pas le camp ? Ô Achab ! Pour moi, je tire mes souliers et ma veste ; que Stubb meure en bras de chemise ! Une mort humide et trop salée, quoi qu'il en soit... Oh ! des cerises, des cerises ! une seule cerise rouge, dis, Flask, avant que nous mourions !

– Des cerises ? Je demanderais seulement que nous soyons là où elles croissent. Ah ! Stubb ! j'espère que ma pauvre mère a touché ma part de paye avant ce coup-ci, sinon il ne lui viendra guère de sous entre les mains ; la croisière se termine ici.

Sur les avants du navire, toute activité s'était arrêtée, et les hommes restaient là, marteaux, bouts de bois, harpons, lances encore entre les doigts comme ils les avaient quand ils étaient tombés en suspens, tous leurs regards fixés intensément, hypnotisés par le cachalot qui arrivait, balançant de droite et de gauche son front prédestiné, sa tête fatale qui faisait rouler devant elle un demi-cercle de furieuse écume dans son élan féroce. C'étaient le châtiment, la prompte vengeance et l'éternelle malice qui s'avançaient, et en dépit de tout ce que les mortels pouvaient faire, le solide bélier blanc de son front vint percuter le navire par le flanc de tribord. Hommes et choses furent jetés à bas. Il y en eut qui tombèrent en plein sur le visage ; et là-haut, à la pointe des mâts, les têtes des harponneurs sur leurs cous de taureaux furent ballottées comme poupées de son. Par la brèche, on entendait s'engouffrer les eaux avec le fracas d'un torrent dans une gorge de montagne.

– Le navire ! le corbillard ! s'exclama Achab en voyant la chose, le second corbillard, dont le bois ne pouvait être qu'américain !

Plongeant sous le vaisseau qui donnait de la bande en som-
brant, le cachalot passa d'un trait sous sa quille, puis opérant une
demi-conversion sous les eaux, il réapparut comme une flèche en
surface, assez loin sur bâbord, mais à quelques brasses seulement
du canot d'Achab, où il se tint, pour un moment, tout à fait
immobile.

– Je détourne mon corps du soleil. Mais quoi, Tashtégo! fais-
moi entendre ton marteau. Oh! vous, mes invincibles, mes trois
irréductibles hautes flèches; et toi, quille intacte, carène, seulement par Dieu défoncée; solide pont, fière et noble barre, aiguille
de la proue ainsi pointée au pôle... navire aux gloires de la mort!
Faut-il donc que tu périsses, et sans moi? Suis-je privé de ce dernier orgueil naïf du moindre des capitaines naufragés? Ah! solitaire mort sur une vie solitaire! Oui, maintenant je le sens, que ma
plus haute grandeur repose et tient dans ma plus haute douleur.
Ho! arrivez, de vos plus lointaines frontières déversez-vous sur
moi, maintenant, vagues ardentes et intrépides de mon existence
passée, et couronnez cette unique, cette énorme lame de fond de
ma mort! C'est vers toi que je roule, cachalot destructeur de tout
mais sans victoire; jusqu'au bout, je m'empoigne avec toi; du sein
de l'enfer, je te frappe; par la vertu de la haine, je crache sur toi
mon dernier souffle. Engloutis, fais sombrer dans un même abîme
cercueils et corbillards! Et puisque miens ils ne peuvent être, que
je sois démembré et mis en pièces alors que je te chasse, cachalot
maudit, et même lié à toi! *Voici*, je te donne mon fer!

Le harpon fut lancé; le cachalot frappé prit sa course en avant;
la ligne se dévida comme l'éclair, filant dans la rainure à l'avant,
où elle se coinça. Achab, alors, se pencha sur elle pour la mettre
claire, et il la mit claire... Mais le plet libre, en volant, lui passa
autour du cou et l'emporta sans un cri, aussi muettement que le
lacet de soie des muets bourreaux turcs, enlevé du canot avant
même que les hommes d'équipage eussent rien vu. L'instant
d'après, la pesante épissure à bosse de l'extrémité de la ligne vola
hors de la baille vide, frappant un des hommes au passage, et fila
dans les profondeurs après avoir fouetté la mer.

L'équipage, figé, ne bougea pas d'un moment. Quand enfin les
hommes se retournèrent :

– Le navire ! Grand Dieu, où est le navire ? se demandèrent-ils.

Mais ils ne tardèrent pas à découvrir son long et vague fantôme évanescent, comme dans les fumées de la fée Morgane, à travers les opacités transparentes de la mer agitée. Les mâts de flèche apparaissaient seuls au-dessus de la surface, et là, sur leurs perchoirs naguère aériens, soit par orgueil, soit par fidélité, ou peut-être cloués là par le destin, les trois païens harponneurs tenaient toujours leur poste de vigie sur la mer. Puis une énorme giration concentrique aspira la baleinière solitaire et son équipage, et tout ce qui flottait encore en surface, avirons, lances, chevilles, tout ce qui pouvait rester du *Péquod* jusqu'à la dernière molécule animée ou inanimée, tout s'enfonça et disparut à la vue en tournoyant dans ce vortex.

Mais comme le centre même du tourbillon refermait ses eaux tournoyantes sur la tête de l'Indien à la vigie du grand mât, ne laissant plus apparaître que quelques pouces de la flèche avec la longue écharpe rouge de la flamme qui ondulait encore, en un synchronisme dérisoire, au ras des flots anéantisseurs – un bras, alors, un bras rouge surgit encore de l'eau, brandissant son marteau et s'appliquant à clouer plus solidement encore l'étendard sur le mât qui s'engloutissait. Un céleste faucon de mer qui avait constamment accompagné le grand mât dans sa descente depuis son domicile naturel au sein des étoiles, donnant des coups de bec dans le drapeau et gênant Tashtégo, vint à ce moment-là se faire prendre l'aile, sa grande aile battante, entre le bois et le marteau ; et le sauvage au-dessous, avec le dernier sursaut de son agonie sentant ce dernier battement éthéré, maintint là son marteau. C'est ainsi que l'oiseau du ciel avec ses cris d'archange, son bec impérial levé vers les hauteurs, tout son grand corps captif dans les plis de la flamme, s'enfonça dans l'abîme avec le navire d'Achab qui, tel Satan, ne voulait pas sombrer dans les enfers sans avoir arraché une part vivante du ciel pour s'en coiffer en l'emportant dans sa chute.

Il n'y avait plus, maintenant, que de petits oiseaux voletant et criaillant sur le gouffre toujours béant. Une sinistre écume blanche, peu à peu, remonta les parois abruptes ; puis tout se referma d'un coup. Et le linceul immense de l'océan continua de rouler ses houles tout comme elles roulaient il y a cinq mille ans.

ÉPILOGUE

Et j'en échappai seul pour venir te le dire.
Job.

La tragédie est accomplie. Comment se fait-il que quelqu'un puisse alors, maintenant, s'avancer ? – C'est qu'il y eut quelqu'un pour survivre au naufrage.

Le destin voulut que je fusse désigné, après la disparition du parsi, au poste de première rame dans le canot d'Achab ; le bosseman de l'équipage prenant lui-même la place du disparu. Et je fus celui des trois hommes jetés par-dessus bord le dernier jour, qui fut abandonné par le canot bondissant. Je restai donc ainsi, à nager sur les marges de la scène qui suivit, et qui se déroula tout entière sous mes yeux. Lorsque je fus pris à mon tour, le dernier, et plus lentement, dans la succion du gouffre où s'était englouti le vaisseau, le maelström était devenu crémeux et blanc comme du lait. Cercle après cercle, et toujours descendant vers la grosse bulle noire qui en formait le centre, je tournais là, tel un nouvel Ixion. Jusqu'au moment où, finalement, je l'atteignis. Alors elle éclata d'un coup. Le cercueil-bouée, lancé soudain par son ressort et se jetant lui-même puissamment vers la surface à cause de sa grande légèreté, jaillit tout près de moi sur l'étendue de la mer. Pendant un jour encore et une nuit entière sur l'océan, je flottai, porté par ce cercueil, au bercement très lent du chant funèbre de la mer. Les squales inoffensifs glissaient tout près de moi, comme avec des mâchoires cadenassées ; les sauvages faucons de mer poursuivaient leur vol comme avec leur bec au fourreau. Et le deuxième jour une voile apparut, s'approcha, et pour finir me recueillit. C'était la toujours errante *Rachel*, toujours en quête de ses enfants perdus, et qui trouvait seulement un autre orphelin.

TABLE

Herman Melville ou l'art transversal, par Armel Guerne   9
Étymologie   23
Citations et extraits   25

I	Miroitements	41
II	Le fourre-tout	49
II	La taverne Au Souffle	54
IV	Le couvre-lit	72
V	Le breakfast	77
VI	Les rues	80
VII	La chapelle	83
VIII	La chaire	88
IX	Le sermon	91
X	Un intime ami	103
XI	Toilette de nuit	108
XII	Biographique	111
XIII	Brouettage	114
XIV	Nantucket	120
XV	Soupe de poissons	123
XVI	Le navire	127
XVII	Le Ramadan	144
XVIII	Sa marque	152
XIX	Le prophète	157
XX	Grand remue-ménage	161
XXI	On rallie le bord	165

XXII	Joyeux Noël !	169
XXIII	La terre au vent	165
XXIV	La parole est à la défense	177
XXV	Post-scriptum	183
XXVI	Les chevaliers et leurs écuyers	185
XXVII	Chevaliers et écuyers	190
XXVIII	Achab	196
XXIX	En scène : Achab, entre Stubb	201
XXX	La pipe	205
XXXI	La reine Mab	207
XXXII	Cétologie	210
XXXIII	Le specksynder	228
XXXIV	Le carré et sa table	232
XXXV	La vigie	239
XXXVI	Le gaillard d'arrière	248
XXXVII	Soleil couchant	258
XXXVIII	Crépuscule	260
XXXIX	Premier quart de nuit	262
XL	Gaillard d'avant, minuit	264
XLI	Moby Dick	270
XLII	La blancheur du cachalot	282
XLIII	Écoutez !	293
XLIV	Les cartes	295
XLV	Affidavit	302
XLVI	Conjectures	313
XLVII	Les nattiers	317
XLVIII	La première mise à la mer	321
XLIX	La hyène	334
L	Le canot d'Achab et son équipe ; Fédallah	337
LI	Le souffle spectral	341
LII	L'albatros	346
LIII	Le « Gam »	349
LIV	L'histoire du *Town-Ho*	355
LV	Des peintures monstrueuses de cétacés	380
LVI	Des portraits de cétacés les moins erronés et des représentations véridiques de scènes de pêche	387

TABLE

LVII	Cétacés en couleurs, en ivoire, en bois, en fer-blanc, en pierre, en montagnes, en astres	392
LVIII	Plancton	396
LIX	Calmar	400
LX	La ligne	404
LXI	Stubb tue un cachalot	409
LXII	Le dard	416
LXIII	La fourche	418
LXIV	Le souper de Stubb	420
LXV	Cétacé et gastronomie	429
LXVI	Le massacre des requins	433
LXVII	Dépeçage	436
LXVIII	La couverture	439
LXIX	Funérailles	444
LXX	Le sphinx	446
LXXI	L'histoire du *Jéroboam*	449
LXXII	La laisse à singe	457
LXXIII	Stubb et Flask tuent une baleine franche et ont une conversation sur elle	463
LXXIV	La tête du cachalot; vue contrastée	470
LXXV	La tête de la baleine franche; vue contrastée	476
LXXVI	Le bélier	480
LXXVII	La grande cuve de Heidelberg	483
LXXVII	La citerne et ses seaux	486
LXXIX	La prairie	492
LXXX	La noix	496
LXXXI	Le *Péquod* rencontre la *Vierge*	500
LXXXII	Honneur et gloire de la grande pêche	514
LXXXIII	Jonas considéré historiquement	518
LXXXIV	La javeline de harcèlement	522
LXXXV	Fontaines	526
LXXXVI	La queue	534
LXXXVII	La grande armada	540
LXXXVIII	Bandes et chefs de bandes ou écoles et maîtres d'école	556
LXXXIX	Poisson-tenu et poisson-perdu	561
XC	Têtes ou queues	566

XCI	Le *Péquod* rencontre le *Bouton de Rose*	570
XCII	Ambre gris	578
XCIII	L'abandonné	582
XCIV	Le serrement des mains	588
XCV	La soutane	593
XCVI	Le fondoir	595
XCVII	Lampes	602
XCVIII	Mise en cale et mise au net	603
XCIX	Le doublon	607
C	Bras et jambe; le *Péquod* de Nantucket rencontre le *Samuel Enderby* de Londres	605
CI	La cave à liqueurs	624
CII	Un temple de verdure sur la terre des Arsacides	631
CIII	Dimensions et mesures du squelette de cachalot	637
CIV	La baleine fossile	641
CV	Le cétacé dégénère-t-il? Est-il en voie de disparition?	646
CVI	La jambe d'Achab	652
CVII	Le charpentier	656
CVIII	Achab et le charpentier	660
CIX	Achab et Starbuck au carré	666
CX	Quiequeg dans son cercueil	670
CXI	Le Pacifique	677
CXII	Le forgeron	679
CXIII	La forge	683
CXIV	Feuilles d'or	688
CXV	Le *Péquod* croise le *Bachelor*	691
CXVI	L'agonie du cachalot	694
CXVII	La veillée du cachalot	696
CXVIII	Le sextant	698
CXIX	Les cierges flamboyants	702
CXX	Le premier quart de nuit sur le pont peu avant le changement de bordée	711
CXXI	Minuit, sur l'extrême avant	712
CXXII	Minuit, dans la mâture, tonnerre et éclairs	715
CXXIII	Le mousquet	716
CXXIV	L'aiguille	721

TABLE

CXXV	Le loch et la ligne	725
CXXVI	La bouée de sauvetage	729
CXXVII	Sur le pont	734
CXXVIII	Le *Péquod* rencontre la *Rachel*	737
CXXIX	La cabine	742
CXXX	Le chapeau	745
CXXXI	Le *Péquod* croise le *Délice*	751
CXXXII	Symphonie	753
CXXXIII	La chasse : premier jour	759
CXXXIV	La chasse : deuxième jour	771
CXXXV	La chasse : troisième jour	782
	Épilogue	797

L'ŒUVRE D'HERMAN MELVILLE
TRADUITE EN FRANÇAIS

A BORD
Traduction de Guy Chain,
Bordeaux, Finitude, 2004.

BARTLEBY
Traduction de Michèle Causse,
Paris, Le Nouveau Commerce, 1976; Flammarion, 1989, «GF».

Traduction de Bernard Hoepffner,
Mille et une nuits, 1994, «La petite collection».

Traduction de Pierre Leyris,
Gallimard, 1996, «Folio»; 2003, «Folio bilingue».

Traduction de Jean-Yves Lacroix,
Paris, Allia, 2003, «La petite collection».

Traduction de Jérôme Vidal,
Paris, Éditions Amsterdam, 2004.

BENITO CERENO
Traduction de Pierre Leyris,
Plon, 1937; Gallimard, 1951; 1994, «Folio bilingue».

Traduction de Jean-Pierre Naugrette,
Flammarion, 1991, «GF».

Traduction de Simone Chambon,
Librairie générale française, 1992, «Le livre de poche».

BILLY BUD, MARIN
Traduction de Pierre Leyris, sous le titre *Billy Bud, gabier de misaine*,
Gallimard, 1937 ; 1980, « Du monde entier » ; 1987, « L'imaginaire ».

Traduction de Jérôme Vidal,
Éditions Amsterdam, 2004.

CARNETS DE VOYAGE (1856-1857)
Traduction de Philippe Jaworski,
Mercure de France, 1993, « Bibliothèque américaine ».

COCORICO !
Traduction de Pierre Leyris,
Gallimard, 1954 (épuisé).

Traduction de Malika B. Durif,
Chambéry, Comp'act, 1998, « Morari ».

LES CONTES DE LA VÉRANDA
Traduction de Pierre Leyris,
Gallimard, 1951 ; 1977, « L'imaginaire ».

Traduction de Jean-Pierre Naugrette, sous le titre *La Véranda*,
Flammarion, 1991, « GF ».

D'OU VIENS-TU, HAWTHORNE ?
Traduction de Pierre Leyris,
Gallimard, 1986, « Du monde entier ».

LE GRAND ESCROC
Traduction de Henri Thomas,
Éditions de Minuit, 1950 ; Le Seuil, 1984, « Points ».

LES ILES ENCHANTÉES
Traduction de Catherine Goffaux et Bernard Hoepffner,
Mille et une nuits, 1997, « La petite collection ».

ISRAEL POTTER
Traduction de Francis Ledoux,
Gallimard, 1956.

Traduction de Philippe Jaworski,
Paris, Aubier, 1991, « Domaine anglais ».

JOHN MARR
Traduction de Anne Lecroart et Marcelle Fonfrède,
Le Nouveau Commerce, 1991.

Traduction d'Armand Farrachi,
Thonon-les-Bains, Alidades, 1998.

JOURNAL DE VOYAGE, DE NEW YORK A LONDRES, 1849
Traduction d'Anne Wicke,
Paris, Michel Houdiard, 2002.

JOURNAUX DE VOYAGE
Traduction de Francis Ledoux,
Gallimard, 1956 (épuisé).

MARDI
Traduction d'Armel Guerne et Charles Cestre,
Paris, Robert Marin, 1950 ; Paris, Lebovici-Ivréa, 1984 ; Flammarion, 1990, « GF ».

Traduction de Rose Celli,
Gallimard, 1968 ; 1983, « Folio » ; 1997, « La Pléiade ».

MOBY DICK
Traduction de Jean Giono, Lucien Jacques et Joan Smith,
Gallimard, 1941 ; 1996, « Folio ».

Traduction d'Armel Guerne,
Paris, Le Sagittaire, 1954 ; Paris, Le Club français du livre, 1964 (épuisées).

Traduction de Pierre Leyris,
Gallimard, 1980, « Folio » ; 1996, « Folio classique ».

Traduction de Henriette Guex-Rolle,
Flammarion, 2000, « GF ».

MOI ET MA CHEMINÉE
Traduction d'Armel Guerne,
Paris, Falaize, 1951 ; Le Seuil, 1984 ; Paris, L'Ampoule, 2003.

OMOO, RÉCIT DES MERS DU SUD
Traduction de Jacqueline Foulque,
sous le titre *Omoo ou le vagabond du Pacifique*,
Gallimard, 1951.

Traduction de Olivier Carvin,
Flammarion, 1990, « GF ».

Traduction de Philippe Jaworski,
Gallimard, 1997, « La Pléiade ».

LE PARADIS DES CÉLIBATAIRES
Traduction de Jean-Yves Lacroix,
Paris, Noël Blandin, 1992, « Sillages » ; U. G. E., 2002, « 10/18 ».

Traduction de Jean Demerliac, suivie de *La Table en pommier*,
Pantin, Le Castor Astral, 1997, « L'iutile ».

PIERRE OU LES AMBIGUITÉS
Traduction de Pierre Leyris,
Gallimard, 1939 ; 1967, « Du monde entier » ; 1989 ; 1999, « Folio ».

POÈMES DE GUERRE
Traduction de Pierre Leyris,
Gallimard, 1981, « Du monde entier » ; 1991, « Poésie ».

POÈMES DIVERS, 1876-1891
Traduction de Pierre Leyris,
Gallimard, 1991, « Du monde entier ».

LES PROPHÈTES DES TEMPS NOUVEAUX
Traduction de Pierre Leyris,
Paris, Lucien Mazenod, 1963 (épuisé).

REDBURN OU SA PREMIÈRE CROISIÈRE
Traduction d'Armel Guerne,
Robert Marin, 1950 ; Gallimard, 1976,
« Du monde entier » ; 1980, « Folio ».

TAIPI
Traduction de Théo Varlet, sous le titre
Un Eden cannibale, récit des îles Marquises,
Gallimard, 1926, « Les documents bleus » (épuisé).

Traduction de Théo Varlet et Francis Ledoux,
Gallimard, 1952 ; 1984, « Folio » ; 1997, « La Pléiade ».

Traduction de Gilles Dupreux,
in Collectif, *Polynésie*, Omnibus, 2003.

TRENTE-TROIS POÈMES
Traduction d'Alain Bosquet,
Paris, Le Cherche-Midi, 1997, « Points fixes poésie ».

TROIS NOUVELLES DOUBLES
Traduction de Catherine Goffaux et Bernard Hoepffner,
Grenoble, Cent Pages, 1996.

WHITE JACKET, OU LA VIE A BORD D'UN NAVIRE DE GUERRE
Traduction d'Armel Guerne et Charles Cestre,
Robert Marin, 1951 ; Julliard, 1992, « Parages ».

Traduction de Jacqueline Villaret, sous le titre *La Vareuse blanche*,
Gallimard, 1967, « Les classiques anglais » ; 1994, « L'étrangère » ; 2004, « La Pléiade ».

ÉDITION COLLECTIVE

ŒUVRES
Édition dirigée par Philippe Jaworski,
Gallimard, 1997-2004, « La Pléiade » :

Tome I
Taïpi, traduction de Théo Varlet et Francis Ledoux ;
Omou, traduction de Ph. Jaworki ;
Mardi, traduction de Rose Celli.

Tome II
Redburn, traduction de Ph. Jaworski ;
Vareuse-Blanche, traduction de Jacqueline Villaret ;
Articles, traduction de Ph. Jaworski.

L'ŒUVRE D'ARMEL GUERNE
AUX ÉDITIONS PHÉBUS

Le Jardin colérique, poèmes, 1977.
Rhapsodie des fins dernières, poèmes, 1977.
L'Ame insurgée. Écrits sur le Romantisme, Phébus, 1977.

TRADUCTIONS

Collectif
Les Romantiques allemands, 2004,
collection « Libretto ».

Heinrich von Kleist
La Marquise d'O... et autres nouvelles, 1976 ;
rééd. 1999, collection « Libretto ».

Michaël Kohlhaas et autres nouvelles, 1983,

Robert Louis Stevenson
Dr Jekyll et Mr. Hyde,
roman, 1994

L'ŒUVRE D'ARMEL GUERNE
CHEZ D'AUTRES ÉDITEURS

POÈMES ET PROSES

Oraux, Paris, Éditions du Grenier, 1934.
Le Livre des quatre éléments, P., G.L.M., 1938; Lectoure, Le Capucin, 2001.
Mythologie de l'Homme, P., La Jeune Parque, 1945; Neuchâtel, La Baconnière, 1946.
La Cathédrale des douleurs, P., La Jeune Parque, 1945.
Danse des morts, P., La Jeune Parque, 1946.
« L'Autre saison » in Arthur Rimbaud. *Lettre du voyant...* P., Presses du livre français, 1950, coll. « Le Soleil noir ».
La Nuit veille, Paris-Bruges, Desclée de Brouwer, 1954.
Le Temps des signes, P., Plon, 1957; P., Granit, 1977, coll. « De la clef ».
Testament de la perdition, P.-B., Desclée de Brouwer, 1961, coll. « Les Carnets ».
Gérard de Nerval, *Œuvres choisies*, P., Club français du livre, 1966.
Les Jours de l'Apocalypse, Saint-Léger-Vauban, Éditions du Zodiaque, 1967, coll. « Les points cardinaux ».
Temps coupable, Issirac, Solaire, 1978.
A contre-monde, Toulouse, Privat, 1979.
Au bout du temps (avec huit dessins originaux de Denise Esteban et une préface par René Daillie), Saint-Julien-de-Peyrols-Lyon, Solaire/Fédérop, 1981, coll. « Vérité intérieure ».
Le Poids vivant de la parole, I.-L., Solaire/Fédérop, coll. « Vérité intérieure », 1983.
Fragments, Lyon, Solaire/Fédérop, coll. « Vérité intérieure », 1985.
Les Veilles du prochain livre, L., Le Capucin, 2000.
Journal 1941-1942, L., Le Capucin, 2000.
Lettres de Guerne à Cioran, 1955-1978, L., Le Capucin, 2001.

TRADUCTIONS

ANONYME, *Le Retour de l'âme prodigue*, P., Éditions des cahiers du Sud, 1952, coll. « Documents spirituels ».
–, *Le Nuage d'Inconnaissance* (par mystique anglais du XIVᵉ siècle) P., Éditions des Cahiers du Sud, 1953, coll. « Documents spirituels »; P., Club du Livre religieux, 1957; P., Le Seuil, 1977, coll. « Points/Sagesses ».

–, *Vierges romanes. L'Hymne acasthique et hymnes latines*, Saint-Léger-Vauban, Abbaye de La-Pierre-Qui-Vire, 1961.

–, *Le Chant sacré des Heures. Les hymnes du bréviaire monastique* (en appendice de Æmiliana Löhr, *Il y eut un soir…*), Paris-Fribourg, Éditions Saint-Paul, 1966.

–, *Le Livre des Mille et Une Nuits*, P., Club français du livre, 1966, 6 vol.

–, *Des pierres, un chant : L'«Hymne acathiste» et les pierres de Fontgombault*, Poitiers, P. Oudin, 1991.

EDUARD BAAS, *Le Cirque Humberto*, P., Albin Michel, 1952 ; P., Ambassade du Livre, 1964.

ALBERT BETTEX, *L'Invention du monde*, P. Robert Delpire, 1960.

MARTIN BUBER, *Récits hassidiques*, Monaco, Éditions du Rocher, 1963 ; P., Le Seuil, 1996, coll. « Points Sagesses ».

ELIAS CANETTI, *Le Territoire de l'homme : réflexions, 1942-1972*, P., Albin Michel, 1978 ; P., Librairie générale française, 1998, coll. « Le Livre de poche ».

SIR WISTON CHURCHILL, *Histoire des peuples de langue anglaise*, P., Plon, 1956-1959, 4 vol.

COLLECTIF, *Emaki, l'art des rouleaux peints du Xe au XIVe siècle de notre ère*, P., Robert Delpire, 1959.

–, *Konjaku, 34 récits fantastiques du XIe siècle*, P., Robert Delpire, 1959, coll. « La Fable du monde ».

KARLHEINZ DESCHNER, *La Nuit autour de ma maison*, P., Albin Michel, 1963.

–, *Florence sans soleil*, P., Albin Michel, 1967.

FRIEDRICH DÜRENMATT, *La Panne, une histoire encore possible*, P., Albin Michel, 1958 ; Le Livre de poche, 1986.

–, *La Promesse, requiem pour le roman policier*, P., Albin Michel, 1959 ; 2001.

–, *Le Juge et son bourreau*, P., Albin Michel, 1961 ; Le Livre de poche, 1996.

–, *Le Soupçon*, P., Albin Michel, 1961.

–, *Romans* (édition collective), P., Albin Michel, 1980 ; 1996.

JACOB ET WILHELM GRIMM, *Les Contes*, P., Flammarion, coll. « L'âge d'or », 1967.

THEODOR HAECKER, *Métaphysique du sentiment*, P., Desclée, de Brouwer, 1953.

FRIEDRICH HEER, *Réalités et vérité*, Desclée de Brouwer, 1957, coll. « Présence chrétienne ».

FRIEDRICH HÖLDERLIN, *Hymnes, élégies et autres poèmes*, P., Mercure de France, 1950.

WASSILI KANDINSKI, *Interférences*, P., Robert Delpire, 1960.

YASUNARI KAWABATA, *Nuée d'oiseaux blancs* (en collaboration avec Bunkichi Fujimori), P., Plon 1960 ; P., U.G.E., 1993, coll. « 10/18 ».

–, *Pays de neige* (idem), P., Albin Michel, 1960.

PAUL KLEE, « Poèmes » in *Aquarelles et dessins*, P., Galerie Berggruen, 1959.

LAO TSEU, *Tao Tê Kin*, P., Club français du livre, 1963.

HERMAN MELVILLE, *Mardi* (en collaboration avec Charles Cestre), P., Robert Marin, 1950; Lebovicie-Ivréa, 1984. Flammarion, 1990, «GF».
–, *Moi et ma cheminée*, P., Falaize, 1951; P., L'Ampoule, 2003.
–, *Moby Dick* (édition illustrée par William Klein), P., Le Sagittaire, 1954; Le Club français du livre, 1964.
–, *Redburn ou sa première croisière* (avec une préface de Pierre Mac Orlan), P., Robert Marin, 1950; P. Gallimard, «Du monde entier», 1976; coll. «Folio», 1980.
–, *White Jacket* (en collaboration avec Charles Cestre), P., Robert Marin, 1951; P., Julliard, 1992.

HENRI NOUVEAU, *Pensées et aphorismes*. P., La Revue musicale-R. Masse, 1970, coll. «Hommes choisis».

NOVALIS, *Les Disciples à Saïs* (frontispice d'André Masson), P., G.L.M., 1939.
–, «Europe ou la chrétienté» in *Les Cahiers du Sud*, «Le Romantisme allemand», 1949.
–, *Hymnes à la nuit*, P., Éditions Falaize, 1950.
–, *Fragments*, P., Aubier-Montaigne, 1973.
–, *Œuvres complètes*, P. Gallimard, 1975, 2 vol.

PARACELSE, *Les Prophéties*, P., Éditions du Rocher, 1985.

ROLAND PENROSE et EDWARD QUINN, *Picasso à l'œuvre*, Zurich, Manesse, 1965.

JOSEF PIEPER, *Je crois en Dieu, un catéchisme pour adultes*, P., Desclée de Brouwer, 1954, coll. «Présence chrétienne».

RAINER MARIA RILKE, *Lettres à une musicienne*, P., Falaize, 1952.
–, *Les Élégies de Duino* (dessins de Picasso), Lausanne, Mermod, coll. «Du Bouquet», 1958.

EMILE SCHULTHESS, *USA*, P., Robert Delpire, 1955.
–, *Afrique*, P., Robert Delpire, 1958-1959, 2 vol.

WILLIAM SHAKESPEARE, *Poèmes et Sonnets*, P., Desclée de Brouwer, 1964, coll. «Bibliothèque européenne»; Lausanne-Paris, Rencontre, 1969.

ROBERT-LOUIS STEVENSON, *Dr. Jekyll & Mr. Hyde*, suivi de *Olalla, Le voleur de cadavres, Janet la Déjetée*, P., Le Cercle du Bibliophile, 1969.

TS'AO SIUE-KIN, *Le Rêve dans le pavillon rouge*, P., Guy Le Prat, 1957-1964, 2 vol.

CHÖGYAM TRUNGPA, *Méditation et action, causeries au centre tibétain de Samyê-Ling*, P., Fayard, 1972, coll. «Documents spirituels».

WOLS, *En personne*, P., Robert Delpire, 1963.

VIRGINIA WOOLF, *Croisière*, P., Éditions Robert Marin, 1952.

Cet ouvrage
a été mis en pages par In Folio,
reproduit et achevé d'imprimer
en janvier 2010
dans les ateliers de Normandie Roto Impressions s.a.s..
61250 Lonrai
N° d'imprimeur : 10-0146

Imprimé en France

Dépôt légal : avril 2007
I.S.B.N. : 978-2-75-290266-5